Théâtre complet de Georges Feydeau

Georges Feydeau vers 1905.
Archives Alain Feydeau.

Georges Feydeau

Théâtre complet
III

Texte établi
avec introduction,
chronologie, bibliographie,
notices et notes
par
Henry Gidel

Éditions Garnier

ISBN 2-04-017408-7

AVERTISSEMENT AU LECTEUR

La présente édition est née d'une urgence : il était devenu impossible de se procurer les pièces de celui que Marcel Achard appelait à juste titre notre plus grand auteur comique après Molière. Il était plus facile de lire Feydeau en anglais, par exemple, que dans notre propre langue...

Mais nous ne pouvions nous borner à reproduire purement et simplement le texte des neuf tomes du *Théâtre complet* – aujourd'hui épuisé – que les éditions du Bélier avaient fait paraître de 1948 à 1956 : nous avons dû rectifier les erreurs qu'il comportait. Nous avons fait précéder chaque pièce d'une *Notice* qui la replace dans la carrière dramatique de l'auteur et dans la vie théâtrale de l'époque. Nous y évoquons l'accueil réservé à l'œuvre lors de sa création et, par la suite, jusqu'à nos jours. Des résumés permettent au lecteur de se retrouver dans le dédale d'intrigues parfois complexes et de se remémorer les sujets de chacune des pièces. Cette édition respecte l'ordre chronologique : le tome premier contient les pièces de jeunesse comme *Tailleur pour Dames* ou *Chat en poche* et nous mène jusqu'aux premiers triomphes de 1892 – dont *Monsieur chasse.* Le tome II contient les œuvres créées depuis cette date jusqu'au début du XXe siècle et notamment les grands vaudevilles comme

Un Fil à la patte, L'Hôtel du Libre-Échange, Le Dindon, ou *La Dame de chez Maxim.* On trouve dans le tome III les derniers vaudevilles célèbres, notamment *La Main passe* et *La Puce à l'oreille.* Le tome IV contient, entre autres, les cinq farces conjugales créées à partir de 1908, comme *Feu la Mère de Madame.* C'est un nouveau Feydeau qu'elles nous font connaître.

Notre *Théâtre de Feydeau* n'eût pas mérité l'appellation de *complet* si nous n'y avions adjoint le texte des vingt-deux monologues comiques que l'auteur publia dans sa jeunesse, surtout, et qui sont depuis longtemps introuvables. Certains d'entre eux sont loin de ne posséder qu'une valeur documentaire. Nous les avons recueillis dans le tome IV de notre édition à la suite des dernières pièces de Feydeau.

Enfin, grâce à l'obligeance de M. Alain Feydeau, le petit-fils de l'auteur, qui ne saurait être trop remercié ici, nous avons pu livrer au lecteur, dans ce même tome IV, le texte d'un certain nombre d'inédits qui présentent un vif intérêt : trois comédies, un drame, une saynète et un monologue-opérette [1].

***

Les mentions n° 1, n° 2, n° 3, etc., ou 1, 2, 3, que l'on rencontre après les noms de certains personnages indiquent les places que l'auteur leur assigne par rapport au devant de la scène : plus le chiffre est faible, plus elles en sont proches et inversement. Elles apparaissent sous des formes assez diverses, mais nous n'avons pas cru devoir en unifier la présentation.

1. Bien qu'elle ne ressortisse pas au genre théâtral, nous publions aussi une nouvelle, *La Mi-carême,* qui a le mérite de nous révéler un aspect peu connu du talent et de la personnalité de l'auteur.

LA MAIN PASSE !

PIÈCE EN QUATRE ACTES
REPRÉSENTÉE POUR LA PREMIÈRE FOIS A PARIS, LE Ier MARS 1904,
SUR LA SCÈNE DU THÉÂTRE DES NOUVEAUTÉS

NOTICE

En 1902, *Le Billet de Joséphine,* une opérette à la création de laquelle Feydeau avait eu l'imprudence de collaborer, avait échoué. A la fin de la même année, *La Duchesse des Folies-Bergère,* suite de *La Dame de chez Maxim,* bien accueillie par la critique et le public, était loin, cependant, d'obtenir le même succès : cela n'avait guère contribué à améliorer la situation financière de l'auteur qui, d'ailleurs, persistait à spéculer en bourse et à hanter les maisons de jeu. Il avait été contraint pour la seconde fois [1], de procéder à une vente d'œuvres d'art qui, le 4 février 1903, allait amputer sa galerie de 75 tableaux, aquarelles, pastels et dessins de Boudin, Corot, Monet, Pissaro, Sisley, Van Gogh, etc. Il avait absolument besoin d'un succès théâtral qui le renflouât d'une façon décisive, d'autant que sa famille s'était récemment accrue d'un quatrième enfant, Jean-Pierre, né en septembre 1903. Aussi travaille-t-il à une nouvelle œuvre, *La Main passe,* qui sera créée aux Nouveautés le 1er mars 1904. La pièce obtient un succès nettement plus important que *La Duchesse des Folies-Bergère :* elle est jouée 211 fois pendant l'année de sa création.

La critique est très bonne : on approuve Feydeau d'avoir, cette fois-ci, mêlé à son vaudeville des scènes de comédie : « Voici écrit Stoullig, du tout nouveau Feydeau, un Feydeau méconnu que nous soupçonnions à peine sous sa réputation de vaudevilliste avéré. N'allez pas croire, surtout, qu'il soit le moins du monde inférieur à l'ancien, bien au contraire (...). De la vraie, sérieuse et fine comédie, s'il vous plaît, et pas le plus petit quiproquo [2], voilà qui est rare et fort beau [3] ! » De

1. Une première vente avait eu lieu le 11 février 1901.
2. Du moins dans les parties où le vaudeville devient comédie.
3. *Annales du Théâtre et de la Musique,* 1904, pp. 329-330.

même, dans *Le Théâtre,* Félix Duquesnel apprécie, outre « un acte de gaieté folle, le second, un acte de fine comédie – la quatrième – dont la psychologie est tout à fait charmante, son comique voisinant avec une émotion à fleur de peau ». Comme Stoullig, il semble inciter Feydeau à quitter le vaudeville pour la comédie littéraire, en écrivant à propos de ce quatrième acte : « Le vaudevilliste, si débridé d'ordinaire, s'y révèle auteur dramatique d'une valeur plus élevée qu'on ne pouvait le supposer [1]. » De même, encore, René Maizeroy loue l'auteur d'avoir « mêlé des scènes d'exquise comédie à des situations de vaudeville [2] ».

Cela dit, la critique apprécie également les qualités qu'elle a coutume de rencontrer chez Feydeau : innombrables situations comiques, péripéties inattendues, mots plaisants, comme celui de Francine qui, du fond du lit adultère où son mari l'a surprise, lance de toute son effronterie, le célèbre « Qu'est-ce que tu vas encore imaginer ? » Mais ce qui soulève particulièrement l'enthousiasme du public, c'est l'irruption du pochard Hubertin chez Massenay et le long soliloque qui la précède, lorsque, d'une main maladroite, il essaie de trouver l'orifice de la serrure. D'autant plus que le rôle était remarquablement interprété par Torin [3] dont Maizeroy évoque ainsi l'apparition : « Cette large face ahurie, épanouie, rubiconde où clignotent des yeux troubles, où des mèches décollées s'emmêlent sous le front barré de rides de migraine, cette cravate blanche chiffonnée qui pend de même qu'une loque sur le plastron pisseux, ce huit-reflets en accordéon, ces hésitations, ces ahurissements, ces glissades de guingois, ces haltes titubantes entre les meubles et le lit qui vous suggèrent la pensée d'une gabarre dont la cargaison est trop lourde et qui louvoie péniblement parmi les écueils ignorés [4]. » D'autre part Germain, auquel Feydeau faisait entière confiance depuis *Champignol malgré lui* (1892), s'était vu confier le rôle de Chanal qu'il interprétait avec un

1. *Le Théâtre,* n° 126, mars 1904.
2. *Le Théâtre,* n° 127, avril 1904.
3. Joseph-Victor Schiffer dit Torin (1859-1907), après s'être produit au Théâtre Déjazet, au Gymnase et au Vaudeville, s'était fait surtout connaître aux Nouveautés : il avait interprété le rôle du duc de Valmonté dans *La Dame de chez Maxim* (1899) et celui de Chauvel dans *La Duchesse des Folies-Bergère* (1902). Il mourra en 1907, pendant le triomphe de *La Puce à l'oreille* où il jouait Camille.
4. Voir note 2, op. cit.

parfait naturel, tout en usant des ahurissements qui faisaient une bonne part de son succès.

Les critiques de 1904 ne se trompaient pas lorsqu'ils croyaient discerner dans la nouvelle pièce une part de comédie d'observation nettement plus importante que dans les précédentes ; disons plutôt que cette matière psychologique y était répartie d'une façon nouvelle. Ordinairement, Feydeau, dès l'exposition, dessinait brièvement ses personnages et les douait d'emblée d'une sorte d'existence concrète ; puis il les jetait dans les mésaventures les plus folles, ne se souciant plus d'enrichir les portraits qu'il en avait initialement tracés. Ici, au contraire, tout en procédant comme d'habitude lors de l'exposition, il était, au quatrième acte, revenu sur ses personnages, pour en enrichir la peinture. Sans quitter vraiment le vaudeville, l'auteur s'orientait donc vers la comédie et donnait même une sorte de morale à sa pièce. Il s'attardait, non sans quelque mélancolie désabusée, sur la déception de cette épouse qui se rend compte, une fois remariée à son amant, qu'il ne vaut pas son mari.

Or cette hésitation entre deux genres, entre deux tons, semble avoir fait perdre quelque peu de sa force à la pièce, en nuisant à son unité. C'est ce qui explique les réserves de quelques critiques de l'époque, même quand, par ailleurs, ils apprécient la pièce. « Je n'ose point affirmer que *La Main passe* soit la meilleure pièce de M. Georges Feydeau », écrit A. F. Hérold [1]. Et Duquesnel, qui aime le quatrième acte, reconnaît qu'il fait « moins d'effet » et craint que l'auteur ne le coupe [2]. L'existence même d'un quatrième acte surnuméraire, au lieu des trois habituels, ne tendrait-il pas à prouver, d'ailleurs, qu'il est inutile ?

La pièce, en tout cas, comporte d'ingénieuses trouvailles qui compensent ces faiblesses. Ainsi l'auteur se montre fort habile à exploiter les inventions modernes et les applications pratiques de la science. On se rappelle tout le parti que Feydeau avait tiré du fameux « fauteuil extatique » dans *La Dame de chez Maxim.* Ici, c'est un phonographe enregistreur – et aussi reproducteur – ancêtre de nos magnétophones, qui, trahissant Francine, va révéler à son mari l'infidélité dont elle s'est rendue coupable. Mais comme le son est assez mal reproduit – nous ne sommes qu'en 1904 – pour permettre un quiproquo

1. *Mercure de France,* avril 1904, p. 24.
2. Cf. supra, op. cit.

sur l'identité de l'amant, le mari va se lancer sur une fausse piste. Par ce genre de procédé, l'auteur renouvelle la dramaturgie traditionnelle du vaudeville et l'articule sur la réalité contemporaine, ce que ses confrères ne savaient pas faire.

Dans un tout autre domaine, citons aussi une de ces inventions drôlatiques qui fourmillent dans le théâtre de Feydeau : l'auteur a imaginé ici l'étrange personnage du maçon Lapige qui s'exprime normalement en temps ordinaire mais aboie comme un chien dès que quelque émotion s'empare de lui. On devine quelle atmosphère ubuesque peut créer ce Lapige lorsqu'en présence de nombreux témoins qui attendent ses révélations, il est interrogé par le commissaire de police...

La pièce était assez intéressante pour susciter un certain nombre de reprises. On peut en signaler une en 1933 aux Nouveautés, puis une autre en 1941 au Théâtre des Mathurins, par le Rideau de Paris, avec une mise en scène de Marcel Herrand, des décors et des costumes de Cocteau, et une musique de Georges Auric. Notons aussi celles de 1954 au Théâtre Antoine (mise en scène de Jean Meyer) et de 1971 au Théâtre Marigny (mise en scène de Pierre Mondy).

Cette œuvre a été publiée pour la première fois en 1906 par la Librairie Théâtrale, puis recueillie en 1950 dans le tome III du *Théâtre complet* (Éditions du Bélier).

RÉSUMÉ DE LA PIÈCE

Acte I. – Un salon chez les Chanal. Chanal enregistre à l'aide d'un phonographe le discours qu'il a préparé en l'honneur du mariage de sa sœur. Arrive Francine – madame Chanal – qui interrompt la séance, puis Hubertin, un camarade de cercle du maître de maison. Il pense avoir déjà aperçu madame Chanal dans l'escalier de son immeuble, 21, rue du Colisée. Paraît alors le député Coustouillu. Il se montre ici d'une incroyable timidité alors qu'à la Chambre son éloquence est redoutable.

On annonce alors un certain Massenay venu louer un entresol que Chanal possède dans le même immeuble. Une fois l'affaire conclue, Chanal reconnaît en son visiteur un ancien condisciple du Lycée Saint-Louis. Un impair commis par ce dernier apprend à son camarade que la timidité maladive de Coustouillu s'explique par la passion qu'il nourrit pour Francine.

A peine Chanal s'est-il éloigné pour préparer les baux, son épouse se précipite dans les bras de Massenay et le félicite d'avoir voulu habiter auprès d'elle plutôt que de la recevoir dans son appartement de la rue du Colisée. Pourtant Massenay lui donne rendez-vous le soir même chez lui, puisqu'il ne dispose pas encore de l'entresol.

Malheureusement, Francine, à la suite d'un faux mouvement, a, sans s'en rendre compte, mis le phonographe en marche. L'appareil a ainsi enregistré la conversation des deux amants. Lorsque Chanal veut réentendre le discours qu'il a préparé, il apprend la trahison de sa femme. Mais, ne reconnaissant pas la voix de Massenay, c'est Coustouillu qu'il incrimine. Lorsque celui-ci se présente, il l'expulse brutalement ; il l'envoie 21 rue du Colisée : « allez consommer l'adultère ! » s'exclame-t-il.

Acte II. – La garçonnière de Massenay, 21 rue du Colisée.

Massenay et Francine se sont réveillés à six heures du matin. Or la jeune femme était seulement censée avoir passé la soirée au théâtre. Massenay, aussi affolé que sa maîtresse, avoue alors qu'il est lui-même marié.

Paraît alors Hubertin qui, complètement ivre, s'est trompé d'étage et a pénétré chez Massenay. Les deux hommes se battent dans l'obscurité jusqu'au moment où Francine, ayant allumé une bougie, est reconnue par le pochard. Madame Chanal ne peut quitter les lieux car l'intrus a jeté par la fenêtre les vêtements de Massenay, lesquels contenaient... la clé de l'appartement. En outre, Hubertin, qui s'est déshabillé, s'amuse à tirer des coups de revolver.

Les deux amants se mettent alors à la fenêtre ; ils demandent à un voisin de prévenir la police qu'ils sont aux prises avec un fou. Quelques instants plus tard, se présente effectivement un commissaire, mais il est accompagné de Chanal venu constater le flagrant délit. Arrive ensuite Coustouillu qui, prenant Hubertin pour l'amant de Francine, lui administre une gifle. L'ivrogne lui répond par des coups de revolver. Son agresseur détale.

Acte III. – 28 rue de Longchamp, chez les Massenay. Sophie, la femme de Massenay, s'inquiète. Il fait jour et son mari n'est pas encore rentré. Belgence, amoureux de Sophie, a fait venir son ami, le commissaire Planteloup que l'on charge de l'enquête. Le maçon Lapige apporte alors les vêtements du disparu qu'il a trouvés sur le trottoir, face au 21 rue du Colisée.

Survient alors Massenay lui-même qui tente de justifier son retour tardif en fournissant des explications abracadabrantes. Apparaît aussi Hubertin, toujours ivre, dont les propos risquent à tout moment de confondre l'époux de Sophie. Il sanglote et tire des coups de revolver.

Chanal, très calme, se présente, accompagné de Francine : il a décidé de l'abandonner à son ami. Massenay n'a qu'à divorcer et à épouser sa maîtresse : « A toi les cartes ! La main passe ! » En vain Massenay proteste-t-il : Chanal ne veut rien entendre. Au reste Planteloup, implacable, se charge d'apprendre la vérité à Sophie. Celle-ci va demander le divorce. Chanal triomphe.

Acte IV. – Même décor qu'au premier acte (l'ancien appartement de Chanal). Un an après. Francine s'est donc remariée à Massenay. A Chanal venu lui rendre visite, la jeune femme confie sa déception : son mari est devenu acariâtre et jaloux. Le visiteur assiste d'ailleurs à de pénibles scènes entre les deux époux. Lorsque Coustouillu, toujours amoureux de Francine, se présente, la jeune femme, poussée à bout, s'offre à lui.

Massenay reçoit la visite de Belgence venu lui annoncer son intention de s'unir à Sophie. Puis c'est Sophie elle-même qui demande à son ex-mari la permission de contracter une nouvelle union. Finalement les deux anciens époux tombent dans les bras l'un de l'autre, au grand désespoir de leur ami.

Francine annonce triomphalement qu'elle a un amant et Coustouillu, qui a perdu sa timidité, vient demander à Massenay de lui louer son entresol. Celui-ci accepte aussitôt. Puis il écrit au procureur de la République afin d'obtenir un constat d'adultère : « la main passe ».

PERSONNAGES

MASSENAY, 39 ans	MM.	NOBLET
CHANAL, 40 ans		GERMAIN
HUBERTIN, 40 ans, gros boulot, rablé, vigoureux ; allure américaine		TORIN
COUSTOUILLU, type de tribun : des épaules, de la prestance ; barbe carrée, cheveux blonds ondulés et rejetés en arrière		LANDRIN
PLANTELOUP, commissaire de police prudhommesque, papelard et doucereux		VICTOR HENRY
BELGENCE, personnage menu, l'ami de la maison qui n'a pas d'importance		GORBY
GERMAL, 2e commissaire de police		LAURET
ÉTIENNE, domestique, 45 ans		GAILLARD
AUGUSTE, valet de chambre, 28 ans, vif, alerte mais un peu gringalet . .		LORIN

LAPIGE, maçon ; rond et jovial		PROSPER
FRANCINE CHANAL	Mme	CARLIX
SOPHIE MASSENAY		SANDRY
MARTHE, la femme de chambre de bonne maison, correcte dans sa tenue et ses façons, mais ayant conservé un fort accent picard		GENS
MADELEINE, cuisinière, 50 ans		J. ROSE

DEUX SECRÉTAIRES DE COMMISSAIRES,
UN SERRURIER.

La scène est à Paris, de nos jours : les trois premiers actes au mois de mars, le dernier un an après, au mois de juin.

ACTE I

UN SALON CHEZ LES CHANAL

A gauche deuxième plan, une porte à deux battants, menant aux appartements. Au fond, grande baie vitrée ouvrant sur un vaste hall comme il s'en trouve dans les appartements modernes. A droite, partant du deuxième plan pour se relier avec le fond, grande baie vitrée en pan coupé donnant sur le cabinet de travail de Chanal. Ces deux baies sont chacune à quatre vantaux, les deux du milieu mobiles, les deux autres fixes. Aux vitrages des « brise-bise » en guipure. A droite, premier plan, une cheminée, surmontée d'une glace à trumeau. Sur la cheminée, sa garniture ; au pied, des chenets.

Mobilier riche et de bon goût. A gauche, premier plan, à un mètre environ du décor, pour permettre la circulation autour, un piano « quart de queue » dit « crapaud », revêtu de sa housse en étoffe ancienne. Le clavier est tourné vers le milieu de la scène, perpendiculairement au public ; le côté formant angle droit avec le clavier est donc parallèle à la rampe. Adossé à ce côté du piano, face au public, un petit canapé à deux personnes (coussins). Contre le mur de gauche, à hauteur du canapé et le regardant, un fauteuil. Contre le même mur, mais au-dessus de la porte, une chaise. Devant le piano, son tabouret et une chaise volante. A droite de la scène, à quelque distance de la cheminée, une table de salon assez grande (1 m. 20 environ) de forme rectangulaire mais aux angles arrondis, est placée perpendiculairement à la scène, le côté étroit parallèle à la rampe ; sur la table un encrier, un buvard, etc ; à droite de la table un tabouret pour s'asseoir ; à gauche, une chaise pareille au mobilier ; sous la table, un tabouret de pied. Entre la cheminée et la baie du cabinet de travail, un fauteuil. Entre les deux baies du fond, une petite table volante dite « rognon ». Au milieu de la scène, entre la table rognon et le piano, une chaise volante visiblement hors de sa place habituelle. Boutons électriques : un, à droite de la cheminée, l'autre, près et au-dessus de la porte de gauche. Sur le piano, un phonographe, le pavillon tourné du côté du public ; deux boîtes de cylindres, l'une pleine, l'autre vide (le cylindre que cette dernière contenait étant déjà en place dans le phonographe au lever du rideau). Bibelots un peu partout, tableaux, plantes ad libit. *Lustre. Dans le cabinet de travail, on aperçoit le bureau de Chanal et le fauteuil de bureau placés de telle sorte que, lorsque la porte est ouverte, la personne assise au bureau est vue de dos par le public. Dans le hall, contre le mur de droite, une grande table, profil au public et dont une partie seule est en évidence. Devant la table ou à côté, suivant la place dont on dispose, un petit fauteuil. Sur la table, un petit tableau d'argent, un buvard, encrier, etc. Toutes les entrées par le hall se font de gauche.*

NOTA. – Toutes les indications sont prises de la gauche du spectateur placé censément au centre de la salle ; « un tel passe à droite ; un tel passe à gauche » signifiera donc qu'un tel sera à droite, qu'un tel sera à gauche du spectateur. Même l'expression « un tel est à gauche d'un tel » indiquera qu'un tel est à gauche de cet un tel par rapport à ce même spectateur, alors qu'en réalité et par rapport à lui, il sera à sa droite. Cependant, quand les indications, au lieu de « à droite de... à gauche de... », porteront « à LA droite de... à LA gauche de... », il est évident qu'il s'agira alors de la gauche et de la droite réelles, du personnage désigné.

SCÈNE PREMIÈRE

CHANAL, puis FRANCINE.

Au lever de rideau, Chanal debout à l'angle du piano (côté clavier) et du canapé, achève d'apprêter le phonographe [1] *; il y a introduit un cylindre, appliqué à la place voulue le diaphragme enregistreur*, après quoi il remonte l'appareil, prend un papier sur la table, tousse comme quelqu'un qui s'apprête à parler, puis, après avoir mis la machine en mouvement, déclamant dans l'orifice du pavillon avec de l'émotion dans la voix.*

CHANAL. – Ma chère sœur !... (*Il tousse.*) Hum !... Ainsi, c'est un fait accompli ! De ce jour, te voilà mariée ! Ce matin t'a faite femme devant la loi ; ce soir te fera femme devant la nature. (*Parlé.*) Pas mal, ça ! (*Reprenant.*) Combien cette pensée me trouble, moi, qui sais de quoi il retourne !

FRANCINE, *costume tailleur, son chapeau sur la tête, un boa de fourrure au cou, entrant en coup de vent.* – Me voilà, moi !

Soubresaut de Chanal, qui se retourne vivement en fronçant les sourcils, lui fait de la main un geste impératif pour lui imposer silence, puis reprenant son aspect placide, se remet à discourir dans le pavillon du phonographe. Francine devant ce jeu de scène, reste coi.

---

* NOTA. – Cette indication n'est mise que pour se conformer à la réalité ; mais de fait, à la scène, comme il pourrait arriver que le dit diaphragme enregistreur ne puisse graver d'une façon suffisamment distincte les paroles prononcées, il est préférable d'avoir des cylindres gravés d'avance ; dès lors, c'est le diaphrame répétiteur que l'on adapte dès le lever du rideau, en s'arrangeant à ne pas le laisser porter sur le cylindre en mouvement, dans les moments où le phonographe est censé enregistrer et au contraire en établissant le contact lorsqu'il s'agira de faire parler l'instrument ; c'est à l'artiste seulement à donner aux moments voulus l'illusion qu'il opère le changement, alors qu'en réalité c'est toujours le même qui sert. Il est très important de répéter le plus longtemps possible avec le phonographe qui servira à la représentation afin que le comédien qui a à jouer avec, en possède l'usage absolu, de façon à pouvoir obvier à toute surprise et à tout dérangement.

CHANAL, *poursuivant son discours.* – ...Et je ne suis pas près de toi, lors d'une pareille épreuve ! Hélas ! un océan nous sépare ; je veux du moins que ma voix traverse les mers, pour t'en donner les conseils... de mère...

FRANCINE, *qui pendant ce qui précède, tout en considérant son mari avec un étonnement amusé, est redescendue peu à peu de façon à se trouver au-dessus de l'épaule gauche de Chanal, pouffant de rire.* – Ah ! Ah !

Nouveau soubresaut de Chanal, même air furieux, même geste impératif.

CHANAL, *reprenant brusquement sa physionomie calme et continuant.* – Tu vas connaître le grand mystère à quoi rêvent les jeunes filles...

FRANCINE, *rieuse, lui parlant par-dessus l'épaule, juste en regard du pavillon.* – Mais qu'est-ce que tu fabriques ?...

CHANAL, *brusque.* – Mais tais-toi donc !

FRANCINE, *railleuse, tout en retirant son chapeau, puis piquant l'épingle à chapeau dedans.* – Oh ! oh ! Monsieur est à la grinche !

CHANAL, *bourru.* – Mais vas-tu te taire, nom d'un chien ? Comment veux-tu que je parle au phonographe !

FRANCINE, *retirant son boa et le passant à son bras.* – Eh ! je m'en moque de ton phonographe !... A-t-on idée de cette invention idiote...

CHANAL, *exaspéré.* – Ah !...

Il arrête le mouvement du phonographe d'un geste brusque, le cylindre s'arrête.

FRANCINE, *qui est redescendue, passant devant le canapé.* – ...de choisir le salon pour parler dans le phonographe ?

CHANAL. – C'est extraordinaire, cette manie de parler ! Tu ne veux pas te taire ?... Voilà un cylindre gâché !

FRANCINE, *remontant derrière le piano dans la direction de sa chambre afin d'y porter les effets qu'elle vient de retirer.* – Oh ! bien, un de perdu... !

CHANAL, *remontant légèrement et parallèlement à Francine, de façon à se trouver à l'autre bout du clavier.* – Non !... non !... pas « dix de retrouvés !... » Les proverbes, ça ne dit que des bêtises !... et toi aussi !

FRANCINE, *qui avait déjà entr'ouvert la porte pour sortir, piquée par cette appréciation, laissant retomber le bat-*

tant de la porte et faisant un pas vers son mari. – Quoi ?

CHANAL. – Tu vois que je suis en train de parler dans mon instrument...

FRANCINE, *haussant les épaules.* – Oh ! pfutt... Qu'est-ce que tu lui disais, à ton instrument ?

CHANAL, *maussade et maronnant.* – Je lui disais... je lui disais... rien !... Seulement, tu arrives là... je prononçais le discours que j'ai préparé pour Caroline à l'occasion de son mariage avec son Yankee... tu te mets à jacasser, naturellement le phonographe, ce pauvre appareil, il ne sait pas ! il ne distingue pas ; il enregistre ce qu'il entend...

Il est redescendu devant son phonographe dont il retire le diaphragme enregistreur pour le remplacer par le diaphrame répétiteur.

FRANCINE, *avec un rire joyeux.* – Elle est bien bonne !... Alors, tout ce que nous avons dit, ça y est ?...

En ce disant, elle a déposé son chapeau et son boa [2] *sur le piano dont elle fait le tour pour redescendre près de Chanal.*

CHANAL, *qui a achevé son changement de diaphragme.* – Mais dame !... Tiens, si tu en doutes !...

Il fait manœuvrer l'appareil...

LE PHONOGRAPHE, *répétant, voix de Chanal.* – Ma chère sœur... (*Bruit de toux.*) Hum !... Ainsi, c'est un fait accompli !... De ce jour te voilà mariée ! ce matin t'a faite femme devant la loi, cette nuit te fera femme devant la nature... Pas mal, ça !...

CHANAL, *étonné de cette interruption.* – Quoi ?

FRANCINE, *moqueuse.* – C'est toi qui le dis !

Toutes ces répliques et les suivantes sont dites, cela va de soi, sur la voix du phonographe ; celui-ci continuant à parler, sans interruption.

LE PHONOGRAPHE, *qui a continué sur les paroles précédentes.* – Combien cette pensée me trouble, moi qui sais de quoi il retourne !... (*Voix de Francine.*) Me voilà, moi...

CHANAL, *à Francine, railleur à son tour.* – Là ! Te voilà, toi !

LE PHONOGRAPHE, *voix de Chanal.* – Et je ne suis pas près de toi lors d'une pareille épreuve ! hélas ! Un océan nous sépare ! Je veux du moins que ma voix traverse les mers, pour t'en donner les conseils... de mère... (*Rire.*) Ah ! ah !... (*Voix de Chanal.*) Tu vas connaître le grand mystère à quoi rêvent les jeunes filles... (*Voix de Francine.*) Mais qu'est-ce que tu fabriques ? (*Voix de Chanal.*) Mais tais-toi donc !... (*Voix de Francine.*) Oh ! oh ! Monsieur est à la grinche... (*Voix de Chanal.*) Mais vas-tu te taire, nom d'un chien ! comment veux-tu que je parle au phonographe !... (*Voix de Francine.*) Eh ? je m'en moque de ton phonographe !... A-t-on idée de cette invention idiote... (*Voix de Chanal.*) Oh !...

CHANAL, *arrêtant le mouvement du phonographe.* – Voilà ! Voilà ton œuvre !

FRANCINE, *allant s'asseoir à gauche de la table avec le plus grand sang-froid.* – J'ai jamais dit un mot de tout ça.

CHANAL, *abasourdi.* – Oh !

FRANCINE. – Non !

CHANAL, *indiquant le phonographe.* – Non, mais dis tout de suite qu'il ment.

FRANCINE, *têtue.* – Je n'ai jamais dit du phonographe : « A-t-on idée de cette invention idiote ! », ce qui serait idiot ! J'ai dit : « a-t-on idée de cette invention idiote... (*Appuyant.*) de choisir le salon pour parler dans le phonographe ! » Il ne faudrait pas me faire dire ce que je n'ai pas dit !

CHANAL. – Oui, oh ! ça, c'est un détail. (*Indiquant le phonographe.*) C'est pas de sa faute à lui, j'avais coupé.

FRANCINE, *bougonne.* – Eh bien, quand on ne sait pas, on se tait !... C'est comme ça qu'on fait les potins.

CHANAL, *jovialement.* – Je te fais ses excuses, là !

FRANCINE. – Quant à ton cylindre, eh ! bien, tu le recommenceras ! d'autant que ce ne sera pas un mal, si ça te permet de supprimer ta phrase sur les mers.

CHANAL. – Sur les mers ?

FRANCINE. – Oui : « Je veux que ma voix traverse les mers pour t'en donner les conseils... de mère. » Tu trouves ça spirituel ?

CHANAL, *avec satisfaction de soi-même.* – Quoi ? C'est drôle ! C'est une saillie.

FRANCINE. – Justement ! On n'envoie pas une saillie pour le mariage de sa sœur ! C'est pas le frère que ça regarde !

Elle se lève.

CHANAL. – Oh ! Charmant !

FRANCINE, *allant à lui.* – C'est comme ce qui suit.

CHANAL. – Quoi ?

FRANCINE. – « Ce matin t'a faite femme devant la loi, cette nuit te fera femme devant la nature. » Tu trouves ça convenable à dire à une jeune fille ?

CHANAL. – Je lui dis ce qui doit lui arriver.

FRANCINE. – Eh bien ! elle s'en apercevra bien ! elle n'a pas besoin de toi pour ça ! Vraiment, faire un discours à une jeune mariée pour lui dire des cochonneries...

CHANAL, *se rebiffant.* – Cochonneries !

FRANCINE. – Ah ! non, mais si tu crois que ça fera plaisir au mari, ton initiation ! Tu es bien comme ces spectateurs qui, au théâtre, ont la manie de vous raconter la pièce au fur et à mesure qu'on la joue : « Vous allez voir, il va faire ceci, elle dira cela ! C'est extraordinaire ! » Alors, on s'attend à des choses... ! Et rien du tout ! Naturellement, quand les scènes arrivent, rien ne porte ! On a une déception... parce que l'imagination dépasse toujours la réalité... Alors on dit : « Quoi, v'là tout ! » et l'effet est fichu ! Eh bien ! qu'est-ce qui te dit que ce n'est pas cette déception que tu ménages à ta sœur ? Et qu'elle aussi ne dira pas : « Quoi, v'là tout ! » Voilà un service à rendre au mari !... Laisse-les donc se débrouiller, ces enfants ! Caroline aura peut-être un moment d'estomaquement ! Elle dira peut-être : « Eh ben !... Eh ben ! quoi donc ? » Mais elle aura du moins l'attrait de la surprise et l'effet n'aura pas été raté.

Elle remonte.

CHANAL, *gouailleur, avec une pointe de dépit.* – Ah ! là, de quoi je me mêle ? Tu es étonnante, tu tranches là... ! D'abord, qu'est-ce qui te dit qu'il ratera ?

FRANCINE, *se retournant.* – Qui ça ?

CHANAL. – L'effet !

FRANCINE, *qui n'y était pas.* – Ah ! le... l'effet ! oui, oui... Mais... la loi des probabilités !

Elle redescend vers la droite.

CHANAL, *haussant les épaules.* – Ah ! laisse-moi donc tranquille, tu n'entends rien à l'art des préparations ! (*En ce disant, il est allé à son phonographe ; pendant ce qui suit, il en retire le cynlindre abîmé qu'il remet dans sa boîte, et le remplace par l'autre qu'il retire également de sa boîte.*) Tiens ! va donc plutôt te mettre à table !

Sonne qu'on te serve ! (*Elle va à la cheminée et sonne.*) J'ai fini de déjeuner depuis un bon moment et tu n'as pas commencé ! Il n'y a pas de maison possible, si monsieur déjeune à une heure et madame à une autre.

FRANCINE, *redescendant un peu vers lui en passant au-dessus de la table.* – Tu n'avais qu'à m'attendre ! Je n'ai pas pu rentrer plus tôt.

CHANAL. – C'est ça ! C'est moi qui suis dans mon tort.

Étienne paraît.

SCÈNE II

LES MÊMES, ÉTIENNE.

CHANAL, *à Étienne, tout en continuant d'arranger son phonographe.* – Madame voudrait déjeuner.

ÉTIENNE. – Bien, monsieur.

Il sort.

CHANAL, *même jeu.* – Mais enfin, qu'est-ce que tu peux faire dehors ? C'est tous les jours la même chose. Tu es sortie depuis neuf heures.

FRANCINE, *pincée.* – C'est heureux ! Ça m'a permis de rentrer moins tard...

CHANAL. – Vraiment, c'est à se demander... !

FRANCINE, *allant à lui et, le prenant par le bras gauche, le faisant pivoter.* – Quoi ? Quoi ? Qu'est-ce que tu vas encore imaginer ?... Non, mais dis tout de suite que j'ai un amant.

CHANAL, *calme et ironique.* – Ma foi... !

FRANCINE. – Oh !... As-tu l'esprit assez perverti pour voir toujours le mal dans tout !... (*Redescendant.*) Un amant, j'ai un amant maintenant ! (*Chanal hausse les épaules.*) Quoi ? (*Elle fait le geste de Chanal.*) Qu'est-ce que ça veut dire, ce geste ?

CHANAL, *redescendant vers elle et avec bonhomie.* – Mais non, ma pauvre enfant ! Je sais très bien que tu n'as pas d'amant.

FRANCINE, *étonnée et légèrement vexée.* – Ah ?

CHANAL. – Un amant, toi ? Ah ! je suis bien tranquille.

FRANCINE, *vexée.* – Et pourquoi ça, je n'aurais pas d'amant ?

CHANAL. – Parce que !... Parce que tout en toi démontre le contraire. Parce qu'il y a des femmes qui sont faites pour avoir des amants et d'autres qui ne le sont pas.

FRANCINE, *révoltée.* – Oh !

CHANAL. – Parce que je n'ai pas vécu cinq ans avec toi sans te connaître à fond. Toi, un amant ? Allons donc ! Tu as l'étoffe d'une brave petite femme, d'une bonne mère de famille... (*Badin.*) à qui il ne manque que des enfants pour l'être tout à fait ; mais ça, ça n'est pas de notre faute. (*En ce disant, il l'embrasse joyeusement ; maussade, Francine dégage sa tête.*) Enfin... enfin, tu n'as pas de tempérament... Que diable !... je le sais bien !

Il remonte vers le piano.

FRANCINE, *piquée, s'attachant à ses pas.* – Ah ! c'est comme ça ! Eh bien ! je ne voulais pas te le dire, mais puisque tu m'y forces, (*Frappant du poing sur le piano.*) eh bien ! j'ai un amant, là !

CHANAL, *qui a fait le tour du piano de façon à être dans la partie cintrée. Calme et moqueur.* – Oui-da ?

FRANCINE, *en face de lui, devant le clavier.* – Parfaitement !... et que j'aime !... et qui m'aime.

CHANAL, *la félicitant ironiquement.* – Mais... c'est bien, ça !

FRANCINE, *furieuse de voir qu'elle n'atteint pas son but.* – J'ai un amant, j'ai un amant, j'ai un amant !

CHANAL, *la regarde une seconde en souriant, puis.* – Eh bien ! tu lui diras bien des choses de ma part !

FRANCINE, *indignée, redescendant.* – Oh !

CHANAL, *suivant son mouvement et allant à elle.* – Ah ! ma pauvre enfant, comme tu t'y prends mal pour me faire peur. Un amant, toi ! laisse-moi donc tranquille !... Tiens ! veux-tu que je te dise ? Tu te vantes.

FRANCINE. – Moi !

CHANAL. – Oui, madame ! C'est très humiliant, mais vous n'êtes qu'une honnête femme !

FRANCINE, *crispant les mains.* – Ce qu'il faut s'entendre dire !

CHANAL. – Avoue que j'ai raison !

FRANCINE, *avec énergie.* – Non.

CHANAL. – Si.

FRANCINE, *plus énergiquement encore.* – Non.

CHANAL, *avec un haussement d'épaules.* – Allons donc ! (*Brusquement.*) Tiens ! Ose donc me le dire en face que tu as un amant !

Entre le « allons donc » et le « tiens ! ose donc... » sonnerie à la porte d'entrée.

FRANCINE, *hésite un instant puis exaspérée de son impuissance, comme prête à griffer.* – Oh ! tu m'agaces !

CHANAL, *triomphant.* – Eh ! tu vois bien ! (*Lui donnant une tape amicale sur la joue.*) Tiens ! t'es une grosse bête !

Francine a un geste d'humeur et gagne la droite, Chanal remonte un peu.

SCÈNE III

LES MÊMES, ÉTIENNE, puis HUBERTIN.

ÉTIENNE, *il entre en tenant un petit plateau, sur lequel est une carte de visite.* – Monsieur, c'est un monsieur qui demande monsieur.

CHANAL, *prenant la carte.* – Hubertin ! Qu'est-ce qu'il me veut ?... Faites entrer.

Étienne sort pour reparaître presque aussitôt suivi d'Hubertin.

FRANCINE. – Qui est ça ?

CHANAL. – Un collège du cercle.

ÉTIENNE, *annonçant.* – M. Hubertin !

Il introduit, puis sort.

HUBERTIN. – Bonjour, mon cher.

CHANAL. – Bonjour, cher ami. (*A Francine qu'Hubertin salue.*) M. Hubertin, un camarade du Sporting[3]... (*A Hubertin.*) Madame Chanal.

HUBERTIN, *passant au* (2) *pendant que Chanal redescend.* – Madame, enchanté...

FRANCINE, *entre la cheminée et la table.* – C'est moi, croyez bien...

HUBERTIN. – Si je ne me trompe, madame, il me semble que ce n'est pas la première fois...

FRANCINE. – Vraiment, monsieur ?

HUBERTIN. – Oui, plus je vous regarde et plus je... Est-ce que vous ne connaissez pas quelqu'un dans ma maison ?

FRANCINE, *souriante.* – Mon Dieu, monsieur, c'est que j'ignore où vous demeurez.

HUBERTIN. – 21, rue du Colisée.

FRANCINE, *vivement.* – Non !... non, non !... Vous faites erreur, monsieur.

HUBERTIN. – Ah ?

CHANAL, *bien naïvement.* – Oui, oui, vous faites erreur, nous ne connaissons personne.

HUBERTIN. – Ah ? ah ?... Pardon ! Erreur n'est pas compte.

FRANCINE. – ... n'est pas compte ; oui, oui.

Elle remonte, puis, traversant la scène par le fond, va par la suite s'asseoir sur le petit canapé contre le piano.

CHANAL. – Et qu'est-ce qui me vaut votre visite ?

Il lui fait signe de s'asseoir.

HUBERTIN, *sans s'asseoir.* – Mille grâces, je ne veux pas abuser de vos instants. (*Changeant de ton.*) Vous ne devinez pas ? Les dettes de jeu se payent dans les vingt-quatre heures, et je suis votre débiteur [4].

CHANAL. – Oh ! il ne fallait pas vous déranger pour ça ! Ce sont là des règles qui sont faites pour les professionnels, mais elles ne sauraient avoir force de loi, entre gens qui se connaissent.

HUBERTIN, *se fouillant pour prendre son portefeuille.* – Du tout, du tout ! Les bons comptes font les bons amis.

CHANAL, *avec un peu de gêne qu'il s'efforce de dissimuler avec un sourire de bonhomie.* – Et puis, vous l'avouerai-je ? J'ai quelques scrupules à considérer la partie que nous avons faite ensemble comme bien régulière. (*Confidentiellement et presque à l'oreille.*) Il me paraît que nous n'avons pas joué tout à fait à chances égales...

HUBERTIN, *à pleine voix.* – Pourquoi donc ça ?

CHANAL, *lui faisant signe de parler plus bas à cause de sa femme.* – Chut ! chut ! (*Avec beaucoup de gêne.*) Je ne sais pas, mais il me semble que...

HUBERTIN, *bien jovialement et à pleine voix.* – Ah ! je vous comprends !... parce que j'étais pochard, hein ?

CHANAL, *confus.* – Oh ! je n'ai pas dit...

HUBERTIN, *très calme.* – Laissez donc ! J'ai le courage de mes actes... (*A Francine, de la place où il est, et très satisfait.*) Oui, madame, j'ai pris l'habitude, tous les jours, à partir de cinq heures... d'avoir ma petite bombe.

FRANCINE, *souriant mais avec un ton discret de reproche.* – Ah ?...

HUBERTIN, *en manière de justification.* – Ce n'est pas du vice chez moi : c'est de l'américanisme !

FRANCINE, *s'inclinant devant cette justification.* – Ah ! alors !

HUBERTIN. – Oui, j'ai longtemps fait des affaires en Amérique. Or, là-bas, qui dit « affaires », dit « bars » ; tout se traite au whisky ! Qu'est-ce que vous voulez ?... Il a bien fallu que je me mette au diapason !... pour mes affaires !... Seulement, voilà où nous sommes en état d'infériorité, nous autres Français : l'Américain, lui : dix whiskys... douze whiskys... ça ne lui fait rien !... il jouit d'un privilège ! Moi, malheureusement, j'ai la tête française, – c'est de naissance ! – J'ai pu, peu à peu, naturaliser mon estomac ; mais (*Se donnant une tape sur le front.*) ma sacrée caboche qui était patriote, n'a jamais rien voulu savoir !... de sorte qu'aujourd'hui, il y a antagonisme entre ces deux parties de mon individu. Mon estomac, qui est devenu américain, une fois cinq heures, réclame ses whiskys ; ma tête, elle, se rebiffe : d'où conflit ! Et finalement, comme c'est ma tête qui est la plus faible, c'est toujours elle...

CHANAL, *achevant pour lui.* – ... qui faiblit.

HUBERTIN, *approuvant.* – Voilà... Mais comme vous voyez, madame, mon cas est tout à fait spécial : on ne peut pas dire que je me pocharde, non, je... je m'américanise !

FRANCINE. – Oui, oui.

CHANAL, *avec une conviction où perce l'ironie.* – Oh ! c'est tout à fait autre chose.

HUBERTIN, *avec un soupir.* – Tout de même, ça ennuie bien ma femme !

FRANCINE, *souriant.* – Mon Dieu, monsieur, je n'aurais pas osé... mais du moment que vous le dites : je vous avouerai que... je la comprends un peu.

HUBERTIN, *se méprenant au sens de ces paroles.* – Bien oui, n'est-ce pas ? Voilà une femme qui vous avale dix, douze whiskys à la queue leu leu, ça ne lui fait rien ! c'est une Américaine, pas vrai ?... elle jouit du privilège... De quoi ai-je l'air à côté d'elle ?... Alors n'est-ce pas ? Ça la vexe de voir que moi, ça me fiche par terre... Ah ! c'est toujours embêtant de se trouver dans un état d'infériorité vis-à-vis de sa femme.

FRANCINE, CHANAL. – Évidemment, évidemment.

HUBERTIN, *brusquement, changeant de ton et tendant un billet de mille francs à Chanal.* – Alors, nous disons que je vous dois trente-cinq louis ? Voici mille francs. Et, pour en revenir à la question de jeu, que votre délicatesse ne se mette pas en émoi ! Je vous assure que quand je suis dans l'état... que vous savez, je suis tout aussi lucide qu'à l'état normal. Je le suis même davantage : je vois double !

CHANAL. – Diable ! c'est quelquefois mauvais pour compter les points.

HUBERTIN. – Du tout ! Je le sais, pas vrai ? Alors, rien de plus simple : je divise par deux.

CHANAL. – Ah ! En effet ! en effet !...

HUBERTIN, *gagnant la droite.* – Mais dame !

Sonnerie extérieure.

CHANAL. – Nous disons mille francs. Je vais vous chercher votre monnaie.

Il remonte dans la direction de son cabinet de travail.

SCÈNE IV

LES MÊMES, ÉTIENNE puis COUSTOUILLU.

ÉTIENNE, *annonçant.* – Monsieur Coustouillu !

CHANAL, *arrêté dans son mouvement de sortie.* – Coustouillu ? (*A Étienne.*) Faites entrer.

Étienne sort.

HUBERTIN, *que ce nom a frappé.* – Quel Coustouillu ?

CHANAL, *avec une certaine fierté.* – Mais... lui-même ! le seul ! Coustouillu le député, le leader de l'opposition, le fameux tribun.

HUBERTIN. – Oui ? Oh ! que je serais heureux... ! J'admire tellement son éloquence ! Vous permettez ?

CHANAL. – Comment donc !

Francine se lève. A ce moment, suivi d'Étienne qui l'introduit, paraît Coustouillu ; type superbe de tribun aux épaules puissantes, au large plastron ; tête de lion, aux cheveux blonds, ondés et en coup de vent ; barbe blonde et carrée. Mais, contrastant avec cet aspect, une allure profondément gênée, une timidité exagérée que le personnage s'efforce à dissimuler sous un air qui veut être à l'aise et sous des sourires qui ne sont que des rictus. Il tient une superbe botte d'asperges sous son bras gauche.

CHANAL. – Entre, mon vieux ! justement on parlait de toi.

Sortie d'Étienne.

COUSTOUILLU. – Ah ? Aha ? (*Profondément troublé, il éprouve on ne sait pourquoi le besoin d'aller fermer la porte par laquelle il vient d'entrer. Mais ses mains sont prises, l'une par sa botte d'asperges, l'autre par son chapeau ; pour en libérer une, il met son chapeau sur la tête ! Au moment où il ferme la porte, Étienne ferme de l'autre côté ; il n'arrive qu'à se faire pincer les doigts.*) Oh !

CHANAL. – Laisse donc, Étienne fermera.

COUSTOUILLU. – Vi ! Vi ! (*Il dépose son chapeau sur la petite table au fond puis, se donnant un air dégagé, il va à Chanal, la main tendue.*) Ça va bien ?

CHANAL, *qui est placé juste à la hauteur et à un mètre à droite environ de la chaise volante qui est au fond.* – Mais pas mal, merci.

COUSTOUILLU. – Ah ?... vivi... (*En se retournant pour aller saluer Francine, il donne naturellement dans la chaise qu'il renverse.*) Oh !

Il se frotte le genou.

CHANAL, *railleur.* – Naturellement !... Enfin tu devrais la connaître depuis le temps que tu l'accroches chaque fois que tu entres dans ce salon. (*En riant, à Hubertin.*) Ça finit par avoir l'air d'être de l'adresse.

COUSTOUILLU, *qui, pendant ce qui précède, a ramassé la chaise tombée, et ahuri, au lieu de la poser, la conserve pendue à son poignet, très troublé.* – Hein ? Oui... non... tu sais c'est que c'est le... hein ?

CHANAL. – Bon, ça va bien ! Va, ne te trouble pas.

FRANCINE, *charitable.* – Mais c'est toi qui le troubles toujours ! (*A Coustouillu.*) Allons ! Monsieur Coustouillu, ne vous occupez pas de ce que vous dit mon mari, et venez me dire bonjour.

COUSTOUILLU, *se précipitant.* – Oh ! (*Dans sa précipitation, avec le pied de la chaise qu'il tient, il accroche et renverse la chaise volante qui est à côté du tabouret du piano.*) Oh !

CHANAL, *pendant que Coustouillu ramasse comme il peut la chaise tombée, sans déposer celle qu'il a en main et va la replacer un peu au-dessus du piano.* – Là, v'lan ! Non, ne dirait-on pas qu'il vise ?

COUSTOUILLU, *de plus en plus décontenancé, esquisse un*

rire qui sonne faux et va vers Francine, la main tendue, sans s'apercevoir qu'à son poignet pend toujours la chaise volante. – Chère Madame... !

FRANCINE, *riant et gentiment.* – Déposez donc votre chaise, monsieur Coustouillu !

COUSTOUILLU, *confus.* – Oh ! pardon !

Il va déposer la chaise.

CHANAL, *à part.* – Quel type !

COUSTOUILLU, *qui est redescendu, à Francine.* – Madame... ! (*Il lui donne une vigoureuse poignée de main. Allant à Chanal et lui baisant la main.*) Cher ami...

CHANAL, *narquois.* – Non, mon vieux, c'est le contraire.

COUSTOUILLU. – Oh !

Il fait mine de retourner à Francine.

CHANAL. – Non, va, ça va bien ! (*Le faisant passer* (3) *pour le présenter à Hubertin qui, depuis l'entrée de Coustouillu, est resté bouche bée devant la scène qui se joue devant lui.*) Tiens, je te présente monsieur Hubertin qui désire vivement faire ta connaissance.

COUSTOUILLU, *enchanté de cette diversion.* – Ah ? Aha ?

HUBERTIN. – Certes ! Permettez-moi, monsieur, de me dire un de vos plus fervents admirateurs.

COUSTOUILLU. – Aha ? Vivi !

CHANAL, *indiquant la botte d'asperges qu'il a toujours sous le bras.* – Mais dépose donc ça !... De quoi as-tu l'air ?

COUSTOUILLU. – Hein ? Ah ! vivi.

Il retire la botte de dessous son bras, regarde à droite et à gauche où il peut la déposer et finit par la tendre à Hubertin.

CHANAL. – Mais pas à monsieur !

COUSTOUILLU, *ne sachant que dire.* – Hein ! oui... C'est des euh ! des... des branches, (*Se reprenant.*) des... des asperges.

CHANAL. – Merci ! Je vois bien, je n'avais pas pris ça pour des cannes à sucre ! En voilà une idée de se promener avec ça !

FRANCINE. – Vous aimez donc à ce point les asperges, monsieur Coustouillu ?

COUSTOUILLU, *bien angoissé.* – Non.

CHANAL. – Alors quoi ?

COUSTOUILLU, *perdant complètement pied.* – Hein ? Euh ! oh ! t'sais c'est... c'est pour... !

CHANAL, *sans pitié.* – Ah ! oui, oui ! pour te donner une contenance.

COUSTOUILLU. – Voilà !... vi !

CHANAL. – Ah ? Mes compliments !... Note que ça te va très bien ! mais c'est égal... ! je sais bien qu'à cette époque-ci, c'est une primeur... (*Brusquement.*) Enfin, tu n'es pas fou ? Tu sais que tu es déjà emprunté dans tes mouvements, et tu vas te coller une botte d'asperges sous le bras pour faire des visites. (*Coustouillu rit d'un air gêné.*) Mais va donc déposer ça dans l'antichambre.

COUSTOUILLU, *enchanté de se débarrasser.* – Vi.

Il remonte vivement. Apercevant sur son chemin la chaise dans laquelle il s'est déjà accroché, au moment où il arrive sur elle, il décrit un mouvement en faucille pour l'éviter.

CHANAL, *applaudissant.* – Bravo !

COUSTOUILLU, *s'efforçant de rire.* – Héhé !

Il sort.

FRANCINE, *une fois Coustouillu sorti.* – Pauvre garçon !

CHANAL. – On n'a pas idée d'être timide comme ça !

HUBERTIN. – J'en suis ahuri ! Devant une assemblée, personne n'est plus à l'aise : c'est un foudre d'éloquence..,

CHANAL. – ... il est là devant nous trois, plus personne.

HUBERTIN. – Oui... ! Il est timide au singulier et audacieux au pluriel.

CHANAL. – Voilà.

FRANCINE. – Mais aussi ce n'est pas le moyen de le mettre à son aise que de le taquiner tout le temps.

Coustouillu rentre, débarrassé de sa botte d'asperges.

CHANAL. – Ah ! te voilà ? Tu as déposé ta botte ?

COUSTOUILLU, *s'efforçant de sourire et sans presque descendre.* – Hein ? Euh... oui, oui !

CHANAL. – Eh ! bien, tu ne te sens pas plus à ton aise comme ça ?

COUSTOUILLU. – Si !... sisi !

A ce moment paraît Étienne, portant la botte d'asperges d'une main et une carte sur un plateau.

ÉTIENNE, *présentant le tout à Francine.* – Pour madame.

FRANCINE, *qui est debout à l'angle du piano et du canapé, étonnée.* – Pour moi ?

Elle va prendre la botte et la carte des mains d'Étienne qui sort aussitôt. Coustouillu, qui

est au supplice depuis l'entrée d'Étienne, et voudrait être à cent pieds sous terre, se glisse, en se faisant aussi petit que possible, derrière Francine de façon à venir occuper la place que celle-ci vient de quitter entre le canapé et le piano.

FRANCINE, *lisant la carte.* – Alphonse Coustouillu !

Elle se retourne vers Coustouillu qui, tout confus, cherche à se dérober, va donner de la jambe contre le bras du canapé, n'a que le temps de l'enjamber pour ne pas perdre complètement l'équilibre et finit par tomber assis sur ce siège.

FRANCINE, *le grondant amicalement.* – Oh ! Monsieur Coustouillu !

COUSTOUILLU, *essayant un air dégagé.* – Pffeu ! oh !

Il se relève.

CHANAL. – Comment, c'était pour nous ?... Oh ! mon pauvre vieux, et moi qui te blaguais tout à l'heure... parce que tu étais grotesque avec ! C'était pour nous !... Une botte d'asperges au mois de mars ! C'est de la folie, tu sais !... mais c'est très gentil !

COUSTOUILLU, *qui est remonté derrière le piano.* – Mais non, mais non...

FRANCINE. – Je vais dire, tout de suite qu'on les fasse pour ce soir et vous viendrez les manger avec nous.

Coustouillu très ému, s'incline gauchement ; Francine sort gauche deuxième plan.

CHANAL. – C'est ça ! (*A Hubertin.*) Moi, pendant ce temps-là, je vais vous chercher votre monnaie.

SCÈNE V

COUSTOUILLU, HUBERTIN, puis FRANCINE.

Coustouillu, toujours debout derrière le piano, attend bien que les deux personnages soient sortis ; alors, se ressaisissant brusquement, il lance comme un regard de défi dans la direction d'Hubertin, donne un bon coup de poing sur le couvercle du piano, puis, allant droit à Hubertin et lui mettant son doigt presque sous le nez, avec une rage débordante.

COUSTOUILLU. – Vous devez me prendre pour un imbécile, hein ?

HUBERTIN, *ahuri de cette sortie intempestive.* – Moi !

COUSTOUILLU, *gagnant la gauche en arpentant la scène.* – Si, si, je sais ce que je dis ! *(Faisant demi-tour sur place.)* Eh ! bien il est possible que j'aie pu en avoir l'air ; mais vous saurez que je ne le suis pas.

HUBERTIN. – Mais monsieur, jamais, je vous assure !...

COUSTOUILLU, *esquissant à nouveau son mouvement vers la gauche.* – Oui, oui ! ça va bien ! (*Revenant sur Hubertin.*) Eh bien ! je vous montrerai, moi, que je ne suis pas un imbécile... Je voudrais que quelqu'un vienne me le dire en face !... Je lui ferais voir, moi, si je suis un imbécile.

Il regagne vers la gauche.

HUBERTIN, *exagérément aimable.* – Vous ? Mais tout le monde le sait bien !

COUSTOUILLU, *faisant brusquement demi-tour sur lui-même.* – Quoi ? Que je suis un imbécile ?

HUBERTIN, *inconsidérément.* – Oui... hein ! Mais non ! Qu'est-ce que vous me faites dire !... Un imbécile vous ! Mais qui pourrait penser ça ?

COUSTOUILLU, *regagnant la gauche.* – Oui... oh !

HUBERTIN. – Vous qui soutenez un ministère ou le renversez comme un château de cartes...

COUSTOUILLU, *qui est arrivé à l'extrême gauche, se retournant brusquement avec un coup de poing sur le coin du couvercle du piano.* – Oui. Eh ! bien je l'engage à se tenir le Ministère. Ah ! j'ai l'air d'un imbécile ! eh ! bien je lui ferai voir demain au Ministère si je suis un imbécile ! Ah !... ça me soulagera !

Il remonte nerveusement en passant derrière le piano.

HUBERTIN, *à part.* – Mais qu'est-ce qu'il a ?

COUSTOUILLU, *dans le cintre du piano.* – Ah ! mais vous ne me connaissez pas ! Je monterai à la Tribune, et savez-vous ce que je dirai à la Chambre, eh ! bien je lui dirai : « mille tonnerres !... »

FRANCINE, *arrivant de gauche et descendant par le milieu de la scène.* – Voilà, c'est fait !...

COUSTOUILLU, *brusquement paralysé par l'entrée de Francine.* – Euh je... euh ! je... c'est... c'est euh !...

FRANCINE. – Mais qui est-ce qui criait donc comme ça ? (*A Hubertin.*) C'est vous, monsieur ?

HUBERTIN. – Non... c'est monsieur.

FRANCINE. – Vous, monsieur Coustouillu ? Ce n'est pas possible !

COUSTOUILLU, *essayant de se donner l'air dégagé.* – Oui. Oh !... Pffu !

Dans son trouble il a pris machinalement le chapeau de Francine laissé sur le piano et s'évente avec. Il s'en aperçoit peu de temps après, fait un « oh ! » à peine perceptible et repose vivement le chapeau à sa place.

FRANCINE. – Monsieur Coustouillu élevant la voix ! Oh ! je regrette de n'avoir pas vu ça ! pour la rareté du fait !...

COUSTOUILLU, *riant jaune.* – Oho !

HUBERTIN, *à part.* – Quel drôle de personnage !

SCÈNE VI

LES MÊMES, CHANAL.

CHANAL, *revenant avec des billets de banque et descendant* (3) *à Hubertin.* – Voici, cher monsieur, vos quinze louis !... avec tous mes remerciements.

HUBERTIN. – Comment donc ! C'est moi au contraire !... Allons, au revoir, cher monsieur.

CHANAL. – Vous partez ?

HUBERTIN. – Je vous laisse, oui ; j'ai des gens à voir pour affaires ; alors, il vaut mieux que je les voie maintenant...

CHANAL, *achevant sa pensée.* – ... qu'après cinq heures ?

Il rit.

HUBERTIN, *faisant chorus.* – Vous l'avez dit. (*Brusquement à Coustouillu, qui pendant ce qui précède est redescendu peu à peu jusque devant le canapé et dont le regard semble fixé sur Hubertin, bien qu'en réalité il erre dans le vague.*) Monsieur, très honoré d'avoir fait votre connaissance !

Coustouillu, dans la lune, ne répond pas.

CHANAL, *après un temps, à Coustouillu.* – Eh !... Eh bien ! Coustouillu !

COUSTOUILLU, *comme un homme qu'on réveille brusquement.* – Hé ?

CHANAL. – Il faut redescendre, mon vieux. (*Indiquant Hubertin.*) Monsieur qui est très honoré... et cætera, et cætera.

COUSTOUILLU. – Oh ! pardon !... (*Il s'incline.*) Monsieur.

CHANAL. – A la bonne heure.

HUBERTIN, *saluant Francine qui est au-dessus du piano.* – Madame !

FRANCINE. – Au revoir monsieur.

Chanal, accompagnant Hubertin, sort avec lui. Francine et Coustouillu esquissent le mouvement de sortie. Francine s'arrête sur le pas de la porte, pour les regarder partir. Coustouillu sans précipitation, et par un mouvement arrondi, remonte jusqu'à la petite table du fond sur laquelle il prend son chapeau.

CHANAL, *reparaissant.* – Là ! Eh bien ! va déjeuner, Francine !

FRANCINE. – J'y vais.

CHANAL, *se remettant à son phonographe.* – Et puis tiens ! Emmène donc Coustouillu avec toi ! J'ai mon cylindre à faire, ça ne l'amuserait pas.

FRANCINE, *qui est passée derrière le piano, emportant ses effets.* – C'est ça, venez monsieur Coustouillu, je vous emmène.

COUSTOUILLU, *s'élançant.* – Ah ?... vi ! vi !

CHANAL, *moqueur indiquant la chaise que Coustouillu a replacée là précédemment, en plein dans le chemin.* – Prends garde à la chaise !

Sortie par la gauche de Francine et de Coustouillu. On sonne.

SCÈNE VII

CHANAL, puis ÉTIENNE, puis MASSENAY.

CHANAL, *qui, pendant ce qui précède, a réglé son phonographe, le met en mouvement, puis se plaçant face au pavillon, recommence son discours.* – « Ma chère sœur !... ainsi c'est un fait accompli ! de ce jour te voilà mariée !... Ce soir tu connaîtras le grand mystère à quoi rêvent les jeunes filles... »

Sur ces dernières répliques, Étienne tenant à la main un plateau avec une carte a paru au fond, suivi de Massenay. – Celui-ci reste à attendre dans le hall pendant qu'Étienne descend en scène.

ÉTIENNE, *entrant, à pleine voix.* – Monsieur !...

CHANAL, *furieux, arrêtant d'un coup de main le mouvement de l'appareil.* – Allez-vous vous taire, nom de nom ?

ÉTIENNE, *interloqué, faisant un pas vers Chanal.* – Monsieur ?

CHANAL. – Vous ne voyez pas que je parle ?

ÉTIENNE, *avec un calme imperturbable.* – A qui ?

CHANAL. – Est-ce que ça vous regarde ? Pas à vous en tout cas !... C'est à croire que c'est une gageure, ma parole ! Madame d'abord, vous après ! Quoi ? Qu'est-ce que vous voulez ?

ÉTIENNE. – Monsieur, c'est un monsieur qui désire parler à Monsieur.

Massenay, peu à peu, s'est avancé et arrêté sur le pas de la porte laissée ouverte par Étienne.

CHANAL, *qui ne se doute pas que Massenay l'entend.* – Oui. Eh ! bien je m'en fiche de votre monsieur ! Il m'embête ; qu'est-ce qu'il me veut ?

ÉTIENNE. – Voici sa carte.

CHANAL, *prenant la carte.* – Et je m'en fiche de sa carte, comme de lui ! Je n'y suis pour personne, vous m'entendez ! Allez lui dire qu'il m'embête.

MASSENAY, *qui sur le pas de la porte a assisté à la scène, très aimablement.* – Je suis vraiment confus, monsieur, de voir que je vous dérange.

CHANAL, *que cette intervention inattendue fait sursauter et retourner sur soi-même.* – Hein ! (*Subitement calmé et avec la cordialité la plus grande.*) Mais pas du tout, monsieur ! Mais je vous en prie !...

En ce disant, il est remonté jusqu'à Massenay toujours sur le pas de la porte.

MASSENAY. – Je vous assure monsieur, si vous êtes occupé, je peux revenir.

CHANAL, *insistant.* – Mais du tout ! du tout ! Qu'est-ce qui peut vous faire supposer ?... Comment donc !

MASSENAY. – On n'est pas plus aimable.

Il passe devant Chanal et redescend dans la direction de la table de droite ; pendant qu'il a le dos tourné, Chanal expédie

Étienne en lui faisant en pantomime force remontrances : « Ah ! vous n'en faites jamais d'autres ! » haussement d'épaules puis geste qui signifie : « C'est bien, allez ! » – Sortie d'Étienne.

CHANAL, *redescend au-dessus et à droite de la table, très empressé.* – Et qu'y a-t-il pour votre service ?

Il lui indique le siège à gauche de la table.

MASSENAY, *s'asseyant à gauche de la table.* – C'est à monsieur Chanal que j'ai l'honneur de parler ?

CHANAL, *s'asseyant face à Massenay.* – Parfaitement.

MASSENAY, *insistant.* – ... Monsieur Chanal propriétaire de cet immeuble ?

CHANAL. – Oui, enfin... l'immeuble appartient à ma femme, mais étant chef de la communauté...

MASSENAY. – ... cela revient au même. Eh ! bien, voici monsieur (*Déposant son chapeau à sa gauche, sur la table*) : j'ai vu que vous aviez l'entresol à louer.

CHANAL. – En effet, monsieur.

MASSENAY. – Je cherche justement un pied-à-terre... Cet appartement me conviendrait.

CHANAL. – Ah ?... Vous l'avez visité ?

MASSENAY, *très net.* – Non, c'est inutile ! Il me convient comme ça.

CHANAL, *interloqué.* – Ah ?

MASSENAY. – Il est de ?...

CHANAL, *évaluant son homme.* – Il est de... hein ?... Euh... trois mille... euh... huit...

MASSENAY. – Mettons quatre mille en chiffre rond.

CHANAL, *ouvrant de grands yeux.* – Comment ?

MASSENAY. – Je dis : « mettons quatre mille ».

CHANAL. – Comment « mettons quatre mille ! » ? Vous ne m'avez pas compris, je vous ai dit...

MASSENAY. – Si, si !... Ça m'est plus commode !... Quatre mille, c'est clair, c'est net ; c'est divisible par quatre, ça fait mille francs par trimestre ; pas de calcul à faire ; on sait toujours ce qu'on a à donner... j'aime mieux ça ! Laissez-moi ça à quatre mille, qu'est-ce que ça vous fait ?

CHANAL, *accommodant.* – A moi. Oh ! rien du tout ! Va pour quatre mille ! je ne veux pas vous contrarier.

MASSENAY, *s'inclinant.* – On n'est pas plus aimable !... Maintenant, s'il y a des réparations à faire...

CHANAL. – Je m'en charge.

MASSENAY, *froidement.* – Moi aussi.

CHANAL, *interloqué.* – Ah ?... Bien !... (*A ce moment une réflexion lui vient : il se mord les lèvres, a un hochement de tête comme pour dire : « Je te vois venir mon bonhomme ! » puis, avec beaucoup de ménagement.*) Seulement je dois vous avertir d'une chose... A vous voir si arrangeant, il m'est permis de supposer qu'une arrière-pensée...

MASSENAY, *bien ingénu.* – Quoi donc ?...

CHANAL, *avec force circonlocutions.* – Eh bien ! voilà... Je comprends très bien qu'un homme jeune... Mon Dieu on n'est pas de bois !... Mais je vous l'ai dit, l'immeuble étant à ma femme, sur la question de moralité... dame !... (*Plus nettement.*) Enfin, aux termes du bail, vous devez habiter bourgeoisement.

MASSENAY, *souriant.* – Mais je l'entends bien ainsi.

CHANAL, *de plus en plus interloqué.* – Ah ?...

MASSENAY. – Je n'ai aucunement l'intention d'amener des femmes du dehors.

CHANAL, *tenant à y mettre du sien.* – Oh ! mon Dieu, vous savez entre nous... il ne faudrait pas prendre non plus au pied de la lettre... Il viendrait une dame, par hasard...

MASSENAY, *protestant avec conviction.* – Mais non, mais non.

CHANAL. – Je ne dis pas ça pour vous inciter à mal ! mais enfin vous auriez une relation que le concierge n'a pas à savoir... si c'est votre mère ou votre sœur.

MASSENAY, *id.* – Mais aucune relation ! pas plus avec ma mère qu'avec ma sœur !

CHANAL, *se défendant.* – Oh ! oh ! croyez bien que je n'ai jamais pensé !...

MASSENAY, *affirmatif.* – Je vous certifie que jamais votre concierge ne verra entrer une femme chez moi.

Il se lève, et gagne un peu à gauche.

CHANAL, *convaincu, se levant également.* – Allons, monsieur, mes compliments ! Je vois que nous nous accorderons sans peine ! Dieu merci, si tous les locataires étaient comme vous, le métier de propriétaire serait plus agréable.

MASSENAY. – Ah bien ! vous savez ; tel qu'il est, c'est encore tout de même celui qui trouvera le plus d'amateurs.

CHANAL, *riant.* – Hé ! hé ! hé ! (*A part, remontant vers*

son cabinet.) Il est drôle. (*Haut.*) Allons, j'ai des baux tout préparés ; désirez-vous que nous signions tout de suite ?

MASSENAY, *qui est près du piano.* – Volontiers.

CHANAL, *qui a la carte de Massenay en mains.* – Si vous voulez me donner votre nom.

MASSENAY, *de sa place, indiquant du doigt la carte que Chanal tient.* – Mais... sur ma carte.

CHANAL. – Oh ! c'est juste... (*Lisant en marchant dans la direction de son cabinet.*) « Émile Massenay. » (*S'arrêtant étonné.*) Tiens ?...

MASSENAY, *comme un homme habitué à ce genre de remarque.* – Non !... homonyme !

CHANAL, *à qui ce nom évoque un autre souvenir.* – Oui, oui je vois, mais non, c'est...

MASSENAY, *souriant.* – Ah ! C'est qu'on me la fait tout le temps !

CHANAL, *sans l'écouter, cherchant dans ses souvenirs.* – « Massenay » ? « Massenay » ? (*Brusquement, redescendant de quelques pas dans sa direction.*) Vous n'avez pas été élève à Saint-Louis [5] ?

MASSENAY, *avec une jovialité étonnée.* – Oui, jusqu'en seconde [6].

CHANAL, *ravi.* – C'est ça ! Mais moi aussi ! Elle est bien bonne !... Chanal ! tu ne te rappelles pas Chanal ?

MASSENAY, *consultant ses souvenirs.* – Chanal ?...

Il est placé de façon à tourner légèrement le dos à Chanal.

CHANAL, *étourdiment, lui envoyant un bon renforcement dans le dos.* – Mais si, voyons... idiot !

MASSENAY, *instinctivement, se mettant sur la défensive.* – Vous dites ?

CHANAL, *confus.* – Oh ! pardon !

MASSENAY, *se remettant dans la situation.* – Non, non ! Allez donc !... du moment que nous avons été camarades ! Seulement, n'est-ce pas ? Sur le moment !... la passe a été si rapide ! ! ! j'ai été pris au dépourvu... Mais un instant ! le temps de réendosser ma tunique de potache et ça va aller tout seul !... (*Prenant du champ et lui envoyant à son exemple une formidable tape dans le dos.*) Alors, tu disais donc, idiot ?

CHANAL, *exultant.* – Aha ! A la bonne heure ! Toujours le même !... vieux copain !... (*Bien face à lui, en le prenant par les deux revers de sa jaquette.*) Je disais donc : « Tu ne te rappelles pas Chanal ? »

MASSENAY, *cherchant.* – Attends donc ! C'est pas un petit dont on disait que le père était cocu ?...

CHANAL, *bien naturellement.* – Mais non voyons, c'est moi !

MASSENAY, *décontenancé par son impair.* – Oh ! Oh !... Mais oui que je suis bête ! je le sais bien parbleu, que c'est toi, puisque je suis ici !... Où avais-je la tête ?

CHANAL. – A la bonne heure ! Tu me reconnais maintenant. Ah ! vieux copain va !... (*Dans un besoin d'expansion, il attire brusquement Massenay à lui en lui faisant un étau de son bras droit passé le long des épaules ; Massenay répond à son élan en lui passant le bras autour de la taille et ainsi, hanche contre hanche, ils arpentent la scène, d'abord vers la droite puis vers la gauche.*) Ça me fait plaisir de te revoir...

MASSENAY. – Mais... moi aussi.

CHANAL. – Il n'y a pas, quand on a usé ses culottes ensemble au collège et qu'on se retrouve... eh ! ben tu sais... (*S'arrêtant, lâchant Massenay et avec profondeur.*) On se crée de nouvelles connaissances dans la vie, mais un camarade d'enfance, ça ne se refait pas !...

MASSENAY, *qui s'est arrêté en même temps que Chanal, gagnant l'extrême gauche, blagueur.* – Oui... surtout à notre âge !

CHANAL. – C'est vrai ! (*Sentimental.*) Ah ! c'est loin tout ça !... (*Changeant de ton.*) Mais tiens, assieds-toi donc ! (*Il lui indique le canapé, sur lequel ils s'asseyent tous deux. Une fois qu'ils sont bien assis, Chanal, revenant à ses souvenirs de jeunesse, joyeusement.*) Ah ! ce bon Massenay ! Dis donc : tu te rappelles Bourrache ?... qui était si rigolo ?...

MASSENAY, *souriant et intéressé.* – Oui.

CHANAL. – Je le vois quelquefois.

MASSENAY. – Ah ?

CHANAL. – Il n'a pas changé, figure-toi ! toujours aussi rigolo !

MASSENAY. – Allons donc !

CHANAL. – Oui ! Ah ! il porte la joie avec lui cet homme là... Il est huissier.

MASSENAY. – Ah !... joyeux en effet !

CHANAL. – Eh ! bien et Poteau ? Tu te rappelles Poteau ?

MASSENAY. – Non.

CHANAL. – Mais si : qui avait une sœur qui venait le

voir au parloir... (*Voyant que Massenay n'a pas l'air de se rappeler, cherchant à lui rafraîchir la mémoire.*) Une sœur qui nous faisait de l'œil !... Allons ! voyons !... elle louchait ! Même ça lui permettait de faire de l'œil à deux élèves à la fois... (*Désappointé.*) Tu ne te rappelles pas, Poteau ?

MASSENAY. – Pas du tout !

CHANAL, *n'en revenant pas.* – C'est drôle !... (*Changeant de ton.*) Eh ! bien il est mort.

MASSENAY – *avec un soubresaut comme s'il avait reçu un choc ; puis.* – Poteau est mort ?... Oh !... pauvre Poteau !...

CHANAL, *avec conviction.* – C'est triste hein ?... à *notre* âge !

MASSENAY, *avec intérêt.* – Oh !... Et de quoi ?

CHANAL, *avec un geste désolé.* – Une affection au cœur...

MASSENAY, *avec compassion.* – Au cœur !

CHANAL. – Oui... pour une actrice... qui avait trop de tempérament !... C'est ça qui l'a tué : un jour après déjeuner... on lui avait pourtant dit que sur la digestion !...

MASSENAY. – Aie ! aie aie !

CHANAL. – Oui je t'en fiche !... Ah ! ça n'a pas traîné : il a été enlevé... V'lan !... sur le coup.

MASSENAY. – Sur le coup ; (*Douloureusement.*) Ah !... pauvre Poteau !

CHANAL, *hochant la tête tristement.* – Ah ! oui... (*Il reste un instant rêveur ; soudain, sa figure change d'expression, il regarde Massenay, puis.*) Mais au fait qu'est-ce que tu me chantes ?... T'as pas pu le connaître Poteau : c'est à Henri-IV que j'ai été avec lui.

MASSENAY. – Ah ! à la bonne heure ! je me disais aussi... mais alors je m'en fous !... qu'est-ce que tu veux que ça me fasse qu'il soit mort, Poteau ?

CHANAL, *se levant et gagnant le milieu de la scène.* – C'est vrai, puisqu'il était à Henri-IV.

MASSENAY, *se levant également.* – D'ailleurs je peux dire que, du collège, je ne vois plus personne ! Quand on est sur les bancs, on croit qu'on sera amis pour la vie, et puis... chacun va de son côté... Il n'y en a guère qu'un avec qui j'aie conservé des relations... un qui a fait son chemin, celui-là !... D'ailleurs c'est toujours ceux-là qu'on retrouve... ceux-là ou les tapeurs !... Je ne sais pas si tu t'en souviens, c'est le député Coustouillu.

CHANAL, *gaîment.* – Coustouillu ! Ah ! bien je te crois ! (*Remontant légèrement dans la direction de la porte de gauche qu'il indique.*) Il est ici !

MASSENAY, *qui a suivi son mouvement.* – Ici ?

CHANAL, *redescendant.* – Oui, en train de tenir compagnie à ma femme. C'est un de mes amis intimes ! Il ne décolle pas de la maison.

MASSENAY. – Allons donc ! Ah ! bien c'est curieux : moi, je suis très lié avec lui, il ne m'a jamais parlé de toi.

CHANAL. – Oh ! bien, cependant !...

MASSENAY. – Ah ! tu le connais ?... Eh ! bien, hein ? le malheureux ! Crois-tu que son amour le met dans un état ?

CHANAL, *bien naïvement.* – Son amour ?... Il a un amour ?

MASSENAY. – Il ne te l'a pas dit ?

CHANAL. – Non !

MASSENAY. – Comment, mais il ne parle que de ça. Un amour sans espoir.

CHANAL. – Ah ! bien par exemple ! Pour qui ?

MASSENAY. – Ah ! ça ?... Je sais que c'est une femme mariée, mais voilà tout. Coustouillu, c'est la discrétion même : il m'entretient de ses intrigues, mais anonymement.

CHANAL. – Il ne m'en a pas ouvert la bouche !... Est-il bête de faire des cachotteries avec moi !... sans compter qu'à lui tout seul il n'arrivera à rien.

MASSENAY, *s'asseyant de côté sur la chaise à gauche de la table, de façon à faire face à Chanal et à être adossé à la table.* – C'est bien ce qui l'enrage.

CHANAL. – Au moins, moi, j'aurais pu lui être de bon conseil... je lui aurais dis ce qu'il y avait à faire ; je connais la femme !

MASSENAY, *curieux.* – Tu la connais ?

CHANAL, *remettant les choses au point.* – Je connais la femme... en général ! Enfin, je ne sais pas, j'aurais été le clairon qui sonne la charge ! « Aie donc, là !... en avant marche !... C'est qu'ça donc ! on n'a donc pas de c... cœur au ventre ! » J'aurais même dit la chose plus crûment, mais pour toi, je mets des formes.

MASSENAY. – Si tu crois que je ne lui ai pas dit tout ce qu'il y avait à dire...

CHANAL. – Eh ! bien qu'est-ce qui le gêne ? Le mari ?

MASSENAY. – D'abord.

CHANAL. – La belle affaire ! Quand il y aurait un cocu de plus !...

MASSENAY. – Écoute, je ne voudrais pas non plus le faire meilleur qu'il n'est... Je crois que le mari n'est que la raison secondaire ; au besoin, il passerait très bien par-dessus... Mais ce sur quoi il ne saurait passer, c'est sa sotte timidité : le malheureux, il n'a pas de chance ! Dès qu'il est amoureux d'une femme, il n'y a plus personne !... Tant qu'il n'est pas arrivé à ses fins, il est comme un idiot, et naturellement, par simple réciproque, tant qu'il est comme un idiot, il n'arrive pas à ses fins... ce qui fait qu'il suffit qu'il soit épris d'une femme, pour être sûr de se brosser.

CHANAL. – Pauvre bougre !

MASSENAY, *se levant.* – A moins !... à moins que, par une de ces coïncidences inespérées, la femme n'en vienne elle-même à faire les avances ou à le prendre de force.

CHANAL. – Ce qui est peu probable.

MASSENAY. – Oui... surtout avec la femme mariée en question... Il paraît qu'elle ne fait pas plus attention à lui que s'il n'existait pas !... et alors lui, il est annihilé, quand elle est là ; il bafouille, il rougit, il n'ose pas ouvrir la bouche, il ne sait pas où se mettre !...

CHANAL, *avec bonhomie.* – Oh ! ça, tu sais, il est comme ça ici ; alors !...

MASSENAY, *interdit.* – Ah ! il ?...

CHANAL, *flairant subitement la réalité.* – Eh ! mais, dis donc !...

MASSENAY, *vivement, le comprenant à demi-mot.* – Non, non !

CHANAL. – Si, si ! (*Avec jovialité, en se donnant une tape sur la cuisse.*) Ah ! bien, elle serait pommée, celle-là !... La femme mariée : c'est peut-être ma femme.

MASSENAY. – Ta femme ?...

CHANAL. – Mais oui !... son trouble devant elle, ses bafouillages : je m'explique maintenant !...

MASSENAY, *affolé de son impair, essayant de le réparer.* – Hein ! Mais non ! mais non ! Qu'est-ce que tu vas t'imaginer ?... En voilà une idée !... Est-ce que j'aurais été te raconter ?... Ah ! bien, j'ai fait un joli coup !... si tu vas te fourrer dans la tête, maintenant !... Ah ! là, là... En voilà une gaffe !

CHANAL, *sans s'émouvoir et avec un bon sourire d'insou-*

ciance. – Mais laisse donc ! ça n'a pas d'importance !... Je trouve ça très drôle, au contraire. En somme, quoi ? il est amoureux de ma femme ?... eh bien ! où est le mal ?... tant que ça ne va pas plus loin !... et comme ma femme est une femme honnête.

MASSENAY, *avec conviction.* – Oh ! oui.

CHANAL, *très positif.* – Oui, toi tu n'en sais rien ; tu dis ça, par politesse ; mais moi, je le dis parce que je la connais... Par conséquent, de ce côté, je suis bien tranquille ; d'autre part, Coustouillu : pas dangereux !...

MASSENAY, *avec conviction.* – Oh ! non.

CHANAL. – Tant que je le verrai bafouiller avec ma femme, je pourrai être tranquille comme Baptiste.

MASSENAY. – Oh ! comme tous les Baptiste réunis !

CHANAL, *ne pouvant s'empêcher de rire.* – Oh ! que c'est drôle. Non, Coustouillu amoureux de ma femme !... Ah !... il faut que je lui dise ça pour la faire rire !... (*Passant au-dessus du piano pour gagner la porte par où est sortie Francine et appelant.*) : Francine !

VOIX DE FRANCINE, *à la cantonade.* – Quoi ?

MASSENAY, *allant jusqu'au piano.* – Oh ! surtout, eh !... pas un mot de tout ça à Coustouillu ! Il ne me le pardonnerait pas !

CHANAL. – Voyons ! ça va sans dire... (*Riant.*) Le pauvre garçon, il en aurait une congestion !

MASSENAY, *riant également.* – Comme Poteau.

CHANAL, *riant.* – Oui... (*Changeant de ton.*) Eh ! là ! hé ! mais préventive, celle-là !

MASSENAY. – Naturellement !

CHANAL, *appelant à nouveau.* – Eh ! bien Francine !

VOIX DE FRANCINE. – Mais quoi ?

CHANAL. – Eh bien ! viens !

Il redescend entre mur et piano pour gagner le milieu de la scène en passant devant le canapé.

SCÈNE VIII

LES MÊMES, FRANCINE.

FRANCINE, *dès le pas de la porte et en décrivant le même trajet que Chanal.* – Quoi ? Qu'est-ce qu'il y a ?

CHANAL. – Ah ! non, tu ne devineras jamais ! Apprête-toi à tomber de ton haut.

FRANCINE. – Et pourquoi, mon Dieu ?... (*Voyant Massenay qui s'incline.*) Monsieur !...

CHANAL, *qui a vu le jeu de scène.* – Ah ! oui, c'est vrai !... mon ami Massenay !... Émile Massenay...

FRANCINE. – Très heureuse, monsieur. Vous portez là un nom !...

MASSENAY, *blagueur, à Chanal.* – Voilà, ça y est !

FRANCINE. – Est-ce que vous êtes parent du musicien ?

MASSENAY, *avec un sourire plein d'humilité.* – Mon Dieu, non, madame... je n'ai pas cet honneur ! Mon nom s'écrit : A, Y.

FRANCINE, *marivaudant.* – Je le regrette pour vous.

MASSENAY, *marivaudant.* – Mais moi aussi, madame... Mais c'est la faute à l'A, Y.

CHANAL, *gaîment.* – Quoi ? quoi ? « A, Y » ? quoi ? C'est Massenay... tu as l'air étonné... Massenay qui sort de Saint-Louis...

FRANCINE. – Bien oui, tu sais, moi, je n'en sors pas.

CHANAL, *revenant à ses moutons et contenant avec peine sa joie.* – Ah ! non, mais tu ne sais pas ce que je viens d'apprendre ?... Tiens-toi bien ! (*Ménageant bien son effet.*) Coustouillu... (*Un petit temps.*) est amoureux de toi !

FRANCINE, *sur le même ton que Chanal.* – Qui est-ce qui t'a dit ça ?

CHANAL. – Massenay.

FRANCINE, *étonnée.* – Monsieur ?

MASSENAY, *protestant.* – Oh ! Permets !... Je n'ai pas pu dire une chose que je ne savais pas ! Je t'ai confié que Coustouillu était tellement amoureux d'une femme mariée que lorsqu'il était en sa présence il en devenait complètement idiot... voilà tout... Alors, toi, tu m'as répondu : « C'est ma femme ! » C'est pas la même chose.

CHANAL. – Oui, enfin, ça revient au même !... (*A Francine.*) Eh bien ! hein ? J'espère qu'en voilà une bonne ? Tu ne t'en serais jamais doutée ?

FRANCINE, *avec le plus grand calme.* – Moi ?... Je le savais !

CHANAL, *ahuri, bouche bée, regarde Massenay avec de grands yeux, regarde sa femme, puis.* – Tu savais qu'il était amoureux de toi ?

FRANCINE, *simplement.* – Mais dame...

CHANAL, *même jeu.* – C'est pas possible !... Il t'a fait des déclarations ?

FRANCINE. – Jamais !... C'est bien pour ça !... on peut douter de l'amour d'un homme qui vous dit : « Je vous aime », mais on peut être certaine de l'amour de celui qui fait tout pour vous le cacher.

CHANAL, *bien naïvement.* – Je ne m'étais jamais aperçu de rien.

FRANCINE, *avec une gentille ironie.* – Oh ! bien toi, tu es un mari !... tu ne peux pas avoir la prétention de voir les choses avant les autres.

MASSENAY, *souriant.* – Vous êtes caustique, madame.

CHANAL. – Elle a un peu raison dans l'espèce. Oh ! mais maintenant à la réflexion, il y a un tas de choses qui m'ouvrent les yeux... Tiens ! tout à l'heure, les asperges !

MASSENAY. – Les asperges ?

CHANAL. – Oui, et l'autre jour, les brugnons... (*A Massenay.*) Figure-toi, ma femme n'a qu'à jeter un mot en l'air, devant lui, dire : « Ah ! j'ai vu de beaux brugnons chez un tel !... » Ou « tiens, je mangerais bien des asperges !... » Crac, deux heures après, tu vois revenir mon Coustouillu avec une corbeille de brugnons ou une botte d'asperges...

MASSENAY. – Vraiment ?

FRANCINE. – Oui, je n'ose plus rien dire.

CHANAL. – Et il n'y a pas ! il ne fait ça que pour elle. L'autre jour, j'avais des douleurs dans le ventre, je dis devant lui : « Ah ! j'aimerais bien avoir un cataplasme ! » Eh bien, il n'a pas bronché !... Si ç'avait été ma femme, ah ! là, là !... il l'aurait plutôt posé lui-même.

FRANCINE. – Tu es bête !

CHANAL. – D'ailleurs, tu auras l'occasion de l'observer, maintenant que nous allons nous revoir. (*A sa femme.*) Car, tu ne sais pas : Massenay... je viens de lui louer l'entresol.

FRANCINE. – Allons donc !

CHANAL. – Au fait, je vais préparer le bail... tu m'attends cinq minutes ?

MASSENAY. – Je t'en prie !...

Mouvement simultané des trois personnages. – Chanal remonte dans la direction de son cabinet. – Francine remonte un peu dans sa direction, Massenay gagne à gauche jusqu'au piano.

CHANAL, *au moment d'entrer dans son cabinet.* – Tenez-vous mutuellement compagnie, je reviens dans un instant...

Il sort en refermant la porte sur lui.

SCÈNE IX

FRANCINE, MASSENAY.

Un temps pendant lequel Francine regarde son mari s'en aller, tandis que Massenay, debout à l'angle du piano et du canapé, et tournant le dos à Francine, manipule un bibelot quelconque comme un homme qui occupe son attente.

FRANCINE, *brusquement toute radieuse, aussitôt que la porte est retombée sur Chanal.* – Tu as loué l'entresol ?

MASSENAY, *se retournant à sa voix.* – Oui.

FRANCINE, *se précipitant dans ses bras.* – Ah ! chéri ! chéri ! comme c'est gentil !...

MASSENAY. – Dis que ce n'est pas une bonne idée ?... Je t'ai vue si troublée hier d'être venue chez moi, rue du Colisée ; si tremblante à penser que peut-être on t'avait aperçue...

FRANCINE. – Et comme j'avais raison !... Regarde un peu : juste un ami de mon mari qui demeure dans la maison.

MASSENAY. – Non ?

FRANCINE. – Oui !... et qui est venu tout à l'heure... Il m'a vue entrer ou sortir... alors, la fâcheuse gaffe !... heureusement, mon mari n'y a pas fait attention ; mais vois-tu, tout de même, si...

MASSENAY, *rétrospectivement angoissé.* – Ne m'en parle pas ! Oh ! mais maintenant plus rien de tout cela à craindre !... plus de risque d'être vue, d'être compromise ; (*Appuyant sur chaque mot souligné.*) tu n'auras plus à sortir *de chez* toi, nous nous aimerons, *ici !... dans la maison.* C'est bien plus pratique !

Il l'embrasse dans le cou.

FRANCINE, *pendant qu'il l'embrasse.* – Oh ! oui ! Et plus convenable pour mon mari !... Oh ! mon chéri, que je t'aime !

MASSENAY. – Ma Francine !

On frappe à la porte de gauche, les deux personnages s'écartent brusquement l'un de l'autre ; vont s'asseoir, Massenay sur le canapé, Francine à gauche de la table, et prennent l'air correct de gens en visite, puis :

FRANCINE, *d'une voix détachée.* – Entrez !

La porte s'entrebâille et Coustouillu s'insinue timidement.

MASSENAY, *de sa place, comme s'il poursuivait une conversation commencée.* – Il est certain qu'aux Galeries Lafayette... le sort des demoiselles de magasin...

SCÈNE X

LES MÊMES, COUSTOUILLU.

COUSTOUILLU, *avec un sourire contraint.* – Heuheu ! je... je suis toujours là...

FRANCINE. – Ah ! c'est vous, monsieur Coustouillu ?... Entrez !

COUSTOUILLU, *descendant.* – Pardon...

Il va s'asseoir sur le bord du tabouret de piano.

MASSENAY, *que Coustouillu n'a pas encore aperçu.* – Bonjour, Coustouillu !

COUSTOUILLU, *se dressant comme mû par un ressort.* – Toi ? Toi ? Qu'est-ce que tu fais ici ?

MASSENAY, *jovialement.* – Eh bien ! tu vois ; je suis venu rendre visite à mon ancien camarade de collège Chanal...

COUSTOUILLU. – Ah ?... Ah ?...

MASSENAY. – Il m'a fait l'honneur de me présenter à madame Chanal.

COUSTOUILLU, *complètement décontenancé.* – Ah !... vivi ! (*Présentant.*) M. Massenay !... Madame Chanal !

MASSENAY. – Non, je te dis qu'il m'a présenté. C'est fait !

COUSTOUILLU. – Ah ?.. vivi !...

MASSENAY. – Pourquoi as-tu l'air si troublé ?

COUSTOUILLU, *affolé, en songeant aux confidences qu'il a pu faire à Massenay.* – Moi... C'est faux !... Je te défends... Qu'est-ce que tu vas croire ?... Ce n'est pas elle !...

MASSENAY, *de l'air le plus innocent.* – Quoi « ce n'est pas elle » ?

FRANCINE. – Ce n'est pas moi qui quoi ?

COUSTOUILLU. – Hein, euh ! non ! rien !... rien !

Il s'effondre, la gorge sèche, sur le tabouret du piano.

FRANCINE, *après un temps, en le voyant assis.* – Vous... vous vous apprêtiez à sortir, monsieur Coustouillu ?

COUSTOUILLU, *bien hagard.* – Non !... non !...

FRANCINE, *après un petit temps, insistant.* – Ne vous gênez pas pour nous, si vous avez affaire dehors...

COUSTOUILLU, *fait de la tête signe que non, toujours avec son sourire gêné, puis.* – Je... je peux remettre.

FRANCINE. – Ah ?... Ah ?

Coustouillu fait signe que « oui », puis, ayant le sentiment de sa gaucherie, il cherche une position qui lui donnera l'air à l'aise ; pour ce faire, oubliant qu'il est sur le tabouret, il laisse aller son corps en arrière, pour s'appuyer sur un dossier imaginaire, de sorte qu'il manque de perdre l'équilibre (ce jeu de scène doit être très discret). – Moment de gêne général, Francine tousse ; puis Massenay ; on ne sait que dire. – Coustouillu, gêné par son chapeau, ne sachant où le mettre, se le pose sur la tête, puis presque aussitôt, s'apercevant de sa bévue, le retire précipitamment, en regardant anxieusement si aucun des personnages ne l'a vu. Il le place sur son genou, en faisant un soutien pour son bras ; puis aussitôt que le dialogue suivant s'engage, il l'écoute, le sourcil froncé comme quelqu'un qui concentre toute son attention, approuvant de la tête, le visage successivement tourné vers la personne qui parle.

FRANCINE, *se décidant à rompre le silence.* – Qu'est-ce que nous disions donc, monsieur Massenay ?

MASSENAY, *saisi par cette brusque question.* – Ce que nous disions ?... Euh ?... Qu'est-ce que nous pouvions bien dire ? (*Regardant Coustouillu et frappé d'une inspiration.*) Ah ! oui, vous me disiez, madame, que vous aviez remarqué un melon chez Potel et Chabot [7] et qu'il vous avait fait envie.

FRANCINE. – Moi !

MASSENAY. – Si vous le permettez, madame, en sortant d'ici, je cours chez Potel et je vous le rapporte.

FRANCINE, *qui devine sa pensée.* – Oh ! Monsieur, c'est trop aimable.

Massenay n'a pas achevé sa phrase, que Coustouillu se dresse sur son séant ; rapidement et brusquement, de ses deux mains repousse le tabouret près du piano, et remonte comme une flèche vers le fond.

FRANCINE, *hypocritement.* – Eh ! où allez-vous donc, monsieur Coustouillu ?

COUSTOUILLU, *tout en courant.* – Rien ! rien ! je reviens !... je reviens...

Il sort précipitamment.

SCÈNE XI

FRANCINE, MASSENAY.

Un temps pendant lequel les deux personnages regardent la sortie de Coustouillu, puis se regardent réciproquement et éclatent d'un rire joyeux.

MASSENAY. – Et voilà ! C'est pas plus malin que cela.

FRANCINE, *avec une admiration d'enfant, allant se loger dans ses bras.* – Oh ! comme tu as de l'esprit !

MASSENAY. – L'amour rend ingénieux.

FRANCINE, *se pelotonnant contre lui.* – Je t'aime.

MASSENAY, *l'embrassant.* – Ma chérie !

FRANCINE. – Si tu savais comme je suis heureuse depuis vingt-quatre heures !... (*Avec une souriante confusion.*) depuis que c'est fait. J'ai envie de crier mon bonheur à tout le monde, (*Sourire avantageux et reconnaissant de Massenay.*) aux passants... aux domestiques... à mon mari...

MASSENAY, *qui, après chacune de ces désignations, les yeux mi-clos pour mieux savourer son bonheur, la bouche souriante, a approuvé d'autant de hochements de tête, approuve encore une fois machinalement, puis brusquement se ravisant.* – Ah ! non.

FRANCINE. – Ne crains rien, c'est des envies qu'on a, mais qu'on ne se passe pas !... (*Sentimentale.*) et pourtant, il y a des moments où ça me brûle de lui raconter ! c'est si lourd à garder un secret ! Et puis je me dis que ça le rendrait furieux, qu'il me ferait une scène et qu'en me faisant une scène, il serait bien forcé de parler de toi... Et c'est si bon d'entendre prononcer le nom de celui qu'on aime...

MASSENAY, *plus à la réalité.* – Oui, je ne dis pas, mais c'est égal !...

FRANCINE, *se levant et avec un soupir.* – Oh ! je sais, je n'ai pas le droit : (*Tout en remontant jusqu'à mi-scène dans la direction du cabinet de son mari, et les regards dirigés de son côté.*) il ne faut pas penser qu'à soi dans la vie, mon mari aurait de la peine, et il ne le mérite pas ; car enfin, le pauvre garçon, ce n'est pas sa faute tout ça ! il n'y est pour rien !

MASSENAY, *qui est remonté pendant ce qui précède en passant derrière le piano et se trouve au-dessus à ce moment.* – Mais non, il n'y est pour rien.

FRANCINE, *avec regret, gagnant le piano.* – Ah ! quel dommage qu'on ne puisse pas avoir un amant sans tromper son mari.

MASSENAY, *redescendant.* – Bien oui, mais ça !...

FRANCINE, *un genou sur le tabouret de piano.* – Ça gâte la moitié du plaisir.

MASSENAY, *allant à elle.* – Alors, tu as des regrets ?

FRANCINE, *se retournant vivement face à lui.* – Des regrets, moi ? Oh ! regarde dans mes yeux si j'ai des regrets !...

MASSENAY, *avec élan se rapprochant d'elle.* – Chérie !

Il jette un regard du côté de la porte du cabinet de Chanal pour s'assurer qu'ils ne sont pas observés.

FRANCINE. – Et dire pourtant que je ne voulais pas ! que je faisais des manières... Au fond, tu sais, je n'en pensais pas un mot... (*Jouant machinalement avec un des bibelots qui sont sur le piano, pour se donner une contenance.*) Mais, n'est-ce pas, on a reçu des principes, on ne peut pas comme ça, dès qu'on vous le demande... Il faut un temps moral... (*Lâchant le bibelot et bien face à Massenay.*) Heureusement tu as été tenace...

MASSENAY, *d'un air conquérant.* – Aha !

FRANCINE. – Ah ! quand tu veux quelque chose, toi !...

MASSENAY, *id.* – Tiens !

FRANCINE. – Oh ! C'est moi qui aurais été vexée si tu avais lâché !...

MASSENAY, *qui était en train de jeter un nouveau coup d'œil sur la porte du cabinet de Chanal, vivement.* – Oh ! mais j'aurais pas lâché !

FRANCINE, *suppliante.* – Oh ! non, n'est-ce pas ?... (*Changeant de ton.*) D'abord si tu avais lâché, tant pis pour ma pudeur de femme !... Je t'aurais couru après.

MASSENAY. – Voyez-vous ça !... Si j'avais su !...

FRANCINE, *les yeux baissés, jouant machinalement avec le phonographe.* – Au moins... tu ne me méprises pas ?

MASSENAY. – Moi ! moi, te mépriser !

FRANCINE, *id.* – Songe que c'est la première fois !...

MASSENAY, *ravi.* – Oh ! oui, oui c'est ça... Promets-moi... Promets-moi que jamais tu n'as trompé ton mari...

FRANCINE, *avec une conviction profondément sincère.* – Jamais !...

MASSENAY, *après avoir jeté un nouveau coup d'œil sur le cabinet de Chanal.* – Promets-moi que tu ne le tromperas jamais !

FRANCINE, *avec énergie.* – Je te le promets !... Ah ! je t'aime.

MASSENAY. – Ah ! tu me rendras fou !

FRANCINE, *traversée par un frisson sensuel.* – Ah !

Secouée par ce mouvement nerveux, sans s'en rendre compte, elle a donné un choc au phonographe que machinalement elle était en train de manipuler ; et l'instrument se met en mouvement sans que ni l'un ni l'autre s'en aperçoive. Le dialogue suivant s'échange bien à proximité du pavillon [8].

FRANCINE, *exaltée.* – L'amour, l'amour, il n'y a que ça !

MASSENAY. – Les poètes l'ont dit.

FRANCINE, *brusquement.* – Quand nous reverrons-nous, comme hier ?

MASSENAY. – Eh bien ! quand ?

FRANCINE. – Ce soir ?

MASSENAY, *approuvant.* – On peut.

FRANCINE. – A tout hasard je me suis ménagé une sortie... J'ai prévenu mon mari que je dînais chez maman et que j'irais avec elle au théâtre. Donc, jusqu'à une heure du matin...

MASSENAY. – Parfait ! Ah ! seulement, pour ce soir, il faudra en passer par le 21 de la rue du Colisée...

FRANCINE. – Bah ! Aujourd'hui que je suis plus aguerrie...

MASSENAY. – Et puis en amour, comme en amour !

FRANCINE. – Je t'adore ! (*On entend tousser Chanal dont la silhouette apparaît derrière le vitrage de son cabinet.*) Oh !

Ils s'écartent vivement l'un de l'autre. Francine s'assied sur le tabouret de piano, Massenay à gauche de la table.*

MASSENAY, *affectant de converser tranquillement.* – ... Il est certain qu'aux Galeries Lafayette... le sort des demoiselles de magasin...

SCÈNE XII

LES MÊMES, CHANAL.

CHANAL, *son bail à la main.* – Dis donc !

MASSENAY. – Hein ?

CHANAL. – Quelle durée, ton bail ?

MASSENAY. – Quelle durée ?... (*Avec tendresse, regardant Francine.*) Quatre-vingt dix ans !

CHANAL, *riant.* – Tu es fou !... Veux-tu trois ans ? Veux-tu six ans ?

MASSENAY, *même jeu.* – Oh ! ce n'est pas assez...

CHANAL. – Eh ! bien, douze ans ?... renouvelable tous les trois ans à ta volonté seule, ça te va-t-il ?

MASSENAY. – Soit, pour commencer...

Il se lève.

CHANAL, *remontant en emportant son bail.* – Bon ! Cinq minutes !... Continuez à causer !... (*Au moment d'entrer dans son cabinet, avec la grosse malice de l'homme qui croit n'avoir rien à craindre.*) Mais faites attention, je vous écoute !

Il rentre dans son cabinet dont il laisse la porte ouverte ; il s'assied à son bureau, ce qui le présente dos au public. – Un temps, pendant lequel Massenay s'assure que Chanal ne peut le voir, puis, sur la pointe des pieds, va jusqu'à Francine qui s'est levée un peu avant. Émoustillé, il veut lui prendre la taille.

FRANCINE, *se dérobant et passant au 2, vivement à voix basse.* – Attention ! mon mari !

---

* Ne pas se préoccuper du phonographe qui continue à marcher jusqu'à ce qu'il s'arrête de lui-même.

MASSENAY, *à voix basse également.* – Oui !

Il gagne l'extrême-gauche d'un petit air indifférent ; en se retournant, ses yeux tombent sur le canapé ; aussitôt, le diable le tentant, il fait signe à Francine de venir s'asseoir à côté de lui. Geste de Francine signifiant : « Je ne peux pas ! Mon mari ! » Geste de Massenay : « Mais si, voyons ! » Geste de Francine tout en se dirigeant vers le canapé : « Vous n'êtes pas raisonnable ! » Geste de Massenay : « Qu'est-ce que ça fait ! » Ils s'asseyent côte à côte, se prennent les deux mains, les yeux plongés dans le regard l'un de l'autre. Massenay, dans un élan amoureux, l'attire vers lui et l'embrasse longuement et silencieusement sur les lèvres.

CHANAL, *sans se retourner.* – Eh ! bien, mes enfants, c'est tout ce que vous avez à vous dire ?

FRANCINE, *vivement.* – Si ! si !.

CHANAL. – Allez ! Allez ! Vous ne me dérangez pas...

MASSENAY. – Justement, nous avions peur...

CHANAL. – Mais non ! Mais non ! Je suis à vous tout de suite !

Geste de Francine : « Vous voyez, là ! » Geste de soumission de Massenay.

FRANCINE, *bas.* – Allons, parlez !

MASSENAY. – Mais quoi ?

FRANCINE. – N'importe quoi ! (*Haut pour donner le change à son mari.*) Alors, c'est un beau lycée que le lycée Saint-Louis ?

MASSENAY, *sur un ton lyrique, en désaccord complet avec les propos qu'il tient.* – Oh ! oui, superbe !... Il fut fondé... (*Il l'embrasse dans le cou, ce qui coupe son discours.*) par Hubert d'Harcourt, d'où son nom primitif. (*Baiser.*) de lycée d'Harcourt, qu'il ne quitta qu'en dix-huit cent... (*Baiser.*) vingt-huit, pour prendre celui de lycée Saint-Louis... (*Il se hausse un peu tout en parlant pour voir si Chanal ne le voit pas.*) qui est son nom actuel... ! Dans le grand vestibule d'honneur (*Baiser.*) deux portes de bois sculpté, portant le nom de ses fon... (*Baiser.*) dateurs, rappellent à la génération actuelle...

Éclat de rire de Chanal qui arrête brusquement les épanchements des amoureux ; Massenay n'a que le temps de se précipiter sur le fauteuil à gauche de la scène, à peu de distance du canapé.

CHANAL. – Ah ! çà, qu'est-ce qui te prend d'avoir ce ton élégiaque pour faire l'historique du lycée Saint-Louis ?

MASSENAY. – Moi... ?

CHANAL, *descendant en scène.* – Oui toi ! Tu ne t'entends pas ! Tu dis : (*L'imitant.*) Dans le grand vestibule d'honneur, deux portes de bois sculpté... portant, gravé, le nom de ses fon-on-on-dateurs. Tu en as plein la bouche... C'est ridicule.

MASSENAY, *qui s'est levé et remonte derrière le piano.* – Oui ?... Je ne m'étais pas aperçu...

CHANAL. – Tu l'aimes donc bien notre lycée ?

MASSENAY, *au-dessus du piano, redescendant vers Chanal, et sa réponse à l'adresse de Francine.* – Mais oui !

CHANAL, *lui tendant les deux baux.* – Allons, tiens, voilà les baux ; je les ai signés, tu n'a qu'à en faire autant.

MASSENAY, *prenant les baux et se dirigeant droit à la table.* – Bien ! Tu as une plume ?

CHANAL. – Mais non, voyons !... Ah ! tu as une façon de faire les affaires, toi ! Examine ça à tête reposée ; et si nous sommes d'accord, tu n'as qu'à m'en renvoyer un exemplaire avec ta signature.

MASSENAY, *mettant les baux dans sa poche.* – Comme tu voudras ! (*Prenant son chapeau.*) Allons, je ne veux pas abuser de ton temps davantage.

CHANAL, *lui serrant la main.* – Mais tu n'abuses pas ! et tu sais, ravi de t'avoir revu.

MASSENAY. – Tout comme moi ! (*A Francine qui s'est levée.*) Madame, très honoré de vous avoir été présenté.

Pendant qu'il parle, comme Chanal est tourné de son côté, Francine en profite pour lui envoyer un baiser par-dessus la tête de son mari ; après quoi :

FRANCINE, *cérémonieuse.* – J'espère, Monsieur, puisque nous devons être voisins, que nous ferons plus ample connaissance.

Aussitôt que Francine a pris la parole, Chanal a fait volte-face de son côté, et Massenay rend aussitôt sa politesse à Francine en lui envoyant un tas de petits baisers derrière le dos de son mari. Sur la fin de la phrase,

Chanal se retourne juste à temps pour surprendre Massenay les doigts sur les lèvres. Celui-ci, sans se démonter, transforme son geste en celui de friser sa moustache.

MASSENAY, *s'inclinant.* – Je l'espère aussi. (*Saluant.*) Madame !... (*A Chanal.*) Adieu, toi, à bientôt !

Francine, espiègle, lui a envoyé, toujours derrière le dos de Chanal, un dernier baiser, mais celui-ci en le déposant sur le plat de la main et soufflant dessus dans la direction de Massenay. L'air produit par le souffle frappe le cou de Chanal.

CHANAL, *porte la main à son cou et regarde en l'air derrière lui pour voir d'où vient ce vent ; puis.* – A bientôt. (*Il remonte, accompagnant Massenay. – apercevant Étienne dans le hall.*) Reconduisez monsieur ! (*A Massenay, amicalement.*) Au revoir.

Massenay répond par un petit salut de la tête, et sort, suivi d'Étienne.

FRANCINE, *à Chanal qui redescend en se frottant les mains, aussitôt Massenay sorti.* – Très bien, ton ami !

CHANAL, *flatté dans son amitié.* – N'est-ce pas ?... (*Après un petit temps.*) Qu'est-ce que tu penserais d'avoir des relations avec lui ?

FRANCINE, *ne pouvant réprimer un petit sursaut de surprise.* – Hein ?... (*Se reprenant et très sainte nitouche.*) Mais... je veux bien, mon ami.

CHANAL. – Ça te va ? Eh bien alors, il n'y a plus qu'à marcher.

FRANCINE. – Il n'y a plus que ça... comme tu dis, mon ami.

CHANAL. – Ah ! bien ! tu sais, tu me fais plaisir... Si ! Si ! parce que s'il ne t'avait pas plu... On ne sait jamais avec les femmes... Oui... oui... Je te remercie.

FRANCINE, *avec ironie.* – Il n'y a vraiment pas de quoi, mon ami.

CHANAL, *allant à son phonographe.* – Là ! Et maintenant, pour l'amour de Dieu ! laisse-moi finir mon cylindre !

FRANCINE, *remontant.* – Ah ! bien alors, je te dis adieu, parce que je vais sortir ; et comme je dîne chez maman et que je ne rentrerai pas avant dîner...

CHANAL. – Ah ? (*Moqueur.*) Madame Benoiton [9] ! Allons va ! (*Il l'embrasse.*) Ne rentre pas trop tard.

FRANCINE. – Tout de suite après le théâtre ! Maman me remettra chez moi.

CHANAL. – Bon, bon ! va.

Francine sort à gauche.

SCÈNE XIII

CHANAL seul, puis ÉTIENNE, puis COUSTOUILLU.

CHANAL, *tout en changeant les diaphragmes de son phonographe.* – Voyons, où en suis-je avec tout ça... ? Tiens, mon cylindre est au bout ! Je n'ai donc pas arrêté le mouvement... ? Ah ! je fais du bon travail... ! voyons ?

Il remonte vivement l'instrument (juste ce qu'il faut) ; puis le met en mouvement après avoir appliqué le diaphragme répétiteur sur le rouleau. Ceci fait, pour mieux entendre, il prend du champ en gagnant sur la droite.

LE PHONOGRAPHE *. – Ma chère sœur, ainsi c'est un fait accompli.

CHANAL, *qui suit sur son papier.* – Bien.

LE PHONOGRAPHE. – De ce jour te voilà mariée.

CHANAL. – Oui !

LE PHONOGRAPHE. – Ce soir tu connaîtras le grand mystère à quoi rêvent les jeunes filles... (*Voix de Francine.*) L'amour, l'amour il n'y a que ça !

CHANAL, *relevant une tête ahurie.* – Quoi ?

LE PHONOGRAPHE. – (*V. de M.*) Les poètes l'ont dit. (*V. de F.*) Quand nous reverrons-nous comme hier ?

CHANAL, *sursautant.* – Mais c'est la voix de ma femme !

LE PHONOGRAPHE, *que Chanal écoute avec des yeux sortant de la tête.* – (*V. de M.*) Eh bien ! quand ? (*V. de F.*) Ce soir ? (*V. de M.*) On peut. (*V. de F.*) A tout hasard, je me suis ménagé une sortie.

CHANAL, *flairant enfin l'affreuse vérité.* – Nom de Dieu !

LE PHONOGRAPHE. – J'ai prévenu mon mari que je dînais chez Maman...

---

* Si par hasard le diaphragme était mal placé, et si le phonographe n'attaquait pas tout de suite ou trop avant dans le discours, l'artiste ne devrait pas se démonter, il ajouterait quelques répliques telles que « allons bon, qu'est-ce qu'il a ?... » « Eh bien ! quoi ? il est rouillé ? » ou bien « je le reconnais bien, il n'est jamais pressé ! attends un peu ! » et il irait froidement arranger l'instrument.

CHANAL, *haletant, la voix rauque.* – Oui !... Oui !

LE PHONOGRAPHE. – Et que j'irais avec elle au théâtre ! Donc, jusqu'à une heure du matin...

CHANAL, *s'épongeant le front avec son mouchoir.* – Oh ! assez ! assez !

LE PHONOGRAPHE. – (*V. de M.*) Parfait ! Ah ! seulement, pour ce soir, il faudra en passer par le 21 de la rue du Colisée...

CHANAL. – 21 rue du Colisée ! Ah ! c'est le ciel qui les trahit !

LE PHONOGRAPHE. – (*V. de F.*) Bah ! aujourd'hui, je suis plus aguerrie...

CHANAL. – Assez ! assez !

LE PHONOGRAPHE. – (*V. de M.*) Et puis, en amour comme en amour.

CHANAL, *dans sa rage, envoyant son mouchoir dans le pavillon du phonographe pour le faire taire.* – Mais assez, nom de Dieu !

LE PHONOGRAPHE, *étouffé par le mouchoir.* – Je t'adore !

CHANAL, *arrêtant le mouvement d'un geste rageur.* – Ah ! l'infâme ! (*Se précipitant vers la porte de gauche et appelant.*) Francine !... Francine !... (*Descendant entre le piano et le mur.*) Elle ne répondra pas, la criminelle !... la récidiviste... ! (*Remontant après avoir fait le tour du piano.*) Étienne !... Étienne !... Eh ! bien, Étienne !

ÉTIENNE, *accourant.* – Monsieur ?

CHANAL, *sur le pas de la porte du fond, ne tenant plus en place.* – Madame ? Où est madame ?

ÉTIENNE, *avec calme.* – Madame vient de sortir, Monsieur.

CHANAL, *le faisant pirouetter et le poussant dehors.* – Bon, c'est bien, allez-vous-en ! (*Étienne disparaît, littéralement escamoté. – Chanal, très agité, arpentant la scène, descend à droite.*) Parbleu, partie ! Elle ne tenait plus en place ! (*Arrivé à droite, gagnant la gauche.*) Elle avait hâte d'aller le retrouver, son amant !... Oh ! si je les tenais tous les deux !... Et lui... lui, quel est-il ?... (*s'arrêtant à l'extrême-gauche pour réfléchir.*) Voyons, voyons dans ceux qui viennent ici ?... (*On sonne extérieurement.*) Oh ! non !... non ! ce n'est pas possible... ! Et pourtant, si !... Ah ! le jésuite !... avec ses timidités de comédie... C'est Coustouillu, parbleu !... Le voilà, le dessous des asperges !... C'est Coustouillu... Ah ! le gredin !...

A ce moment, Étienne paraît, introduisant Coustouillu porteur d'un superbe melon.

COUSTOUILLU, *l'air radieux, allant droit à Chanal, tendant son melon de ses deux mains.* – C'est... c'est moi !

CHANAL, *comme un tigre prêt à bondir sur sa proie, mais avec une rage contenue.* – Fous le camp !

COUSTOUILLU, *ahuri de cet accueil et avec un sursaut de recul.* – Quoi ?

CHANAL, *marchant sur lui, et avec plus de violence dans la voix.* – Fous le camp, je te dis.

COUSTOUILLU, *id.* – Mais je t'apporte un melon.

CHANAL, *lui arrachant le melon des mains.* – Oui ! Eh bien, voilà ce que j'en fais de ton melon !

Il le jette au fond. Étienne qui ne s'est pas empressé de s'en aller, étonné qu'il est de la scène à laquelle il assiste, est précisément à la porte du fond, de sorte qu'il se trouve juste là pour recevoir le melon en plein estomac.

ÉTIENNE. – Oh !

CHANAL, *sur le même ton rageur.* – Je vous demande pardon, je ne l'ai pas fait exprès. (*Marchant sur Coustouillu.*) Va !... Va ! 21 rue du Colisée.

COUSTOUILLU, *qui ne comprend pas et reculant à mesure que Chanal marche sur lui.* – 21 rue du Colisée ?

CHANAL, *id.* – Oui, oui, où elle t'attend !

COUSTOUILLU, *reculant toujours.* – Qui ça ?

CHANAL, *marchant toujours sur lui de façon à le faire passer devant la table, puis remonter derrière.* – Mais ma femme, bon apôtre !... Allez consommer l'adultère !...

COUSTOUILLU. – L'adultère ?

Ils sont arrivés ainsi au fond.

CHANAL. – ... Ami félon !... traître ! je te chasse, va-t'en !... (*Coustouillu veut risquer une explication que Chanal lui coupe en éclatant.*) Mais vas-tu foutre le camp, nom de Dieu ! (*Il le précipite dehors. – A Étienne qui, ahuri, est resté là, dans l'extrême fond gauche, à écouter la scène.*) Étienne ! vous voyez cet homme... si jamais il remet les pieds ici, flanquez-le dehors à coups de pied quelque part !... Allez ! (*Gagnant son cabinet pendant que la toile tombe.*) Ah ! ça soulage !

RIDEAU.

ACTE II

LA GARÇONNIÈRE DE MASSENAY, RUE DU COLISÉE.

Entresol coquet, tendre, féminin. – A gauche premier plan, pan oblique au centre duquel un lit de milieu avec son baldaquin. – Entre le lit et le manteau d'arlequin, petite table ronde à dessus de marbre tenant lieu de table de nuit. – A droite, premier plan, porte donnant dans le cabinet de toilette ; le battant de la porte a été supprimé et remplacé par une portière sans embrasse. – Deuxième plan droit, en pan coupé, une porte à deux vantaux ouvrant en dedans de la scène et donnant directement sur l'escalier de la maison ; à cette porte une serrure praticable. – Deuxième plan gauche, en pan coupé, une cheminée surmontée de sa glace. – Dans le panneau face au public entre les deux pans coupés, une fenêtre à hauteur d'appui, avec sa barre d'appui extérieure. – Rideaux pareils à la portière et dans leur embrasse dès le lever du rideau, pour permettre d'ouvrir la fenêtre plus rapidement, – rideaux de vitrage en tulle brodé. – Dans le petit panneau qui sépare le cabinet de toilette de la porte d'entrée, petit meuble d'appui, sur lequel sont, entre autres objets, une pendule, le chapeau de Francine, un tire-bouton. – Sur la cheminée un bronze, deux potiches avec des fleurs, un bougeoir et des allumettes. A côté du lit, presque au pied, faisant face à la table de nuit, un tabouret en forme d'X. Adossé au pied du lit, un tout petit canapé bas, de la dimension tout au plus d'un très large fauteuil. – Sur ce canapé, l'habit noir complet de Massenay. – De l'autre côté du lit, vers le pied et regardant la tête une chaise volante : sur cette chaise, le jupon de Francine. – Contre le lit, et au-dessus, un tuyau acoustique [10] *le long du mur. – Sur la table de nuit, une veilleuse allumée et une montre. – Sur le lit, en plus des draps et des couvertures, et jeté seulement, de façon à pouvoir s'enlever facilement, un couvre-pied de satin piqué, ouaté. – A droite de la scène un canapé, légèrement de biais au public. – A gauche du canapé, légèrement plus bas en scène une toute petite table sur laquelle est un plateau, une carafe, un verre avec sa cuillère ; un sucrier et une bouteille d'eau de fleur d'oranger. – A gauche de la table et un peu au-dessus, de façon à former presque un coin avec le canapé, un fauteuil. – De chaque côté de la fenêtre du fond, une chaise volante ; sur celle de gauche le manteau, la jupe et le corsage de Francine. – De l'autre côté du lit, contre le mur, un petit tabouret sur lequel est le pyjama de Massenay. – Par terre, du même côté, les pantoufles de Massenay, et celles de Francine, placées de façon à pouvoir les chausser facilement en sortant du lit. – Un peu plus bas vers le pied du lit les souliers de ville de Massenay. – Sur le dossier du canapé de droite, le paletot de Massenay, le foulard par dessus, et par dessus le foulard le chapeau haut de forme, le tout placé de façon à donner dans l'obscurité une vague silhouette humaine. – Sur le tapis, jetées çà et là, des carpettes.*

SCÈNE PREMIÈRE

MASSENAY, FRANCINE.

Au lever du rideau, la scène est presque dans l'obscurité, tout juste éclairée par la lueur de la veilleuse. Dans le lit, côte à côte, Francine à droite, couchée sur le côté de façon à faire face au spectateur, Massenay à gauche, couché sur le dos, dorment d'un profond sommeil. Au bout d'un temps Massenay agité par le cauchemar fait entendre d'abord des petits gémissements sourds puis :

MASSENAY, *sous l'action du cauchemar, se dressant sur son séant et les yeux grands ouverts, indiquant dans la chambre un point imaginaire.* – Là !... là !... le ballon !... Santos Dumont [11] !...

FRANCINE, *se réveillant en sursaut et se mettant sur son séant.* – Hein ? quoi ? quoi ? où ça ?

MASSENAY, *même jeu.* – Là ! là ! dans la chambre... il vient sur nous.

FRANCINE, *le secouant.* – Mais voyons... tu as le cauchemar.

MASSENAY, *id.* – Mais si, là !... gare ! gare ! le voilà... !

FRANCINE. – Émile ! Émile ! voyons, réveille-toi... !

MASSENAY, *revenant à la réalité.* – Hein ? Quoi ? Qu'est-ce qu'il y a ?

FRANCINE, *encore sous l'action de l'émotion qu'elle vient d'éprouver.* – Ah ! c'est bête ! tu m'as fait une peur !

MASSENAY, *abruti comme un homme qui vient de se réveiller.* – Qu'est-ce qu'il y a eu donc ?

FRANCINE. – Il y a que tu as rêvé tout haut. Ah ! J'en ai des palpitations !

MASSENAY, *compatissant.* – Oh ! c'est vrai ?

FRANCINE, *lui prenant la main et l'appuyant sur son cœur.* – Tiens, regarde comme mon cœur bat.

MASSENAY. – Oh ! pauvre petite, je te demande pardon !... (*Il saute hors du lit, enfile ses pantoufles, et tout en allumant le bougeoir qui est sur la cheminée.*) Attends, je vais te donner un peu d'eau de fleur d'oranger... ça te remettra.

Il est en longue chemise de nuit, jambes nues, pantoufles aux pieds ; le bougeoir allumé à la main, il traverse la scène pour aller à la table préparer le verre de fleur d'oranger.

FRANCINE, *encore palpitante.* – Ah ! non, tu sais, si tu es sommambule...

MASSENAY, *après avoir déposé le bougeoir sur la table, tout en préparant la boisson.* – Je ne suis pas somnambule, seulement j'ai l'habitude de dormir très peu couvert ; tu as voulu garder la couverture ouatée.... Alors moi, ça ne manque pas ! Ça me donne le cauchemar.

FRANCINE. – Oh ! mon pauvre chéri, alors c'est ma faute ? Oh ! je suis désolée...

MASSENAY, *qui est remonté au-dessus du lit pour aller lui porter le verre d'eau.* – Mais je t'en prie, ne vas-tu pas me plaindre ?... pour un cauchemar ! en voilà une affaire ; d'abord moi j'adore cauchemarder : ça donne des réveils délicieux !

FRANCINE. – Ah ! si c'est du raffinement !

MASSENAY. – Et puis est-ce que ce n'est pas moi qui suis impardonnable d'avoir eu des cauchemars quand je dormais dans tes bras ?... Car nous avons dormi, madame, dans les bras l'un de l'autre.

FRANCINE. – Oh ! oui, comme un petit mari et une petite femme... Oh ça, ça, je voulais ! ça m'a semblé si bon de m'endormir ainsi... gentiment... après !... avec la satisfaction de l'oubli du devoir accompli.

MASSENAY, *avec transport.* – Oui, hein ?

Il l'embrasse dans le cou.

FRANCINE. – Ça m'a changée de mon mari.

MASSENAY, *moitié riant moitié vexé.* – Ah ! dis donc, je l'espère !...

FRANCINE, *lui rendant son verre dont elle a bu le contenu.* – Vois-tu, c'est dans ces moments-là que l'on savoure vraiment son bonheur.

MASSENAY, *qui est allé reposer le verre sur la cheminée.* – Sûr !

Il s'assied sur le bord du lit et pendant ce qui suit se revêt de son pyjama.

FRANCINE. – Ces sommeils-là, c'est le meilleur de l'amour. Aussi des amants qui n'ont pas dormi ensemble, c'est pas des amants : c'est des gens qui ont eu des rapports... et ça, c'est ce qu'il y a de moins bon dans l'amour.

MASSENAY, *avec fatuité.* – Ah ! cependant... !

FRANCINE. – Ah ! Laisse donc !... Je sais bien que dans tout roman d'amour on ne voit que ça... Mais c'est surfait. Je t'assure qu'à l'user... ! la preuve c'est qu'après, on a toujours un petit moment de... de...

MASSENAY. – D'« animal triste [12]. »

La locution étant latine, prononcer « tristé ».

FRANCINE. – Comment dis-tu ça ?

MASSENAY. – Rien, rien, c'est du latin...

FRANCINE. – Eh ! bien, hein, « tristé » ? Ça prouve bien !... C'est pour ça que je dis qu'une bonne fortune qui se réduit à l'indispensable, pffut ! ça me fait l'effet d'un gourmet qui dîne au buffet de la gare entre deux trains ; il s'est nourri, peut-être ; mais il n'a pas dîné.

MASSENAY, *s'appuyant sur ses poings enfoncés dans le matelas.* – Oh ! mais dis donc : je crois que pour quelqu'un qui traite les autres de raffinés... !

FRANCINE, *se laissant retomber sur le dos, la tête sur l'oreiller, tandis que Massenay s'assied de biais sur le bord du lit.* – Ah ! Qu'est-ce que tu veux ? Je passe par des impressions neuves, je les analyse... Et puis vois-tu, il y a autre chose qui est à considérer : un bon dodo, comme ça, outre la saveur qu'on y trouve, ça donne tout de suite à l'amour une petite allure conjugale qui le relève. Ça efface le côté clandestin et pour une femme honnête c'est beaucoup plus convenable.

MASSENAY, *gentiment moqueur.* – Comme j'aime la délicatesse de tes sentiments...

Il l'embrasse.

FRANCINE, *se redressant sur son séant.* – C'est égal, tout de même, c'était écrit que tu devais être mon amant ! Ce sont des choses fatales qui se décident au premier regard !... Au fond, s'il y avait une justice dans ces choses-là, c'est Coustouillu qui devrait être l'élu ; car enfin, il y a longtemps qu'il se dessèche ; il pourrait invoquer les droits de l'ancienneté ; eh ! bien, non, lui, jamais !

MASSENAY, *se levant et avec une feinte compassion tout en allant prendre le verre qu'il a déposé sur la cheminée.* – Pauvre Coustouillu !

FRANCINE, *se dressant sur les genoux, la couverture renversée sous les aisselles.* – Non mais plains-le !... Tu sais, si tu veux que je...

MASSENAY, *se retournant vivement.* – Ah ! non.

Il va porter le verre à sa place primitive sur la petite table.

FRANCINE, *s'avançant sur les genoux jusqu'au pied du lit, la couverture toujours maintenue sous les aisselles.* – Tandis que toi, la première fois que je t'ai vu, je ne te connaissais pas, tu ne me connaissais pas, eh ! bien, du coup, v'lan ! j'ai senti quelque chose en moi qui me disait : « Voilà celui qui ! » et toi aussi, au même moment, tu t'es dit : « Voilà celle que ! »

MASSENAY, *qui presque au début de la tirade, aussitôt son verre posé, est venu devant le pied du lit pour se rapprocher de Francine.* – Moi ?

FRANCINE. – Oh ! ne dis pas non ! C'est le fluide, ça ; c'est comme au télégraphe : on frappe d'un côté : « pan, pan » ! ça correspond de l'autre. Tu avais beau être à l'orchestre et moi dans une loge, nos regards se sont rencontrés tout de suite, comme si on s'était prévus et c'est sur le champ que mon quelque chose m'a dit...

MASSENAY, « Voilà celui qui ! »

FRANCINE, *lui faisant un collier de ses bras.* – Positivement ! (*Dans un élan de tendresse.*) Ah chéri !

MASSENAY. – Je t'aime.

Ils se tiennent un moment embrassés.

FRANCINE, *comme épuisée, se laissant retomber en arrière, la tête sur l'oreiller.* – Oh ! c'est bon ! Et dire que si nous étions mariés, ça serait tous les jours comme cela.

MASSENAY, *qui est venu s'asseoir au pied du lit côté spectateurs.* – Mais oui !

FRANCINE. – Ah ! tu es heureux, toi, tu es libre ! Dis, si j'étais libre moi aussi, tu m'épouserais tout de suite ?...

MASSENAY, *avec conviction.* – Sûr !

FRANCINE. – Ah ! chéri, comme ce serait gentil ! pouvoir savourer son bonheur dans toute sa plénitude, quand on veut et tant qu'on veut ! N'avoir pas à se préoccuper du temps qu'on a, de l'heure qu'il est...

MASSENAY. – Ah ! oui !... sans compter qu'il faudrait peut-être y songer à l'heure qu'il est... Nous avons fait là un bon somme et il ne faut pas oublier que nous n'avons que la permission de théâtre, or, à vue de nez, il ne doit pas être loin de minuit.

FRANCINE, *paresseusement.* – Déjà ! Oh !... et à vue d'œil ?

MASSENAY, *consultant sa montre qui est sur la table près du lit.* – Eh bien, à vue d'œil il est... (*Sursautant.*) Quoi ?

FRANCINE, *calme.* – Eh bien ?

MASSENAY, *effaré.* – Voyons ! c'est pas possible ! Elle bat la breloque...

FRANCINE, *se mettant sur son séant.* – Quoi ? il est plus de minuit ?

MASSENAY, *id.* – Six heures du matin !

FRANCINE, *bondissant sur le lit et retombant sur les genoux.* – Comment six heures du matin ?

MASSENAY, *id.* – Mais oui !

FRANCINE, *affolée.* – Mais elle ne va pas, voyons ! nous n'avons pas dormi sept heures !

MASSENAY. – Mais non, évidemment, c'est ce que je me dis ! et pourtant tiens, écoute : tic, tac, tic, tac, elle marche.

FRANCINE. – Elle marche ! elle marche ! mais elle ne va pas... Enfin, on se rend bien compte à peu près du temps qu'on a dormi... (*A ce moment la pendule sur le meuble d'appui se met à sonner.*) Attends !...

TOUS DEUX, *haletants, la voix rauque, comptant à mesure que la pendule sonne.* – ... Deux... trois... quatre... cinq six

MASSENAY, *de confiance.* – ... Sept...

FRANCINE. – Quoi « sept » ? Où ça, sept ? il n'y a que six.

MASSENAY, *désespéré.* – Oui, six... il est bien six heures.

FRANCINE, *sautant hors du lit.* – Ah ! bien nous sommes bien !

MASSENAY, *gagnant la droite et s'affalant sur le fauteuil près du canapé.* – Nom d'un chien de nom d'un chien !

FRANCINE, *qui a couru prendre son jupon.* – Eh bien ! je suis dans de jolis draps !

MASSENAY. – Ah ! Et moi donc !...

FRANCINE, *redescendant tout en enfilant son jupon.* – Toi, toi... tu n'es pas intéressant !... tu es libre...

MASSENAY, *s'oubliant dans sa détresse.* – Comment je suis libre ! Eh bien ! et ma femme ?

FRANCINE, *bondissant.* – Tu es marié ?

MASSENAY, *qui s'est relevé d'un bond.* – Hein ! moi non ! hein ? quoi ? Ah ! zut ! oui !

Il remonte en désespoir de cause derrière le canapé pour revenir peu à peu à la place qu'il vient de quitter.

FRANCINE, *hors d'elle.* – Marié ! tu es marié ! mais c'est infâme, mais je ne veux pas. Vous m'aviez dit que vous étiez célibataire.

Tout en parlant elle retourne rageusement son jupon qu'elle avait enfilé devant derrière.

MASSENAY. – Eh bien, oui, je l'ai dit... parce que vous, vous ne compreniez pas qu'on s'éprît d'un homme marié !

FRANCINE, *se laissant tomber désespérément sur le petit canapé devant le pied du lit.* – Il est marié !...

MASSENAY, *qui s'est affalé de nouveau sur le fauteuil qu'il a quitté récemment.* – Mon Dieu... qu'est-ce que je vais lui dire, moi, à ma femme !

FRANCINE, *furieuse.* – Eh ! laissez-moi tranquille avec votre femme, vous n'aviez qu'à ne pas vous marier !

Mais moi, moi ? Qu'est-ce que je vais pouvoir dire à mon mari en rentrant ?

MASSENAY, *désespéré.* – C'est fou ! C'est fou !

FRANCINE, *exaspéré.* – Ce n'est pas une réponse ça !... (*Se lamentant.*) C'est fini ! je suis une femme perdue !

MASSENAY, *acrimonieux.* – Aussi pourquoi avez-vous voulu dormir ?

FRANCINE, *avec une hautaine indignation.* – Eh ! Je n'ai jamais demandé à dormir !... (*Après un petit temps.*) J'ai demandé à m'endormir, c'est tout autre chose.

MASSENAY. – N'empêche que, comme résultat, nous sommes dans un joli pétrin... (*Se prenant la tête dans les mains.*) Qu'est-ce que je vais faire, mon Dieu ?...

FRANCINE, *exaspérée de son apathie.* – Mais enfin vous ne pensez qu'à vous !... vous me voyez mortellement inquiète...

MASSENAY. – Eh ! Je le suis encore bien plus que vous ! je le suis doublement ! je le suis pour vous et pour moi...

FRANCINE, *aux abois.* – Qu'est-ce qu'on va faire, mon Dieu ? comment sortir de là ?

MASSENAY, *se levant et avec décision.* – Ah ! il n'y a pas plusieurs planches de salut ! Je n'en vois qu'une ! Courir chez votre mère où vous êtes censée être. Si nous avons la chance que votre mari ne vous ait pas précédée, vous avouez toute la vérité...

FRANCINE, *bondissant.* – Moi ? moi, oser avouer à ma mère ?... (*Avec décision en passant devant lui.*) Jamais !

MASSENAY. – Bah ! une mère est une femme et toute femme a eu plus ou moins dans sa vie...

FRANCINE, *revenant sur lui, indignée.* – Maman ! maman ! des amants !

MASSENAY, *abasourdi.* – Hein ! Mais non, mais non ! mais qui est-ce qui a dit ça ?... On sait très bien qu'une mère n'a jamais eu d'amants... Seulement elle a pu avoir autour d'elle des amies qui... Enfin une mère a des trésors d'indulgence ! Pour vous sauver, elle se fera votre complice : elle enverra immédiatement quelqu'un chez votre mari pour lui dire que vous vous êtes sentie souffrante chez elle et qu'elle vous a gardée...

FRANCINE, *retombant dans son découragement.* – Ah ! C'est le ciel qui me punit d'avoir trahi mes devoirs !

Tout en parlant elle gagne la droite d'un pas

traînant, et, en passant devant la table, prend le bougeoir allumé.

MASSENAY, *agacé.* – Mais non, mais non ! le ciel ne se mêle pas de ces choses-là !... Il n'est même pas levé le ciel !

Il indique la fenêtre derrière laquelle il fait pleine nuit.

FRANCINE, *au comble de l'énervement.* – Enfin, donnez-moi un peigne ! quoi ?... que je me recoiffe !

MASSENAY, *indiquant le cabinet de toilette.* – Tenez, par là...

FRANCINE, *tout en gagnant le cabinet de toilette.* – Ah ! si je m'en tire, je jure bien que je ne prendrai jamais plus d'amant !

MASSENAY, *emboîtant le pas derrière elle.* – Ah ! moi non plus, allez ! moi non plus !...

Ils sortent de droite en emportant la bougie. Nuit.

SCÈNE II

HUBERTIN *

La scène reste vide un instant. – Tout à coup on entend un bruit de clé dans la serrure de la porte d'entrée et celle-ci s'ouvre, livrant passage à Hubertin complètement ivre. – Il est en habit, son chapeau claque sur la tête, le gilet boutonné de travers, la cravate défaite, son mouchoir mis en foulard autour du cou ; sans fermer la porte dont le battant reste ouvert, après avoir retiré la clé de la serrure extérieure, il s'avance d'un pas incertain, pressant de son bras gauche contre son cœur un paletot (de couleur claire autant

* Il est important, pour donner bien le caractère du rôle, de marquer la distance qui existe entre l'ivresse de l'homme du monde qui est celle d'Hubertin et l'ivresse vulgaire. Hubertin ne doit pas tituber, mais seulement osciller en marchant ; de temps en temps, un pied s'accroche dans l'autre mais, l'homme reprend tout de suite son équilibre ; l'ivresse est surtout dans la tête ; la paupière est lourde, mais le parler est net, jamais traînard, s'embarrasse quelquefois sans tomber jamais dans le pâteux.

que possible) qu'il tient le col en bas, les manches ballantes le long de ses jambes. – Dans sa main droite il a une lanterne électrique de poche, mais comme il la tient à l'envers, au lieu d'éclairer devant lui, il s'éclaire l'estomac. – Arrivé ainsi tant bien que mal jusqu'à proximité du lit, il s'arrête, essaie deux fois de suite infructueusement de siffler, s'essuie les lèvres du revers de la main, renouvelle son essai et parvient enfin à sortir un sifflement à peu près net.

HUBERTIN, *arrivant à siffler.* – Ffiuitt ! (*Parlant dans la direction du lit, croyant être chez lui et s'adresser à sa femme.*) It's me, Gaby, dont be afraid !... (*Il fait un effort pour se mettre en branle, descend jusqu'au souffleur, s'arrête, sourit, puis :*) On ne voit rien ici !... (*Indiquant sa lanterne dont il s'éclaire l'estomac.*) Je ne sais pas ce qu'elle a ma lanterne, elle éclaire à l'envers !... (*Perdant légèrement l'équilibre ce qui lui fait faire deux pas en arrière.*) Ça me fait marcher à reculons. (*Il souffle comme un homme gris, essaie de relever ses paupières alourdies, regarde le public, sourit, puis.*) Je suis un peu saoul... pas beaucoup, mais un peu... (*Il remonte de deux pas, puis s'arrête.*) Qu'est-ce que je voulais dire ?... rien !... Ah ! si !... (*Indiquant la porte dont le battant est resté grand ouvert.*) la porte ! (*Se parlant à lui-même et se répondant.*) Hubertin ! – Quoi ? – T'as pas fermé la porte ! – Mais c'est vrai, mon vieux !... C'est pas parce qu'on est saoul qu'il faut pas être prudent ! (*Il oscille une ou deux fois du haut du corps sans que ses pieds bougent de place, fait un violent effort pour démarrer, puis remonte à reculons comme poussé en arrière par la projection de sa lanterne sur sa poitrine. Arrivé au fond de la scène il s'arrête un instant, vise de l'œil la porte, fait deux pas en avant, recule d'un pas, refait deux pas, recule à nouveau.*) Nom d'un chien ! qu'elle est loin ! (*Prenant brusquement son élan, la tête en avant, ce qui entraîne le reste de son individu, il va d'une traite à la porte, dont il referme le battant par le seul poids de son corps.*) Ouf ! ça y est ! (*Parlant à la porte contre laquelle il s'arcboute de la main gauche pour ne pas tomber, tandis que de la main droite il fouille dans sa poche pour prendre la clé qui va à la serrure.*) Attends ! j'ai pas fini...

(*Brandissant sa clé.*) Là ! (*Il essaie de l'introduire dans la serrure.*) Eh ! bien quoi donc ?... Ah ! ma clé a enflé ! (*Nouvel essai infructueux.*) Non !... c'est la serrure qui fait son étroite !... (*Il rit.*) Ah ! ma chère !... (*Nouvel essai réussi cette fois.*) Aïe ! donc ! Ah ! ça y est ! (*Il donne un double tour de clé, puis tout en remettant la clé dans sa poche, redescendant.*) Là !... comme ça, on est chez soi ! (*Fourrant sa lanterne dans la poche de son gilet.*) C'est curieux quand on a sa bombe, il y a des choses qui n'arrivent que dans ses moments-là... C'est vrai !... (*Tout en monologuant, il est arrivé à côté du fauteuil près du canapé de droite ; ses regards tombent sur le chapeau et le paletot de Massenay ; afin de se rendre compte de ce qu'il aperçoit, il avance le haut du corps au-dessus du fauteuil, en clignant les yeux pour mieux voir, puis brusquement.*) Aoh !... Allô !... (*Avec un petit bonjour de la main au personnage imaginaire qu'il croit voir.*) Good night ! (*Puis sans plus s'en occuper, au public, reprenant le fil de son histoire.*) Ainsi je demeure au cinquième... (*Un temps.*) je n'ai monté qu'un étage... (*Un temps.*) et je suis chez moi... (*Un temps.*) Comment expliquez-vous ça ?... C'est des choses qui n'arrivent jamais à l'état normal... (*Court moment de silence comme en ont les pochards ; il pousse un soupir de fatigue, puis :*) Mon Dieu que j'ai mal à la tête... (*Un temps.*) J'ai comme un poids !... (*Levant son bras droit au-dessus de sa tête de façon à palper le sommet de son chapeau, du bout de ses doigts.*) C'est là !... On dirait, je ne sais pas ?... comme un petit casque !... (*Il retire son chapeau avec précaution, en l'élevant de bas en haut, puis une fois retiré, laisse glisser son bras le long de son corps. – Sur sa tête qu'il n'a pas cessé de tenir bien fixe, on aperçoit planté un porte-allumettes de restaurant. – Il reste ainsi sans bouger et sans parler un bon instant, se contentant de souffler, la paupière lourde, épuisé par la migraine. – Une fois l'effet bien produit, il porte la main comme il a fait une première fois pour le chapeau ; délicatement prend le porte-allumettes en le surplombant du bout des doigts. – Ses yeux expriment l'angoisse.*) Oh !... c'est énorme ! (*S'apercevant que l'objet est mobile.*) Tiens !... ça ne tient pas ! (*Il porte le porte-allumettes à portée de ses yeux et se tord de rire.*) Crrr !... Un porte-allumettes !... Il m'est poussé un porte-allumettes !... (*Brusquement sérieux et sur un ton profond, tout en se *recouvrant de son chapeau.*) Et bien ! voilà des choses qui n'arrivent jamais à l'état normal. (*Tout en parlant il va déposer le porte-allumettes sur la petite table du milieu de la scène. – Apercevant à nouveau le chapeau de Massenay et s'adressant à lui.*) C'est pas vrai ?... (*Un temps.*) Il y a longtemps que t'es là ? (*Un temps, puis confidentiellement au public, en indiquant le chapeau.*) Il dort ! (*Passant à une autre idée.*) On ne voit pas clair ici ! où sont mes allumettes-bougies ?... (*Il étale sur sa poitrine en le passant sous ses aisselles son pardessus qu'il n'a pas déposé depuis son entrée et qu'il tient toujours la tête en bas. – Puis à tâtons il cherche à la hauteur où il trouverait les poches si le pardessus était dans le bon sens, – ne les trouvant pas.*) Eh ! ben ?... (*Il regarde et étonné de la forme de son paletot due à ce renversement des choses.*) Ah ! sont-ils bêtes !... Ils n'ont pas mis de bras à mon pardessus ! (*Se penchant davantage et apercevant les manches ballantes à ses pieds.*) Ah !... et ils ont mis des jambes... (*En ce disant il fait marcher les deux manches avec ses jambes puis brusquement il envoie son manteau derrière le lit en le jetant par-dessus son épaule.*) Mon Dieu, que je suis saoul... (*Il enlève son mouchoir de son cou, et s'éponge avec.*) Eh bien ! va te coucher !... Quand tu répéteras tout le temps « Dieu que je suis saoul ! » personne te dit le contraire... (*Tout en parlant, machinalement, il a bordé la ceinture de son pantalon avec son mouchoir de façon à s'en faire un tablier.*) T'as raison ! Vais me déshabiller. (*Tout en faisant mine de retirer son habit, il arrive devant le petit canapé du lit, aperçoit l'habit de Massenay et le prenant en mains.*) Ah !... mes vêtements !... Faut-il que j'en aie une bombe tout de même ? je me suis déshabillé sans m'en apercevoir !... (*Reposant les vêtements où ils étaient.*) Eh bien, Hubertin, puisque t'es déhabillé... tu vas pas rester à te promener en bannière pour attraper froid... (*En même temps il indique son mouchoir pendu à sa ceinture.*) couche-toi ! – T'as raison ! je vais me coucher !... (*Tout en grimpant tant bien que mal dans le lit.*) It's me Gaby, dont be afraid ! (*Arrivé sur le lit, il se laisse tomber la tête en arrière sans même s'apercevoir qu'il est toujours coiffé de son chapeau. – Mais il a mal pris ses mesures en montant, de sorte qu'il n'a pas la tête à la hauteur des oreillers, mais beaucoup plus bas, et que ses pieds dépas-

sent par-dessus le pied du lit. – Il replie une ou deux fois les jambes et les détend aussitôt dans l'espoir d'arranger les choses mais chaque fois elles viennent butter de la cheville contre le rebord du devant du lit. – Alors bien naïvement.) Tiens ! J'ai grandi !

Petit temps pendant lequel il commence à s'assoupir.

SCÈNE III

HUBERTIN dans le lit, FRANCINE, puis MASSENAY

FRANCINE, *sortant sans lumière du cabinet de toilette et se dirigeant vers le lit tout en continuant de parler à Massenay qui est dans la coulisse.* – Je vais voir ! il doit être tombé sur le lit !

Arrivée au lit, elle l'explore à tâtons et rencontre le corps d'Hubertin.

HUBERTIN, *sur le ton émoustillé.* – Aoh ! Gaby, what are you doing !

FRANCINE, *poussant un cri strident.* – Ah ! (*Se sauvant éperdue.*) Émile ! Émile !

Elle se précipite dans le cabinet de toilette.

HUBERTIN, *qui au cri de Francine s'est dressé sur son séant.* – Oh ! What is it ? Gaby !... Gaby !

MASSENAY, *accourant, – il a mis un col à sa chemise, et n'a plus sur lui que le pantalon du pyjama.* – Où ça ? où ça l'homme ?

FRANCINE, *arrivant à sa suite mais s'arrêtant sur le pas de la porte du cabinet de toilette.* – Là ! dans le lit !

HUBERTIN, *entrevoyant Massenay à travers l'obscurité.* – Un homme dans la chambre de ma femme !

Il bondit du lit et se précipite vers le petit canapé sur lequel sont les vêtements de Massenay. Il s'empare de ceux-ci, qu'il croit lui appartenir, et se dispose à s'en vêtir, bien qu'habillé déjà.

MASSENAY. – Qui êtes-vous, monsieur ?

HUBERTIN, *avec explosion.* – Je suis cocu !

MASSENAY. – Qu'est-ce que vous dites ?

HUBERTIN. – Je dis que je suis cocu.

Pendant ces dernières répliques, debout devant

le petit canapé, il s'évertue à enfiler le pantalon d'habit de Massenay.

MASSENAY, *qui distingue son manège.* – Hein ! Mais c'est mon pantalon ! Mais voulez-vous laisser mes vêtements !

Il veut se précipiter sur lui, mais Francine effrayée s'agrippe à lui.

FRANCINE, *l'étreignant et ainsi paralysant ses mouvements.* – Émile ! Émile !

MASSENAY, *essayant de se dégager de l'étreinte de Francine.* – Mais laissez-moi donc voyons !

FRANCINE *. – Émile ! je vous en supplie !

HUBERTIN, *sa voix couvrant celle des autres.* – Ah ! c'est tes vêtements ! eh bien, tu vas voir, tes vêtements... !

Il les roule en boule et remonte avec jusqu'à la fenêtre du fond.

MASSENAY, *essayant toujours de se dégager.* – Mais voyons ! mais il prend mes vêtements !

HUBERTIN, *ouvrant la fenêtre toute grande.* – Ah ! tu es l'amant de ma femme !

MASSENAY, *ahuri.* – Mais qu'est-ce qu'il fait !

HUBERTIN, *jetant les vêtements par la fenêtre.* – Eh bien, tiens !

MASSENAY, *se dégageant et courant à la fenêtre.* – Oh !

FRANCINE, *affolée de se trouver seule courant également vers le fond, mais par la droite de la scène.* – Émile ! Émile !

MASSENAY. – Il a jeté mes vêtements dans la rue !

HUBERTIN, *digne, indiquant la fenêtre comme si c'était la porte.* – Et maintenant, monsieur, sortez !

MASSENAY, *avec un recul instinctif.* – Mon Dieu, c'est un fou !

FRANCINE, *affolée, courant du côté de la porte de sortie.* – Un fou ! Au secours ! Au secours !

MASSENAY. – Mais ne criez donc pas ! Vous allez ameuter la maison !

FRANCINE, *suppliante.* – Ah ! Je vous en prie ! Sauvons-nous ! Allons-nous en !

Elle redescend par la droite jusque devant le canapé.

---

* (Ces trois dernières répliques ne sont là que pour permettre à Hubertin son jeu de scène, sans que Massenay s'y interpose ; par conséquent Hubertin devra enchaîner la réplique suivante avec la précédente sans tenir compte de ce qui se dit pendant ce temps-là.)

MASSENAY, *montrant son pyjama.* – Je ne peux pas m'en aller comme ça.

HUBERTIN, *digne, près de la fenêtre.* – Eh ! bien monsieur !... j'attends.

MASSENAY, *sentant la moutarde lui monter au nez.* – Oui ! eh ! bien, attendez un peu ! c'est moi qui vais vous sortir.

FRANCINE, *se lamentant.* – Ah ! mon Dieu ! mon Dieu !

MASSENAY, *redescendant jusqu'à l'extrémité droite du canapé, et indiquant le tuyau acoustique.* – Vite, le tuyau acoustique, là ! sifflez le concierge.

FRANCINE. – Oh ! Oui !... oui !

Elle traverse rapidement le devant de la scène, grimpe sur le lit, et saisissant le tuyau acoustique, souffle éperdument dedans.

MASSENAY, *gagnant la gauche jusque devant la table entre le canapé et le fauteuil.* – Et maintenant, à nous deux.

Il retrousse ses manches, comme un homme qui se dispose à lutter.

HUBERTIN, *se dirigeant vers Francine qui est à genoux sur le lit, et, sur un ton grivois.* – Ehé ! Gaby...

FRANCINE, *effrayée.* – Émile ! Émile ! Il vient sur moi !

MASSENAY, *courant se mettre entre lui et Francine.* – N'ayez pas peur. Je suis là !

Il lui donne une forte poussée.

HUBERTIN, *qui a été envoyé à peu près à trois pas en arrière.* – Oho !

MASSENAY, *fanfaron.* – Si vous croyez que c'est ce bonhomme-là qui me fera reculer !

FRANCINE, *soufflant en désespérée dans le tuyau acoustique.* – Mon Dieu, mais il ne répond pas le concierge !

MASSENAY, *faisant deux pas sur Hubertin, et lui indiquant la porte.* – Allez, ho ! (*Hubertin le regarde en souriant d'un air abruti.*) Allez ! allez ! houste ! (*Même jeu de scène d'Hubertin. – Massenay se montant.*) Mais nom d'un chien !... (*Il l'empoigne à bras le corps pour le sortir ; longs efforts infructueux pour déboulonner Hubertin qui semble rivé au sol. – Reprenant haleine sans quitter le bras le corps.*) Ouf ! Il est plus lourd que je ne croyais.

FRANCINE, *qui n'a pas lâché son tuyau dans lequel elle n'a cessé de souffler. Avec impatience à Massenay.* – Eh ! ben ?

MASSENAY, *rageur.* – Oh ! Vous êtes étonnante, si vous croyez qu'il se laisse faire ! (*Reprise de la lutte ; impossibilité absolue pour Massenay de bouger Hubertin. Avec rage.*) Mais faites donc pas le lourd !

Massenay s'épuise en efforts superflus ; Hubertin, sans opposer de violence, le regarde faire d'un air amusé. Considérant le crâne de Massenay appuyé, dans la lutte, contre sa poitrine, dans une fantaisie de pochard, il l'entoure de son bras droit et dépose un baiser dessus.

MASSENAY, *dégageant sa tête.* – Allons ! voyons. (*Nouveau baiser.*) Ah ! çà, avez-vous fini là-haut !

FRANCINE, *s'énervant.* – Enfin ! Qu'est-ce que vous faites ? Sortez-le donc !

MASSENAY, *qui maintenant perd du terrain, poussé par le simple poids d'Hubertin, finit par se caler en appuyant son pied droit contre le bord du petit canapé du pied du lit.* – Eh ! bien voilà, quoi ? Attendez ! Ça ne va pas être long.

Hubertin lui passe brusquement les mains sous les cuisses et l'envoie comme un paquet sur le lit.

MASSENAY. – Oh !

FRANCINE, *terrifiée, poussant un cri strident.* – Ah ! (*Elle traverse la scène, éperdue ; puis, arrivée à l'extrême droite. – Avec anxiété.*) C'est lui ?

MASSENAY, *qui est en train de se relever. Avec humeur.* – Mais non !... C'est moi.

FRANCINE, *navrée.* – Oh !

Hubertin, aussitôt qu'il a envoyé Massenay sur le lit, est redescendu de deux pas, d'un air tranquille et satisfait.

MASSENAY, *qui est redescendu devant le lit.* – Oh ! mais ça ne fait rien ! J'ai un autre moyen ! vous allez voir. (*Il se précipite le poing en avant sur Hubertin qui, toujours placide, attend les événements.*) Tiens ! (*Hubertin, froidement, pare son coup de poing, et lui en envoie un sur l'œil.*) Oh !

*Nouveau coup de poing de Massenay, nouvelle parade d'Hubertin suivie d'un maître coup de poing qui envoie Massenay à l'extrême gauche *.*

MASSENAY, *se tenant l'œil.* – Oh ! nom d'un chien !

FRANCINE, *de l'extrême droite.* – Mais qu'est-ce que vous faites, enfin ?

MASSENAY, *épanchant sa rage sur Francine.* – Mais quoi ? quoi ? Je fais ce que je peux ! Allez donc chercher la bougie au lieu de demander... vous voyez bien que je ne vois pas ses coups de poing, alors je les reçois dans la figure !

FRANCINE. – La bougie ? Oui !... oui !

MASSENAY, *traversant la scène pour aller à Francine et jetant un regard de haine à Hubertin, tout en prenant sa distance au moment où il passe devant lui.* – Il n'y a pas moyen de se battre dans ces conditions-là.

FRANCINE. – La bougie !... La bougie !... Attendez !

Elle entre précipitamment dans le cabinet de toilette.

HUBERTIN, *tout à la joie, gagnant d'un pas titubant jusqu'à Massenay.* – C'est ça ! la bougie ! On va se battre à la bougie.

MASSENAY, *rageur.* – Oui, et vous ne perdez rien pour attendre !

HUBERTIN, *bien rond.* – C'est ça... c'est ça !...

FRANCINE, *accourant du cabinet de toilette, le bougeoir allumé à la main. – Lumière.* – Voilà la bougie. (*Dans son élan, elle a dépassé légèrement Massenay, se trouve nez à nez avec Hubertin, pivote brusquement autour de Massenay, de façon à se coller dos à dos avec lui. Ce mouvement doit durer l'espace d'un clin d'œil – d'une voix étranglée, tout en se dissimulant derrière Massenay.*) Dieu ! C'est Hubertin !

MASSENAY, *se tournant à demi vers elle.* – Quoi « Hubertin » ?

FRANCINE, *vivement, à mi-voix.* – Un ami de mon mari.

MASSENAY, *avec conviction.* – Ah ! bien, c'est un rude chameau !

---

* Avis : pour qu'on entende le bruit du coup de poing, à chaque coup porté par Hubertin le souffleur en donnera le son en se frappant le plat de la main gauche d'un coup de poing de l'autre main.

HUBERTIN, *qui depuis l'arrivée de la lumière, considère la pièce où il est, poussant un cri.* – Ah !
TOUS DEUX, *sursautant.* – Quoi ?
HUBERTIN, *avec stupéfaction.* – Je ne suis pas chez moi !...
TOUS DEUX. – Hein !
HUBERTIN, *bien naïf.* – C'est donc pas le cinquième ici ?
FRANCINE, *hors d'elle.* – Il me demande si ce n'est pas le cinquième !
MASSENAY, *furieux.* – Mais non, monsieur, c'est l'entresol ! C'est l'entresol !
HUBERTIN. – Mais alors, pourquoi suis-je ici ?...
MASSENAY, *ahuri.* – Quoi ?
HUBERTIN. – Qu'est-ce que vous avez après moi ? je ne vous connais pas.
MASSENAY, *hors de lui.* – Non ! mais je vous en prie ! Est-ce que c'est nous qui sommes allés vous chercher ?
HUBERTIN. – Eh bien ! alors, allez-vous-en !
MASSENAY, *id.* – Mais c'est vous, « Allez-vous-en » ! Nous sommes chez nous, entendez-vous ! nous sommes chez nous.
FRANCINE. – C'est honteux, monsieur, de pénétrer ainsi chez les gens pour se ruer sur eux !
HUBERTIN, *poussant un grand cri.* – Ah !
TOUS DEUX, *sursautant.* Quoi ?
HUBERTIN, *qui l'a reconnue, d'une voix joviale et très traînée.* – Ma-da-me Cha-nal !
FRANCINE, *faisant brusquement volte-face.* – Hein !
MASSENAY. – Nom d'un chien !
HUBERTIN, *se découvrant avec un empressement exagéré, avec un geste que son ivresse rend ridicule.* – Quelle charmante surprise ! Et vous allez bien, madame Chanal ?
FRANCINE, *vivement se dissimulant derrière Massenay.* – Non, non ! C'est pas moi ! C'est pas moi !
MASSENAY, *vivement.* – C'est pas elle ! C'est pas elle !
HUBERTIN, *persistant dans son idée.* – Et monsieur Chanal, comment va-t-il ?
FRANCINE, *id.* – Connais pas ! Connais pas !
MASSENAY, *id.* – Connaissons pas ! Connaissons pas ! Nous ne sommes pas madame Chanal !
HUBERTIN. – Comment ?...
MASSENAY. – Non, non ! madame est ma femme.
HUBERTIN. – Oh ! Je vous demande pardon, excusez-

moi. Quand on est saoul on voit de travers... (*Se recoiffant de son chapeau melon – et à Massenay.*) Ainsi vous, je vous vois comme ça (*Il fait avec le doigt un geste en demi-lune.*) ... en concombre !

MASSENAY. – En concombre !

HUBERTIN, *ravi.* – Oui.

MASSENAY, *exaspéré.* – Oui, eh ! bien, quand on est saoul, on n'envahit pas le domicile des gens qu'on ne connaît pas.

HUBERTIN, *bien sincère.* – Si vous n'aviez pas pris ma serrure !...

MASSENAY. – Moi, j'ai pris votre serrure !...

HUBERTIN. – Bien oui, puisque ma clé allait dedans.

MASSENAY. – Elle est forte, celle-là !... Ah ! et puis, en voilà assez !

Il remonte légèrement avec l'intention de lui montrer la porte.

FRANCINE. – Nous n'allons pas causer comme ça jusqu'à demain...

HUBERTIN, *gagnant le 2 en s'avançant vers Francine.* – Ah ! madame Chanal, c'est pas gentil !...

MASSENAY, *descendant 1, empoignant Hubertin par le bras et le faisant passer au 1.* – D'abord, je vous défends d'appeler madame, madame Chanal...

HUBERTIN, *hausse les épaules en signe d'ignorance, puis bien naïvement.* – Je sais pas son petit nom.

MASSENAY, *remontant en indiquant la fenêtre.* – Et puis, vous allez me faire le plaisir d'aller chercher mes vêtements que vous avez flanqués dans la rue.

HUBERTIN, *le suivant machinalement.* – Tes vêtements ?

MASSENAY. – Oui, mes vêtements !

HUBERTIN. – Bon ! (*Il fait quelques pas comme pour aller les chercher, s'arrêtant brusquement.*) Tu y tiens ?

MASSENAY. – Évidemment que j'y tiens ! Avec quoi voulez-vous que je m'en aille ?...

Il ouvre la fenêtre.

HUBERTIN, *de bonne composition.* – Bon-bon !

MASSENAY, *qui s'est penché pour voir où sont tombés ses vêtements.* – Ah !

LES DEUX AUTRES. – Quoi ?

MASSENAY. – Ils n'y sont plus !

FRANCINE. – Qui ?

MASSENAY. – Mes vêtements !... On les a ramassés, parbleu ! sans ça on les verrait, ils n'ont pas pu s'envoler

HUBERTIN, *gagnant le petit canapé du pied du lit en se tordant.* – Ah ! que c'est drôle !

MASSENAY, *qui a fermé la fenêtre pendant ce temps-là, descendant, et sur un ton lamentable.* – Qu'est-ce que nous allons faire maintenant ?

Geste découragé de Francine.

HUBERTIN, *se frappant le front en poussant un cri.* – Ah !

MASSENAY ET FRANCINE, *sursautant.* – Quoi ?

HUBERTIN. – J'ai une idée !... Si on faisait un poker !

FRANCINE, *furieuse.* – Ah ! non !...

MASSENAY, *furieux, éclatant.* – Ah ! çà, est-ce que ça va durer longtemps, cette plaisanterie-là ? (*Sourire béat d'Hubertin.*) Allez, fichez moi le camp !

HUBERTIN, *digne.* – Ah ! dis donc, toi ! Tâche donc d'être poli ! Il me semble que je suis poli avec toi, moi... espèce de brute !

MASSENAY, *lui agitant d'un air provocateur son doigt sous le nez.* – Écoutez, mon petit ami, la patience a des limites ; je vous ai déjà infligé une correction tout à l'heure ! mais si vous voulez que je recommence !... (*Hubertin, qui l'a écouté avec un sourire placide, brusquement et sans se démunir de son calme, lui envoie une bonne poussée de l'abdomen dans le ventre qui projette Massenay au loin. – Celui-ci manquant de tomber.*) Oh !

FRANCINE, *à bout de patience.* – Mais allez donc chercher le commissaire ! vous voyez bien qu'il n'y a que ce moyen.

Il remonte par le milieu de la scène.

MASSENAY. – Le commissaire, mais oui, vous avez raison ! il faut que ça finisse.

D'un pas décidé, il traverse la scène ; en passant devant le canapé il saisit son chapeau haut-de-forme, s'en coiffe en l'enfonçant d'une tape de la main et remonte carrément dans la direction de la porte de sortie. Hubertin jovial fait un pas dans la direction de Francine.

FRANCINE, *qui a vu le mouvement d'Hubertin, effrayée subitement à l'idée de rester seule avec lui.* – Émile ! Émile ! Ne me quittez pas !

A son cri, instinctivement, Massenay est revenu à elle comme elle a couru à lui ; il se met devant elle, tandis qu'elle s'abrite derrière lui.

HUBERTIN, *tout à l'idée fixe du pochard.* – Alors, tu ne veux pas faire un poker ?

MASSENAY, *hors de ses gonds.* – No-o-on !

Il dépose son chapeau à l'endroit où il l'avait pris.

HUBERTIN. – Alors... le duel !

MASSENAY. – Allez vous promener !

Il est au-dessus du canapé, et tourne le dos à Hubertin.

HUBERTIN, *tirant un revolver de la poche* ad hoc *de son pantalon.* – Allons, prends ton revolver ; voilà le mien.

En ce disant, il relève le col de son habit comme pour un duel.

FRANCINE, *qui a aperçu le revolver qu'Hubertin tient en mains.* – Émile ! Émile ! Il a un revolver !

MASSENAY, *se précipitant à croupeton vers la porte de sortie.* – Eh ! là ! Eh ! là !

FRANCINE, *même jeu que Massenay.* – Au secours, sauvons-nous.

HUBERTIN. – Mon Dieu que je suis saoul !

MASSENAY, *essayant d'ouvrir la porte qui résiste.* – Ah !... Allons bon, la porte !

FRANCINE. – Mais, ouvrez-la, voyons ! Qu'est-ce que vous attendez ?

MASSENAY. – Mais je ne peux pas ! Elle est fermée à clé !

FRANCINE. – Ah ! mon Dieu, mon Dieu !

MASSENAY. – Et ma clé est dans la rue... dans mon pantalon !

FRANCINE. – Mais alors, nous sommes à sa merci !

MASSENAY. – Ah bien, nous sommes bien !

HUBERTIN, *toujours au pied du lit et face au public.* – Eh ! bien, y es-tu ?

MASSENAY, *vivement, s'accroupissant derrière le canapé.* – Non-non ! Non-non !

FRANCINE, *gagnant à croupeton jusqu'au canapé, et ne laissant passer que la moitié de la tête au-dessus du dossier – d'une voix suppliante à Hubertin.* – Monsieur ! Monsieur ! Je vous en supplie. (*Hubertin, interpellé, se découvre galamment.*) Nous avons grand plaisir à être avec vous !... et certainement, une autre fois !... Mais vous voyez j'ai à m'habiller !... je ne suis pas dans une tenue... vous, vous êtes en habit ! mais moi (*Indiquant sa matinée.*) je suis en chemise.

Insensiblement rassurée par l'air amadoué d'Hubertin, elle a gagné en longeant le canapé, jusqu'au fauteuil.

HUBERTIN. – Eh ! ben ?

FRANCINE, *de son air le plus gentil.* – Eh ! bien, ça me gêne !...

HUBERTIN. – Elle vous gêne ?... Enlevez-la !

FRANCINE, *redescendant vivement à droite devant le canapé.* – Hein ? Ah ! non !

HUBERTIN, *pris d'une nouvelle lubie.* – Si ! Si ! on va se déshabiller !... Moi aussi !... d'abord avant tout il faut être poli... il ne sera pas dit que je resterai couvert devant une femme.

Tout en parlant, après avoir mis le revolver dans la poche de côté de son pantalon, il a enlevé son habit et son gilet.

FRANCINE. – Émile ! Émile ! il se déshabille à présent.

MASSENAY, *se précipitant vers lui pour l'arrêter.* – Ah ! non alors ! Ah ! non.

HUBERTIN, *lui jetant habit et gilet dans les bras.* – Si ! Si ! on sera plus à l'aise pour jouer au poker.

Tout en parlant, il défait son pantalon, et après avoir repris son revolver.

MASSENAY, *essayant de l'empêcher.* – Voulez-vous !... Voulez-vous ! Ah ! çà voyons ! (*Voyant son impuissance à arrêter Hubertin.*) Oh !

Il va déposer en désespoir de cause les effets qu'il a reçus d'Hubertin, sur le canapé de droite.

FRANCINE, *pendant qu'Hubertin retire son pantalon.* – Enfin, c'est insensé ! est-ce que vous allez tolérer ça longtemps ?

MASSENAY, *exaspéré.* – Mais qu'est-ce que vous voulez que je fasse ?

HUBERTIN, *qui a achevé de retirer son pantalon, le jette d'un air détaché par-dessus son épaule, de façon à l'envoyer tomber de l'autre côté du lit.* – Là !... et maintenant !...

Il tire un coup de revolver en l'air ; après quoi, ravi de ce qu'il a fait, il danse sur place une petite bourrée.

MASSENAY ET FRANCINE, *sur le coup de revolver, poussant un même cri de frayeur.* – Ah !

FRANCINE, *affolée.* – Ah ! la ! la ! Ah ! la ! la !

MASSENAY. – Au secours ! Au secours !

Ils courent dans tous les sens comme des lapins.

HUBERTIN, *s'arrêtant brusquement.*– Mon Dieu, que j'ai envie de dormir !

Il se laisse tomber sur l'X qui est au pied du lit ; mais s'étant assis trop au bord, il glisse et tombe le derrière par terre, le dos contre le siège, le côté droit appuyé contre le bord du lit ; il reste là, abruti. – Francine et Massenay, qui n'ont cessé d'appeler au secours pendant ce jeu de scène, se précipitent, Massenay à la fenêtre qu'il ouvre, Francine à la porte qu'elle secoue désespérément.

MASSENAY, *regardant dans la rue avec désespoir.* – Personne ne viendra donc à notre secours !

FRANCINE. – Et cette porte ! cette porte qui est fermée !

HUBERTIN, *par terre.* – Oh ! mais il y a des courants d'air...

UNE VOIX, *à l'étage supérieur.* – Eh ! bien qu'est-ce qu'il y a donc en dessous ? Qui est-ce qui tire des coups de revolver ?

FRANCINE, *courant à la fenêtre ainsi que Massenay qui était un peu redescendu.* – Dieu ! C'est le ciel qui l'envoie !

HUBERTIN. – Fermez donc la fenêtre là-bas.

Frileux, il tire sur lui le couvre-pied, sous lequel il disparaît complètement.

MASSENAY, *se penchant extérieurement, le dos appuyé à la barre d'appui.* – Au nom du ciel, monsieur, au secours ! Prévenez le concierge, dites-lui de monter avec les agents : il y a un fou chez moi !

LA VOIX. – Un fou ?

MASSENAY. – Oui, un fou...

Il fait une mimique avec les bras et la tête, pour imiter un fou.

FRANCINE, *par la fenêtre.* – Descendez, monsieur, descendez ! qu'on prévienne la police !

LA VOIX. – Je cours ! je cours !

FRANCINE, *pendant que Massenay referme la fenêtre, en poussant un soupir de soulagement – épuisé par les émotions.* – Ah ! la, la ! mon Dieu !

Ils sont tous deux affalés, chacun contre un chambranle de la fenêtre. Brusquement, revenant à la situation, ils regardent à droite et à gauche avec des yeux étonnés de ne pas apercevoir Hubertin.

MASSENAY. – Eh ! bien, où est-il ?

FRANCINE. – Où est-il passé ?

Ils se mettent tous les deux à quatre pattes pour voir sous les meubles et avancent, Francine dans la direction du fauteuil de droite, Massenay dans la direction du lit côté opposé au public ; ne trouvant rien sur le lit et entendant ronfler, il grimpe sur le matelas avec précaution et aperçoit le couvre-pied sous lequel est étendu Hubertin. A ce moment, un ronflement l'avertit de la présence du pochard sous la couverture ; il l'indique du doigt à Francine, puis à voix basse.

MASSENAY. – Il dort !

FRANCINE, *se relevant.* – Il dort ! C'est le moment de filer.

MASSENAY, *descendant devant le petit canapé du pied du lit.* – Mais comment voulez-vous ? la porte est fermée.

FRANCINE, *enlevant prestement sa matinée.* – Puisque les agents vont venir.

MASSENAY. – Et puis, je ne peux pas m'en aller en caleçon.

FRANCINE, *remontant pour aller déposer sa matinée.* – Eh bien, prenez ses vêtements... ils sont là qui ne font rien.

MASSENAY, *allant chercher le pantalon jeté par Hubertin de l'autre côté du lit* *. – Vous avez raison ! Je ne vois pas pourquoi je me gênerais avec lui.

Il enfile le pantalon d'Hubertin.

FRANCINE. – Vite, dépêchez-vous !... (*Tout en parlant, cherchant partout sa jupe.*) Ma jupe ?... où est ma jupe ?

MASSENAY, *qui a passé le pantalon d'Hubertin, traversant la scène d'un air empressé. Le pantalon trop court lui va à mi-jambe ; quant à la ceinture, il y a place pour mettre une autre personne comme lui.* – Sa jupe ? où est sa jupe ? (*Il va ainsi, tenant son pantalon d'une main, jusqu'à l'extrémité du canapé droit, puis toujours cherchant revient jusqu'au pied du lit. Une fois là, il s'aperçoit seulement de la taille de son pantalon.*) Mon Dieu, que son pantalon est large !

---

* Pour obtenir l'effet plus comique il est bon d'avoir placé là avant le lever du rideau un pantalon beaucoup plus large de ceinture et plus court de jambes que celui d'Hubertin. C'est ce pantalon que Massenay revêtira comme si c'était réellement celui d'Hubertin.

FRANCINE, *qui a trouvé sa jupe sous son manteau au fond, – tout en la passant.* – Ah ! bien, qu'est-ce que vous voulez ? Nous ne sommes pas là pour faire du chic !

MASSENAY. – Oui ! (*Cherchant des yeux autour de lui.*) Mes souliers ? Où sont mes souliers ?

FRANCINE, *les lui indiquant au pied du lit.* – Eh ! bien, là, voyons ! ils ne sont pas sur les meubles !

En parlant, elle agrafe sa jupe.

MASSENAY, *allant prendre ses souliers.* Ah ! oui, oui. (*Allant s'asseoir pour se chausser sur le petit canapé du pied du lit.*) Heureusement qu'il ne les a pas jetés aussi par la fenêtre.

FRANCINE, *qui n'est pas d'humeur à plaisanter.* – Oui, bon, dépêchez-vous.

Elle va au meuble d'appui prendre un tire-bouton.

MASSENAY, *faisant de vains efforts pour introduire ses pieds dans ses souliers.* – Allons bon !... ah ! crés souliers, va !

FRANCINE, *revenant avec son tire-bouton.* – Quoi ! qu'est-ce que vous avez ?

MASSENAY. – Je ne peux pas les mettre sans corne.

FRANCINE, *se dirigeant vers le fauteuil gauche du canapé.* – Eh bien, prenez-en une.

MASSENAY, *sur un ton de voix aigre.* – Mais j'en ai pas...

FRANCINE, *tout en mettant son pied sur le fauteuil afin de boutonner ses bottines.* – Ah ! vous n'avez jamais rien, vous !...

A ce moment, on entend siffler bruyamment dans le cornet acoustique.

FRANCINE, *sursautant.* – Oh !

MASSENAY, *se dressant comme mû par un ressort.* – Oh ! là, là, l'imbécile.

FRANCINE, *inquiète.* – Qu'est-ce que c'est encore ?

MASSENAY, *qui n'a toujours pas pu entrer dans ses souliers, se dirigeant tant bien que mal vers l'appareil, obligé qu'il est de marcher avec les talons appuyant sur les contreforts.* – C'est le concierge, dans le tuyau.

Nouveau coup de sifflet prolongé.

FRANCINE. – Mais faites-le taire voyons, il va éveiller le pochard.

MASSENAY, *tout en allant aussi vite qu'il peut au tuyau acoustique.* – Mais oui ! Mais tais-toi donc imbécile ! (*Arrivé au tuyau, il enlève le sifflet et souffle dans l'appareil, après quoi :*) C'est vous ? Eh bien, qu'est-ce que vous attendez, voyons ? On a dû vous dire d'aller chercher les agents ?... hein ? mais oui !... nous sommes enfermés avec un fou !... Dépêchez-vous, que diable !... Quoi ?... Eh bien, courez au commissariat, on vous en donnera... (*Il rebouche le cornet ; après quoi, tout en retournant au canapé qu'il a quitté.*) Oh ! ce concierge !... quand il se remuera !... Il dit qu'il n'a pas d'agents sous la main... ce n'est pas moi qui peux lui en donner... (*S'épuisant en vain à vouloir chausser ses souliers.*) Oh ! ces souliers ! Ces souliers !

FRANCINE, *tout en boutonnant ses bottines.* – Eh ! aussi, on n'a pas idée d'avoir des souliers dans des circonstances pareilles.

MASSENAY, *brutal.* – Eh ! bien, qu'est-ce que vous voulez qu'on ait ?

FRANCINE. – Eh bien... (*Donnant une tape de la main sur sa bottine.*) on a des bottines.

MASSENAY. – Ah ! bien oui, mais...

FRANCINE, *qui a achevé de se boutonner, remontant.* – Ah ! ça m'apprendra à tromper mon mari !

A ce moment, plusieurs coups répétés sont frappés à la porte ; Francine et Massenay restent cloués sur place.

FRANCINE, *à voix basse.* – Qu'est-ce que c'est que ça ?

MASSENAY, *même jeu.* – Je ne sais pas !

VOIX DU COMMISSAIRE. – Au nom de la loi, ouvrez !

MASSENAY, *ravi.* – Le commissaire ! C'est le commissaire.

FRANCINE. – Nous sommes sauvés !

Elle saute de joie en battant des mains.

MASSENAY, *courant tant bien que mal vers la porte d'entrée, avec les talons hors des souliers.* – Voilà ! voilà, monsieur le commissaire.

VOIX DU COMMISSAIRE. – Ouvrez !

MASSENAY, *arrivé à la porte, à Francine qui l'a suivi jusque-là.* – Ah ! diable, je ne peux pas... j'ai pas la clé !...

LE COMMISSAIRE, *s'impatientant.* – Eh ! bien, voyons ?...

MASSENAY, *parlant à travers la porte.* – Je n'ai pas la clé, monsieur le commissaire ! elle est dans la poche de mon pantalon.

LE COMMISSAIRE. – Eh bien, prenez-la.

MASSENAY. – Je ne peux pas !... mon pantalon est dans la rue.

En ce disant, il va jusqu'à la fenêtre tout en la désignant.

LE COMMISSAIRE, *sceptique.* – Quoi ? Quoi ?

FRANCINE, *confirmant le dire de Massenay.* – Si ! Si ! Il dit la vérité.

LE COMMISSAIRE. – Allons ! Voulez-vous ouvrir ?

MASSENAY, *écartant de grands bras en signe d'impuissance.* – Mais je ne demanderais pas mieux, monsieur le commissaire. (*En laissant retomber ses bras le long de son corps, sa main vient se cogner contre un corps dur qui est dans la poche du pantalon. Poussant un cri.*) Ah !... dans la poche du pantalon... la clé du pochard !

Il fouille dans la poche et retire la clé.

FRANCINE. – Mais oui...

Elle va chercher sur la chaise où il est, son corsage avec l'intention de le mettre ; mais s'apercevant que le col est agrafé, ceci la retarde, et elle se met à le dégrafer pendant ce qui suit.

MASSENAY, *introduisant la clé dans la serrure.* – Puisqu'elle a ouvert d'un côté, elle doit ouvrir de l'autre. (*Ouvrant.*) Ça y est ! Venez, monsieur le commissaire. Voilà ce dont il s'agit !...

Il descend en scène dans la direction d'Hubertin.

LE COMMISSAIRE, *prenant le milieu de la scène.* – Un instant... (*S'adressant à quelqu'un qui est à l'extérieur.*) Entrez, monsieur !

FRANCINE, *qui était en train de se débattre avec son corsage, relevant la tête à cette invite du commissaire et bondissant en voyant entrer Chanal.*) Mon mari !

Affolée, ne sachant où se cacher, elle se précipite dans le lit et rejette les couvertures sur elle.

MASSENAY, *qui s'est retourné également, s'effondrant sur le petit canapé du pied du lit.* – Dieu !

Chanal a fait irruption comme un homme qui va sauter à la gorge de son rival. Le commissaire l'a arrêté, du geste, il redescend par l'extrême droite et va à peu près jusqu'à la petite table.

SCÈNE IV

MASSENAY, HUBERTIN,
FRANCINE, LE COMMISSAIRE,
CHANAL, le secrétaire du commissaire, un serrurier.

CHANAL, *redescendant et à lui-même avec désillusion.* – Massenay ! C'était Massenay !

LE COMMISSAIRE. – Inutile de vous cacher, madame.

CHANAL. – Ce n'était pas Coustouillu !

Le secrétaire et le serrurier, qui étaient restés sur le pas de la porte, descendent se ranger à droite.

LE COMMISSAIRE, *voyant que Francine ne répond pas.* – Vous entendez, madame ?

FRANCINE, *sortant la tête de dessous les couvertures.* – Monsieur ?

CHANAL, *indigné.* – Toi ! Toi, malheureuse !

FRANCINE, *de l'air le plus ingénu, la voix très perchée.* – Quoi ?... Quoi ?... Qu'est-ce que tu vas encore t'imaginer ?

CHANAL, *ahuri de son aplomb.* – Comment ?

FRANCINE, *id.* – Alors, parce que tu me trouves ici... ?

CHANAL. – Ah ! non, non, je t'en prie... (*Au commissaire.*) Monsieur le commissaire, veuillez... !

FRANCINE, *qui s'est levée à ce mot, tout en restant au bord du lit, en protégeant ses épaules nues avec les couvertures. Jouant l'indignation.* – Le commissaire ! (*Donnant une légère tape sur l'épaule de Massenay pour en appeler à lui.*) C'est ça, il me soupçonne !...

MASSENAY. – C'est admirable !

FRANCINE. – C'est bien, monsieur le commissaire, je ne m'abaisserai pas jusqu'à me disculper... Constatez, monsieur, constatez !

MASSENAY, *effondré.* – Mon Dieu, que c'est embêtant !

LE COMMISSAIRE. – Vous reconnaissez madame que vous êtes Mme Francine Moustier, femme Chanal ?

FRANCINE. – Je le reconnais, monsieur.

LE COMMISSAIRE. – Et vous, monsieur ?

MASSENAY, *comme sortant d'un rêve.* – Moi aussi.

LE COMMISSAIRE. – Non ! Votre état-civil.

MASSENAY, *se levant.* – Ah ! mon... ? Émile Massenay.

LE COMMISSAIRE. – Massenay ?

Instinctivement il met la main à son chapeau.

MASSENAY. – Non, non !

CHANAL, *avec pitié.* – Non !... Ça n'est même pas lui !

MASSENAY. – ...Trente-sept ans, rentier, demeurant 28, rue de Longchamp.

LE COMMISSAIRE. – Et vous reconnaissez avoir été surpris tous les deux en flagrant délit !...

FRANCINE, *commençant à perdre patience.* – Tout, monsieur le commissaire, tout... et encore davantage. Ça vous suffit-il ?

LE COMMISSAIRE. – Mon Dieu, je crois qu'on serait exigeant d'en demander plus que ça. (*A Chanal.*) N'est-ce pas ?... *Geste d'acquiescement de Chanal.*

FRANCINE, *comme une femme qui en a pris son parti. Sur un ton aigre.* – Bon ! eh ! bien, maintenant, monsieur le commissaire, je voudrais bien m'habiller, par conséquent, n'est-ce-pas... ?

Tout en parlant, elle enfile son corsage.

LE COMMISSAIRE. – Comment donc ! nous n'avons plus qu'à nous retirer... Vous voudrez bien seulement, Madame... (*A Massenay.*) et Monsieur, passer aujourd'hui à notre commissariat entre une heure et deux pour signer le procès-verbal de constat que je vais faire préparer... (*Signe d'assentiment de la part de Massenay et Francine. A Chanal.*) Monsieur Chanal, vous avez des instructions à me donner... si vous voulez m'accompagner...

CHANAL, *remontant pendant que le secrétaire et le serrurier sortent de scène.* – Je vous suis ! (*En remontant il est forcé de passer devant Massenay qui s'escrime toujours à chausser ses souliers. Il l'a à peine dépassé qu'il s'arrête et d'un air méprisant par-dessus son épaule.*) Vous venez, monsieur ?

MASSENAY, *le corps courbé sur ses souliers, sans relever la tête.* – Oui monsieur ! Seulement...

CHANAL. – Seulement quoi ?

MASSENAY. – C'est mes souliers... (*Relevant la tête seulement à ce moment et bien naïvement.*) Vous n'auriez pas une corne ?

CHANAL, *se cabrant sous l'éperon.* – Vous dites ?

MASSENAY, *s'apercevant de son impair.* – Non-non ! Non-non !

CHANAL. – Ah ! çà, monsieur, c'est une plaisanterie ?

MASSENAY, *vivement.* – Je vous assure ! Je n'ai pas voulu...

CHANAL, *avec dignité.* – C'est bien, monsieur ; vous voudrez bien être à une heure au commissariat... (*Remontant et trouvant le commissaire qui attend.*) Passez, monsieur le commissaire.

LE COMMISSAIRE, *poliment.* – Je vous en prie.

CHANAL, *lui rendant sa politesse.* – Je n'en ferai rien !

LE COMMISSAIRE, *s'incline puis.* – Vous êtes chez vous.

Il passe.

CHANAL, *le suivant tout en protestant contre son affirmation.* – Hein ?... Mais pas du tout ! mais pas du tout ! je ne suis pas chez moi !

LE COMMISSAIRE, *sortant tout en marchant la tête tournée du côté de Chanal à qui il parle.* – Pardon ! Ce n'est pas ce que je voulais dire.

Ils sortent.

SCÈNE V

MASSENAY, FRANCINE,
HUBERTIN sous la couverture,
puis COUSTOUILLU

FRANCINE, *qui est allée à leur suite jusqu'à la porte, la refermant avec violence ; puis, sur place, se retournant vers Massenay effondré sur son canapé. Bien posément, bien amère, en se croisant les bras.* – Eh ! ben ?...

MASSENAY, *écartant de grands bras.* – Eh ! ben ?...

FRANCINE, *redescendant.* – Vous pouvez vous vanter de m'avoir mise dans une jolie situation.

MASSENAY, *tout penaud.* – Ma chère amie, je suis désolé !...

FRANCINE, *remontant jusqu'au meuble d'appui où elle va chercher son chapeau.* – Ah ! « je suis désolé » ! Si vous trouvez que ça arrange quelque chose !

MASSENAY. – Bien oui, je sais bien, mais qu'est-ce que vous voulez ?

Il se remet à essayer de se chausser.

FRANCINE, *redescendant jusqu'au-dessus du canapé, son chapeau à la main, prête à le mettre.* – Eh ! mon cher, quand un galant homme a en mains l'honneur d'une femme, c'est le moins qu'il lui doive de le sauvegarder.

MASSENAY, *tout à ses souliers.* – Mais qu'est-ce que je pouvais faire ?

FRANCINE. – Ah ! tenez, vous m'agacez !... Mais, finissez donc de mettre vos souliers, voyons !... Si vous n'avez pas de corne, prenez une fourchette...

Ayant mis son chapeau, elle pique nerveusement dedans son épingle à chapeau.

MASSENAY. – Mais oui ! C'est une idée !

FRANCINE. – Mais dame ! Enfin, c'est élémentaire.

MASSENAY, *se levant et se dirigeant vers le cabinet de toilette avec une démarche ridicule, due à ses souliers non enfoncés.* – Une fourchette ? J'en ai par là !

FRANCINE, *le remontant, avec un geste de dédain.* – Ah ! la la, regardez-moi ça. (*Massenay est sorti.*) Ça veut être un amant et ça ne sait même pas qu'on peut se chausser avec une fourchette.

Elle remonte au fond et passe son manteau en se plaçant de façon à tourner le dos à Hubertin pendant le jeu de scène suivant.

HUBERTIN, *à moitié endormi, sortant sa tête de dessous le couvre-pied.* – Mon Dieu qu'on est mal dans ce fauteuil.

Il prend le parti de se lever ; pour ce faire, de ses deux bras tendus au-dessus de sa tête, il brandit le couvre-pied qu'il tient par les deux extrémités d'un des côtés, de façon à s'en faire de dos un grand bouclier derrière lequel il disparaît... Ainsi il grimpe sur le lit et s'y étale sur le ventre complètement recouvert par la couverture.

FRANCINE, *qui a achevé de mettre son manteau, se dirigeant vers la porte de sortie.* – Ah ! quelle expiation ! Quelle expiation ! (*Elle a ouvert la porte et va s'en aller, quand, s'arrêtant.*) Mais enfin qu'est-ce qu'il fait, voyons ? (*Laissant le battant ouvert et descendant par l'extrême-droite jusqu'à proximité du cabinet de toilette.*) Enfin, y êtes-vous ?

VOIX DE MASSENAY. – Voilà ! voilà !

FRANCINE, *lasse d'attendre.* – Ah ! non, mon ami, non ! je descends ; vous me rejoindrez dans l'escalier !

Elle remonte vers le fond et arrivée à la porte, se cogne dans Coustouillu qui fait irruption.

COUSTOUILLU. – Vous !

FRANCINE, *affalée contre le chambranle de la porte et comprimant les palpitations de son cœur.* – Oh ! c'est bête ! vous m'avez fait une peur !

COUSTOUILLU, *avec des larmes dans la voix.* – Vous !... vous !...

FRANCINE. – Eh bien, oui, moi ! Qui vous a dit que j'étais ici ?

COUSTOUILLU, *avec des larmes dans la voix.* – Votre mari... il m'avait dit... va !... va la retrouver, 21, rue du Colisée... Alors, à l'instant en bas... il m'a dit : elle est là-haut... avec son... avec son... amant... Oh !

Il se met à sangloter.

FRANCINE, *qui n'est pas en humeur de faire du sentiment.* – Ah ! non, mon ami, non ! pas de nerfs, j'ai assez des miens !...

Elle sort vivement.

COUSTOUILLU, *voulant la suivre.* – Madame !...

FRANCINE, *lui fermant la porte sur le nez.* – Au revoir !

Elle sort.

COUSTOUILLU, *désespéré gagnant le milieu de la scène.* – Oh ! Un amant ! elle avait un amant ! Ah ! si je le tenais !... (*A ce moment ses yeux tombent sur le lit près du pied duquel il est, et il gagne entre la cheminée et le lit à hauteur du milieu de ce dernier. Avec rage.*) Et dire que c'est là !... là !... là !

A chaque « là ! », il donne un coup de poing sur les reins d'Hubertin dissimulé sous le couvre-pied. Soudain le couvre-pied se dresse au grand ébahissement de Coustouillu qui a un mouvement de recul, et Hubertin surgit, à genoux sur le lit.

HUBERTIN. – Oh ! What is it ?

COUSTOUILLU. – Hubertin ! son amant ! (*Il prend du champ et appliquant un soufflet sur la joue d'Hubertin.*) Tiens !

HUBERTIN. – Oh !... god damn !

Il n'a pas plus tôt proféré ce juron qu'il tire un coup de revolver sur Coustouillu qui détale affolé.

COUSTOUILLU, *se sauvant.* – Oh ! là, là ! Oh ! là, là !

Pendant ce temps Hubertin s'est mis debout sur le lit et tire aussitôt un second coup de revolver sur Coustouillu au moment où il disparaît par la porte. Après quoi, ramassé sur lui-même comme le chasseur aux aguets, il attend.

MASSENAY, *accourant.* – Hein ! Il tire encore ! (*Nouveau coup de revolver.*) Au secours ! au secours ! (*Il se sauve en courant, passe devant le canapé, saisit au passage le pardessus et le chapeau qui y sont, remonte toujours courant par le milieu de la scène* * *et gagne la porte en se faisant aussi petit que possible et en s'abritant la nuque avec son chapeau.*) Ah ! quelle nuit !

RIDEAU

* Au rappel, quand le rideau se relève, Hubertin est toujours sur le lit, dans la même position de chasseur aux aguets, et quand Francine, Massenay et Coustouillu viennent saluer le public, il décharge une dernière fois son revolver sur ces personnages qui se sauvent en débandade.

ACTE III

28, RUE DE LONGCHAMP ;
LE SALON CHEZ LES MASSENAY.

Au fond à droite, face au public, porte à deux battants donnant dans le vestibule. – La partie gauche du fond forme un grand pan coupé, au milieu duquel est une large baie vitrée à quatre vantaux, ouvrant de plain-pied sur le balcon, lequel a vue sur la rue de Longchamp. – A droite premier plan, porte donnant sur la chambre de Massenay. Deuxième plan, une cheminée surmontée de sa glace et de sa garniture. Troisième plan, porte donnant sur le service. – A gauche, porte deuxième plan. – Sur le devant de la scène, à droite, une table de salon, le côté étroit face au public ; devant la table, une petite banquette à deux personnes ; à droite et à gauche de la table, une chaise. Près de la cheminée et au-dessus un fauteuil. A gauche de la scène, un canapé de biais ; à droite du canapé, un fauteuil ; derrière le canapé une chaise volante. Au fond entre la porte d'entrée et la baie, un petit canapé cintré ; devant ce canapé grand guéridon rond, à pieds circulaires de façon à permettre à quelqu'un de se glisser dessous ; tapis sur le guéridon. A droite du guéridon une chaise. Sur la cheminée, côté du public, un téléphone portatif. Sur la grande table, une lampe allumée, un annuaire des téléphones, un encrier avec ce qu'il faut pour écrire.

SCÈNE PREMIÈRE

SOPHIE, MARTHE

Au lever du rideau, la fenêtre du fond est ouverte à deux battants ; il fait grand jour dehors. Marthe est sur le balcon, le corps penché, interrogeant la rue. Sophie, appuyée au chambranle de la fenêtre, est en peignoir du matin, les cheveux en désordre. Elle témoigne d'une grande inquiétude, Marthe a un air désolé de convenance.

SOPHIE, *avec une lueur d'espoir.* – Ah ! Une voiture !

MARTHE, *tenue correcte de femme de chambre ; accent picard.* – Ça, c'est vrai, Madame ; je dirais le contraire que je mentirais.

SOPHIE. – C'est peut-être Monsieur ?

MARTHE. – Peut-être bien !

SOPHIE, *navrée.* – Non, elle passe !

MARTHE. – Ça, c'est vrai, Madame, elle passe. Je ne peux pas dire le contraire.

SOPHIE, *quittant le balcon et la voix désolée.* – Mon Dieu, mon Dieu !

Elle descend jusque devant la table.

MARTHE, *descendant et essayant de lui faire entendre raison.* – Madame devrait être raisonnable. Madame ne devrait pas se mettre dans un état pareil.

SOPHIE, *remontant entre la cheminée et la table.* – Mais s'il lui est arrivé malheur !

MARTHE, *très calme, de l'autre côté et au-dessus de la table.* – Quand bien même, Madame, ça ne le ferait pas revenir.

SOPHIE, *arpentant jusqu'au fond.* – Ah ! vous êtes bonne ! On voit bien que ça n'est pas votre mari !

MARTHE. – Mon Dieu, Madame, « pas de nouvelles, bonnes nouvelles », comme on dit : c'est peut-être bon signe.

SOPHIE, *redescendant nerveuse.* – Quoi ! Vous n'allez pas me dire que je dois me réjouir cependant.

MARTHE. – Non, ça c'est vrai, Madame ! je dirais le contraire que je mentirais.

SOPHIE, *ne l'écoutant plus, et se parlant à elle-même.* – Mon Dieu, où pourrais-je encore téléphoner ? Ah ! son cercle !... Il m'a bien parlé d'un grand cercle dont il faisait partie... Comment donc déjà ? Ah ! Oui ! Le

Touring-Club ! (*Elle va au téléphone, et tout en sonnant nerveusement.*) Tenez ! pendant que je sonne, cherchez donc « Touring-Club », dans l'annuaire.

MARTHE, *au-dessus de la table.* – Oui, Madame.

Elle cherche dans l'annuaire pendant que Sophie continue de sonner.

SOPHIE, *s'impatientant.* – Mais, qu'est-ce qu'ils font qu'ils ne répondent pas ?

MARTHE, *tout en cherchant.* – Ah ! c'est la mauvaise heure, Madame ; celle ou les hommes s'en vont et où les femmes arrivent.

SOPHIE, *id.* – C'est insupportable !... ils pourraient bien avoir... je ne sais pas, moi, des petits garçons pour cette heure-là.

MARTHE, *très calme.* – Ça, c'est vrai, Madame ! je dirais le contraire que je mentirais.

SOPHIE. – Eh bien, trouvez-vous ?

MARTHE, *id.* – Ça n'y est pas, Madame.

SOPHIE, *quittant le téléphone pour chercher dans l'annuaire.* – Comment, « ça n'y est pas » !... mais vous cherchez « C. H. » ! C'est « Touring-Club », pas « Chouring-Club » [14] !

MARTHE. – Ah ? c'est bien possible !

SOPHIE, *redescendant vers le téléphone.* – Ah ! vous avez un à-propos sinistre. (*S'arrêtant brusquement.*) Écoutez !... un bruit de roues !... C'est une voiture !

MARTHE, *qui a couru au balcon.* – Oui, Madame.

SOPHIE, *remontant.* – Monsieur est peut-être dedans ?

MARTHE. – Oh ! Je ne crois pas, Madame, que Monsieur soit dedans ; c'est une voiture de chez Richer [15].

Elle reste sur le balcon pendant ce qui suit.

SOPHIE, *avec humeur.* – Ah ! (*On entend le carillon du téléphone.*) Ah ! enfin ! (*Elle court au téléphone, dont elle décroche les récepteurs.*) Allô ! (*Au moment de parler, – à elle-même.*) Mon Dieu, qu'est-ce que je voulais donc ? Je ne sais plus ! (*A l'appareil.*) Allô ! Je vous demande pardon, monsieur, j'ai la tête perdue, je ne sais plus du tout ! C'est mon mari qui n'est pas rentré, monsieur... (*Un temps.*) Oui, monsieur, à cette heure-ci ! C'est inconcevable !... Jamais ça ne lui est arrivé, monsieur ! Quand il rentre passé deux heures, c'est une exception... Vous n'auriez pas de ses nouvelles, par hasard ?... Non, naturellement ; je vous demande ça : c'est l'affolement... Excusez-moi... Si j'ai besoin, je vous resonnerai... Merci, monsieur !... (*Elle accroche les récepteurs, puis redescendant devant la table.*) Ah ! mon Dieu ! mon Dieu !

SCÈNE II

LES MÊMES, AUGUSTE

Auguste entre vivement comme un homme qui se sait attendu avec impatience.

SOPHIE, *anxieuse, allant au-devant de lui.* – Ah ! Auguste... Eh ! bien ?

AUGUSTE, *son chapeau melon à la main – avec un air navré.* – Eh ! bien... rien, Madame.

SOPHIE. – Rien ?

AUGUSTE. – Non !... J'ai bien fait tout ce que Madame m'a dit : d'abord, la tournée des restaurants ; tous fermés !... Chez Maxim, j'ai trouvé des garçons qui balayaient... et un pochard qu'on balayait... (*Sur un mouvement de Sophie, d'un air désolé.*) Ce n'était pas Monsieur... (*Sophie pousse un soupir.*) De là, j'ai été, comme Madame m'a dit, à la Préfecture ; j'ai fait la déclaration... au bureau des objets perdus...

SOPHIE, *qui adossée à la table, écoute effondrée ce rapport, redressant une tête effarée.* – Comment, des objets perdus ?

AUGUSTE, *calme, mais d'une voix triste.* – Oui, c'est le même bureau aujourd'hui... Pour cause d'économie du gouvernement, on a réuni les deux services ; comme c'est dans le même ordre d'idées... ! De là, j'ai été à la morgue...

SOPHIE, *anxieuse.* – Ah ?

AUGUSTE. – On n'y avait pas encore vu Monsieur.

SOPHIE, *avec un soupir de soulagement.* – Ah ! tant mieux !

AUGUSTE, *en manière de consolation.* – Mais enfin, on m'a dit qu'il ne fallait pas désespérer, qu'il était encore de bonne heure !... (*Sophie lève les yeux au ciel, en poussant un nouveau soupir – il fait un pas comme pour remonter, puis s'arrêtant dans la position de biais où il est.*) Alors, j'ai laissé le signalement de Monsieur : taille ordinaire... nez moyen... parlant couramment le français, l'anglais, l'espagnol... (*Nouveau pas pour re-*

monter, nouvel arrêt.) J'ai donné le numéro du téléphone, en cas qu'on aurait la chance...

SOPHIE, *traversant la scène, et sur un ton désolé.* – C'est bien ! Merci, mon pauvre Auguste !... (*On sonne.*) On a sonné !...

AUGUSTE, *avec l'espoir dans les yeux.* – C'est peut-être Monsieur !

SOPHIE, *sans aucune illusion, se laissant tomber sur le canapé.* – Non, il a sa clé... Ce doit être M. Belgence. Vous le ferez entrer.

AUGUSTE. – Oui, Madame.

Il sort.

SOPHIE, *sans grand espoir.* – Toujours rien, Marthe ?

MARTHE, *du balcon, d'une voix douloureuse.* – Rien, Madame... Ça, c'est la vérité... je dirais le contraire que je mentirais.

Elle continue sa surveillance avec faculté de disparaître par moment aux yeux du public.

SCÈNE III

LES MÊMES, BELGENCE

SOPHIE, *voyant entrer Belgence introduit par Auguste.* – Ah ! vous !...

BELGENCE, *entrant rapidement et courant à elle, pendant qu'Auguste sort en emportant la lampe qu'il éteint.* – Eh ! bien, quoi donc, ma pauvre amie ? Qu'est-ce qui se passe ?

Il s'assied près d'elle et lui prend les mains dans les siennes.

SOPHIE. – Ah ! mon ami, je suis folle d'inquiétude ! Vous me pardonnerez de vous avoir téléphoné à pareille heure...

BELGENCE. – Mais, comment donc !... Vous savez bien que...

SOPHIE, *sans l'écouter.* – ... Mais, je me trouvais tellement désemparée ! tellement seule !... j'ai éprouvé le besoin de sentir un ami près de moi... quelqu'un qui pût m'être un appui, un conseil... Je ne sais plus où donner de la tête ! Mon mari ! Mon mari qui n'est pas rentré à cette heure-ci !

BELGENCE. – Oui, c'est ce que vous m'avez téléphoné. C'est épouvantable !

SOPHIE. – Qu'est-ce qu'il a pu devenir, mon Dieu ? Car enfin, ça n'est pas naturel ; ça ne lui est jamais arrivé ; je le disais encore tout à l'heure... à l'homme du téléphone, tenez !... Ah ! il y a un malheur, bien sûr !

BELGENCE, *se levant et descendant légèrement.* – Un malheur ! Comme vous y allez ! Un malheur n'arrive pas comme ça !

SOPHIE. – Ah ! Laissez donc... je ne me fais pas d'illusions maintenant... (*Éclatant en sanglots.*) Il est mort, mon Dieu, il est mort !

BELGENCE, *revenant à elle, et sans s'asseoir, essayant de la réconforter.* – Voyons ! Voyons ! Ah ! là, mon Dieu !

SOPHIE, *toujours sanglotant.* – Vous ne voyez toujours rien, Marthe ?

MARTHE, *du seuil de la fenêtre.* – Rien, Madame.

SOPHIE, *id.* – Là, vous l'entendez ! ce n'est pas moi qui le lui fais dire.

MARTHE, *pleurant.* – Ça, c'est la vérité : je dirais le contraire que je mentirais !

BELGENCE, *à Sophie, affectueusement bourru.* – Allons, voyons, voyons !... On est des hommes que diable ! tout n'est pas perdu ; et tant qu'il y a de l'espoir, on n'a pas le droit de se laisser abattre ! il faut agir !

SOPHIE. – Mais quoi ? quoi ? Qu'est-ce que vous voulez que je fasse ?

BELGENCE. – Je ne sais pas, mais il faut !... Tenez, moi, j'ai agi : j'avais à passer devant le commissariat pour venir ici ; je suis entré. Le commissaire est un de mes amis ; je lui ai dit : « Mon cher Planteloup, il faut m'accompagner chez madame Massenay qui a égaré son mari... » Il m'a répondu : « Je vous suis. » Et il va venir. Il n'est pas très fort... mais enfin, il est de la police, il peut nous être utile.

SOPHIE, *sanglotant, la tête dans ses mains, les coudes sur les genoux.* – Il est mort, mon Dieu, il est mort !

BELGENCE. – Ah ! là, mon Dieu ! s'il est permis de se mettre dans un état pareil... (*S'asseyant à côté d'elle et s'efforçant de la consoler.*) Mon amie, je vous en supplie... ! pour moi ! ça me fait mal de vous voir pleurer comme ça ! Voyons, voyons !... je vous en supplie Sophie !... (*S'agenouillant devant elle.*) Sophie !... Vous savez que je vous ai toujours aimée.

SOPHIE, *relevant la tête, et sur un ton indigné.* – Quoi ?

BELGENCE, *la main droite sur son front, le regard dans l'espace, sans même se rendre compte de l'énormité de son aveu.* – Oh ! oui, je vous ai aimée ! Je me suis toujours tu, parce que vous étiez mariée... Mais puisqu'aujourd'hui je puis parler...

SOPHIE, *se dressant tout debout, et avec indignation.* – Mais c'est horrible ce que vous dites-là ! *Elle passe au* (2), *laissant Belgence tout seul à genoux.*

BELGENCE, *ahuri, sans se lever.* – Quoi ?

SOPHIE. – Me faire une déclaration en un pareil moment !

BELGENCE, *se levant et allant à elle.* – Moi ! moi ! j'ai fait une déclaration ?

SOPHIE. – Ah ! Taisez-vous ! taisez-vous ! Un tel sacrilège !... Mais quelle femme croyez-vous donc que je sois, pour supposer que j'écouterais favorablement une déclaration ?... alors que mon mari n'est plus !

BELGENCE. – Mais non, mais non ! vous n'avez pas compris !... C'était une façon de vous dire que je vous étais tout dévoué... que vous pouviez user de moi... compter sur moi...

SOPHIE, *avec un revirement complet – s'adossant contre la poitrine de Belgence.* – Ah ! c'est ça, c'est ça ! dites-moi ça ! Voyez-vous c'eût été trop mal... vis-à-vis de lui, le pauvre cher homme... (*Mélodramatiquement.*) Ah ! il vous aimait bien, allez !

BELGENCE, *touché.* – Pauvre Émile !

SOPHIE. – Hier encore il me le disait : « Ce brave Belgence, il n'est pas toujours amusant mais c'est un bon garçon ! » (*Belgence ému, s'essuie du bout du doigt une larme qui perle au coin de l'œil.*) Qui est-ce qui aurait pu penser, quand il me disait ça hier, qu'aujourd'hui... !

BELGENCE, *avec un hochement de tête.* – Oui !

Profond soupir des deux personnages. – On sonne.

SOPHIE, *bondissant.* – On a sonné ! (*Appelant en remontant.*) Marthe !

BELGENCE, *appelant.* – Marthe !

SOPHIE, *s'égosillant.* – Maaarthe ! (*Marthe accourt effarée.*) On a sonné, voyons !

MARTHE. – Oui, Madame !

Elle se dirige en courant vers la porte donnant sur le vestibule.

BELGENCE. – Ça doit être M. Planteloup, le commissaire de police.

Au moment où Marthe est déjà sur le pas de la porte, celle-ci s'ouvre brusquement et Auguste allant presque donner dans la bonne, fait irruption.

AUGUSTE. – Madame, c'est M. Planteloup, commissaire de police.

SOPHIE. – Vite ! Faites-le entrer !

Elle redescend devant le canapé pendant qu'Auguste remonte pour introduire Planteloup. Belgence remonte également à la rencontre de ce dernier.

SCÈNE IV

LES MÊMES, PLANTELOUP,
et son secrétaire

BELGENCE, *redescendant avec Planteloup dans la direction de Sophie pendant que les deux domestiques restent au fond.* – Entrez, mon cher Planteloup, vous êtes attendu comme le Messie !... Voici madame Massenay dont je vous ai exposé les cruelles perplexités...

PLANTELOUP, *papelard et souriant, allant à Sophie qui s'avance également vers lui, pendant que Belgence s'efface pour passer au (1).* – En effet, madame ! M. Belgence m'a mis au courant. Croyez que je me félicite de l'heureuse circonstance.

SOPHIE, *avec un sursaut.* – Comment « l'heureuse circonstance » !

PLANTELOUP, *verbeux et volubile.* – Eh ! madame, pour nous autres commissaires, une cause sensationnelle est une aubaine ! C'est souvent l'avancement. Or il faut bien le dire, nous n'avons pas la part égale entre nous : j'ai des confrères, à Belleville, à Charonne, ils sont vraiment trop favorisés ! ils ont des crimes, il n'y a qu'à se baisser !

SOPHIE, *qui n'est pas d'humeur à écouter ses doléances.* – Oui, monsieur, oui... !

PLANTELOUP, *ne lui laissant pas placer une parole.* – Mais moi, qu'est-ce que vous voulez que je fasse ?

Nous avons un quartier déplorable : nous manquons d'Apaches [16] !

SOPHIE, *s'impatientant.* – Oui, c'est bien regrettable, en effet !... mais enfin, monsieur... !

PLANTELOUP, *même jeu.* – Enfin la veine tournerait-elle de mon côté ? Monsieur Massenay, personnalité honorablement connue... brusque disparition... affaire ténébreuse... ça peut être superbe ! (*En parlant il s'est dirigé vers la table de droite, sur laquelle il pose sa serviette et son chapeau. – A son secrétaire.*) Tenez, asseyez-vous là, mon ami et préparez-vous à écrire ! (*Le secrétaire qui était resté au fond, descend à la table, prend la chaise de gauche qu'il remonte au-dessus de la table de façon à faire face au spectateur. Planteloup s'installe à droite de la table. À Sophie, avec bonne humeur, en se frottant les mains.*) Voyons, madame ! Alors nous disons que M. Massenay aurait été assassiné ?

SOPHIE, *qui s'est assise sur le fauteuil près du canapé. Sursautant.* – Hein ? (*Indignée.*) Mais, je ne sais pas, monsieur ! je ne sais pas !

PLANTELOUP, *très souriant.* – Évidemment ! Ceci est le rôle de la police de l'établir.

SOPHIE, *furieuse.* – Oh !

PLANTELOUP. – Vous n'auriez pas par hasard un portrait de monsieur votre mari ?

SOPHIE, *douloureusement.* – De ce pauvre Émile.

PLANTELOUP. – De ce pauvre Émile, oui !

SOPHIE, *id.* – Je n'en ai qu'un... à l'âge de sept ans.

PLANTELOUP. – C'est un peu jeune ! il a dû changer depuis... C'est fâcheux ! très fâcheux ! *On sonne.*

TOUS, *excepté le commissaire.* – On a sonné ! On a sonné !

Tout le monde s'est levé. Grande agitation.

PLANTELOUP. – Quoi ? Quoi ? Qu'est-ce qu'il y a ?

SOPHIE, *au commissaire.* – On a sonné. (*Aux autres.*) C'est la sonnerie de la cuisine... Vite, Auguste, courez !... Si c'était au sujet de monsieur... !

AUGUSTE. – Oui, Madame !

Il sort en courant.

SOPHIE, *redescendant un peu vers le commissaire.* – Je vous demande pardon, monsieur, je suis dans un état de nervosité...

Elle remonte jusqu'à la porte pour jeter un coup d'œil dehors.

PLANTELOUP, *très gracieux.* – Mais je comprends madame !... On ne perd pas son mari tous les jours.
SOPHIE, *sursautant.* – Hein ?
PLANTELOUP. – Voulez-vous me permettre, madame, de vous poser une question assez délicate ?...
SOPHIE, *redescendant.* – Allez, monsieur ! allez !
PLANTELOUP. – Est-ce qu'il avait des vices ?
SOPHIE. – Qui ça ?
PLANTELOUP. – Ce pauvre Émile ?
SOPHIE, *avec indignation.* – Émile ! Émile, des vices !
PLANTELOUP. – Oui, enfin, était-il joueur, alcoolique, érotomane ?
SOPHIE. – Mais non, monsieur, mais non !
PLANTELOUP. – Ah ! c'est dommage ! c'est dommage !
SOPHIE. – Comment, c'est dommage ?
PLANTEOUP. – Hé ! oui, au point de vue de notre enquête.
SOPHIE, *à Belgence.* – Ah ! mais je vais le gifler, vous savez.
BELGENCE, *vivement.* – Non, non ! Faites pas ça !

SCÈNE V

LES MÊMES, AUGUSTE, puis LAPIGE

SOPHIE, *allant à Auguste qui descend.* – Eh ! bien, qu'est-ce que c'est ?
AUGUSTE. – Madame, c'est un maçon.
TOUS. – Un maçon ?
AUGUSTE. – Qui apporte les vêtements de Monsieur.
TOUS. – Hein ?
SOPHIE. – Comment, les vêtements de monsieur ?
AUGUSTE. – Oui, Madame... qu'il a trouvés dans la rue.
TOUS, *stupéfaits.* – Oh !
SOPHIE. – Dans la rue ?
BELGENCE. – Les vêtements de monsieur ?
SOPHIE. – Eh ! bien, et monsieur ? et monsieur ?
BELGENCE ET PLANTEOUP. – Oui ?
AUGUSTE, *avec un geste de découragement.* – Il n'était pas dedans !
PLANTELOUP. – Pas dedans !
SOPHIE. – Voyons ! voyons, ce n'est pas possible !

AUGUSTE. – Dame, autant que j'ai pu comprendre, parce qu'à vrai dire ce maçon...

SOPHIE. – Quoi ? il ne parle pas français ?

AUGUSTE. – C'est pas ça ; mais il aboie.

SOPHIE, BELGENCE, PLANTELOUP. – Hein ?

AUGUSTE. – Alors, c'est un peu disloqué tout ce qu'il dit.

SOPHIE. – Allez ! Allez ! faites-le entrer, nous verrons bien.

AUGUSTE. – Oui, Madame.

PLANTELOUP. – C'est ça ! c'est ça.

Sortie d'Auguste.

SOPHIE, *à Belgence.* – Ses vêtements ! ses vêtements dans la rue ! Qu'est-ce que ça peut vouloir dire ?

BELGENCE. – On ne peut pourtant pas admettre qu'il se promène tout nu.

PLANTELOUP, *qui était remonté, redescendant en se frottant les mains.* – Bravo ! ça se corse, ça se corse !

Il va côté gauche de la table, parler à son secrétaire.

SOPHIE, *à Belgence, indiquant Planteloup.* – Non, mais regardez-le, il est content, lui ! il est content !

BELGENCE, *essayant de la calmer.* – Voyons ! Voyons !

SOPHIE, *rageuse.* – Oh !

AUGUSTE *, *introduisant Lapige.* – Là ! entrez !

Entre Lapige, (figure réjouie, heureux de vivre.) Il tient sa casquette à la main et avance d'un pas chaloupant.

SOPHIE. – C'est vous... ? C'est vous qui avez trouvé les vêtements.. ?

PLANTELOUP, *lui coupant la parole.* – Permettez ! Permettez ! c'est à moi à poser les questions.

SOPHIE. – Non, mais pardon, je veux lui demander...

PLANTELOUP. – Justement ! justement, c'est moi que ça regarde.

SOPHIE. – C'est trop fort ! Enfin, il me semble que ça m'intéresse plus que vous !

PLANTELOUP. – Oh ! je vous en prie, madame, veuillez ne pas empiéter sur mes attributions.

SOPHIE, *hors de ses gonds.* – Oh !

Elle se laisse emmener par Belgence qui l'ex-

---

* Belgence 1 ; Sophie 2 ; Lapige 3 ; Auguste 4, un peu au-dessus ; Planteloup 5 : Marthe au fond ; le secrétaire à la table.

horte au calme, et se résigne à s'asseoir sur le fauteuil qu'elle occupait précédemment.

PLANTELOUP, *qui a repris sa place à droite de la table.* – Avancez mon ami. (*Lapige s'avance.*) C'est vous alors qui avez trouvé les vêtements de monsieur Massenay dans la rue ? (*Au moment où Lapige va répondre, Planteloup à Sophie.*) C'est bien ce que vous vouliez demander, madame ?

SOPHIE, *avec humeur.* – Mais oui, monsieur ! mais oui.

PLANTELOUP. – Vous voyez que je pouvais le faire aussi bien que vous et au moins vous ne risquez pas de poser une question inconsidérée qui pourrait entraver la marche de notre enquête. (*Sophie hausse les épaules. A Lapige.*) Répondez mon ami.

LAPIGE. – Euh... (*Aboyant.*) Ouahouah ! ouahouah ! ouahouah !

SOPHIE, *pendant que Lapige continue à aboyer.* – Ah ! mon Dieu ! qu'est-ce qu'il a ?

PLANTELOUP, *sur les aboiements de Lapige.* – Qu'est-ce qui vous prend ?

AUGUSTE. – C'est ce que j'ai dit à Madame.

LAPIGE, *qui n'a pas cessé d'aboyer pendant ces répliques.* – ... Ouahouah ! Ne faites pas attention messieurs, madame, ça me prend comme ça dans les moments d'émotion et puis... (*Grognement de chien.*) rrrrre... ouah !... Ça passe !

BELGENCE. – Comme c'est curieux !

SOPHIE. – Voyons mon ami, ce n'est pas le moment de vous troubler.

PLANTELOUP. – Aboyez une bonne fois, et que ce soit fini !

LAPIGE. – Merci, monsieur, ça va comme ça.

PLANTELOUP. – Oui ? Alors dites-nous ce que vous savez.

LAPIGE. – Eh ! bien voilà, je me rendais ce matin à mon chantier lorsque dans la rue du Colisée...

SOPHIE. – Rue du Colisée ?

LAPIGE. – A peu près devant le n° 21.

PLANTELOUP, *au secrétaire.* – 21, rue du Colisée, notez !

LAPIGE. – J'ai trouvé ces vêtements que je reconnus devoir appartenir à un M. Massenay, 28, rue de Longchamp, grâce aux papiers que renfermait le portefeuille contenu dans les poches avec d'autres menus objets.

Il remet l'habit au commissaire.

PLANTELOUP. – Ah ! voyons ! voyons !

Belgence et Sophie ont couru à la table et se partagent les vêtements avec le commissaire. Celui-ci prend le gilet, Sophie prend l'habit, Belgence le pantalon ; ils se mettent à fouiller les poches.

SOPHIE. – Le portefeuille ! Oui... ! oui, voilà !

Elle le dépose tristement sur la table.

PLANTELOUP. – Une boîte à cachous.

Il la pose sur la table.

BELGENCE. – Une bourse, un trousseau de clés.

Il pose le tout sur la table.

SOPHIE, *fouillant une autre poche.* – Ses gants, son mouchoir.

PLANTELOUP, *id.* Une correspondance d'omnibus.

BELGENCE, *id.* De la menue monnaie.

PLANTELOUP, *qui a introduit ses doigts dans une autre poche, poussant un cri.* – Oh !

TOUS. – Quoi ?

PLANTELOUP, *retirant sa main, avec un cure dent piqué au bout d'un doigt, entre ongle et chair.* – Un cure-dent ! c'est bête de mettre ça à même la poche !

BELGENCE, *tirant un revolver de la poche à revolver.* – Un revolver.

SOPHIE, *navrée retournant à sa place suivie de Belgence – tous deux ont reposé, elle l'habit, lui le pantalon sur la table.* – Oui, tout ça est bien à lui !

PLANTELOUP, *qui a pris en main le revolver.* – Toutes les cartouches sont intactes ! ceci tendrait à prouver que la victime a été surprise puisqu'elle n'a pas eu à se servir de son arme.

SOPHIE, *avec douleur.* – Mon Dieu !

PLANTELOUP, *tout en remettant pendant ce qui suit les différents objets dans les poches, à l'exception du revolver qu'il oublie sur la table, – à Lapige.* – Et comment se trouvaient-ils là ces vêtements, vous ne savez pas ?

LAPIGE, *impuissant à répondre.* Ah ! ça... ? tout ce que je puis dire c'est qu'ils étaient là sur le ouahouah ! ouahouah ! ouahouah !

PLANTELOUP, *pendant que l'autre aboie.* – Allons, bon, voilà que ça le reprend !

SOPHIE. – Mais voyons, mon ami, puisque c'était fini.

BELGENCE. – Ça allait si bien !

PLANTELOUP. – Ne vous troublez pas mon garçon ! Sur le quoi, voyons ?

LAPIGE. – Sur le ouahouah ! ouahouah !

SOPHIE, *venant à son aide.* – Sur le trottoir ?

LAPIGE, *grognement de chien.* Rrrrre... ouah ! oui.

PLANTELOUP. – Eh ! bien voilà « sur le trottoir » ! Ça n'est pas difficile ! Vous voyez : madame le dit et elle ne se croit pas obligée d'aboyer. Diable ! ça va être commode si à chaque question... Il y a longtemps que ça vous est arrivé ?

LAPIGE. – Cette nuit.

PLANTELOUP. – Non, je parle de votre ouahouah !

LAPIGE. – Ah !... c'est de naissance !

PLANTELOUP. – Ah ?...

LAPIGE. – C'est ma mère qui a été impressionnée par un lévrier...

PLANTELOUP, *profond.* – Un lévrier ! oui... oui !

LAPIGE. – Qui lui était grimpé dessus.

PLANTELOUP, *id.* – Oui, je comprends ! de sorte que vous seriez né de madame votre mère et de ce lévrier ?

LAPIGE, *se récriant.* – Mais non ! Mais non ! c'est pendant que ma mère était dans une position intéressante que ouah-ouah ! ouah-ouah !

PLANTELOUP, *vivement.* – Oui-oui, oui-oui ! ne vous donnez pas la peine, j'ai compris. C'est comme qui dirait une envie à l'envers ! une envie dont on n'aurait pas eu envie ! Voilà oui, oui.

SOPHIE, *agacée.* – Mais enfin, monsieur, nous sortons de la question ! Il s'agit de mon pauvre mari.

PLANTELOUP. – Mais madame, je suis bien obligé pour étayer mes recherches... c'est drôle ça ! (*A Lapige.*) Et en dehors de ces vêtements, vous n'avez rien trouvé ? Aucun indice qui puisse nous mettre sur la voie ?... (*Lapige écarte de grands bras en signe d'ignorance.*) C'est bien mon ami, allez vous asseoir !... et n'aboyez que quand on vous interrogera.

Lapige remonte et va s'asseoir à une place que lui indique Auguste.

PLANTELOUP, *au secrétaire.* – Écrivez : « Nous, commissaire de police... etc... etc... ayant été avisé de la disparition mystérieuse de M. Massenay... »

SOPHIE, *brusquement, imposant silence à tout le monde* – Chut !

TOUS, *chuchoté.* – Qu'est-ce qu'il y a ?

SOPHIE. – Ecoutez !... il me semble que j'ai entendu un bruit de clé, dans la serrure de la porte du grand escalier.

TOUS, *id.* – Hein ?... mais non... mais non.

SOPHIE. – Si ! si ! on marche !

Grand silence. Tout le monde tend l'oreille, on entendrait voler une mouche.

SCÈNE VI

LES MÊMES, MASSENAY

Tout à coup la porte du fond s'entr'ouvre doucement et l'on voit se glisser un bras au bout duquel une main tient un bougeoir allumé.

TOUS, *chuchoté.* – La bougie ! la bougie ! la bougie !

Au bras succède un corps vu de dos et qui se glisse en catimini. C'est Massenay qui rentre et qui esquisse déjà le mouvement de se diriger à pas de loup vers sa chambre, quand il est accueilli par un cri général.

TOUS, *d'un seul et même cri de joie.* – Ah !

Cette exclamation que Massenay reçoit de dos, lui produit l'effet d'un coup de pied dans les reins ; il pivote sur lui-même et reste coi sur place, abruti et souriant bêtement, pour dissimuler son embarras. Mais déjà Sophie est dans ses bras, radieuse, et l'entraîne vers le milieu de la scène. Belgence qui est remonté également à sa rencontre redescend à sa gauche. C'est une joie générale : Belgence exulte ; Auguste, dans un besoin d'épanchement, a pris la tête de Marthe entre ses deux mains et l'embrasse par deux fois sur les cheveux. Seul Planteloup regarde effaré.

SOPHIE*. – Émile ! Émile ! toi !...

Presque
Simultanément
BELGENCE. – Mon ami ! Mon ami !

---

* Au fond Lapige I ; Marthe 2 ; Auguste 3. Sur le devant de la scène, Sophie I ; Massenay 2 ; Belgence 3 ; Planteloup 4. Le secrétaire toujours à la même place.

MARTHE ET AUGUSTE. – Monsieur ! C'est Monsieur !

PLANTELOUP, *qui s'est levé.* – Qu'est-ce que c'est ? Qu'est-ce qu'il y a ?

MASSENAY, *essayant de prendre l'air dégagé.* – C'est moi ! hé ! hé !... vous... vous êtes déjà levés ?

SOPHIE. – Vivant ! tu es vivant !

MASSENAY. – Mais oui, tu vois !... Ça... ça va bien ? Il est tard, hein ?

SOPHIE. – Oh ! tard ! tard ! Est-il possible de me causer des transes pareilles ? A quelle heure rentres-tu, méchant !

PLANTELOUP, *qui a quitté la table s'avançant vers Massenay.* – Non, mais pardon, monsieur ! Qu'est-ce que vous venez faire ?

MASSENAY, *étonné de cette apostrophe de la part d'un inconnu.* – Monsieur ?

SOPHIE, *à Planteloup.* – Mais c'est lui ! c'est mon mari, monsieur ! (*A Massenay, caline.*) Oh ! que je suis heureuse.

BELGENCE, *confirmant – à Planteloup.* – C'est son mari.

PLANTELOUP. – Mais ça m'est égal !... ça ne se fait pas, ça, monsieur ! Vous êtes disparu, assassiné ; la police est saisie... on n'a pas le droit de revenir comme ça.

Il remonte furieux jusqu'à la table.

MASSENAY, *ahuri, le regarde remonter puis se tournant vers sa femme.* – Qu'est-ce que c'est que ce monsieur ?

SOPHIE. – C'est M. le commissaire de police. Tu comprends : on croyait qu'il t'était arrivé malheur...

BELGENCE. – ... alors, n'est-ce pas ? on ouvrait une enquête.

MASSENAY, *pouffant de rire.* – Non ? Ah ! que c'est drôle ! (*A Planteloup qui est redescendu.*) Eh, bien, monsieur vous voyez ! il n'y a plus qu'à la clore, votre enquête.

PLANTELOUP. – Oh ! Mais permettez ! Ça ne peut pas se terminer comme ça ! Nous ne sommes pas des pantins qu'on fait pirouetter à sa guise.

BELGENCE, *essayant d'intervenir.* – Non, Planteloup, écoutez !

PLANTELOUP, *l'écartant, passant devant lui.* – Fichez-moi la paix ! (*A Massenay.*) Voilà une affaire des plus sensationnelles !... on n'en a pas si souvent !

Il remonte très nerveux.

MASSENAY. – Qu'est-ce que vous voulez que je vous dise, monsieur, je regrette ! mais puisque j'ai la chance d'être encore de ce monde... !

SOPHIE. – Mais enfin qu'est-ce qu'il t'est arrivé ?

PLANTELOUP, *redescendant à cette question, mais de façon à rester un peu au-dessus de Massenay.* – Oui ? nous voudrions bien le savoir !

MASSENAY. – Oh ! pardon, monsieur ! si je rends des comptes c'est à ma femme.

SOPHIE. – Oui va ! va ! Pourquoi rentres-tu à pareille heure et dans un tel accoutrement ?

MASSENAY, *regardant sa tenue.* – Ah ? tu... tu as remarqué !

SOPHIE. – Comment, si j'ai remarqué !

PLANTELOUP. – Tout cela est très louche !

MASSENAY, *jette un regard chargé de colère sur Planteloup, mais se contient, puis à sa femme.* – Eh ! bien voilà : euh... ! (*Changeant de ton et pour gagner du temps.*) Si j'éteignais ma bougie, il commence à faire jour.

Il éteint sa bougie que Sophie passe à Auguste.

PLANTELOUP, *sévère.* – Il y a trois heures qu'il fait jour.

MASSENAY, *nouveau regard à Planteloup, puis avec un petit salut de la tête.* – Merci monsieur.

SOPHIE, *revenant à son mari.* – Eh ! bien, va, va !

MASSENAY. – Eh ! bien voilà !... D'abord j'aime autant te le dire tout de suite : ces vêtements ne sont pas à moi !

PLANTELOUP, *ironique.* – Allons donc ?

SOPHIE. – Ça !

MASSENAY, *à Planteloup.* – Vous ne le croyez pas !

PLANTELOUP, *id.* – Si ! Si ! Si !

SOPHIE. – Mais alors ! comment ? pourquoi ?

MASSENAY. – Ah ! bien voilà ! ça c'est... c'est la faute au chemin de fer.

TOUS. – Au chemin de fer ?

AUGUSTE, *qui écoute, un peu au-dessus des autres ; – après tout le monde.* – Au chemin de fer !

MASSENAY, *se retournant à demi vers Auguste.* – Oui, mon ami, au chemin de fer ! (*A sa femme.*) Je m'étais laissé aller à m'endormir, n'est-ce pas ? Sans réfléchir qu'il y avait des gens dans le compartiment ! alors qu'est-ce qui est arrivé ? C'est que quand je me suis réveillé : crac ! plus personne ! envolés les gens ! envolés mes vêtements ! Ça sentait le chloroforme ! et j'étais revêtu, moi, de ce costume que tu me vois !... Il ne me va pas, hein ?

SOPHIE. – Ah ! çà voyons ! qu'est-ce que tu racontes ? Quoi ? Quel chemin de fer ?

MASSENAY. – Hein ? « Quel chemin de... » Ah ! c'est vrai, au fait, je ne t'ai pas dit ! (*A Belgence.*) Je ne lui ai pas dit ! (*A sa femme.*) Figure-toi !... ça tient du prodige !... j'arrive d'Amiens, tel que tu me vois.

TOUS. – D'Amiens !

AUGUSTE, *comme précédemment.* – D'Amiens !

MASSENAY, *à Auguste.* – Oui, mon ami, d'Amiens ! (*A sa femme.*) Parce qu'il faut te dire que j'étais allé conduire à la gare deux amis pour l'express de Calais.

PLANTELOUP. – C'est louche !

MASSENAY, *furieux.* – Quoi ? quoi « c'est louche » ? Même que j'avais pris un ticket – deux sous ! – donnant accès sur le quai. (*A sa femme, subitement radouci.*) Alors n'est-ce pas en attendant le départ, histoire de causer, ils me disent : « Montez donc avec nous dans le compartiment. « C'est ça ! – oui, oui ! – Yes, yes ! » parce qu'il y en avait un qui ne parlait pas le français : le cadet... comme étant le plus jeune n'est-ce pas... ?

SOPHIE, *impatiente.* – Oui ! Oui !

MASSENAY. – Mais voilà t'il pas que tout à coup... C'est extraordinaire ! on ne donne plus de signal maintenant... le train s'est mis en marche, là, en sourdine... et vlan ! il m'a emmené !

SOPHIE. – Il t'a emmené !

PLANTELOUP, *sceptique.* – Voyez-vous ça !

BELGENCE. – On n'a pas idée d'une chose pareille.

MASSENAY. – Et encore j'ai eu de la chance : à Amiens, on a dû stopper pour faire de l'eau ; sans ce besoin providentiel de la machine, j'allais jusqu'à Calais !

PLANTELOUP, *sur un ton de condoléance ironique.* – Ah ! là-là ! là-là !

SOPHIE. – Ah ! mon pauvre ami !

MASSENAY. – Tu devines mon état... ! Je me disais tout le temps : « Mon Dieu ! et ma pauvre petite femme qui... ! » Naturellement il a fallu revenir ; alors précisément, c'est pendant ce retour que mes vêtements...

PLANTELOUP, *ironique.* – Oui, oui.

MASSENAY. – Je dormais, il y avait des gens...

PLANTELOUP, *ironique.* – ... Ça sentait le chloroforme.
MASSENAY. – Ça sentait le... oui ! Comment savez-vous ?
PLANTELOUP, *id.* – C'est vous qui venez de le dire.
MASSENAY. – Ah ?... Ah !... eh ! bien vous voyez ? ça concorde bien.
SOPHIE. – C'est épouvantable !
BELGENCE. – Épouvantable !
PLANTELOUP, *railleur.* – Épouvantable.
MASSENAY, *exaspéré après Planteloup.* – Mais oui, épouvantable ! Quoi ?... Il ne croit à rien cet homme-là.
PLANTELOUP. – Évidemment ! évidemment ! c'est très palpitant ! Et peut-on vous demander, monsieur.. ?
MASSENAY. – Monsieur ?
PLANTELOUP, *tout en parlant, allant chercher sur la table les effets de Massenay, et redescendant avec.* – ... par quel mystère, étant donné que l'on vous dépouillait de vos vêtements entre Paris et Calais, on a pu retrouver lesdits vêtements sur le trottoir de la rue du Colisée ?
MASSENAY, *à part.* – Diavolo [17] !
SOPHIE, *frappée par la justesse de l'observation.* – Mais oui, au fait ?
BELGENCE. – Mais oui !
MASSENAY, *très troublé.* – Ah ! on... on a... ?
PLANTELOUP. – On a ! oui monsieur.
MASSENAY, *id.* – Sur... sur le... ?
PLANTELOUP. – Sur « le », parfaitement !
MASSENAY. – Tiens ! tiens ! tiens ! tiens ! tiens !
PLANTELOUP. – Ça vous la coupe, ça ?
MASSENAY, *avec emportement.* – Quoi ? quoi « Ça me la coupe » ?
PLANTELOUP. – Soit, monsieur !... veuillez donc m'expliquer... ?
MASSENAY. – Mais voilà ! voilà ! si vous croyez que ça me gêne ?... ah ! bien !... J'étais dans le train n'est-ce pas ?... Il marchait... et alors le,... il marchait même vite... quand tout à coup n'est-ce pas, le... (*Furieux.*) ah ! et puis dites donc ! vous m'embêtez, vous à la fin !
PLANTELOUP, *avec un ricanement de triomphe.* – Aha !
MASSENAY. – Mais absolument, quoi !
BELGENCE, *passant vivement devant Planteloup pour s'interposer entre lui et Massenay, et calmer ce dernier.* – Voyons Émile, pas de colère !
MASSENAY, *débordant par-dessus l'épaule de Belgence qui le retient de son mieux.* – C'est vrai ça ! il est là à m'asticoter.

PLANTELOUP, *avançant sur Massenay.* – Monsieur !

BELGENCE et SOPHIE, *calmant Massenay.* – Émile ! Émile !

MASSENAY. – Est-ce que je sais moi, comment mes vêtements sont allés échouer rue du Colisée ? Puisque je n'étais pas avec eux !

PLANTELOUP, *sur un ton gouailleur.* – Évidemment !

MASSENAY. – D'abord qui est-ce qui les a trouvés mes vêtements ?

PLANTELOUP, *indiquant Lapige.* – C'est cet homme !

SOPHIE et BELGENCE. – Oui !

MASSENAY. – Ah ! c'est vous ? Eh ! bien alors vous pouvez dire : est-ce que j'étais avec eux ?

LAPIGE. – Euh... ouah-ouah ! ouah-ouah !

MASSENAY. – Quoi ?

LAPIGE. – Ouah-ouah ! ouah-ouah !

MASSENAY. – Qu'est-ce que vous avez à faire le chien ? Je vous demande si j'étais avec eux ?

LAPIGE. – Rrrre ! ouah ! non...

MASSENAY. – Là, « Non » ! vous l'entendez ! Eh ! bien, du moment qu'on n'est plus ensemble, on n'est pas responsable les uns des autres ! Et puis enfin, est-ce que ça me regarde tout ça ? Qu'est-ce que vous voulez que je vous dise ? Je ne suis pas de la police, moi ! c'est votre affaire à vous.

PLANTELOUP. – Comment donc ! vous ne croyez pas si bien dire ! Voilà une affaire que nous allons instruire sans tarder.

MASSENAY. – Eh ! bien, c'est ça, si ça vous intéresse ! (*Passant devant Belgence pour aller à Planteloup.*) Pour moi, du moment qu'on a retrouvé mes vêtements intacts...

Il attrape ses vêtements que Planteloup tient toujours sous le bras.

PLANTELOUP, *qui déjà remontait vers son secrétaire, présentant le dos par conséquent à Massenay, retourné brusquement par la traction opérée sur les effets – défendant ceux-ci.* – Oh ! pardon, veuillez laisser ça !

MASSENAY. – Comment ! mais c'est à moi !

PLANTELOUP. – Du tout ! du tout ! désormais, c'est une pièce à conviction ! Cela appartient à la justice.

MASSENAY, *furieux, tirant sur ses vêtements.* – Ah ! mais dites donc, vous à la fin... !

PLANTELOUP, *tirant de son côté.* – Voulez-vous !... Voulez-vous... !

ENSEMBLE

SOPHIE, *retenant Massenay par les épaules.* – Émile ! Émile !

BELGENCE, *qui est entre Planteloup et Massenay, au-dessus d'eux, cherchant à les séparer.* – Mon ami ! Mon ami !... Planteloup, voyons !

MASSENAY, *qui a lâché prise et pendant que Planteloup, serrant sa capture entre ses bras, va rechercher le restant de ses affaires sur la table : serviette et chapeau.* – Mais enfin c'est trop fort ! Non seulement il se mêle de ce qui ne le regarde pas, mais encore il me chauffe mes effets.

PLANTELOUP, *faisant deux pas sur lui.* – Qu'est-ce que c'est ?

BELGENCE, *qui est descendu entre Planteloup et Massenay, calmant ce dernier.* – Ami ! Ami !

MASSENAY, *le faisant pirouetter.* – Fiche-moi la paix toi !

PLANTELOUP. – Veuillez ne pas oublier que je représente la loi, ici !

BELGENCE, *allant à Planteloup.* – Planteloup ! mon ami !

PLANTELOUP, *à Belgence le faisant pirouetter.* – Allez vous promener !

Il remonte.

MASSENAY. – Non, mais quel est l'animal qui m'a amené ce commissaire-là ?

PLANTELOUP, *se retournant.* – Hein ?

BELGENCE, *penaud.* – C'est moi, mon ami.

MASSENAY. – Eh ! bien je te félicite ! tu peux le rapporter où tu l'as pris.

PLANTELOUP. – Vous dites ?

MASSENAY, *sec.* – Je parle à monsieur !

Il indique Belgence.

PLANTELOUP. – Oui, eh ! bien moi je vous parle et je vous dis que votre conduite dans tout cela est très équivoque.

SOPHIE. – Mon Dieu ! Mon Dieu ! je vous en prie, Belgence, arrangez cela.

BELGENCE, *allant à lui.* – Planteloup ! Mon ami !

PLANTELOUP. – Du tout ! du tout ! il n'y a plus d'ami maintenant ; il y a un magistrat qui instrumente ! (*A Lapige.*) Suivez-moi, le maçon ! (*Lapige quitte sa place et redescend de façon à être placé pour suivre Planteloup quand il s'en ira.*) Et pour commencer, vous voudrez bien vous tenir à notre disposition.

Il remonte comme pour sortir, Lapige emboîte le pas derrière lui, ainsi que Belgence et le secrétaire, lequel avant de partir a remis sa chaise à gauche de la table.

BELGENCE, *à la droite de Planteloup quand celui-ci est dos au public, l'accompagnant.* – Voyons, Planteloup !

PLANTELOUP. – Non ! non !... inutile ! (*Se retournant, ne sachant pas Lapige derrière lui.*) Venez, vous ! (Il se cogne dans Lapige qui n'a pas prévu sa volte, et lui marche sur le pied.) Oh !

LAPIGE, *hurlant comme un chien qui a la patte écrasée.* – Ahuhu ! ahuhu ! ahuhu ! ahuhu !

PLANTELOUP. – Oh ! pardon je vous ai marché sur la patte... sur... le pied... je ne l'ai pas fait exprès.

LAPIGE. – Ahuhu ! ahuhu !

MASSENAY, *agacé des hurlements de Lapige.* – Ah ! et puis zut, là, l'aboyeur !... donnez-lui une boulette !

Sortie en brouhaha de Planteloup, Belgence, Lapige et du secrétaire.

SCÈNE VII

LES MÊMES, moins PLANTELOUP, LAPIGE, BELGENCE et LE SECRÉTAIRE

MASSENAY, *arpentant la scène.* – Ah ! non, quelle brute ! quelle brute ! quelle brute !

SOPHIE, *qui, pendant la sortie, a gagné la droite de la scène, devant la banquette.* – Bah ! qu'est-ce ça fait ? L'important : c'est que tu sois là, que tu me sois rendu.

MASSENAY, *allant à elle et la serrant dans ses bras.* – Ma chérie !

AUGUSTE. – Monsieur n'a plus besoin de nous ?

MASSENAY. – Hein ? non !... si !... apportez-moi mon vêtement d'intérieur... Et vous, Marthe, du thé bien chaud... avec du rhum.

MARTHE. – Oui, Monsieur.

Elle sort par le fond pendant qu'Auguste sort, premier plan droit.

SOPHIE, *qui pendant ce qui précède a de nouveau traversé la scène, et un genou sur le canapé, l'avant-bras sur le bois du dossier, dévore son mari des yeux.* – Ah ! mon chéri ! mon chéri ! j'ai cru que je devenais folle ! je ne pouvais pas supposer ce voyage, n'est-ce pas ?

MASSENAY. – Évidemment ! évidemment !

Il s'assied sur le canapé.

SOPHIE, *s'asseyant également près de lui et se pelotonnant contre sa poitrine.* – Oh ! mais maintenant je ne regrette pas les moments d'angoisse que je viens de traverser ! Au contraire ! je ne sais pas si ça n'est pas salutaire ces émotions-là ! il me semble que ça retrempe l'amour ! qu'on savoure mieux son bonheur après ! (*Sur un ton profond.*) Vois-tu, il faut vraiment perdre son mari pour comprendre combien on l'aime !

MASSENAY, *souriant.* – Diable ! c'est cher !

AUGUSTE, *revenant de la chambre de son maître avec un vêtement d'intérieur sur le bras.* – Le vêtement de Monsieur.

Il va le poser sur une chaise volante qui est derrière le canapé.

MASSENAY, *quittant sa femme pour aller se changer derrière le canapé.* – Ah ! merci.

MARTHE, *entrant avec un plateau sur lequel est le service à thé et un flacon de rhum.* – Le thé de Monsieur !

MASSENAY, *tout en se changeant, aidé par Auguste, indiquant d'un geste de la tête la table de droite.* – C'est bien ! posez-ça là !

MARTHE. – Oui, Monsieur !

Elle sort du fond. – A ce moment on entend carillonner le téléphone.

SOPHIE, *assise sur le canapé.* – Voyez donc, Auguste ! on sonne au téléphone.

AUGUSTE, *tout en courant vers le téléphone.* – Oui, Madame ! (*Il décroche le récepteur, puis.*) Allô ! Allô ! Eh ! ben ?... hein ?... Ah ! parfaitement.

MASSENAY, *toujours derrière le canapé, s'habillant.* – Qu'est-ce que c'est ?

AUGUSTE, *du ton le plus naturel, sans quitter le récepteur qu'il a conservé à la main.* – C'est de la morgue, Monsieur.

MASSENAY. – Comment de la morgue ?

AUGUSTE. – Oui, Monsieur... (*Reprenant sa communication.*) Allo !... hein ! qu'est-ce que vous dites ?... Comment « on l'a repêché » ?

MASSENAY. – Quoi ? qu'est-ce qu'on a repêché ?

AUGUSTE. – C'est pour avertir qu'on a repêché le corps de Monsieur...

MASSENAY. – Comment on a repêché... ?

AUGUSTE. – ... dans un état de décomposition avancé.

SOPHIE, *tressaillant à cette idée, et se retournant, un genou sur le canapé, pour serrer les mains de son mari.* – Oh ! mon pauvre chéri !

MASSENAY. – Mais non, mais non ! mais c'est pas vrai ! ils sont fous !

AUGUSTE. – Qu'est-ce qu'il faut répondre ?...

MASSENAY. – Mais dites qu'ils sont fous ! que ça n'est pas !... Attendez ! (*Complètement rhabillé, il va au téléphone et prend le récepteur des mains d'Auguste, qui, dès lors, va ramasser les vêtements que Massenay vient de quitter.*) Allo !... Bonjour monsieur ! mon domestique me dit... il y a sûrement une erreur... quoi ? Mais je vous assure !... c'est lui-même qui vous parle !... hein ? Si vous pouvez en disposer ? Mais je crois bien ! disposez ! disposez !... Comment ?... du tout, du tout, il n'y a pas de mal !... Je vous remercie, vous êtes bien aimable. (*Il raccroche le récepteur, puis descendant et gagnant la gauche pendant qu'Auguste emporte les vêtements dans la chambre de droite.*) Ils sont très obligeants à la morgue ! Ils me disent : « Tout à votre service à une autre occasion. »

SOPHIE. – Tu vois tout de même, ton équipée ?

MASSENAY. – Eh ! oui, elle a remué le monde mon équipée ! (*S'étalant avec délice.*) Ah ! ça fait tout de même du bien de se sentir tranquille chez soi... après tant de tribulations ! on respire.

A ce moment on entend dans la coulisse un violent tapage qui peu à peu devient plus distinct en se rapprochant.

MASSENAY et SOPHIE. – Qu'est-ce que c'est que ça ?...

VOIX DE MARTHE. – Au secours ! au secours ! voulez-vous me laisser...

SOPHIE, *se levant ainsi que Massenay.* – Mais c'est la voix de Marthe.

VOIX D'HUBERTIN. – Allons voyons, bébé !

MASSENAY. – Mon Dieu ! est-ce que je rêve ?...

VOIX DE MARTHE, *poussant un cri.* – Aïe !... ah ! mais dites donc, impudent personnage...

SOPHIE, *terrifiée, se serrant contre Massenay.* – Émile ! qu'est-ce c'est encore ?

MASSENAY, *atterré.* – Je ne sais pas !

MARTHE, *faisant irruption.* – Au secours ! Monsieur !...

un ivrogne ! il y a un ivrogne !

SOPHIE. – Un ivrogne ?...

MASSENAY. – Dieu !

MARTHE. – Oui, Madame... qui est lubrique sur moi !...

SOPHIE. – Qu'est-ce que vous dites ?

MARTHE, *se frottant la croupe.* – Il m'a pris le fond, Madame !

SOPHIE. – Oh !

MARTHE. – Oui, Madame, c'est la vérité ! je dirais le contraire que je mentirais.

MASSENAY, *arpentant la scène et se parlant à lui-même.* – Hubertin ! Hubertin encore ! Ah ! non, ça ne va pas recommencer !

SOPHIE. – Émile je t'en prie va voir ! mets-le à la porte.

MASSENAY. – Oui, par exemple ! ça ne va pas traîner.

Il remonte.

SOPHIE. – Non, non, n'y va pas seul. (*Allant jusqu'à la porte de droite et appelant.*) Auguste ! Auguste !

AUGUSTE, *accourant.* – Madame !

SOPHIE. – Vite ! il y a un ivrogne qui s'est introduit dans l'appartement.

AUGUSTE. – Un ivrogne !

SOPHIE. – Allez avec Monsieur !

MASSENAY. – C'est ça, venez avec moi.

Il remonte et sort.

AUGUSTE, *le suivant.* – Ah ! bien par exemple, celui-là !...

Ils sortent par le fond.

SOPHIE, *redescendant.* – Ah ! quelle journée, mon Dieu, je m'en souviendrai !

MARTHE. – Ça c'est la vérité, Madame, je dirais l... (*Poussant un cri en apercevant Hubertin qui entre par la porte droite, deuxième plan.*) Ah !

Elle se sauve, éperdue par le fond.

SOPHIE. – Ah !

Elle se sauve à gauche.

SCÈNE VIII

HUBERTIN, puis MASSENAY, AUGUSTE

HUBERTIN, *il est dans la tenue du second acte, c'est-à-dire complètement dévêtu, recouvert simplement de son grand pardessus ; il a son chapeau claque sur la tête.* – N'ayez donc pas peur, mes poulettes ! C'est moi ! Hubertin !... C'est peureux, les femmes ! (*Il va s'asseoir à droite de la table – apercevant le service à thé.*) Tiens, du thé... c'est gentil d'y avoir pensé !... Après une nuit de bombe, une tasse de thé, ça remonte. (*Tout en parlant, il vide le flacon de rhum dans la tasse sans y verser, bien entendu, la moindre goutte de thé ; il prend le sucrier comme quelqu'un qui va se servir, puis, le remettant en place.*) Non, merci ! jamais de sucre dans mon thé. (*Buvant sa tasse d'un trait.*) Ah ! ça fait du bien ! (*Après réflexion.*) Un peu froid !

AUGUSTE, *faisant irruption du fond ; apercevant sur le champ Hubertin, à Massenay qui surgit aussitôt.* – Là ! Monsieur, là ! il est là !

MASSENAY, *accourant.* – Où ça ? où ça ? (*Courant à Hubertin.*) Ah ! par exemple vous allez me fiche le camp, vous ! et un peu vite !

HUBERTIN, *avec calme, sans bouger de sa place.* – Ah ! Émile, tu sais ! faut pas me parler comme ça.

MASSENAY. – Oui, attendez ! je vais mettre des gants !... Allez ! allez ! ou je vous fais sortir par mon domestique.

Auguste esquisse la volte discrète d'un homme qui n'a aucune envie d'en venir aux mains.

HUBERTIN, *sévèrement, en se levant.* – Émile !

MASSENAY. – Et puis, il n'y a pas d'Émile ! Je vous défends de m'appeler « Émile » ! vous ne me connaissez pas...

HUBERTIN, *se tordant.* – Ah ! maman... !

Il passe à gauche et va s'affaler sur un canapé.

MASSENAY, *désespéré.* – Ah ! mon Dieu, mon Dieu !

HUBERTIN. – Écoute !

MASSENAY, *bourru.* – Non.

HUBERTIN, *levant la main comme un écolier.* – Je voudrais poser une question !

MASSENAY. – Rien du tout...

HUBERTIN, *se levant.* – Une question, et je pars.

MASSENAY, *rongeant son frein.* – Oh !... Eh bien ! quoi ? dépêchez-vous !

HUBERTIN. – Pourquoi as-tu pris mes vêtements ?

AUGUSTE. – Hein ?

MASSENAY, *gêné à cause d'Auguste.* – Moi ! moi j'ai... !

HUBERTIN, *se laissant tomber contre Massenay qui le rete-*

nait du plat de la main, le bras tendu. – Evidemment, puisqu'on ne les a pas retrouvés dans la chambre.

AUGUSTE, *à Massenay.* – Comment, alors les vêtements que Monsieur avait, c'était... ?

MASSENAY, *arc-bouté contre Hubertin pour l'empêcher de tomber sur lui. A Auguste.* – Quoi ? quoi ? de quoi vous mêlez-vous ? Qu'est-ce que vous allez vous imaginer ? Puisqu'ils viennent d'Amiens mes vêtements.

HUBERTIN, *parlant dans le nez de Massenay, ce qui le fait pivoter autour de ce dernier toujours arc-bouté contre lui.* – Moi, tu sais, ce que j'en fais, c'est pas pour moi ! C'est Gaby qui m'a flanqué à la porte, en me disant : « Tu ne rentreras que quand tu auras retrouvé tes vêtements ! »

MASSENAY. – Oui, bon ! ça va bien ! Je vais vous en faire donner des vêtements ; mais à une condition : c'est que vous ficherez le camp après. (*Signe d'acquiescement d'Hubertin.*) C'est juré ?

HUBERTIN, *tendant le bras devant lui comme pour prêter serment, et envoyant un jet de salive dans le visage de Massenay toujours arc-bouté contre lui.* – Tthue !... c'est juré !

MASSENAY, *le repoussant loin de lui et s'essuyant la figure.* – Oh !... cochon.

HUBERTIN, *que cette poussée augmentée de son propre poids envoie jusqu'à la gauche de la table.* – Oh ! Eh ! ben quoi, on se quitte ?

MASSENAY, *d'une voix désespérée.* – Oh ! non, non ! mais qui est-ce qui a donné mon adresse à cet homme-là ?

HUBERTIN. – Chut, là ! eh !... c'est notre concierge ! chut.

Il s'affale sur la chaise.

MASSENAY. – Notre c... ! Ah ! bien ! celui-là, quand je le verrai !

SCÈNE IX

LES MÊMES, SOPHIE puis MARTHE

SOPHIE, *passant la tête par la porte de gauche.* – Eh ! bien ? il est parti ?

MASSENAY. – Allons bon ! ma femme !...

HUBERTIN, *se levant et esquissant un salut.* – Ah ! madame, croyez bien que...

SOPHIE, *l'apercevant.* – Lui !

MASSENAY, *d'une tape sur l'épaule le faisant rasseoir.* – Assez ! taisez-vous !

HUBERTIN, *assis.* – Hein ?

SOPHIE. – Mon Dieu ! et tu es là tout seul avec lui ? Il ne t'a pas fait de mal ?

MASSENAY. – Non, non ! il est très raisonnable, va, va ! ne reste pas là !

SOPHIE. – Jamais de la vie, je ne veux pas te laisser seul...

HUBERTIN, *se levant brusquement et très homme du monde à Sophie.* – Oh ! mais à quoi est-ce que je pense ? Je suis là avec mon chapeau et mon pardessus... !

MASSENAY. – Allons, bon !

HUBERTIN. – Dans un salon, c'est parfaitement incorrect.

Il enlève son chapeau et commence à retirer son pardessus.

MASSENAY, *s'élançant pour l'empêcher de se dévêtir.* – Mais non, mais non ! Voulez-vous garder ça !

HUBERTIN. – Du tout ! Du tout ! les convenances avant tout !

Il s'est dépouillé de son pardessus et apparaît en caleçon et en chemise.

SOPHIE, *le voyant dévêtu.* Ah !

MASSENAY. – Mon Dieu ! Mon Dieu !

SOPHIE. – Il n'a pas de vêtements !

MASSENAY. – Oui, oui, tu sais : il a l'ivresse impudique.

HUBERTIN, *jetant son pardessus et son chapeau à Auguste.* – Valet de pied ! mon chapeau, mon paletot au vestiaire !

AUGUSTE, *recevant les vêtements.* – Hein ?

MASSENAY. – Va, va ! tu ne peux pas rester ici. (*Allant à Hubertin.*) Vous n'avez pas honte ? Devant ma femme !

HUBERTIN, *à pleine voix.* – Où ça, ta femme ?

MASSENAY, *indiquant Sophie.* – Mais, là ! madame !

HUBERTIN. – Ah ! non, mon vieux ! ta femme, tu me l'as déjà présentée cette nuit !

SOPHIE. – Quoi ?

HUBERTIN. – Ou alors, t'es bigame !

MASSENAY, *à part.* – Ouh ! l'animal !

SOPHIE. – Comment ? qu'est-ce qu'il raconte ? Quoi, « tu lui as présenté ta femme cette nuit » ?

MASSENAY. – Mais non ! mais non ! tu ne vas pas croire

maintenant à toutes les stupidités qui germent dans le cerveau de ce pochard ! est-ce qu'il sait ce qu'il dit ? (*A Hubertin.*) Allez ! allez ! ivrogne, soulard, rebut de l'humanité ! vous ne rougissez pas de votre turpitude !

HUBERTIN, *se laissant tomber sur la chaise qu'il occupait précédemment.* – Oh ! tu parles comme ma femme !

MASSENAY. – Eh ! bien, elle a raison votre femme, si elle vous parle ainsi.

HUBERTIN. – Oui, oui, c'est ça ! fais-moi honte ! tu m'en diras jamais autant que je le mérite ! (*Pleurant.*) Je ne suis pas digne de décrotter la boue de tes souliers.

MASSENAY. – Absolument.

HUBERTIN, *id.* – Car je ne suis pas seulement un ignoble pochard ! je suis un grand criminel ! un assassin.

MASSENAY et AUGUSTE, *reculant instinctivement.* – Hein ?

SOPHIE, *reculant de même.* – Ciel !

HUBERTIN. – J'ai tué un homme.

SOPHIE. – Ah ! mon Dieu !

AUGUSTE. – Vous !

MASSENAY. – Un homme !

HUBERTIN. – Et pas de la petite bière ! Un député ! un nommé Coustouillu.

SOPHIE. – Il a tué Coustouillu !

MASSENAY. – Mais non ! Mais non !

HUBERTIN. – Mais si ! mais si ! et toi aussi je t'ai tué !

MASSENAY. – Moi ?

HUBERTIN, *pleurant.* – Oui, oui ! tu ne peux pas le dire pour ne pas me faire de la peine, mais je le sais bien que tu es mort ! Ah ! mon pauvre vieux !

Sur ces derniers mots il s'est levé et s'affale sur la poitrine de Massenay.

MASSENAY, *le repoussant.* – Allons ! Allons ! (*A part.*) Ah ! non ! la période larmoyante ! non !

HUBERTIN, *qui est allé s'effondrer sur la chaise, les deux bras allongés sur la table.* – Si, si... j'étais dans le lit, quand il m'a giflé ! alors pan ! (*Ce disant, comme il a trouvé sous sa main droite le revolver de Massenay oublié par Planteloup, tout naturellement, en parlant, il tire un coup de revolver.*) Et puis pan !... et pan !... et pan !... et pan !

Autant de coups de revolver que de « pan ! » – Affolement général, tout le monde court en sautant comme des cabris.

SOPHIE. – Ah ! là, là ! Ah ! là, là !

MASSENAY, *courant se réfugier derrière le canapé.* – Prenez garde ! sauvez-vous !

AUGUSTE. – Au secours ! Au secours !

Il s'éclipse sous la table du fond.

MARTHE, *accourant affolée du fond.* – Qui est-ce qui tire ? qui est-ce qui... ?

HUBERTIN. Et pan !

Nouveau coup de revolver.

MARTHE et SOPHIE. – Ah ! là là ! Ah ! là là !

Sauve qui peut des deux femmes ; Sophie par la gauche, Marthe par où elle est venue.

HUBERTIN, *sanglotant.* – Ah ! je suis la honte de l'humanité !

Il laisse tomber lourdement sa tête dans son bras gauche replié sur la table pendant que son bras droit pend lamentablement le long de son corps : il continue à sangloter en silence ; le revolver que tient sa main droite finit par tomber à terre. – Au bout d'un instant, on aperçoit à l'angle du dossier et du bras droit du canapé, la tête de Massenay lequel, toujours agenouillé derrière le meuble, se décide à risquer un œil.

MASSENAY, *d'une voix étranglée.* – Fini ?... il a fini de tirer ?

AUGUSTE, *sortant timidement une tête effarée de dessous la table du fond.* – Ah ! monsieur, qu'est-ce que c'est que cet homme-là ?

Tout en parlant il a gagné en scène (2) *en marchant sur les genoux, Massenay* (1) *en a fait autant de son côté.*

MASSENAY, *effondré et toujours à genoux.* – Ah ! je n'en sais rien ! il sera cause de ma mort.

AUGUSTE, *également à genoux.* – Mais il ne peut pas rester là ! C'est un danger pour la société ! il faut le chasser !

MASSENAY. – Évidemment ! mais comment ?

AUGUSTE, *apercevant le revolver par terre, à proximité d'Hubertin, – à mi-voix.* – Oh ! le revolver ! il l'a lâché !

MASSENAY. – Quelle idée ! passez-le-moi ! (*Auguste gagne en rampant jusqu'au revolver et s'en empare ; il le passe à Massenay pendant qu'Hubertin continue à sangloter.*)

Et maintenant ça ne va pas traîner ! (*Se levant et allant secouer Hubertin.*) Allons ! Allons !... assez sangloté comme ça !

HUBERTIN, *soulevant à peine sa tête pour la laisser retomber aussitôt dans son bras.* – Laisse-moi ! je veux pleurer ici jusqu'à ma mort.

MASSENAY. – Vous irez pleurer jusqu'à votre mort où vous voudrez, mais hors de chez moi ! Allez, filez ! ou gare à vous !

HUBERTIN. – C'est ça, insulte-moi ! brutalise-moi ! je l'ai mérité !

MASSENAY, *agitant son revolver d'un air menaçant.* – Prenez garde ! c'est moi qui ai le revolver, maintenant ! Filez ! ou je tire !

HUBERTIN, *tendant sa poitrine.* – Tire, va ! tire ! je suis prêt à mourir.

MASSENAY, *même jeu.* – Je ne ris pas, vous savez ! prenez garde !

HUBERTIN. – Va, va ! tu peux tirer ! D'abord, je ne crains pas les balles ! Quand je suis saoul, je suis blindé !

MASSENAY, *à bout de ressource.* – Oh ! c'est trop fort... ! Mais sapristi ! Je ne peux pourtant pas le tuer !

HUBERTIN. – Eh ! bien !... tire, voyons !

MASSENAY, *ne voulant pas s'avouer vaincu.* – Mais parfaitement.

HUBERTIN. – Eh ! bien, va ! qu'est-ce que tu attends ?

MASSENAY, *furieux de son impuissance.* – Ah ! et puis dites donc ! je tirerai si ça me plaît ! je n'ai pas d'ordres à recevoir de vous !...

HUBERTIN. – Alors fais donc pas tout ce chichi !... Valet de pied ! J'ai soif !... apportez-moi un brandy soda.

MASSENAY, *sur le ton d'un homme décidé à en finir et retroussant ses manches comme prêt à se colleter.* – Allons ! Allons ! en voilà assez ! puisque la diplomatie ne sert à rien, il faut employer les grands moyens ! (*Brusquement, à Auguste, le faisant passer au 2.*) Allez ! prenez-moi cet homme-là et jetez-le dehors !

AUGUSTE, *qui, près de Massenay assistait à la scène en spectateur. – Changeant de figure.* – Moi, Monsieur !

MASSENAY. – Oui, vous !

AUGUSTE, *effaré.* – Mais je ne pourrai jamais ! il est trop lourd !

MASSENAY. – Mais si ! allez ! à nous deux !... Moi je vais

le prendre par les genoux ; vous, par les aisselles !

AUGUSTE. – Je veux bien essayer... mais j'ai bien peur... !

MASSENAY. – Si, si ; vous allez voir !...

AUGUSTE. – Bien, Monsieur !

Ils font comme il est dit, Massenay, dos au public, prend Hubertin par les genoux, Auguste, au-dessus, le soulève par les aisselles.

HUBERTIN, *étonné.* – Eh ! ben !... Eh ! ben, quoi donc ?

MASSENAY, *à Hubertin.* – Ne vous occupez pas, vous ! (*A Auguste.*) Vous voyez, ça va tout seul ; il ne pèse rien !

AUGUSTE, *pliant sous le poids.* – Peut-être sous les genoux ! Mais sous les aisselles ! ouf ! il doit peser ses cent kilos.

HUBERTIN, *levant la tête vers Auguste.* – Cent huit !

AUGUSTE. – Qu'est-ce que je disais ! (*Brusquement, avec angoisse.*) Monsieur ! Monsieur ! je lâche, je ne peux plus !

MASSENAY. – Mais si ! Mais si ! Un peu de courage.

AUGUSTE. – Je ne peux plus ! je ne peux plus !

Il dépose Hubertin par terre, à côté de la chaise, gauche de la table.

MASSENAY, *dépité.* – Ah ! ça allait si bien !

HUBERTIN, *par terre, amusé.* – C'est fini, les montagnes russes ?

MASSENAY, *furieux.* – Zut !

SOPHIE, *passant anxieusement la tête par la porte de gauche.* – Eh ! bien ?

MASSENAY. – Eh ! bien, voilà ! nous sommes en train de le sortir.

SOPHIE. – Ah ! mon Dieu, mon Dieu ! Ce n'est pas encore terminé ?...

MASSENAY. – Si tu crois que c'est commode !

SOPHIE. – Pas d'accident, au moins ? pas de blessés ?

MASSENAY. – Non ! non ! (*A Auguste.*) Qu'est-ce que vous voulez, Auguste ? il n'y a qu'un moyen : il faut envoyer chercher des déménageurs.

AUGUSTE. – Oui, Monsieur, je ne vois que ça !

HUBERTIN, *toujours par terre.* – Eh ! bien, garçon ! mon brandy-soda.

AUGUSTE. – Oh ! quelle idée ! Monsieur veut-il me permettre ?

MASSENAY. – Quoi ?... faites !

AUGUSTE. – Oui, Monsieur ! (*Faisant le tour de la table*

de façon à descendre à droite et très correctement.) Le brandy-soda de Monsieur est servi !

HUBERTIN, *se levant, comme mû par un ressort.* – Mon brandy-soda !

MASSENAY, *avec admiration, considérant Hubertin.* – Oh !... dire qu'à nous deux nous n'avons pas pu le remuer, et qu'à lui tout seul... !

HUBERTIN. – Où ça ? Où ça, mon brandy-soda ?

AUGUSTE, *lui ouvrant le battant de la porte de droite premier plan et s'effaçant pour lui livrer passage.* – Par ici Monsieur !

HUBERTIN, *en sortant.* – All right ! un brandy-soda, un !

AUGUSTE. – Boum [18] ! servi !

MASSENAY et SOPHIE, *avec admiration.* – Ah !

AUGUSTE. – Et voilà ! c'est pas plus malin que ça !

MASSENAY. – Bravo ! Et maintenant, habillez-le prestement et faites le filer par l'escalier de service.

AUGUSTE. – Oui, Monsieur.

Il sort, en emportant le chapeau et le paletot d'Hubertin.

SCÈNE X

MASSENAY, SOPHIE, puis MARTHE, puis COUSTOUILLU

MASSENAY, *épuisé.* – Ah ! là-là, là-là, là-là, là-là !

SOPHIE. – Oh ! non, mon ami, c'est trop de secousses pour un seul jour !

MASSENAY, *s'asseyant à gauche de la table.* – A qui le dis-tu !

On sonne.

SOPHIE, *tressaillant.* – On a sonné.

MASSENAY. – Allons bon ! quelle nouvelle tuile encore ?

SOPHIE. – Ah ! non, non, assez comme ça !

MARTHE, *passant la moitié de la tête par la porte qu'elle entrebâille au fond.* – Y a... y a plus de danger ?

MASSENAY. – Non ! Quoi ?

MARTHE. – Ah ! ben vrai ! c'est pas pour dire... !

MASSENAY. – Oui, bon ! Qu'est-ce que c'est ?

MARTHE. – C'est monsieur Coustouillu !

MASSENAY, *à part.* – Nom d'un chien ! qu'est-ce qu'il vient faire ?

SOPHIE, *tranquillisée.* – Oh ! bien, lui, faites-le entrer.

MASSENAY, *vivement.* – Hein ! non, non !

SOPHIE. – Pourquoi pas ?

MASSENAY. – Hein ! non... oui... je ne sais pas. (*A Marthe.*) Je dis bien : faites-le entrer.

MARTHE, *à la cantonade.* – Si Monsieur veut entrer !

MASSENAY, *à part, avec angoisse.* – Mon Dieu, est-ce qu'il saurait quelque chose ?

COUSTOUILLU, *entrant et, l'air agité, le front plissé, descendant droit vers Massenay.* – Toi ! il faut que je te parle !

MASSENAY. – A moi ?

SOPHIE. – Ah ! mon pauvre ami, pourquoi cet air à l'envers ?

COUSTOUILLU. – Rien ! rien ! bonjour chère madame ! (*Sophie lui serre la main.*) Je vous demande pardon, je suis un peu...

SOPHIE. – Ah ! bien mon ami pas plus que nous ! si vous saviez par quelles émotions nous venons de passer : une espèce de pochard... !

COUSTOUILLU, *qui a bien d'autres chiens à fouetter.* – Oui, madame, oui. (*A Massenay.*) Mon ami ; j'ai besoin de toi ! je me bats.

MASSENAY. – Toi ?

SOPHIE. – Vous ?

COUTOUILLU. – Oui ! je ne peux pas encore dire pourquoi ; plus tard peut-être... si le scandale éclate !... Mais jusque-là... ! C'est un nommé Hubertin !...

MASSENAY, *étourdiment.* – Hubertin ? c'est Hubertin ?

COUSTOUILLU. – Tu le connais ?

MASSENAY, *changeant de ton.* – Pas du tout !

SOPHIE. – Non ! « Hubertin », c'est la première fois que nous entendons ce nom-là !

COUSTOUILLU. – Oui ! ah ! bien, c'est un joli monsieur !

SOPHIE. – Non mais figurez-vous que tout à l'heure un affreux ivrogne... !

COUSTOUILLU, *suivant son idée.* – Oh ! mais j'aurai sa peau !

Il remonte, en arpentant nerveusement.

MASSENAY, *le suivant.* – Allons voyons ! calme-toi !

SCÈNE XI

LES MÊMES, AUGUSTE

AUGUSTE, *sortant de droite, premier plan.* – C'est fait Monsieur ! je suis arrivé à l'habiller !

MASSENAY, *redescendant vivement.* – Auguste ! oh ! nom d'un chien ! (*Vivement et bas.*) Chut !

AUGUSTE, *qui n'a pas fait attention à l'avertissement de Massenay.* – Il m'a dit son nom, Monsieur ! Il s'appelle Hubertin !

MASSENAY, *toussant très fort pour étouffer la voix d'Auguste.* – Hum ! Hum !

COUSTOUILLU, *qui est redescendu, faisant pivoter Auguste en le prenant à la cravate.* – Qu'est-ce qu'il a dit ?

Il le secoue comme un prunier.

AUGUSTE, *à moitié étouffé, ballotté comme un pantin entre les mains de Coustouillu.* – Mais Monsieur ! mais Monsieur !

COUSTOUILLU. – Hubertin ? Vous avez dit Hubertin ?

MASSENAY, *intervenant entre eux et les séparant.* – Hein ! Mais non, mais non... ! Qu'est-ce que tu vas entendre avec ton Hubertin ?... Il te poursuit en rêve, ma parole ! Il a dit Vertin ! ça n'a aucun rapport !

COUSTOUILLU, *méfiant.* – Vertin ? il a dit Vertin ?

AUGUSTE, *hésitant, tout en rattachant sa cravate.* – Hein ?.. Oui Monsieur.

COUSTOUILLU, *id.* – Ah ?... c'est drôle !... Qu'est-ce que c'est que ce Vertin ?...

MASSENAY. – Rien !... Quoi ? C'est un mendiant !... un pauvre vieux mendiant à qui je fais donner des vêtements. Tu n'as jamais vu de mendiants à domicile ? Tiens ! veux-tu lui donner quelque chose ?

COUSTOUILLU. – Non !

MASSENAY. – Eh ! bien alors, laisse-nous tranquille !

COUSTOUILLU, *peu satisfait par cette explication.* – Oui, enfin... !

MASSENAY. – Allez Auguste ! allez expédier votre pauvre homme (*Plus bas.*) Et quand ce sera fini vous me préviendrez...

AUGUSTE, *bas, à Massenay.* – Mais Monsieur il ne veut s'en aller qu'après avoir fait un pocker...

MASSENAY, *à mi-voix, à Auguste, tout en le poussant vers la porte.* – Eh ! bien mon ami, qu'est-ce que vous voulez ? Faites un pocker !

AUGUSTE, *revenant à Massenay.* – Mais je ne sais pas y jouer...

MASSENAY. – Eh ! qu'est-ce que ça fait ? Vous savez la manille !... eh ! bien, qu'il joue le poker et vous la manille... il est saoul ; il ne s'en apercevra pas. Allez !

Il le repousse vers la porte.

AUGUSTE. – Ah ?... (*Avec un soupir.*) Oui, Monsieur !

Sonnerie. – Il sort.

MASSENAY. – Allons bon, encore la sonnette !

COUSTOUILLU. – Alors mon ami, pour en revenir...

MASSENAY. – Oui, tout de suite. (*Il va au fond d'où l'on entend un bruit de voix, il entr'ouvre la porte qu'il referme vivement.*) Oh ! nom d'un chien, les Chanal !

Il redescend précipitamment vers Coustouillu.

COUSTOUILLU. – ... Voici ce que...

MASSENAY. – Oui, mon ami, tout à l'heure... Voilà des personnes qu'il faut que je reçoive tout de suite.

SOPHIE. – Qu'est-ce que c'est ?

MASSENAY. – Rien ! des personnes avec qui j'ai rendez-vous. Veux-tu emmener Coustouillu par là... (*A Coustouillu.*) le temps de les expédier, je suis à toi dans cinq minutes.

COUSTOUILLU. – Soit !

SOPHIE. – Tenez, si vous voulez venir avec moi, mon cher Coustouillu ?

COUSTOUILLU, *passant.* – C'est ça ! mais fais vite.

MASSENAY. – Oui ! (*Vivement, et bas à sa femme.*) et surtout pas un mot du pochard.

SOPHIE. – Sois tranquille ! j'ai compris ! (*A Coustouillu.*) Par ici.

Ils sortent tous deux par le second plan gauche.

MASSENAY, *traversant la scène et gagnant à droite, en se tenant la tête à deux mains.* – Oh ! cette journée ! Cette journée !

SCÈNE XII

MASSENAY, CHANAL, FRANCINE

Massenay est entre la table et la cheminée, quand la porte du fond s'entrebâille, et l'on voit passer la tête de Chanal.

CHANAL. – Je te dérange ?

MASSENAY, *ne sachant trop quelle attitude adopter – avec une certaine réserve.* – Hein ?... Du tout ! du tout !

CHANAL, *il entre tout à fait, et parlant à la cantonade.* – Entre, Francine !

Francine vêtue sévèrement ; au cou une zibeline ornée aux extrémités de petites queues de même fourrure ; les deux mains dans son manchon, l'allure réservée et froide, entre à l'appel de Chanal.

MASSENAY, *s'inclinant, et très respectueux.* – Madame !...

CHANAL, *qui est allé déposer son chapeau sur la table du fond, redescendant.* – Oh !... appelle-la Francine ! (*Tête de Massenay.*) Si je n'étais pas là, tu l'appellerais Francine ?... Eh bien, ne te gêne donc pas pour moi !

MASSENAY, *très interloqué.* – Écoutez, mon cher !... Je comprends l'ironie de vos paroles... je conçois que vous m'en vouliez, et je suis prêt...

CHANAL, *jouant au profond étonnement.* – Moi, t'en vouloir ? Et pourquoi, mon Dieu ? (*Comme si la chose lui revenait mais très lointaine.*) Ah ! parce que ma femme et toi, vous avez... ? Mais voyons !... en voilà une affaire ! Qu'est-ce que ça prouve ? que ma femme t'a plu. Eh bien, mon vieux ! pourquoi ne t'aurait-elle pas plu ?... Elle m'a bien plu à moi...

MASSENAY, *absolument ahuri.* – Je ne te dis pas, mais...

CHANAL, *avec une philosophie stupéfiante.* – Laisse donc ! Il faut être philosophe !... surtout devant ce qu'on ne peut pas empêcher. (*Tout en parlant et bien comme chez lui, il est allé prendre le fauteuil qui est à droite du canapé, et l'a planté au beau milieu du théâtre face au public, – du ton le plus naturel.*) Tiens ! assieds-toi, ma chérie !

Francine résignée, s'assied sans mot dire.

MASSENAY, *dont les bras en tombent.* – Écoute, mon cher ! je ne sais pas... mais tu me stupéfies !...

Il descend sur la fin de sa phrase pour remonter de l'autre côté de la table, au niveau de Francine.

CHANAL, *qui est allé, comme pour le fauteuil, chercher la chaise volante qui est derrière le canapé, et la plantant au niveau et tout près du fauteuil où est Francine, mais de profil au public, de façon que lorsqu'il s'assiéra, ses genoux seront presque contre les jambes de sa femme.* – Laisse donc !... Ah ! je ne dis pas que sur le moment, dame... ! oui, j'ai vu rouge ! Vous auriez été là, je vous aurais tués tous les deux... Seulement, vous n'y étiez pas ! Vous m'avouerez que c'était difficile à exécuter en votre absence ! Alors, ma foi, ça m'a permis de réfléchir. Je me suis dit : « Mon vieux, tu l'es ! »

ENSEMBLE

FRANCINE. – Mon ami !

MASSENAY. – Chanal !

CHANAL, *avec jovialité.* – Laissez ! il faut savoir appeler les choses par leur nom !... (*Reprenant.*) « Ça y est... Ça y est !... tout ce que tu diras ou rien ! Donc le mieux est de faire contre fortune bon cœur. »

MASSENAY, *ému de tant d'abnégation.* – Ah !

CHANAL. – « Au fond, ces enfants ! ils n'ont pas fait ça pour t'embêter !... »

TOUS DEUX, *vivement.* – Oh ! non.

CHANAL. – Eh ! je le sais bien, mes pauvres petits. Mais alors si vous ne l'avez pas fait pour m'embêter, c'est donc que vous vous aimez ? (*Tous deux lèvent les yeux au ciel.*) Et j'irais moi, me mettre en travers pour vous en empêcher ? Allons donc !

MASSENAY, *profondément touché, les yeux humides.* – Oh !... Chanal !

CHANAL, *rapprochant sa chaise de Francine, et sur le ton dont on parlerait d'affaires.* – Alors, voici ce que j'ai décidé !... (*Changeant de ton.*) Tiens ! assieds-toi donc ! (*Massenay avec une obéissance empressée, prend la chaise qui est près de lui, et la descend au niveau et près du fauteuil de Francine, de façon à faire face à Chanal. Une fois Massenay assis, Chanal reprenant son discours.*) Je fais constater le flagrant délit...

MASSENAY, *avec une expression de désappointement.* – Ah ? tu... ?

CHANAL. – Ah ! oui mon gros ! ça, c'est entendu ! parce qu'enfin j'ai ma situation à régulariser...

MASSENAY, *se rendant.* – C'est trop juste.

CHANAL, *le rassurant.* – Mais tout ça, sans bruit, sans trompette !... pas d'éclat !... un petit flagrant délit de rien du tout... tout ce qu'il y a de plus modeste.

MASSENAY, *opine de la tête, puis.* – Le flagrant délit des pauvres !

Il rapproche sa chaise de Francine, et par la suite ils discutent tous les deux comme s'ils étaient simplement séparés par une table, ou-

bliant jusqu'à la présence de Francine qui, depuis le commencement, a conservé un mutisme et une immobilité de statue, les yeux dans le vague.

CHANAL, *tout en jouant machinalement avec une des queues du boa de fourrure de sa femme.* – C'est ça ! de façon à ce que ça passe tout à fait inaperçu... On retiendra le nom de Francine, parce qu'il n'y a pas moyen de faire autrement... mais le tien ne sera pas prononcé ; on poursuivra contre inconnu : Madame Chanal contre trois étoiles.

MASSENAY, *jouant machinalement comme Chanal avec une des queues de l'autre extrémité du boa de Francine.* – Oh ! mon ami, tu es d'une délicatesse.

CHANAL. – Mais, voyons ! Ce n'est pas parce que j'ai éprouvé un déboire conjugal que je vais obéir à de vils sentiments de représailles... Ah ! bien !... ce serait d'une jolie nature ! (*Se levant, et tout en tenant le dossier de sa chaise comme un homme qui se dispose à rapporter celle-ci où il l'a prise.*) Non, il ne s'agit plus de moi maintenant ! il s'agit de toi ! il s'agit de ton bonheur ! (*Remontant avec la chaise pour la rapporter à sa place.*) Il s'agit de celui de ta femme.

MASSENAY, *profondément ému, se levant.* – Il pense même à ma femme.

Il reporte sa chaise où il l'a prise ; Francine reste seule assise sur son fauteuil.

CHANAL, *redescendant, et debout près de sa femme.* – J'irais briser l'avenir de deux êtres qui ont tout pour être heureux ?... Jamais !

MASSENAY, *redescendant de l'autre côté de Francine.* – Écoute, tu es sublime ! (*A Francine, en se courbant légèrement pour lui parler.*) Il est sublime !

FRANCINE, *comme sortant d'un rêve.* – Sublime !

CHANAL, *avec bonhomie.* – Mais non, il faut être comme ça !... (*La main sur le dossier du fauteuil de sa femme.*) J'estime que le mariage est comme une partie de baccara ! Tant que vous avez la veine, vous gardez la main... Après une série plus ou moins heureuse, arrive un monsieur plus veinard qui prend les cartes contre vous ; il gagne le coup ?... La main passe !... Eh bien, c'est ainsi que j'entends qu'il en soit : J'ai perdu le coup ; il y a une suite : à toi les cartes ! LA MAIN PASSE [19] !

MASSENAY, *qui a écouté toute cette profession de foi en ponctuant chaque phrase d'une approbation de la tête – après un petit temps, frappé tout à coup par le dernier mot de Chanal.* – La main ?... Quelle main ?

CHANAL, *du ton le plus naturel.* – Eh bien, celle de ma femme, parbleu ! (*Tout en parlant, il a sorti la main de Francine de son manchon, et la lui présentant en la tenant par le poignet.*) Elle est à toi... Je te la donne !

Sur chacune de ces deux phrases il agite la main de sa femme, qui ballotte chaque fois inerte et molle.

MASSENAY, *bondissant en arrière.* – Hein ?

CHANAL. – Eh ! bien quoi ? évidemment ! puisque tu l'épouses !

Même jeu avec la main de sa femme.

MASSENAY. – Moi ! Moi ! Épouser ta femme ! Tu es fou ? Tu plaisantes ?

CHANAL, *de l'air le plus naïf.* – Pourquoi ça ?

MASSENAY. – Mais est-ce que je peux, voyons ? Mais je suis marié, moi !

Il repousse la main de Francine que Chanal laisse retomber.

CHANAL, *feignant le plus grand étonnement ; ouvrant une grande bouche, de grands yeux.* – Tu es marié !

MASSENAY. – Mais dame !

CHANAL. – Ah ! diable ! (*Un temps, – se mord les lèvres, en hochant la tête, comme un homme qui ne s'attendait pas à cette révélation, puis.*) C'est embêtant ça !

MASSENAY, *abondant dans son sens.* – Ah !

Il remonte en arpentant, puis s'arrête.

CHANAL, *un temps ; semble réfléchir en hochant toujours la tête, puis à Francine, lui donnant une petite tape sur l'épaule, comme pour la consulter.* – C'est embêtant !

Francine lève un vague regard vers lui, mais ne répond pas, et se replonge aussitôt dans son rêve.

MASSENAY, *redescendant.* – Dame ! sans ça... !

CHANAL, *les yeux dans le vague, jouant l'homme déconcerté.* – Ah ! tu es marié !

MASSENAY. – Mais oui, mon pauvre vieux !

CHANAL, *id.* – Oui, oui, oui ! (*Changeant de ton.*) Eh ! bien, je ne te dis pas, mais qu'est-ce que tu veux que ça me fasse ?

MASSENAY, *sursautant.* – Hein ?

CHANAL. – Ça ne me regarde pas ! (*L'abdomen appuyé contre le dossier du fauteuil de sa femme, de façon, dans la discussion, à déborder au-dessus de la tête de Francine.*) T'étais bien marié déjà, quand avec ma femme tu... ? oui... ? Eh bien, mon vieux, tant pis pour toi ; il fallait y réfléchir avant.

MASSENAY, *de l'autre côté du fauteuil et au même niveau que Chanal, discutant presque nez à nez avec ce dernier, au-dessus de Francine. – Croisant les bras dans un geste d'indignation.* – Ah ! bien, elle est forte celle-là ! Je ne peux pourtant pas devenir bigame !

CHANAL, *même jeu.* – Eh ! bien... divorce !

MASSENAY, *levant de grands bras au ciel ne sachant à quel saint se vouer.* – Mais c'est fou ! mais tu es fou ! Mais il est fou ! (*En appelant en désespoir de cause, à Francine.*) Enfin, voyons ?...

FRANCINE, *du ton le plus détaché.* – Oh ! moi, vous savez... !

CHANAL, *sur un ton sans réplique.* – Je ne connais qu'une chose : quand un homme a été la cause du divorce d'une femme mariée, il lui doit de l'épouser.

Il gagne un peu à gauche.

MASSENAY, *s'emballant et allant jusqu'à lui en passant devant Francine immuable sur son fauteuil.* – Mais quand je le voudrais, nom d'un chien ! mais il y a ma femme ! Qu'est-ce que tu veux que j'aille lui dire ?

CHANAL, *du tac au tac.* – Tu n'as qu'à lui dire ce qui s'est passé !... je t'assure que ça simplifiera tout.

MASSENAY, *vivement.* – Ah ! non !

CHANAL. – Si ça te gêne, veux-tu que je m'en charge ?

MASSENAY, *avec véhémence.* – Non !... non, merci !

CHANAL, *sur un ton péremptoire.* – Enfin, mon ami, il n'y a pas ! Choisis : ou tu épouses !... ou alors, – tant pis pour toi – je t'ai pincé : les tribunaux !... Dans les deux cas, nous arrivons au même résultat ; seulement, au lieu de pouvoir te dire : « Je me suis conduit en galant homme ! », tu as sur la conscience d'avoir agi comme un pignouf.

MASSENAY, *hors de ses gonds.* – Mais enfin, c'est du chantage !

Il gagne le n° 1 en passant devant Chanal.

CHANAL. – C'est tout ce que tu voudras... mais il faut choisir.

SCÈNE XIII

LES MÊMES, MARTHE, puis les commissionnaires

MARTHE, *entrant du fond et s'arrêtant sur le pas de la porte.* – Monsieur... ?

MASSENAY, *se retournant à la voix de Marthe.* – Quoi ? Qu'est-ce qu'il y a ? Qu'est-ce que c'est ?

MARTHE. – Ce sont des commissionnaires avec des malles.

MASSENAY, *ahuri.* – Comment « des malles » ?

CHANAL. – Ah ! oui, je sais ! (*A Marthe.*) Qu'ils entrent ! (*Marthe sort. A Massenay du ton le plus naturel.*) Ce sont les malles de ma femme.

MASSENAY, *avec un bond en arrière.* – Hein ?

A ce moment Marthe reparaît au fond ; tire les ferrures de la porte de façon à ouvrir celle-ci à deux battants. En même temps Francine s'est levée comme une personne qui s'apprête à recevoir ses colis ; elle gagne l'extrême droite pour remonter au-dessus de la table.

CHANAL, *tout en prenant le fauteuil que vient de quitter sa femme et le portant à sa place première. A Massenay.* – Là ! tu vois, on apporte ses malles. Allons ! décide-toi, voyons !... Quelle chambre lui donnes-tu ?

MASSENAY, *hors de lui, se démenant comme un diable dans un bénitier.* – Mais jamais de la vie ! Mais aucune chambre ! (*Bondissant et se précipitant en voyant entrer trois commissionnaires * traînant chacun une malle.*) Voulez-vous emporter ça ! vous autres ! Voulez-vous emporter ça !

CHANAL, *qui s'est précipité également.* – Du tout ! du tout ! n'écoutez pas !

MASSENAY. – Mais pas du tout ! je vous dis d'emporter ça !

CHANAL, *aux commissionnaires, leur donnant la pièce.* – Allez ! Allez ! C'est bien ! Allez-vous-en !

Les commissionnaires sortent.

---

* Les commissionnaires placent successivement les trois malles au fond et un peu en zig-zag, le côté étroit face au public. Massenay se précipite sur la première comme s'il allait l'enlever. Chanal se précipite également pour défendre les malles ; il pousse la seconde contre le première de sorte que Massenay se trouvera emprisonné dans l'angle des deux malles.

MASSENAY, *entre la première et la deuxième malle.* – Ah ! mais tu sais, Chanal... !

CHANAL, *entre la deuxième et la troisième malle.* – Oh ! pardon, n'est-ce pas ?...

MASSENAY, *hors de lui.* – Il n'y a pas de « n'est-ce pas » !

Ils ont peu à peu élevé la voix, parlant l'un sur l'autre. Ils continuent à se chamailler, mais la voix de l'un couvrant celle de l'autre, on ne distingue pas ce qu'ils disent.

SCÈNE XIV

LES MÊMES, SOPHIE, puis COUSTOUILLU, puis HUBERTIN, puis AUGUSTE, puis PLANTELOUP

SOPHIE, *sortant de gauche, deuxième plan, et descendant par l'extrême gauche.* – Mais qu'est-ce qu'il y a donc ? pourquoi cries-tu ?

MASSENAY, *médusé séance tenante – à part.* – Ma femme !

SOPHIE, *apercevant Chanal et sa femme.* – Oh ! pardon !

Chanal redescend un peu ; lui et sa femme s'inclinent. Massenay redoutant une gaffe enjambe les malles et redescend vivement.

MASSENAY, *présentant.* – Monsieur Chanal, ma femme ! (*A Francine.*) Ma femme ! Madame Chanal ! (*Échange de salutations. – Souriant bêtement pour cacher son trouble.*) Voilà !... c'est ça ! c'est ça !

SOPHIE, *une fois les présentations faites, indiquant les malles.* – Mais qu'est-ce que c'est que ces malles ?

MASSENAY, *vivement.* – C'est pas des malles !

SOPHIE. – Comment, c'est pas des malles ?

MASSENAY, *se reprenant.* – Euh !... Si, si, c'est des malles !

CHANAL, *mettant bien placidement les pieds dans le plat.* – Ce sont les malles de ma femme.

MASSENAY, *à part, angoissé.* – Nom d'un chien !

SOPHIE, *interloquée.* – Ses malles ?

MASSENAY, *souriant d'un sourire forcé.* – Oui !... oui-oui !

CHANAL, *bas à Massenay du ton le plus serviable.* – Dis donc ! veux-tu que je lui dise ?

MASSENAY, *tressautant.* – Non-non !

CHANAL, *id.* – Alors, dis-lui, que diable !

SOPHIE. – Mais qu'est-ce qu'il y a ? Qu'est-ce qui se passe ?

MASSENAY, *très embarrassé, mais essayant de se donner l'air dégagé.* – Eh bien, voilà, c'est... Oh ! tu sais, c'est très peu de chose...

SOPHIE. – Oui, eh ! bien, va !

MASSENAY. – Eh ! bien, voilà... (*Ne sachant que dire et tout en regardant Chanal duquel il se rapproche en parlant.*) C'est... mon ami Chanal. (*Lui serrant la main tout en ayant envie de le mordre.*) Mon vieil ami Chanal ! Mon vieux camarade de collège. (*Tout en parlant il lui donne dans le dos une bonne tape comme on fait à un bon camarade, puis à part et entre les dents, en le quittant pour aller à sa femme.*) Salaud, va ! (*Haut.*) Alors, il est venu passer quelques temps à Paris, avec... avec ses malles...

CHANAL. – Mais non ! Qu'est-ce que tu dis ?

MASSENAY, *rageant intérieurement.* – Mais si, mais si !

CHANAL. – Mais pas du tout...

MASSENAY, *le foudroyant du regard.* – Mais si, voyons ! Je te dis que si !

CHANAL, *têtu.* – Mais non, mais non ! (*A Francine.*) Voici madame...

MASSENAY, *avec violence.* – Ah ! et puis en voilà assez !

CHANAL. – Qu'est-ce que tu dis ?

MASSENAY. – Il n'y a pas de « qu'est-ce que tu dis ? » !

CHANAL. – Ah ! mais pardon !

MASSENAY. – Oh ! pardon toi-même.

SOPHIE. – Messieurs ! messieurs !

Les deux hommes n'écoutent rien, ils se disputent et s'invectivent parlant tous les deux à la fois, en dépit de Sophie qui mêle sa voix à la leur pour essayer de les calmer. Francine, seule, reste complètement en dehors de la dispute. Au plus fort de la discussion, Coustouillu sort de la chambre de gauche et descend entre Sophie et Massenay.

COUSTOUILLU, *sans tenir compte de la discussion, tombant à pic pour la faire dévier.* – Mais dites donc ? On m'oublie.

MASSENAY, *au comble de l'exaspération, retournant sa colère contre Coustouillu.* – Ah ! non, toi, assez ! fiche-nous la paix ! Merci ! j'ai assez d'eux !... (*Le poussant par les épaules, et le faisant pivoter chaque fois qu'il se retourne pour lui parler.*) Tiens ! va par là ! va par là.

COUSTOUILLU, *au moment où poussé par Massenay il se trouve nez à nez avec Francine, repris soudain de son émotion.* – Oh ! Mad... euh !... Chan... Chan... al...

MASSENAY, *le poussant dans la pièce de droite, premier plan, oubliant qu'il y a déjà Hubertin.* – Oui, c'est bon ! tiens, va par là ! (*Une fois Coustouillu disparu, il traverse la scène à grands pas.*) Ah ! non, non, on me rendra fou aujourd'hui.

Il va s'effondrer sur le canapé. Il n'est pas plutôt assis que dans la pièce où Massenay vient de reléguer Coustouillu, on entend se produire un violent tumulte, mélangé d'invectives, de cris, de bruits de meubles renversés, de verres brisés.

TOUS. – Qu'est-ce que c'est que ça ?

MASSENAY, *se relevant d'un bond.* – Ah ! mon Dieu, je l'ai fourré avec Hubertin !

Tout le monde instinctivement s'est écarté, Sophie, Chanal, Francine sont au-dessus de la table, Massenay n'a pas bougé de place. A ce moment la porte cède violemment, et Coustouillu littéralement projeté, surgit le chapeau défoncé, les vêtements en désordre, poussé à coups de poings, à coups de pieds par Hubertin complètement rhabillé.

TOUS. – Ah !

COUSTOUILLU, *bourré de coups de poings, parant à l'aveuglette, impuissant à se défendre.* – Ah ! là là là ! Assez ! Au secours !

HUBERTIN. – Chameau ! Canaille ! Vendu ! (*L'envoyant d'un coup de poing s'effondrer sur la chaise gauche de la table.*) Député ! (*Il lui enfonce d'un dernier coup de poing son chapeau jusqu'aux yeux, tandis que Coustouillu n'a cessé de crier « assez ! »*) Vous m'en rendrez raison !

Il sort vivement par le fond.

SOPHIE, *descendant à sa gauche.* – Ah ! mon pauvre Coustouillu !

COUSTOUILLU, *à bout de forces.* – Ah ! mes amis !... mes amis !... Qu'est-ce que c'est que cet énergumène ?

SOPHIE. – Calmez-vous ! Calmez-vous !

COUSTOUILLU. – Ah ! c'est pis qu'à la Chambre !

AUGUSTE, *annonçant au fond.* – Monsieur Planteloup !

SOPHIE, *allant jusqu'au canapé.* – Encore lui !

MASSENAY, *inquiet.* – Qu'est-ce qu'il vient faire ?

PLANTELOUP, *entrant en coup de vent.* – Monsieur Massenay ! vous vous êtes moqué de moi... !

TOUT LE MONDE. – Hein ?

PLANTELOUP, *avec autorité et chaleur.* – Votre voyage à Calais n'est qu'une balançoire !... Vous avez été bel et bien surpris cette nuit, rue du Colisée, en flagrant délit d'adultère avec l'épouse d'un monsieur Chanal... !

COUSTOUILLU, *qui s'est dressé à ce mot.* – Hein ! C'était lui !

SOPHIE, *bondissant.* – Qu'est-ce que vous dites ?

CHANAL, *qui pendant ce qui précède est descendu par l'extrême droite, suivi de sa femme de façon à occuper le (4) et Francine le (5).* – Eh bien, oui, quoi ? tout le monde le sait !

SOPHIE, *qui s'est retournée indignée vers son mari tout piteux.* – Tu as été surpris, toi ! Ah ! misérable !

Du revers de la main elle lui applique sur la joue droite un soufflet qui l'envoie s'effondrer sur le canapé, et passe au n° 1.

MASSENAY, *se tenant la joue.* – Oh !

SOPHIE, *aussitôt passée, se retournant sur place, et aussi calme et nette, qu'elle vient d'avoir de violence.* – C'est bien, monsieur ! n'attendez de moi ni colère ni violence... ! tout est fini entre nous...

Elle remonte par l'extrême droite.

MASSENAY, *se retournant sur le canapé sans se lever complètement et l'implorant par-dessus le dossier.* – Sophie !

SOPHIE, *digne et tranchante.* – Tout ! (*A Planteloup.*) Suivez-moi ! monsieur le commissaire.

PLANTELOUP. – Je suis à vos ordres.

Il va la rejoindre au-dessus du canapé et tous deux sortent par la porte de gauche, deuxième plan.

MASSENAY, *navré.* – Oh ! (*Allant à Coustouillu, comme pour en appeler à lui.*) Enfin, voyons... !

COUSTOUILLU, *qui s'est contenu jusque-là mais n'a cessé de le dévorer du regard, éclatant subitement.* – L'amant, c'était vous !

MASSENAY, *interloqué.* – Quoi ?

COUSTOUILLU, *prenant du champ et avec un bel élan, lui appliquant de la main droite une maîtresse gifle sur la joue gauche.* – Tiens !

MASSENAY, *abruti par cette agression inopinée.* – Oh ! (*Se rebiffant aussitôt*) Ah ! toi par exemple... !

Il lui applique à son tour un magistral soufflet de la main droite sur la joue gauche.

COUSTOUILLU, *remontant et au moment de sortir.* – Vous recevrez mes témoins !

MASSENAY. – Et vous les miens !

Coustouillu sort. Massenay se frotte la face.

CHANAL, *avec une philosophie narquoise.* – Eh bien, tu vois, mon vieux... la main passe !

RIDEAU

ACTE IV

MÊME DÉCOR QU'AU PREMIER ACTE

Quelques modifications seulement dans la disposition des meubles. La petite table-rognon, qui était au fond du théâtre, se trouve au lever du rideau devant et à droite du canapé de gauche. La table de salon, qui était posée perpendiculairement au public, est toujours à la même place mais en biais, le sommet de l'angle vers le public, le côté étroit dans la direction de la cheminée, le côté large dans la direction du piano. A droite de l'angle de la table un fauteuil, devant le côté large, le siège tabouret ; sous la table, le petit tabouret de pied. Le fauteuil qui était au-dessus de la cheminée, de même que celui qui était à l'extrême gauche, ne sont plus sur la scène. En revanche un peu au-dessus et à gauche de la table de droite est une large bergère n'appartenant pas au mobilier. Au pied de la bergère, un coussin est tombé. Sur la grande table, des journaux illustrés. Sur le piano, dans un vase, des fleurs de saison indiquant qu'on est au mois de mai ou de juin.

SCÈNE PREMIÈRE

CHANAL, puis ÉTIENNE

Au lever du rideau, Chanal, seul dans le salon, est assis sur le fauteuil qui est au coin de la table de droite. Il regarde les images des journaux illustrés qu'on a dû lui donner pour occuper son temps ; on sent qu'il est en visite ; son chapeau est posé près de lui sur la table. Après un temps qu'il occupe à achever une livraison, il jette cette dernière sur la table, tire sa montre, regarde l'heure, pousse le soupir de résignation de l'homme qui pose depuis longtemps ; puis, se levant, va sonner à droite de la cheminée ; après quoi, remontant au-dessus de la table, il arpente la scène jusqu'au canapé. Arrivé là, ses yeux tombent sur la petite table-rognon. Il la regarde un instant, regarde la place qu'elle occupait au premier acte, puis, avec l'air d'un homme que le désordre insupporte :

CHANAL. – Qu'est-ce qu'elle fait là, celle-là ? C'est pas sa place ! (*Il prend la petite table, puis, tout en la portant au fond :*) Ah ! là, là, là !, là !

ÉTIENNE, *arrivant du fond ; il est en veston de travail en coutil mauve.* – C'est Monsieur qui a sonné ?

CHANAL. – C'est moi, oui ! (*Après un petit temps.*) Vous êtes bien sûr que Madame doit rentrer ?

ÉTIENNE (1), *au-dessus du piano.* – Oh ! sûr, Monsieur... pour déjeuner. D'ailleurs, Madame m'a bien recommandé pour Monsieur ; elle m'a dit : « Monsieur mon ancien mari doit venir vers une heure, vous le ferez attendre. »

CHANAL, *avec une intention ironique.* – « *Vous* » le ferez attendre ? Ou « *je* » le ferai attendre ?

ÉTIENNE, *sans comprendre l'ironie.* – « *Vous* » le ferez attendre.

CHANAL, *regardant sa montre.* – Deux heures un quart !... Je m'étais pourtant dis : « J'écris que je viendrai à une heure ; en arrivant à une heure et demi, j'ai des chances que... » (*S'asseyant sur le tabouret du piano, dos au clavier.*) eh ! bien, non ! Il n'y a pas moyen d'être en retard avec madame. Je trouve encore moyen de poser trois quarts d'heure.

ÉTIENNE, *tout en rangeant sur le piano.* – Monsieur sait, même du temps de Monsieur, Madame pour l'heure... !

CHANAL, *levant les yeux au ciel comme un homme édifié.* – Oh !

ÉTIENNE. – Ça a exaspéré plus d'une fois Monsieur !

En prononçant le mot « Monsieur » il a un geste de la tête dans la direction de la porte du hall comme pour désigner quelqu'un qui n'est pas là.

CHANAL, *qui, tournant le dos, n'a pas vu le geste d'Étienne, se méprenant.* – Moi ?

ÉTIENNE, *très simplement, et avec le même geste de la téte.* – Non !... Monsieur actuel.

CHANAL, *avec une pointe d'humeur en constatant qu'il est question de Massenay.* – Ah !

ÉTIENNE, *levant les mains et les yeux au ciel.* – Oh !

Il traverse la scène au fond, et pendant ce qui suit, ramasse le coussin tombé de la bergère.

CHANAL. – Oui, euh ! bien, je ne suis pas fâché qu'un autre voie un peu ce que c'est ! (*A ce moment, Étienne s'étant baissé pour ramasser le coussin tombé à terre, laisse par sa position apercevoir le sommet de son crâne à Chanal.*) Eh ! mais, dites-moi donc, Étienne ; il me semble que vous vous déplumez !

ÉTIENNE, *qui s'est redressé, le coussin dans la main.* – Monsieur est bien bon... (*Avec une philosophie douce.*) C'est les cheveux qui tombent !

CHANAL, *approuvant ironiquement la justesse du renseignement.* – Oui. (*Considérant la bergère qu'Étienne a prise par les deux bras et transporte, près et au-dessus de la cheminée.*) Tiens ! Qu'est-ce que c'est que cette bergère ?... Qu'est-ce qu'elle fait ici ? Elle est du petit salon !

ÉTIENNE, *haussant des épaules résignées.* C'est Madame qui l'a mise là !

Il descend entre la table et la cheminée.

CHANAL. – C'est drôle, cette manie de ne jamais laisser les choses à leur place !

ÉTIENNE, *heureux de trouver quelqu'un qui pense comme lui.* – Ah ! Monsieur, ce qu'on dit ça de fois, nous autres, à l'office ! (*Avec amertume.*) Mais c'est des choses qu'on est forcé de se dire à soi-même.

CHANAL, *suivant le fil de son idée.* – Enfin voilà une

bergère qui appartient au petit salon... ! (*Se levant et traversant la scène.*) Ah ! et puis, au fond, je ne sais pas de quoi je me mêle ; ça ne me regarde pas !... Je ne suis pas chez moi ici ! (*Il s'est assis sur le tabouret à gauche de la table, le bras gauche appuyé sur celle-ci. Voyant Étienne tout près de lui, pris d'un besoin de lui tirer les vers du nez.*) Et... dites-moi !

Il lui fait de la tête le signe d'approcher.

ÉTIENNE, *avançant la tête.* – Monsieur ?

CHANAL, *l'air inquisiteur et très en sourdine.* – A part ça ; ça... ça va ici ?

ÉTIENNE, *pas mécontent.* – Mais... comme ça, Monsieur !

CHANAL. – Ah ?

ÉTIENNE, *après un petit temps.* – J'ai ma femme qui m'a donné un garçon.

CHANAL, *interloqué par cette confidence inattendue.* Ah ?... aha ? enchanté... Non, je parlais de Madame.

ÉTIENNE. – Ah ? (*Avec indifférence.*) Pas mal, Monsieur !

CHANAL. – Aha ?... tant mieux.

Voyant qu'il n'est guère plus avancé qu'auparavant, il renonce à son interrogatoire et pour occuper le temps, prend un journal illustré dont il parcourt les images après avoir fixé son lorgnon sur l'extrême bout de son nez.

ÉTIENNE, *après un temps.* – Je peux dire qu'elle a eu une grossesse très dure.

CHANAL, *ahuri, relevant la tête et regardant Étienne pardessus son lorgnon.* – Qui ?

ÉTIENNE. – Ma femme.

CHANAL. – Ah ! votre... ! bon, bon ! oui, oui !

ÉTIENNE. – Un enfant qui est venu avant terme... à cinq mois !

Sur ces derniers mots, il se retourne vers la cheminée, sur laquelle il prend un journal qu'il replie pour le ranger.

CHANAL, *sur un ton de condoléance.* – Vraiment ? Oh ! mon pauvre Étienne ! Tant de souffrances pour rien !

ÉTIENNE, *se retournant, étonné.* – Comment, pour rien ! mais il est superbe, Monsieur !... Il pesait onze livres en venant au monde.

CHANAL, *ahuri.* – A... à cinq mois ?

ÉTIENNE, *très fier de lui.* – Oui, *môssieur !* C'est un cas très rare ! Le médecin a même dit que c'était très heureux qu'il soit né à cette époque ! sans ça, il aurait été trop gros : on n'aurait pas pu l'avoir.

CHANAL, *riant.* – Allons, voyons ! à cinq mois ? vous devez vous tromper.

ÉTIENNE. – Oh ! Monsieur, impossible !... les dates sont là : ma femme a été pendant dix mois dans le Midi et elle n'est revenu qu'il y a six mois ; ainsi...

CHANAL, *se rendant.* – Ah !... Ah !... En effet !

ÉTIENNE, *appuyant d'un argument nouveau.* – Elle était chez ses maîtres, à Montpellier, alors !...

CHANAL, *affectant la plus grande conviction et tout en retirant son binocle pour le ranger dans sa poche.* – Oui, oui, c'est évident ! si elle était... Qu'est-ce qu'ils font, ses maîtres ?

ÉTIENNE. – Il est officier de la remonte [20].

CHANAL. – Aha ?... oui, oui, oui !

ÉTIENNE, *avec satisfaction.* – Il me ressemble beaucoup.

CHANAL. – L'officier !...

ÉTIENNE. – Non !... le petit.

CHANAL. – Ah ! le petit !... Eh ! bien, mais... c'est bien ça ! c'est une attention ! car enfin... rien ne l'y forçait.

A ces derniers mots il s'est levé et gagne l'extrême gauche.

ÉTIENNE. – Évidemment ! (*Très reconnaissant.*) Monsieur est bien bon de s'intéresser à moi.

CHANAL, *avec bonhomie, les mains dans les poches de son pantalon.* – Oh ! bien, vous savez... en attendant Madame !

ÉTIENNE. – Ah ! justement, voici Madame.

A ce moment, au fond, paraît Francine ; elle va jusqu'à la table qui est dans le hall ; regarde dans le courrier s'il n'y a rien pour elle, puis, n'ayant rien trouvé, redescend aussitôt qu'Étienne a parlé.

SCÈNE II

LES MÊMES, FRANCINE

FRANCINE, *la main tendue descendant dans la direction de Chanal.* – Oh ! mon cher, je vous demande pardon. (*Décrivant une courbe dans sa marche pour parler à*

Étienne et sans transition.) Étienne, je meurs ! apportez-moi n'importe quoi sur un plateau, je mangerai ici.

ÉTIENNE. – Oui, Madame.

Tandis que Francine redescend vers Chanal, il remonte et sort.

FRANCINE, *à Chanal qui lui-même a fait une partie du chemin vers elle, lui mettant la main sur l'épaule.* – Mon pauvre ami, je te... (*Elle sourit avec un geste d'excuse, puis se reprenant.*) je *vous* fais toutes mes excuses ! Il y a longtemps que vous êtes là ?

CHANAL, *sur un ton d'aimable philosophie.* – Trois quarts d'heure.

FRANCINE, *bien nature, tout en quittant Chanal pour aller enlever son chapeau devant la glace de la cheminée.* – Ah ! tant mieux ! Je craignais de vous avoir fait attendre. (*Chanal a un geste des bras et une expression de physionomie comme pour dire : « c'est exquis ! » – Francine tout en se regardant dans la glace.*) C'est que vous avez mal choisi votre jour. Votre lettre m'est arrivée ce matin, et juste, j'avais deux essayages !... et un enterrement... que je n'ai pas pu remettre.

CHANAL, *malicieusement, tout en s'asseyant sur le tabouret de gauche de la table.* – L'enterrement surtout.

FRANCINE, *abondant dans la plaisanterie.* – Comme vous dites ! (*Ayant fini d'arranger ses cheveux, elle s'assied sur le fauteuil à droite de la table, lequel est tourné de façon à faire presque face à Chanal.*) Les Duchaumel, vous savez.

CHANAL, *toujours plaisantin.* – Tous ?

FRANCINE, *riant.* – Oh ! non pas tous ! vous êtes gourmand, vous !... non, la vieille !... c'est déjà suffisant ! Dix-huit millions qui tombent !

CHANAL, *avec un geste de la tête de droite à gauche en manière de protestation et un sifflement de la langue contre les dents, mais tout cela de bonne humeur.* – Ssse !... Cochons, va !... Et c'était beau ?

FRANCINE. – Ah ! mon cher, à faire rêver !... Trop même ! Ça avait quelque chose d'indécent... dans la joie ; ce n'était plus un enterrement, c'était un gala ! une orgie de fleurs, de musique, de lumière !... il y avait même des feux de bengale à l'église !... verts, oui ! dans des torchères. Vous voyez-ça ?

CHANAL, *blagueur.* – Pas de chandelles romaines [21] ?

FRANCINE, *rieuse.* – Non.

CHANAL. – Eh ! eh ! cependant... bénies par le pape !

FRANCINE. – Oh ! ma foi !

CHANAL, *riant.* – Enfin, quoi ? Il ne manquait que le bouquet.

FRANCINE. – Absolument. (*S'enfonçant bien dans son fauteuil, le corps rejeté en arrière, les coudes au corps, les avants bras sur les manchettes du siège, les mains crispées sur les poignées et avec un mouvement douillet des épaules contre le dossier... regardant Chanal avec un tendre sentiment de bonne affection.*) Ah ! mon ami, ça me fait plaisir de vous voir.

CHANAL, *sensible.* – Moi aussi.

FRANCINE. – On a beau dire, voyez-vous : quand on a été mari et femme !... eh ! bien... ça crée des liens.

CHANAL. – Comment, si ça en crée ?... mais indissolubles !... la loi a beau rompre, la nature est là qui crie : « C'est pas vrai ! »

FRANCINE, *rêveuse, avec un hochement de tête.* – Oui.

CHANAL. – Mais, au fond, il n'y a que le premier mari qui compte.

FRANCINE, *souriant.* – Oh ! Taisez-vous ! Si mon mari vous entendait !

CHANAL, *regarde instinctivement du côté du hall, puis.* S'il m'entendait je ne le dirais pas. (*Se levant et sur un ton de plaidoirie, appuyant ses arguments, par la suite, de tapes de la main sur la table, il arrivera ainsi à remonter jusqu'au dessus de celle-ci.*) Mais la preuve qu'il reste toujours quelque chose, c'est que je suis ici ! Est-ce que c'est ma place ? Est-ce que je devrais y être ? Moi, l'ex-époux de la femme remariée !... Car enfin, qu'est-ce que je viens faire ? Vous demander votre signature pour ces titres que nous n'avons pu négocier au moment de notre divorce, et que nous avons laissés indivis jusqu'à aujourd'hui... Évidemment c'est un bon prétexte, mais ça n'est qu'un prétexte ! et ce n'est pas moi qui aurais dû... c'est mon avoué. Eh bien, oui, je sais bien ! Mais je n'ai pas pu résister. Il y a trois jours que je suis à Paris, je me suis dit : il faut que j'en profite pour aller les voir.

FRANCINE. – Mon bon Alcide.

CHANAL. – C'est parfaitement incorrect, contraire à tous les usages, mais bah ! du moment que ni la femme, ni le premier mari, ni le second ne le trouvent mauvais... au diable ceux qui s'en choqueront ! Quant à moi (*Il est redescendu jusque derrière le fauteuil de sa femme ; prenant affectueusement les épaules de celle-ci entre ses deux mains*), si ça me fait plaisir de revoir celle qui fut ma femme ! ah ! mais !... de la revoir en bon camarade !

Tout en parlant, de sa main droite passée par-dessus l'épaule gauche de sa femme, il lui serre la main qui est sur la poignée du fauteuil puis passe au 1.

FRANCINE, *avec élan.* – Ah ! mon petit vieux, tu es toujours gentil, toi !

CHANAL, *avec un sérieux comique, la rappelant à l'ordre.* – Eh ! là... Eh ! là... eh ! ben ?

Il s'assied sur le tabouret.

FRANCINE, *se levant et passant au 1.* – Ah ! qu'est-ce que tu veux ? l'habitude !...

CHANAL, *se levant également et gagnant vers elle.* – Soit ! mais alors il faudrait peut-être demander à Massenay si...

FRANCINE. – Oh ! bien, tant pis pour lui s'il n'est pas content !... Est-ce qu'il t'a demandé la permission à toi, autrefois, pour... ? hein ?

CHANAL, *convaincu par l'argument.* – Ah ! oui, ça !

FRANCINE, *l'index tendu, décrivant de la main une courbe dans l'espace, cela jusque sous le nez de Chanal.* – Eh c'était bien plus grave !

CHANAL, *sur le même ton que Francine.* – Si ça l'était !

FRANCINE. – Eh bien, alors ?

Elle va s'asseoir sur le tabouret du piano.

CHANAL. – Mais tu as mille fois raison ! Tutoyons-nous donc !

FRANCINE, *assise, le menton dans la main droite, le coude droit sur la caisse du piano.* – Ah ! mon pauvre chéri, je regrette bien qu'il ne t'ait pas demandé la permission alors !... parce que tu aurais dit non, évidemment !

CHANAL, *a un geste affirmatif de la tête puis avec un sérieux comique.* – Évidemment !

FRANCINE, *avec un soupir.* – Et je serais encore ta femme à l'heure qu'il est !

CHANAL, *même soupir.* – Mais oui.

FRANCINE, *se levant et la main sur l'épaule de Chanal.* – Ah ! Je n'ai pas su t'apprécier, vois-tu... (*Appuyant chaque partie de son argument d'autant de tapes sur l'épaule de Chanal.*) Si les maris pouvaient laisser leurs femmes avoir un ou deux amants pour leur permettre de comparer, il y aurait beaucoup plus de femmes fidèles !... (*Quittant Chanal, elle va jusqu'au canapé puis se retournant.*) beaucoup plus !

Elle s'assied côté gauche du canapé.

CHANAL, *sceptique.* – Bien oui ! ce serait la sagesse, mais tant que le monde sera monde... ! (*Allant s'asseoir près d'elle, sur le bras droit du canapé.*) Ah ! çà, voyons, mais ça ne va donc pas ici ?

FRANCINE, *levant les yeux au ciel.* – C'est pas drôle tous les jours.

CHANAL. – Quoi ? Massenay... ?

FRANCINE. – Insupportable ! Tout le temps des scènes !... (*Sur un ton d'amère ironie, la voix un peu en fausset.*) Lui qui était si large d'idées quand c'était toi qui étais en jeu, ah ! bien... il faut le voir, maintenant qu'il y est pour son compte : ombrageux, jaloux, voyant le mal dans tout !... et sans raison naturellement, comme toujours !... Car enfin, je le suis, fidèle, (*Chanal qui écoute avec beaucoup de sérieux, approuve de la tête.*) je ne le trompe pas... (*Même jeu pour Chanal. Francine croyant lire un doute qui n'existe pas dans les yeux de Chanal.*) Je te le dirais, n'est-ce pas ? Je ne me gênerais pas avec toi.

CHANAL, *s'incline en souriant, puis.* – Merci.

FRANCINE, *excédée.* – Eh bien, je t'avoue qu'il y a des moments, quand il m'a bien poussée à bout, où il me prend des envies de me jeter dans les bras du premier homme que je rencontrerais ! (*Se levant et passant.*) qu'au moins il soit jaloux pour quelque chose !

CHANAL, *qui s'est levé à son tour, la morigénant.* – Voyons, voyons, Francine !

FRANCINE, *qui est au coin du piano et dos au public, posant sa main gauche sur l'épaule de Chanal.* – Et il est bête avec ça ! ici, il ne reçoit plus un ami, parce que c'est des hommes ! (*Nerveuse elle remonte, déplace sans motif un objet sur le piano, puis gagne jusqu'à la cheminée, tout cela, en parlant.*) Comme si ça avait jamais empêché quelque chose quand une femme a ça dans la tête !... tout au plus Coustouillu, parce qu'il n'est pas dangereux.

CHANAL, *allant se rasseoir sur le tabouret près de la table.* – Ah ! vraiment, Coustouillu... ?

FRANCINE. – Oui ; après s'être battus ensemble, ils se

sont réconciliés à l'occasion de mon mariage ; et comme Coustouillu bafouille plus que jamais, il est tranquille ; (*Tout en s'arrangeant machinalement les cheveux devant la glace.*) mais vraiment, comme distraction !... (*Se retournant à demi, vers Chanal.*) Au fait, comment se fait-il que tu n'aies pas vu Émile ? Il était donc déjà sorti ?

CHANAL, *d'un air parfaitement détaché.* – Je ne sais pas ! Étienne m'a dit qu'il n'était pas là. (*Revenant au sujet qui l'intéresse davantage, tandis que Francine, pour occuper ses nerfs, range machinalement sur la cheminée.*) Ah ! alors, ça ne va pas !

FRANCINE, *frappée par le ton de satisfaction de Chanal, se retourne vers lui, le regarde, puis.* – Tu dis ça comme si ça te faisait plaisir.

CHANAL, *vivement.* – Non, non !

FRANCINE, *peu convaincue.* – Oh !

CHANAL. – Et puis au fond, pourquoi mentir ?... Évidemment, je suis chagriné pour toi !... et à côté de ça, je serais tout de même très vexé, si tu venais me dire : « Ah ! mon ami ! comme je suis plus heureuse que de ton temps. »

FRANCINE, *souriant.* – Égoïste !

CHANAL, *avec un bon sourire.* – Qu'est-ce que tu veux ? On est un homme !

Étienne paraît portant un plateau avec toute une collation.

SCÈNE III

LES MÊMES, ÉTIENNE, puis MADELEINE

FRANCINE, *à Étienne qui se dirige vers la grande table, lui indiquant de la tête, mais sans regarder d'abord, la place près du canapé où était la petite table au lever du rideau.* – Non, tenez... mettez-ça sur la table... (*S'apercevant que la table n'est plus à la même place.*) tiens, où est-elle ?

Elle cherche des yeux.

CHANAL. – Quoi donc ?

Il se retourne sur place pour voir ce qu'on cherche.

ÉTIENNE, *qui, en pivotant sur lui-même, aperçoit la table au fond.* – Ah !... On l'a remise là, au fond.

Il va poser son plateau sur la table...

FRANCINE. – Tiens ?

CHANAL, *se retournant vers Francine.* – Ah ! oui, c'est moi !... l'habitude de la voir là.

FRANCINE, *se penchant vers lui en lui mettant la main sur la main qu'il a sur la table, et avec ironie.* – Toujours maniaque, alors ?

Elle gagne au-dessus de la table de droite pour aller directement s'asseoir sur la partie droite du canapé.

CHANAL, *en manière de justification.* – J'ai l'horreur du désordre.

Étienne pendant ce temps descend avec la petite table surmontée du plateau ; arrivé devant le canapé, il fait demi-tour, toujours avec la table dans les mains, de sorte qu'il est dos au public.

FRANCINE, *pendant qu'Étienne range le couvert sur la table qu'il a mise à proximité de Francine, devant le milieu du canapé.* – Où est donc monsieur ?

ÉTIENNE. – Monsieur a attendu Madame pour se mettre à table ; puis, comme Madame ne venait pas, il a pris son chapeau et il est parti sans déjeuner, en disant « Nous allons un peu voir ce que ça signifie ! »

FRANCINE, *les lèvres pincées, et le son de voix dans le nez.* – Aha ?... (*Rictus amer, puis.*) bien !

ÉTIENNE. – Monsieur n'avait pas l'air content.

FRANCINE, *sur un ton dédaigneux.* – Bon, bon, ça va bien. (*changeant de ton.*) Eh ! bien, Étienne, vous avez vu Monsieur ?...

ÉTIENNE, *qui s'apprêtait à remonter et est à gauche du canapé.* – Oh ! oui, Madame.

CHANAL, *qui toujours sur son tabouret était en train de jeter les yeux sur un journal illustré, relevant la tête en entendant qu'il est question de lui.* – Oui, Madame ! Ah ! ce que nous avons été heureux de savoir Monsieur là !

CHANAL, *à demi tourné vers eux.* – Merci, Étienne !... Qui, « nous » ?

ÉTIENNE. – Mais nous, Monsieur ! moi et la cuisinière : Madeleine !

CHANAL, *reposant son journal, et se retournant vers Francine.* – Ah ! Tu as toujours cette bonne Madeleine ?

FRANCINE. – Toujours.

ÉTIENNE. – Oh ! elle serait si contente si elle pouvait voir Monsieur !

CHANAL. – Mais qu'elle vienne ! (*A Francine.*) Tu permets ?

FRANCINE. – Oui, oui.

ÉTIENNE, *tout en remontant vers le fond.* – Ah ! bien, c'est ça qui va lui faire plaisir ! (*Parlant à la cantonade, direction gauche.*) Venez, Madeleine !... Oui, oui ! vous pouvez ! Madame permet. (*A Chanal en redescendant un peu et sur un ton d'indulgence.*) Elle n'était pas loin ! elle s'était mise là pour si Monsieur sortait...

MADELEINE, *tenue de cuisinière. – Elle passe la moitié de son corps à la porte du hall.* – Bonjour, Monsieur.

CHANAL, *l'avant-bras gauche appuyé sur la table – avec condescendance.* – Entrez, ma bonne Madeleine.

MADELEINE, *s'avançant timidement en essuyant ses mains à son tablier relevé d'un côté.* – Monsieur est bien bon ! Et Monsieur va toujours bien ?

CHANAL. – Mais comme vous voyez, Madeleine !... et vous ?

MADELEINE. – Oh ! ça va, Monsieur ! Dame, c'est pas comme du temps de Monsieur ! (*Regardant Francine.*) Oh ! c'est pas que Monsieur ne soit pas un bon maître ! (*A Chanal, avec de la tendresse dans la voix.*) Mais c'est égal ! c'est tout de même pas Monsieur !... il n'est pas attentionné comme Monsieur pour les domestiques ! Monsieur était beaucoup plus gâteux !

CHANAL, *qui écoute tout cela avec des gestes d'approbation de la tête, frappé tout à coup par le dernier mot.* – Quoi ?

ÉTIENNE, *au-dessus de la table de droite.* – Ça, c'est vrai, Monsieur.

CHANAL, *qui a compris, se met à rire, puis.* Ah !... Vous voulez dire, n'est-ce pas, que je vous gâtais davantage.

ÉTIENNE et MADELEINE, *bien en chœur.* – Oh ! oui, Monsieur !

CHANAL, *blagueur.* – Oui, oui ! Évidemment ! C'est la même chose ! c'est la même chose !

FRANCINE, *tout en finissant de rire.* – Allons, c'est bon, Madeleine, maintenant que vous avez vu monsieur !...

MADELEINE, *faisant mine de remonter.* – Oui, Madame.

FRANCINE, *à Chanal en se levant.* – C'est que je la connais celle-là, si on la laisse bavarder... !

MADELEINE, *s'autorisant des dispositions où elle voit Francine, pour se familiariser, – gaîment, avec un geste des bras en l'air.* Ah ! bien, Madame sait ben... ! On n'a pas si souvent... !

FRANCINE, *brusquement, sur un ton qui veut être bourru.* – Voulez-vous aller à votre cuisine !

MADELEINE, *pirouettant.* – Oui, Madame, oui ! (*Se retournant vers Chanal.*) Au revoir, Monsieur.

CHANAL. – Au revoir.

FRANCINE, *la rappelant.* – Ah !... et dites à Marie...

MADELEINE, *au-dessus du piano.* – Marie est sortie, Madame.

FRANCINE. – Ah ! C'est vrai... Eh ! bien, allez dans ma chambre et apportez-moi ici ma robe que j'avais hier... allez !

MADELEINE. – Oui, Madame

Elle sort de gauche.

FRANCINE, *à Chanal, désignant sa robe.* – J'ai hâte de quitter cette robe... pour choses tristes !

SCÈNE IV

LES MÊMES, moins MADELEINE, MASSENAY

ÉTIENNE, *qui a aperçu Massenay au fond, le signalant.* – Ah ! voici Monsieur !

MASSENAY, *descendant à demi en scène ; il a son chapeau sur la tête et paraît d'humeur massacrante. Apercevant sa femme, il la regarde par-dessus son épaule puis d'un ton sec.* – Ah ?... enfin !... (*A Étienne lui tendant son chapeau.*) Vous m'apporterez un peu de viande froide sur un plateau, Étienne !

ÉTIENNE. – Oui, Monsieur.

Il sort en laissant ouverte la porte sur le hall.

MASSENAY, *tout en retirant nerveusement ses gants – il descend vers Chanal comme s'il en appelait à lui et continue son mouvement en courbe de façon à ce que Francine reçoive la fin de son observation.* – Je n'ai pas encore déjeuné, moi, à l'heure qu'il est !

Il remonte.

CHANAL. – Eh bien, Massenay ! c'est comme ça qu'on me dit bonjour ?

MASSENAY, *allant serrer la main de Chanal, en restant au-dessus de lui.* – Bonjour, Chanal. (*Revenant à ses moutons.*) Je ne sais pas si c'était ainsi de ton temps, mon cher ? Mais voilà à quelle heure on peut se mettre à table, avec madame !

FRANCINE, *toujours debout dans l'angle du piano et du canapé, d'un ton dédaigneux et par-dessus son épaule.* – Tu n'avais qu'à te mettre à table sans moi.

MASSENAY, *du tac au tac et également par-dessus son épaule.* – On n'est pas marié pour prendre ses repas chacun de son côté !

FRANCINE, *id.* – En tout cas, si tu avais été là, il y a assez longtemps que je suis rentrée.

MASSENAY, *marchant sur elle et tranchant comme une lame de couteau.* – C'est faux ! il y a un quart d'heure ; le concierge me l'a dit.

FRANCINE, *sur un ton d'ironie méprisante.* – Ah ! si tu interroges le concierge !

MASSENAY, *renonçant à se contenir.* – Enfin, où as-tu été ?

FRANCINE, *les yeux au plafond.* – Demande au concierge.

MASSENAY, *comme s'il allait sauter sur elle.* – Francine !

FRANCINE, *daignant descendre les yeux sur lui.* – Quoi ?

MASSENAY, *se dominant et remontant rageusement.* – Oh !

CHANAL, *conciliant.* – Allons ! Allons !... Allons, mes enfants ! (*se levant.*) Vous n'allez pas choisir le jour où je viens, pour vous disputer !

Tout en parlant, il remonte jusqu'à la gauche de Massenay.

FRANCINE, *traversant la scène en biais, de façon à arriver au-dessus de la table de droite.* – Oh ! il ne choisit pas !

MASSENAY, *emboîtant le pas derrière Francine, tandis que Chanal, découragé, s'assied sur le tabouret de piano.* – Tu vas me dire, comme toujours, que tu as déjeuné chez ta mère ? (*Francine qui a continué de descendre entre la table et la cheminée, hausse les épaules.*) Eh ! bien, non ! car je viens, moi, de chez ta mère ! J'ai voulu en avoir le cœur net... et tu n'y as pas déjeuné depuis samedi.

FRANCINE, *qui, toujours suivie par Massenay, se trouve devant la table de droite, se retournant avec un superbe dédain vers Massenay.* – C'est pour m'apprendre ça que tu es sorti ? Tu pouvais aussi bien rester chez toi...

Je te ferai remarquer que j'ai déjeuné tous les jours ici ; comme j'ai l'habitude de ne déjeuner qu'une fois... !

MASSENAY, *gêné par cet argument sans réplique, mais avec une mauvaise foi.* – Oui, oh !...

FRANCINE, *indiquant son déjeuner.* – Quant à aujourd'hui : voilà un plateau qui m'attend ; si tu avais pris la peine de regarder avant de parler... !

En parlant, la démarche hautaine elle a traversé la scène jusqu'au piano.

MASSENAY, *ne voulant pas s'avouer vaincu.* – Bon, soit ! C'est possible ! déjeuner ou pas déjeuner, cela importe peu dans l'espèce. Tout ça ne m'explique pas ce que tu peux faire dehors tous les jours jusqu'à des heures indues ?

FRANCINE, *sentant la moutarde lui monter au nez.* – Oh !

CHANAL, *descendant entre eux, pour tenter une nouvelle intervention.* – Écoutez, mes enfants !...

MASSENAY, *l'écartant et lui imposant silence.* – Non, pardon !

FRANCINE, *exaspérée.* – Je vais chez mon amant, là ! Es-tu content ?

MASSENAY, *aigre et persifleur.* – Je commence à le croire.

FRANCINE, *bondissant.* – Quoi ?

MASSENAY, *id.* – Après tout, ce ne serait pas le premier.

FRANCINE, *id.* – Qu'est-ce que tu dis ?

MASSENAY, *sec.* – Parfaitement !

CHANAL, *révolté.* – Oh !

FRANCINE, *indignée.* – Moi ? Moi, j'ai eu des amants ?

MASSENAY, *méchant.* Oui, toi !

FRANCINE, *suffoquée.* – Qui ? Qui ? nomme m'en un !

MASSENAY. – Mais... moi !

FRANCINE et CHANAL. – Oh !

Elle gagne nerveusement l'extrême gauche, suivie de Chanal qui s'efforce à la calmer.

MASSENAY. – Parfaitement !

Il gagne l'extrême droite.

FRANCINE, *indignée, l'indiquant de la main.* – C'est lui ! lui qui me le reproche !

MASSENAY, *pivotant sur lui-même.* – Il ne s'agit pas de rep... (*L'arrivée d'Étienne qui entre avec un plateau servi, lui coupe la parole. – Silence général mais on sent tout le monde tendu. Massenay, les deux mains derrière le dos, arpente la scène jusqu'au fond puis redescend. – Apercevant Étienne pivotant à droite puis à gauche, pour trouver une table où poser son plateau, – avec humeur.*) Eh ! bien, c'est fini ! Quand vous aurez fini de valser... posez ça là !

Il indique la table de droite.

ÉTIENNE, *posant le plateau sur la table.* – Oui, Monsieur. (*Sans se rendre compte qu'il est de trop, et que Massenay bout littéralement, il met bien tranquillement de l'ordre sur le plateau, puis :*) J'ai mis du sel, de la moutarde...

MASSENAY, *agacé et impatient de le voir partir.* Bon, bon ! ça va bien !...

ÉTIENNE, *calme.* – Oui, Monsieur.

Il remonte de son même pas tranquille et sort en laissant la porte ouverte derrière lui.

MASSENAY, *qui est remonté derrière Étienne avec des envies de le pousser dehors, redescendant vivement dès qu'il est hors de vue, – reprenant sur le diapason qu'il a quitté.* – ... Il ne s'agit pas de reproches ! Mais je dis que ce que tu as fait pour moi, tu as bien pu le faire pour d'autres.

FRANCINE, *à Chanal.* – Voilà ! voilà ! tu l'entends !

CHANAL. – Massenay, comment peux-tu... !

MASSENAY. – Oh ! mon ami, c'est très joli de le faire au beau sentiment ! mais n'empêche qu'on raisonne !... qu'on se dit qu'on n'est pas mieux qu'un autre... et que si une femme a pu une fois... !

Il gagne la droite.

CHANAL. – Oh !

MASSENAY, *se retournant.* – Parfaitement ! et surtout quand on la voit sortir tous les jours...

CHANAL, *qui l'a suivi dans son mouvement – bon enfant et bien inconscient.* – Tu sais, mon ami, c'était déjà comme ça de mon temps, alors... !

MASSENAY, *avec un rire sardonique.* – Ah ! ah ! Elle est bien bonne ! Si tu crois me tranquilliser en me disant cela !... on sait ce qui se passait pendant ce temps-là, n'est-ce pas ? Je peux en parler ; et tu ne t'en doutais pas !... Eh bien, qui me dit qu'il ne s'en passe pas autant sans que je m'en doute ?... Ce n'est pas elle qui viendra me le raconter, bien sûr !

Il s'assied nerveusement le dos à demi tourné à ses partenaires, le menton dans sa main gauche, sur le fauteuil de droite de la table.

FRANCINE, *indignée.* – Oh !... (*Allant jusqu'à Chanal qui tient le milieu de la scène.*) Et voilà comme il me récompense de tout ce que j'ai fait pour lui ! (*L'avant-bras gauche sur l'épaule de Chanal.*) Quand je pense que j'étais la femme d'un honnête homme, (*Du revers de la main droite elle frappe sur la poitrine de Chanal pour l'indiquer.*) que pour cet être, j'ai foulé aux pieds le bonheur de cet honnête homme ! (*Nouvelle tape dans l'estomac de Chanal.*) Je l'ai trompé ! (*Id.*) Oui, oui (*Id.*) trompé !

CHANAL, *qui apprécie peu ce genre de discussion.* – Écoutez, si on ne parlait pas de moi !

MASSENAY, *dans un besoin de riposte, s'est levé et fonçant sur sa femme dont Chanal seul le sépare.* – Et pourquoi l'as-tu trompé ?

Comme Francine, il accompagne sa question d'une tape dans le creux de l'estomac de Chanal.

FRANCINE, *débordant sur la poitrine de Chanal pour mieux parler dans le nez de son mari.* – Pourquoi ? Parce que je t'aimais.

MASSENAY, *même jeu que Francine.* – Tu m'aimais ?

FRANCINE, *id.* – Oui, je t'aimais !

MASSENAY, *haussant les épaules.* – *Ricanant.* – Oh ! tu m'aimais ! (*A Chanal lui indiquant sa femme avec un nouveau haussement d'épaules.*) Elle m'aimait !

Les deux mains dans les poches de son pantalon, il arpente nerveusement jusqu'au fond, pour redescendre s'asseoir sur le tabouret à gauche de la table aussitôt la passade de Chanal.

CHANAL, *allant s'asseoir sur le fauteuil à droite de la table.* – Oh ! que je goûte peu cette conversation !

FRANCINE, *qui dans le même état de nerfs que Massenay a arpenté jusqu'à l'extrême gauche, pivotant pour remonter d'un pas saccadé jusqu'au fond, tandis que son mari, assis sur le tabouret, tournant le dos à sa femme, le coude gauche sur la table et la tête dans sa main, l'écoute les yeux au plafond, la jambe droite agitée d'un mouvement nerveux.* – Malheureusement je t'aimais ! Je le paye assez cher aujourd'hui. (*Descendant entre la cheminée et la table et prenant cette dernière comme tribune.*) Le grand tort que nous avons nous autres femmes, c'est, pour amant, de chercher toujours un homme que nous aimons ; alors que la vérité serait d'en chercher un qui nous aime !

Massenay hausse les épaules et lui tourne le dos.

CHANAL, *avec une sage philosophie.* – Ou de n'en pas chercher du tout.

FRANCINE, *qui est redescendue davantage.* – Ce n'est pas toi que j'aurais dû choisir, c'est Coustouillu ! Coustouillu qui m'aimait ! (*En appelant à Chanal.*) n'est-ce pas ? (*Moue de Chanal.*) Qui se rongeait pour moi, lui ! et qui ne m'aurait jamais reproché... lui !... Oh ! non !

Elle redescend complètement à droite.

MASSENAY, *exaspéré.* – Mais va donc le chercher, ton Coustouillu ! mais il est encore temps ! Il est toujours là, tu sais ! tu peux le prendre !

FRANCINE, *comme si elle allait sauter à la figure de Massenay, fonçant sur le fauteuil de Chanal et écrasant les épaules de ce dernier sous sa poitrine pour défier son mari de plus près.* – D'abord, mets-toi bien en tête que je le prendrai si je veux !

MASSENAY, *à Chanal avec un ricanement rageur.* – Tu l'entends, hein ? Tu l'entends, *ta* femme !

FRANCINE. – Oui, et puis, tiens ! je te préviens charitablement : tu joues là un jeu dangereux, mon ami ! (*Massenay hausse les épaules, se lève et gagne la gauche avec un air persifleur. Mais Francine qui ne lâche pas prise ainsi, fait par en dessus, le tour de la table pour redescendre aussitôt vers son mari.*) A force de corner sans cesse aux oreilles d'une femme qu'elle doit avoir un amant, il arrive qu'elle finit par se familiariser avec cette idée. Et prends garde, quand une femme a ça dans la tête !...

MASSENAY, *au comble de la rage, lui jetant l'insulte à la face.* – Mais dis donc : « quand elle a ça dans le sang ! »

FRANCINE, *bondissant sous l'outrage et dans le nez de Massenay.* – C'est pour moi que tu dis ça ?

MASSENAY, *nez à nez avec Francine.* – Oui, c'est pour toi ! oui, c'est pour toi !... Courtisane !

Il pivote et gagne l'extrême-gauche.

FRANCINE, *avec un soubresaut en arrière.* – Quoi ?

CHANAL, *qui s'est dressé comme mû par un ressort, poussant une exclamation de colère.* – Ah ! (*Du plat de la main il donne un violent coup sur la table, traverse la scène en quatre massives enjambées et, arrivé à Masse-*

nay, d'un coup sec de la main droite il ramène le revers droit de sa jaquette, de la main gauche le revers gauche, se boutonne d'un air de défi, puis.) En voilà assez !

MASSENAY, *qui sur le coup de poing donné sur la table par Chanal, prévoyant l'altercation, a fait quelques pas vers la droite de façon à se trouver au moment de la provocation près et à droite du piano, toisant Chanal.* – Quoi ?

CHANAL. – Je ne permettrai pas qu'on parle à ma... (*Se reprenant.*) à ta femme comme ça devant moi.

MASSENAY, *persifleur.* – Oh ! mais pardon, mon petit, hein ? Tant qu'elle a été ta femme et qu'elle a eu des amants, je ne m'en suis pas mêlé.

CHANAL. – Comment des amants ?

FRANCINE, *qui indignée était remontée au moment de la provocation, redescendant au 3.* – Je n'en ai eu qu'un.

CHANAL, *entre eux deux, soulignant.* – Qu'un !

MASSENAY. – C'est un de trop !

FRANCINE, *gagnant la droite.* – Oh !

MASSENAY. – En tout cas, je t'en prie, maintenant, laisse-moi diriger mon ménage comme je l'entends.

Il va bouder contre le piano, un genou sur le tabouret, les bras croisés sur la caisse.

CHANAL, *obsédé par cette discussion, remonte jusqu'au fond, en se prenant la tête dans les deux mains ; puis, de là, après un gros soupir, avec énergie.* – Voyons, mes enfants, je vous en supplie !

FRANCINE, *à Chanal.* – Ah ! Et puis tiens, tu as raison ! je ne sais pas pourquoi je m'abaisse à discuter !

MASSENAY, *persifleur.* – Mais oui, comment donc !

CHANAL, *lève des yeux excédés au ciel, puis.* – Comme si vous ne feriez pas mieux de déjeuner !

FRANCINE, *les lèvres pincées.* – Absolument !

Elle traverse la scène pour aller au canapé.

CHANAL, *une fois la passade.* – De manger votre viande, là... tant qu'elle est froide.

FRANCINE, *s'asseyant et se disposant à déjeuner.* – C'est vrai ça !... Quand je me serai rendue malade... !

MASSENAY, *ironique, tout en traversant la scène devant Chanal, pour aller s'asseoir sur le tabouret de la table de droite.* – Ce sera une occasion pour dire que c'est de ma faute.

Il prend, tout en parlant, son plateau qui est sur la table, et après avoir tiré avec son pied petit tabouret de pied pour s'exhausser les jambes, il place le plateau sur ses genoux.

CHANAL, *faisant le bourru.* – Allons, voyons ! As-tu fini, toi ?

MASSENAY, *hypocritement, tout en s'installant pour déjeuner sur ses genoux.* – Moi ? Mais qu'est-ce que je fais ? Est-ce que j'ai dit quelque chose ?

FRANCINE, *tout en mangeant du bout des lèvres, et sur un ton de vinaigre, sans daigner regarder son mari.* – Non ! c'est le chat !

MASSENAY, *tout en mangeant.* – C'est elle qui tout de suite s'emporte parce que je me suis permis de demander timidement...

FRANCINE, *même jeu.* – Oh ! timidement !

MASSENAY, *id.* – Si on ne peut plus poser une question maintenant... !

Ils mangent tous deux avec des figures longues d'une aune.

CHANAL. – Ah ! mes enfants ! Mes enfants !... Quand on pense que la vie est si courte, et que vous vous la gâchez à plaisir !... (*Tous deux, la fourchette d'une main, le couteau de l'autre, lèvent les bras et les yeux au ciel.*) Et tout ça pour rien ! (*Geste de protestation de part et d'autre ; Chanal répétant avec énergie.*) Pour rien ! Si vous pouviez prendre l'habitude de vous expliquer simplement, au lieu de partir tout de suite en guerre.

MASSENAY. – Ah ! combien de fois je l'ai dit !

CHANAL, *affectant le ton bourru.* – Mais à commencer par toi ! (*Changeant de ton.*) Si tu lui avais demandé simplement : « où as-tu été ? »

MASSENAY, *bien doux.* – C'est ce que j'ai dit : « Où as-tu été ? »

CHANAL. – Oh ! pardon ! tu as dit : (*Ton bourru.*) « Où as-tu été ? » Tandis que si tu avais dit : (*Voix sucrée.*) Où as-tu été, ma chérie pour rentrer déjeuner, (*Appuyant sur le TROIS.*) à trois heures de l'après-midi ?... » Elle t'aurait répondu : « Mon chéri !... » Là, comme deux amours – « J'ai été à l'enterrement des Duchaumel. »

MASSENAY, *à ce mot, reste coi, la fourchette en l'air sur le chemin de sa bouche ; il demeure un instant interdit, puis un peu penaud.* – L'en... l'enterrement des Duchaumel ?

FRANCINE, *avec une moue de mépris, et sans daigner regarder son mari.* – Mais oui.

MASSENAY, *un temps de réflexion, puis.* – C'était aujourd'hui ?

FRANCINE, *même jeu.* – Mais dame !

MASSENAY, *un temps, puis.* – Diable ! Je l'ai complètement oublié !

FRANCINE, *avec un accent persifleur.* – Ha !

MASSENAY, *reste un instant soucieux, se mordant la lèvre, puis timidement.* – Tu... tu m'as inscrit ?

FRANCINE, *sur un ton de dédain, avec toute la conscience de sa supériorité.* – Naturellement, je t'ai inscrit !

MASSENAY, *après un temps.* – C'est bête, ça !...

CHANAL, *triomphant.* – Eh bien, tu vois... hein ? (*Allant à lui et le prenant par la manche de son veston.*) Allons, lève-toi !

MASSENAY, *ahuri.* – Comment !

CHANAL, *impératif.* – Allons ! Allons !

Il lui enlève son plateau des genoux.

MASSENAY, *défendant son plateau.* – Mais je n'ai pas fini !

CHANAL, *le lui enlevant quand même.* – Allez hop ! (*Massenay, tout en ronchonnant, obéit ; Chanal pose le plateau sur le piano, puis revenant à Massenay.*) Et maintenant vous allez faire la paix.

MASSENAY, *se rebiffant.* – Ah ! non !

CHANAL. – Veux-tu bien ! (*Bon gré mal gré, il entraîne Massenay qui a conservé sa serviette dans la main gauche, jusqu'à proximité du canapé ; là, il le lâche pour aller chercher Francine. A Francine.*) A toi, maintenant ! (*Francine fait un peu de résistance, tout en maugréant la bouche pleine.*) Allons, voyons !

FRANCINE, *sa serviette dans la main droite, se laissant emmener de mauvaise grâce, parlant la bouche pleine.* – Oui, oh ! mais je l'en préviens : un jour ou l'autre ça lui jouera un mauvais tour.

CHANAL, *affectant le ton bourru.* – Allons ! fini, hein ? (*Il leur met la main dans la main.*) Là ! (*Les rapprochant l'un de l'autre en les prenant simultanément par la nuque.*) Embrassez-vous !

Massenay dépose un baiser glacial sur la joue de Francine.

FRANCINE, *ronchonnant pendant que Massenay l'embrasse.* Quand il m'aura poussée à quelque coup de tête, il sera bien avancé !

MASSENAY, *toujours hostile.* – Là, tu l'entends !

Il gagne la droite.

FRANCINE, *allant poser sa serviette sur son plateau.* – Je le regretterai peut-être après, mais il sera trop tard.

CHANAL, *cherchant à leur imposer silence.* – Allons, allons !

MASSENAY, *tout en ronchonnant, enfonçant nerveusement sa serviette qu'il prend pour un mouchoir, dans la poche* ad hoc *de sa jaquette.* – Oui, oh ! mais je suis prévenu : j'aurai l'œil.

S'apercevant de sa bévue, il rejette avec humeur sa serviette sur le plateau qui est sur la table.

FRANCINE, *se rapprochant de Chanal, qui tourné du côté de Massenay, le considère avec des hochements de tête de découragement.* – Oui, oh ! « tu auras l'œil » : juste assez pour n'y voir que du feu !... comme tous les maris ! Il n'y a qu'à voir quand ça arrive : c'est toujours celui-là qu'ils soupçonnent le moins... (*Touchant Chanal pour en appeler à lui.*) N'est-ce pas, Alcide ?

CHANAL, *que cette apostrophe arrache brusquement à son absorbement.* – Oh ! non, je vous en prie, laissez-moi en dehors !

FRANCINE, *gagnant vers le piano.* – Ah ! la, la, la, la !

MASSENAY. – Oh ! oui ! Ah ! la, la, la, la.

Tout en parlant il gagne la droite tandis que Chanal remonte en levant les bras au ciel.

A ce moment, par la porte de gauche, arrive Madeleine, apportant une robe en tissu clair. Cette robe doit être faite de telle sorte que la jupe soit indépendante du corsage et se passe avant ce dernier.

SCÈNE V

LES MÊMES, MADELEINE

MASSENAY, *qui s'est retourné à l'entrée de Madeleine.* – Qu'est-ce qu'il y a, Madeleine ?

MADELEINE. – C'est la robe que Madame m'a demandée !

FRANCINE, *allant à Madeleine.* – Ah !

MADELEINE, *tout en étalant la robe sur le canapé.* – Elle n'était pas dans l'armoire, Marie l'avait mise à la lingerie pour la brosser.

Elle va porter la table servie qui gêne, au-dessus du piano, contre sa partie cintrée.

MASSENAY, *qui a regardé successivement chacun des personnages d'un air ahuri.* – Comment, ta robe ? Tu ne vas pas t'habiller ici, je suppose ?

FRANCINE, *qui est en train de déboutonner son corsage.* – Pourquoi pas ? Il n'y a personne.

MASSENAY. – Comment, « personne » ? Eh bien, et lui ?

Il indique Chanal.

FRANCINE, *sur un ton d'insoucience.* – Oh ! lui, il me connaît !

CHANAL, *bon enfant.* – Je ne compte pas, moi.

MASSENAY, *gagnant à droite, tout en maugréant.* – Tu ne comptes pas ! Tu ne comptes pas !

MADELEINE, *joviale.* – Monsieur a été assez longtemps le mari de Madame !

MASSENAY, *avec rage, faisant demi-tour sur lui-même.* – Ah ! je ne vous demande pas votre avis, à vous !

FRANCINE, *à Madeleine, tout en haussant les épaules.* – Ça n'a aucune importance. Allez !

Elle retire son corsage.

MASSENAY, *rageur.* – C'est bien ! C'est très bien ! Si tu trouves que c'est convenable !

Il remonte entre la table et la cheminée.

CHANAL, *le suivant du regard et sur un ton ironique.* – Tu es jaloux de moi ?

MASSENAY, *très vexé mais ne voulant pas l'avouer.* – Du tout ! du tout !... Je trouve seulement que dans le salon... ! Enfin, ça va bien, n'en parlons plus ! (*Il arpente la scène au fond, de long en large, jetant de temps en temps des regards rageurs sur les trois personnages qui ne font pas plus attention à lui que s'il n'existait pas. Madeleine, près du piano, aide Francine à se dévêtir. Celle-ci retire tranquillement sa jupe que Madeleine va porter sur le canapé où elle prendra en échange la nouvelle jupe. – Chanal, planté toujours à la même place considère cet habillage en badaud et sans la moindre malice. Mais cela suffit à exaspérer Massenay ; une ou deux fois il semble près d'intervenir mais il se retient. Enfin n'y tenant plus, il fait en lui-même : « oh ! non, non ! » puis prenant un brusque parti, il descend derrière*

Chanal, le prend par les deux épaules et lui fait faire demi-tour sur place ; cependant ne voulant pas que son acte puisse être mis sur le compte de la jalousie, il prend un air dégagé tandis que Chanal interloqué roule des yeux ahuris.) Et à part ça, mon cher Chanal... ?

CHANAL, *comprenant soudain son idée de derrière la tête. A part, avec un sourire ironique.* – Ah ?... bon !

MASSENAY. – ... Quoi de neuf ?

CHANAL, *à part.* – Gros malin, va ! (*Haut.*) Mais... rien !

MASSENAY. – Ahâ ! (*Chanal n'ayant rien d'autre à dire tourne la tête du côté de Francine ; Massenay qui a passé son bras sur l'épaule de Chanal, de façon à ouvrir la main en regard de son cou, lui retourne vivement la tête de son côté d'une pression brusque de la main contre la nuque.*) Y a... y a longtemps qu'on ne s'est vu.

CHANAL. – Un an !

MASSENAY, *à court de conversation.* – Eh ! oui ! (*Chanal tourne de nouveau la tête, Massenay la lui tourne de la même façon.*) Un an !... Moi aussi.

CHANAL, *souriant.* – Naturellement.

Même jeu à froid de Chanal puis de Massenay.

MASSENAY. – Naturellement, oui, oui !

Chanal tourne la tête, Massenay la lui retourne.

CHANAL, *avec une conviction pleine d'ironie.* – Ah ! non je t'en prie, écoute ! laisse ma tête tranquille !

MASSENAY. – Oh ! pardon.

CHANAL. – C'est vrai, ça !

FRANCINE, *à Madeleine qui lui a passé sa jupe.* – Là, agrafez-moi, Madeleine.

MADELEINE. – C'est que j'ai peur, Madame ; les doigts d'une cuisinière, c'est toujours un peu gras. (*A Massenay.*) Si Monsieur voulait...

MASSENAY, *qui sans en avoir l'air a maintenu Chanal face à lui pour l'empêcher de regarder du côté de Francine.* – Moi ? (*A Chanal afin qu'il ne se retourne pas.*) Bouge pas !

Il remonte devant Chanal et se dirige vers Francine.

FRANCINE. – Oh ! non, lui, il est trop maladroit !

MASSENAY, *vexé.* – Ah ! bon !... bien, bien !

Il remonte d'un pas rageur, tandis que Madeleine range la jupe retirée sur le canapé.

FRANCINE, *très naturellement, tout en se tournant face au piano de façon à présenter la croupe à Chanal.* – Tiens, Alcide, veux-tu... ?

CHANAL, *qui est resté sagement le dos tourné, se retournant à cette invite, et allant à Francine.* – Moi ? volontiers.

Massenay lui jette un regard furieux, mais ne dit rien, se contentant d'arpenter nerveusement la scène, au fond de long en large ; on l'entend ronchonner de temps en temps entre ses dents : « Ces façons !... On n'a jamais vu... Aucune pudeur ! » Tout cela est peine perdue, ni Francine ni Chanal ne font attention à ce qu'il peut faire, ce dernier tout à l'agrafage de la jupe de Francine.

MASSENAY, *tout à coup, sortant de ses gonds. A part.* – Oh ! non, non... ! (*Il se précipite sur Chanal qu'il fait pirouetter et passer au 4.*) Allons ! en voilà assez !

TOUS. – Hein !

FRANCINE. – Ah ! çà, tu deviens fou ?

MASSENAY, *qui a arraché brutalement des mains de Madeleine le corsage qu'elle tient, voulant le passer de force lui-même à Francine.* – Allez ! allez ! mets ton caraco !

FRANCINE, *furieuse de sa brutalité.* – Ah ! mais à la fin... !

MASSENAY, *id.* – Allez ! Allez !

CHANAL. – Oh !

MASSENAY, *à Madeleine.* – Et vous, allez, filez ! emportez tout ça et qu'on ne vous voie plus !

MADELEINE, *détalant prudemment en emportant les effets retirés par Francine.* – Oui, Monsieur, oui !

Elle sort de gauche.

MASSENAY. – Ah ! nous allons voir si on va se moquer longtemps de moi ici !

FRANCINE. – En tous cas, tu fais bien tout ce qu'il faut pour ça.

MASSENAY. – C'est possible ! Mais je t'ai épousée et tu m'obéiras !

FRANCINE, *se montant.* – Prends garde ! ne me pousse pas à bout !

MASSENAY. – Parce que ?

FRANCINE. – Parce que j'en ai assez ! j'en ai assez ! j'en ai assez !

MASSENAY. – Oh ! moi aussi, j'en ai assez !

FRANCINE. – Ah ! C'est comme ça ! Eh ! bien c'est toi qui l'auras voulu !

Elle descend à gauche.

MASSENAY. – Oui ! je connais le refrain : tu prendras un

amant ! Eh ! bien prends-le donc cet amant, puisque tu en meurs d'envie ! Prends-le une bonne fois et que je te pince ! c'est tout ce que je demande !

FRANCINE. – C'est bien, tu n'auras pas à me le dire deux fois.

MASSENAY. – A ton aise !

Il remonte vers son cabinet.

CHANAL, *le suivant.* – Mais tu es fou ! On ne défie pas une femme !

MASSENAY. – Fiche-moi la paix !

Il disparaît dans son cabinet dont il laisse la porte ouverte derrière lui.

CHANAL. – Oh !... Mais quel bâton de poulailler [22] !... (*Entrant dans le cabinet.*) Massenay !... voyons ! Massenay !

Il disparaît. On sonne à la cantonade.

FRANCINE, *très nerveuse, arpentant la scène et allant dans la direction du cabinet.* – Oh ! non, il n'aura pas à me le dire deux fois !... l'imbécile ! l'imbécile ! l'imbécile !

A ce moment, dans le hall, paraît Coustouillu accompagné d'Étienne.

ÉTIENNE, *dans le hall.* – Voici justement Madame, Monsieur !

Il se retire ; Coustouillu entre seul.

SCÈNE VI

FRANCINE, COUSTOUILLU, puis CHANAL, puis MASSENAY, puis ÉTIENNE, BELGENCE

FRANCINE, *apercevant Coustouillu.* – Coustouillu ! Ah ! c'est le ciel qui l'envoie !

COUSTOUILLU, *allant à elle, tout décontenancé à son habitude.* – Oh ! oh ! Mad... euh !... non... Je... euh ! pardon !

FRANCINE, *sans faire attention à son trouble, lui mettant comme un grappin, la main sur l'épaule.* – Venez, vous ! j'ai à vous parler.

COUSTOUILLU, *de plus en plus troublé.* – Hein ? Moi euh... je... quoi ?...

FRANCINE, *bien carrée.* – Vous m'aimez, n'est-ce pas ?

COUSTOUILLU, *éperdu.* – Hein ! moi ?... non, non !

FRANCINE. – Comment, « non, non » ?

COUSTOUILLU, *id.* – Hein ! Euh ! oui ! non ! Je ne sais pas !

FRANCINE, *passant outre.* – C'est bien ! je suis à vous ! faites de moi ce qu'il vous plaira.

En disant cela, elle a pivoté sur elle-même et s'est laissée aller de dos sur la poitrine de Coustouillu.

COUSTOUILLU, *affolé.* – Qu'est-ce que vous dites ?

FRANCINE, *toujours adossée à sa poitrine.* – Allez ! Allez ! c'est le moment psychologique : profitez-en !

COUSTOUILLU. – Est-il possible ! Ah ! ah !

Incapable de surmonter son émotion, il s'affaisse sur le tabouret de piano, ce qui fait tomber Francine sur les genoux.

FRANCINE, *qui s'est donné presque un tour de reins.* – Eh bien ! quoi donc ? (*Pivotant sur les genoux de Coustouillu et le voyant dans cet état.*) Ah ! non, mon ami, non ! vous n'allez pas vous trouver mal ? ce n'est pas le moment !

COUSTOUILLU. – Non... non... Ah ! Francine... Francine ! est-ce possible !

FRANCINE. – Mais oui ! mais oui !

COUSTOUILLU. – Ah !

Il la couvre de baisers goulus.

FRANCINE. – C'est ça ! Allez ! Allez !

COUSTOUILLU. – Oui.

Nouveaux baisers.

FRANCINE. – Allez, allez, c'est ça !

A ce moment paraît Chanal venant du cabinet de travail. Il reste cloué sur le seuil de la porte devant la scène qu'il a sous les yeux. Bouche bée, impuissant à pousser un cri, il lève de grands bras en l'air, pivote sur lui-même et rentre précipitamment dans le cabinet de Massenay, – tout ceci sans que le couple tout à son affaire se soit aperçu de sa présence. Chanal n'est pas sitôt sorti que l'on sonne à la cantonade.

FRANCINE, *se dégageant brusquement de l'étreinte de Coustouillu et se levant d'un bond.* – On a sonné ! vite, venez !

COUSTOUILLU. – Qu'est-ce qu'il y a ?

FRANCINE, *se dirigeant au-dessus du piano vers la porte de gauche.* – Du monde ! venez par là ! nous avons à causer !

COUSTOUILLU. – Oui ! oui, ah ! Francine. (*Dans son emballement, il ne regarde pas où il marche et ses pieds vont rencontrer une chaise qu'il renverse.*) Oh !

Il se baisse pour la ramasser.

FRANCINE. – Mais venez donc, voyons ! vous ramasserez cette chaise plus tard !

Elle sort de gauche.

COUSTOUILLU. – Oui ! oui ! Ah ! Francine ! Francine !

Il disparaît à sa suite. Presque simultanément paraît Chanal ressortant du cabinet et entraînant Massenay par la main.

CHANAL. – Viens, toi ! Viens !

MASSENAY. – Mais quoi ? Quoi ?

CHANAL. – Quand je te disais tout à l'heure qu'on ne défie pas une femme !

MASSENAY. – Oh ! non, mon ami, non, je t'en prie ! Si c'est pour me reparler de ma femme... !

CHANAL, *insistant.* – Mais voyons !...

MASSENAY, *ne voulant rien entendre.* – Non !... non !

CHANAL, *décontenancé.* – Oh !

Pendant ce qui précède, dans le hall dont la porte est restée ouverte, on a vu paraître Étienne et Belgence ; ce dernier est en train de remettre sa carte à Étienne, quand il aperçoit Massenay.

BELGENCE. – Eh ! le voilà !

Il fait mine de descendre en scène.

MASSENAY, *allant à sa rencontre.* – Belgence !... Ah ! mon ami, entre ! Entre !

Belgence descend vers lui. – Étienne, avant de sortir, emporte le plateau qui est sur le piano.

CHANAL, *revenant à la charge.* – Enfin, Massenay, je t'en conjure... !

MASSENAY, *sur un ton sans réplique et tout en le retournant par les épaules dans la direction de son cabinet.* – Oh ! non, mon ami, non ! Tu vois, j'ai un ami à recevoir, ainsi... !

CHANAL, *se retournant de son côté.* – Mais sapristi, quand je te répète que ta femme... !

MASSENAY. – Oui ? Eh ! bien, je m'en fiche, de ma femme, je te dis ! J'en ai assez ! j'en ai par-dessus la tête !

CHANAL, *à bout d'arguments.* – Mais justement ! Il s'agit de ta tête !

MASSENAY, *le retournant et le poussant vers son cabinet.* – Eh bien, tant mieux ! ne t'occupe pas de ma tête ! et va par là.

CHANAL, *navré.* – Oh !

Il disparaît, agitant de grands bras au-dessus de sa tête.

MASSENAY, *allant à Belgence les mains tendues, et tout en parlant, le ramenant ainsi, les mains dans les mains, en marchant à reculons jusque devant la table de droite, de façon à ce que Belgence vienne s'asseoir sur le tabouret et Massenay sur le fauteuil.* – Ah ! mon bon Belgence ! Tu m'apparais comme le rayon de soleil ! Mais qu'est-ce que tu es devenu, depuis un an ? M'as-tu assez lâché !

BELGENCE, *gêné.* – Bien, tu sais, dans la vie... !

MASSENAY, *sans s'arrêter à sa réponse, le bourrant de questions.* – Et ma première femme, tu la vois toujours ? Qu'est-ce qu'elle devient ?

BELGENCE. – Eh bien, mais... !

MASSENAY, *d'affilée et comme un homme qui a tant de choses à dire qu'il ne sait par quel bout commencer, passant d'une idée à l'autre, sans se donner presque le temps de respirer.* – Ah ! quelle boulette j'ai fait de la quitter ! car enfin nous étions si heureux ! Ah ! Quelle différence jadis et aujourd'hui !... et elle aussi, tu sais, elle a fait une boulette ! elle est bien avancée maintenant, seule dans la vie ! Enfin, ne parlons pas de tout ça ! Le passé est le passé... tout ce que nous dirons ou rien... ! (*Sur un tout autre ton.*) Et qu'est-ce qui t'amène ?

BELGENCE, *un peu gêné.* – Eh ! bien, voilà : justement, je venais t'annoncer... j'ai l'intention de me marier.

MSSENAY, *effrayé pour lui.* – Oh ! mon ami, prends garde !... tu ne sais pas à quel danger tu t'exposes !... si tu tombes mal !... regarde, moi !

BELGENCE, *se levant et gagnant la gauche, sur un ton satisfait.* – Oh ! Mais je ne tombe pas mal.

MASSENAY, *se levant et s'asseyant sur le coin de la table.* – Oui ! Oh ! ça, mon pauvre vieux, on croit toujours... avant ; et puis quand une fois ça y est !... Connais-tu seulement bien la femme que tu épouses ?

BELGENCE. – Oh ! oui !

MASSENAY, *incrédule.* – Oho !

BELGENCE. – Je t'assure !... C'est ta femme !

MASSENAY, *bondissant.* – Hein !

BELGENCE. – Sophie, ta première femme !

MASSENAY, *lui sautant au collet et le secouant comme un prunier.* – Tu veux épouser ma femme, toi ?

BELGENCE, *à moitié étranglé.* – Mais oui, quoi ?

MASSENAY, *le repoussant.* – Ah çà ! tu es fou ! et c'est pour m'apprendre ça que tu viens ici ? Mais qu'est-ce qu'il te faut encore ? Tu ne veux pas que je te serve de garçon d'honneur ? Désolé, mon cher, j'ai passé l'âge !

Il redescend à droite.

BELGENCE. – Mais qu'est-ce que tu as ? On dirait que ça te vexe ?

MASSENAY, *avec un ricanement tout en regagnant vers lui.* – Moi ?... Moi, vexé !

BELGENCE. – Mais oui !... Tu ne peux cependant pas exiger de Sophie qu'elle se voue éternellement au célibat ?

MASSENAY, *l'écartant de lui d'une poussée du plat de la main à chaque « allez » ! – puis, gagnant la gauche jusqu'au tabouret de piano.* – Mais allez ! allez ! Mariez-vous. Je m'en fiche, moi ! Qu'est-ce que ça me fait ? Vous êtes libres !

BELGENCE. – Bien oui, je sais bien !... seulement, c'est Sophie... elle a tenu absolument à ce que je vienne te demander ton consentement.

MASSENAY. – Comment, mon consentement ?

BELGENCE. – Oui.

MASSENAY, *traversant la scène au-dessus de Belgence pour redescendre à droite de la table – tout cela, en parlant.* – Ah çà ! est-ce qu'elle perd la tête ? Est-ce que je suis son père ? Est-ce que je suis sa mère ? Est-ce que ça me regarde ?

BELGENCE, *qui a suivi le mouvement de Massenay.* – C'est ce que je lui ai dit ; mais c'est sa condition *sine qua non.*

MASSENAY. – Sa condition... !

BELGENCE. – Bien oui, n'est-ce pas ? Comme nous sommes liés tous les deux, elle ne veut pas avoir l'air de t'enlever tes amis.

MASSENAY, *avec ironie quoique touché au fond.* – Non, c'est extraordinaire !

BELGENCE, *se rapprochant de lui et sur un ton persuasif.* – Voyons, ça t'est égal... ! du moment qu'elle n'est plus à toi... que ce soit moi ou un autre ?...

MASSENAY, *obsédé et pour en finir.* – Soit, c'est entendu,

là ! Je t'enverrai un papier ! je te donnerai un certificat.

BELGENCE, *ravi et tout en allant prendre son chapeau qu'il avait déposé sur le piano.* – Ah ! c'est ça !... Je vais aller lui dire ça tout de suite ; elle m'attend, en bas, dans une voiture.

MASSENAY, *impulsivement.* – Ah ?... (*Sur un ton qu'il s'efforce de rendre plus indifférent, en voyant que Belgence s'est retourné à son « ah »*) Ah ! elle est... ?

BELGENCE, *sans malice.* – Oui ! pour ne pas perdre de temps n'est-ce pas... ? Oh ! si au lieu d'écrire... ça ne t'ennuyait pas de descendre deux étages... !

MASSENAY, *se rebiffant, quoique au fond, boudant contre son ventre.* – Moi ? Ah ! non, par exemple ! pourquoi donc ? Est-ce qu'elle est montée, elle ?

BELGENCE. – Oh !... elle n'aurait pas osé...

MASSENAY. – Pourquoi donc ?

BELGENCE. – Mais... à cause de ta femme.

MASSENAY, *sur un ton ricaneur.* – Francine ? Ah ! *ben !...* non, mais est-ce qu'elle se gêne, elle, pour m'amener ses maris ?... (*Indiquant de la main le cabinet de travail.*) J'en ai un ici, tiens, en ce moment.

BELGENCE. – Ah ? Alors, ça n'aurait pas... ?

MASSENAY. – Mais, voyons ! quand vous venez en fiancés !

BELGENCE. – Oh ! si j'avais su...

MASSENAY, *sur un ton qu'il s'efforce de rendre indifférent.* – Écoute, si ça peut t'obliger : veux-tu que je lui fasse demander de ta part... ?

BELGENCE. – Oh ! ce serait gentil !

MASSENAY. – Mais voyons ! c'est facile !

Il va sonner à la cheminée, puis, remonte au-dessus de la table pour aller rejoindre Belgence.

BELGENCE. – C'est tout à fait gentil ! (*Le faisant descendre et sur un ton confidentiel.*) Et puis, dis donc, écoute : quand elle sera là, si, sans avoir l'air de rien, tu pouvais un peu me faire valoir... citer mes qualités... j'en ai, tu sais !

MASSENAY. – Ah ? Lesquelles ?

BELGENCE. – Oh ! t'es rosse !... Tu comprends, c'est des choses que je ne peux pas faire moi-même ; tandis que venant de toi, ça aurait tout de suite un poids... !

MASSENAY, *avec jovialité.* – Bon, bon, je ferai valoir la marchandise.

Il remonte dans la direction du cabinet de travail.

SCÈNE VII

LES MÊMES, ÉTIENNE, puis CHANAL

ÉTIENNE. – Monsieur a sonné ?

MASSENAY, *se retournant à la voix d'Étienne, il est ainsi tout près de la porte du cabinet de travail.* – Oui... téléphonez au concierge qu'il y a en bas une dame dans une voiture : qu'il la prie de la part de M. Belgence d'avoir la complaisance de monter.

ÉTIENNE. – Bien, Monsieur.

Il sort. – Au moment où Massenay va redescendre, Chanal, qui a paru à la porte du cabinet, lui frappe timidement sur l'épaule.

CHANAL. – Pardon.. !

MASSENAY, *pivotant sur lui-même et se trouvant nez à nez avec Chanal.* – Oh ! non, mon ami, non ! si c'est encore pour me parler de ma femme !

CHANAL, *haussant les épaules d'un air triste.* – Eh ! non, puisque tu ne veux pas. (*Levant la main comme les écoliers.*) Un mot... rien qu'un mot !

MASSENAY, *impatienté.* – Eh bien, quoi ? Dis vite.

CHANAL, *descendant légèrement en scène.* – Eh bien, voilà...

Son regard se rencontre avec celui de Belgence ; ils échangent une légère salutation de la tête comme entre gens qui ne se connaissent pas.

MASSENAY, *remarquant le jeu de scène.* – Ah ! (*Présentant Chanal à Belgence.*) M. Chanal !... l'ancien mari de ma femme.

BELGENCE, *s'inclinant.* – Monsieur !

Chanal s'incline en même temps.

MASSENAY, *présentant Belgence.* – M. Belgence !... le futur mari de la mienne.

Nouvelles salutations.

CHANAL. – Je vous félicite.

BELGENCE. – Moi de même.

MASSENAY, *à Chanal.* – Et maintenant, quoi ? Qu'est-ce que tu voulais ?

CHANAL. – Peu de chose : je suis là tout seul...

MASSENAY. – Eh bien, prends un journal ! lis !

CHANAL. – C'est ce que je fais, mais quand je lis, j'aime bien fumer... tu n'as rien par là ?... J'ai oublié mes cigarettes...

MASSENAY. – Mais tu sais bien que je ne fume pas !... Ah ! attends ! dans la crédence, tu sais ! il doit y avoir encore des cigares... même qui viennent de toi.

CHANAL. – Ah ! parfait ! merci ! ne vous dérangez pas ! (*A Belgence.*) Monsieur, tous mes vœux !

BELGENCE. – Tous mes compliments !

Sort Chanal.

MASSENAY, *allant à Belgence.* – Je te demande pardon, mon cher Belgence...

BELGENCE. – Comment, c'est moi, au contraire !... (*Lui mettant une main sur l'épaule, et de l'autre main lui serrant la main.*) Tu sais, je suis profondément touché.

MASSENAY. – Mais voyons...

BELGENCE. – Si, si ! je sens bien l'effort que tu t'imposes pour me rendre service ! (*Quittant Massenay et descendant un peu.*) Car enfin, tu en veux toujours à Sophie.

MASSENAY, *d'un air détaché.* – Moi ? Oh !

BELGENCE. – Si, si... Et sincèrement ce n'est pas juste... Au fond, Sophie a toujours eu pour toi beaucoup d'affection.

MASSENAY, *avec un rictus amer passant au 1.* – Elle ne l'a pas prouvé.

BELGENCE, *parlant tout en marchant et allant s'asseoir sur le tabouret près de la table.* – Bien oui ! on fait souvent des choses dans la vie... ! Tu sais, elle était bien jeune... et puis, on donne un tas d'idées fausses aux jeunes filles dans les familles : on leur parle de la fidélité conjugale... alors, elles s'imaginent que c'est fait pour le mari.

MASSENAY, *qui pendant ce qui précède, s'est assis sur le tabouret de piano.* – C'est absurde !

BELGENCE. – Absurde ! (*Se levant.*) En tout cas, je puis te certifier une chose... c'est que bien des fois elle a regretté devant moi d'avoir été aussi intransigeante avec toi.

MASSENAY, *ému malgré lui, se levant.* – Ah ?... Oui ?

BELGENCE, *avec un bon sourire.* – Bien des fois !

MASSENAY, *très ému.* – Non, c'est vrai ?

BELGENCE, *opinant de la tête.* – Oui-oui !

SCÈNE VIII

LES MÊMES, ÉTIENNE, SOPHIE

ÉTIENNE, *dans le hall. accompagnant Sophie.* – C'est ici, Madame ! *Elle descend en scène.*

BELGENCE, *apercevant Sophie.* – Ah !

Il remonte à sa rencontre.

MASSENAY, *remontant également mais plus rapidement que Belgence, de façon à arriver plus vite que Belgence et à occuper le 2 – avec exaltation.* – Vous ! C'est vous !

SOPHIE, *descendant.* – Le concierge m'a dit...

MASSENAY, *ne lui laissant pas le temps de parler tant il a hâte d'avoir la confirmation des confidences de Belgence.* – Oh ! dites-moi ! dites-moi ! est-ce vrai ce que me dit Belgence ? Que vous regrettez... ! que si ç'avait été aujourd'hui... !

SOPHIE, *ahurie par ce brusque interrogatoire.* – Quoi ? Quoi ? De quoi me parlez-vous ?

MASSENAY. – Belgence... Belgence vient de m'affirmer...

BELGENCE. – Oui, c'est moi. Je sentais que Massenay avait conservé de l'animosité contre vous... alors, j'ai pensé... je lui ai dit combien souvent vous aviez regretté devant moi votre sévérité d'autrefois.

SOPHIE, *mécontente de son indiscrétion.* – Hein ?... Mais pourquoi avez-vous dit... ?

MASSENAY, *impatient.* – Est-ce vrai, voyons ?... Est-ce vrai ?

SOPHIE, *ne voulant pas avouer.* – Mais je ne sais pas !... En tous cas, je ne l'avais pas chargé... !

MASSENAY, *se lamentant.* – Oh ! mais alors, pourquoi avez-vous fait ce que vous avez fait ? Pourquoi avoir été si inflexible ?

BELGENCE, *voyant le tour que prend la conversation.* – Hein ?

SOPHIE, *forte de son bon droit.* – Pourquoi !

MASSENAY. – Oui, pourquoi ? Car enfin, est-ce que je méritais tant de rigueur ?... Pour une folie d'un moment ! pour rien !... Et cela sans vous demander si je n'allais pas être très malheureux.

BELGENCE, *voulant s'interposer.* – Eh ! là, Massenay ! Eh ! là !

MASSENAY, *sans même se retourner vers lui, l'écartant de la main.* – Chut ! assez toi ! (*A Sophie.*) Car enfin vous saviez que je vous aimais.

BELGENCE, *estomaqué.* – Oh !

SOPHIE, *avec un rictus amer.* – Oh ! vous m'aimiez !

MASSENAY. – Oui, je vous aimais ! (*Nouveau sourire d'incrédulité de la part de Sophie.*) Oui, je t'aimais !

BELGENCE, *se révoltant.* – Ah ! mais dis donc ! mais je suis là, moi.

MASSENAY. – Mais tais-toi donc, toi !

BELGENCE. – Ah ! mais... !

SOPHIE, *amère.* – Tu m'aimais ! pas assez pour t'empêcher de chercher des diversions ailleurs.

MASSENAY, *avec conviction.* – Eh ! qu'est-ce que ça prouve ?

SOPHIE. – Oh ! naturellement, pour vous autres hommes, ça ne prouve jamais rien ! Moi, oui ! moi je t'aimais !

BELGENCE. – Oh !

MASSENAY, *avec âpreté.* – Pas si profondément, puisque tu as su t'en guérir.

SOPHIE, *avec un geste de protestation.* – Moi ?

MASSENAY. – Eh ! oui, puisque ça ne t'empêche pas d'épouser Belgence. *Il l'indique avec la main.*

BELGENCE. – Ah ! mais à la fin.

SOPHIE, *passant au 2.* – Belgence ! Mais qu'est-ce que ça prouve ?... Il le sait bien Belgence !... J'ai beaucoup d'affection pour lui, mais... je ne l'aime pas.

MASSENAY, *débordant de joie.* – C'est vrai ! (*Avec une superbe conviction.*) Mais alors, tu n'as pas le droit de l'épouser !

BELGENCE, *passant entre Sophie et Massenay et s'interposant entre eux.* – Comment, « elle n'a pas le droit » ?

MASSENAY, *lui tenant tête.* – Non, elle n'a pas le droit !

BELGENCE, *exaspéré.* – Oh ! mais dis donc, ça n'est pas pour lui dire ça que je t'ai prié de la faire monter !

MASSENAY, *sur un ton sans réplique.* – Ça m'est égal ! (*Avec une éloquence persuasive.*) En ce moment-ci, c'est ton bonheur que je défends.

BELGENCE, *tombant des nues.* – Tu appelles ça mon bonheur ?

MASSENAY, *id.* – Oui, ton bonheur !... Et c'est même une chance pour toi que cette explication ait eu lieu aujourd'hui ! (*Passant au* (2) *et allant serrer Sophie contre sa poitrine.*) Ça nous a permis de voir que nous nous aimons toujours.

BELGENCE, *abruti.* – Oh !

SOPHIE, *très émue.* – Émile !

MASSENAY, *le bras gauche autour de la taille de Sophie.* – Oui, nous nous aimons toujours. Et tu sais, quand deux êtres s'aiment, fatalement un jour les rejette dans les bras l'un de l'autre ! et pouvons-nous faire cette peine à un ami comme toi ?

BELGENCE, *voulant protester.* – Mais...

MASSENAY, *lui coupant la parole.* – Tais-toi !... Évidemment, tu vas être très malheureux !

BELGENCE, *navré.* – Oui...

MASSENAY, *appuyant.* – Mais oui ! mais oui ! (*Changeant de ton.*) Mais nous te devons ça ! (*Sur un ton sentencieux.*) Mieux vaut te savoir malheureux une bonne fois tout de suite, que de t'exposer à le devenir plus tard.

BELGENCE. – Non, pardon, mon cher...

MASSENAY, *lui coupant la parole.* – Oh ! parbleu ! s'il ne s'agissait que de me sacrifier pour toi, ce serait un plaisir. Mais nous n'avons pas le droit de ne penser qu'à nous ! Nous devons penser, elle à moi ! moi à elle ! Nous n'avons pas le droit d'être égoïstes.

BELGENCE, *n'en croyant pas ses oreilles.* – Oh !

MASSENAY. – N'est-ce pas, ma Sophie ?

SOPHIE, *pendant que Belgence les considère, abruti et navré.* – Ah ! Émile, pourquoi n'es-tu pas libre !

MASSENAY, *tendrement, à Sophie.* – Oh ! Mais je me ferai libre ! Je t'aime, tu m'aimes, nous nous aimons : je divorce et nous nous remarions.

SOPHIE, *se jetant dans ses bras.* – Ah ! mon Émile !

BELGENCE, *ne se contenant plus, gagnant la gauche.* – Ah ! non ! non ! non !

SOPHIE, *pincée.* – Vous dites ?

BELGENCE. – Je dis non... non, j'aime mieux m'en aller.

Il remonte jusqu'au-dessus du tabouret de piano comme s'il allait s'en aller.

SOPHIE, *passant d'un bras de Massenay dans l'autre et avec un ton de parfaite insouciance.* – Oh ! mais allez-vous en, mon ami !

BELGENCE. – Oui. *Au lieu de s'en aller il s'assied sur le tabouret de piano.*

MASSENAY. – Personne ne t'a demandé de venir.

BELGENCE, *très piteux, sur le bord de son tabouret.* – Ah ! si j'avais su... !

SOPHIE, *faisant retomber sur lui tous les torts.* – Ah ! bien merci... Je ne vous soupçonnais pas ce caractère.

BELGENCE, *ahuri de cette sortie.* – Comment ?

SOPHIE, *toujours dans les bras de Massenay.* – Autoritaire, jaloux... ? Ah ! bien !... non mais regardez Émile, est-ce qu'il est jaloux, lui ?

MASSENAY. – Moi ?... Ah ! ben... !

SOPHIE. – Un mari jaloux ! ah ! non, merci !

BELGENCE, *tendant les bras comme pour reprendre Sophie.* Mais enfin, tu me prends ma femme !

MASSENAY, *faisant passer vivement Sophie de son bras droit dans son bras gauche de façon à occuper le 2.* – Ah ! non, tu es superbe ! Mais c'est toi qui me prends ma femme... et non pas moi qui te prends la tienne. J'étais son mari avant toi !

SOPHIE, *avec une mauvaise foi superbe.* – Absolument.

MASSENAY, *avec dédain en montrant Belgence.* – Quand je pense que tout à l'heure je me dévouais pour son bonheur ! maintenant qu'il s'agit du nôtre, monsieur pense à lui !

SOPHIE, *avec une moue dédaigneuse passant au 2.* – Oh ! moi qui vous croyais tant de qualités !

BELGENCE, *qui commence à ne plus savoir de quel côté sont les torts, lève les épaules d'un air malheureux, puis, bien piteux.* – Je vous demande pardon.

SOPHIE, *bon prince.* – Oh ! je ne vous en veux pas : c'est votre caractère !... Seulement je suis heureuse d'avoir appris à vous connaître... (*Changeant de ton.*) Allons, au revoir, Émile !

MASSENAY. – Au revoir, Sophie !... A bientôt ?

SOPHIE. – Oui. (*Elle remonte puis se retournant, d'un ton hautain à Belgence.*) Vous me reconduisez ?

BELGENCE, *se levant et sur un ton penaud.* – Ah ?... Je peux tout de même... ?

SOPHIE. – Mais oui, vous êtes toujours... *notre* ami.

Elle appuie intentionnellement sur « notre ».

BELGENCE. – Ah ? bon...

MASSENAY, *comme s'il ne s'était rien passé lui tendant jovialement la main.* – Allons, au revoir, toi.

BELGENCE, *lui refusant la main.* – Ah !... non !

MASSENAY. – Non ?... Eh ! mon vieux... à ton aise.

Il gagne un peu à droite.

BELGENCE, *qui est allé chercher son chapeau, redescendant à Massenay et comme un enfant qui va pleurer.* – Ah !

non, tu sais... ! tu aurais mieux fait de me dire cela tout de suite !

Il sort précipitamment.

MASSENAY, *haussant les épaules.* – Ingrat ! (*Courant au cabinet où est Chanal et appelant.*) Chanal ! Chanal !

Il redescend aussitôt.

SCÈNE IX

MASSENAY, CHANAL

CHANAL, *arrivant et descendant à sa suite.* – Quoi ?

MASSENAY, *se retournant au son de sa voix et avec transport.* – Ah ! mon ami, tu vois un homme éperdument amoureux de sa femme !

CHANAL, *étonné.* – De Francine ?

MASSENAY, *envoyant promener ses bras en l'air.* – Eh ! non, pas de Francine ! Qu'est-ce que tu me chantes avec Francine ? (*Avec ardeur.*) Non, de Sophie, de ma première femme !

CHANAL, *ahuri de ce qu'il entend.* – Hein ?

MASSENAY. – Ah ! non, merci, Francine ! celle-là, quand je pourrai divorcer... !

CHANAL. – Ah ! bien, du train dont vont les choses... !

MASSENAY. – Quoi, « du train » quel train ?

CHANAL. – Quel train ? (*Le prenant par la main et le faisant descendre.*) Pas plus tard qu'il y a dix minutes, ta femme... là !... avec Coustouillu !

MASSENAY. – Ah ! là !... Qu'est-ce que tu chantes ? « Coustouillu » ?

CHANAL. – Parfaitement ! Il l'étreignait dans ses bras, il la couvrait de baisers.

MASSENAY. – Coustouillu ? (*Riant.*) Ah ! tiens tu me fais rire.

CHANAL. – Oui, ris, ris, nous verrons bien.

MASSENAY. – Ah ! et puis tant mieux, après tout, si cela est ! Qu'est-ce que je cherche ? Le divorce : eh bien, comme ça, ça fera le bonheur de tout le monde. Francine regrettait son Coustouillu, elle pourra l'épouser. (*Avec amour.*) Et moi, je répouse ma femme.

CHANAL. – Hein !... mais tu n'en as pas le droit.

MASSENAY. – Parce que ?

CHANAL. – Parce qu'on ne peut pas épouser sa première femme du vivant de la seconde.

MASSENAY, *dans un bel élan oratoire.* – Eh bien, tant pis pour la loi, si la loi le défend ! C'est elle qui commet une monstruosité en empêchant deux égarés d'un moment de réparer leur erreur ! Au-dessus des lois sociales, il y a les lois de la nature ! et foin de ceux qui s'en choqueront ! nous nous aimerons quand même ! nous serons des époux illégitimes, et voilà tout ! (*Apercevant Francine qui arrive de gauche, à mi-voix à Chanal.*) Oh ! ma femme ! chut !

Il se sépare de Chanal et gagne un peu à gauche.

SCÈNE X

LES MÊMES, FRANCINE, puis ÉTIENNE et COUSTOUILLU

FRANCINE, *descend entre piano et mur, et arrivée devant le canapé, sur un ton persifleur.* – Eh ! bien, voilà !... j'ai choisi un amant !

MASSENAY, *gouailleur.* – Ah ?

FRANCINE. – Tu as fait tout ce qu'il fallait pour ça ; tu m'as bien poussée à bout... tu n'auras à t'en prendre qu'à toi-même ! Demain, ce sera chose accomplie.

MASSENAY, *ironique.* – Ah ? c'est demain ?... Tu es bien aimable de me prévenir.

FRANCINE, *gouailleuse.* – Oui, tu n'en crois pas un mot.

MASSENAY, *id.* – Mais si... mais si !...

FRANCINE. – Et pourtant, c'est l'exacte vérité !...

MASSENAY. – Parfait ! Parfait ! Et... quel est celui qui ?

FRANCINE. – Oh ! Ça c'est mon secret ! Tu ne penses pas que je vais aller te le dire !

MASSENAY, *s'inclinant ironiquement.* – Oh ! pardon ! pardon !

Il gagne vers Chanal tandis que Francine remonte à gauche du piano.

CHANAL, *bas à Massenay.* – Parbleu ! C'est bien ça : c'est Coustouillu !

MASSENAY, *haussant les épaules.* – Ah ! ouat [23], Coustouillu !

CHANAL. – Bien ! bien ! N'empêche que si tu le voyais entrer ne bafouillant plus... et parlant comme tout le monde... !

ÉTIENNE, *annonçant.* – Monsieur Coustouillu !

Entrée de Coustouillu entièrement transformé : il est à l'aise, le ton dégagé, le geste large et parle d'abondance.

COUSTOUILLU. – Allez, Étienne ! inutile de m'annoncer. (*Sans transition tout en descendant vers Massenay et Chanal qui coude à coude l'un contre l'autre le regardent bouche bée.*) Bonjour, mon cher Massenay ! Comment ça va aujourd'hui ? Quel temps, hein ! Un soleil radieux ! Je passais devant tes fenêtres, je me suis dit : « Je vais monter lui serrer la main ! » Tu as bonne mine tu sais ! C'est vrai, il a bonne mine.

MASSENAY, *n'en croyant pas ses oreilles.* – Il parle !

COUSTOUILLU, *toujours sur le même ton.* – Tiens, Chanal !... Ah ! bien !... un revenant alors !

Il va lui serrer la main.

CHANAL, *ahuri, et sur le même ton que Massenay.* – Tu parles !

COUSTOUILLU, *allant à Francine qui, ayant fait le tour du piano pendant ce qui précède, est redescendue peu à peu à l'angle droit du piano et du canapé.* – Quant à vous, madame, je vous gardais pour la bonne bouche : la dernière !... Vous allez bien depuis hier ?

FRANCINE, *bas et vivement.* – Mais faites donc attention, voyons ! vous ne bafouillez plus !...

COUSTOUILLU, *bas et vivement.* – Ah ! oui ! (*Haut et essayant maladroitement de bafouiller.*) Hein ? euh ! je... je... parce que le le...

MASSENAY, *qui ne s'y trompe pas, gouailleur.* – Oui, oui, oui !

COUSTOUILLU. – Alors, mon cher, euh... !

MASSENAY, *lui soufflant, moqueur.* – ... Massenay !

COUSUTOUILLU, *sur le même ton.* – Massenay... oui, euh !...

MASSENAY. – Et puis, je ne sais pas pourquoi tu te remets à bafouiller ! tout à l'heure, quand tu es entré, il semblait que tu étais guéri.

COUSTOUILLU. – Hein ? euh !... Je vais te dire : depuis quelque temps, je suis un traitement pour ça, et ça va beaucoup mieux ; tiens, tu vois.

MASSENAY, *toujours ironique.* – Oui, oui, oui !

CHANAL, *à part.* – Mon Dieu, les pauvres !

COUSTOUILLU. – Mais ce n'est pas tout ça ! Voici ce qui m'amène : je voulais te faire part d'une idée que j'ai eue et savoir si elle t'agrée...

MASSENAY, *affectant un air très intéressé.* – Vraiment ?... Et quoi donc ?

COUSTOUILLU. – Eh bien voilà : je trouve qu'amis comme nous le sommes, nous demeurons bien loin les uns des autres...

FRANCINE, MASSENAY, CHANAL, *à part.* – Hein ?

Pendant ce qui suit, en entendant Coustouillu s'enferrer, Massenay qui est côte à côte avec Chanal, mais un peu plus en avant que lui, manifeste sa satisfaction en lui donnant sur la poitrine de petites tapes du plat de la main renversée. Chanal lui donne malicieusement une bonne tape sur la main.

COUSTOUILLU, *sans s'apercevoir du jeu de scène.* – Tu as un entresol à louer... Qu'est-ce que tu dirais de m'avoir pour locataire ?

MASSENAY, *hypocritement.* – Toi ?

FRANCINE, *à part.* – L'imprudent !

MASSENAY, *allant à Coustouillu.* – Mais à la bonne heure ! Toi ! Toi ! mais je crois bien ! un ami comme toi ! Parle-moi de ça !

Il remonte au-dessus de la table pour redescendre entre celle-ci et la cheminée, cela, jusqu'au fauteuil (droite de la table) qu'il tire à lui de façon à l'amener devant la dite table, à laquelle aussitôt, il s'installe pour écrire.

COUSTOUILLU. – Brave ami !

CHANAL, *à part, allant à la cheminée.* – Non, quel rôle joue-je, mon Dieu ? Quel rôle joue-je ?

MASSENAY, *s'apprêtant à écrire.* – Quand veux-tu ça ?

COUSTOUILLU. – Mais tout de suite... j'emménage demain et je couche après demain.

MASSENAY, *ironiquement.* – Et tu couches après demain !... Parfait, parfait !... (*Affectant l'air contrarié.*) Ah ! diable ! c'est qu'après-demain je ne serai pas là !... (*Avec perfidie.*) Je passe toute la journée jusqu'au lendemain à Rouen.

COUSTOUILLU et FRANCINE. – Ah !

Ils échangent un coup d'œil de connivence. Chanal trouvant qu'il va trop loin, a posé comme pour l'arrêter sa main droite sur le poignet gauche de Massenay. De la main droite, celui-ci donne une tape sur la main de Chanal, puis :

MASSENAY. – Mais au fait, tu n'as pas besoin de moi ! le concierge sera là pour t'installer.

COUSTOUILLU. – Oui, oui, ne t'inquiète pas !

MASSENAY, *écrivant.* – Je vais m'occuper de ça tout de suite.

COUSTOUILLU. – Merci.

CHANAL, *à part.* – Ah ! le malheureux !

COUSTOUILLU, *bas à Francine.* – Mercredi soir alors ?

FRANCINE, *sur le ton d'une personne décidée à la vengeance.* – Soit !

CHANAL, *s'approchant et jetant un coup d'œil par-dessous l'épaule de Massenay.* – Qu'est-ce que tu écris là ?

MASSENAY, *qui vient d'apposer sa signature au bas de la lettre qu'il vient d'écrire.* – Tiens, lis !

Il remet le papier à Chanal, et descend à gauche de la table, tandis que Chanal descend par la droite.

COUSTOUILLU, *près de Francine – de loin.* – C'est mon bail ?

MASSENAY, *avec un sourire machiavélique.* – Oui, oui ! c'est ton bail.

COUSTOUILLU, *de confiance, à Francine.* – C'est mon bail.

CHANAL, *lisant.* – « Monsieur le Procureur de la République !...

MASSENAY, *lui enlevant subitement le papier des mains.* – Chut ! Tais-toi !

CHANAL, *avec inquiétude.* – Mais qu'est-ce que tu comptes faire ?

MASSENAY. – Tu le demandes ? Mais exactement ce que tu as fait pour moi.

CHANAL. – Le flagrant délit ?

MASSENAY, – Ah ! mon cher, je suis de ton école : « le mariage est une partie de baccara... ? » (*Désignant Coustouillu.*) A lui les cartes ! la main passe !

CHANAL. – La main passe ?

MASSENAY. – La main passe.

CHANAL. – Ah !... non, non, ça n'est plus une main !... c'est une muscade [24] !

RIDEAU

L'AGE D'OR

COMÉDIE MUSICALE EN TROIS ACTES,
ET NEUF TABLEAUX,
REPRÉSENTÉE POUR LA PREMIÈRE FOIS, LE 1er MAI 1905,
SUR LA SCÈNE DU THÉATRE DES VARIÉTÉS.
Collaborateur : Maurice DESVALLIÈRES.
Musique de Louis VARNEY

NOTICE

L'opéra-comique à grand spectacle n'avait guère réussi à Feydeau : *La Bulle d'Amour* [1], créée au Théâtre Marigny en 1898, *Le Billet de Joséphine* représenté plus récemment – en 1902 – avaient été des échecs. Pourtant, lorsqu'en 1904 Samuel proposa à Feydeau d'écrire une œuvre de ce genre, l'auteur accepta. Samuel qui, au début de 1892, avait acheté à Eugène Bertrand le bail des Variétés, était parvenu à rendre à l'établissement une prospérité qu'il ne connaissait plus depuis longtemps, en le spécialisant dans la revue et surtout dans l'opérette. Il envisageait justement de présenter, pour la saison 1904-1905, un cycle lyrique comportant *La Vie Parisienne, Barbe-Bleue, Le Petit-Duc, La Fille de Madame Angot* [2] et il estimait qu'une œuvre originale écrite par son ami Feydeau, achèverait heureusement la série des œuvres déjà consacrées qu'il désirait reprendre. Certes il faudrait que l'auteur, à la demande de Samuel, collaborât avec Maurice Desvallières, alors que les deux hommes, brouillés, avaient cessé de travailler en commun depuis *l'Hôtel du Libre-Échange* (1894). Mais ne serait-ce pas l'occasion pour eux de se réconcilier ? Au surplus, malgré le vif succès de *La Main passe,* créée le 1er mars 1904, la situation financière de l'auteur était encore critique : le 20 juin de cette même année, était intervenue une séparation judiciaire des biens des époux, destinée à mettre à l'abri la fortune de madame Feydeau – et, sans doute, à la demande

1. Dont le texte est resté inédit.
2. En fait, il monta des œuvres très différentes de celles qu'il projetait de reprendre. Cf. Soubies, *Almanach des spectacles,* 1905, pp. 52-53.

de celle-ci. D'autre part, les 21 et 22 novembre 1904, l'auteur allait devoir mettre en vente à l'Hôtel Drouot, 202 meubles et objets de vitrine. Pouvait-il, dans ces conditions, refuser l'offre qui lui était faite ?

Comment Feydeau et son collaborateur imaginèrent-ils d'utiliser le rêve comme tremplin de leur fantaisie ? A vrai dire, le procédé n'était pas nouveau. Félix Duquesnel n'avait pas tort d'évoquer un vaudeville fameux créé près d'un siècle auparavant, un chef d'œuvre du genre, *Victorine ou La Nuit porte conseil* [1] ou même *Les Contes d'Hoffmann,* pièce de Barbier et Carré d'abord représentée à l'Odéon, en 1851, puis accommodée en opéra-comique par Offenbach [2]. Mais l'essentiel n'était-il pas de savoir exploiter avec talent ce cadre si souvent utilisé ? La musique avait été confiée à Louis Varney [3]. La préparation du spectacle fut laborieuse : il y fallut, nous révèle Stoullig, « deux mois de patientes études préparatrices et une longue semaine de relâche où les répétitions ne se terminaient jamais avant trois heures du matin [4]. » Ce qui ne surprendra pas si l'on sait que la pièce, dont Samuel désirait qu'elle justifiât l'appellation « à grand spectacle », comportait douze tableaux, donc douze décors et environ trois cents costumes ; encore avait-on réduit le nombre des tableaux qui, primitivement, devait être de seize.

L'œuvre, qui devait couronner la saison, fut créée le 1er mai 1905. Elle fut très bien accueillie par la critique et par le public ; d'abord pour la décoration, les costumes et la mise en scène : celle-ci était « luxueuse et étincelante. On se demande même comment on a pu la réaliser sur un théâtre aussi peu « machiné » que celui des Variétés, où jamais on n'assista à pareille fête [5]. » Par ailleurs, comme le note le très sérieux Stoullig, « des nus académiques imposaient l'admiration [6]. » La musique de Louis Varney ne fut pas moins appréciée et en particulier les divers couplets de la reine Margot ou les valses du troisième acte.

---

1. Drame-vaudeville en 5 actes de Dumersan, Lurieu et Dupeuty créé à la Porte Saint-Martin le 21 avril 1837.
2. Créé à la salle Favart, le 10 février 1881.
3. Louis Varney (1844-1908), auteur de ballets-pantomimes et d'une quarantaine d'opérettes dont *Les Mousquetaires au couvent* (1880), et *Fanfan la Tulipe* (1882).
4. *Les Annales du Théâtre et de la Musique,* 1905, p. 221.
5. Félix Duquesnel dans *Le Théâtre, mai 1905, II, nº 154.*
6. *Les Annales...*, 1905, p. 225.

L'interprétation fut également très remarquée, notamment le jeu d'Albert Brasseur, merveilleux d'entrain et de verve selon les critiques de l'époque, dans le rôle écrasant de Follentin, mais aussi celui de Marie Magnier, qui jouait madame Follentin, ainsi que celui d'Ève Lavallière qui incarnait une collégienne de l'an 2000 [1].

L'argument lui-même fut bien accueilli, fût-ce par Catulle Mendès, pourtant peu suspect d'indulgence à l'égard de l'auteur : « Voilà, écrivait-il, une pièce où il y a de l'invention presque neuve, de la vive bonne humeur (...) une pièce, enfin qui est tout à fait divertissante [2]. » Stoullig notait, pour sa part : « C'est une véritable féerie ayant pour point de départ une idée de comédie à la fois plaisante et philosophique. Plaisante en ce que la pièce constitue comme une sorte de voyage à travers les âges (...), philosophique parce que la conclusion (...) c'est que l'âge d'or, c'est nous qui le faisons autour de nous, à force de volonté, d'imperturbable confiance et de persistante belle humeur (...) L'idée était ingénieuse et nouvelle : il appartenait à de véritables hommes de théâtre, comme le sont les deux auteurs de *L'Age d'or,* d'en tirer parti avec la grâce et l'esprit, l'adresse et la fantaisie, la richesse d'invention et la puissance de comique qui caractérisent leur talent. La promenade est (...) singulièrement mouvementée et, dans un cadre pittoresque, élégant et splendide, l'ironie historique ou philosophique est parfois mordante, toujours spirituelle et gaie [3]. » Le critique de la *Revue Théâtrale* est, quant à lui, tout à fait dithyrambique, n'hésitant pas à écrire : « Il nous semble impossible de dépenser plus d'esprit, de verve et de science théâtrale [4]. »

Malgré ce très bon accueil, la pièce, qui avait été créée en fin de saison, ne bénéficiera que de 33 représentations jusqu'à la fermeture annuelle de l'établissement, le 1er juillet : Samuel avait vu trop grand. Les frais de représentation d'une telle œuvre étant excessifs, il ne lui sera pas possible de la reprendre à la rentrée. C'est probablement pour des raisons analogues qu'à notre connaissance, *L'Age d'or* n'a jamais été repris.

Par sa nature, cette pièce est tout à fait exceptionnelle dans

---

1. Cf. *Revue théâtrale,* juin 1905 et *Annales du Théâtre et de la Musique,* 1905, pp. 224-225.
2. Cp. de presse, Bibl. de l'Arsenal, Rf. 58.660 (2).
3. *Annales du Théâtre,* ibid.
4. *Revue Théâtrale,* ibid.

l'œuvre de Feydeau : ni comédie, ni vaudeville, ni opérette mais un peu de tout cela à la fois, c'est un « monstre » comme l'écrivait Catulle Mendès, qui, en la circonstance, n'attachait pas le moindre sens péjoratif à cette expression. Cette absence totale de contraintes dont bénéficiait l'auteur, en portant sur la scène le rêve d'un personnage, lui a permis de donner libre carrière à son imagination et à sa fantaisie. L'habileté de Feydeau a consisté, notamment, à garder à son protagoniste, qu'il promène à travers les époques, sa mentalité et ses connaissances de 1905, ce qui produit d'innombrables effets comiques. Follentin, plus proche d'ailleurs de Joseph Prudhomme que d'un héros romantique, n'en a pas moins l'audace d'ébaucher une idylle avec la reine Margot et de tuer en duel le bon roi Henri. « Mais c'est impossible, s'écrie-t-il, si j'ai tué Henri IV, que va devenir Ravaillac ? » Plus tard, nous le voyons enseigner à Louis XV l'usage du cigare et des allumettes et lui conseiller de prendre Jeanne Bécu comme favorite. L'évocation de l'an 2000 n'est pas moins piquante. L'auteur y fait d'ailleurs preuve, sur certains points, d'une étonnante prescience : les véhicules de cette époque circulent couramment à deux mille kilomètres à l'heure, la drogue est en vente libre, le féminisme triomphe ; ce sont les femmes qui font des avances aux hommes et les couvrent de cadeaux ; en revanche, elles effectuent, comme eux, leur service militaire.

On raconte que Sacha Guitry aurait assisté, fasciné, à plusieurs représentations consécutives de *L'Age d'or* et en aurait conçu l'idée de ses évocations historiques – *Histoires de France, Remontons les Champs-Élysées, Si Versailles m'était conté,* etc. Et peut-être le metteur en scène Christian Jaque a-t-il emprunté à la pièce de Feydeau l'idée de son célèbre et désormais classique *François I*[er] (1937) où le héros, interprété par Fernandel, remonte le cours du temps, arrive à la cour des Valois et, grâce au *Petit Larousse,* prédit à chacun le destin qui l'attend.

Toujours est-il que, par son découpage, par son rythme de comédie musicale, par ses nombreux décors, la pièce aurait mérité d'attirer l'attention des cinéastes à plus juste titre que les grands vaudevilles qu'ils n'ont fait, le plus souvent, que dénaturer.

Cette œuvre, longtemps restée inédite, ne fut publiée qu'en 1956, dans le tome IX du *Théâtre complet* (Éditions du Bélier).

RÉSUMÉ DE LA PIÈCE

Prologue. – Chez Follentin. Follentin, employé aux Affaires Étrangères, a hérité d'une somme importante qu'il a en grande partie dépensée. Mais comme un autre héritier, s'estimant lésé, a fait opposition, il se trouve aux abois. Par ailleurs, il est en mauvais termes avec son collègue Bienencourt qui a obtenu une décoration qu'il convoitait. Fort heureusement, toutefois, il va être nommé chef de bureau : il aura ainsi Bienencourt sous ses ordres.

Gabriel, jeune prestidigitateur, est amoureux de Marthe, la fille de Follentin et il tente d'aider le père de celle-ci à se tirer d'affaire : il lui a trouvé un avocat prêt à plaider sa cause sans demander de provision. Mais Follentin chasse le jeune homme. Il tente ensuite de vendre à l'antiquaire Ebrahim une pendule historique ; le marchand essaye de l'escroquer. Il le met à la porte.

Bienencourt vient ensuite s'excuser : c'est lui qui a obtenu la place de chef de bureau convoitée par son collègue. Follentin, ulcéré, se met au lit. Pour le calmer, sa fille lui lit la Reine Margot *d'Alexandre Dumas. Il s'endort. Le Temps lui apparaît alors sous les traits d'Ebrahim et l'invite à se rendre à la recherche de l'Age d'or puisqu'il est si mécontent de son époque.*

Acte I. – Premier tableau – La place Saint Germain l'Auxerrois sous Charles IX. Encore revêtus de leurs costumes modernes, Follentin, sa femme et sa fille se promènent la nuit, dans un Paris où fourmillent des conjurés. Ils rencontrent Coconas avec lequel ils se lient d'amitié et dînent à l'auberge de la Belle Étoile. Pendant ce temps, ils sont épiés par le traître Maurevel qui ressemble étonnamment à Bienencourt. Puis Follentin, pris pour un protestant, est pourchassé avec sa famille. Mais Grégoire, valet de l'aubergiste – et qui a le visage de Gabriel – leur explique qu'il s'agit de la Saint-Barthélémy. Il parvient à les sauver.

Deuxième tableau. – La chambre de la reine Margot au Louvre. La reine s'apprête à passer sa nuit de noce avec le roi de Navarre. Soudain, on entend des coups de feu. Traqué, Follentin se réfugie dans le lit de la reine : celle-ci le sauve et lui déclare son amour. Mais voici le mari : Follentin n'a que le temps de se dissimuler derrière les rideaux du lit. Henri s'aperçoit de la présence d'un homme dans la chambre conjugale ; il n'est pas jaloux, puisqu'il s'est marié par pure politique, mais il s'amuse à donner quelques coups de cravache à l'inconnu, à travers les rideaux.

Follentin s'apprête à rejoindre sa famille lorsque surviennent Charles IX et Catherine de Médicis. Que diront-ils si, à la place du roi de Navarre, ils trouvent un étranger dans la chambre conjugale ? Aussi Margot fait-elle entrer Follentin dans son lit : il feindra de dormir. La supercherie réussit mais Maurevel prouve à Catherine que l'homme qui est avec la reine n'est pas le roi de Navarre. Elle fait donc garder toutes les issues et décide de prévenir Henri : c'est à lui qu'il appartient de châtier l'insolent. Follentin, s'est déguisé en page mais il est surpris par le roi qui l'oblige à se battre en duel : il tue le monarque puis dissimule son cadavre dans une banquette. Mais Henri n'était pas mort. Il dénonce son assassin. Follentin est emmené place de Grève par le bourreau. Mais ce dernier n'est autre que Gabriel. Le héros est sauvé. Mais comme il n'est pas satisfait de l'époque qu'il vient de revivre, le Temps va le transporter sous Louis XV.

Acte II. – Premier tableau – Une grotte qui sert de repaire à Cartouche et à sa bande. Une chaise de poste conduite par Bienencourt verse à proximité de la grotte. Follentin est indemne mais fait prisonnier par les brigands. Survient alors Gabriel, qui se fait passer pour un bandit du XXe siècle. Utilisant ses talents de prestidigitateur, il délivre Follentin qu'il prétend être son chef. Follentin se voit alors offrir la codirection de la bande. Mandrin se joint à eux. Mais toute la troupe, y compris le héros, est arrêtée sur l'ordre de Bienencourt déguisé en Maréchal de France.

Deuxième tableau. – Un cachot de la Bastille. Follentin apprend le poker à Cartouche et à Mandrin. Bienencourt, déguisé en géôlier, leur annonce leur exécution à bref délai. Gabriel, en serrurier, fait évader les compagnons du héros grâce à une échelle de corde qu'il leur prête. Mais Follentin lui-même, pris de vertige, ne peut utiliser ce moyen : Gabriel est obligé de l'escamoter pour le faire réapparaître sous Louis XV. Par ailleurs il va rechercher madame Follentin et sa fille oubliée à l'époque de Charles IX.

Troisième tableau. – Sous Louis XV. A Versailles. Un coin du parc. Le roi présente le « chevalier Follentin » aux dames de la cour. Une branche d'arbre casse : une jeune paysanne du nom de Jeanne Bécu tombe à terre. Elle avait voulu voir le roi. « Mais c'est la du Barry » s'exclame Follentin qui conseille à Louis XV de la prendre pour favorite. Il enseigne au souverain l'usage du cigare, des allumettes, et, à Franklin, celui du paratonnerre.

Madame Follentin et sa fille sont de retour. Le monarque jette son dévolu sur Marthe. Comme son père s'y oppose, il fait appel à M. de Sartine pour qu'il conduise Follentin à la Bastille. Dégoûté pour toujours du passé, le héros demande au Temps de le transporter dans l'avenir.

Acte III. – Premier tableau – La place Saint Augustin en l'an 2000. L'église est devenue un music-hall. Les femmes sont astreintes au service militaire. Ce sont elles qui font des avances aux hommes. Plus de chemins de fer : des ballons. Les autos roulent à 2000 kilomètres à l'heure.

Follentin est accosté par une jeune collégienne qui lui offre des fleurs : le marchand est... Rothschild, ruiné par le fisc. Gabriel et Marthe se sont mariés, non point à l'église mais dans un grand magasin. Apparaît alors Bienencourt qui, sous les traits d'un vieillard salace, entraîne Follentin dans une orgie romaine.

Deuxième tableau. – L'orgie romaine. Les deux hommes rejoignent un rassemblement de jeunes décadents principalement adonnés à l'usage des stupéfiants. Mais le palais où ils se trouvent est miné ; il doit sauter à minuit. « Trop tard », dit Bienencourt à Follentin qui tente de s'échapper.

Épilogue. – Même décor qu'au prologue. Gabriel vient annoncer qu'il a réussi à vendre la pendule 1 200 000 francs. Enfin réveillé, Follentin lui accorde sa fille en mariage. Pour prouver l'amitié qu'il porte à son collègue, Bienencourt a décidé de renoncer au poste qu'on lui offrait. Il a d'ailleurs préparé une lettre de démission. Mais Follentin la déchire.

Conclusion : « Il est entre nos mains, l'Age d'or ».

PERSONNAGES

FOLLENTIN	MM.	BRASSEUR
GABRIEL		PRINCE
GRÉGOIRE		PRINCE
BOURREAU		PRINCE
MONSIEUR DE SARTINE .		PRINCE
LOUIS XV		RENÉ FUGÈRE
HENRI		CLAUDIUS
UN PRISONNIER		CLAUDIUS
COCONAS		DAMBRINE
CARTOUCHE		VAUTHIER
EBRAHIM		PETIT
BIENENCOURT		ANDRÉ SIMON
MAUREVEL		ANDRÉ SIMON
LEBEL		ANDRÉ SIMON
CHARLES IX		CARPENTIER
MANDRIN		CARPENTIER
UN AMATEUR		RAITER
LA HURIÈRE		BATREAU
UN TROTTIN		BERGERAT
LE TEMPS		X
UN GARÇON DE RECETTE		X
UN MARCHAND DE FLEURS		X
MADAME FOLLENTIN ...	Mmes	MARIE MAGNIER

LA REINE MARGOT	TARIOL-BAUGÉ
UNE COLLÉGIENNE	EVE LAVALLIÈRE
UNE PAYSANNE	JEANNE SAULIER
CATHERINE DE MÉDICIS .	EVANS
MARQUISE DE POMPADOUR	FOURNIER
MARTHE	GINETTE
GILONE	CROIX-MEYER
DUCHESSE DE CHATEAUROUX	DORLAC
MARQUISE DE BOUFFLERS	ROLLE
DUCHESSE DE CHOISEUL	EYMARD
LA GARDIENNE	X
L'AMPHITRYONE	X

MANNEQUINS, TROTTINS, PASSANTS, PASSANTES, SOLDATS, ETC.

PROLOGUE

Chez FOLLENTIN

Chambre d'un appartement modeste où se cotoyent des meubles disparates, les uns riches et de mauvais goût, les autres simples et sans prétention. A gauche 1er plan, une cheminée, avec une très belle pendule d'époque Louis XV. 2e plan, porte donnant sur la chambre de Madame Follentin et de Marthe. Au fond, à gauche, porte donnant sur une petite anti-chambre. A droite, également de face, porte donnant sur la cuisine. Entre les deux portes, lit formant alcôve. A droite, entre le 1er et le 2e plan, fenêtre ouvrant sur la rue. Au milieu de la scène, un peu à droite, une table servie à trois couverts.

SCÈNE PREMIÈRE

MADAME FOLLENTIN, MARTHE, BIENENCOURT

Au lever du rideau, Marthe est à la fenêtre de droite, appuyée contre la vitre, et guette. Bienencourt est assis sur une des chaises près de la table à manger.

MADAME FOLLENTIN (*venant de la cuisine avec un plat qu'elle pose sur la table. A Marthe*) . – Eh ! bien, tu n'aperçois pas ton père ?

MARTHE. – Non, m'mam.

MADAME FOLLENTIN. – C'est curieux !

BIENENCOURT. – Écoutez, chère Madame, je ne vais pas pouvoir attendre plus longtemps.

MARTHE. – Ma foi ! je n'ai pas de conseil à vous donner, monsieur Bienencourt, mais vous savez, quand une fois papa est dehors !...

MADAME FOLLENTIN. – Oh ! il rentrera. Surtout aujourd'hui que c'est ma fête. Oui. Et d'ailleurs, il a dit : « Je sors pour une heure. »

MARTHE. – Oh ! une heure ! nous connaissons une dame,... son mari était sorti, comme ça, pour cinq minutes et il est revenu au bout de quatre ans !

MADAME FOLLENTIN. – Tu es gaie, toi !

BIENENCOURT. – Quatre ans !... Ça me décide ! Je m'en vais, d'autant que, toutes réflexions faites, je préfère que ce soit vous qui abordiez la question.

MARTHE. – Vous avez la frousse, Monsieur Bienencourt ?

BIENENCOURT. – Tiens ! S'il m'envoie promener !

MADAME FOLLENTIN. – Allez, Monsieur Bienencourt, je ferai tout mon possible pour faire cesser cette brouille ridicule.

BIENENCOURT. – Oh, oui ! n'est-ce pas ? C'est si bête !... De vieux camarades comme nous !... Songez que voilà quinze ans que nous travaillons côte à côte au ministère des Affaires Étrangères.

MADAME FOLLENTIN. – C'est évident ! Mais, entre nous, vous avez manqué de doigté.

BIENENCOURT. – Mais en quoi ?... En quoi ?... Enfin, qu'est-ce qu'il a contre moi ?

MARTHE. – Ce qu'il a ? Il a l'éléphant.

BIENENCOURT. – L'éléphant ?

MADAME FOLLENTIN. – Eh ! oui, l'éléphant !

MARTHE. – Vous lui avez soufflé l'éléphant ! C'est pas chic !

BIENENCOURT. – Ah ! L'éléphant de Siam [1] ! Mais c'est le roi lui-même qui m'en a nommé commandeur.

MADAME FOLLENTIN. – Oui, parce que vous vous êtes fait désigner pour l'accompagner pendant son séjour en France.

MARTHE. – Ça revenait à papa !

BIENENCOURT. – Mais, sapristi ! si on m'a désigné, c'est que je parlais le siamois et qu'il ne le parlait pas !... Pourquoi ne le parle-t-il pas, Follentin ?

MARTHE (*gaiement*). – Parce qu'il ne l'a pas appris.

MADAME FOLLENTIN. – C'est une raison !

BIENENCOURT. – Ah, non ! vraiment, tout cela est trop stupide, et il est grand temps que cela finisse !...

MADAME FOLLENTIN. – Ça, je suis de votre avis !

BIENENCOURT. – Eh bien ! aujourd'hui, c'est l'occasion ou jamais ! Follentin va être nommé chef du bureau où je suis moi-même sous-chef !

MADAME FOLLENTIN ET MARTHE. – Ah ! vous croyez ?

BIENENCOURT. – C'est sûr !... Eh ! bien, alors ! « Soyons amis, Follentin, c'est moi qui t'en convie » comme dit Corneille [2].

MADAME FOLLENTIN. – Corneille a dit ça ?

MARTHE. – Oui,... à un pied près !

BIENENCOURT. – Alors, n'est-ce pas, Madame, je compte sur vous !

MADAME FOLLENTIN. – C'est entendu !

BIENENCOURT. – Merci, chère Madame, pour cette parole de paix, et à bientôt. (*A Marthe*) Mademoiselle.

MARTHE (*faisant une petite révérence*). – Monsieur Bienencourt, à la prochaine !

MADAME FOLLENTIN. – Tenez, par ici.

Coup de sonnette, Mme Follentin qui est passée dans l'antichambre avec Bienencourt ouvre la porte d'entrée. Un garçon de recette paraît.

MADAME FOLLENTIN. – Qu'est-ce que c'est ?

LE GARÇON DE RECETTE. – C'est pour un effet [3] de 500 francs [4].

MARTHE *(à part)*. – Oh ? zut !

MADAME FOLLENTIN. – Parfaitement, je sais ! (*Le garçon de recette descend en scène*). Justement, mon mari n'est pas là. Si vous voulez laisser la fiche.

MARTHE (*à part*). – Ce qu'ils sont exacts, ces garçons de recette !... C'est dégoûtant !

MADAME FOLLENTIN. – Eh bien ! au revoir, Monsieur Bienencourt.

BIENENCOURT. – Au revoir, Madame ! Au revoir et merci.

Il sort.

SCÈNE II

MADAME FOLLENTIN, MARTHE
LE GARÇON DE RECETTE

LE GARÇON DE RECETTE (*écrivant la fiche et la donnant*). – Voilà, Madame !

MADAME FOLLENTIN (*l'accompagnant*). – Merci, Monsieur !

MARTHE. – Encore une tuile !

MADAME FOLLENTIN. – Du tapissier. Ah ! ton père avait bien besoin d'acheter tous ces meubles inutiles.

MARTHE. – C'est notre héritage qui lui a tapé sur la cervelle.

MADAME FOLLENTIN (*allant chercher une lampe sur la cheminée, la posant sur la table et l'allumant*). – Il aurait bien pu attendre de l'avoir touché avant de l'escompter. Ah ! mon pauvre oncle Vougeard ne se doutait pas qu'en nous laissant sa fortune, il nous mettrait dans un pétrin pareil.

MARTHE (*fermant les rideaux de la fenêtre*). – Crois-tu ! ce sale petit neveu qui vient mettre opposition sur l'héritage ! Lui qui n'a aucun droit !

MADAME FOLLENTIN. – Tout ça !... du chantage !

MARTHE. – Laissons faire Monsieur Gabriel !

MADAME FOLLENTIN. – Ah ! Gabriel !

MARTHE. – C'est lui qui nous tirera du pétrin.

MADAME FOLLENTIN. – Brave garçon.

MARTHE. – Tu parles ! Et c'est cet homme-là que papa a fichu à la porte, parce qu'il a eu le toupet de vouloir briguer ma main.

MADAME. – Qu'est-ce que tu veux ? Ton père trouve que la profession de prestidigitateur...

MARTHE. – Eh ! bien, quoi ! il n'y a pas de sots métiers aujourd'hui. Monsieur Robert-Houdin [5] est connu dans le monde entier.

MADAME FOLLENTIN. – De plus, il n'a pas le sou !

MARTHE. – Eh bien ! nous non plus ! Tout le monde ne peut être le fils à Chauchard [6].

Coup de sonnette.

SCÈNE III

MADAME FOLLENTIN, MARTHE, GABRIEL

MADAME FOLLENTIN. – Qu'est-ce qui sonne ?

MARTHE. – Cela ne peut pas être papa. Il a sa clef !

MADAME FOLLENTIN (*allant ouvrir et se trouvant en face de Gabriel*). – Vous !

MARTHE. – Monsieur Gabriel ! Ah ! que c'est gentil !

MADAME FOLLENTIN. – Vous êtes fou !... Après la défense de mon mari !... S'il avait été là.

GABRIEL. – Je savais qu'il n'y était pas.

MARTHE (*à part*). – Comme il est malin !

GABRIEL. – Je n'ai qu'un mot à vous dire.

MARTHE. – Oh ! dites-le longtemps !

MADAME FOLLENTIN. – Marthe ! Voyons ! (*A Gabriel*) Je vous en prie ! Dépêchez-vous, mon mari peut revenir d'un moment à l'autre.

GABRIEL. – Oui ! Eh bien, voilà !... Pour votre procès, un avocat...

MADAME FOLLENTIN. – Ah !

MARTHE. – Il a trouvé un avocat !

GABRIEL. – Un garçon plein de talent ! Il se fait tellement fort de vous faire obtenir votre héritage qu'il ne vous demande aucun honoraire tant que vous n'aurez pas été mis en possession de votre fortune.

MADAME FOLLENTIN. – Est-il possible !

MARTHE. – Hein ! Crois-tu, Maman !

MADAME FOLLENTIN. – Ah ! Monsieur Gabriel, vous ne pouvez pas me faire un plus beau cadeau pour ma fête.

GABRIEL. – Comment ! C'est votre fête ?

MARTHE. – Ça l'est !

GABRIEL. – Oh ! et moi qui n'ai pas la moindre fleur ! Mais cela ne fait rien, nous ne sommes pas prestidigitateur pour rien. Un prestidigitateur s'en tire toujours avec un chapeau ; vous n'auriez pas un chapeau haut de forme à me prêter ?

MARTHE. – En v'là un à papa !

GABRIEL. – Vous reconnaissez, madame, que ce chapeau n'est nullement préparé ?

MADAME FOLLENTIN. – Je le reconnais.

GABRIEL. – Vous n'auriez pas, par hasard, dans votre poche un œuf, un peu de sel et un verre d'eau ?

MARTHE (*prenant les objets indiqués sur la table*). – Le sel et le verre d'eau, voilà... Quant à l'œuf !...

GABRIEL. – Cela ne fait rien ! nous nous en passerons. Au fond, il est purement décoratif. Je mets ce sel et ce verre d'eau dans ce chapeau.

MADAME FOLLENTIN. – Mais vous allez l'abîmer ?

MARTHE. – Laisse-le faire, maman. Aie la foi !

GABRIEL. – Maintenant quelqu'un de l'aimable société pourrait-il me donner une cuillère ?

MADAME FOLLENTIN. – Voilà !

GABRIEL. – Je tourne ! Je bats !... je fouette !... une, deux et trois !... Madame, voulez-vous me permettre de vous offrir ce léger bouquet des champs ?...

Il tire un bouquet du chapeau.

MADAME FOLLENTIN. – Mais c'est admirable !... Vous êtes sorcier !

GABRIEL (*bas à Marthe*). – Entre nous, je l'avais apporté.

MARTHE. – Il est épatant.

On entend un bruit de clef dans la serrure de la porte du fond.

MADAME FOLLENTIN, *sursautant.* – Un bruit de clef.

GABRIEL. – Qu'est-ce qu'il y a ?

MADAME FOLLENTIN. – Marthe, c'est ton père.

MARTHE. – Papa, vite, cachez-vous !

GABRIEL. – Où ça ? Où ça ?

Tout le monde court sur place.

MARTHE. – Tenez ! Par là ! dans le bureau de papa ! Il y a une porte qui communique avec l'antichambre !

Gabriel se précipite dans la chambre de gauche.

SCÈNE IV

MADAME FOLLENTIN, MARTHE, FOLLENTIN

ENSEMBLE

MARTHE. – Ah ! papa !... te voilà !

MADAME FOLLENTIN. – Ah ! quel bonheur ! Enfin, c'est toi !

MARTHE. – Nous commencions à nous inquiéter.

MADAME FOLLENTIN. – Comme tu reviens tard !

FOLLENTIN (*de mauvaise humeur, jette son chapeau sur une chaise et se promenant de long en large*). – Ah ! non, non, non ! Ah ! sale humanité !

MADAME FOLLENTIN. – Qu'est-ce que tu as ?
MARTHE (*à part*). – Il est à la grinche.
FOLLENTIN. – J'ai... que l'espèce humaine me dégoûte !... J'ai que tout va de mal en pis !... J'ai été voir mes créanciers, pour gagner du temps. Je les ai trouvés de pierre. Si je ne paie pas, on me poursuit à boulets rouges. Comme si le papier timbré vous faisait trouver de l'argent quand vous n'en avez pas !
MADAME FOLLENTIN. – Mon pauvre ami !
MARTHE. – Ne te fais donc pas de coton, papa !
FOLLENTIN (*se levant*). – Et voilà ton cher oncle, voilà ce dont il est cause !
MADAME FOLLENTIN. – Oh !
FOLLENTIN. – Il doit être content de son ouvrage, là-haut !
MADAME FOLLENTIN. – Enfin, voyons, ce n'est pas de sa faute.
FOLLENTIN. – Il n'avait qu'à faire un testament inattaquable ! Quand on se mêle de laisser de l'argent aux gens, on s'arrange pour ne pas compliquer leur vie.
MARTHE. – Il ne pouvait pas prévoir.
FOLLENTIN. – C'est ce que je lui reproche ! Est-ce que je lui demandais quelque chose, moi ? J'étais très heureux ! Encore si j'avais ces 320.000 francs,... je ne dirais rien !... mais tant que je ne les ai pas, je m'en fiche, moi, de ces 320.000 francs. Enfin ! je n'ai pas raison ?
MADAME FOLLENTIN. – Écoute, ce n'est pas un reproche que je fais, mais si tu avais été un peu plus raisonnable, si tu n'avais pas acheté à tort et à travers.
MARTHE. – Tu aurais pu payer le tapissier.
FOLLENTIN. – Ah ! bien ! bien ! Naturellement, c'est de ma faute ! On me dit : « Vous héritez de 320.000 francs. » J'aurais dû deviner que 320.000 francs ne sont pas toujours 320.000 francs. Et parce que cette brute !...
MADAME FOLLENTIN. – Quelle brute ?
FOLLENTIN. – Ton oncle !
MADAME FOLLENTIN. – Je t'assure que tu exagères.
MARTHE. – S'il nous a laissé 320.000 francs, ce n'est pas dans une mauvaise intention.
FOLLENTIN. – Est-ce que je sais ! Le monde est si méchant ! Il n'y a qu'à voir la joie des gens quand il vous arrive quelque chose de désagréable. Tiens ! rien que

tout à l'heure, en revenant – Dieu sait si j'étais embêté ! – Eh bien ! je n'ai rencontré que des mines épanouies, des gens qui riaient ! J'ai la mort dans l'âme et Paris illumine !

MADAME FOLLENTIN. – Mais ce n'est pas pour toi ! C'est pour l'arrivée du roi d'Espagne [7] !

FOLLENTIN. – Je m'en fiche, de ton roi d'Espagne !

MARTHE. – Un gosse !

FOLLENTIN. – Est-ce que je lui ai demandé de venir ? Est-ce qu'il me fera trouver quatre sous, ton roi d'Espagne ? Et les voies sont obstruées, et on est bousculé, on ne peut pas avancer !... Et on appelle ça la liberté !... Oh ! quelle époque, mon Dieu ! quelle époque !

MARTHE. – Allons, voyons, papa, ne te frappe donc pas !

MADAME FOLLENTIN. – Au lieu de te tourner les sangs, mets-toi plutôt à table.

FOLLENTIN. – Je n'ai pas faim !

MARTHE. – Eh ! bien ! n'aie pas faim, mais mange tout de même ! Tu ne peux pas rester l'estomac vide !

FOLLENTIN. – Et puis, je n'ai pas le temps ! tu sais bien qu'il y a ce soir réception au ministère !... Et la veille du jour où je dois passer chef de bureau. Je n'ai donc que le temps de m'habiller.

MADAME FOLLENTIN. – Mon Dieu ! que tu es pressé, il ne s'en ira pas, ton ministre !

MARTHE. – Il est du bloc !

MADAME FOLLENTIN. – Pourvu que tu y sois à 10 heures. Tu as toujours le temps de prendre quelque chose, voyons !

FOLLENTIN. – Non ! non !... (*Puis avec humeur.*) Ah ! On ne peut rien faire comme on l'entend !

MARTHE. – Eh bien ! voilà, nous sommes des despotes ! Mets-toi là !

MADAME FOLLENTIN (*le servant*). – Voilà un bouillon !

MARTHE. – Et pour gagner du temps, tout en mangeant, voici ton courrier que tu pourras dépouiller. (*Elle lui remet son courrier, puis va s'asseoir à sa place habituelle*).

FOLLENTIN. – Pour ce qu'il m'apportera de bon !... (*Il prend sa soupe. Les deux femmes se servent. Prenant un papier de contributions parmi les lettres*). Qu'est-ce que c'est que ça ? Ah ! les contributions !... Il y avait longtemps ! Voilà encore une chose inique,.. les contributions ! Encore si c'était une fois,.. mais tous les ans !... On n'a pas plutôt payé que ça revient !... Tout cela pour entretenir le Conseil Municipal !

MADAME FOLLENTIN. – Que veux-tu, mon ami, il n'y a pas que toi !

FOLLENTIN. – Oui, mais les autres, ça m'est égal !... On vient vous dire à ça qu'il faut qu'ils éclairent les rues !... Qu'est-ce que ça me fait, à moi !... Je ne sors pas le soir. Enfin !

MARTHE. – D'ailleurs, papa, c'est le papier rose ! Tu as encore le bleu, le vert, le jaune ! (*Pendant ce qui précède, Follentin a pris sa soupe. Les deux femmes changent les assiettes*).

MADAME FOLLENTIN (*les servant*). – Voici le gigot !

FOLLENTIN. – Encore du gigot !

MADAME FOLLENTIN. – Une tranche de gigot !

FOLLENTIN (*tendant son assiette*). – Pas trop cuite !... Merci. (*Pendant que les femmes se servent, il ouvre une lettre qu'il parcourt*). C'est du cuir ! (*Il sent la lettre. Lisant*) « Infâme capitaliste, nous savons que tu as fait un gros héritage... » Voilà !... « Si tu n'envoies pas une somme de cinq mille francs à l'œuvre des Sans-Patrons, on te fera sauter ! »

MADAME FOLLENTIN. – Ah ! mon Dieu.

MARTHE. – On va sauter !

FOLLENTIN. – Eh bien ! il ne manquerait plus que ça !... Qu'on me fasse sauter pour l'héritage de ton oncle ! Ce serait le comble de ses bienfaits !

MADAME FOLLENTIN. – Eh bien ! oui, là ! Au lieu de t'énerver, mange donc ton gigot qui refroidit.

FOLLENTIN. – Dis donc, Caroline !

MADAME FOLLENTIN. – Qu'est-ce que tu veux, Adolphe ?

FOLLENTIN. – Le père Ebrahim n'est pas venu me demander ?

MADAME FOLLENTIN. – Le père Ebrahim ?

FOLLENTIN. – Ebrahim ! Le marchand d'antiquités.

MADAME FOLLENTIN. – Non ! il n'est venu que deux personnes. D'abord un garçon de recettes qui a laissé cette fiche.

FOLLENTIN. – Un garçon de recettes avec un air gouailleur !

MADAME FOLLENTIN. – Non.

FOLLENTIN. – Mais si, c'est à remarquer que quand un

garçon de recettes présente un effet, il a toujours l'air gouailleur. Et l'autre ?

MADAME FOLLENTIN. – Quoi, l'autre ?

FOLLENTIN. – Eh bien !... l'autre personne,... puisqu'il en est venu deux.

MADAME FOLLENTIN. – Ah ! l'autre ?... Oui, oui... Eh bien ! écoute, Adolphe, ne bondis pas !... C'est quelqu'un qui t'aime bien !

FOLLENTIN. – S'il m'aime bien, pourquoi veux-tu que je bondisse ?

MADAME FOLLENTIN. – C'est juste !

MARTHE. – C'est que, par un malentendu... qu'il regrette profondément...

MADAME FOLLENTIN. – Ah ! tu peux dire que tu as un ami en lui !

FOLLENTIN. – Mais qui ? qui ? qui ?

MADAME FOLLENTIN. – Monsieur Bienencourt !

FOLLENTIN (*se levant, furieux*). – Bienencourt ! Bienencourt est venu ?... Il a osé !

MADAME FOLLENTIN. – Non ! Non !... Il n'a pas osé... Il est venu, il est venu !

MARTHE. – Il est venu... sans oser.

FOLLENTIN. – Ne me parle pas de cet homme-là ! Je ne veux pas le voir ! C'est un jésuite, un intrigant !

MARTHE. – Mais puisqu'il venait pour te tendre la main !

FOLLENTIN. – Ah ! et puis, fichez-moi la paix avec votre Bienencourt ! Non, tenez ! Il est dit qu'on ne me laissera pas même dîner tranquille !

Ensemble

MADAME FOLLENTIN. – Mon ami !

MARTHE. – Papa !

FOLLENTIN (*ouvrant la porte de gauche et revenant sur ses pas*). – Vous m'entendez bien !... si jamais il a le malheur de se représenter ici, je ne lui dirai qu'un mot : « Sortez, Monsieur, sortez ! »

LES DEUX FEMMES. – Sortez ?

FOLLENTIN. – Sortez !

SCÈNE V

LES MÊMES, GABRIEL

GABRIEL (*sortant de la chambre de gauche*). – Voilà !

FOLLENTIN. – Qu'est-ce que c'est que ça ?
MADAME FOLLENTIN (*à part*). – Lui !
MARTHE (*à part*). – Il n'était pas parti.
FOLLENTIN. – Vous, Monsieur. Qu'est-ce que vous faites là ?
GABRIEL. – J'obéis, Monsieur. Vous m'avez dit : « Sortez ! ». Je suis sorti.
FOLLENTIN. – Est-ce que c'est à vous que je disais ça ? D'abord, qu'est-ce que vous faisiez dans mon bureau ?
GABRIEL. – Mais...
MARTHE. – C'est moi, papa,... c'est moi qui l'ai fait passer dans ton bureau quand je t'ai entendu venir.
FOLLENTIN. – Dans mon bureau ! Et pourquoi ?
MARTHE. – Pour que tu ne le voies pas.
FOLLENTIN. – Ah ! vraiment !... C'est réussi !...
MARTHE. – Et c'était pour qu'il puisse s'enfuir par la porte qui donne sur l'antichambre.
GABRIEL. – Malheureusement, elle était fermée extérieurement.
FOLLENTIN. – C'est trop fort ! Voilà les raisons que vous me donnez ! Je vous avais dit, Monsieur, que votre présence ici me déplaisait ; vous devez donc savoir ce qu'il vous reste à faire.
MARTHE. – Oh ! mais papa ! je ne veux pas que tu lui parles comme ça.
FOLLENTIN. – Qu'est-ce que c'est ?
MADAME FOLLENTIN. – Marthe, voyons, Marthe !
GABRIEL. – C'est bien, Monsieur, je me retire. Mais avant de partir, je tiens à vous déclarer ceci : j'aime Mademoiselle Marthe. J'ai le bonheur d'en être aimé !
MARTHE. – Oui !
GABRIEL. – Je jure que nous serons l'un à l'autre, ou à personne.
MARTHE. – Je le jure !
FOLLENTIN. – Qu'est-ce que tu dis ? En voilà assez ! Sortez, Monsieur, sortez !

Il ouvre la porte de l'antichambre.

GABRIEL (*passant dans l'antichambre*). – Au revoir, Monsieur !
FOLLENTIN. – Bonsoir ! (*Il ferme la porte de l'antichambre sur lui. On entend le bruit de la porte du vestibule qui se ferme violemment.*) Oh ! tu peux faire claquer ta porte ! Je te garantis que tu ne mettras plus les pieds ici, toi ! *Il entre dans la chambre à coucher.*

SCÈNE VI

MADAME FOLLENTIN, MARTHE, puis GABRIEL, EBRAHIM, FOLLENTIN

On voit la porte du fond s'ouvrir et la tête de Gabriel qui paraît.

GABRIEL. – Il est entré dans sa chambre ?

MARTHE. – Ah ! vous !

MADAME FOLLENTIN. – Mais c'est de la folie !

MARTHE. – Mais par où êtes-vous entré ?

GABRIEL. – Par nulle part ! Je n'étais pas sorti ! J'ai fait simplement claquer la porte pour faire croire !

MARTHE. – Mais allez-vous-en ! Papa est à côté, il peut venir.

GABRIEL. – Oui, je m'en vais. Mais dans l'intérêt même de votre père, il faut que nous puissions nous revoir pour nous entendre, nous concerter.

MARTHE. – Oui !... Eh bien !... (*Coup de sonnette.*) Oh !...

MADAME FOLLENTIN. – Quelqu'un !

MARTHE. – C'est bon, je chercherai, je vous ferai savoir. Vite ! Filez !

GABRIEL. – Je me sauve !

Il se dirige vers la porte du vestibule.

MADAME FOLLENTIN. – Pas par là !

MARTHE. – Vous pourriez vous cogner avec papa allant ouvrir !

MADAME FOLLENTIN (*ouvrant la porte du fond à droite*). – Venez, par ici ! Attendez qu'on vienne vous chercher. (*Gabriel sort. Follentin entre de gauche.*) Oh !

FOLLENTIN (*sortant de sa chambre en pantalon de soirée et en bretelles, en train de nouer sa cravate. Il a son gilet et son habit sous le bras*). – Eh bien ! qui est-ce qui a sonné ?

MARTHE. – On a sonné ?

MADAME FOLLENTIN. – Nous n'avons pas entendu !

FOLLENTIN. – Oui, on a sonné ! (*Nouveau coup de sonnette.*) Tenez !

MADAME FOLLENTIN (*allant ouvrir*). – J'y vais !

FOLLENTIN. – Vous n'avez donc d'oreilles que pour votre Gabriel.

Madame Follentin va ouvrir la porte d'entrée. Ebrahim paraît avec le collectionneur.

MADAME FOLLENTIN. – Vous désirez, Monsieur ?

EBRAHIM. – Che suis Monsieur Eprahim, machand d'andiquidés !

MADAME FOLLENTIN. – Ah ! parfaitement ! (*A Follentin.*) Adolphe, Monsieur Ebrahim, marchand d'antiquités, mon ami !

FOLLENTIN (*se faisant aimable*). – Entrez donc, Messieurs, entrez donc ! Excusez-moi de vous recevoir comme ça, je suis en train de m'habiller !

EBRAHIM. – Che vous en prie ! Fous m'avez fait dire, Monsieur, que fous aviez une bendule à vendre !

MADAME FOLLENTIN. – La pendule !

MARTHE. – Comment, papa, tu veux laver la pendule ?

FOLLENTIN. – Chut ! Chut !... mes enfants, tout à l'heure. (*Pendant ce qui suit, Madame Follentin et Marthe enlèvent le couvert tout en prêtant l'oreille. A Ebrahim.*) En effet, Monsieur, il s'agit d'une pendule qui nous vient de famille !

EBRAHIM (*sceptique*). – Les bendules qu'on fend fiennent toujours de famille.

FOLLENTIN. – Oh ! permettez, Monsieur. Pour celle-là, je vous la garantis, elle a appartenu à Barras [8] lui-même, de qui je descends par ma mère, et Barras la tenait lui-même de son père, le père Barras !

EBRAHIM. – Ah ! Ah ! Eh ! pien, foilà !... Monsieur qui est collectionneur, si la bendule lui blaît et si vous êtes raisonnaple, je ne tis pas que nous ne ferons pas une betite affaire.

FOLLENTIN. – Voyez, Monsieur, examinez tout à votre aise. Voici la pendule de Barras. Approchez, Monsieur, approchez.

EBRAHIM (*lance un coup d'œil au collectionneur en faisant claquer sa langue. A mi-voix*). – Recardez.

LE COLLECTIONNEUR (*avec un mouvement d'admiration*). – Oh ! qu'elle est belle !

EBRAHIM (*bas*). – Chut ! Bas de chestes !

FOLLENTIN. – Maintenant, Monsieur, si pour faciliter l'affaire, il vous convenait de prendre les candélabres avec... (*Il indique les candélabres affreusement modernes.*)

LE COLLECTIONNEUR (*à Ebrahim, vivement*). – Non.

FOLLENTIN. – Comme vous voudrez !

Il s'éloigne par discrétion.

EBRAHIM. – Est-elle bien bure ?... On en a fait tant de Louis XV, sous Louis-Philippe.

FOLLENTIN. – Mais, Monsieur, puisque je vous dis qu'elle me vient de Barras !

EBRAHIM. – Oui !... Enfin !

Follentin va discuter bas avec sa femme et Marthe.

LE COLLECTIONNEUR (*bas*). – C'est une merveille ! Offrez cinquante mille francs !

EBRAHIM (*bas*). – Taisez-vous !... J'ai l'hapitude. Tenez ! Foulez-vous que je vous dise ! Allez donc vous en !

LE COLLECTIONNEUR. – Moi ?

EBRAHIM. – Oui ! Prenez un petit air indifférent, et pour le reste, rabbortez-vous en à moi.

LE COLLECTIONNEUR. – Bien ! (*À Follentin.*) Eh bien ! voilà, Monsieur, j'ai vu... merci... Ne vous dérangez pas !

FOLLENTIN. – Eh !... bien, il s'en va ?

EBRAHIM (*ouvrant de grands bras*). – C'est glagué !

FOLLENTIN. – Comment, claqué. Il ne veut pas de la pendule ?

MADAME FOLLENTIN. – Qu'est-ce qu'il lui reproche ?

MARTHE. – Elle est pourtant bien belle !

EBRAHIM. – Elle est bien pelle, elle est bien pelle ! et elle n'est pas bien pelle ! Entre nous, ce qui enlève un peu de sa valeur...

MARTHE. – C'est qu'elle est à vendre !

EBRAHIM. – Oh ! Matemoiselle !

MADAME FOLLENTIN (*La rappelant à l'ordre*). – Marthe !

FOLLENTIN. – Mais alors, qu'est-ce que nous allons faire ? Qu'est-ce que nous allons faire ?

EBRAHIM. – Égoutez ! Vous me faites de la peine ! Qu'est-ce que vous en foulez, de votre pendule ?

FOLLENTIN. – Je ne sais pas... la pendule de Barras ! Je l'ai fait voir à un connaisseur. Il l'a estimée à 25 000 francs.

EBRAHIM. – 25 000 francs ! Écoutez, je suis un homme très rond en affaires ! Je crois qu'en vous payant cette bendule... qui est pien, mais qui n'est pas pien, pien, euh !... 1 800 francs...

FOLLENTIN. – 1 800 francs ! La pendule de Barras ! Vous êtes fou.

EBRAHIM. – Ne vous emballez pas !

FOLLENTIN. – Mais j'aimerais mieux laisser crever toute ma famille de faim que de vous la céder à ce prix-là !

MADAME FOLLENTIN et MARTHE. – Absolument !

EBRAHIM. – Ah ! Vous êtes bon comme tous les autres.

Dès qu'ils ont un pipelot te rien du tout, ils croient tout de suite qu'ils ont l'Opélisque ! Eh bien ! écoutez. Je vais faire une grande folie ! Il n'y a pas, vous me plaisez ; aussi, je vais vous offrir... 2 000 francs tout ronds !

FOLLENTIN. – Deux mille francs !

EBRAHIM. – Saisissez la palle au bond ! Ne me laissez pas le temps de réfléchir !

FOLLENTIN. – 2 000 francs ! Tenez, voilà ce que j'en fais, de vos 2 000 francs !

Il prend sa feuille de contribution, en fait une boulette et la jette à terre.

EBRAHIM. – Vous faites ça avec parce que c'est du papier.

FOLLENTIN. – Allez-vous-en, Monsieur, je vois rouge.

EBRAHIM. – Pien ! Pien ! Mais la nuit porte conseil ! Quand vous serez décidé, vous viendrez trouver le betit bère Ephrahim.

FOLLENTIN. – Foutez-moi le camp !

EBRAHIM (*en sortant*). – Votre serviteur !

Il sort par le fond à gauche.

FOLLENTIN (*furieux*). – Shylock[9] ! (*il descend. Coup de sonnette.*) Encore quelqu'un !

Il ouvre et se trouve en face d'Ebrahim.

EBRAHIM. – Écoutez, j'irai jusqu'à 2 500.

FOLLENTIN. – Oh !

EBRAHIM. – Foui !...

Il sort par le fond gauche.

FOLLENTIN (*arpentant la scène*). – Oh ! Oh ! Oh ! L'avez-vous vue, la sale humanité ! L'avez-vous vue dans toute son horreur !

MADAME FOLLENTIN. – Mais, mon ami, comment allons-nous faire ?

FOLLENTIN. – Je n'en sais rien ! (*Il passe son gilet. On sonne.*) Ah ! non, mon vieux ! (*A sa femme.*) Non, ne va pas ouvrir !... Oser m'offrir 2 000 francs d'une pendule qui vaut 25 000 ! (*Nouveau coup de sonnette.*) Oui, sonne, va, sonne ! (*Il met son habit, nouveau coup de sonnette.*) je vais lui flanquer mon pied quelque part. (*Il se précipite à la porte d'entrée, qu'il ouvre.*) Espèce de fourneau ! (*Il se trouve en face de Bienencourt.*) Bienencourt !

La surprise le fait redescendre en scène.

SCÈNE VII

FOLLENTIN, MADAME FOLLENTIN, MARTHE, BIENENCOURT

BIENENCOURT. – Oui, mon ami, moi !

FOLLENTIN. – Ah ! oui !... je sais, ma femme m'a dit. Vous êtes venu tout à l'heure. Mais je ne sais pas ce que vous demandez... Nous nous voyons tous les jours au ministère... et nos rapports...

BIENENCOURT. – Il ne s'agit pas pour le moment de nos rapports, il s'agit de choses plus urgentes. Je vous avoue qu'il m'est pénible d'arriver ici en messager de malheur !

TOUS. – De malheur !

BIENENCOURT. – Oui, j'ai cru que c'était mon devoir, j'ai tenu à vous exposer moi-même les choses telles qu'elles se sont passées... afin que vous ne puissiez pas croire...

FOLLENTIN. – Mais quoi ? Quoi ? Parlez !

BIENENCOURT. – Eh ! bien, mon ami, cette place de chef de bureau sur laquelle vous étiez en droit de compter...

FOLLENTIN. – Je ne suis pas nommé ?

BIENENCOURT. – Hélas !

MADAME FOLLENTIN. – Il n'est pas nommé ?

MARTHE. – Tu n'es pas nommé ?

BIENENCOURT. – Vous n'êtes pas nommé !

FOLLENTIN. – Ah ! voilà ! Voilà comment les gouvernements d'aujourd'hui récompensent le zèle et le dévouement ! Mais enfin ! pourquoi ? Pourquoi ?

On se rapproche.

TOUS. – Pourquoi ? Pourquoi ?

BIENENCOURT. – Oh ! Il n'y a rien de personnel ! Mais en matière d'avancement le ministre a pour règle de tenir toujours compte de la situation de fortune des candidats. Et comme il sait que vous avez fait un gros héritage !

FOLLENTIN. – Encore ! Encore ! cet héritage ! Toujours cet héritage ! Mais où est-elle, ma fortune ? Où est-elle ?

BIENENCOURT. – Mais enfin, n'avez-vous pas hérité ?

FOLLENTIN. – Oui, je sais, j'ai hérité de 320 000 francs !... Ah ! il est joli, mon héritage ! mais je vous le cède, mon héritage ! En voulez-vous ? Donnez-moi 300 000 francs comptant et il est à vous !

BIENENCOURT. – Tout cela, mon ami, c'est pour vous expliquer...

FOLLENTIN. – Mais quoi ?... Qui est-ce qui est nommé à ma place ?... Quelque imbécile !

BIENENCOURT. – Non ! Je suis vraiment désolé !

FOLLENTIN. – C'est vous !

BIENENCOURT. – Follentin !

LES DEUX FEMMES. – Lui !

FOLLENTIN. – Lui !

BIENENCOURT. – Follentin, je vous jure !

FOLLENTIN. – Oui ! Comme pour le roi de Siam ! La croix de commandeur ! Allons ! Assez, Monsieur ! Allez porter vos trahisons ailleurs !

BIENENCOURT. – Trahisons !... Moi !

FOLLENTIN (*furieux*). – Oui, toi ! toi ! Va-t'en ! Va-t'en ! tu n'es qu'un usurpateur !

MADAME FOLLENTIN (*poussant Bienencourt au fond*). – Oui !... Oui !... Allez-vous en, Monsieur !

MARTHE. – Vous voyez que vous l'exaspérez !

BIENENCOURT. – Vous avez raison ! Je m'en vais !

FOLLENTIN. – Va ! Va ! Va lécher les pieds à ton ministre ! Va !... Il y a peut-être encore d'autres places à voler !...

BIENENCOURT (*sur le pas de la porte*). – Pauvre homme !

Il sort. Follentin referme la porte et redescend.

SCÈNE VIII

LES MÊMES moins BIENENCOURT

FOLLENTIN. – Ah ! le gredin ! Ah ! le misérable ! L'ai-je assez dit que c'était un traître. Je ne me trompe jamais sur les hommes !

MADAME FOLLENTIN. – Voyons !... Calme-toi !

MARTHE. – Tu es comme une tomate !

FOLLENTIN. – Ah ! j'étouffe ! Tiens, ouvre la fenêtre ! Donne-moi de l'air !

MARTHE. – Oui, voilà !... Maman, je ne peux pas l'ouvrir.

Elle tire les rideaux de la fenêtre et ouvre la croisée. Bruit assourdissant des rues de Paris, trompettes de tramways, d'automobiles, etc.

FOLLENTIN. – Et on n'a pas le droit de tuer un homme comme ça !... Enfin ! Autrefois... autrefois... un homme vous gênait, on le supprimait ! aujourd'hui, on le fait chef de bureau !... Ah ! je t'en prie, ferme la fenêtre, il n'y a pas moyen de s'entendre avec leur potin !

MADAME FOLLENTIN. – Oui, mon ami.

Elle ferme la fenêtre.

FOLLENTIN. – Et puis, tiens ! regarde-moi comme ça sent ici depuis qu'on a donné de l'air !

MARTHE. – C'est les odeurs de Pantin, papa, c'est signe qu'il fera beau.

FOLLENTIN. – Et voilà où en est Paris aujourd'hui ! pour qu'il fasse beau, il faut que ça sente ça : Pantin ! Et tu trouves que c'est un siècle, toi ? On ne peut plus même être tranquille chez soi ! On ne peut pas ouvrir la fenêtre sans avoir les oreilles cassées, le nez empuanti. On ne sait que faire pour vous embêter ! Tout est imposé, jusqu'à la lumière et l'air que nous respirons ! Et voilà l'air que l'on nous donne pour notre argent ! On appelle ça... le progrès ! Ah ! non, c'est trop ! c'est trop ! Quelle époque ! Mon Dieu, quelle époque !

MADAME FOLLENTIN. – Voyons, mon ami, maintenant la fenêtre est fermée.

FOLLENTIN. – Mais ça pue ! Ah ! tenez ! Je suis fatigué, j'ai la fièvre, je n'en peux plus !

MARTHE. – Sais-tu, papa ! Si tu étais bien raisonnable, tu te coucherais.

FOLLENTIN. – Ah bien, oui ! Je ne dormirais pas !

MARTHE *tout en allant faire la couverture du lit.* – Mais si !... mais si !... Maman va te faire une bonne tasse de tilleul avec un peu de fleur d'oranger.

MADAME FOLLENTIN. – C'est ça ! Pendant ce temps-là, tu vas te déshabiller !

Pendant ce qui suit, elle va chercher dans un placard une veilleuse-réchaud en porcelaine pour faire la tisane, l'allume et prépare la tasse.

FOLLENTIN. – Puisque je ne dormirai pas !

MADAME FOLLENTIN. – Déshabille-toi toujours !

MARTHE. – Donne-moi ton habit !

Elle le lui enlève.

FOLLENTIN. – Enfin !

MARTHE. – Ton gilet !

FOLLENTIN (*enlevant son gilet*). – Non, mais... crois-tu ? Ce misérable de Bienencourt !

MARTHE. – Oui, papa ! Ne pense plus à ça. (*Lui donnant sa chemise de nuit qu'elle a été chercher sur le lit*). Voilà ta chemise de nuit.

FOLLENTIN. – Oui... enfin ! Oh ! je le repincerai !... Retourne-toi !... (*Marthe se retournant, il enlève sa chemise de jour, et passe sa chemise de nuit. Il se trouve à la tête arrêté à l'intérieur par le bouton du col qui n'est pas défait, et les deux bras de même par les manches dont les poignets sont boutonnés*). Allons, bon !... bien ! ! !

MARTHE (*sans se retourner*). – Qu'est-ce qu'il y a ?

FOLLENTIN (*sous sa chemise*). – Ce qu'il y a ? Tu le vois bien !

MARTHE. – Mais non, papa, j'ai le dos tourné !

FOLLENTIN. – Eh bien ! tu ne peux pas te retourner ? Tu entends que j'ai la tête et les mains prises... et tu restes là !

MARTHE (*allant à lui*). – Ah ! mon pauvre papa, attends !

FOLLENTIN (*pendant que Marthe défait les boutons du col et des manches*). – A quoi ça rime, je te le demande, de boutonner les chemises quand les gens ne sont pas dedans ?

MARTHE. – Oui, papa, tu as raison !

FOLLENTIN (*en chemise*). – Pour vous embêter ! Toujours ! La ligue des blanchisseuses ! Quelle époque !... Mon Dieu, quelle époque !

Il remonte derrière l'alcôve de son lit où il enlève son pantalon.

MARTHE. – Et moi, pour te distraire un peu de toutes tes idées noires, je vais te faire la lecture.

FOLLENTIN (*se couchant*). – Ah ! oui, c'est ça ! Pendant ce temps-là, je ne penserai pas ! (*Il essaie d'arranger son oreiller*). Sacré oreiller !

MARTHE. – Attends ! (*Elle arrange l'oreiller*). Tu es bien, là ?

FOLLENTIN. – Oui, ça va ! Voyons ! Où en étions-nous de la « Reine Margot [10] » ?

Elle feuillette le livre.

FOLLENTIN (*à Madame Follentin qui fait la tisane sur la table du milieu*). – Mais ne remue donc pas comme ça, toi, là-bas ! Viens donc t'asseoir ! Comment veux-tu qu'on lise ?

MADAME FOLLENTIN. – Mais, mon ami,... la tisane !

FOLLENTIN. – Eh bien ! quoi ! la tisane ! Elle n'a pas besoin de toi pour bouillir !

Madame Follentin va s'asseoir sur une chaise au pied du lit à côté de Marthe qui est assise sur une autre.

MADAME FOLLENTIN. – Oui, mon ami.

FOLLENTIN. – Où en étions-nous ?

MARTHE. – Après le complot, quand La Môle [11] se précipite au Louvre dans la chambre de la Reine Margot.

MADAME FOLLENTIN ET FOLLENTIN. – Ah ! oui !

MARTHE (*lisant*). – « La Môle se précipita vers elle. Ah ! Madame, s'écria-t-il, on tue ! On égorge mes frères ! On veut me tuer ! On veut m'égorger aussi ! Ah ! vous êtes la Reine, sauvez-moi ! Et il se précipita à ses pieds, laissant sur le tapis une large tache de sang [12] ! »

FOLLENTIN. – C'est beau ! C'est beau ! C'est à cette époque-là que j'aurais voulu vivre !

MARTHE. – Oh ! papa ! Sous la Saint-Barthélémy [13] ?

FOLLENTIN. – Qu'est-ce que ça me fait ! Je suis catholique, j'aurais couru le protestant !

MADAME FOLLENTIN. – Voyons, tu n'as pas une nature de guerrier !

FOLLENTIN. – Naturellement ! Parce que je suis de mon époque ! J'aurais voulu que tu me voies de ce temps-là ! (*Brandissant son oreiller*). Tue ! Tue !

MADAME FOLLENTIN. – Oui !... Eh bien, tue ! tue ! Prends donc ta tisane en attendant !

Elle le sert.

FOLLENTIN. – Tu m'embêtes avec ta tisane.

MADAME FOLLENTIN. – Je t'embête, mais bois-la !

FOLLENTIN. – Ah ! Dumas ! Dumas ! « Vive Dieu, mes gentilshommes ! voudriez-vous porter la main sur un fils de France ! A toi la première manche ! Marguerite ! A moi la seconde ! Et maintenant, à la Tour de Nesles [14] ! » (*Goûtant sa tisane*). Il n'y a pas de sucre.

MADAME FOLLENTIN. – Mais si ! Tourne !

FOLLENTIN (*après avoir bu*). – Mon Dieu, que je suis fatigué !

MADAME FOLLENTIN. – Naturellement ! Tu t'agites, tu t'énerves ! Tu fais une gymnastique !

FOLLENTIN (*s'étendant, à Marthe*). – Lis, continue !

MARTHE (*lisant*). – « En voyant cet homme pâle, agenouillé devant elle ».

FOLLENTIN. – On n'entend rien !... Change de place.

MARTHE (*lisant*). – « La Reine de Navarre se dressa épouvantée, cachant son visage entre ses mains et criant : « Au secours » ! »

FOLLENTIN (*qui s'endort, approuvant par un grognement*). – Oui.

MARTHE (*lisant*). – « ... Madame, dit La Môle, en faisant un effort pour se relever... » (*Follentin ronfle, elle s'arrête un instant, le regarde et dit à sa mère*). Il dort.

MADAME FOLLENTIN (*bas*). – Laissons-le reposer !

Elle retourne la lampe de façon que la lumière ne frappe pas dans les yeux de Follentin.

MARTHE. – Et maintenant, faisons évader M. Gabriel.

MADAME FOLLENTIN (*surveillant Follentin*). – Oui, va !

Marthe va sur la pointe des pieds jusqu'à mi-scène.

FOLLENTIN (*rêvant*). – Misérable ! Misérable ! Bienencourt, lui !

Le bruit fait reculer les deux jeunes gens qui, voyant que Follentin ne s'est pas réveillé, reprennent leur marche, à pas de loup, et Marthe suivant à distance sa mère, reconduit Gabriel jusqu'à la porte de sortie. Celui-ci lui baise la main, fait un adieu du regard à Madame Follentin qui lui répond en souriant et sort en refermant doucement la porte à droite.

MARTHE (*à Madame Follentin qui est arrivée à sa hauteur*). – Bonsoir, Maman.

MADAME FOLLENTIN. – Bonsoir, ma chérie !

(Elles sortent par la gauche).

SCÈNE IX

FOLLENTIN, LE TEMPS

FOLLENTIN (*rêvant*). – Oh ! le traître ! traître ! lui !... Roi de Siam ! Ministère ! Sale époque ! Autrefois !... Autrefois... Oh !

A ce moment, le fond du lit s'éclaire d'une lueur indistincte, d'abord, qui peu à peu s'accentue.

LE TEMPS (*d'une voix sépulcrale*). – Follentin ! Follentin !

FOLLENTIN. – Qui m'appelle ? (*La lueur a pris une forme humaine. C'est le Temps sous les traits d'Ébrahim*). Qui donc es-tu ?

LE TEMPS. – Qui je suis ! Celui qui peut tout pour toi ! Le seul qui puisse satisfaire ton désir ! Je suis le Temps !

FOLLENTIN. – Mon Dieu ! Comme il ressemble à Ebrahim !

LE TEMPS. – Ce sont les Ebrahims qui ressemblent au Temps. Tu te plains de ton époque ? Tu es mécontent de ton siècle ?

FOLLENTIN. – Ah ! oui ! Tout plutôt que de vivre aujourd'hui !

LE TEMPS. – Eh bien ! que ton souhait s'accomplisse ! Il est dans mon pouvoir de remonter le cours des siècles. Allons à la recherche de l'Age d'or !

FOLLENTIN. – Ah ! oui, à la recherche de l'Age d'or !

La scène devient obscure.
Changement à vue.

ACTE I

Ier TABLEAU

LA PLACE SAINT-GERMAIN L'AUXERROIS A PARIS SOUS CHARLES IX

Au fond la Seine avec, au loin, la vue de la rive gauche. A gauche, au fond, en deça de la Seine, l'église Saint-Germain l'Auxerrois[15] *– du même côté et séparée de l'Église par une ruelle, l'Hôtellerie de La Hurière*[16] *et l'enseigne* A LA BELLE ÉTOILE, *avec chambres praticables au rez-de-chaussée et au premier étage. Sur la gauche un escalier en colimaçon relie le rez-de-chaussée au premier. A droite, au fond, le Louvre avec les fenêtres éclairées. Au premier plan, même côté, séparée du Louvre par une rue, une maison. Il est dix heures du soir, le rez-de-chaussée de l'hôtellerie est éclairé. Au dehors, la Place Saint-Germain l'Auxerrois est éclairée par la lune.*

SCÈNE PREMIÈRE

Au lever du rideau LA HURIÈRE, sur le pas de sa porte, discute mystérieusement avec UN HOMME enveloppé d'un manteau sombre.

LES QUATRE FILLES DE LA HURIÈRE, *dans l'hôtellerie, très en sourdine.*

Quelque chose se mijote
Qui ne nous paraît pas clair !
On murmure, l'on chuchote,
Ça sent la fièvre dans l'air !

LA HURIÈRE *qui a pris congé de l'individu, à ses filles :*

Allons, mes enfants, c'est l'heure
Où toute fille mineure
Dort depuis longtemps déjà.

LES QUATRE FILLES. – Oui, papa ! oui, papa !

Elles allument leurs flambeaux.

LA HURIÈRE

Vous avez de la lumière,
Baisez votre petit père,
Et oust ! plus vite que ça !

LES QUATRE FILLES. – Oui, papa ! Oui, papa !

Elles vont embrasser leur père.

LES QUATRE FILLES, *parlé sur la musique.* – Bonsoir, papa ! Bonsoir, papa !

LA HURIÈRE, *id. les embrassant.* – Bonsoir, bonsoir, mes enfants !... Allez ! Allez !

LES QUATRE FILLES, *chanté au moment de partir*

Quelque chose se mijote
Qui ne nous paraît pas clair,
On murmure, l'on chuchotte,
Ça sent la fièvre dans l'air !

Elles sortent. La Hurière, à son comptoir, prend un casque qu'il fourbit, pendant ce qui suit. La musique continue en sourdine.

FOLLENTIN (*débouchant dans la rue, suivi de Madame Follentin et de Marthe, dans leurs costumes du premier acte, Follentin en chapeau haut de forme et redingote, sa femme et sa fille en tenue de ville*). – Venez par ici, mes enfants !

MADAME FOLLENTIN. – C'est pas pour dire, mais les rues sont bien mal éclairées.

FOLLENTIN. – Qu'est-ce que tu veux ? C'est l'époque qui veut ça !

MARTHE. – Voyons, Maman, tu ne t'attendais pas à trouver l'électricité sous Charles IX !

MADAME FOLLENTIN (*pincée*). – Évidemment, petite ! Pas d'électricité !... Mais le gaz !

MARTHE. – Oh ! papa ! Qu'est-ce que c'est que ces ombres qui viennent de ce côté !

FOLLENTIN. – Hein ? Quoi ? Où ?

MARTHE. – Là ! Là !

FOLLENTIN. – Mais je ne sais pas ! Quoi ! C'est des gens de l'époque. il n'y avait pas que nous sous Charles IX.

MADAME FOLLENTIN. – Viens, viens ! Je ne suis pas rassurée !

FOLLENTIN. – Ah ! là ! Mon Dieu !

Ils se dissimulent comme ils peuvent contre les maisons de droite. Paraissent de divers côté des Conjurés, enveloppés de leurs manteaux ; s'apercevant mutuellement ils reculent instinctivement.

PREMIERS CONJURÉS. – Ah !

DEUXIÈMES CONJURÉS. – Ah !

LES FOLLENTIN (*parlé*). – Qu'est-ce que c'est que ça ?

PREMIERS CONJURÉS (*chanté*). – Qui va là ?

DEUXIÈMES CONJURÉS. – Qui va, vous autres ?

PREMIERS CONJURÉS. – Bidecart !

DEUXIÈMES CONJURÉS. – Vadeguin !

PREMIERS CONJURÉS. – Vadeguin !

DEUXIÈMES CONJURÉS. – Bidecart !

FOLLENTIN (*parlé*). – J'ai déjà entendu ces noms-là quelque part.

LES CONJURÉS (*chanté*). – Parfait ! Ils sont des nôtres.

(S'interrogeant entre eux)

Eh bien ! Eh bien !

UN CONJURÉ

Chut ! Rien !
Motus ! Silence !
Je vous dirai.
Mais par prudence,
On pourrait nous entendre.

FOLLENTIN. – Je te crois qu'on pourrait les entendre.

UN CONJURÉ. – Parlons le langage chiffré.

MADAME FOLLENTIN. – Ça doit être des francs-maçons.

Les conjurés redescendent.

PREMIER CONJURÉ. – Sept, neuf, trois cent quarante,
Cent vingt neuf, huit, vingt deux mille, onze, un, cinq, neuf dix.

TOUS. – Oh ! Oh !

PREMIERS CONJURÉS. – Vingt-neuf, neuf, trente,
Un, huit, deux, douze, un, sept... comme je vous l'dis.

TOUS. – Cent-vingt-cinq, trois-cent-vingt.

PREMIERS CONJURÉS. – Trois-cent-vingt-cinq, huit, trois.

TOUS. – Cent-vingt-sept, huit, huit, huit ?

PREMIERS CONJURÉS. – Huit, huit, huit, dix-neuf, trois.

TOUS. – Cent-vingt, dix, onze, un.

PREMIERS CONJURÉS. – Vingt-six, un, huit, cinq, treize.
Dix-neuf, cent-quatre-vingt, Saint-Germain l'Auxerrois.

TOUS. – Saint-Germain, Saint-Germain, Saint-Germain l'Auxerrois !

PREMIERS CONJURÉS. – Cinq-cent-huit, quarante-huit, Saint-Germain l'Auxerrois !

Ils remontent en sourdine explorer les ruelles adjacentes.

FOLLENTIN (*parlé*). – Cinq-cent-huit, zéro, trois, Saint-Germain l'Auxerrois.

MADAME FOLLENTIN (*id.*). – C'est le numéro du téléphone [17] !

MARTHE. – Mais non, maman, pas encore !

LES CONJURÉS *redescendant vivement (chanté).* – Ah ! la patrouille, voici la patrouille !

LES CONJURÉS. – Que chaque bouche se verrouille,
Pas d'impair,
N'ayons pas l'air.

Ils ont tiré chacun leur bilboquet de leur poche et se disposent à en jouer.

FOLLENTIN. – Oh ! j'y suis, c'est le club des Bilboquets.

MADAME FOLLENTIN *qui a mal entendu.* – Des pick-poquets ?

FOLLENTIN. – Bil ! Bilboquets !

MARTHE. – Mais oui, mère, c'est le jeu qu'on vient d'inventer pour Henri III... plus tard [18].

MADAME FOLLENTIN. – Ah ! j'ai eu une émotion !

Les Conjurés voyant entrer la patrouille se mettent à jouer au bilboquet tout en sifflotant entre leurs dents l'air du langage chiffré. Passe la patrouille, torches en mains.

FOLLENTIN *pendant que les autres sifflotent.* – Eh ! bien, tiens ! tu es servie à souhait.

MARTHE. – Toi qui te plaignais qu'on ne voyait pas clair dans les rues.

FOLLENTIN. – Patrouille du temps, ma chère ! Crois-tu que ça en a, un caractère !

Sortie de la patrouille.

MADAME FOLLENTIN. – Oui, mais on ne peut pas dire qu'elle éclaire longtemps.

FOLLENTIN. – Ah ! Tu n'es jamais contente !

Les conjurés qui, tout en sifflotant, sont remontés pour s'assurer que la patrouille est bien partie, redescendent.

FOLLENTIN, *parlé sur la musique.* – Je vous demande pardon, si nous sommes là en badauds ; je vous écoutais tout à l'heure.

PREMIERS CONJURÉS, *terribles.* – Vous nous écoutiez ?

LES FOLLENTIN. – Hein !

DEUXIÈMES CONJURÉS. – Vous nous épiez !

FOLLENTIN. – Moi ?

MARTHE ET SA MÈRE. – Nous ?

PREMIER CONJURÉS, *marchant sur eux.* – Cinq, vingt-huit, neuf, douze.

DEUXIÈMES CONJURÉS (*id.*). – Un, trois, deux, zéro, trente.

MADAME ET MADEMOISELLE FOLLENTIN (*enserrées entre eux*). – Papa, Adolphe, ne nous quitte pas.

TOUS LES CONJURÉS. – Trois-cent-sept, neuf, huit, sept, un, deux trois, zéro, vingt.

FOLLENTIN. – Je vous assure, Messieurs.

TOUS LES CONJURÉS. – Six, huit, sept, un, deux, trois, dix-neuf, cent-huit, quarante quat' quat' quat' un, sept, huit, dix-neuf, cent, trente et un.

PREMIERS CONJURÉS. – Couic !

DEUXIÈMES CONJURÉS. – Couic !

PREMIERS CONJURÉS. – Et si vous répétez un seul mot de ce que vous avez entendu, vous êtes morts.

FOLLENTIN. – Morts ?

TOUS. – Morts !

MADAME FOLLENTIN ET MARTHE. – Dieu !

Comme précédememnt, ils reprennent leur air siffloté et rentrent ainsi dans l'Hôtellerie où les accueille La Hurière qui les fait descendre dans une cave et disparaît avec eux.

MADAME FOLLENTIN. – Tu vois ! Tu vois ce que tu nous occasionnes.

FOLLENTIN. – Laisse donc ! Quoi ! C'est ce qu'il y a d'amusant !

MARTHE. – Mais oui, maman ! Ça nous change de la banalité du vingtième siècle.

FOLLENTIN. – Regarde comme tout ça a du caractère autour de nous ! Ce que tu vois, là, c'est l'Église Saint-Germain-l'Auxerrois.

MARTHE. – Et là, c'est le Louvre.

MADAME FOLLENTIN. – Eh ! bien, je les connais !

FOLLENTIN. – Évidemment, tu les connais, mais pas à cette époque-là !

MARTHE. – Tu connais le Louvre avec des tableaux, comme quand nous y allons le dimanche.

FOLLENTIN. – Mais songe qu'au lieu de tableaux, en ce moment-ci, il y a Charles IX, Catherine de Médicis, Henri de Navarre [19]...

MARTHE. – Qui sera Henri IV plus tard.

FOLLENTIN. – Parfaitement, il n'en sait rien, mais il sera Henri IV plus tard. Marguerite de Navarre, *tcétéra, tcétéra, tcétéra.*

MADAME FOLLENTIN. – Faut-il qu'il y ait du logement là-dedans.

MARTHE. – Plutôt !

MADAME FOLLENTIN. – C'est égal, je me sens très dépaysée, il n'y a pas à dire, Adolphe, quand on se trouve comme ça dans une autre époque, on ne connaît personne.

FOLLENTIN. – Ah, bien ! c'est comme quand on voyage.

MARTHE. – On fait des connaissances !

MADAME FOLLENTIN. – Enfin, tu es content. C'est le principal.

FOLLENTIN. – Si je suis content ! Je nage dans la joie ! A la bonne heure ! Voilà une époque ! Personne ne nous embête !... On est libre !

MADAME FOLLENTIN. – Et la vie pour rien !

FOLLENTIN. – Un poulet, un écu ! Une sole...

MARTHE. – Six sols.

FOLLENTIN. – C'est étonnant.

MADAME FOLLENTIN. – Mais, dis donc, nous n'allons pas coucher ici ?

MARTHE. – Je ne sais pas, papa, si tu es comme moi, mais j'ai l'estomac dans les talons.

FOLLENTIN. – Le fait est que nous avons dîné de très bonne heure. On dîne vraiment trop tôt à cette époque-ci ! Quelle heure est-il ? (*Il tire sa montre*). Quatre heures dix !

MADAME FOLLENTIN. – Comment, quatre heures dix !

MARTHE. – Mais, papa, tu as encore l'heure du 20ᵉ siècle.

FOLLENTIN. – C'est vrai ! Je ne me suis pas réglé sur l'époque ! Je vois qu'on avance sur 1905 ! Venez, mes enfants !

(Un passant passe à gauche).

MARTHE. – Ah ! voilà quelqu'un.

FOLLENTIN. – Attends ! Je vais lui parler... comme on parle aujourd'hui... (*Au passant*). Holà ! messire !... Vous n'auriez pas l'heure sur vous !

LE PASSANT *riant.* – Ma foi, non, mon gentilhomme ! Je n'ai pas l'habitude de sortir avec mon sablier !... mais voici qui vous renseignera.

LE CRIEUR *passant au fond, de droite à gauche.* – Il est dix heures !... tout est tranquille !... Parisiens, dormez !

FOLLENTIN. – Il est dix heures !... merci, Messire.

LE PASSANT. – Dieu vous garde, mon gentilhomme.

FOLLENTIN. – J'ai bien l'honneur de vous saluer.

Le passant sort par la droite.

LE CRIEUR (*reprenant*). – Il est dix heures !

FOLLENTIN. – Dites donc ! mon ami ! Vous allez bien ?

LE CRIEUR *descendant.* – Mais pas mal, mon gentilhomme, je vous rends grâce.

FOLLENTIN. – Hein ? Ah ! non ! Je vous disais – notez que je suis très content d'avoir de bonnes nouvelles de votre santé – mais je vous demandais... si vous alliez bien comme heure ?

LE CRIEUR. – Toujours, mon gentilhomme ! C'est moi qui la règle.

FOLLENTIN. – Ah ! bon ! bon !

A ce moment vient au fond un seigneur entre quatre valets portant des torches à la main et des mousquets sur l'épaule.

MADAME FOLLENTIN. – Mon Dieu ! Quel est cet homme entre ces gens armés ?

MARTHE. – C'est un prisonnier ?

LE CRIEUR. – Ah ! non, ma belle demoiselle, c'est un seigneur qui rentre tranquillement chez lui.

Le seigneur et les valets rentrent dans la maison de droite.

FOLLENTIN. – Mais... ces hommes armés ?

LE CRIEUR. – Simple précaution d'usage. A pareille heure, les rues ne sont pas sûres.

MARTHE. – Les rues ne sont pas sûres ?

MADAME FOLLENTIN. – Pas sûres ! Tu vois, Adolphe, ce que je te disais.

FOLLENTIN. – Mais n'aie donc pas peur ! Des gens du seizième siècle ne peuvent pas assassiner des gens du vingtième.

MARTHE. – Mai oui, ça ne concorderait pas.

FOLLENTIN *au crieur.* – Merci, mon ami.

Il lui donne vingt sous.

LE CRIEUR *regardant la pièce à la lueur de l'auberge.* – Napoléon III ! Qu'est-ce que c'est que ça ? Une médaille ?

FOLLENTIN. – Comment ? C'est vingt sous !

MARTHE. – Vingt sols !

LE CRIEUR. – Mais ça n'a pas cours ! On ne me la prendra pas ! Enfin, merci toujours, mon gentilhomme ! Et Dieu vous garde !

FOLLENTIN. – Merci, mon ami !

LE CRIEUR *remontant.* – Il est dix-heures...

FOLLENTIN. – Il est donc toujours dix heures ! Il y a dix minutes que nous causons et il est encore dix heures.

LE CRIEUR *disparaissant par le fond à droite.* – Tout est tranquille !... Parisiens...

(La voix se perd dans l'éloignement).

SCÈNE II

LES MÊMES moins LE CRIEUR, puis COCONAS

MADAME FOLLENTIN. – Écoute, mon ami, entrons dans cette auberge ! Je t'assure que nous y serons plus en sûreté. Tiens ! tiens ! regarde, un homme ! (*Coconas*[20] *paraît*).

FOLLENTIN. – Mais n'aie donc pas peur, il ne nous veut pas de mal. (*Regardant l'enseigne*). A la Belle Étoile ! Voilà, sur mon âme, une belle enseigne : et puis l'hôtellerie est voisine du Louvre, ce sera une commodité.

COCONAS *même jeu.* – Mordi ! Voilà une auberge qui s'annonce bien ! et l'hôte doit être, sur ma parole, un hardi compère.

MADAME FOLLENTIN. – Fais attention, Adolphe ! Il tourne autour de toi.

FOLLENTIN. – Laisse-donc. Il ne nous mangera pas.

COCONAS. – Mordi, Monsieur ! Je crois que vous avez la même sympathie que moi pour cette auberge.

FOLLENTIN. – Monsieur...

COCONAS. – Je m'en félicite ! car c'est flatteur pour ma Seigneurie.

FOLLENTIN. – Comme il est aimable !

MADAME FOLLENTIN. – Méfie-toi, tu sais. Le vol à l'américaine, c'est comme ça que ça commence.

COCONAS, *leur faisant signe d'entrer.* – Je vous en prie...

FOLLENTIN. – Après vous !...

COCONAS. – Corbleu ! je n'en ferai rien, car je suis votre humble serviteur, le Comte Annibal de Coconas.

FOLLENTIN (*avec admiration*). – Coconas ! Vous êtes Coconas ?

LES DEUX FEMMES. – Coconas.

FOLLENTIN. – Mes enfants, c'est Coconas.

COCONAS (*chanté*). – Oui, sandis [21] ! je suis Coconas.

FOLLENTIN (*parlé*). – Est-il possible, Coconas, celui de Monsieur Dumas ?

COCONAS (*chanté*)

J'ignore ce Dumass
Que je ne connais pass
Et je suis Coconas
Arrivant de ce pass
Du Piémont un peu lass,
Mais sans l'ombre, en tous cass
En un mot Coconas
A la clé de Dumass
Coconas, Coconas,
Comte Annibal de Coconas.

LES FOLLENTIN. – Ah ! Monsieur Coconas.

COCONAS (*chanté*). – Quoi ? Vous me connaissez ?

TOUS (*parlé*). – Si nous vous connaissons.

COCONAS (*chanté*). – Ah ! pour ma Seigneurie. C'est trop de flatterie.

TOUS (*parlé*). – Mais non, mais comment donc.

COCONAS (*chanté*). – Si, si, je suis confus.

FOLLENTIN (*parlé*). – Mais, pardon, pourquoi vous croyez-vous obligé de chanter ?

COCONAS (*chanté*). – Parce que j'ai de la voix.

FOLLENTIN (*s'inclinant*). – Ah !

COCONAS (*vocalisant*). – Ah ! Ah ! Oui, je te crois. Ah ! Ah ! Ah ! Ah !

FOLLENTIN (*pendant ces vocalises*). – C'est vrai qu'il a de la voix.

COCONAS. – Ah ! Ah ! Ah ! Ah ! Ah ! (*brusquement*)

Mais c'est drôle,
Plus je vous vois,
Et vous observe dans ce rôle.
Ne seriez-vous pas quelque fois
Le sieur Comte Joseph de Lerac de la Môle ?

FOLLENTIN. – Non, non ! Je le regrette, mais je suis... Au fait, je ne sais pas pourquoi je ne chanterais pas moi aussi.

(*Chantant*).

Je suis Monsieur Follentin Adolphe.
Follentin de Paris.

COCONAS (*chantant*). – Est-il possible !

LES DEUX FEMMES (*id.*). – Ça l'est.

COCONAS

Ah !
Follentin ! Follentin !
Que ce nom est argentin.
Follentin ! Follentin !
Tin, tin, tin, tin, tin.
Cela sonne
Carillonne
Comme une cloche du matin.

TOUS (*pendant que Coconas vocalise*)

Follentin, Follentin,
Tin, tin, tin, tin, tin, tin.
C'est bien le son argentin
De la cloche du matin.

COCONAS (*brusquement*)

Mais halte ! En tout ceci, pour moi, se manifeste,
Comme l'expression des volontés d'en haut.
Notre rencontre ici nous donne le mot
Nous devons être amis, Follentin, il le faut,
Et ne plus nous quitter, tel est le vœu céleste.

FOLLENTIN

Plus un mot,
Plus un geste
Je reste.

COCONAS

Il reste
Vous l'entendez, là-haut
Il reste.

– I –

COCONAS

Ah ! je bénis le destin
Qui m'a mis sur mon chemin
M'a mis Follentin.

TOUS

A mis Follentin.

COCONAS

Désormais jusqu'au trépas
Tu peux compter sur mon bras
Foi de Coconas.

TOUS

Foi de Coconas.

COCONAS

Puisque le ciel l'a voulu
Dès ce jour marché conclu,
Projet résolu.

TOUS

Projet résolu.

COCONAS

N'ayant qu'un même chemin,
Marchant la main dans la main,
Ne faisons plus qu'un.

TOUS

Ne faisons plus qu'un.

COCONAS

Que le monde en nous voyant,
À la fin nous confondant,
Ne sache vraiment

TOUS

Ne sache vraiment

COCONAS

Quel est Coconas.

FOLLENTIN

Quel est Follentin.

COCONAS

Quel est Follentin.

FOLLENTIN

Quel est Coconas.

TOUS

C'est-y Coco, c'est-y fofo,
C'est-y Nanas, c'est-y tin tin
Est-ce Coconas ou bien Follentin ?

– II –

FOLLENTIN

Je suis ému franchement.
Trouver ainsi brusquement
Pareil dévouement.

TOUS

Pareil dévouement.

FOLLENTIN

Ah ! certes, oui, j'en réponds,
Désormais que nous serons
Amis comme oui, oui...

TOUS

Amis comme oui, oui...

FOLLENTIN

On nous verra, c'est certain,
Comme deux doigts de la main
Unis dès demain.

TOUS

Unis dès demain.

FOLLENTIN

Et bientôt, je le prédis,
Faisant de ces deux amis
Un salmigondis.

TOUS

Un salmigondis.

FOLLENTIN

Les gens toujours curieux
En nous voyant tous les deux
Diront à part eux

TOUS

Diront à part eux

FOLLENTIN

C'est-y Foconas.

COCONAS

C'est-y Collentin.

FOLLENTIN

C'est-y Focantin.

COCONAS

C'est-y Collonas.

TOUS

C'est-y Fofo, c'est-y Coco,
C'est-y Nanas, c'est-y Tintin,
C'est-y Fofonas ou bien Cocotin.

FOLLENTIN (*présentant sa femme et sa fille*). – Madame

Follentin, ma femme. Ma fille, Mademoiselle Follentin.

COCONAS. – Vive Dieu ! Voilà deux jolis fleurons qui manquent à la couronne de notre bon roi Charles IX !... Et je ne regrette pas d'avoir quitté le Piémont, puisqu'il m'est donné d'en régaler mes yeux.

MADAME FOLLENTIN. – Ah ! comme il est galant !

MARTHE. – Comme il parle joliment !

LES DEUX FEMMES. – Il est charmant ! Il est charmant !

COCONAS. – Palsambleu ! Monsieur de Follentin, prenons-nous donc par le bras, et entrons ensemble ! (*Aux femmes.*) Mesdames, éclairez notre chemin !

(Ils entrent dans l'auberge.)

COCONAS (*une fois entré*). – Dites donc, Monsieur l'hôte de la Belle Étoile ! Monsieur le manant ! Monsieur le drôle !

FOLLENTIN. – Vous permettez, garçon !

LA HURIÈRE. – Pardon, Messires, je ne vous avais pas vus.

COCONAS. – Il fallait nous voir ! C'est votre état !

FOLLENTIN. – Comme il a du chic pour parler à ces gens-là !

COCONAS. – Servez-nous à souper.

LA HURIÈRE. – A pareille heure, il ne reste plus rien !

COCONAS. – Eh ! parbleu ! Le drôle se moque de nous ! Ne vous semble-t-il pas que nous allons massacrer ce gaillard-là !

FOLLENTIN. – Déjà ?

LES DEUX FEMMES. – Ah ! mon Dieu !

COCONAS. – Tripe del papa ! Mais échauffez-vous donc, M. Follentin !

MADAME FOLLENTIN. – Je t'en prie, Adolphe ! Pas d'imprudence !

MARTHE. – Papa ! Ne te mêle pas de ça !

MADAME FOLLENTIN. – Songe que tu es étranger.

FOLLENTIN. – N'ayez pas peur !... N'ayez pas peur !... Écoutez, je vais vous dire, Monsieur Coconas, c'est que je n'ai pas comme vous sur moi de...

(*Il indique l'épée.*)

COCONAS. – C'est juste !... Prenez ma dague !

FOLLENTIN. – Hein ? Mais non !... mais non !

LA HURIÈRE. – Inutile, messeigneurs ! je vois que j'ai affaire à des gens de qualité, et je me souviens que j'ai là quelque part...

COCONAS. – Hâte-toi donc, manant, si tu ne veux que je te fourre mon pied dans ton quelque part.

LA HURIÈRE. – J'y cours, mon gentilhomme !

(*Il sort.*)

FOLLENTIN. – Quelle morgue ! Comme il est grand seigneur !

COCONAS. – Mordi, Monsieur ! Si nous prenions place à cette table.

FOLLENTIN. – Mordi, j'allais vous en prier ! Bobonne, Monsieur Coconas à ta droite !...

MADAME FOLLENTIN (*s'asseyant*). – Monsieur Coconas.

FOLLENTIN. – Marthe ! A la droite de Monsieur Coconas.

COCONAS. – Palsangué ! Je suis ce soir le plus heureux des hommes ! (*Montrant Marthe.*) Entre Vénus et... (*Il montre Madame Follentin.*) et Junon.

(*Tout le monde s'assoit. Coconas entre les deux femmes, face au public, Follentin, le dos au public.*)

MADAME FOLLENTIN et MARTHE. – Oh ! charmant !... Charmant !

FOLLENTIN. – Hein ?

LES QUATRES FILLES DE L'AUBERGISTE.

Salut, Messieurs les gens de qualité !
Que faut-il pour votre service ?
Excusez le garçon d'office !
Il vient d'aller, juste, en course à côté.
Mais qu'à cela ne tienne.
En attendant qu'il vienne,
Nous allons de concert
Vous mettre le couvert.

PREMIÈRE JEUNE FILLE.

Moi, je drape
Cette nappe.

DEUXIÈME JEUNE FILLE.

Moi, je mets
Les gobelets.

TROISIÈME JEUNE FILLE.

Les assiettes,
Les plus nettes.

QUATRIÈME JEUNE FILLE.

Et moi, le plus sérieux,
Les bouteilles de vin vieux.

LA HURIÈRE (*arrivant de la cuisine*).

Enfin voici la poularde,

Qui mijote dans sa barde.
FOLLENTIN. – Oh ! la poularde.
TOUS (*avec joie*). – Ah !
LES QUATRE JEUNES FILLES.
Voilà Messieurs les gens de qualité
Mieux valait faire le service,
Qu'attendre le garçon d'office,
C'est parfois long, une course à côté.
COCONAS.
Les petites sont adorables,
Aubergiste de tous les diables.
Je te pardonne tes façons,
Pour ces quatre minois fripons.
LA HURIÈRE. – Ah ! Monseigneur.
FOLLENTIN.
Parbleu ! Messire,
Je rends hommage à ces tendrons.
Mais ce souper aussi m'attire.
J'ai l'estomac dans les talons.
COCONAS.
C'est juste,
Moi-même je me sens toute une faim robuste.
Allez, manant, sers !
MARTHE.
Mais, mère, on manque de couverts ?
MADAME FOLLENTIN.
C'est pourtant vrai, quelle étourderie !
Maître d'hôtel, des couverts, je vous prie !
LA HURIÈRE ET LES PETITES.
Des couverts ?
MARTHE (*moqueuse*).
A moins quelquefois
De vouloir qu'on mange avec ses dix doigts.
COCONAS.
Mais avec quoi donc, belle dame,
Prétendriez-vous que nous mangeassions ?
MARTHE.
Avec quoi nous prétendrions ?
COCONAS.
Mais, dame !...
MARTHE.
Vous avez de ces questions,
Messire. Et la fourchette [22],
Est-ce pour les chiens qu'elle est faite ?

TOUS (*moins les modernes*).
La fourchette !... la fourchette !... la fourchette !...
LES TROIS.
Eh ! oui, pardine, la fourchette.
TOUS.
La fourchette !
Vous connaissez ça, la fourchette ?
Moi, connais pas ça, la fourchette.
Tu connais, ça, toi, la fourchette ?
Moi, pas du tout, quoi ! la fourchette.
LES TROIS.
Quoi, vous ignorez la fourchette ?
TOUS.
Oui, nous ignorons la fourchette.
LES TROIS (*riant*).
Ah ! vous ignorez la fourchette ?
TOUS.
La fourchette !... la fourchette !... la fourchette !
Qu'est-ce que c'est que la fourchette ?
MARTHE.
Hein ! Ce que c'est que la fourchette ?
TOUS.
Oui ! Dépeignez-nous la fourchette.
FOLLENTIN.
Que je dépeigne la fourchette ?
Soit ! C'est bien simple, la fourchette.
TOUS.
La fourchette !... la fourchette !... la fourchette !...
FOLLENTIN.
7 *Légende de la fourchette*

I

La fourchette, c'est quelque chose
Comme une fourche en réduction.
C'est même de là, je suppose,
C'est de là que vient l'expression
Fourchette ! Fourchette !
Petite fourche autrement dit,
Les mots toujours en « et », en « ette »
Désignant l'objet plus petit,
C'est un instrument très pratique,
Lorsque l'on pense qu'autrefois,
On avait pour fourchette unique
Le bout de ses doigts.

C'était vraiment intolérable,
Cela gâtait tous les festins.
De ne pouvoir sortir de table
    Sans gras plein les mains.
Aussi l'on était très morose,
Il fallait trouver quelque chose,
    Et voilà ! Et voilà !
D'où devait naître la fourchette.
Aujourd'hui, parbleu ! ça paraît bêbête,
    Mais voilà, Mais voilà !
Fallait-il encore trouver ça !

II

Jadis fermière très peu sage,
Avait un époux sans ardeur,
« Ah ! tant pis, se dit la volage,
« Il a mérité son malheur. »
    Cornette ! Cornette !
Petite corne autrement dit,
Ce fut, pour lui conter fleurette,
Ce fut son valet qu'elle prit.
Son mari, sur cette entrefaite,
En rentrant des champs la trouva.
Il paraît qu'il fit une tête !
    Dame ! on comprend ça.
La fourche en main et droit au ventre,
Se précipite sur le gars
Et jusqu'aux tripe la lui rentre.
    Puis, à bout de bras,
L'emporte telle une brochette
Laissant Madame stupéfaite.
    C'est de là, c'est de là,
Que devait naître la fourchette.

III

De son carreau suivant le drame,
Et le groupe qui s'éloignait,
« Sur sa fourche, pensait la dame,
« Qu'il est donc menu mon valet. »
    Fourchette ! fourchette !
Fourchette, ah ! oui, se serait mieux dit,
Qu'à certaine distance on se mette,
Tout aussitôt devient petit.
Là-bas cette forme embrochée,

Semble quelque morceau friand,
Dont on ferait une bouchée,
L'ayant sous la dent
Comme cette fourche une tige
Chez quelque raffiné de choix,
Afin d'éviter tout vestige
De gras sur les doigts.
Soudain, la femme devint verte.
La fourchette était découverte,
Et voilà ! Et voilà !
Comment on trouva la fourchette.
Etc.

FOLLENTIN. – Comment, alors ! Vous ne connaissez pas les fourchettes ?

COCONAS. – Eh ! Non ! L'usage n'est pas encore venu à Paris.

FOLLENTIN, *à part.* – Ils ne connaissent pas !... (*Brusquement.*) Mais alors, ma fortune est faite !

COCONAS. – Allons, passez-moi la poularde.

Il déchiquète la poularde à pleine main.

TOUS. – Oh !

FOLLENTIN, *à part.* – Ils sont tout de même un peu primitifs.

COCONAS, *à Madame Follentin.* – Cette aile, belle dame.

MADAME FOLLENTIN, *à part.* – Hein ! avec ses doigts, c'est ragoûtant !

COCONAS, *à Marthe.* – Cette autre aile, beauté de mon âme ?

LES DEUX FEMMES. – Hein !

FOLLENTIN. – Comment est-ce qu'il l'appelle ?

COCONAS. – Parbleu ! Monsieur de Follentin, vous avez là une fille qui vous fait honneur et j'en ferais volontiers la compagne de mes nuits !

FOLLENTIN. – Hein !

COCONAS, *indiquant la poularde.* – Et vous ?

FOLLENTIN. – Le croupion, si vous voulez bien ! (*Il indique le morceau.*)

COCONAS. – Ah ! La mître[23] de Son Éminence ! Pincez-la donc vous-même !

Il tend la carcasse du poulet à Follentin qui tire lui-même le croupion. Ils se mettent à manger tant bien que mal.

MARTHE, *au bout d'un certain temps.* – Comme on mange salement !

Ils cherchent des serviettes pour s'essuyer les mains.

MADAME FOLLENTIN. – Qu'est-ce que tu cherches, papa ?

FOLLENTIN. – Pour m'essuyer les mains.

COCONAS. – Eh ! bien, la nappe !

MADAME FOLLENTIN. – La nappe !

FOLLENTIN, *à part, s'essuyant les mains à la nappe.* – C'est ça ! c'est l'étable à cochons.

SCÈNE III

LES MÊMES, MAUREVEL sous les traits de BIENENCOURT

MARTHE, *apercevant par la fenêtre qui sépare l'auberge de la rue, Maurevel qui s'arrête inspectant la place.* – Ah ! papa, regarde, là, sur la place..., l'homme au manteau amadou.

FOLLENTIN. – Eh bien ?

MADAME FOLLENTIN. – Quoi ! Le manteau amadou ?

MARTHE. – Dans Dumas !... Le Sire de Maurevel [24].

FOLLENTIN. – Hein, le traître ! Pourquoi veux-tu ?

MARTHE. – Si on l'appelait l'homme au manteau amadou, c'est qu'il était le seul à le porter !

FOLLENTIN. – Tu crois ?

MADAME FOLLENTIN, *à Coconas.* – Oh ! Monsieur Coconas ! Vous qui êtes du temps !... regardez sur la place, vous devez connaître cet homme !... Qui est-ce ?

COCONAS. – Moi ! Comment voulez-vous ! Je suis arrivé hier du Piémont !

FOLLENTIN. – Cependant, dans Dumas !

COCONAS. – Quoi ! Dumas. Vous venez tout le temps me parler de Dumas. Je ne connais pas cet homme-là !

FOLLENTIN. – C'est juste !... Ah ! mais il vous connaît bien, lui.

MARTHE. – Oh ! papa !... le voilà.

Maurevel a repris sa marche et entre dans l'auberge. Il jette un coup d'œil circulaire, aperçoit les Follentin et paraît les reconnaître.

MAUREVEL. – Ah !

Il s'approche d'eux, les regarde fixement un instant.

MADAME FOLLENTIN. – Comme il nous regarde !

FOLLENTIN, *reconnaissant les traits de Bienencourt.* – Ah !

MADAME FOLLENTIN et MARTHE. – Quoi ?

FOLLENTIN. – Rien ! N'aie pas l'air...

A ce moment, La Hurière sort de sa cuisine. Maurevel l'aperçoit et va à lui. Conciliabule des deux hommes.

FOLLENTIN, *à Madame Follentin et à Marthe.* – Avez-vous remarqué comme il ressemble à Bienencourt ?

COCONAS. – A Bienencourt ?

MADAME FOLLENTIN. – Oui, Oui !

MARTHE. – C'est étonnant !

FOLLENTIN. – Quand je vous disais que Bienencourt était un traître !

COCONAS. – Eh ! mordi !... Laissons ce Bienencourt que je ne connais pas et faisons honneur à ce vin de France ! *

Il leur verse à boire. Entre temps à l'arrivée de Maurevel, La Huirière est allé quérir les conjurés qui peu à peu sont venus du dessous se rassembler autour de Maurevel. Ils se mettent à chuchoter en désignant les Follentin.

COCONAS, *à La Hurière.* – Eh ! l'hôtelier ! un autre broc !

LA HURIÈRE. – Voilà, messire ! Voici justement mon valet qui revient, il va vous apporter cela ! Eh ! là-bas.

SCÈNE IV

LES MÊMES, GRÉGOIRE sous les traits de GABRIEL

GRÉGOIRE. – Voilà, patron !

LA HURIÈRE. – Tiens ! occupe-toi de ces gentilshommes.

GRÉGOIRE. – Vous désirez, messires ?

FOLLENTIN. – Ah !

TOUS. – Quoi ?

FOLLENTIN. – Et celui-là ! et celui-là !... Comme il ressemble à ce galopin de Gabriel !

COCONAS. – Gabriel, mais je ne le connais pas.

FOLLENTIN. – Il ne connaît personne.

MARTHE. – Attends un peu. Comment vous appelez-vous, garçon ?

---

* Variante en fin de tableau.

GRÉGOIRE. – Moi, Mademoiselle ! Je m'appelle Grégoire !

FOLLENTIN. – Ah ! Ah ! ce n'est pas ça, alors.

MARTHE. – C'est dommage !

MADAME FOLLENTIN. – Tu vois des ressemblances partout.

COCONAS. – Vous avez fini ? Allons, garçon, un troisième broc du même. (*Grégoire sort.*) Un peu de gaité ! Vive Dieu ! Votre fille est charmante, Follentin, et je l'aime ! *

MADAME FOLLENTIN. – Mais monsieur ! Voulez-vous bien !...

COCONAS. – Laissez-moi, la mère !

MARTHE. – Oh !... Oh !... papa ! il me fait du pied !

FOLLENTIN. – Vous faites du pied à ma fille ?

COCONAS. – C'est exprès ! C'est ainsi qu'aujourd'hui on exprime une invite à l'amour, ange de ma vie.

LES DEUX FEMMES. – Oh !

FOLLENTIN. – Mais, à la fin, Monsieur Coconas !

COCONAS. – Qu'est-ce à dire, Monsieur Follentin ?

FOLLENTIN. – Je dis, Monsieur, que je ne permettrai pas...

COCONAS. – Ventrebleu ! Voudrez-vous me disputer cette enfant à la pointe de votre épée ?... (*Son épée d'une main, saisissant Marthe de l'autre.*) Venez donc l'arracher de mes bras !

MARTHE. – Voulez-vous me lâcher ! Voulez-vous me lâcher !

MADAME FOLLENTIN. – Mon enfant ! Mon enfant ! Rendez-moi mon enfant !

FOLLENTIN. – Mon Dieu, que c'est embêtant ! Mon Dieu, que c'est embêtant !

MADAME FOLLENTIN. – Adolphe ! Tue-le ! Tue-le !

FOLLENTIN. – Mais comment veux-tu que je le tue ! J'ai rien (*A Coconas.*) Monsieur, vous vous conduisez comme un pignouf !

COCONAS. – Pignouf ! J'ignore ce mot, mais je sens qu'il me blesse ! Par le nom vénéré de mon maître, Monseigneur le duc de Guise [25]...

LA HURIÈRE et MAUREVEL. – Le duc de Guise !

COCONAS. – ... Voudriez-vous en découdre ?

FOLLENTIN. – Quoi ?

* Reprise après la variante.

LA HURIÈRE, *bas à Maurevel.* – Son maître, le duc de Guise.

MAUREVEL. – Celui-là est des nôtres.

COCONAS, *à Follentin.* – Allons, monsieur ! Flamberge au vent !

FOLLENTIN. – Non, monsieur, non ! Pas de flamberge ! je ne suis pas de ceux qui croisent le fer au coin des rues ! Je me contente de répondre en protestant !

LA HURIÈRE *et les consommateurs au fond, chuchotant.* – C'est un protestant ! C'est un protestant !

MAUREVEL, *s'approchant de Coconas, à mi-voix.* – A vous, messire, deux mots. Au nom du duc de Guise, suivez-nous. Ici, on pourrait nous entendre !

COCONAS. – Sortons !

MAUREVEL. – Sortons !

LA HURIÈRE. – Sortons ! (*Il entraîne Coconas dans la rue.*)

FOLLENTIN. – Eh ! bien, où va-t-il ? Il nous laisse là !

Pendant tout le dialogue qui suit, les conjurés qui sont dans la rue avec Coconas reprennent en sourdine l'ensemble de la conjuration.

MADAME FOLLENTIN. – Je t'assure, mon ami, que nous devrions retourner aux XXe siècle.

FOLLENTIN. – Ah ! tu es bonne, toi ! (*Voyant Grégoire qui rentre de la cuisine avec une bouteille de vin.*) Ah ! voici le garçon qui ressemble à Gabriel.

GRÉGOIRE. – Vous êtes seuls ?... Je peux enfin vous parler.

FOLLENTIN. – Qui êtes-vous ?

GRÉGOIRE. – Je suis celui qui vous protège ! Vous ne pouvez pas rester une minute de plus ici.

MADAME FOLLENTIN. – Pourquoi ?

GRÉGOIRE. – Parce qu'il y a des armes qui se fourbissent dans l'ombre ! Parce qu'il y a du feu qui couve ! Parce que tout à l'heure, quand tintera la cloche de Saint-Germain-l'Auxerrois, il sera trop tard, parce que c'est la nuit de la Saint-Barthélemy.

FOLLENTIN. – Nom de Dieu !... Filons !

GRÉGOIRE. – Oh ! mais pas comme ça. Pour assurer votre sauvegarde, mettez ces croix à vos chapeaux !

FOLLENTIN. – La croix de Lorraine[26] ! Vite ! mes enfants ! mettez votre croix.

MARTHE. – Ah ! oui ! la croix de Lorraine.

FOLLENTIN. – Ah ! merci, jeune homme, merci. (*A sa

femme et sa fille qui mettent leurs croix.) Mon chapeau, où est mon chapeau ? (*Il le prend et dans son trouble, il met la croix sur le derrière du chapeau et se coiffe.*) Maintenant, filons !

Il se précipite vers la porte de la rue qu'il ouvre.

TOUS. – On ne passe pas.

FOLLENTIN. – Pardon, messieurs, regardez ! J'ai la croix de Lorraine !

Il montre le devant de son chapeau où il suppose la croix.

TOUS, *tirant leurs épées.* – Il ne l'a pas ! Sus aux Huguenots !

FOLLENTIN, *rentrant affolé dans l'auberge.* – Ah ! mon Dieu ! au secours ! Au secours !

MARTHE et MADAME FOLLENTIN. – Au secours ! Au secours !

Elles rentrent précipitamment, entraînées par Grégoire dans l'hôtellerie. Maurevel, La Hurière et les consommateurs poursuivent Follentin qui se sauve dans l'escalier.

MADAME FOLLENTIN, *à Grégoire.* – Au nom du ciel, monsieur ! Sauvez-nous, sauvez ma fille !

GRÉGOIRE. – Venez par ici !... (*Il les fait entrer toutes les deux dans la cuisine.*) Vous trouverez une issue !

MAUREVEL et les autres, *arrivant devant la porte.* – Sus aux Huguenots ! tue ! tue !

FOLLENTIN. – Au secours ! Au secours !

Poursuite, tocsin.

MAUREVEL. – Le tocsin !

TOUS. – Le tocsin !

MAUREVEL. – Voilà qui va donner l'éveil ! Au Louvre ! Au Louvre !

Gens armés, tocsin.

FOLLENTIN. – Ah ! non ! Tomber juste sur la Saint-Barthélemy ! Zut ! Zut ! Zut !

RIDEAU

VARIANTE

COCONAS, *chantant.*
J'ai le gosier sec
Et je bois de même
Se rincer le bec
Est tout ce que j'aime.
(*A Follentin.*)
L'ami, s'il vous plaît,
Votre gobelet !

Il verse.

(*Aux deux femmes.*)
Et vous, toutes chères,
Tendez-moi vos verres !

LES DEUX FEMMES, *plus préoccupées de ce qui se passe au fond. (Chanté)* – Voilà ! Voilà !

FOLLENTIN, *bas à sa femme indiquant Bienencourt et les conjurés.*
As-tu remarqué depuis qu'il est là
Tous ces gens soudain qui sortent de terre.

MADAME FOLLENTIN. – Oui, j'ai remarqué.

MARTHE. – Qu'augurer de ça ?

FOLLENTIN. – Je me sens troublé par tout ce mystère.

COCONAS, *à sa boisson.*
Ah ! c'est bon ! Ah c'est bon ! Ah c'est bon !
Le vieux vin, le bon vieux vin de France.
Cela vous met d'aplomb,
Cela donne du ton.
Ça vous chauffe et réchauffe la panse.
C'est la joie en flacon
Avec la déraison,
Tout au fond, tout au fond,
Au fond du carafon.

FOLLENTIN, *à sa femme.* – Que font-ils ?
MADAME FOLLENTIN.
Chut ! prends garde,
Ne te retourne pas !
En chuchotant tout bas
La bande nous regarde.
COCONAS.
Ah ! c'est doux ! Ah ! c'est doux ! Ah ! c'est doux !
Ce divin, cet exquis cher breuvage.
MADAME FOLLENTIN.
Chacun nous dévisage,
Nous observe en dessous.
Vrai ! l'on dirait, je gage,
Qu'ils en ont après nous.
FOLLENTIN. – Après nous ?
LES DEUX FEMMES. – Après nous.
COCONAS.
Eh ! bien qu'attendez-vous
Pour boire davantage ?
FOLLENTIN, *chanté.* – Voilà ! Voilà ! (*A part.*) Mon Dieu, je suis en nage.
COCONAS. – Quel buveur de deux sous. (*Il lui verse.*)
LES CONJURÉS, *chuchotant entre eux de façon qu'on n'entend qu'une rumeur confuse.* – Chi bi chi bi chi.
BIENENCOURT. – Ha bou la bou tcha.
LES CONJURÉS. – Pa la patcha patcha.
BIENENCOURT. – Tou la nitchou macha.
FOLLENTIN, *pendant que les autres continuentà chuchoter.* – Entends-tu ce qu'ils disent
MADAME FOLLENTIN. – Rien, rien.
COCONAS. – C'est bon ! ces vins vous grisent !
FOLLENTIN. – Écoute bien.
MADAME FOLLENTIN. – J'entends, mais je ne comprends rien.
FOLLENTIN. – Mon Dieu, mon Dieu, les sales blagues.
MADAME FOLLENTIN.
Je ne perçois que des sons vagues,
Quelque chose comme cela :
Chibou, chiboula, ala tchi ma na !
Si tu comprends ce parler-là !
FOLLENTIN.
Ça y est, je flaire un drame.
COCONAS.
Mais buvez donc un peu !

TOUS LES TROIS.
Mon Dieu, qu'est-ce qui se trame ?
Qu'est-c'qui s'trame mon Dieu ?
COCONAS, *à La Hurière qui est occupé à fourbir un casque.*
L'aubergiste, une autre bouteille !
LA HURIÈRE, *sans se déranger.*
A merveille !
Justement voici
Notre garçon d'office.
Affaire de service,
Adressez-vous à lui.
COCONAS. – Garçon !
LE GARÇON. – Votre grandeur désire ?
TOUS LES TROIS. – Ciel !
FOLLENTIN. – C'est Gabriel.
MADAME FOLLENTIN. – C'est Gabriel.
MARTHE. – C'est Gabriel.
COCONAS. – Gabriel ?
FOLLENTIN, *au garçon.*
Vite, pas de cachotterie,
Gabriel c'est bien votre nom ?
LE GARÇON.
Mon nom ? Non ! non !
Mon nom, c'est Jean-Marie.
FOLLENTIN.
Ah ! pardon, c'est une erreur.
LE GARÇON.
Pas de mal, Monseigneur.
LES DEUX FEMMES.
Ce n'est pas Gabriel ?
FOLLENTIN.
Ce n'est que son sosie.
COCONAS.
Alors, mordi [27] ! valet,
Vite une autre bouteille.
Et surtout la pareille
Du même, s'il te plaît.

Le garçon sort.

ENSEMBLE
LES CONJURÉS, *prêtant serment.*
Sept, neuf, vingt-sept, quarante
Dix, deux, huit, quatre, un, trente,
Trois, huit, dix, neuf, zéro,
Vingt, dix, deux, sept, neuf, seize,

Six, cent, mille, onze, un, treize,
Neuf, trois, huit, huit, dito.

FOLLENTIN.

Mon Dieu cet air qu'on chante !
Ceux que j'ai dans le dos !

LES DEUX FEMMES.

Quoi ? quoi ?

FOLLENTIN.

Ne t'en déplaise,
Ce sont des Huguenots.

LES DEUX FEMMES.

Des Huguenots ! des Huguenots !

FOLLENTIN.

Oui, nous tombons, ma chère,
Ah ! la fameuse affaire !
En plein dans leurs complots.
Que c'est épouvantable !
Que c'est donc effrayant
De se sentir à table
Au-dessus d'un volcan !

ENSEMBLE

COCONAS.

Le vin est délectable
Et pétille en sortant,
S'épandant sur la table
En lave de volcan.

TOUS LES TROIS.

Que c'est épouvantable !
Que c'est donc effrayant
De se sentir à table
Au-dessus d'un volcan.

MARTHE, *indiquant La Hurière assis sur un baril et nettoyant une arquebuse.* – Eh là !... Eh là !...

MADAME FOLLENTIN. – Plaît-il ?... Plaît-il ?...

MARTHE.

Et là sur son baril
Le patron qui s'amuse,
A moins que je m'abuse
A fourbir son fusil.

FOLLENTIN.

Ce n'est pas un fusil,
Ce n'est qu'une arquebuse.
Mais tout ça c'est subtil,
Arquebuse et fusil,

Quand sur vous l'on en use
Ça se vaut comme outil !

REPRISE DE L'ENSEMBLE

ENSEMBLE

COCONAS.

Ce vin est délectable,
Et pétille en sortant
S'épandant sur la table
En lave de volcan.

TOUS LES TROIS.

Que c'est épouvantable !
Que c'est donc effrayant
De se sentir à table
Au-dessus d'un volcan.

COCONAS.

Ah ! c'est bon ! Ah ! c'est bon ! Ah ! c'est bon !
Le vieux vin ! le bon vieux vin de France !
Cela vous met d'aplomb.
Etc.

LES CONJURÉS.

Sept, neuf, vingt-sept, quarante,
Dix-neuf, huit, quatre, un, trente.
Etc.

LES DEUX FEMMES.

Quel émoi
Me pénètre !
Je sens dans tout mon être
La terreur et l'effroi
Ah ! tout se glace en moi !
Oh ! mon Dieu, mon doux Maître...
Sauvez-les, sauvez-moi.

FOLLENTIN.

Près de moi
Se perpètre,
Tout prêt à se commettre
Un drame, sais-je quoi,
Qui me glace d'effroi.
O Seigneur, ô mon Maître
Sauvez-les, sauvez-moi !

COCONAS. – Allons, Follentin ! un peu de gaieté ! Vive Dieu ! vous avez une façon de me tenir tête quand je me sens d'humeur folâtre ! Votre fille est charmante, Follentin, et je l'aime ! *

* Reprendre Acte I, 1er tableau, scène IV.

ACTE I

2e TABLEAU

LA CHAMBRE DE LA REINE MARGOT, AU LOUVRE

Le fond du décor forme un angle. Sur le pan gauche, fenêtre du Louvre. Sur le pan droit, porte donnant sur les couloirs du Louvre. Premier plan gauche, porte donnant sur un cabinet. Au-dessus, deuxième plan, le lit de la Reine Margot. A droite, premier plan, porte donnant sur un escalier secret. Au deuxième plan, porte donnant sur la chambre de Gilonne[28].

SCÈNE PREMIÈRE

LA REINE MARGOT, LES DAMES D'HONNEUR, GILONNE

Chœur

LES DAMES D'HONNEUR, *tout en déshabillant la Reine Margot.*

C'est le coucher de la Reine,
La Reine, la Reine.
Mais le coucher d'aujourd'hui,
Comme on dit, en vaut la peine.
La peine, la peine.
Qu'en pense le roi Henri ?

UNE PARTIE DES DAMES.
L'heure s'avance, allons, madame,
Allons, allons !
Pour votre époux qui vous réclame.
Pressons, pressons.
LES AUTRES DAMES, *déshabillant la Reine.*
Cette chemise virginale
Quittons, quittons !
Pour cette autre plus conjugale,
Changeons, changeons !
TOUTES.
Une nuit d'hyménée,
Est une nuit de volupté.
Nous voulons, reine aimée,
Que votre Majesté
Soit belle, soit belle.
Belle à rendre fou d'elle
L'heureux qui la verra.
Qui sera
Le mari de la belle,
Le mari qui l'aura.
LES DAMES.
Qui l'aura.
UNE DAME.
Point de fanfreluches,
TOUTES.
D'onguents, ni de fard.
LES DAMES.
Ce sont des embûches
TOUTES.
Qu'on laisse au rancart.
UNE DAME.
Rien que la nature
TOUTES.
C'est bien plus malin.
UNE DAME.
Qui veut la capture

TOUTES.
Du cœur masculin,
UNE TROISIÈME DAME.
Des voiles très vagues,
TOUTES.
Des tissus légers
UNE DAME.
Qui semblent des vagues
TOUTES.
Lorsque vous bougez.
QUATRIÈME DAME.
De la toile fine
TOUTES.
Voilant vos appas,
UNE DAME.
Où tout se devine.
TOUTES.
Voilà le programme
Par nous édicté,
Appliquant, Madame,
Cette vérité
LES DAMES
Cette vérité,
Que le grand attrait de la femme
Quand elle est belle, est sa beauté.

REPRISE EN CHŒUR. – C'est le coucher... etc.

Tout cet ensemble est accompagné par le tocsin qu'on entend en sourdine au loin.

MARGOT (*à Gilonne qui entre*). – Qu'apportes-tu là, nourrice ?

GILONNE. – La fleur d'oranger comme il convient, Majesté et la pommade, (*émue*). Pauvre mignonne ! (*Elle l'embrasse*).

MARGOT. – Allons, voyons, Gilonne !... pas de vaine sensiblerie.

GILONNE. – Madame, c'est plus fort que moi ! Quand je pense que j'ai nourri la reine de mon lait... et qu'aujourd'hui !... tout à l'heure !

MARGOT. – C'est bien, Gilonne. Mesdames, vous pouvez vous retirer.

Les dames font la révérence et sortent par la gauche, tandis que l'orchestre reprend en sourdine le motif du chœur. Le tocsin se fait entendre plus fort.

SCÈNE II

MARGOT, GILONNE

MARGOT. – Mon Dieu ! encore ce bruit de cloches ! On dirait un signal d'alarme !

GILONNE. – Oh ! non, Majesté !... Ce sont des sonneries de liesse en l'honneur du mariage de la Reine Margot avec le roi de Navarre [29].

On entend quelques coups de feu lointains.

MARGOT. – Mais ces mousquetades, au loin ?

GILONNE. – Des salves de joie.

MARGOT. – Dieu t'entende, Gilonne !... Mais, je ne sais pourquoi, un sombre pressentiment !... (*bruit et cris au fond*) Mais, tiens ! écoute !

VOIX DE FOLLENTIN. – Au secours !... au secours !... à moi !

MARGOT. – Mon Dieu ! Mon Dieu ! quels sont ces cris ?

FOLLENTIN (*frappant à la porte des couloirs du Louvre.*) – Ouvrez ! Ouvrez !

MARGOT. – Ouvre ! Ouvre ! Gilonne !

Gilonne va ouvrir.

FOLLENTIN, *se précipitant, affolé.* – Madame !... On tue !... On égorge nos frères !... On veut m'égorger aussi !... Sauvez-moi !

MARGOT. – Mon Dieu ! Qui êtes-vous ? Que demandez-vous ? Au secours ! A l'aide !

FOLLENTIN. – Madame ! N'appelez pas ! Je suis Follentin !... Les assassins grimpent les escaliers derrière moi ! S'ils vous entendent, je suis perdu. Ah ! les voilà !

Il se précipite vers le lit.

MARGOT. – Mais, Monsieur ! C'est mon lit !

FOLLENTIN. – Ne craignez rien, Madame ! Mes intentions sont pures !

Il veut entrer dans le lit.

MARGOT. – Mais non ! Mais pas du tout ! Mais en voilà une idée !

SCÈNE III

LES MÊMES, COCONAS, LA HURIÈRE, TROUPE DE GENS ARMÉS

COCONAS *entrant par la porte des couloirs.* – Ah ! mordi ! Nous le tenons enfin !

FOLLENTIN. – Une arme ! une épée ! un poignard que je me défende !

LA HURIÈRE. – Sus au Huguenot, mes amis !

TOUS. – Sus !

FOLLENTIN. – Quoi ?

COCONAS (*donnant un coup de poignard à Follentin.*) – Tiens !

FOLLENTIN. – Oh ! Oh ! que c'est bête !... (*Tout haut, à Margot.*) Ah ! Madame, avec vos préjugés, vous m'avez perdu.

MARGOT. – Misérable ! Assassinerez-vous aussi une fille de France ?

LA HURIÈRE. – Madame Marguerite !

COCONAS. – La Reine de Navarre.

FOLLENTIN (*par terre, étonné.*) – Non, c'est vrai ?

COCONAS ET LA HURIÈRE. – Absolument.

FOLLENTIN, *avec un sifflement d'étonnement.* – Ffu !

COCONAS. – Madame !... Excusez-nous ! Mais entraînés à la poursuite d'un hérétique.

MARGOT. – Les églises et les châteaux royaux sont lieux d'asile. Le Louvre est château royal ! Sortez !... Je vous l'ordonne !

COCONAS. – C'est à la femme que j'obéis et non pas à la Reine. Nous sortons, Majesté, nous sortons !... Venez !... Venez !... Nous ne manquerons pas de besogne ailleurs.

Il sort, ainsi que les gens armés.

SCÈNE IV

MARGOT, FOLLENTIN, GILONNE

MARGOT. – Ils sont partis ! Maintenant, occupons-nous de ce malheureux ! Comment vous trouvez-vous, mon gentilhomme ?

FOLLENTIN. – Comment je me trouve ?

MARGOT. – Un de ces lâches ne vous a-t-il pas traversé de sa dague ?

FOLLENTIN. – Ah !... Oh ! ça n'a pas d'importance.

MARGOT. – Oh ! la noble réponse ! et qu'elle est bien celle d'un gentilhomme de France.

FOLLENTIN. – Oh ! ce n'est pas ça ! C'est que l'animal n'a traversé que ma redingote.

MARGOT. – Ah ! Dieu soit loué !

FOLLENTIN. – Ah ! Madame ! Que vous êtes bonne ! Vous m'avez sauvé ! Mais, mon Dieu ! Je ne suis pas seul ! Ma femme ! Ma fille ! Que sont-elles devenues ? Ah ! Madame ! Rendez-moi ma femme ! ma fille ! ma fille surtout !

GILONNE, *qui a déposé l'aiguière sur un meuble, près de la fenêtre, regardant au dehors.* – Justement, voici deux femmes qui se sont refugiées dans la cour du Louvre et que des soldats entourent.

MARGOT ET FOLLENTIN (*courant à la fenêtre*) . – Deux femmes !

FOLLENTIN. – Mais oui !... C'est elles !... Ma femme !... ma fille !... (*Ouvrant la fenêtre et appelant.*) Caroline ! Caroline ! Marthe ! Mon Dieu ! elles ne m'entendent pas.

MARGOT (*appelant*). – Monsieur de Besme ! Monsieur de Besme, c'est moi, la Reine ! Laissez monter, Monsieur de Besme !

FOLLENTIN, *s'approchant.* – Monsieur de Besme ! (*A Margot.*) Mais il est sourd, de Besme ! Madame ! Je vous en prie !

MARGOT. – Vite, Gilonne ! Cours trouver Monsieur de Besme [30] ! Et dis-lui qu'il donne l'ordre au nom de la Reine de Navarre de délivrer ces malheureuses.

GILONNE. – J'y cours, Madame.

Elle sort par la porte du couloir du Louvre.

SCÈNE V

MARGOT, FOLLENTIN, puis le page OTHON

FOLLENTIN. – Ah ! Madame, comment reconnaîtrai-je jamais ? Qu'ai-je pu faire pour mériter tant de bonté ?

MARGOT. – C'est que tu es brave, Follentin, et je t'admire.

FOLLENTIN. – Est-ce possible ?

DUO

MARGOT.

Ah ! si tu t'étais vu, si tu t'étais vu,
Tout pâle et défait ici, tout à l'heure
Te précipitant le cœur éperdu,
Cherchant un refuge en cette demeure !

FOLLENTIN (*parlé*). – Ah ! vraiment, quand ?
MARGOT.
Si tu t'étais vu, si tu t'étais vu,
Calme, héroïque et résolu,
Tenant tête à cette cohorte
Ivre de sang à cette porte !
Ah ! Follentin, fier lionceau,
Ah ! tu étais beau ! Ah ! tu étais beau !
FOLLENTIN (*parlé*). – C'est vrai ?
MARGOT.
Alors, alors, est-ce le coup de foudre ?
Que se passa-t-il en moi ?
Je ne puis le résoudre,
Je n'ai plus vu que toi... que toi !
FOLLENTIN.
Que moi ?...
MARGOT.
Que toi. Follentin, si je n'ose
T'en dire plus long en français,
C'est qu'à l'aveu que je ferais
Ma pudeur de femme s'oppose.
FOLLENTIN.
Ah ! voyons ! Ça marchait si bien !
MARGOT.
Eh ! bien ! Eh ! bien !
Je ne vois qu'un moyen.
FOLLENTIN.
Oui, lequel ?
MARGOT.
Un moyen superbe,
Pour tourner la difficulté.
Puisqu'en latin, dit un proverbe,
Les mots bravent l'honnêteté,
Parlons latin...
FOLLENTIN.
Latin ! Ah ! diable !
C'est que pour moi grec ou latin,
Tout ça, pour moi, c'est bien lointain !
MARGOT.
N'importe, c'est bien plus convenable,
O Follentiné ! O Follentiné !
Cum te vidi ! té ! té !
O pulchré, pulchrior étiam,
Ah ! te amabam, te amabam [31] !

FOLLENTIN (*transporté*).

Ell' m'amabam ! Ell' m'amabam !

MARGOT.

Cet aveu que je te dis,
Tu l'as compris, tu l'as compris !

FOLLENTIN.

Ah ! Ah ! Si j'ai compris !... mais dame !

MARGOT (*se frottant à lui*).

O mon chéri !

FOLLENTIN (*riant bêtement*).

Hi ! Hi !

MARGOT.

O mon bébé !

FOLLENTIN (*idem*).

Hé ! Hé !

MARGOT (*lui caressant la main*).

Ta peau, qu'elle a de velouté !
C'est vrai. (*A part.*) Elle m'enjôle,
Sur ma parole !

MARGOT.

O mon chéri !

FOLLENTIN.

Hi ! Hi !

MARGOT.

O mon bébé !

FOLLENTIN.

Hé ! Hé !

MARGOT. – Je t'aime, je t'aime, je t'aime, je t'aime !

FOLLENTIN (*avec transport*).

Elle m'aime !
(*changeant de ton.*)
Oh ! tout de même,
Si j'avais pu me douter,
J'aurais pas fait dire à ma femme de monter !

MARGOT.

Aimons-nous ! aimons-nous ! aimons-nous ! ma chère âme !

ENSEMBLE.

Aimons-nous ! aimons-nous ! profitons des instants !

MARGOT.

Tout semble ici protéger notre flamme,
Demain peut-être, il ne sera plus temps.

ENSEMBLE.

L'amour, l'amour, voilà l'amour qui passe.
Profitons-en car l'amour est pressé.
Et s'il s'en va, tout s'effondre et tout casse,
Tout est fini ! Crac ! l'amour est passé.

MARGOT. – Amour, pssit, pssit !

FOLLENTIN. – Amour, pssit, pssit !

ENSEMBLE.

Amour, de grâce !
Chez nous viens-t-en, petit, ne dis pas non !

MARGOT.

Amour !
(*bruits de baisers*)
Bssi ! bssi !

FOLLENTIN.

Amour bssé ! bssé !

ENSEMBLE.

Vois, l'on s'embrasse,
Nos cœurs unis t'ont préparé ta place
Bssé ! bssé ! bssé ! bssé ! bssé ! bssé ! bssé !
Amour d'amour, mon petit Cupidon,
Viens donc, chez nous, on sera bien mignon.
L'amour, l'amour, voilà l'amour qui passe,
etc..., etc... etc...

FOLLENTIN (*après la reprise*).

Ah ! d'une reine,
Ah ! quelle aubaine,
Je suis aimé !

MARGOT.

Laissons la Reine,
La souveraine,
Mon adoré !
Celle qui t'aime
Par cela même
Subit la loi,
Et, fille d'Eve,
N'a plus qu'un rêve,
C'est d'être à toi !

FOLLENTIN.

O douce parole,
Qui charme mon cœur !

MARGOT.

Viens, ô mon idole,
Marchons au bonheur !

Foin de la couronne,
Et foin de la Cour,
Je les abandonne,
Si j'ai ton amour.

FOLLENTIN.

O douce parole,
Qui charme mon cœur,
Allons mon idole,
Marchons au bonheur !

MARGOT.

Loin, loin, loin, loin, loin au bout de la terre.
Nous nous aimerons hors de tout danger.
Moi, je serai ta bergère.

FOLLENTIN.

Et moi ton berger.

MARGOT.

Ta bergère,

FOLLENTIN.

Ton berger.

ENSEMBLE.

L'amour, l'amour, voilà l'amour qui passe.
etc. etc. etc.
Musique à l'orchestre.

FOLLENTIN (*dans les bras de la Reine*). – Chut !.. un trémolo !... qui cela peut-il être ?

MARGOT. – Un trémolo ! C'est quelqu'un qui vient !

LE PAGE OTHON (*accourant du fond*). – Madame ! Madame !

MARGOT. – Qui est-ce, mon petit page aimé ?

OTHON. – Sa Majesté le Roi de Navarre qui se dirige de ce côté ! Et comme je savais que vous n'étiez pas seule !...

MARGOT. – Le roi de Navarre ? Ici !

OTHON. – Oui, ma Reine !

(*Il sort*).

FOLLENTIN. – Henri IV ! Mais c'est votre mari !

MARGOT. – Oui, depuis ce matin ! C'est ce soir notre première nuit de noces.

FOLLENTIN (*à part*). – Non !... Eh bien ! elle va bien, la reine, pour une jeune mariée !

MARGOT. – Vite ! Cachez-vous !

FOLLENTIN. – Mais où ça ? Où ça ?

MARGOT (*indiquant la droite*). – Là, dans ce cabinet !

FOLLENTIN (*cherchant à ouvrir la porte*). – Mais c'est fermé !

MARGOT. – Tenez !... la clef, là !... par terre !...

FOLLENTIN. – Oui ! Oui ! (*Sa main tremble. Il ne peut mettre la clef dans la serrure*). Je ne trouve pas le trou.

MARGOT. – Ne tremblez donc pas comme ça !

FOLLENTIN. Si vous croyez que je le fais exprès ! allez donc trouver un trou de serrure quand on sent Henri IV à ses trousses !

MARGOT, *indiquant le lit.* – Ah ! trop tard !... Tenez !... là !

FOLLENTIN. – Comment, là ?... Mais votre nuit de noces... !

MARGOT. – Ne vous en occupez pas et ne bougez pas !

Elle le pousse contre le lit sur la partie face au public et le recouvre du rideau qui est un peu court et laisse voir les pieds de Follentin.

SCÈNE VI

MARGOT, LE PAGE OTHON,
HENRI DE NAVARRE,
FOLLENTIN caché, DEUX PAGES

Deux pages entrent du fond, en portant des candélabres d'or avec des bougies de cire rose. Entrée du Roi de Navarre.

MARGOT, *à Henri qui entre du fond.* – Vous, Sire !

HENRI. – Ventre saint-gris ! Madame, ma présence m'a tout l'air de vous surprendre ? Ne m'attendiez-vous donc pas ?

MARGOT. – Si fait !... mais...

HENRI (*fait signe aux pages qui se retirent.*). – Ne craignez rien, Madame. Je ne viens pas réclamer mes droits de mari. Je n'ai pas oublié le pacte qui nous unit !... Alliés et pas époux !

MARGOT (*avec un soupir de soulagement.*). – Ah !

HENRI. – Mais il importait, au point de vue politique, qu'on me vît entrer dans la chambre de la Reine la nuit de mes noces... et qu'en ce lit conjugal... (*Il fait un pas vers le lit.*)

MARGOT (*s'interposant*). – Sire !

HENRI. – Mais la Reine me paraît bien troublée.

MARGOT. – Sire !... C'est que la présence de Votre Majesté... pour la première fois chez moi.

HENRI. – Ouais ! Ouais ! (*à part*). Il y a quelqu'un ici. Ce doit être mon cousin le duc d'Alençon [32].

MARGOT. – A quoi pensez-vous, Sire ?

HENRI (*qui pendant ce qui précède a pris une cravache qui se trouvait sur un meuble*). – A rien !... Je regardais le pommeau de cette cravache qui est vraiment d'une ciselure exquise. (*A part, apercevant les pieds de Follentin*). Ah ! Ah ! voilà des pieds qui appartiennent sûrement à quelqu'un !

MARGOT (*à part, suivant le regard d'Henri et apercevant les pieds*). – Dieu, ses pieds !

HENRI. – Ah ! vive Dieu, Madame !... Ce sont aussi vos bottes de chasse que j'aperçois au pied de votre lit.

MARGOT. – Hein ?... Non... euh !... Oui, Sire.

HENRI. – Ah ! mordi !... Il faut que votre bottier soit le dernier des ivrognes pour avoir ainsi vu double en vous prenant mesure !... Fi ! donc. Les pieds mignons de la Reine dans de pareils bateaux.

Il donne un coup de cravache sur les pieds de Follentin.

MARGOT. – Elles sont en effet un peu grandes, et je comptais en faire l'observation à...

HENRI. – Un peu grandes ! C'est-à-dire qu'elles sont de taille à chausser le pied de notre cousin le duc d'Alençon.

Il donne un second coup de cravache.

VOIX DE FOLLENTIN. – Oh !

HENRI. – Il n'y a pas de : « Oh ! »... Madame, votre bottier a de la chance de ne pas tomber sous ma main, car j'ai là une cravache qui me démange !... (*le rideau tremble violemment*). Mais voyez donc, Madame !... Il y a sûrement un courant d'air dans votre chambre. Voyez comme ce rideau s'agite !...

MARGOT. – Oui ! je sais. C'est un vent coulis qui vient de la porte.

HENRI. – Comme c'est désagréable !

Il donne un énorme coup de cravache sur le rideau, à la hauteur du ventre de Follentin, qui, sous le coup, rentre brusquement le ventre, ce qui fait pointer la tête sous le rideau.

MARGOT. – Mon Dieu ! Le malheureux !

HENRI. – Oh ! Voyez donc cette poussière dans les rideaux quand on tape dessus ! Regardez-moi ça, quelle poussière ! Voyez encore ! (*coup de cravache*) Tenez !

(*On aperçoit sous le rideau la silhouette de Follentin, qui se retourne et présente son postérieur aux coups)* ; Regardez-moi donc ça !... Regardez-moi donc ça ! (*Il porte chaque fois un coup de cravache.*)

MARGOT. – Sire !... Assez ! Assez !

HENRI. – C'est vrai, Madame ! Je vous fais avaler de la poussière !... (*Il remet la cravache sur la table).* Aussi bien la Reine doit être fatiguée, et je ne saurais lui infliger une plus longue nuit de noces. Tout ce que je demande à Votre Majesté, c'est de se souvenir qu'elle porte le nom du Roi de Navarre et qu'elle ne doit rien entreprendre qui puisse publiquement le ridiculiser.

MARGOT. – C'est juré !...

HENRI (*lui baisant la main).* – Le reste ne me regarde pas ! Au revoir, Madame, et bonne nuit !

(Il sort par le fond).

SCÈNE VII

MARGOT, FOLLENTIN

MARGOT (*allant au rideau).* – Mon pauvre ami !

FOLLENTIN (*sortant de derrière le rideau et se frottant les reins).* – Non ! vous savez, il est embêtant, votre mari !... Voyez-vous cette manière de flanquer des coups de cravache contre ce lit ! Tout cela nous montre que je ne saurais rester plus longtemps chez la Reine.

MARGOT. – Tu pars, Follentin ?

FOLLENTIN. – Excusez-moi !... Ce n'est certainement pas que je m'ennuie, mais Madame Follentin et ma fille peuvent se demander ce que je suis devenu. Il faut que j'aille les rejoindre.

MARGOT. – Tu as raison, Follentin ! Le Louvre est plein d'embûches, il vaut mieux que tu partes, mais auparavant...

COUPLET DE MARGOT.

I

Nous avons fait un trop beau rêve
Mais la réalité se lève.
Il faut partir.
Cette idylle qui vient de naître,

Un jour nous permettra peut-être
D'y revenir.
Hélas ! Aujourd'hui l'heure sonne,
Adieu donc, je frissonne,
Ah ! pense à moi.
En sortant d'ici tout à l'heure,
Lève tes yeux vers ma demeure,
Cher, et dis-toi :
C'est là-haut, c'est là-haut,
C'est là-haut, tout de même
Que respire un être qui m'aime.
C'est là-haut, c'est là-haut, que pense à moi Margot.
C'est là-haut, c'est là-haut, tout de même,
Margot, Margot, pauvre Margot.
La peine est extrême, tout là-haut, tout là-haut...
Là-haut *(ter)*

II

Demain, tu m'oublieras sans doute,
Je fus un instant sur ta route,
Puis au revoir,
Pourtant si parfois il t'arrive
De passer là, sur cette rive,
Par un beau soir,
Quand tu verras à ma fenêtre,
Une lumière transparaître,
Dis-toi ceci :
Là-haut, cette petite flamme,
Qui vacille, hélas ! c'est mon âme,
Qui brûle ainsi.
C'est là-haut, c'est là-haut,
C'est là-haut, tout de même
Que respire un être qui m'aime.
C'est là-haut, c'est là-haut, que pense à moi Margot.
C'est là-haut, c'est là-haut, tout de même,
Margot, Margot, pauvre Margot,
La peine est extrême, tout là-haut, tout là-haut !
Là-haut *(ter)*.

MARGOT. – Et maintenant, pars donc, Follentin ! Mais promets que je te reverrai !

FOLLENTIN. – Mordi, madame ! Je vous le promets ! *(Il lui baise la main)*. Adieu, Madame !

Il se dirige vers le fond.

MARGOT. – Non, pas par là ! Il ne faut pas qu'on voie un étranger sortir de chez la Reine ! Tenez, prenez cet escalier.

FOLLENTIN. – L'escalier de service ?

MARGOT. – Non, un escalier secret qui ne sert qu'à la famille royale lorsqu'elle veut sortir incognito du Louvre. Allez, et que Dieu vous garde !

FOLLENTIN. – C'est ça ! Et on se reverra, hein ?

Il sort par le premier plan droite.

SCÈNE VIII

MARGOT, puis FOLLENTIN,
puis CATHERINE DE MÉDICIS et CHARLES IX

MARGOT. – Allons ! n'y pensons plus !... Cher Follentin ! Si Dieu m'écoute, je te reverrai !

FOLLENTIN *(rentrant, vivement)*. – Ah ! mon Dieu ! Ah ! mon Dieu !

MARGOT. – Déjà !

FOLLENTIN. – Voilà Catherine et Charles !

MARGOT. – Qui ça !

FOLLENTIN. – Catherine de Médicis et Charles IX ! Ils viennent de ce côté !... Tenez, écoutez plutôt !... *(musique à l'orchestre)*. On retrémole !

MARGOT. – La reine-mère et le Roi ! Mon Dieu !

FOLLENTIN. – Quel nouveau danger nous menace !

MARGOT. – Que diront-ils s'ils ne voient pas le roi de Navarre chez sa femme la nuit de ses noces ?... Si, à sa place, ils trouvent un étranger.

FOLLENTIN. – Aïe ! aïe ! aïe ! aïe ! aïe ! aïe !

MARGOT. – Quelle idée !... Vous allez sauver le roi de Navarre !

FOLLENTIN, *effrayé*. – Moi ? Il va falloir se battre ?

MARGOT. – Non !

FOLLENTIN. – Alors, je veux bien !

MARGOT. – Entrez dans mon lit.

FOLLENTIN. – Moi ?

MARGOT. – Collez-vous la tête contre le mur ! et quoi qu'on fasse, quoi qu'on dise, ne bougez pas et dormez !

FOLLENTIN. – Mais j'ai mes bottines !

MARGOT. – Oh ! nous avons bien le temps de nous occuper de ces bagatelles. Allez !

FOLLENTIN. – Ah !... bon !

Il se couche dans le lit.

MARGOT. – Poussez-vous, faites-moi une petite place !

FOLLENTIN. – Ah ! alors, vous aussi ?

MARGOT. – Mais oui, mais oui ! puisque vous êtes le Roi de Navarre !

Elle se couche à côté de lui dans la partie la plus proche du public.

FOLLENTIN. – Eh bien ! on m'aurait dit ce matin que je coucherais avec la Reine Margot !...

MARGOT. – C'est bon !

Elle ferme les rideaux du lit. La porte de l'escalier dérobé s'ouvre, quatre gentilshommes paraissent, laissent passer Catherine de Médicis et Charles IX et se rangent près de la porte.

CATHERINE. – Pas de bruit ! Venez, mon fils ! (*aux gentilshommes.*) Vous, Messieurs, gardez cette porte !

Les gentilshommes s'inclinent et sortent.

CHARLES IX. – Qu'est-ce encore, ma mère ? Quelle trame nouvelle contre ce pauvre Henriot ? Je vous ai déjà dit que je ne pouvais oublier que par son mariage avec une fille de France, il est devenu mon beau-frère.

CATHERINE. – Oui ! mais s'il ne l'était pas !

CHARLES IX. – Vous dites ?

CATHERINE. – Si je vous donnais la preuve que ce roitelet, la nuit même de ses noces, a déserté la couche nuptiale ?

CHARLES IX. – Mordi, Madame !... si cela était !

CATHERINE, *l'entraînant vers le lit.* – Venez donc, mon fils !

MARGOT, *sautant à bas du lit.* – Qui est là ?... Vous, Madame ! Vous, mon frère !

CATHERINE. – Margot, mon enfant ! ma fille ! Nous venons d'apprendre l'affront qui vient d'être fait en ta personne à la famille de France !

MARGOT. – De quel affront parlez-vous, ma mère ?

CHARLES IX. – Ah ! mordi ! Si la chose est vraie !... (*Il frappe du poing sur un meuble.*)

MARGOT. – Plus bas, mon frère !... Vous allez éveiller le roi de Navarre.

CATHERINE. – Le roi de Navarre ?

MARGOT. – Tenez ! Voyez plutôt comme il repose. (*Elle tire le rideau du lit. On voit le dos et le derrière de la tête de Follentin couché. Catherine et Charles se regardent.*)

MARGOT. – Vous ne pouvez voir son profil, car il est tourné du côté de la ruelle, mais sa nuque, sa chevelure aux boucles soyeuses, la blancheur de son cou, ne les reconnaissez-vous pas ?

CHARLES IX. – Oui ! Oui !

CATHERINE (*à part.*) – Est-ce que je rêve ?

CHARLES IX. – C'est étrange ! Il me paraît plus gras que dans le jour !

MARGOT. – Chut ! C'est parce qu'il dort ! Le pauvre aimé est tout gonflé de sommeil ! (*ronflement de Follentin.*) Tenez, entendez-le comme il respire !

CHARLES IX. – Il ronfle !

MARGOT. – Oui. Eh bien ! dans ces ronflements, si vous les écoutez bien,... ne retrouvez-vous pas son accent béarnais ?

CHARLES IX. – Peut-être !... oui !... oui !...

MARGOT. – Mais je vous demande pardon, ma mère, et à vous aussi, mon frère, vous étiez venus pour me parler. Qu'aviez-vous à me dire ?

CATHERINE. – Rien !

MARGOT. – Rien !

CATHERINE. – Recouchez-vous donc, ma fille,... que nous ne fassions pas tort à votre cher Henriot d'instants qui lui appartiennent.

Margot fait la révérence et se recouche.
Les rideaux retombent.

CHARLES (*à mi-voix.*) – Eh ! Que me disiez-vous, ma mère ?

CATHERINE. – Ah ! Je n'y comprends rien. Je ne sais qui se joue de moi, de ma police ou de ma fille.

Quatuor.

SCÈNE IX

LES MÊMES, UN GENTILHOMME

UN GENTILHOMME (*rentrant.*) – Le Sire de Maurevel demande à être reçu par Votre Majesté.

CATHERINE. – Notre chef des pétardiers !... Qu'on le fasse entrer !... Nous allons peut-être savoir quelque chose.

MARGOT (*passant la tête par les rideaux.*) – Ah ! Qu'est-ce qu'ils complotent encore ?

FOLLENTIN (*passant également sa tête par les rideaux au pied du lit.*) – Ils n'ont pas l'air de vouloir s'en aller.

SCÈNE X

LES MÊMES, MAUREVEL

CATHERINE. – Vous, Maurevel !... Vous arrivez bien !

MAUREVEL. – Majesté !

CATHERINE. – Qu'est donc venu me dire un de vos hommes que Sa Majesté, le roi de Navarre, était monté chez Madame de Sauves ?

MAUREVEL. – Eh ! bien, Majesté ?

CATHERINE. – Eh bien ! il ne saurait être chez Madame de Sauves, car il est là ! (*Elle indique le lit.*)

MAUREVEL. – Là ?...

CATHERINE. – Là !...

CHARLES IX. – Qu'avez-vous à répondre, Monsieur de Maurevel ?

MAUREVEL. – J'ai à répondre, Majesté, que le Sire de Maurevel n'avance jamais rien qu'il n'ait d'abord contrôlé, que le roi de Navarre est bien chez Madame de Sauves, et que s'il y a un homme dans le lit de la reine, cet homme n'est pas le roi de Navarre.

CATHERINE. – Pas le roi de Navarre !

CHARLES IX. – Enfer et damnation !

FOLLENTIN (*passant la tête à travers les rideaux.*) – Y a pas ! Ils manigancent quelque chose !

MAUREVEL. – Et à l'appui de ce que j'avance, je signalerai à Votre Majesté que tout à l'heure un homme, un huguenot poursuivi par de fidèles sujets de Votre Majesté s'est précipité dans l'appartement de la Reine ! (*Tirant de derrière son dos le chapeau haut de forme de Follentin.*) Voici un couvre-chef que, dans sa fuite, il a laissé tomber dans les couloirs du Louvre.

FOLLENTIN. – Mon chapeau !

MAUREVEL. – Et dont la forme étrange montre bien que son propriétaire n'est pas de Paris !

CHARLES IX (*prenant le chapeau.*) – Qu'il est drôle !... Et cela se met sur la tête !

(Il essaye le chapeau).

CATHERINE. – Mon fils, retirez cela ! Vous êtes horrible avec ! Voilà certes une mode qui ne prendra jamais.

CHARLES IX (*ôtant le chapeau.*) – C'est égal ! C'est curieux ! Je m'en ferai un panier à papiers ! (*Il le pose sur un meuble, reprenant son idée.*) Mais alors, si cet homme qui est là n'est pas le roi de Navarre, c'est donc un étranger ?

MAUREVEL. – C'est un étranger, Sire !

CHARLES IX. – Mordi ! Nous allons réveiller cet insolent et lui faire sur le champ justice !

CATHERINE. – Gardez-vous en bien !... Ce serait là de mauvaise politique ! Laissons notre bien-aimé Henriot se charger de cette besogne ! (*A Maurevel.*) Monsieur de Maurevel, vous allez faire garder toutes les issues de cette chambre !... Et si cet homme en sort, n'oubliez pas que les couloirs du Louvre sont bâtis de telle sorte que les détonations des arquebuses n'y ont pas d'écho.

MAUREVEL, *s'inclinant.* – J'ai compris, Majesté !

CATHERINE. – Allez ! (*Il sort par le fond ; à Charles.*) Quant à nous, mon fils, nous allons faire prévenir immédiatement notre cher Henriot qu'il ait à descendre chez sa femme, la Reine de Navarre.

Reprise de l'ensemble du quatuor.

Catherine et Charles IX sortent par la porte de l'escalier dérobé.

SCÈNE XI

MARGOT, FOLLENTIN

MARGOT (*sautant à bas du lit*). – Partis !... Ils sont partis !... Vite !... venez !...

FOLLENTIN. – Ah ! On se lève ! (*se levant*) Eh bien ! vous savez, sauf leur respect, ils sont rudement embêtants dans votre famille !

MARGOT. – Maintenant, vous pouvez partir. D'ailleurs, il le faut, chaque minute augmente le danger !

FOLLENTIN. – Mais, dites donc, maintenant, je suis signalé. Et si l'on me voit sous ce costume !...

MARGOT. – C'est juste !... Attendez !

Elle frappe sur un timbre.

FOLLENTIN. – Que faites-vous ?

MARGOT. – J'ai mon idée.

SCÈNE XII

LES MÊMES, OTHON

OTHON (*paraissant*). – Majesté !

MARGOT. – C'est messire Follentin qui voudrait quitter notre palais du Louvre sans être reconnu. Or sous son costume, ce n'est pas possible. Vite ! mon fidèle Othon ! J'en appelle à votre dévouement ! Déshabillez-vous et changez de costume avec lui.

OTHON. – Hein ?

FOLLENTIN. – Comment ! Je vais me mettre en page ?

MARGOT. – Nous n'avons pas le choix des moyens ! Allez ! Allez ! Je ne regarde pas !

Elle remonte et regarde à la fenêtre.

OTHON. – J'obéis, Majesté !

FOLLENTIN. – Bon !

Les deux hommes commencent à se déshabiller.

FOLLENTIN. – Non ! La tête de ma femme quand elle me verra demain en Charles IX.

OTHON. – Voici mon pourpoint, messire !

FOLLENTIN. – Merci !... Je vous le ferai reporter demain par un commissionnaire. Voici ma redingote !

OTHON. – Redin ?

FOLLENTIN. – Gote !

OTHON. – Ah !

FOLLENTIN. – Et voilà... mon gilet.

OTHON. – Voici mon haut-de-chausses.

FOLLENTIN. – Et moi... mon pantalon.

Il se trouve en caleçon-maillot beige, il enfile le haut-de-chausse, pendant que le page enfile le pantalon.

MARGOT (*au fond, sans se retourner*). – Eh bien ! cela avance ?

FOLLENTIN. – Ça va ! Ça va ! Là !... le pourpoint !

(*il le met*).

OTHON, *passant la redingote.* – La Redingote !... le gilet ! (*Il le met par dessus la redingote, à Follentin, lui pré-*

sentant son épée) et maintenant mon épée (*Il l'attache à la ceinture de Follentin*).

FOLLENTIN (*pendant qu'il la lui met*). – Vous savez, si ça ne vous fait rien, une autre fois quand vous vous mettrez en redingote, mettez donc le gilet par dessous.

OTHON. – Ah ! vous croyez ?

FOLLENTIN. – J'en suis sûr !

OTHON. – Voici ma toque !

FOLLENTIN (*il la met*). – Et voilà mon chapeau !... (*Il l'enfonce sur la tête d'Othon*). Là !... ça y est ?

MARGOT (*se retournant*). – Ah ! Follentin, que tu es beau comme ça !

FOLLENTIN. – N'est-ce pas ? Je crois que ça y est ! (*Arpentant la scène.*) Ah ! Ah ! Tripe del papa ! par la corbleu ! Sandi ! Mordi !... Mercredi !... Jeudi !... à Chantilly, Messieurs ! A Chantilly ! Tout le monde descend !

MARGOT. – Ami ! Ami ! Ce n'est pas le moment de plaisanter !

FOLLENTIN. – Ah ! Ah ! et Othon ! Regardez donc Othon ! A-t-il une touche comme ça !

OTHON. – Je me sens tout gauche dans ce costume. (*A Margot.*) Je demanderai à Votre Majesté la permission de remonter jusqu'à ma chambre pour changer d'accoutrement.

MARGOT. – Allez, mon joli page ! d'autant que si une de mes dames d'honneur vous voyait !... Allez !

Othon sort par le fond.

MARGOT. – Et vous, mon beau Follentin, vous n'avez qu'à sortir comme si de rien n'était. En reconnaissant la tenue des pages du palais, personne ne s'avisera de vous demander qui vous êtes.

FOLLENTIN (*s'inclinant et lui baisant la main*). – Majesté !

MARGOT. – A bientôt ! Follentin !

FOLLENTIN. – A bientôt !

Il remonte. Coup de feu à la cantonade, au fond.

FOLLENTIN. – Qu'est-ce que c'est que ça ?

OTHON, *rentrant du fond, affolé.* – Au secours ! Au secours !

MARGOT. – Qu'y a-t-il ?

OTHON. – Là ! Là ! les gardes, le chef des pétardiers ! ils ont tiré sur moi !

FOLLENTIN. – Sur vous ?

MARGOT. – Vous n'êtes pas blessé ?

OTHON. – Je ne sais pas !... Si !... Là !... mon chapeau.

Il plonge sa main dans l'intérieur et fait passer un doigt par le trou de la balle.

FOLLENTIN. – Oh ! mon numéro un ! Eh bien ! Ils vont bien !... On voit que cela ne leur appartient pas !...

OTHON. – Je ne pourrai jamais regagner ma chambre tant que je serai dans ce costume !... (*A Follentin.*) Messire, si c'était un effet de votre bonté de vouloir bien me rendre...

FOLLENTIN. – Votre costume ? Ah ! non, merci ! Pour que ce soit sur moi qu'on tire !

MARGOT, *à Othon.* – Il y a peut-être un moyen ! Vous allez venir avec moi dans ce cabinet (*A Follentin.*) Quant à vous, ne perdez pas de temps ! Partez !

FOLLENTIN. – C'est ça !... C'est ça !...

MARGOT, *à Othon.* – Venez !

Ils entrent dans le cabinet.

FOLLENTIN. – C'est égal, c'est de la chance tout de même qu'on ait tiré sur lui ! Si cela avait été sur moi !... J'ai cinq centimètres de plus, je l'aurais dans la caboche, bien obligé !... Filons !... (*Il sort par la porte de l'escalier dérobé, la scène reste vide un instant – trémolo – puis il rentre affolé.*) Henri IV !... C'est Henri IV !... un trémolo, j'aurais dû m'en douter !... Dieu ! qu'ils sont collants dans cette famille !... Où me cacher ? Ah ! (*Il se précipite dans le lit.*)

SCÈNE XIII

FOLLENTIN, HENRI DE NAVARRE

HENRI, *entrant, par la porte de l'escalier dérobé, un billet à la main.* – Mordi ! Que m'écrit la reine-mère ! « Un homme est en train de prendre votre place chez votre femme ! » Pour qu'elle me le signale, ce ne saurait être mon cher beau-frère, le duc d'Alençon ! Par les cornes du diable !... Nous allons bien voir ! (*Il va au lit et ouvre les rideaux. On voit Follentin assis sur le rebord du lit.*) Ah !

FOLLENTIN, *à part.* – Zut !

HENRI. – Un page du palais ! Que faites-vous ici, vous ?

FOLLENTIN. – Mais... m...ais !...

HENRI. – Ne bêlez pas ! Où est la Reine ?
FOLLENTIN, *voulant se montrer aimable.* – Elle va venir !
HENRI. – Hein ?
FOLLENTIN. – Elle a été un petit instant dans son cabinet de toilette.
HENRI. – Elle va venir !... Vous osez ? Il avoue ! Enfer et damnation ! C'est un affront qui ne se lavera que dans le sang !
FOLLENTIN. – Qu'est-ce qu'il dit ?
HENRI, *tirant son épée.* – Allons, debout, manant !... et flamberge au vent !
FOLLENTIN, *descendant du lit.* – Je vais vous expliquer.
HENRI. – Pas d'explication !... Allons, Monsieur ! J'ai failli attendre [33] !...
FOLLENTIN. – Ah, ça ! ce n'est pas de vous !
HENRI. – Qu'est-ce que vous dites ?
FOLLENTIN. – Rien ! (*A part.*) A-t-il mauvais caractère !
HENRI. – Allons ! Allons ! Faut-il vous mettre l'épée dans les reins pour vous forcer à vous battre ?
FOLLENTIN, *cherchant son épée qui a tourné et se trouve derrière lui.* – Voilà ! Voilà ! Attendez.
HENRI. – Allons ! flamberge au vent ! Qu'est-ce que vous cherchez ?
FOLLENTIN. – Mais... ma flamberge !... Je l'ai dans le dos ! C'est mon ceinturon qui a tourné.
HENRI. – Trêve de facéties ! Vous y êtes ?
FOLLENTIN, *tirant son épée.* – Voilà ! Voilà ! (*A part.*) Quelle fichue idée j'ai eue d'entrer dans le Louvre !
HENRI. – A nous deux, Monsieur ! (*Ils croisent le fer.*)
FOLLENTIN. – Dites donc, ça pique, ça !
HENRI. – C'est votre peau que je veux !
FOLLENTIN. – Ma peau ! Ma peau ! Il est bon, lui ! (*Parant un coup de Henri.*) Eh là ! Attendez donc ! Je n'y suis pas ! (*Tout en se battant.*) Un duel avec Henri IV ! Quelle page d'histoire !
HENRI. – Allez ! Parez celle-là !
FOLLENTIN. – Oh, là !
HENRI. – Et celle-ci !
FOLLENTIN. – Oh, là ! Ah ! non ! Vous savez !

Il attrape l'épée d'Henri.

HENRI. – Hein ! Voulez-vous lâcher mon épée ! la main gauche est défendue !
FOLLENTIN. – Ah ! ça m'est bien égal ! ce n'est pas moi qui ai demandé à me battre, n'est-ce pas ? (*Lui portant*

des coups d'épée.) Eh ! allez ! Eh ! allez donc !

HENRI. – Ah ! misérable, traître ! Il m'a tué ! (*Il tombe.*)

FOLLENTIN. – Mon Dieu !

HENRI. – Au secours ! à l'assassin !

FOLLENTIN. – Taisez-vous donc, mon Dieu ! (*Voyant Henri immobile.*) Est-ce que je l'aurais tué ? (*Posant son oreille sur la poitrine d'Henri.*) Je n'entends plus le cœur, ni à gauche, ni à droite ! (*Avec éclat.*) J'ai tué Henri IV ! J'ai tué Henri IV !... Non, c'est pas possible ! Et Ravaillac [34] alors ! Mais je ne peux pas le laisser là !... On peut venir !... Si on le trouve ! Où le cacher ! Où le cacher ! (*Il prend Henri à bras le corps et exécute une vraie valse avec lui.*) Mon Dieu ! du monde ! (*Apercevant la banquette en bois sculpté.*) Ah ! cette banquette !... elle forme coffre !... Un pied dans le crime [35] ! (*Il traîne Henri jusqu'à la banquette.*) Ce qu'il est lourd, cet animal-là ! (*Il ouvre la banquette et le met dedans.*)

SCÈNE XIV

FOLLENTIN, GILONNE, MADAME FOLLENTIN,
MARTHE puis MARGOT

GILONNE. – Si vous voulez entrer, mesdames !

MADAME FOLLENTIN, *entrant avec sa fille.* – Ah ! Adolphe, mon ami !

MARTHE. – Papa ! mon petit papa !

FOLLENTIN. – Oui ! bon ! vite, filons !

MADAME FOLLENTIN. – Hein ! déjà !

FOLLENTIN. – Oui, oui, déjà, nous ne pouvons pas attendre.

MARTHE. – Comme tu es drôle en Charles IX !

MADAME FOLLENTIN. – C'est bien mieux qu'à l'Élysée.

FOLLENTIN. – Ce n'est pas le moment de rire ! vite ! venez !... (*Apercevant Margot qui sort du cabinet.*) Nom d'un chien ! la Reine.

MARGOT. – Tiens ! (*Saluant.*) Mesdames !... (*Les deux femmes saluent.*) Ah ! Ce sont ces dames qui...

FOLLENTIN. – Oui, parfaitement ! (*Les présentant, très rapidement.*) Madame Follentin !... Ma fille. (*A Madame Follentin et à Marthe.*) Madame de Navarre !

MADAME FOLLENTIN. – Ah ! la reine, peut-être !

FOLLENTIN. – La reine... oui ! oui ! allons, venez ! venez !

MADAME FOLLENTIN. – Mais attends donc ! (*A Margot.*) Ah ! Madame, très honorée ! (*A Marthe.*) Salue, Marthe !

MARTHE. – Madame !

MADAME FOLLENTIN. – Et Sa Majesté le Roi de Navarre va bien ?

MARGOT. – Mais...

FOLLENTIN. – Très bien ! très bien ! Il va très bien ! Il repose ! Allons-nous-en !

UN GENTILHOMME, *paraissant.* – Leurs Majestés !

FOLLENTIN, *à part.* – Allons, bon ! Il ne manquait plus qu'eux.

MARGOT. – Le roi et la reine-mère !

MADAME FOLLENTIN. – Du monde ! Je ne voudrais vraiment pas être indiscrète. Adolphe, si on s'en allait ?

FOLLENTIN. – Elle a raison ! Nous sommes indiscrets ! Nous sommes indiscrets !

MARGOT. – Du tout ! Du tout ! (*Comme une chose sans importance.*) La famille !

FOLLENTIN, *à part.* – Mon Dieu, que j'ai chaud !

SCÈNE XV

LES MÊMES, CHARLES IX, CATHERINE

CHARLES IX et CATHERINE, *entrant et apercevant les Follentin.* – Hein !

MARGOT. – Vous, ma mère ! et vous, Charles ! Quelle charmante surprise !

CATHERINE, *bas à Charles.* – On n'a donc pas prévenu le roi de Navarre ?

CHARLES IX (*idem*). – Qu'est-ce à dire, ma mère ?

CATHERINE. – Je n'y comprends rien !

MARGOT, *présentant les Follentin.* – Quelques amis à moi, Madame.

CATHERINE. – Ah ! Ah !

MARGOT. – Monsieur et Madame Follentin et leur fille. Sa Majesté ma mère, la Reine Catherine, et mon frère, le roi Charles IX.

MADAME FOLLENTIN, *saluant.* – Madame ! (*Bas à Marthe.*) Quel monde on reçoit au Louvre !

FOLLENTIN. – Allons bon ! Leurs Majestés qui sont assises sur Henri IV.

Gémissement dans la banquette.

TOUS. – Qu'est-ce que c'est que ça !

Autre gémissement.

CATHERINE. – Vous avez des borborygmes, Charles ?

CHARLES IX. – Non, ma mère ! Cela doit être vous !

Nouveau gémissement.

FOLLENTIN, *à part.* – Nom d'un chien ! C'est le Béarnais qui se réveille.

VOIX D'HENRI, *sous la banquette.* – A moi ! Au secours !

TOUS. – Hein !

MADAME FOLLENTIN. – On a crié « au secours ! ».

FOLLENTIN, *à part.* – L'animal ! Il va me faire pincer.

VOIX D'HENRI. – Au secours ! Au secours !

TOUS. – Où ça ? Où ça ?

MARGOT. – Qui crie « au secours » ?

FOLLENTIN. – C'est moi ! C'est moi ! Je suis ventriloque !

MADAME FOLLENTIN. – Toi !

VOIX D'HENRI. – A moi ! A moi ! Henri ! Dans le coffre !

TOUS. – Dans le coffre !

MADAME FOLLENTIN. – Ça vient du coffre en bois !

On se précipite vers la banquette qu'on ouvre.

FOLLENTIN, *à part.* – C'est bien malin ce qu'il fait là !

TOUS, *reculant devant l'apparition d'Henri, pâle et défait, qui se met sur son séant.* – Dieu !

HENRI, *désignant Follentin.* – Là ! Là ! Assassin ! Lui ! Il m'a tué ! Il m'a tué !

TOUS. – Vous ?

MADAME FOLLENTIN. – Tu as tué Henri IV, toi ?

FOLLENTIN. – Mais non ! mais non !

CHARLES IX. – Vous avez tué le roi de Navarre ?

FOLLENTIN. – Je vais vous expliquer !

TOUS, *excepté sa femme et sa fille.* – Pas d'explication !

CATHERINE, *ouvrant la porte du fond.* – Appelez notre chef des pétardiers !

FOLLENTIN. – Mon Dieu ! Qu'es-ce qu'on va me faire !

MADAME FOLLENTIN, *désespérée.* – Adolphe a tué Henri IV ! Adolphe a tué Henri IV !

CATHERINE, *à Maurevel-Bienencourt qui paraît.* – Emparez-vous de cet homme ! C'est l'assassin du roi de Navarre !

FOLLENTIN. – Mon Dieu !

MADAME FOLLENTIN. – Adolphe !

MARTHE. – Papa !

BIENENCOURT, *à Follentin.* – Au nom du roi, je vous arrête !

FOLLENTIN. – Bienencourt ! Ah ça ! Où me menez-vous ?

BIENENCOURT. – En place de Grève [36] !

MONSIEUR ET MADAME FOLLENTIN ET MARTHE. – En place de Grève !

BIENENCOURT. – Faites entrer le bourreau !

LES FOLLENTIN. – Le bourreau !

CATHERINE, *au bourreau qui a paru masqué.* – Bourreau ! Tu vois cette tête ! Je te la donne !

FOLLENTIN. – Comment, elle la donne !... Mais... elle est à moi !

Sur un geste de Catherine, le bourreau s'avance et met la main sur l'épaule de Follentin.

MADAME FOLLENTIN. – Grâce, Monsieur le Bourreau ! (*A Marthe.*) Toi qui es plus jeune, demande-lui.

MARTHE. – Grâce ! Monsieur le Bourreau !... Papa !

FOLLENTIN. – Je suis marié et père de famille !

LE BOURREAU-GABRIEL, *bas.* – Taisez-vous, je vous sauve !

FOLLENTIN. – Gabriel !

GABRIEL. – Chut ! (*Il remet son masque.*)

FOLLENTIN. – C'est Gabriel !... Alors, qu'est-ce que je risque !... Adieu, mes enfants. Marchons ! Monsieur, je suis à vous ! Vive la ligue ! (*Nuit.*) Grand Dieu ! Je suis aveugle !

VOIX DU TEMPS. – Follentin ! Follentin !

FOLLENTIN, *qui est seul en scène.* – Bon, qu'est-ce que c'est encore !

VOIX DU TEMPS. – Follentin ! Follentin !

FOLLENTIN. – Le Temps ! C'est le Temps !

Changement à vue.

Obscurité. Le Temps paraît dans les nuages.

LE TEMPS. – Tu n'es pas content de l'époque où je t'ai mené, Follentin ?

FOLLENTIN. – Ah ! non, alors !

LE TEMPS. – Eh bien ! désignes-en donc une autre ! Tu vas pouvoir choisir !

Changement.

Les nuages se dissipent.

Royaume des Époques.

Les époques sont rangées au fond avec les Siècles à leurs pieds.

CHŒUR DES ÉPOQUES

LE TEMPS. – Quelle époque choisis-tu, Follentin ?
FOLLENTIN. – J'aime mieux m'en rapporter au hasard.
LE TEMPS. – Soit !

Le Temps fait paraître la Destinée qui tient la roue du Destin.

GRAND AIR DE LA DESTINÉE

LE TEMPS. – Nous allons faire tirer par le plus jeune de la société.

C'est le XXe *siècle qui sort, représenté par un enfant de six ans. Il tourne la roue qui amène Louis XV.*

LA DESTINÉE. – Louis XV.
LE TEMPS. – Eh bien ! tu ne vas pas t'ennuyer.

Arrivée d'un cortège de postillons qui viennent chercher le nouvel hôte du règne. Parmi eux paraît Bienencourt en postillon.

BIENENCOURT, *à part.* – Tu croyais m'échapper, Follentin, mais tu comptais sans moi.

GRAND FINAL

RIDEAU

ACTE II

Ier TABLEAU

Un paysage désert avec rochers. A droite, un amas de rochers plus grands masque une grotte invisible pour le public.

SCÈNE PREMIÈRE

LES BRIGANDS, puis CARTOUCHE [37],
puis FOLLENTIN

Au lever du rideau, éclairs, tonnerre, rafales.

CHŒUR DES BRIGANDS

Quel chien de temps,
Ah ! mes enfants !
Ça traverse,
Voire transperce.
C'est à dégoûter, vraiment,
Du beau métier de brigand.
1er Brigand

Ad libitum

Ce voyageur qu'on détrousse,
Certes ! se la coule douce !
Soumis à son bon plaisir,
On n'a pas idée,
Nous attendions sous l'ondée
Que Monsieur daigne venir.
Ce voyageur qu'on détrousse
Vraiment se la coule douce !

Reprise du Chœur

Quel chien de temps !
Etc., etc., etc.

Entrée de Cartouche enveloppé d'un grand manteau, suivi d'un détachement de brigands.

TOUS. – Voilà le chef ! Voilà Cartouche !

CARTOUCHE. – C'est bien, mes enfants ! Vous êtes prêts ?...

TOUS. – Oui, chef, oui !

On entend au loin des claquements de fouet et des grelots de chevaux.

CARTOUCHE. – Chut ! Écoutez !... des claquements de fouet ! Des grelots de chevaux. C'est la chaise !

TOUS. – C'est la chaise !

CARTOUCHE. – Allez ! Tous ! Dans les plis de terrain. Derrière les rochers !... Dissimulez-vous ! Et à mon signal, en avant !

TOUS. – En avant !

Tous les brigands et Cartouche disparaissent. Les grelots se rapprochent puis s'arrêtent. On entend des jurons lointains.

FOLLENTIN, *entrant, un mouchoir sur son chapeau haut de forme.* – Eh bien ! Ça y est ! C'est la panne ! La panne au beau milieu de la campagne ! Avec des seaux d'eau sur la tête ! C'est un rêve !

BIENENCOURT, *en postillon.* – Excusez-moi, Monsieur le voyageur. Je suis désolé de l'accident. Mais les routes sont si mauvaises ! Et la nuit est si noire !

FOLLENTIN. – Bah ! Laissez donc, mon brave. Quoi ! Nous avons versé ! Eh ! bien, après ? Cela jette un peu d'imprévu dans le voyage ! Et comme c'est romanesque ! Voyager en chaise de poste, la nuit, avec un bel orage ! un orage Louis XV ! Ah ! Voilà une époque au moins ! J'avoue que j'en avais soupé, moi, de Charles IX ! Allez, mon ami, allez relever votre voiture et quand ce sera fait, vous viendrez me prévenir.

BIENENCOURT, *sortant.* – Oui, va toujours ! Va toujours !

FOLLENTIN. – Ah ! je crois que cette fois je le tiens, mon âge d'or ! Ce que ma femme va être contente !... Ah ! nom d'un chien !... Ma femme ! Ma fille !... Mon Dieu ! j'ai oublié ma femme sous Charles IX !

On entend de nouveau des claquements de fouet et les grelots qui s'éloignent.

FOLLENTIN. – Hein ? Qu'est-ce que c'est ? Les grelots de la voiture !... (*Il remonte au fond.*) Mon Dieu ! Mais il a l'air de s'en aller ! Eh bien ! postillon ! postillon !...

VOIX DE BIENENCOURT. – Oui, mon vieux, cours après !...

FOLLENTIN. – Cette voix ! Bienencourt ! Bienencourt !

On entend un signal semblable à un hullulement.

FOLLENTIN. – Hein ? Qu'est-ce que c'est que ça ?... (*Un autre hullulement répond.*) Mais c'est un signal ! Où m'a-t-il mené, mon Dieu ! Où m'a-t-il mené ! (*Les brigands paraissent et le cernent.*) Ciel !

CARTOUCHE. – Emparez-vous de cet homme !

FOLLENTIN. – Au secours ! Au secours !

CARTOUCHE. – Ficelez-le ! Bâillonnez-le !... (*Les brigands le ficellent et le bâillonnent. Lutte. Pendant ce tumulte on entend une musique souterraine qui s'échappe de la grotte.*) Et maintenant, rentrons !... Finies les affaires !... À mes devoirs de maître de maison ! Justement, c'est le jour de Madame Cartouche... (*Il appuie sur un des rochers de droite qui s'ouvre et laisse voir une grotte meublée comme un salon très élégant. Meubles rares. Le tout très brillamment éclairé.*)

Madame Cartouche est au clavecin en train d'accompagner Madame Mandrin[38] *qui chante. D'autres dames en grande toilette et quelques brigands en grand costume sont assis çà et là et écoutent. Les dames s'éventent comme dans une soirée. Au moment où Cartouche entre, tout le monde est en train d'applaudir.*)

TOUTES LES DAMES. – Ah ! Monsieur Cartouche !

CARTOUCHE. – Moi-même, Mesdames ! (*Embrassant Madame Cartouche.*) Bonsoir, ma chérie ! (*Apercevant Madame Mandrin.*) Ah ! Madame Mandrin ! Quelle charmante surprise ! Votre mari n'est pas venu ?

MADAME MANDRIN. – Non, il dîne ce soir chez le lieutenant de police. Il doit venir me chercher tout à l'heure.

CARTOUCHE. – Ah ! Je le verrai avec plaisir !

MADAME CARTOUCHE. – Mais comme tu viens tard, mon ami !

CARTOUCHE. – Pardonne-moi, ma chère femme aimée, mais nous avons été retenus par une opération importante, et même je vous amène un invité.

LES DAMES. – Ah ! vraiment !

CARTOUCHE, *à la porte de la grotte.* – Introduisez le voyageur !... Vous l'excuserez, mesdames, d'être en costume de voyage, mais il ne s'attendait pas à passer la soirée ici.

LES DAMES. – Comment donc !... Comment donc !...

Deux brigands apportent Follentin à bras.

CARTOUCHE. – Entrez donc, mon cher hôte !

Toutes les dames lui présentent des fauteuils.

MADAME MANDRIN. – Mais si vous gardez ce foulard, vous attraperez froid en sortant.

CARTOUCHE. – C'est juste ! Enlevez donc le foulard de Monsieur !

Les brigands enlèvent le mouchoir qui lui bande les yeux et la bouche.

FOLLENTIN. – Où suis-je ?

CARTOUCHE. – Mais chez nous !... Vous êtes notre hôte, l'hôte de Cartouche.

FOLLENTIN. – Cartouche !

CARTOUCHE, *présentant sa femme.* – Madame Cartouche, ma femme !

FOLLENTIN. – Madame !... Enchanté !... (*A part.*) Qu'est-ce qu'ils vont me faire ?

CARTOUCHE. – Je ne vous fais pas enlever ces cordes tout de suite, parce que ce serait imprudent d'enlever tout à la fois. Vous pourriez vous enrhumer.

FOLLENTIN. – Vous êtes bien aimable !

CARTOUCHE, *à Madame Mandrin.* – Mais, chère Madame, vous étiez en train de chanter quand nous sommes entrés. J'espère que ce n'est qu'un plaisir interrompu et que nous aurons la bonne fortune...

TOUTES LES DAMES. – Oh ! oui ! Oh ! oui ! chère Madame !

MADAME MANDRIN. – C'est que ce soir, je suis un peu enrouée.

MADAME CARTOUCHE. – Oh ! vous êtes trop modeste.

UNE DAME. – Vous n'avez jamais été plus en voix.
TOUTES LES DAMES. – Oh ! oui ! Certes ! Jamais plus !
CARTOUCHE. – Allons ! un fauteuil !
FOLLENTIN. – Vous me comblez.
UNE DAME. – Un programme, Monsieur !

Madame Cartouche se remet au clavecin et accompagne Madame Mandrin qui chante une romance du temps.

TOUS, *applaudissant.* – Bravo ! Charmant !
CARTOUCHE, *à Follentin.* – Eh ! bien, vous n'applaudissez pas ?
FOLLENTIN, *ficelé et ne pouvant bouger les bras.* – Si ! Si ! Bravo ! Bravo !
CARTOUCHE. – De qui est donc cet air charmant ?
MADAME MANDRIN. – Mais de Lulli !
CARTOUCHE. – Ah ! ce Lulli !... plein de talent... (*A Follentin.*) Vous le connaissez ?
FOLLENTIN. – Lulli !... Oui !... Comment donc ! Mounet-Lully [39] !
CARTOUCHE. – C'est possible !... Je ne sais pas son petit nom !

Un valet de pied entrant du fond.

LE VALET. – Le souper est servi !
MADAME CARTOUCHE. – Mesdames, choisissez vos cavaliers !... Si vous voulez passer dans la salle à manger, le souper est servi ! (*A Follentin.*) Voulez-vous m'offrir votre bras, monsieur ?...
FOLLENTIN. – Comment donc !... (*Il offre son coude.*) Seulement, Madame, ne marchons pas trop vite, parce que j'ai un peu de peine à avancer.
CARTOUCHE, *très aimable.*– Un peu d'ankylose, peut-être ?
FOLLENTIN. – Un peu d'ankylose !

Pendant ce qui précède, à l'extérieur, un brigand est venu apporter une carte et parler à un autre brigand qui est resté depuis l'entrée de la bande à monter la garde.

LE BRIGAND, *qui monte la garde.* – C'est bien. Attendez ! Je vais porter la carte au chef !

Il entre dans la grotte.

CARTOUCHE. – Qu'est-ce que c'est ?
LE BRIGAND. – C'est un gentilhomme qui vous demande audience.
CARTOUCHE. – Quel gentilhomme ?

LE BRIGAND. – Voici sa carte !

CARTOUCHE, *lisant.* – « Le Prince Gabriel de Morteval de Villemar, lieutenant de brigands du XXe siècle ! » Un confrère !... Faites entrer !

Le brigand fait un signe à celui qui est resté à gauche, qui lui-même fait signe à la cantonade au fond. Gabriel paraît au fond à droite sur les rochers qui dominent la grotte, il descend en scène. Costume de gommeux[40]*, XXe siècle. Très chic, chapeau huit-reflets, gardénia, habit monocle ; les yeux bandés comme un parlementaire.*

LE BRIGAND, *faisant le factionnaire.* – Par ici !... (*Il introduit Gabriel dans la grotte.*)

SCÈNE II

LES MÊMES, GABRIEL

FOLLENTIN. – Mon Dieu !... Qu'est-ce que c'est encore que celui-là ?

CARTOUCHE, *à Gabriel.* – C'est vous qui m'avez fait passer votre carte ? Prince Gabriel de Morteval de Villemar, lieutenant de brigands du XXe siècle !...

GABRIEL. – C'est moi, mon cher Maître !

CARTOUCHE. – Et que demandez-vous ?

GABRIEL. – Je suis envoyé par notre bande qui s'inquiète de l'absence prolongée de notre chef, le célèbre brigand Adolphe Follentin !...

TOUS. – Hein !

FOLLENTIN, *à part.* – Qu'est-ce qu'il dit ?... (*Haut.*) Moi ! chef de brigands !... Mais jamais de la vie !

GABRIEL. – Ah ! le voilà ! J'entends sa voix. C'est bien lui. Bonjour, chef !...

FOLLENTIN. – Mais non !... Mais non !... Mais il est fou !... Qu'est-ce que c'est que ce bonhomme-là !

CARTOUCHE. – Qu'est-ce que ça veut dire ? (*Au brigand.*) Retirez le bandeau !

Le brigand retire le bandeau de Gabriel.

FOLLENTIN, *à part.* – Gabriel ! C'est Gabriel !

GABRIEL, *s'inclinant.* – Ah ! chef !

CARTOUCHE. – Vous connaissez notre prisonnier ?

GABRIEL. – Prisonnier !... Croyez-vous bien qu'il le

soit ?... Et s'il est ici, ne vous êtes-vous pas dit que lorsqu'on tient un homme comme le célèbre Follentin, c'est que lui-même veut bien qu'on le tienne.

CARTOUCHE. – Qu'est-ce que vous dites ?

FOLLENTIN, *à part.* – Où veut-il en venir ?...

GABRIEL. – Vous le croyez bien ligoté, bien ficelé, mais seigneur Cartouche, regardez comme il est ficelé !... Une, deux, trois !... tombez cordes et liens !...

Les cordes qui ligottent Follentin se déroulent d'elles-mêmes et disparaissent.

TOUS. – Oh !

CARTOUCHE. – Mais c'est de la sorcellerie !

TOUS. – De la sorcellerie !

FOLLENTIN. – Il est étonnant !

GABRIEL. – Sorcellerie ?... Progrès ! Ah ! Cartouche ! Saluez votre maître qui a bien voulu remonter le cours des siècles pour vous apporter les résultats de deux cents ans d'expérience !

CARTOUCHE. – Eh ! quoi ! se peut-il qu'il y ait tant de progrès dans mon industrie ?

GABRIEL. – Mais vous êtes dans l'enfance de l'art ! N'est-ce pas, Capitaine Follentin ?

FOLLENTIN. – Dans l'enfance ! Dans l'enfance !

GABRIEL. – Ainsi, tenez ! Qu'est-ce que ce trousseau d'objets ridicules et embarassants que je vois pendu à la ceinture de cet homme ? (*Il indique un trousseau de rossignols et de fausses clés à la ceinture du brigand.*).

CARTOUCHE. – Mais ce sont mes outils de travail !... Un trousseau de fausses clefs !

GABRIEL. – Allons donc !... Est-ce qu'on se sert de cela aujourd'hui !... (*A Follentin.*) Capitaine !... Montrez votre trousseau !

FOLLENTIN. – Mais je n'en ai pas.

GABRIEL. – Mais si !... Mais si !... Il n'y a pas à faire de mystère avec le seigneur Cartouche ! Nous savons bien tous où vous avez coutume de cacher votre trousseau !

FOLLENTIN. – Moi !...

GABRIEL. – Mais oui !... dans la fosse nasale de votre narine gauche.

FOLLENTIN. – Dans la...

GABRIEL. – Mais oui !... Tenez !

Il lui prend le nez et en sort tout un trousseau de rossignols et de pince-monseigneur en miniature.

TOUS. – Oh !

CARTOUCHE. – C'est admirable !

FOLLENTIN, *à part.* – Comment, j'avais tout ça dans le nez ?...

CARTOUCHE. – Oh ! Messieurs !... Mesdames !... Vous qui vous y connaissez ! Regardez tous ces objets comme c'est fait !... (*Il passe le trousseau de clefs à tous les invités.*).

GABRIEL. – Et grâce à cet attirail !... Voulez-vous voir le butin de sa journée ?

FOLLENTIN. – Le butin de ma journée !...

TOUS. – Oui, oui ! Le butin !

Il tire des oreilles, des yeux, du gilet de Follentin toute une série d'objets volés : montres, bijoux, portefeuilles. A chaque objet, exclamation d'admiration de l'assistance.

FOLLENTIN, *à part.*– Qu'il est fort, ce Gabriel, qu'il est fort !

CARTOUCHE. – Oh ! Monsieur Follentin !... Je suis vraiment heureux d'avoir fait votre connaissance. Désormais, vous êtes des nôtres. Follentin !... Capitaine Follentin, faites-moi l'honneur de devenir mon associé !

TOUS – Oh !

FOLLENTIN. – Mais ce n'est pas possible !... Je ne peux pas !... J'ai ma bande !

CARTOUCHE. – Eh ! bien, elle fusionnera avec la nôtre. Allons, Follentin, mon ami...

TOUS. – Follentin !... Voyons ?

FOLLENTIN. – Mais...

GABRIEL, *bas à Follentin.* – Acceptez, pour gagner du temps !

FOLLENTIN. – Eh ! bien, soit !

TOUS. – Vive Follentin !... Vive notre nouveau chef !

FOLLENTIN, *protestant, modestement.* – Oh ! Co-chef, Messieurs, co-chef !

TOUS. – Vive le co-chef !

FOLLENTIN. – Il n'y a pas !... Même dans la bouche de vulgaires fripouilles, une ovation, ça fait plaisir...

CARTOUCHE. – Quant à vous, prince Gabriel de Villemar, de je ne sais pas quoi ! Allez prévenir votre bande que désormais elle est des nôtres !...

GABRIEL. – J'y cours, co-chef !... (*A part, en sortant.*) Je vais quérir la maréchaussée !...

SCÈNE III

LES MÊMES, moins GABRIEL, MANDRIN

CARTOUCHE. – Et maintenant, je vais vous faire donner des armes !...

FOLLENTIN. – Des armes ?

CARTOUCHE, *aux brigands.* – Qu'on apporte une paire de pistolets et un fusil à pierre.

FOLLENTIN. – A pierre ?

CARTOUCHE. – A pierre !... mais oui, mon cher collègue, et le dernier modèle ! Capitaine Follentin, il est d'usage dans les chasses à courre, quand on a un invité de marque, de lui faire les honneurs du pied [41]. Nous allons vous faire les honneurs du premier voyageur qui passera !...

FOLLENTIN. – Comment ça ?

CARTOUCHE. – Vous avez vos armes, vous allez vous mettre là !... (*Il indique l'extérieur.*) Et maintenant qu'il passe quelqu'un, c'est à vous qu'appartiendra le détroussage d'honneur.

FOLLENTIN. – Comment ! Il faut que je détrousse ?

CARTOUCHE. – Eh ! mon Dieu, oui !... J'espère qu'on vous donne là un témoignage...

FOLLENTIN, *à part.* – Dont je me serais bien passé !...

CARTOUCHE. – Allons, bonne chasse, Capitaine ! Ah ! en cas d'alerte, si vous avez besoin qu'on vous prête main-forte, vous n'avez qu'à presser sur ce bouton. (*Il indique le rocher extérieur.*)

MADAME CARTOUCHE. – Maintenant, si vous désirez un verre d'eau, même, ou autre chose, deux coups !...

FOLLENTIN. – Merci bien.

Cartouche appuie sur un bouton extérieur, les rochers se referment et l'intérieur de la grotte disparaît.

FOLLENTIN, *seul au dehors.* – C'est gai ! Me voilà chef de brigands, moi !... On a beau dire, ça ne doit pas être rose tous les jours, ce métier-là !... C'est curieux, cette manie des brigands d'aller toujours se fourrer dans des endroits pas sûrs !... Brrrou ! regardez-moi ça !... Ces terrains vagues, c'est le désert !... Où sommes-nous, mon Dieu ?... Qu'est-ce que ça peut être au XXe siècle que ce pays perdu ?

UNE VOIX SURNATURELLE. – Tu veux le savoir, Follentin ! Eh ! bien, regarde.

La toile du fond se transforme et l'on voit cinématographiquement la place de la Trinité... grouillante de monde et de voitures. Mêler à la foule, autant que possible, des personnages connus [42].

FOLLENTIN. – La Place de la Trinité !... (*L'artiste nomme les personnages au passage. Il passe lui-même.*) Tiens, moi !... (*La vision disparaît et on voit le premier décor de campagne avec la lune.*)

FOLLENTIN. – Eh ! bien, non, vrai !... Jamais je n'aurais reconnu ici la Place de la Trinité !... Comme tout change !... Mon Dieu !... Qu'est-ce que je vois là ?... On dirait un homme qui se dirige de ce côté ! (*Un homme enveloppé dans un grand manteau passe dans les rochers au-dessus de la grotte.*) Quel idiot ! Qu'est-ce qu'il vient faire ? Il y a vraiment des gens qui sont d'une imprudence !... Si je lui faisais comprendre sans en avoir l'air, comme si je me parlais à moi-même !... (*Haut.*) Hum ! Hum ! Il y a des brigands ici !... Il y a des brigands ! Le premier voyageur qui s'y frotte, on le détrousse !...

L'HOMME, *descendant en scène.* – Ah ! quelqu'un !...

FOLLENTIN. – Comment ! Il vient !... Mais est-il bête ! Il est donc sourd !

L'HOMME. – Ah ! Dites-moi, l'ami !

FOLLENTIN. – Ah ! ma foi, tant pis !... C'est lui qui l'aura voulu... (*Terrible.*) La bourse ou la vie !...

L'HOMME. – Qu'est-ce que c'est ?

FOLLENTIN. – Il n'y a pas de « qu'est-ce que c'est » !... La bourse ou la vie !

L'HOMME. – Oh ! mais, ma parole, c'est un fusil nouveau modèle que vous avez là, le dernier fusil à pierre !

FOLLENTIN. – Hein !... Oui,... bien incommode !

L'HOMME. – Oh ! mais c'est curieux !... Voulez-vous me permettre ?...

FOLLENTIN, *donnant son fusil.* – Mais je vous en prie !

L'HOMME. – Merci !... Et maintenant, à votre tour ! La bourse ou la vie !

FOLLENTIN. – Hein !

L'HOMME. – Allons, allons ! dépêchons !

FOLLENTIN. – Oui, monsieur !... Oui, monsieur !...

Il se fouille.

L'HOMME. – Vos pistolets d'abord.
FOLLENTIN. – Voilà, Monsieur, voilà !...
L'HOMME. – Et la bourse maintenant !
FOLLENTIN. – Voilà, Monsieur !
L'HOMME. – Enfin tous les menus objets que vous pouvez avoir sur vous !
FOLLENTIN. – Bien, Monsieur ! (*Il donne tout ce qu'il a.*)
L'HOMME. – Allons, mon ami, je vois que vous êtes encore jeune dans le métier. Et maintenant, annoncez à votre Capitaine Cartouche, son collègue et ami, le Capitaine Mandrin !
FOLLENTIN. – Mandrin !... C'est Mandrin !
L'HOMME. – Allez !
FOLLENTIN. – Oui, Mandrin !... (*il appuie sur le bouton, les rochers se rouvrent et laissent voir l'intérieur de la grotte. Tous les personnages dansent un menuet, accompagnés au clavecin par Madame Mandrin*).
TOUS. – Qu'est-ce qu'il y a ?
CARTOUCHE. – Comment, vous ?... Eh bien ! et le détroussage ?
FOLLENTIN. – Ça y est !... Il m'a pris tout ce que j'avais sur moi.
CARTOUCHE. – Qui ?
FOLLENTIN. – Lui !
CARTOUCHE. – Monsieur !
TOUS. – Mandrin !
MANDRIN. – Mon Dieu, oui !... Il faut bien s'amuser un brin, n'est-ce pas, Monsieur ?... Il a besoin d'apprendre son métier, le jeune homme.
CARTOUCHE. – Lui !... Mais c'est le premier chef de brigands du 20e siècle !...
MANDRIN. – Non !... Eh bien ! il n'est pas fort !
MADAME CARTOUCHE. – Une coupe de champagne, Monsieur Mandrin ?
MANDRIN. – Tout de même !... A votre santé, mesdames ! A vous, Cartouche ! A vous, le brigand du XXe siècle !
TOUS. – A la santé du Capitaine Mandrin !

SCÈNE IV

LES MÊMES, BIENENCOURT en Chef de la Maréchaussée, LA MARÉCHAUSSÉE

UN BRIGAND (*accourant*). – Capitaine !... Capitaine !

CARTOUCHE. – Pardon !... Les affaires !...

LE BRIGAND. – La Maréchaussée se dirige de ce côté.

TOUS. – La Maréchaussée !

CARTOUCHE. – La Maréchaussée !

FOLLENTIN. – La Maréchaussée !... Sauvons-nous...

Il se précipite à gauche et disparaît.

MANDRIN. – Pas par là ! Pas par là ! Chacun pour soi ! A la caverne !

Il se précipite dans la grotte et appuie sur un bouton intérieur, les rochers se referment.

FOLLENTIN, *revenant du fond, affolé.* – Ah ! mon Dieu !... Ils arrivent par là !... Ils arrivent par là !... Eh bien, quoi ? C'est fermé ! Ils ont fermé la grotte !

Il appuie sur le bouton, les rochers s'ouvrent.

TOUS LES BRIGANDS (*à l'intérieur*). – Mais fermez donc ! Fermez donc !

FOLLENTIN. – La Maréchaussée !... C'est la Maréchaussée !

CARTOUCHE. – Mais allez-vous fermer, malepeste !

GABRIEL, *paraissant à la tête de la Maréchaussée en uniforme de lieutenant.* – A la grotte ! En avant !...

FOLLENTIN. – Mais fermez donc, nom d'un chien !...

GABRIEL. – En joue ! Rendez-vous ou vous êtes morts !

MANDRIN. – Nous sommes pris !

CARTOUCHE. – Ah ! vous êtes encore un malin, vous !

GABRIEL. – Allez ! arrêtez-moi tous ces gens-là !

FOLLENTIN. – Dieu !... C'est Gabriel.

GABRIEL (*en montrant Follentin*). – A celui-là, seul, la liberté !

FOLLENTIN. – Sauvé !... Merci, mon Dieu !

BIENENCOURT (*apparaissant en uniforme archi-galonné de Maréchal de France*). – Pas encore !

TOUS. – Hein ?...

BIENENCOURT. – Soldats, pas de passe-droit !... Et empoignez-moi tout le monde !

GABRIEL. – Mais...

BIENENCOURT. – Obéissez, lieutenant, je suis Maréchal de France !

FOLLENTIN. – Bienencourt !
GABRIEL. – Malédiction !
BIENENCOURT. – Et maintenant, à la Bastille !
FOLLENTIN. – Ah ! zut !

RIDEAU

2ᵉ TABLEAU

UN CACHOT A LA BASTILLE

Fenêtres à barreaux au fond. Au fond gauche, pan coupé. Porte d'entrée. Droite, 2ᵉ plan, une couchette en paille, une autre à gauche et une troisième au fond. Au-dessus de ces couchettes, rivées au mur, des chaînes.

SCÈNE PREMIÈRE

FOLLENTIN, CARTOUCHE, MANDRIN

Ils sont assis au milieu de la scène, chacun sur la pierre qui leur sert ordinairement de siège et jouent aux cartes sur la redingote de Follentin qu'ils ont posée, pliée sur leurs genoux.

FOLLENTIN, *donnant les cartes.* – Combien ?

CARTOUCHE. – Deux.

MANDRIN. – Trois.

FOLLENTIN. – Servi !... (*Il pose ses cartes. Chacun prend son jeu.*) Cartouche, vous n'avez pas mis au jeu !

CARTOUCHE. – J'avais oublié !

FOLLENTIN. – Vous oubliez toujours ! A vous de parler !

CARTOUCHE. – Passe parole [43] !

MANDRIN. – Parole !

FOLLENTIN. – Dix francs !

CARTOUCHE. – Vous dites ?

FOLLENTIN. – Deux écus !

MANDRIN. – Je passe !

CARTOUCHE. – Je les tiens ! Brelan d'as [44] !

FOLLENTIN. – Floche[45] !

CARTOUCHE. – Animal !

Follentin ramasse l'argent et passe les cartes à Cartouche.

FOLLENTIN. – A vous de faire !

CARTOUCHE. – A moi !... (*Tout en donnant les cartes.*) Décidément, c'est très amusant, le poker ! (*On entend dans le dessous une voix qui chantonne « Viens poupoule »*[46].) Écoutez !

FOLLENTIN. – Le signal que j'ai indiqué au prisonnier du dessous. Il nous annonce que le geôlier fait sa ronde.

CARTOUCHE. – Brave prisonnier !... Vite ! gagnons nos chaînes.

MANDRIN. – Flûte ! J'avais full[47] d'entrée !

CARTOUCHE. – Oui, ce sera pour une autre fois !... Vite ! dissimulons le matériel.

Ils emportent chacun leur pierre.

MANDRIN. – Là !... et à l'attache !

Ils se précipitent vers les couchettes ; Follentin à droite, Cartouche à gauche et Mandrin au fond et se renchaînent. On entend les verrous de la porte.

FOLLENTIN. – Il était temps !

Les trois prisonniers, pour se donner une contenance, se mettent à manger leur pain.

SCÈNE II

LES MÊMES, BIENENCOURT en geôlier, entrant par pan coupé gauche

BIENENCOURT, *une lanterne à la main.* – Ah ! Ah ! vous faites honneur au repas, je vois ! C'est bien, messieurs les prisonniers, il est bon d'avoir le ventre plein à l'heure où l'on va sauter le pas.

TOUS. – Sauter le pas ?

BIENENCOURT. – Mon Dieu, oui !... votre dernier dîner. Demain, pour vous, le fouet, la roue, la mort !

TOUS. – La mort !

FOLLENTIN. – La mort !... mais non ! C'est impossible !... D'abord, Louis XV m'attend !

BIENENCOURT. – Oui, mais, pour cela, il faudrait pouvoir arriver jusqu'à lui. Ah ! Ah ! Follentin, tu ne m'échapperas pas ! Et pour plus de précautions, j'ai fait demander le serrurier de la Bastille pour qu'il s'assure que vos chaînes sont bien rivées et que les barreaux de cette fenêtre sont bien solides !... Bon appétit, messieurs !

TOUS *avec rage.* Ah !

Il sort par le pan coupé gauche, avec un ricanement satanique.

SCÈNE III

FOLLENTIN, CARTOUCHE, MANDRIN

CARTOUCHE. – Mais nous ne pouvons pas rester ici !...

TOUS. – Non !

Ils enlèvent leurs chaînes.

MANDRIN. – Si demain, au petit jour, nous sommes encore là,... c'en est fait de nous !

FOLLENTIN. – Et moi, je me connais. Quand on me fait faire quelque chose de trop bon matin, ça me fiche à bas pour toute la journée !

CARTOUCHE. – Aussi faut-il fuir !

TOUS. – Fuyons !

MANDRIN. – Mais comment ?

Ils se mettent tous à tourner dans tous les sens comme des souris dans une souricière.

FOLLENTIN. – Oui ! Eh bien ! nous n'avançons pas. Je crois qu'il vaut mieux chercher le moyen avant.

TOUS. – Cherchons !

FOLLENTIN. – Ce qui me paraît le plus naturel, c'est la fenêtre.

MANDRIN. – Mais les barreaux !

FOLLENTIN. – Ah, oui ! sacrés barreaux !... (*Allant secouer les barreaux qui lui restent dans les mains.*) Ah ! ils ne tiennent pas !

TOUS. – Ah !

FOLLENTIN. – Sauvés, nous sommes sauvés !

MANDRIN. – Comment, sauvés ! mais c'est à trente-cinq mètres du sol !

FOLLENTIN. – C'est vrai ! mais enfin, c'est déjà quelque chose, nous savons qu'on peut sortir par là !

CARTOUCHE. – En se cassant le cou !

FOLLENTIN. – Oui, mais enfin, c'est déjà quelque chose ! Maintenant, ce qu'il faut trouver, c'est justement le moyen de ne pas se casser le cou !... Eh bien ! en attachant des rideaux, les uns aux autres, sur une longueur de 35 mètres !...

MANDRIN. – Oui, mais nous n'avons pas de rideaux !

FOLLENTIN. – Oui, mais nous savons que si nous en avions, c'est déjà quelque chose ! Attendez donc !... J'ai une idée !... nos chemises, nos vêtements, en les effilant... et en les tressant après, nous faisons une corde.

CARTOUCHE. – Mais il faudra quinze ans !

FOLLENTIN. – Quinze ans !... oui, oui !... En effet ! d'ici demain matin, nous ne trouverons jamais les 15 années nécessaires. Mais alors, j'ai trouvé !...

TOUS. – Quoi ?

FOLLENTIN. – Mandrin sort le premier et se suspend par les mains au rebord de la fenêtre, vous, Cartouche, vous descendez le long de Mandrin, et vous vous accrochez à ses pieds. Moi je descends le long de Mandrin et puis le long de vous, et je m'accroche à vos pieds !

MANDRIN. – Oui, mais ça ne fera jamais trente-cinq mètres !

FOLLENTIN. – Oui !... mais c'est déjà quelque chose !... Et puis alors,... attendez !... Mandrin, lui, qui n'a plus rien à faire là-haut, descend le long de vous et le long de moi...

CARTOUCHE. – Mais pour cela, il lâche la fenêtre !...

FOLLENTIN. – Naturellement !

MANDRIN. – Mais alors, nous dégringolons tous les trois !

FOLLENTIN. – C'est vrai !... Je n'y avais pas pensé ! Mon Dieu ! tout de même, si au lieu de trois nous avions été cinq !... Ça allait tout seul !

TOUS *s'arrachant les cheveux.* – Ah ! non ! Ah ! non ! Il faut trouver !... Il faut trouver !...

On entend les verrous de la porte.

TOUS. – Le geôlier ! le geôlier !... (*Affolement général.*) A nos chaînes !... non, pas par là !... Ah ! les barreaux !

Dans l'enchevêtrement de la débandade, ils sont allés s'enchaîner chacun à une place différente de celle qui leur était respectivement affectée. Ils sont à peine assis que la porte s'ouvre et Bienencourt paraît.

SCÈNE IV

LES MÊMES, BIENENCOURT, puis GABRIEL

BIENENCOURT. – Hein !... Ah, çà ! vous jouez donc aux quatre coins, vous ! Dieu !... les barreaux !... Ils ont scié les barreaux !... Ah ! mes gaillards, vous allez bien, mais vous avez compté sans moi. (*Appelant.*) Entrez, serrurier !

GABRIEL, *en serrurier, entrant.* – Voilà, patron !

BIENENCOURT. – Vous voyez ces gredins-là ! Vous allez leur mettre doubles chaînes et les river solidement !... Après quoi, vous rescellerez les barreaux !

GABRIEL. – Oui, patron !... Compris !...

BIENENCOURT. – Je vous enferme !... Je viendrai vous chercher dans un quart d'heure.

Il sort et referme la porte.

SCÈNE V

FOLLENTIN, GABRIEL, CARTOUCHE, MANDRIN, puis LATUDE

TOUS *pendant que Gabriel va déposer sa trousse de serrurier tout à fait sur le devant de la scène et s'accroupit.* – Parti !

Ils se débarrassent tous les trois de leurs chaînes.

FOLLENTIN. – Oh ! quelle idée !... (*Pantomime. Il indique le serrurier à Cartouche et à Mandrin, et fait le geste de lui tordre le cou. Les autres font « oui » de la tête.*) Ma foi ! tant pis ! c'est le pied dans le crime !

TOUS. – Allons !

Ils foncent sur Gabriel et cherchent à l'étrangler.

GABRIEL *se débattant.* – Eh ! là ! Eh ! là ! tout beau, vous autres !... Si c'est comme ça que vous recevez les gens qui viennent à votre secours !

TOUS. – Hein !

Gabriel retire sa barbe.

FOLLENTIN. – Gabriel !

CARTOUCHE. – Votre lieutenant !

GABRIEL. – Lui-même !

FOLLENTIN. – Ah ! Gabriel !... Dieu soit béni !

GABRIEL. – Et maintenant, mes amis, pas de temps à

perdre !... Il s'agit de filer ! Déjà, pour faciliter la chose, j'ai scié les barreaux.

MANDRIN. – C'était vous !

GABRIEL. – C'était moi !

FOLLENTIN. – Brave garçon !

GABRIEL. – Et maintenant, vous n'avez qu'à prendre une échelle de corde !

FOLLENTIN. – C'est ça !... C'est ça !... une échelle de corde !

CARTOUCHE. – Mais nous n'en avons pas !

FOLLENTIN. – Ah ! c'est vrai ce qu'il dit là !... Nous n'en avons pas !

GABRIEL. – La belle affaire !... Ne suis-je pas prestidigitateur ! Et n'avez-vous pas votre chapeau !

FOLLENTIN. – C'est vrai !

Il lui donne son chapeau.

GABRIEL. – Une ! deux ! trois !... (*En tirant une échelle de corde.*) Une échelle, une !...

TOUS *avec joie.* – Une échelle !

Ils esquissent une danse de joie.

GABRIEL. – Oh ! Il ne s'agit pas de danser en ce moment. Vous vous réjouirez quand vous serez hors d'ici !... Accrochez l'échelle !

Mandrin va accrocher l'échelle à la fenêtre.

FOLLENTIN. – Ça va ?

CARTOUCHE. – Oui !... Elle arrive juste au raz du sol...

MANDRIN. – Alors, filons ! (*Il va pour enjamber la fenêtre.*) Tiens ! Attendez donc ! Quel est cet homme qui tourne autour de la Bastille !

TOUS. – Un homme ?

CARTOUCHE. – Oui !... Il a vu l'échelle !... Il lève la tête de notre côté... Mon Dieu !... serait-ce un espion !

FOLLENTIN. – Mais, ma parole, il grimpe à l'échelle !...

TOUS. – Mais oui !

MANDRIN. – Si nous laissions tomber l'échelle ?

CARTOUCHE. – Mais alors nous ne l'aurions plus !

FOLLENTIN. – Vous avez raison ! Mieux vaut le laisser monter !... Et si c'est un espion, couic !...

TOUS. – C'est ça !...

FOLLENTIN. – Oh ! maintenant, rien ne m'arrête plus !

TOUS. – Lui !

Paraît en haut de l'échelle, un homme qui enjambe la fenêtre.

LATUDE. – Enfin !

TOUS. – Qui vive !
LATUDE. – Hein ! quoi ?
FOLLENTIN. – Allons, parlez, qui êtes-vous ?
LATUDE. – Moi ?... Latude [48] !
TOUS. – Latude !
LATUDE. – Merci, mes amis !... Merci de m'avoir donné le moyen de réintégrer ma chère Bastille !
TOUS. – Comment ?
LATUDE. – Voilà des années, monsieur, que l'administration me met à la porte chaque fois que je reviens ici. On aura beau faire, chaque fois qu'on me chassera, je saurai bien y revenir.
FOLLENTIN. – A votre aise, monsieur Latude ! Mais nous qui n'avons pas les mêmes raisons que vous, nous allons jouer la fille de l'air. A vous, Cartouche !
CARTOUCHE. – Par obéissance !... (*Il enjambe la fenêtre et disparaît.*) A vous, Mandrin !
MANDRIN *même jeu*. – Ça me connaît !
GABRIEL. – A vous, M. Follentin !
FOLLENTIN. – A moi !... (*Enjambant la fenêtre.*) Oh ! nom d'un chien ! Oh ! que c'est haut !
GABRIEL. – Eh ! bien, allez !
FOLLENTIN. – Mais je ne peux pas !.. Il n'y a pas mèche !... j'ai le vertige !

On entend les verrous de la porte.

SCÈNE VI

LES MÊMES, BIENENCOURT

BIENENCOURT, *entrant et l'apercevant*. – Oh ! une évasion !... (*Se précipitant à la fenêtre et en retirant Follentin.*) Allez-vous-en, vous !
FOLLENTIN. – Mais je ne peux pas !... J'ai le vertige !
BIENENCOURT. – Allez-vous-en donc ! (*Regardant par la fenêtre.*) Mandrin et Cartouche qui se sauvent !... Oh ! mais toi, du moins, tu ne te sauveras pas !... (*Il détache l'échelle et la jette dans l'espace.*) A la garde ! A la garde !

Il sort en courant.

GABRIEL. – Vous voilà bien, maintenant !
FOLLENTIN. – Qu'est-ce que vous voulez !... même avec l'échelle, j'aurais pas pu !... Mon Dieu !... Comment

sortir d'ici ! (*suppliant Gabriel.*) Dans mon chapeau... vous ne trouveriez pas encore quelque chose ?

GABRIEL. – Attendez donc !... peut-être !... A moi les trucs de Robert-Houdin [49] et de Buatier de Cola [50] ! (*Il tire un énorme foulard du chapeau.*) Vous voyez ce foulard !

FOLLENTIN. – Et qu'est-ce que vous voulez que je fasse d'un foulard ?

GABRIEL. – Attendez donc !... Voyons, où voulez-vous aller ?

FOLLENTIN. – Où ?... Chez Louis XV. Il m'attend !

GABRIEL. – Va pour Louis XV !... Mettez-vous là ! (*Il le couvre du foulard et l'escamote.*) Une, deux, trois, passez Follentin. (*Follentin a disparu.*) Et d'un ! Et vous, M. Latude !... Eh ! M. Latude.

LATUDE *passant sa tête à travers la paille.* – Quoi ?

GABRIEL. – Pendant que vous me tenez, vous ne voulez pas en profiter pour sortir d'ici ?

LATUDE. – Quitter la Bastille ? Jamais !

GABRIEL. – Eh bien ! rendez-moi un service !

LATUDE. – Un service !

GABRIEL. – J'ai des dames à aller rechercher sous Charles IX, couvrez-moi de ce foulard et dites : un, deux, trois !... Et escamotez-moi !

LATUDE. – Mais je ne sais pas !

GABRIEL. – Ne vous inquiétez pas, faites ce que je vous dis !... Ça ira tout seul !

LATUDE. – Vous y êtes ?

GABRIEL. J'y suis !

LATUDE *le couvrant du foulard.* – Un, deux, trois !

Il l'escamote. A ce moment la porte s'ouvre. Bienencourt paraît suivi de gardes.

BIENENCOURT. – Par ici !... Par ici !... Oh ! il a filé !... (*Apercevant Latude.*) Qu'est-ce que c'est que celui-là !

LATUDE. – Moi ? Latude !

BIENENCOURT. – Vous !... Encore !... Chassez-moi cet homme !... Mettez-le dehors !

LATUDE *se débattant.* – Non, non ! Je veux de la prison ! Je veux qu'on me condamne !

BIENENCOURT. – On ne vous condamnera pas !

LATUDE. – C'est ce que nous verrons !... (*Se campant devant les soldats.*) Mort aux vaches !

TOUS. – Hein ?

LATUDE. – Mort aux vaches !... Mort aux vaches !...

On l'empoigne.

RIDEAU

3e TABLEAU

SOUS LOUIS XV – A VERSAILLES

Un coin de parc. A droite un grand arbre.

SCÈNE PREMIÈRE

LES DAMES DE LA COUR, MADAME DE CHATEAUROUX, MADAME DE BOUFFLERS, MADAME DE CHEVREUSE, etc.

Au lever du rideau, va et vient ou groupement de dames de la cour. Au premier plan, un groupe de dames en train de jouer au jeu des portraits. Parmi ces dames, se trouve Madame de Châteauroux.

Motif de l'ensemble des dames de la Cour. Toutes en lignes en haut de la scène, elles descendent en chantant.

CHŒUR DES DAMES.

Allons, Madame de Châteauroux,
C'est à vous, c'est à vous,
Vous, d'aller sur la sellette.
Allons, pour la devinette...
Un instant, retirez-vous,
Madame de Châteauroux.
Elles saluent.

MADAME DE CHATEAUROUX, *allant à droite.* – Faites vite !

BOUFFLERS. – N'écoutez pas !

Toutes la suivant.

Sans aucun doute !

Elles gagnent la gauche.

MADAME DE CHATEAUROUX. – Comment voulez-vous que j'écoute ? Vous parlez tout bas.

MADAME DE CHEVREUSE. – Un nom de personne ou de chose ?

MADAME DE BOUFFLERS *allant aux dames de gauche*

Moi, Mesdames, je propose
Comme portrait, la Pompadour.

LES DAMES. – Soit, va pour la marquise de Pompadour.

MADAME DE BOUFFLERS *allant aux dames de droite.* – Ouh ! Ouh !

LES DAMES *venant au milieu.* – Ouh ! Ouh !

MADAME DE CHATEAUROUX (*Madame de Boufflers va près de Madame de Châteauroux*). – Vous y êtes ?

LES DAMES. – Ça y est, nous sommes prêtes.

MADAME DE CHATEAUROUX. – Allons, voyons ! Cherchons ! Cherchons ! C'est...

Elle gagne par la gauche en regardant les dames à chaque mot chanté. Madame de Boufflers à droite.

TOUTES. – C'est...

MADAME DE CHATEAUROUX. – Une femme ?

TOUTES. – Une femme.

MADAME DE CHATEAUROUX. – Et grande dame ?

TOUTES. – Et grande dame.

MADAME DE CHATEAUROUX. – Vient à la cour ?

TOUTES. – Vient à la Cour.

MADAME DE CHATEAUROUX. – Femme d'amour ?

TOUTES. – Femme d'amour !

MADAME DE CHATEAUROUX, *extrême gauche.*

J'y suis, la chose est exquise,
C'est Madame de Pompadour.

LES DAMES.

C'est la Marquise ! C'est la Marquise !

Les trois dames de droite gagnent la droite et les trois dames de gauche gagnent la gauche et se réunissent. Vient au milieu.

MADAME DE CHATEAUROUX.

C'est la Marquise, la marquise !

TOUTES.

Eh ! oui, vraiment c'est la marquise.

Bravo, Madame de Châteauroux !
Comme vous (*bis*), aucune sur la sellette
Ne trouve une devinette,
Comme vous, oui, comme vous, Madame de Châteauroux.

MADAME DE BOUFFLERS, *à Madame de châteauroux.* – Ah ! vraiment, duchesse, vous avez le don de la divination.

MADAME DE CHEVREUSE. – Comment avez-vous trouvé tout de suite que c'était la marquise de Pompadour ?

MADAME DE CHATEAUROUX. – Comme c'est difficile ! Je suis l'ancienne favorite de Sa Majesté ; la Pompadour m'a remplacée dans l'amour du roi – nous sommes entre femmes – je devais bien penser que vous me la serviriez !...

LES DAMES. – Oh ! Duchesse !

MADAME DE BOUFFLERS. – Vous avez la dent dure.

UNE VOIX LOINTAINE. – Sa Majesté le Roi !

MADAME DE CHATEAUROUX. – Mesdames ! Mesdames ! Voici le Roi !

LES DAMES, *chuchotant.* – Sa Majesté, Sa Majesté ! Voici le Roi !

Les dames se rangent vivement sur les deux côtés de la scène.

LE CAPITAINE DES MOUSQUETAIRES, *annonçant.* – Sa Majesté le Roi !

SCÈNE II

LES MÊMES, LOUIS XV, FOLLENTIN

Louis XV paraît, accompagné de Follentin en habit, le claque sous le bras. Les dames s'inclinent et font la révérence de cour.

LOUIS XV. – Malepeste ! Mesdames, que voilà un joli parterre pour réjouir nos yeux !

LES DAMES. – Sire !

FOLLENTIN *saluant à droite et à gauche.* – Mesdames !

LOUIS XV *à Madame de Châteauroux.* – Bonjour, duchesse ! Cela me fait plaisir de vous voir !

MADAME DE CHATEAUROUX. – Votre Majesté me comble.

LOUIS XV, *lui baisant la main.* – J'ai la reconnaissance du souvenir. Mesdames, permettez-moi de vous présenter le chevalier Follentin qui a bien voulu quitter son époque pour faire une incursion sous notre règne.

LES DAMES *s'inclinant.* – Chevalier !...

LOUIS XV. – Nous vous ferons remarquer, Chevalier, que donnant cette fête en votre honneur, nous avons eu soin de ne réunir que des dames et d'éliminer tous les maris.

FOLLENTIN. – Ah ! Sire, c'est d'un galant ! Le fait est que les maris, c'est toujours un peu gênant.

LOUIS XV. – Pas sous notre règne. Allons, mesdames, pour le chevalier Follentin, toutes vos séductions et vos plus jolis sourires.

LES DAMES *entourant Follentin et l'aguichant.* – Ah ! Chevalier ! mon beau chevalier !

FOLLENTIN. – Eh ! Eh ! j'aime bien ça, moi !

Il tire son mouchoir et s'évente.

MADAME DE CHATEAUROUX. – Ah ! le mouchoir ! le mouchoir !

MADAME DE BOUFFLERS. – Ah ! C'est moi qui l'ai !

FOLLENTIN. – Elle m'a fait mon mouchoir !

MADAME DE BOUFFLERS. – Si vous voulez le ravoir, cela coûtera un baiser.

FOLLENTIN. – Mais deux, madame ! Deux !

LOUIS XV. – Vous ne vous ennuyez pas ! La marquise de Boufflers !

FOLLENTIN. – Oh ! pendant que j'y suis ! (*Il l'embrasse*) Ah ! c'est exquis !

Dans sa joie, il fait jouer le ressort de son chapeau claque qui détonne bruyamment.

LES DAMES *poussant un cri.* – Ah !

LOUIS XV *sursautant également.* – Qu'est-ce que c'est que ça ?

FOLLENTIN. – Quoi Sire ?

LOUIS XV. – Cet engin ?

FOLLENTIN. – Ça !... c'est mon chapeau.

MADAME DE CHATEAUROUX. – Vous nous avez fait une peur !

MADAME DE BOUFFLERS. – J'en ai des palpitations.

LOUIS XV. – Qu'est-ce qu'il a, votre chapeau ? Il est à pétards ?

FOLLENTIN. – A claque, Sire, à claque tout simplement.

MADAME DE CHATEAUROUX. – Ah ! Chevalier, je vous en veux pour la peur que vous venez de me faire.

FOLLENTIN. – Vous m'en voulez, Madame ?

LOUIS XV. – Bah ! Embrassez donc la duchesse de Châteauroux et tout sera pardonné.

FOLLENTIN. – Mais... comment donc !

MADAME DE BOUFFLERS. – Eh ! bien, mais... et moi aussi j'ai eu peur !

LOUIS XV. – Ah ! marquise ! Vous avez déjà eu votre compte.

FOLLENTIN. – Ça ne fait rien ! (*Il l'embrasse.*)

LES DAMES. – Eh bien ! et nous ?

LOUIS XV. – Allez ! la duchesse de Chevreuse ! La marquise de Mirepoix ! Madame de Bouffémont ! Toutes ces dames, enfin !

FOLLENTIN. – Voilà, mesdames, voilà ! et allez donc, c'est pas mon père ! (*Tapant sur son talon noir.*) Suis-je assez talon rouge ?

LES DAMES. – Il m'a embrassée ! Il m'a embrassée !...

LOUIS XV. – Vous voyez, Chevalier, que vous n'aurez pas le temps de vous ennuyer sous notre règne.

FOLLENTIN. – Ah ! je vous crois ! Sire, quel siècle ! Celui de la galanterie, du libertinage, de l'amour !

LOUIS XV. – J'espère que vous avez assez de jolies femmes comme ça !

FOLLENTIN. – Il y en aurait une de plus que cela ne serait pas pour me faire peur !

À ce moment, on entend un craquement dans l'arbre praticable. Une branche sur laquelle est une jeune paysanne à cheval se brise et la petite roule à terre.

TOUS. – Ah !

LOUIS XV. – Eh bien ! vous êtes servi !

FOLLENTIN. – C'est le ciel qui l'envoie !

Chœur

Ah ! mon Dieu ! Qu'est-ce que c'est qu'ça ?
Quelle est cette jouvencelle ?
D'où sort-elle, t-elle ?
D'où sort-elle, celle-là ?

LOUIS XV.

Elle tombe de la lune,
Sans trompette ni tambour.
La façon est peu commune
De s'introduire à la cour.
Quelle est cette jouvencelle ?

LA PAYSANNE.

Rondeau

Messieurs, Mesdames, m'en veuillez pas,

De m'présenter de cette manière,
Vous d'vez comprendr' qu'on n'est pas fière
Quand on déboul' la tête en bas !
Je vous d'mande bien excuse,
Mais ce qui m'fait le plus d'effet,
C'est de constater, sauf vot' respect
Le beau résultat de ma ruse.
On disait tant, tout alentour
« Ce soir, au château, grande fête ! »
Tout ça me trottait dans la tête.
Ah ! si je pouvais voir la Cour !
A ce désir qui m'affriole,
J'éprouve un bonheur de gamin,
Et je sens mon cœur sous ma main,
Pan, pan, qui fait la cabriole,
Je m'dis : « Y a pas, faut pénétrer !
S'agit d'escalader la grille,
Dam' ! c'est pas très jeune fille,
Mais c'est le seul moyen d'entrer ! »
Seul'ment, voilà la grosse affaire,
Se glisser dans le parc, ça va !
Mais voyez-vous qu'une fois là,
Je sois pincée ? Eh bien ! ma chère,
J'suis dans la place, c'est au mieux,
Mais encor' faut-il que j'y reste !
En vain, j'aurai la jambe leste :
Tous vos gardes ont de bons yeux.
Soudain j'eus cette pensée folle :
« Sur un arbre je verrai tout !
Quitte à me rompre ainsi le cou,
Si j'viens à faire la cabriole ! »
J'aperçois ce gros chêne-là,
Il est au centre de la fête.
« Je m'en vais monter jusqu'au faîte,
Bien fin qui m'dénichera. »
Et me voilà de branche en branche
Grimpant, grimpant jusque là-haut,
En éreintant bien comme il faut,
Ma pauvre robe de Dimanche.
Mais cela m'était bien égal,
C'est en dessous que tout se passe.
J'étais à la meilleure place,
Pour moi c'était le principal.
Quand soudain j'sens qu'ça dégringole,

Voilà ma branche qui fait crac.
Je perds l'équilibre et puis, flac !
J'crois qu'on a vu... ma cabriole ?

LOUIS XV. – Elle est délicieuse, cette petite tombée de l'arbre.

LA PAYSANNE. – Ah ! m'sieur le roi.

LES DAMES, *soufflant.* – Sire ! Sire ! Sire !

LA PAYSANNE. – Quoi ?

MADAME DE CHATEAUROUX. – Quand on parle au roi, on dit : « Sire ou Votre Majesté ! »

LA PAYSANNE, *au Roi.* – C'est vrai ?

LOUIS XV. – Ça n'a pas d'importance ! Comment t'appelles-tu, mon enfant ?

LA PAYSANNE. – Jeanne, M'sieur Sire !

LOUIS XV. – Tu n'as pas un autre nom ?

LA PAYSANNE. – Si !... mais je ne peux pas le dire devant la Cour. Il n'est pas convenable !

LOUIS XV. – Va donc !

LA PAYSANNE. – Bécu [51] !

TOUS. – Oh !

MADAME DE BOUFFLERS. – Quelle horreur !

FOLLENTIN. – Bécu ! Bécu ! Jeanne Bécu ! (*Il va à Bécu.*)

TOUS. – Qu'est-ce qu'il y a ?

FOLLENTIN. – Sire ! Sire ! Mais c'est la Du Barry.

TOUS. – La Du Barry !

LOUIS XV. – Quoi ? Quoi ? Qu'est-ce que c'est que ça, la Du Barry ?

FOLLENTIN. – Votre favorite, Sire !

JEANNE. – Favorite, moi ?

FOLLENTIN. – Oui ! Oui ! Si vous ne le savez pas, je vous l'apprends, moi ! Jeanne Bécu, la future femme du Barry ! Votre favorite de l'avenir !

LOUIS XV. – Comment le savez-vous ?

FOLLENTIN. – Par les Mémoires !

LOUIS XV. – Au fait, pourquoi pas ?... Elle est délicieuse, cette enfant !

FOLLENTIN. – Là ! là ! Vous le voyez ! Vous le sentez poindre en vous, ce sentiment qui doit vous dominer un jour.

LOUIS XV. – Mais oui ! mais oui !

FOLLENTIN. – Eh ! bien, alors ! n'attendez donc pas la date de l'histoire ! Avancez les événements puisque vous en avez l'occasion !

LOUIS XV. – Quelle flamme, Chevalier ! C'est à croire

que j'entends parler mon fidèle Lebel[52].

FOLLENTIN. – Dis, petite, ça ne te dirait pas de devenir la favorite du Roi ?

JEANNE. – S'il n'y a pas trop d'ouvrage.

LOUIS XV. – Elle est délicieuse !... Vous avez raison, Chevalier, nous allons donner ce croc-en-jambe à l'histoire ! (*A Jeanne.*) Désormais, ma chère enfant, vous faites partie de la Cour.

JEANNE. – Moi ?

LES DAMES. – Ah ! Ah !

Elles s'inclinent toutes.

JEANNE, *sautant de joie.* – Dans la cour !... Moi !... Je pourrai amener Maman ?

TOUS. – Hein ?

LOUIS XV. – Ah ! non ! Nous y pourvoirons plus tard. Allons, petite, embrasse-moi !

JEANNE. – Ah ! Ce n'est pas de refus. (*Elle l'embrasse, se pavanant.*) Mesdames ! Je suis de la Cour ! Je suis de la Cour !

LOUIS XV. – Eh ! bien, au moins, ça fait plaisir de lui faire plaisir ! Ah ! chevalier ! Je suis très emballé ! Comment pourrai-je reconnaître ?...

FOLLENTIN. – Donnez-moi la Légion d'Honneur[53].

JEANNE. – Oh ! donnez-lui ça !

LOUIS XV. – Qu'est-ce que c'est que ça ?

FOLLENTIN. – Comment ! Vous ne connaissez pas ?... Ah ! c'est vrai ! Ça n'est pas vous qui... Oh ! mais il faut instituer ça, Sire ! Ressource précieuse pour un Gouvernement ! Ça permet de favoriser ceux qui la méritent, et encore plus ceux qui ne la méritent pas.

LOUIS XV. – J'instituerai, Chevalier, j'instituerai !

FOLLENTIN. – C'est ça ! (*A part.*) Je ne suis pas fâché de jouer ce tour-là à Napoléon !

LOUIS XV, *tendant sa tabatière.* – Une prise, Chevalier ?

FOLLENTIN. – Merci, Sire, le tabac, je ne le prise qu'en cigare.

LOUIS XV. – En cigare ?... Qu'entendez-vous par là ?

FOLLENTIN. – Vous ne connaissez pas les cigares, Sire ? Mais si vous voulez me permettre... (*Il ouvre son porte-cigares et lui en offre un.*)

JEANNE. – Oh ! qu'est-ce que c'est que ça ?

LOUIS XV. – Oh ! les étranges rouleaux ! Voyez donc, Mesdames.

TOUTES LES DAMES. – Oh !

LOUIS XV. – Et comment les prisez-vous ? Vous ne pouvez pas cependant vous introduire cela dans le nez.

FOLLENTIN. – Je les fume, Sire.

LOUIS XV. – Oh ! que cela est curieux ! Oh ! montrez-nous donc ça !

FOLLENTIN. – A vos ordres, Majesté.

LES DAMES. – Un réchaud ! Un réchaud !

FOLLENTIN. – Inutile ! Tenez !...

Tirant une boîte d'allumettes, il allume une allumette.

TOUS. – Oh !

LOUIS XV. – Ah ! que c'est ingénieux ! Vraiment ! vous avez fait là une invention admirable.

FOLLENTIN. – Moi ! Au fait, pourquoi pas ? (*Avec suffisance.*) Oui, je fais ça avec une mèche que je trempe dans la cire et dont j'enduis l'extrémité de phosphore.

Le Roi prend l'allumette, qu'il donne à Bécu.

BÉCU. – Oh ! que c'est amusant !

MADAME DE CHATEAUROUX. – On dirait un petit feu d'artifice.

LOUIS XV. – Ah ! Chevalier ! Il faudra que je vous achète votre invention pour le compte de l'État.

FOLLENTIN. – Très volontiers, Sire ! Mais si j'ai un conseil à donner à Votre Majesté, ne les faites pas mettre en régie parce qu'elles ne prendraient plus.

LOUIS XV. – Malepeste ! Cela sent bon, ce que vous fumez-là !

FOLLENTIN. – Vous trouvez, Sire ?

JEANNE. – Oh ! oui, alors !

LOUIS XV. – Ma parole ! J'ai presque envie d'y goûter !

FOLLENTIN. – Oh ! Sire ! Je n'osais pas vous en offrir.

LOUIS XV. – Osez, Chevalier ! (*Follentin lui tend son porte-cigares, prenant un cigare.*) Allons, nous allons un peu goûter ça !

JEANNE. – Oh ! et moi ! Et moi !... Je ne pourrais pas en goûter un ?

FOLLENTIN. – Ma petite, fille, je veux bien, mais pour une femme, c'est peut-être un peu fort.

JEANNE. – Allez donc !... Allez donc !

FOLLENTIN. – Soit ! A vos risques et périls !

LOUIS XV. – Dites-moi, Chevalier ! Par quel côté cela se fume-t-il, ce machin-là ?

FOLLENTIN. – Mais... par la bouche, Sire !

LOUIS XV. – Oui, ça je sais bien.

FOLLENTIN. – Ah ! pardon !... Tenez !... Vous mordez le petit bout pour faciliter le tirage,... comme ça ! Et maintenant, vous tirez !

Louis allume son cigare.

MADAME DE BOUFFLERS. – Le Roi tire !

LES DAMES. – Le Roi fume ! Le Roi fume !

LOUIS XV. – Mon Dieu, oui ! Le Roi fume !

JEANNE. – Un peu de feu, Sire.

LOUIS XV. – Voilà, petite ! (*Jeanne allume son cigare à celui du Roi.*) Amusante en diable, cette petite ! (*Tirant une bouffée.*) C'est très bon, vous savez, très bon !

JEANNE. – Ça sent les feuilles sèches qu'on brûle.

FOLLENTIN. – Pur Havane.

LOUIS XV. – Mesdames ! Je crois que je vais me mettre au cigare.

SCÈNE III

LES MÊMES, LE CAPITAINE

LE CAPITAINE. – Sire ! Les musiciens du Roi attendent les ordres de Votre Majesté.

LOUIS XV. – Monsieur Rameau est-il arrivé ?

LE CAPITAINE. – Pas encore, Sire !

LOUIS XV. – Qu'on attende sa venue !

Le Capitaine sort.

MADAME DE BOUFFLERS. – Monsieur Rameau !...

MADAME DE CHATEAUROUX. – Nous allons avoir Monsieur Rameau ?

LOUIS XV. – Oui, Mesdames ! C'est la surprise que je vous ménage pour cette fête. Notre délicieux musicien...

TOUTES. – Oh !

LOUIS XV. – ... va nous donner la primeur de son nouvel opéra : Castor et Pollux [54] !

JEANNE, *qui fume toujours son cigare.* – De la musique ! On va faire de la musique.

FOLLENTIN. – Eh ! oui ! de la musique ancienne !

LES DAMES. – Mais non ! Mais non !

MADAME DE CHATEAUROUX. – Moderne, Chevalier !

FOLLENTIN. – C'est juste ! Eh bien ! petite, ce cigare ?

JEANNE. – Ça va, Monsieur, ça va !

FOLLENTIN, *à Louis XV.* – Elle était faite pour être sapeur ! (*Remarquant le Roi qui ne lui répond pas et sem-*

ble en proie à un grand malaise.) Qu'est-ce que vous avez, Sire ?

LOUIS XV. – Rien !

JEANNE. – Votre Majesté est toute pâle.

MADAME DE CHATEAUROUX. – Votre Majesté est malade ?

LES DAMES. – Le Roi est malade ! Le Roi est malade !

LOUIS XV. – Je ne sais pas, c'est comme une sueur qui me monte à la tête, des vertiges !...

FOLLENTIN. – C'est le cigare, Sire, quand on n'en a pas l'habitude.

LOUIS XV. – Mais ce ne sera rien ! ça va passer..., le grand air aidant. (*A Follentin.*) Mon Dieu, peut-on fumer des cochonneries pareilles !

LES DAMES. – Mon Dieu ! Mon Dieu !

LOUIS XV, *qui a lutté contre son indisposition, brusquement.* – Oh ! là, là, là ! Oh ! là, là, là ! Je reviens ! Je reviens ! (*Aux courtisans qui s'élancent à sa suite.*) Non, non, que personne ne me suive ! Je ne veux pas qu'on me suive. (*Il disparaît précipitamment.*)

SCÈNE IV

LES MÊMES, moins LOUIS XV

TOUS.

Chœur

Mon Dieu, la fâcheuse aventure !
Le Roi qui ne se sent pas bien.

FOLLENTIN.

Ne craignez rien, ne craignez rien !
C'est sans danger, je vous assure,
Ça rend malade comme un chien,
Mais ce n'est pas un mal qui dure.

TOUS.

Il a bien mal au cœur,
Notre pauvre monarque,
Chacun de nous remarque
Son étrange pâleur.
Son visage se tire,
Il frissonne, il transpire.
C'est qu'il a trop fumé,
Louis le Bien-Aimé !

JEANNE.

Moi, je connais un remède
Pour guérir le mal de cœur.
Voici comment on procède.
C'est souverain, sur l'honneur.
On infuse la mélisse
Avec des ronds de citron,
De girofle l'on épice,
La canelle aussi, c'est bon.
Et l'on boit cette tisane,
Avec un doigt de cognac,
Remède de paysanne,
Mais qui remet l'estomac.

FOLLENTIN.

Ce remède en vaut un autre,
Sans vouloir tomber le vôtre,
Pour moi, j'en connais des tas,
Pour guérir ses embarras,
Nous avons l'antipyrine,
Nous avons la cérébrine,
Nous avons l'analgésine,
Nous avons la migrainine,
On vante aussi l'escalgine,
Puis l'antipeslagine.

ENSEMBLE :

TOUS.

Mon Dieu ! que de noms en *ine,*
Jamais ça ne se termine.

FOLLENTIN.

La quinine, l'aspirine,
Et puis l'amidopyrine.

FOLLENTIN.

Voulez-vous un nom en *on ?*
Prenez du pyramidon.

TOUS.

Non, cet homme est incroyable,
Il sait tout, il connaît tout.
Dites-nous, soyez aimable,
Ces drogues se trouvent où ?

FOLLENTIN.

Eh ! bien, tenez, allez donc de ma part à la Pharmacie Normale

Quinze, ou dix-sept rue Drouot.
En tous cas, je vous la signale,

C'est en fac' du Figaro.

TOUS.

Figaro ?
Rue Drouot ?

FOLLENTIN.

Pardon pour cette réclame,
C'est mon pharmacien, voilà !
Que personne ne me blâme,
Je ne touche rien pour ça !

Chœur

Vraiment, dans la capitale,
J'ignore la rue Drouot,
Et la Pharmacie Normale,
Encore plus le Figaro.
Que personne ne le blâme,
C'est son pharmacien, voilà,
Il ne fait pas de réclame,
Et ne touche rien pour ça !

UN SEIGNEUR.

Messieurs, bonne nouvelle,
Sa Majesté revient.

TOUS.

Sa Majesté ! Comment va-t-elle ?

LE SEIGNEUR.

Mais j'espère bien !

Entre le roi.

LE ROI, *parlé.* – Ah ! ça va mieux !

TOUS, *parlé.* – Ah !

Chanté :

Il n'a plus mal au cœur,
Notre bien cher monarque ?
Aucun de nous remarque
Qu'il a repris couleur !
Sa figure est meilleure,
Bien mieux que tout à l'heure,
Quand il avait fumé,
Louis le Bien-Aimé.

LOUIS XV. – Ah non ! vous savez, Chevalier, désormais, le cigare !...

FOLLENTIN. – C'est fini, vous deux ?

JEANNE. – C'est pas pour dire, Sire, mais il n'en faut pas beaucoup pour vous mettre à bas.

LOUIS XV. – Raille, enfant, raille ! Tu verras, petite favorite !

JEANNE. – Favorite ?...

LOUIS XV. – Mais tu ne saurais garder ces vêtements de paysanne. (*Au Capitaine.*) Holà ! qu'on me mande Lebel.

Le Capitaine sort.

FOLLENTIN. – Lebel !... quoi, Lebel !... Est-ce que c'est le fameux valet de chambre de Votre Majesté ?

LOUIS XV. – Oui, il m'est fort précieux en maintes circonstances !

BIENENCOURT, *paraissant en Lebel.* – Me voici, Majesté.

LOUIS XV. – Oh ! c'est toi ! Avance ici, Lebel !... Tu vas conduire cette jeune enfant auprès de la Marquise de Pompadour, et tu lui diras que je la lui envoie pour ce qu'elle sait et pour ce que je veux !

BIENENCOURT. – Compris, Majesté !

JEANNE. – Favorite ! Je suis favorite ! (*Avec importance.*) Suivez-moi !

LES DAMES, *s'inclinant.* – Madame !...

LE ROI. – Allez, mon enfant !

JEANNE. – Allons-y !

Sortie de Jeanne, Madame de Châteauroux et des dames de la Cour sur la reprise en sourdine du « Mal de cœur ».

SCÈNE V

LOUIS XV, FOLLENTIN, puis LE CAPITAINE, puis FRANKLIN

FOLLENTIN. – Comment, Sire, c'est la Pompadour que vous chargez ?...

LOUIS XV. – Et que voulez-vous, chevalier !... La Pompadour, c'est comme votre cigare, c'est fini, nous deux ! Alors, comme elle veut rester en faveur, il faut bien qu'elle me soit utile à quelque chose !...

FOLLENTIN. – Oh ! La Pompadour !... Cette femme dont je me faisais un tel idéal !... dont au collège j'étais amoureux rien que sur ses portraits !... Elle est donc décatie ?

LOUIS XV. – Du tout ! Elle est toujours superbe !

FOLLENTIN. – Eh bien ! de mon temps, quand nos favorites se mettent à faire ce métier-là, c'est qu'elles n'ont plus qu'à choisir entre ça... et le désert !

LE CAPITAINE, *entrant.* – Sir Benjamin Franklin [55] !

FOLLENTIN. – Benjamin Franklin !

LOUIS XV, *à Franklin qui paraît.* – Ah ! c'est vous !... Ah ! Sir Benjamin Franklin.

FRANKLIN, *accent américain.* – Majesté !... Aoh ! Je suis très... très, aoh ! much, I am honoured [56].

LOUIS XV. – Je ne saurais vous dire combien je suis heureux de recevoir à ma Cour l'illustre savant que vous êtes.

FRANKLIN. – Aoh ! Majesté !... I am really confused.

LOUIS XV. – Laissez donc. (*A Follentin.*) Chevalier, vous avez devant vous Sir Benjamin Franklin, une des gloires scientifiques du Nouveau Monde, qui a bien voulu honorer la France de sa présence. (*Franklin s'incline.*) Vous avez sans doute entendu parler ?...

FOLLENTIN. – Comment, si j'ai entendu parler ! Qui est-ce qui ne connaît pas Benjamin Franklin ?...

LOUIS XV. – Il paraît, Sir Benjamin, que vous êtes sur la piste d'une invention sensationnelle.

FRANKLIN. – *Le* piste ?...

LOUIS XV. – Oui, qu'enfin vous êtes en train de trouver...

FRANKLIN. – Oh !... trouver, pas encore, Sire !... Je cherche.

LE ROI. – Eh bien, cherchez, Monsieur Franklin, cherchez !

FOLLENTIN. – Ah ! quoi donc ? Quoi donc ?

FRANKLIN. – Une chose, aoh !... Je ne sais pas si je trouverai !... J'ai appelé ça provisoirement : l'« Antifulmen » [57].

FOLLENTIN. – L'« Antifulmen » ? Je n'ai jamais entendu parler de ça !... Qu'est-ce que c'est ?

FRANKLIN. – Eh ! bien, voilà !... Notre... c'est que, pour expliquer !... Vous ne parlez pas l'anglais ?

FOLLENTIN. – Je le comprends, mais quant à le parler...

FRANKLIN. – Oh ! vous comprenez, eh bien ! alors... Voilà :

Duo

1

FRANKLIN.

Just this moment, my intention
Is to make a great invention

FOLLENTIN.
Voyez-vous ça !
FRANKLIN.
I found, it will be a wonder !
For it will protect from thunder !
FOLLENTIN.
Oui, oui ! voilà !
FRANKLIN.
What may I do, to only state
That I can danger captivate.
FOLLENTIN.
Voilà l'chiendent !
FRANKLIN.
This problem sur'ly is not small,
But I'ill find it ! dash it all !
FOLLENTIN.
Absolument !
FRANKLIN.
Oh ! I'll succeed, I wish I could [58] !
Vous avez compris ?
FOLLENTIN.
I have understood [59] !
ENSEMBLE.
Well ! Well !
It is very well !
There is one thing I can tell:
You speak Franch, oh ! like an angel,
You speak English like an angel.
Well ! Well [60] !

2

FOLLENTIN.
Si j'ai bien compris vos propos,
Voici votre affaire en deux mots,
FRANKLIN.
Let's see a bit [61] !
FOLLENTIN.
Vous poursuivez ce grand problème,
De capter la foudre quand même
FRANKLIN.
Oh, yes ! that's it [62] !
FOLLENTIN.
Tout ceci pour nous préserver
Contre cet éternel danger,

FRANKLIN.

Yes ! Yes ! indeed [63].

FOLLENTIN.

La chose est-elle près d'éclore,
Vous ne pouvez le dire encore.

FRANKLIN.

Oh ! well, splendid [64] !

FOLLENTIN.

Mais vous saurez vaincre à tout prix.
Have I understood [65] ?

FRANKLIN.

C'est très bien compris !

ENSEMBLE.

Well ! Well !
It is very well !
Really Sir, I bless the spell,
You speak French, oh ! like an angel.
You speak, English like an angel.
Well ! Well [66] !

FRANKLIN. – Oh ! you speak very well indeed [67].

FOLLENTIN. – Oh ! non ! it's you ! it's you [68] ! Votre « Antifulmen », c'est le paratonnerre.

FRANKLIN. – Le quoi ?

FOLLENTIN. – Le paratonnerre !

FRANKLIN. – Mais oui ! C'est bien ça ! Aoh ! Bravo ! le paratonnerre ! Si vous permettez, je garderai le nom.

FOLLENTIN. – Mais, je vous en prie, cela vous appartient.

FRANKLIN. – Paratonnerre ! C'est une trouvaille !... Seulement, voilà, c'est l'appareil que je ne tiens pas encore.

FOLLENTIN. – Vous ne tenez pas l'appareil ?... Ah ! que c'est drôle ! Qu'est-ce qui vous embarrasse ?

FRANKLIN. – Aoh ! I say, all and nothing [69] !

FOLLENTIN. – Il ne possède pas l'appareil ! Mais je vais vous le donner, moi ! C'est d'un simple ! Une grande barre de fer avec un bout en cuivre, l'extrême-pointe en platine !...

FRANKLIN. – Oui.

FOLLENTIN. – Et alors, à la base, un grand câble métallique qui va se noyer dans un puits.

FRANKLIN. – Oh !... le puits !... What an idea [70] !

FOLLENTIN. – Eh ! bien, voilà, il n'y avait qu'à me demander.

LOUIS XV. – Ah ! comme il est fort !... Chevalier, c'est admirable !

FRANKLIN. – Ah ! Sire ! permettez-moi... prendre note quelque part.

LOUIS XV. – Je vous en prie. La science avant tout !

FRANKLIN, *avant de sortir, à Follentin.* – Ah ! Chevalier ! Je vous devrai ma réputation.

FOLLENTIN. – Allez donc ! Allez donc ! C'est de bon cœur ! (*A Louis XV.*) Eh ! bien, voilà, plus tard on ne connaîtra que lui.

SCÈNE VI

LES MÊMES, LE CAPITAINE, puis LE PAGE

LE CAPITAINE. – Sire, c'est un jeune page de la suite de la Marquise de Pompadour qui demande à être reçu par Votre Majesté.

FOLLENTIN. – La Pompadour !

LOUIS XV. – Qu'il entre !

LE PAGE, *entrant et s'inclinant.* – Sire !

LOUIS XV. – Qu'est-ce qu'il y a, petit ?

LE PAGE. – Sire ! La Marquise de Pompadour m'envoie vers Votre Majesté pour lui dire, qu'obéissant aux ordres de Votre Majesté, elle a fait le nécessaire et qu'elle aura l'honneur d'amener elle-même la personne à Votre Majesté.

LOUIS XV. – Parfait !

FOLLENTIN. – Ah ! sacré Louis XV, va ! Oh ! pardon !

LOUIS XV. – Eh ! bien, ne vous gênez pas, chevalier !

FOLLENTIN. – Excusez-moi, Sire !... Trente ans de République !... (*Au page !*) Ah ! c'est égal ! tu fais un joli métier, toi, petit page ! Il est gentil, ce crapaud ! Il fait de drôles de commissions pour son âge, mais il est gentil !

LOUIS XV. – Comment t'appelles-tu ?

LE PAGE. – Moi, Sire, Charles Follentin.

FOLLENTIN. – Hein ?

LOUIS XV. – Follentin ? (*Il regarde Follentin.*)

FOLLENTIN. – Dieu ! mais oui !... Page de la Marquise de Pompadour !... Plus tard officier au service du Roi ! Seriez-vous par hasard Charles Étienne Jacques Émile Follentin, né en janvier 1742 ?

LE PAGE. – Oui, Monsieur.

FOLLENTIN. – Mort le 5 fructidor an IV ?

LE PAGE. – Ça, je ne peux pas vous le dire encore.

FOLLENTIN. – Ça ne fait rien. C'est toi, tu meurs le 5 fructidor an IV.

LE PAGE, *éclatant en sanglots.* – Moi !... Je meurs !... Ah !

LOUIS XV.– Ah ! pauvre petit !

FOLLENTIN. – Mais non, voyons, tu as le temps de pleurer puisque ce n'est que le 5 fructidor an IV.

LE PAGE. – Oui, monsieur, oui.

FOLLENTIN. – Lui ! Lui ! C'est lui ! (*Lui tendant les bras.*) Mon arrière-grand-père !... C'est mon arrière-grand-père !

LE PAGE. – Qu'est-ce que vous dites ?

LOUIS XV. – Qu'est-ce qu'il dit ?

FOLLENTIN. – Grand-papa ! dans mes bras !

LOUIS XV. – Il est fou !

FOLLENTIN. – Oui, Adolphe Follentin, arrière-petit-fils de Charles Etienne Jacques Emile Follentin et de dame Rose Amélie Clémentine Bernage.

LE PAGE. – Ma cousine.

FOLLENTIN. – C'est moi !

LE PAGE. – Est-il possible ! Ah ! mon petit-fils !

FOLLENTIN. – Grand-papa ! (*Ils s'embrassent. Tout le monde est très ému.*)

LOUIS XV, *ému.* – Ah ! la famille !

FOLLENTIN. – Je n'aurais jamais cru que mon arrière-grand-père fût si jeune.

SCÈNE VII

LES MÊMES, LEBEL, LE CAPITAINE,
puis LA MARQUISE DE POMPADOUR

LEBEL. – La Marquise de Pompadour.

TOUS. – La Marquise !

FOLLENTIN. – La Pompadour ! C'est la Pompadour !

LE PAGE. – La Marquise ! (*A Follentin.*) Je te demande pardon, mon enfant, il faut que j'aille au-devant d'elle.

FOLLENTIN. – Va ! va ! Grand-père ! Enfin, je vais donc voir la Pompadour !

Entrée de toutes les dames de la Cour. En même temps paraissent au fond des laquais portant une chaise à porteurs de laquelle descend la Pompadour en grande toilette.

Chœur

Voici la Pompadour,
Belle comme l'amour,
Pompadour dont les charmes
Ont fait rendre les armes
Aux puissants de la Cour,
Voici la Pompadour.

FOLLENTIN, *parlé.* – Mon Dieu ! Qu'elle est belle !

LOUIS XV. – Soyez la bienvenue, marquise.

LA POMPADOUR, *faisant la révérence.* – Sire !

LOUIS XV. – Eh bien ! la jeune personne ?

LA POMPADOUR. – Ah ! Sire ! Sire ! Vous êtes dur !

LOUIS XV. – Plaît-il ?

LA POMPADOUR, *à mi-voix.* – Monarque cruel ! Tu as donc oublié les heures d'amour passées ensemble ! Les serments éternels !... Louis ! Louis !

LOUIS XV, *à mi-voix.* – Ah ! non ! Je t'en prie, Antoinette ! Pas d'histoires à la Cour !

FOLLENTIN, *à part.* – Oh ! Le torchon brûle !

LA POMPADOUR. – Ah ! Louis ! Louis !

LOUIS XV. – Ah ! non ! madame. Je vous en prie, pas de romances.

LA POMPADOUR. – C'est bien, Sire ! (*A Lebel.*) Faites avancer la chaise de Mademoiselle Bécu.

LOUIS XV. – Il faudra que je lui fasse changer ce nom-là ! (*Pendant ces répliques, une seconde chaise à porteurs a paru.*)

LA POMPADOUR, *allant à la chaise à porteurs dont les laquais ont ouvert les portes.* – Descendez, ma mignonne, que je vous présente à Sa Majesté.

JEANNE, *en grande toilette.* – C'est pas de refus !

TOUS, *y compris le Roi et Follentin.* – Qu'elle est belle !

JEANNE, *riant.* – Je dois avoir l'air d'un chien habillé, comme ça.

LOUIS XV. – Venez, mon enfant !

JEANNE, *se prenant les pieds dans ses jupes et manquant de tomber.* – Ce qu'on est peu à l'aise dans ces falbalas !

TOUTES LES DAMES *font la révérence.* – Madame !

JEANNE, *leur serrant la main à toutes.* – Bonjour, Madame ! Bonjour, Madame !

LOUIS XV. – Ah ! regardez-la, chevalier !... Elle est exquise de gaucherie ingénue, de charme, de jeunesse.

FOLLENTIN, *emballé.* – Oh ! Et la Pompadour ! Et la Pompadour !

LOUIS XV. – Ah ! ma foi, tant pis ! Au diable l'étiquette ! Jeanne Bécu, je t'adore !

JEANNE. – Vous êtes bien honnête.

LOUIS XV, *s'asseyant sur un fauteuil.* – Viens ! Viens ici !

FOLLENTIN. – C'est ça ! Et allez donc ! Et moi, la Pompadour ! Ohé ! Ohé !

LA POMPADOUR. – Hein ? Mais voulez-vous me laisser !

FOLLENTIN. – Fais pas attention ! (*Il l'embrasse dans le cou. Toutes les dames, en voyant ce spectacle, pivotent sur les talons et s'esquivent discrètement.*)

LA POMPADOUR, *après la sortie, à Follentin.* – Mais je ne vous connais pas !

FOLLENTIN. – Eh bien ! C'est un moyen de faire connaissance. Je suis sous Louis XV. C'est pour m'amuser. A moi, le Parc aux cerfs [71] ! (*Il lui fait signe de s'asseoir sur ses genoux.*)

LE PAGE, *à Follentin.* – Dis donc, je suis là, mon enfant !

FOLLENTIN. – Oh ! toi ! grand papa, va jouer ! Ce n'est pas de ton âge !

Le page sort.

SCÈNE VIII

LES MÊMES, BIENENCOURT (en Lebel)

BIENENCOURT. – Sire !

LOUIS XV. – Hein ! Quoi ! Qu'est-ce qu'il y a ?

BIENENCOURT. – Deux dames qui demandent Monsieur Follentin.

FOLLENTIN. – Mais qu'est-ce que vous me chantez ? Ce doit être une erreur ! Je n'ai pas de relations dans le siècle.

LOUIS XV. – N'importe ! Deux dames !... Sont-elles jolies ?

BIENENCOURT. – Charmantes !

LOUIS XV. – Fais-les donc venir ! Plus on est de belles, plus on rit.

FOLLENTIN. – Oui ! Il faut rire ! Il faut rire !

Quatuor

Partie carrée ! Partie carrée,

Tout au plaisir, tout à l'amour,
Ah ! l'existence évaporée,
Grisante qu'on mène à la Cour !
Partie carrée ! Partie carrée !
Vive l'amour, à l'unisson.
On se sent l'âme enamourée,
Tout ça, c'est l'air de Trianon.

BÉCU.
Favorite ! moi favorite !

POMPADOUR.
Favorite ! elle est favorite !

LOUIS XV.
Pour ma Bécu, j'ai de l'amour !

BÉCU.
Pour moi quelle
grandeur subite !

POMPADOUR.
Tout mon pauvre
cœur s'en dépite !

FOLLENTIN.
J'aime la Pom, j'aime la Pompadour !

BÉCU.
Autant que la Reine,
La faveur du Roi,
Me fait souveraine,
Favorite ! moi !

FOLLENTIN.
Embrasse-moi !
Embrasse-moi !

LOUIS XV.
Embrasse-moi !
Embrasse-moi !

POMPADOUR.
Pour moi quelle peine !
Une autre que moi,
Règne en Souveraine
Sur le cœur du Roi.

FOLLENTIN.
Embrasse-moi (*bis*)
Mon Dieu, quelle veine !
La Pompadour, moi !
Je prends, quelle aubaine !
La suite du Roi !
Embrasse-moi (*bis*)

LOUIS XV.
Embrasse-moi ! (*bis*)
Le sort qui t'amène,
Soit béni, ma foi !
Ce baiser t'enchaîne
A l'amour du Roi.
Embrasse-moi ! (*bis*)

BÉCU.
Favorite ! moi ! Favorite !

POMPADOUR.
Favorite ! Elle est favorite !

LOUIS XV.
Pour ma Bécu, j'ai de l'amour.

BÉCU.
Pour moi, quelle
grandeur subite !

POMPADOUR.
Tout mon pauvre
cœur s'en dépite !

FOLLENTIN.

J'aime la Pom, j'aime la Pompadour.

ENSEMBLE.

Partie carrée ! Partie carrée !

Etc., etc., etc.

LOUIS XV, *embrassant Jeanne.* – Ma petite Bécu ! Ma petite Bécu !

JEANNE. – Ah ! Sire, que vous avez la barbe qui gratte !

LOUIS XV. – Par amour, ma Bécu ! par amour !

FOLLENTIN, *embrassant la Pompadour.* – Ah ! ma Pompadour ! ma Pompadour !

SCÈNE IX

LES MÊMES, LEBEL, MADAME FOLLENTIN, MARTHE

Lebel paraît avec Madame Follentin et Marthe qu'il introduit, et sort.

MADAME FOLLENTIN. – Jour de Dieu !

FOLLENTIN. – Ma femme ! Ah ! que c'est embêtant !

MADAME FOLLENTIN. – Ah ! c'est pour ça que tu nous a plantées là, sous Charles IX, toi !

FOLLENTIN. – Mais...

MADAME FOLLENTIN. – Pour venir faire la noce sous Louis XV.

LOUIS XV. – Mais, pardon, Madame...

MADAME FOLLENTIN, *sans le regarder.* – Assez, là !

LOUIS XV. – Hein ?

MADAME FOLLENTIN. – Je te pince, là, avec des cocottes sur tes genoux.

JEANNE ET LA POMPADOUR. – Cocottes ?

FOLLENTIN. – Mais tu n'y penses pas ! C'est la Pompadour ! La Du Barry !

MADAME FOLLENTIN. – C'est des grues !

LA POMPADOUR. – Ah ! mais, dites donc, vous !

JEANNE. – Je vais lui crêper le chignon, à celle-là !

MADAME FOLLENTIN, *les deux poings sur les hanches.* – Qu'est-ce que c'est, les petites ?

MARTHE. – Maman ! Maman ! Je t'en prie !

MADAME FOLLENTIN. – Laisse-moi, toi !

FOLLENTIN. – Caroline ! je t'en prie, pas de scène ici !

MADAME FOLLENTIN, *à Follentin.* – En attendant, tu vas

me faire le plaisir de rentrer, et un peu vite !... Ce n'est pas la place des gens mariés.

JEANNE. – C'est ça, allez-vous en, allez-vous en !

FOLLENTIN. – Ah ! c'est comme ça ! Ah ! bien, non, je ne rentrerai pas ! Tu n'as aucun droit sur moi !

MADAME FOLLENTIN. – Tu oublies que je t'ai épousé !...

FOLLENTIN. – En 1876, nous sommes en 1727. Je ne suis pas encore ton mari !

MADAME FOLLENTIN. – Ah ! C'est trop fort ! Ah ! C'est comme ça ! Ah ! Je ne suis pas encore ta femme ! Nous sommes dans le siècle où l'on cascade ! Eh bien ! moi aussi (*A Louis XV*) Louis XV ? Où est-il, Louis XV ? Ah ! le voilà ! Vous aimez les femmes ? Eh bien ! prenez-moi ! Je suis à vous !

LOUIS XV. – Hein ! Ah ! non !

JEANNE. – Elle ne s'est pas regardée !

LOUIS XV. – Mais si vous tenez à notre royale faveur, j'avoue que j'honorerais volontiers cette jeune fille.

FOLLENTIN ET MADAME FOLLENTIN. – Qu'est-ce que vous dites ?

LOUIS XV. – Et si vous y mettez un peu de complaisance...

FOLLENTIN. – Ah, ça ! dites donc ! Pour qui me prenez-vous ?

LOUIS XV. – Tenez ! J'a justement une bonne ferme générale [72] !

FOLLENTIN. – Une ferme générale ?... Eh bien ! la ferme !

LOUIS XV. – N'est-ce pas ainsi que j'ai fait avec le père de la Pompadour ! Ce brave Poisson [73] !

FOLLENTIN. – Justement ! Je ne suis pas un Poisson !

MADAME FOLLENTIN. – Il n'y en a jamais eu dans notre famille ! Ah ! mais !...

MARTHE. – Oh !

MADAME FOLLENTIN. – Voulez-vous laisser ma fille ! mon enfant !

LA POMPADOUR. – Non ! Mais voyez-vous ces airs dégoûtés !

FOLLENTIN. – A-t-on jamais vu !

MADAME FOLLENTIN. – Marthe ! Mon enfant !

LEBEL. – Sire !... C'est trop d'honneur que vous leur faites de discuter avec eux !... N'êtes-vous pas le Maître !...

LOUIS XV. – Tu as raison, Lebel. Tu conduiras Mademoiselle Follentin à mes appartements particuliers.

MARTHE. – Maman ! Maman ! Je ne veux pas !

JEANNE. – Mais moi non plus !

FOLLENTIN, *sautant au cou du Roi.* – Voulez-vous laisser ma fille !... Voulez-vous ?...

LEBEL. – Il a porté la main sur Sa Majesté.

TOUS. – Oh ! Oh !

FOLLENTIN. – Ah ! Je n'ai vraiment pas de chance avec les rois !

LEBEL. – Sire ! Une bonne lettre de cachet, et je me charge du reste !

LOUIS XV. – Vous avez raison, Lebel ! M. de Sartine [74], qu'on appelle monsieur de Sartine !

TOUS. – A la Bastille ! A la Bastille !

FOLLENTIN. – Encore ! Ah ! Zut !

LEBEL, *montrant Sartine qui paraît.* – Voici M. de Sartine ! (*Il regarde Follentin en ricanant d'un air de triomphe.*) Ah ! Ah ! Ah !

FOLLENTIN, *le reconnaissant.* – Bienencourt !

SCÈNE X

LES MÊMES, GABRIEL

GABRIEL, *arrivant avec quelques soldats.* – Vous m'avez fait appeler, Sire ?

TOUS LES FOLLENTIN, *à part.* – Gabriel !

LOUIX XV, *montrant Follentin.* – L'homme du 20e siècle ! A la Bastille ! (*Louis XV remonte avec la Cour.*)

BIENENCOURT, *à Gabriel.* – Ordre du Roi, monsieur.

GABRIEL. – Oui, Monsieur, (*Il tend sa baguette de police. Immédiatement Bienencourt est revêtu de l'habit de Follentin et Follentin de celui de Bienencourt.*)

FOLLENTIN ET BIENENCOURT. – Oh !

GABRIEL, *à ses hommes, montrant Bienencourt.* – Emparez-vous de cet homme !

BIENENCOURT. – Moi ! Mais jamais de la vie ! Il y a erreur !

LOUIS XV. – Allez ! Allez ! Ce Follentin à la Bastille !

TOUS. – A la Bastille ! A la Bastille !

GABRIEL. – A toi, la première manche, Bienencourt, mais à moi la seconde.

Il sort.

LOUIS XV, *à Follentin.* – Et toi, Lebel.

FOLLENTIN. – Sire !

MADAME FOLLENTIN. – Comment, Lebel !

FOLLENTIN. – Chut ! Tais-toi !

LOUIS XV. – Conduis ces dames à mes appartements !

FOLLENTIN. – Comptez là-dessus, Sire !

LOUIS XV, *à la Pompadour.* – Venez, Madame !

JEANNE ET LA POMPADOUR. – Oui, Majesté.

Elles font la révérence. Ils remontent.

FOLLENTIN. – Et maintenant, filons !

MADAME FOLLENTIN. – Oh ! oui ! filons !

FOLLENTIN. – J'en ai assez de Louis XV.

MADAME FOLLENTIN. – Et nous donc !

FOLLENTIN. – La vérité, c'est que je me suis trompé de route, au lieu d'aller chercher le bonheur dans le passé, j'aurais dû aller le demander à l'avenir.

MADAME FOLLENTIN ET MARTHE. – Oh ! oui, alors !

FOLLENTIN. – Vous êtes de mon avis ?

LES DAMES. – Oh ! oui !

FOLLENTIN. – Alors, donnons-nous la main et disons ensemble ! Sale époque ! Ah ! sale époque !

A ce moment sort de terre une automobile fantastique dont le chauffeur est le « Temps ».

LE TEMPS. – Tu voudrais aller dans l'avenir, Follentin ?

TOUS LES FOLLENTIN. – Oh ! oui ! oui ! l'avenir !

LE TEMPS. – Montez donc avec moi ! (*Tous les Follentin montent dans l'automobile.*) Et en route pour l'an 2000 !

L'automobile disparaît sous terre.

LE CAPITAINE. – Le Concert du Roi !

LOUIS XV, *à toute la Cour qui a paru pendant ce qui précède.* – Prenez place, mesdames ! (*Toute la Cour se groupe et s'assoit. Louis XV entre ses trois favorites : Madame de Châteauroux, La Pompadour et Jeanne Bécu. Rameau paraît et salue le Roi.*) Si vous voulez commencer, M. Rameau !

Rameau se met à un clavecin qu'on a apporté et se met à jouer. Le rideau baisse lentement sur ce tableau.

RIDEAU

ACTE III

Ier TABLEAU

EN L'AN 2000

La Place Saint-Augustin

SCÈNE PREMIÈRE

PROMENEURS, PELOTINETTES [75]

Les Pelotinettes, jeunes femmes dernier cri, monocle à l'œil, cigarette aux lèvres.

Nous sommes les pelotinettes,
Aux portes des grands magasins,
Tout en fumant des cigarettes
Nous guettons les petits trottins [76].

Un ballon en forme de cigare s'arrête à la plate-forme.

LA CONDUCTRICE. – Les voyageurs pour Mantes, Dieppe, Le Havre, en cigare !

CHŒUR DES TROTTINS.

Ni-ni, c'est fini,
Filons, filons vite !
L'atelier c'est très gentil,
Mais surtout quand on le quitte.

LES PELOTINETTES.

Jeunes gens, écoutez-moi donc,
Ensemble on pourrait faire quelques fêtes,
Jeunes gens, écoutez-nous donc,
Voulez-vous qu'on fasse un petit gueul'ton !

LES TROTTINS.

Non, Mesdam's, on n'vous écout'pas,
Vous vous méprenez ! Nous sommes honnêtes,
On se moque pas mal de tous vos repas,
Nous somm's honnêt's, nous ne marchons pas !

LES PELOTINETTES.

Vous ne marchez pas ?

LES TROTTINS.

Nous ne marchons pas.

LES PELOTINETTES.

Vous ne marchez pas ?

LES TROTTINS.

Nous ne marchons pas ! Nous ne marchons pas !

Sur la fin du chœur, on entend des rires gouailleurs.

SCÈNE II

LES MÊMES, FOLLENTIN, MADAME FOLLENTIN, MARTHE

paraissent, suivis de quelques passants qui se moquent d'eux.

FOLLENTIN. – Oh ! mais avez-vous fini de nous suivre comme ça ?

MADAME FOLLENTIN. – Tas d'imbéciles !

MARTHE. – Maman !... On m'a pincée !...

LES PASSANTS, *riant.* – Ah ! Ah ! Ah !

Rumeurs parmi les Pelotinettes et les Trottins.

Ah ! Ah ! Ah ! Qu'est-ce que c'est que ça ? Regardez-les !... Ah ! bien, vrai !... Ces costumes !... (*Exclamations à distribuer entre les Pelotinettes et les Trottins.*)

MADAME FOLLENTIN, *les imitant.* – Ah ! Ah ! Ah ! Si vous voyiez comme vous avez l'air bête avec vos « Ah ! Ah ! Ah ! »

TOUS. – Ah ! Ah ! Ah !

LA GARDIENNE DE LA PAIX, *entrant.* – Quoi ? Qu'est-ce qu'il y a encore ?

UN DES TROTTINS. – C'est ces masques !

LA GARDIENNE. – C'est vous qui causez ces attroupements ?

MADAME FOLLENTIN. – Mais, Madame l'agent, c'est ces gens qui s'obstinent à nous suivre en criant : « à la chienlit ! »

LA GARDIENNE. – Aussi pourquoi sortez-vous déguisés ? Ce n'est pas le vendredi gras aujourd'hui !...

FOLLENTIN. – Je vais vous dire, madame l'agent, c'est que nous ne sommes pas de ce siècle.

MADAME FOLLENTIN. – Nous somme du 20ᵉ.

MARTHE. – Alors, nous avons encore nos vêtements de l'époque !

LA GARDIENNE. – Ce n'est pas des raisons !... faudra en changer !... (*A tous les personnages.*) Allons circulez ! circulez !...

Sortie des pelotinettes et des trottins sur la reprise à l'orchestre du motif de l'ensemble du début de l'acte.

SCÈNE III

FOLLENTIN, MADAME FOLLENTIN, MARTHE, LA GARDIENNE

FOLLENTIN. – Ah, çà ! Où pouvons-nous bien être ici ? C'est curieux, on dirait Saint-Augustin.

MADAME FOLLENTIN. – Oui !... et pourtant il n'y a pas de canal à Saint-Augustin.

MARTHE. – Non.

FOLLENTIN. – Dites donc, madame l'agent, qu'est-ce que c'est que ce canal ?

LA GARDIENNE. – C'est le Canal Malesherbes, Monsieur.

TOUS LES TROIS. – Le Canal Malesherbes !

LA GARDIENNE. – Oui, qui nous relie avec Paris-Port de mer [77].

FOLLENTIN. – Oh ! Nous avons enfin Paris-Port de mer ?

LA GARDIENNE. – Mais, dame !... D'où sortez-vous ?

MADAME FOLLENTIN. – Mais alors, nous avions raison ! Ce canal Malesherbes, c'est bien Saint-Augustin.

MARTHE. – Mais oui, Maman ! Tiens, la statue de Jeanne d'Arc.

FOLLENTIN. – Mais oui... tiens ! qu'est-ce qu'elle a donc de changé ?

LA GARDIENNE. – Où ça, Jeanne d'Arc ?

MADAME FOLLENTIN. – Là-bas !

LA GARDIENNE. – Ça !... C'est la statue équestre de Thalamas.

FOLLENTIN. – Thalamas ?

LA GARDIENNE. – Oui, un grand homme d'autrefois qui a été brûlé vif sur un bûcher !...

FOLLENTIN. – Allons donc ! lui aussi ?

MADAME FOLLENTIN. – C'est bien son tour !

FOLLENTIN. – Thalamas ! Thalamas qui a dégringolé Jeanne d'Arc !

LA GARDIENNE. – Allons ! Allez vous changer !... que je ne vous retrouve plus comme ça.

FOLLENTIN. – Oui, madame l'agent.

La gardienne remonte.

UN PASSANT *s'adressant à la gardienne.* – Pardon, la rue Émile Combes [78] ?...

LA GARDIENNE. – A Montmartre !... Ancienne rue des Abbesses.

LE PASSANT. – Merci, sergente !

Il sort de droite pendant que la gardienne sort de gauche.

SCÈNE IV

FOLLENTIN, MADAME FOLLENTIN, MARTHE

FOLLENTIN. – Hein ! crois-tu, bobonne, que Paris est changé !

MADAME FOLLENTIN. – Et comme la vie paraît s'être transformée ! Tout est dans les airs maintenant !... Regarde les maisons ! les plus beaux étages en haut !

FOLLENTIN. – Plus de toits ! des terrasses !

MARTHE. – Avec des arbres dessus !

UNE VOIX, *dans l'embarcadère des ballons-cigares.* – Place Thalamas ! Les voyageurs pour Brétigny, Orléans, Tours, en cigare !

Arrivée d'un nouveau ballon-cigare.

MARTHE. – Oh ! papa ! maman ! regardez donc !

FOLLENTIN. – Eh ! bien, oui, ce sont les fameux ballons-cigares.

MADAME FOLLENTIN. – Quel progrès !
FOLLENTIN. – Où es-tu, Santos Dumont [79] ?
MADAME FOLLENTIN. – Et au moins les rues sont tranquilles.
MARTHE. – Pas de voitures !
FOLLENTIN. – Pas d'omnibus !
MADAME FOLLENTIN. – Pas de tramways.
TOUS LES TROIS. – A la bonne heure !
PLUSIEURS PERSONNES, *vivement.* – Prenez garde !

A ce moment, sifflement strident dans l'air (tel un bruit de toupie) suivi d'un nuage de poussière qui s'élève du sol. On entend le commencement d'un juron : « Esp... »

FOLLENTIN, MADAME FOLLENTIN ET MARTHE *pivotent comme dans un tourbillon et tombent tous les trois assis.* – Oh !

SCÈNE V

LES MÊMES, DES PASSANTS, puis GABRIEL

Plusieurs passants, hommes et femmes se précipitent et relèvent les Follentin.

PREMIÈRE PASSANTE, *à Madame Follentin.* – Vous n'avez rien ?
DEUXIÈME PASSANTE, *relevant Marthe.* – Vous ne vous êtes pas fait de mal ?
TROISIÈME PASSANTE, *à Follentin.* – Vous n'avez rien de cassé ?
FOLLENTIN, MARTHE, MADAME FOLLENTIN. – Non ! Non !
FOLLENTIN. – Qu'est-ce qu'il y a eu donc ?
MADAME FOLLENTIN. – Un cyclone ?
PREMIÈRE PASSANTE. – Il y a que vous avez failli être écrasés par une automobile !
LES AUTRES PASSANTES. – Mais oui ! Mais oui !
FOLLENTIN. – Comment, une automobile ? (*A Madame Follentin.*) Tu as vu une automobile, toi ?
MADAME FOLLENTIN. – Mais non ! Mais non !
DEUXIÈME PASSANTE. – Naturellement ! Vous n'avez rien vu ! Comment voulez-vous voir une automobile qui fait du 2.000 à l'heure !
FOLLENTIN. – Comment ! On ne voit plus les automobiles aujourd'hui ?

PREMIÈRE PASSANTE. – Évidemment ! Quand vous tirez un coup de fusil, est-ce que vous voyez la balle ?

MADAME FOLLENTIN. – Mais c'est effrayant !

DEUXIÈME PASSANTE. – Oh ! vous l'avez échappé belle ! Mais vous pouvez dire qu'il vous a un peu bouffé le nez, le chauffeur.

FOLLENTIN. – Nous ?

PREMIÈRE PASSANTE. – Mais dame ! Vous n'avez pas entendu ?

FOLLENTIN. – J'ai entendu... j'ai entendu : « Esp... »

DEUXIÈME PASSANTE. – Eh ! bien, oui, il vous a dit : « Espèce d'idiot ! Regardez-moi le crétin qui ne peut pas faire attention ! Qu'est-ce qui m'a donné une moule pareille ? »

LES TROIS FOLLENTIN. – Mais nous n'avons rien entendu !

PREMIÈRE PASSANTE. – Vous n'avez pas entendu parce que quand il a fini la phrase, il était déjà à Versailles.

FOLLENTIN. – Ah ! par exemple !

Entre Gabriel.

SCÈNE VI

LES MÊMES, GABRIEL costume de l'époque.

GABRIEL. – Quoi ? Qu'est-ce qu'il y a ? Pourquoi ce rassemblement ?

DEUXIÈME PASSANTE. – Ce sont des gens qui ont failli être écrasés par une automobile.

GABRIEL. – Vraiment ?

FOLLENTIN. – Imaginez-vous, monsieur... ah ! Gabriel !...

MADAME FOLLENTIN, MARTHE. – Gabriel !

GABRIEL. – Madame Follentin, Monsieur Follentin, Mademoiselle Marthe !

PREMIÈRE PASSANTE. – Ils se connaissent.

GABRIEL. – Oui, mesdames, oui, messieurs, merci bien.

PREMIÈRE PASSANTE. – De rien ! De rien !

DEUXIÈME PASSANTE. – Et une autre fois, faites attention aux automobiles.

Elles sortent.

SCÈNE VII

FOLLENTIN, MADAME FOLLENTIN, MARTHE, GABRIEL

FOLLENTIN. – Vous ! Vous ! Ah ! bien, si je m'attendais à vous retrouver de ces jours...

GABRIEL. – Croyez-vous que je vous aurais abandonnés ?

MARTHE. – Hein, papa !... Qu'il est gentil ?

GABRIEL. – Quand je vous ai vus quitter Louis XV, je n'ai fait qu'un saut jusqu'à maintenant !

LES TROIS FOLLENTIN. – Brave ami !

MADAME FOLLENTIN. – Ah ! mon petit Gabriel, je suis bien contente de vous avoir retrouvé !

MARTHE. – Vous ne nous quittez plus, n'est-ce pas ?

GABRIEL. – Comment donc ! Je suis tout à votre disposition pour vous piloter.

FOLLENTIN. – Comme il est précieux, ce garçon-là, comme il est précieux !

Pendant la dernière réplique, deux jeunes gens sont entrés et regardent la devanture du bijoutier.

PREMIER JEUNE HOMME. – Oh ! Auguste !... regarde-moi cette épingle de cravate !

DEUXIÈME JEUNE HOMME. – Oh ! hein ! Charles !...

PREMIER JEUNE HOMME. – Oh ! et ces boutons de manchettes !

DEUXIÈME JEUNE HOMME. – Crois-tu que ça nous irait bien, Charles ?

FOLLENTIN. – Oh ! là ! là ! Qu'est-ce que c'est que ces deux petits jeunes gens ?

GABRIEL. – Ça, c'est des petits jeunes gens comme tous les autres d'aujourd'hui.

MADAME FOLLENTIN. – Oh ! bien, vrai !

PREMIER JEUNE HOMME, *au second.* – Ah ! Auguste, quand trouverons-nous une bonne amie pour nous offrir de beaux bijoux comme ça !...

MADAME FOLLENTIN. – Oh ! quel cynisme !

FOLLENTIN. – Hein ! mais c'est des...

GABRIEL. – Non, mais voilà ce que l'émancipation de la femme a fait de l'homme aujourd'hui !

FOLLENTIN. – Comment, ils accepteraient qu'une dame...

GABRIEL. – Absolument !... N'est-ce pas, messieurs, que si une de ces dames vous offrait un de ces bijoux, vous accepteriez ?

LES DEUX JEUNES GENS, *à Madame Follentin.* – Oh ! vraiment, madame, vous êtes bien aimable !...

MADAME FOLLENTIN. – Non ! non ! non ! C'est une question ! C'est une question !

LES DEUX JEUNES GENS, *désappointés.* – Ah !

GABRIEL. – J'ai dit une de ces dames, en général !

FOLLENTIN. – Vous accepteriez ?

PREMIER JEUNE HOMME. – Naturellement ! Qui voulez-vous qui offre des bijoux aux hommes si ce n'est les femmes !

DEUXIÈME JEUNE HOMME. – Ah ! bien, cela serait du propre !...

FOLLENTIN. – Ah ! non, quelles mœurs !... Au 20e siècle, messieurs, un homme se serait cru déshonoré si...

PREMIER JEUNE HOMME. – Ah ! parbleu ! au 20e siècle !... Vous en avez de bonnes !...

GABRIEL. – Ah ! au 20e siècle !...

I

Vous nous parlez là d'une époque
Qu'avec regret chaque homme évoque.

PREMIER JEUNE HOMME.

Il est bien temps

GABRIEL.

Où le mâle seul était le maître,
Le Grand Manitou qu'il doit être.

DEUXIÈME JEUNE HOMME.

C'est le bon sens.

GABRIEL.

La femme était notre compagne,
On la laissait à la campagne,

PREMIER JEUNE HOMME.

Ou n'importe où.

GABRIEL.

Elle nous faisait la couture,
L'amour et la progéniture.

DEUXIÈME JEUNE HOMME.

Aussi coucou !

GABRIEL.

Tout ça c'était sans importance,
L'homme avait la prédominance !

PREMIER JEUNE HOMME.

Tout était là.

GABRIEL.
Jusqu'au jour où le féminisme [80],
Fruit de notre « Je m'en foutisme »,
DEUXIÈME JEUNE HOMME.
Nous culbuta.
GABRIEL.
L'homme, quand il le vit paraître,
Se dit : « C'est mort avant de naître. »
PREMIER JEUNE HOMME.
Il en sourit.
GABRIEL.
Un jour, il comprit sa sottise,
Mais trop tard, sa place était prise.
DEUXIÈME JEUNE HOMME.
On était frit !
PREMIER JEUNE HOMME.
C'est juste ? Auguste ?
DEUXIÈME JEUNE HOMME.
Tu parles ! Charles !
ENSEMBLE.
Ça y est ! Ça y est !
C'est fait ! C'est fait !
Tant pis pour nous, larirette,
Fallait pas faire la boulette !
Mais maintenant qu'elle est faite,
Tant pis pour nous, larira,
Il n'y a qu'à l'avaler comme ça !
DEUXIÈME JEUNE HOMME.
C'est pas vrai, Charley ?
PREMIER JEUNE HOMME.
C'est juste, Auguste !

II

GABRIEL.
Or comme il faut que dans la vie,
Tout trouve sa contre-partie,
DEUXIÈME JEUNE HOMME.
Qu'arriva-t-il ?
GABRIEL.
C'est que, supplanté par la femme,
Aujourd'hui, l'homme c'est la Dame.
PREMIER JEUNE HOMME.
Quel sort viril !

GABRIEL.

C'est pour nous qu'on fait des folies,
Pour nous ces fêtes, ces orgies !

DEUXIÈME JEUNE HOMME.

Pour nos beaux yeux !

GABRIEL.

Pour nous, tout l'argent qu'on gaspillle,
L'argent des filles de famille !

PREMIER JEUNE HOMME.

De leurs aïeux !

GABRIEL.

Dans notre vie aventureuse,
Trouver michette [81] sérieuse,

DEUXIÈME JEUNE HOMME.

C'est l'objectif.

GABRIEL.

C'est admis, cela fait le compte !
L'amour, ce n'est plus une honte !

PREMIER JEUNE HOMME.

C'est lucratif !

GABRIEL.

Alors, pourquoi dire « Fontaine... » !
Récriminer, c'est pas la peine.

DEUXIÈME JEUNE HOMME.

C'est évident !

GABRIEL.

C'est déroger, soit, mais en somme,
Puisque c'est là le sort de l'homme !

PREMIER JEUNE HOMME.

Profitons-en !

DEUXIÈME JEUNE HOMME.

C'est pas vrai, Charley ?

PREMIER JEUNE HOMME.

Très juste, Auguste !

ENSEMBLE.

Ça y est ! Ça y est !
C'est fait ! C'est fait !

etc. etc. etc.

APRÈS LE REFRAIN

PREMIER JEUNE HOMME.

C'est pas juste, Auguste ?

DEUXIÈME JEUNE HOMME.

Tu parles ! Charles !

FOLLENTIN. – Ah ! Messieurs, laissez-moi vous le dire, vous me dégoûtez !

PREMIER JEUNE HOMME. – Qu'est-ce que vous voulez, monsieur, c'est le siècle qui veut ça !

REPRISE DU REFRAIN

Ça y est ! Ça y est !
C'est fait ! C'est fait !

etc. etc. etc.

Les deux jeunes gens sortent.

FOLLENTIN. – Quelle décadence ! Quelle décadence ! Alors, voilà où nous en sommes à cette époque-là ?

MADAME FOLLENTIN. – Mais je ne trouve pas ça si mal, puisque c'est nous qui en bénéficions, n'est-ce pas, Marthe ?

MARTHE. – Oui, maman !

FOLLENTIN. – Naturellement ! Tu es contente, toi ?

MADAME FOLLENTIN. – Evidemment ! Nous avons été assez longtemps sous le boisseau ! C'est bien votre tour.

GABRIEL. – Qu'est-ce que vous voulez, M. Follentin, il faut bien se faire une raison.

SCÈNE VIII

LES MÊMES, LES MANNEQUINS

A ce moment, entrent du fond des mannequins en toilettes très élégantes, en faisant des grâces sur un mouvement de valse lente.

LES FOLLENTIN. – Qu'est-ce que c'est que ça ?

GABRIEL. – Mais je ne sais pas !... Je ne connais pas ça !

Les mannequins se tournent dans tous les sens de façon à faire valoir leurs toilettes, relevant leurs jupes pour laisser voir leur jupons, retirent leurs manteaux pour montrer leur corsages, etc. etc. etc.

MADAME FOLLENTIN. – On fait des ballets en plein air ?

LES MANNEQUINS, *se rassemblant après leur pas sur le devant de la scène et tous en chœur, parlé* : La toilette... complète... 39 francs... « au beau... jardinier[82] ! »

Les mannequins reprennent leur pas et disparaissent.

FOLLENTIN. – Ah ! C'est des mannequins réclame !

GABRIEL. – C'est bête ! J'aurais dû m'en douter.

MADAME FOLLENTIN. – « Au beau jardinier !... » mais voilà notre affaire.

MARTHE. – Mais oui, maman !

MADAME FOLLENTIN. – Nous qui avons à nous nipper des pieds à la tête !... Où est-ce ? Où est-ce, ce beau jardinier ?

GABRIEL. – Si vous voulez venir avec moi ?

FOLLENTIN. – C'est ça ! C'est ça ! pendant ce temps-là je vais m'inquiéter d'un tailleur pour moi.

GABRIEL. – Allez !

MADAME FOLLENTIN. – C'est ça, allons !

TOUS. – Allons !

A ce moment, la fenêtre de gauche s'ouvre brusquement et une femme en peignoir paraît, les cheveux en désordre.

LA FEMME. – Au secours, à moi, on me tue, on m'assassine !

LES FOLLENTIN. – Mon Dieu ! qu'est-ce que c'est ? Qu'est-ce qu'il y a ?

UN HOMME *paraissant et pressant une femme à la gorge.* – Te tairas-tu, catin ?

GABRIEL. – Eh bien ! venez-vous, mesdames ?

FOLLENTIN. – Mais vous ne voyez donc pas ?

MADAME FOLLENTIN. – Là ! là !

MARTHE. – On assassine.

L'HOMME, *poignardant la femme.* – Tiens !

LA FEMME. – Ah !

FOLLENTIN. – Et personne ne bouge ?

MADAME FOLLENTIN, *indiquant les badauds.* – Ils restent là tranquillement, les lâches !

FOLLENTIN. – Lâches ! Lâches !

MADAME FOLLENTIN. – Mais vas-y donc, au lieu de crier : « lâches ! »

FOLLENTIN. – Viens avec moi.

LA FEMME, *assassinée.* – Ciel ! c'est mon frère !

GABRIEL. – Mais venez donc, ne soyez pas badauds !

La fenêtre s'est refermée et un grand transparent paraît avec ces mots : « Lire la suite dans Les Mangeurs de Blancs, *le nouveau roman de Pierre Levallois*[83]. »

FOLLENTIN. – Comment, c'était encore la publicité ?

GABRIEL. – Mais, dame !

MADAME FOLLENTIN. – Ah ! bien ! nous nous y sommes laissés prendre !...

FOLLENTIN. – Vous, mais pas moi !
GABRIEL. – Allons, venez !...
MADAME FOLLENTIN. – C'est ça !
FOLLENTIN. – Et on se retrouve ici.
MADAME FOLLENTIN, MARTHE, GABRIEL. – Entendu !
Ils sortent.

SCÈNE IX

FOLLENTIN, UNE PELOTINETTE

FOLLENTIN, *s'orientant.* – Voyons ! Où trouverai-je un tailleur !

UNE PELOTINETTE, *s'approchant de Follentin qui lui tourne le dos. A part :* Un jeune horizontal [84] ! (*s'approchant et à son oreille.*) Tout à fait charmant.

FOLLENTIN, *se retournant.* – Madame !

LA PELOTINETTE. – Oh ! Oh ! c'est un vieux garde ! (*Elle s'éclipse.*)

FOLLENTIN. – Comment, un vieux garde !

LA GARDIENNE DE LA PAIX, *traversant la scène.* – Allons, circulez !

FOLLENTIN. – Madame l'agent !

LA GARDIENNE. – Je vous dis de circuler ! Un homme non accompagné ne doit pas se rassembler comme ça sur la chaussée.

FOLLENTIN. – Oh ! Je vous demande pardon. Je ne savais pas. Voyons, ce tailleur !

SCÈNE X

FOLLENTIN, LA COLLÉGIENNE puis LE MARCHAND DE FLEURS

A l'une des fenêtres de la maison de droite, qui est ouverte depuis le début de l'acte, paraît une collégienne, la pipe à la bouche, un livre à la main.

LA COLLÉGIENNE, *apercevant Follentin.* – Ah ! ventre de mon père ! Le bel homme. (*Lui faisant signe.*) Eh, psst ! (*Follentin se retourne pour voir à qui s'adresse l'apostrophe*) Psst !

FOLLENTIN. – Ah ! c'est à moi !

LA COLLÉGIENNE. – Attendez-moi un instant !... Je descends ! (*Elle disparaît*).

FOLLENTIN. – Oh ! (*A part.*) Qu'est-ce qu'elle me veut, cette petite ?

LA COLLÉGIENNE, *projetée en scène par un toboggan qui émerge en dehors du mur de la maison. A cheval sur l'extrémité du toboggan.* – Bonjour m'sieur !

FOLLENTIN. – Hein ! Comment !... Elle a pris la gouttière !

LA COLLÉGIENNE. – Ce n'est pas une gouttière, monsieur, c'est le toboggan de la maison.

FOLLENTIN. – Ah ! je ne savais pas qu'on avait adopté...

LA COLLÉGIENNE. – Oh ! partout ! C'est si commode quand on est pressé.

FOLLENTIN. – Et qu'est-de que vous me voulez, ma petite fille ?

LA COLLÉGIENNE. – Oh ! m'sieur, vous attendez quelqu'un ?

FOLLENTIN. – Non, ma petite amie, non.

LA COLLÉGIENNE. – Oh ! alors, si vous n'attendez personne, on pourrait peut-être tous les deux...

FOLLENTIN. – Quoi donc, ma petite fille ?

LA COLLÉGIENNE. – Oh ! m'sieur ! Vous êtes beau !

FOLLENTIN. – Hein !

LA COLLÉGIENNE. – Vous ne voulez pas que nous allions prendre quelque chose au bar tous les deux ?...

FOLLENTIN. – Nous !...

LA COLLÉGIENNE. – Un petit apéritif, n'importe quoi !... un étherbrandy, une morphine-curaçao, quelque chose qui mette en appétit.

FOLLENTIN. – Non ! Non ! je vous remercie bien !

LA COLLÈGIENNE. – Oh ! m'sieur ! ne soyez pas cruel, si vous ne voulez pas aller au bar..., eh ! bien, on pourrait... (*Elle lui parle à l'oreille.*)

FOLLENTIN. – Quoi ?... Mais, ma parole, elle me fait des propositions !

LA COLLÉGIENNE. – Oh ! m'sieur, m'sieur, tout ce que vous voudrez !... vous savez, j'ai 40 francs.

FOLLENTIN. – Quand vous en auriez 40.000 ! C'est ça qui m'est égal ! Vous n'avez pas honte !... A votre âge !

LA COLLÉGIENNE. – Quoi ! à mon âge ! J'ai quinze ans !

et toutes mes camarades ont de petits bons amis, des garçons de brasserie, ou des petits cocos du quartier.

FOLLENTIN. – Eh bien ! c'est du joli !

LA COLLÉGIENNE. – Et moi, encore rien !

COUPLETS

I

Seule dans ce collège,
Vrai, c'est trop de candeur,
Seule, vous l'avouerai-je ?
J'ai conservé ma fleur.
Toutes mes camarades,
Plus heureuses que moi,
S'offrent des rigolades,
En me montrant du doigt :
Oh ! ma chère,
C'est la rosière,
Oh ! là, là !
Vois-tu ça !
Zut, zut, zut, va te faire lanlaire,
Ça n'peut pas durer comme ça,
N'y a qu'un' chose à faire,
Hop ! ma vertu, hop ! la ! la !
Il y a que ça, petit père,
Il y a que c'moyen-là !

II

Pas à me dire chiche,
Quand j'ai que'chose en moi,
Ce soir, faut que ça biche,
Ou ça dise pourquoi.
Ah ! soyez le Messie,
Le sauveur que j'attends,
Que demain cette scie,
Ait enfin fait son temps.
Ah ! ma chère,
C'est la rosière...
etc. etc. etc.

FOLLENTIN. – Oh ! mais elle est extraordinaire !

LA COLLÉGIENNE. – Oh ! m'sieur, soyez gentil !

FOLLENTIN. – Mais non ! mais non !

LA COLLÉGIENNE. – Écoutez, voilà ce qu'on pourrait faire...

FOLLENTIN. – Mais non ! mais non !

LA COLLÉGIENNE. – Mais... laissez-moi parler, voyons ! Vous direz « mais non » après !... Eh ! bien, voilà : de 5 à 7, je ne suis pas libre, j'ai mon service militaire à faire.

FOLLENTIN. – Votre service ?

LA COLLÉGIENNE. – Mon service militaire.

FOLLENTIN. – De cinq à sept ?

LA COLLÉGIENNE. – Alors, moi j'ai devancé l'appel pour en être débarrassée plus tôt et je suis sergent d'infanterie.

FOLLENTIN. – De cinq à sept ?

LA COLLÉGIENNE. – Mais oui, comme tout le monde !... c'est le service obligatoire... tous les jours de cinq à sept, pendant six mois.

FOLLENTIN. – Allons donc !

LA COLLÉGIENNE. – De cinq à sept ! mais à partir de 7 heures, je suis libre ! Si vous voulez, je vous emmène dîner au bar de la plateforme de l'Arc de Triomphe.

FOLLENTIN. – Hein !

LA COLLÉGIENNE. – Il est très bien ! Il est très bien !... Et il y a une vue superbe.

FOLLENTIN. – Voilà ce qu'on fait des monuments commémoratifs, aujourd'hui !

LA COLLÉGIENNE. – Après ça, si vous voulez, nous irons finir la soirée aux Folies-Saint-Augustin.

FOLLENTIN. – Où ça, les Folies-Saint-Augustin ?

LA COLLÉGIENNE. – Mais là ! Il y a un grand duc qui fait de la voltige. Cela fait courir tout Paris...

FOLLENTIN. – Mais alors... ce n'est donc plus une église ?

LA COLLÉGIENNE. – Saint-Augustin ? mais non ! c'est un music-hall. Ah, çà ! d'ou sortez-vous ? Il y a un siècle que c'est comme ça depuis la séparation de l'Église et de l'État !... Si vous voulez je louerai la chaire d'avant-scène ; c'est de là qu'on voit le mieux [85].

FOLLENTIN. – Mais non ! mais non ! Vous êtes bien gentille, mais sérieusement !...

LA COLLÉGIENNE. – Vous tenez donc bien à votre vertu ?

FOLLENTIN. – Ce n'est pas à la mienne que je tiens !...

UN AIMABLE MARCHAND DE FLEURS, *s'avançant.* – Un bouquet pour votre beau monsieur, princesse ?

LA COLLÉGIENNE. – Ah ! des fleurs ! Voulez-vous des fleurs ?

FOLLENTIN. – Mais non ! mais non ! Laissez-nous donc, vous !

LE MARCHAND DE FLEURS. – Ma belle dame, ayez pitié d'un pauvre archimillionnaire !

LA COLLÉGIENNE. – Non ! vous êtes millionnaire... Oh ! mon pauvre homme !

FOLLENTIN. – Je ne comprends pas ! Il me semble que si vous êtes archimillionnaire !...

LA COLLÉGIENNE. – Justement ! C'est une victime de l'impôt sur le revenu [86].

LE MARCHAND. – Ah ! c'est dur, Monsieur, allez !

1

Jadis j'étais riche,
Je menais grand train,
Quand, va te faire fiche,
Le peupl' souverain,
S'dit un jour : « En somme,
Je n'vois pas pourquoi,
Y en a qu'ont la somme,
Et qu'ce n's'rait pas moi ! »
Dès lors vaill' que vaille,
Il chercha comment
Confisquer l'argent,
Et v'la sa trouvaille,
L'impôt, l'impôt sur le revenu - u
Depuis qu'ils l'ont eu,
C't'impôt saugrenu,
L'impôt, l'impôt sur le revenu - u.

2

Pour mieux nous atteindre,
On créa tout vif,
Sommes-nous à plaindre,
L'impôt progressif.
Plus on a de rente,
Plus on s'voit grever,
Échelle ascendante,
Pour vous décaver [87].
Cet impôt farouche,
Fait ainsi que moi,
Je paie – ô la Loi !
Plus que je ne touche !
L'impôt, l'impôt sur le revenu - u.
Etc., etc., etc.

FOLLENTIN. – O mon pauvre archi-millionnaire !

LE MARCHAND. – Vous pouvez le dire, Monsieur ! avec leur sale impôt progressif ! Passe encore pour les petites fortunes. Mais moi, j'ai deux millions de rente, Monsieur, savez-vous ce que ça me coûte : cent deux pour cent de mon revenu !

FOLLENTIN. – Cent deux pour cent !

LE MARCHAND. – Oui, Monsieur, et alors c'est pour gagner ces deux pour cent en plus qu'il faut que je trime.

FOLLENTIN. – Oh ! bien, deux pour cent !

LA COLLÉGIENNE. – Eh bien ! Vous n'avez pas l'air d'y penser, ça fait 40 000 francs par an.

LE MARCHAND. – Si vous croyez que c'est facile en vendant des fleurs.

FOLLENTIN. – C'est vrai !... Oh ! mais, il faut lui acheter ses fleurs ! Vite, vos bouquets, vos bouquets !

LA COLLÉGIENNE. – C'est ça, vos bouquets !

LE MARCHAND, *lui donnant ses fleurs.* – Mon bon monsieur ! ma belle demoiselle ! Cela vous sera compté au ciel !

FOLLENTIN, *voulant payer.* – Attendez, attendez.

LA COLLÉGIENNE. – Du tout ! du tout, c'est moi !

Elle paie.

LE MARCHAND. – Si vous avez besoin d'autres fleurs, j'ai mon éventaire à côté, au coin de la rue. Vous n'avez qu'à me demander.

FOLLENTIN. – C'est ça ! Vous vous appelez ?

LE MARCHAND. – Rotschild !

FOLLENTIN. – Pas possible !

LE MARCHAND. – Au revoir, Monsieur, et merci bien.

Il sort.

FOLLENTIN, *à la collègienne.* – Attendez ! je ne veux pas permettre... Laissez-moi vous rembourser.

LA COLLÉGIENNE. – Mais jamais de la vie !

FOLLENTIN. – Mais si ! mais si !

LA COLLÉGIENNE. – Mais non ! mais non !

FOLLENTIN. – Ah ! c'est d'un XXIe siècle !... (*Chant militaire en sourdine.*) Qu'est-ce que c'est que ça ? Oh ! des soldats !

LA COLLÉGIENNE. – Sapristi ! Le peloton que je commande ! Quelle heure est-il ?

FOLLENTIN. – Cinq heures.

LA COLLÉGIENNE. – Cinq heures ! Nom d'un chien !

L'heure du service, et moi qui ne suis pas en tenue !...
Ah ? bien, je suis bien !

Chœur

De cinq à sept !
De cinq à sept !
Chaque jour, six mois, c'est bien net,
C'est le service obligatoire,
De cinq à sept !
De cinq à sept !
De cinq à sept ! la sale histoire,
Il faut trimer comme soldat
Pour le service de l'État.

Sur la fin du chœur, ont paru deux pelotons : l'un de soldats hommes, l'autre de soldats femmes.

LA COLLÉGIENNE, *en sergent.* – Halte ! Rassemblement ! (*L'arrêt se fait net.*) – Là, regardez-moi ces cosaques ! Il faut que ça s'arrête ensemble ! Combien de fois faut-il que je vous répète que je veux entendre chaque pas séparément.

FOLLENTIN. – C'est vos soldats, alors, ça ?

LA COLLÉGIENNE. – Oui ! peloton des hommes ! peloton des femmes !

FOLLENTIN. – Oh ! oui, pelotons des femmes !

LA COLLÉGIENNE. – Comment ?

FOLLENTIN. – Rien ! C'est une réflexion.

LA COLLÉGIENNE. – Ce que vous voyez là, c'est les célibataires ! Quant aux gens mariés, ils forment un peloton à part. Seulement il est toujours en retard, celui-là !... Allons, le peloton marié, là, grouillez-vous !

Paraît un troisième peloton composé de gens mariés.

TOUS CEUX DU PELOTON MARIÉ. – Voilà, Sergent, voilà !

FOLLENTIN. – Alors, c'est ça, l'armée d'aujourd'hui ?

LA COLLÉGIENNE. – Eh ! bien, oui, puisque c'est le service obligatoire pour tout le monde, hommes, femmes, chacun y passe !

Parmi les mariés, deux s'embrassent.

LA COLLÉGIENNE. – Allons ! les nouveaux mariés ! Vous pouvez bien attendre sept heures ! Et vous, le soldat du premier peloton, avez-vous fini de faire de l'œil à la petite de la troisième du deux ?...

LE SOLDAT. – Sergent ! J'en pince pour elle !

LA COLLÉGIENNE. – Ce n'est pas mon affaire !.. Si c'est pour la bagatelle, après le service !... Sinon, épousez-la et au peloton des gens mariés ! Qu'est-ce que c'est que ça, donc ? Allez, mes enfants, manœuvrez un peu pour montrer à Monsieur. (*Commandant.*) Mouvement horizontal et latéral des bras, sans flexion, avec flexion des extrémités inférieures. Commencez !

TOUS LES SOLDATS HOMMES ET FEMMES. – Une ! deux ! Une ! deux !

Ils exécutent le mouvement les uns après les autres et sans aucun ensemble.

LA COLLÉGIENNE. – C'est ça !... Ça va !... (*A Follentin.*) Croyez-vous que c'est une manœuvre, que ça manque assez d'ensemble ?

FOLLENTIN. – C'est admirable !

LA COLLÉGIENNE. – Attention, mes enfants, voilà un général.

FOLLENTIN. – Un général ! un général !

Le Général traverse la scène et salue militairement en passant devant les trois pelotons ; la collégienne, tous les soldats répondent par un pied de nez.

FOLLENTIN. – Ah ! mais qu'est-ce qu'ils font ?... Un pied de nez au général ?

LA COLLÉGIENNE. – Mais oui !

FOLLENTIN. – Mais c'est le conseil de guerre !

LA COLLÉGIENNE. – Mais jamais de la vie ! C'est le règlement en vigueur aujourd'hui sur les marques extérieures de respect.

Couplets

I

LA COLLÉGIENNE.

Jadis on disait à chaque homme :
Soldats, mes enfants, voici comme

LES SOLDATS.

Com, com, com, com, com, com, comme,

LA COLLÉGIENNE.

A tout chef quand il passera,
Son respect on témoignera.

LES SOLDATS.

Ra, ra, ra, ra, ra, ra, ra.

LA COLLÈGIENNE.
Dans l'ordre de la hiérarchie.
D'abord l'arme qu'on rectifie,
LES SOLDATS.
Fi, fi, fi, fi, fi, fi, fi,
LA COLLÉGIENNE.
Puis le port d'arme, mes enfants :
Présentez arm' ! sonnez aux champs [88] !
LES SOLDATS.
Champs, champs, champs !
LA COLLÉGIENNE.
Et voilà comme,
Pour chaque homme,
Se règle le respect en somme.
Pour l'adjudant, c'était comme ça !
TOUS.
Ça, ça, ça !
LA COLLÉGIENNE.
Pour le Capitaine, voilà !
TOUS.
La, la, la.
LA COLLÉGIENNE.
Le Colonel, lui, c'était ça !
TOUS.
Ça, ça, ça !
LA COLLÉGIENNE.
Enfin, le Général, voilà !
(Sonnerie aux Champs.)
TOUS.
Ta ra, ta ra, ta, ra, ta, ta.

II

LA COLLÉGIENNE.
Un beau jour, on trouva qu'en somme,
Ce, pour la dignité de l'homme,
TOUS.
Lom, lom, lom, lom, lom, lom, lomme.
LA COLLÉGIENNE.
Ces marques de soumission,
C'était une humiliation !
TOUS.
Tion, tion, tion, tion, tion, tion, tion !

LA COLLÉGIENNE.

Lors au rancart : « Présentez armes » !
« Portez-arme », aussi, manquait de charme.

TOUS.

Charm, charm, charm, charm, charm, charm, charme !

LA COLLÉGIENNE.

On supprima tout, fallut bien
Trouver qué'qu'chos', restait plus rien.

TOUS.

Rien, rien, rien !

LA COLLÉGIENNE.

Et voilà comme.
Pour chaque homme,
Aujourd'hui ça se règle en somme.
Pour un adjudant, c'est comme ça :

TOUS.

Ça, ça, ça !

LA COLLÈGIENNE.

Pour le Capitaine, voilà !

TOUS.

La, la, la !

LA COLLÉGIENNE.

Le Colonel, lui c'est comme ça !

TOUS.

Ça, ça, ça.

LA COLLÉGIENNE.

Enfin le Général, voilà !

TOUS.

La, la
Tur, lu, tu, tu, la, tu, tu, tu, tu.

LA COLLÉGIENNE. – Et maintenant, à la caserne ! (*Commandant.*) Par file à droite, gauche ! (*Tous les soldats exécutent ce mouvement très mal.*) Très bien ! En avant, marche !... (*Tout le monde se met en marche.*) Pas au pas, là, pas au pas ! Allez tout droit, je vous rejoins !

Sortie des soldats.

LA COLLÉGIENNE. – Au revoir, mon chéri !

FOLLENTIN. – Au revoir, ma petite collégienne.

LA COLLÉGIENNE. – Eh ! bien, quoi ! Tu ne m'embrasses pas ?

FOLLENTIN. – Si, mais si !

LA COLLÉGIENNE, *l'embrassant.* – Ah ! mon chéri !

SCÈNE XI

LES MÊMES, puis LA GARDIENNE

LA GARDIENNE. – Ah çà ! dites donc, vous autres, qu'est-ce que c'est que cette tenue dans la rue ?

FOLLENTIN et LA COLLÉGIENNE. – Oh !

LA GARDIENNE, *à Follentin.* – Comment ! C'est encore vous ? Alors, quoi !... Vous faites le truc ?...

FOLLENTIN. – Moi ?

LA COLLÉGIENNE. – Pardon ! Monsieur est avec moi !

LA GARDIENNE. – D'abord, toi, crapaude, tais-toi !

LA COLLÉGIENNE. – Crapaude ?

LA GARDIENNE, *à Follentin.* – Vous n'avez pas honte ! Péripatéticien !

FOLLENTIN. – Hein ! Comment m'a-t-elle appelé ?

LA COLLÉGIENNE. – Ah ! mais dites donc, madame l'agent !...

LA GARDIENNE. – Veux-tu détaler, nom de Dieu !

LA COLLÉGIENNE *se sauve, au moment de sortir se retourne.* – Mort aux bœufs [89] !

LA GARDIENNE. – Qu'est-ce que tu dis ? Qu'est-ce que tu dis ? Attends un peu !

Elle disparaît.

FOLLENTIN, *riant.* – Ah ! Ah ! mort aux bœufs ! Elle le lui a bien mis dans la main.

SCÈNE XII

FOLLENTIN, MADAME FOLLENTIN

MADAME FOLLENTIN, *paraissant en costume de l'époque.* – Me voilà, moi !

FOLLENTIN, *l'apercevant.* – Ah ! Caroline ! Non !... Ce que tu as une touche comme ça !

Il se tord.

MADAME FOLLENTIN. – Quoi ? C'est ce qui se porte maintenant !

FOLLENTIN. – Ah ! bien vrai !... Eh ! bien, et Marthe ? Et Gabriel ?... Qu'est-ce que tu en as fait ?

MADAME FOLLENTIN. – Marthe et Gabriel ? Ils viennent de partir pour Bornéo !

FOLLENTIN. – Comment, pour Bornéo ?

MADAME FOLLENTIN. – Ah ! oui, c'est vrai ! J'oubliais de te dire ! Je viens de les marier, ces enfants !

FOLLENTIN. – Les marier ?

MADAME FOLLENTIN. – Oui, ils s'aiment depuis si longtemps, ces petits. J'ai voulu leur être agréable !

FOLLENTIN. – Ah, çà ! voyons ! Tu perds la tête ! Tu divagues !

MADAME FOLLENTIN. – Du tout, du tout ! En traversant « Le Beau Jardinier » au rayon des mariages, il y a précisément un officier municipal qui y est attaché. Alors, ça c'est réglé séance tenante !

FOLLENTIN, *n'en croyant pas ses oreilles.* – Tu les as mariés ?

MADAME FOLLENTIN. – Voilà une heure que je te le dis !

FOLLENTIN. – Sans mon consentement ?

MADAME FOLLENTIN. – Naturellement ! sans ton consentement ! Aujourd'hui le père n'a plus voix au chapitre. Du moment que l'on a le consentement de la mère.

FOLLENTIN. – Ah ! c'est trop fort !

MADAME FOLLENTIN. – Mais puisque c'est comme ça que ça se fait aujourd'hui !

FOLLENTIN. – Oui ! Eh, bien ! je m'en fiche pas mal de ce qui se fait aujourd'hui !... Et puis, et puis... en voilà une existence ! Rester en tête-à-tête avec toi !... Sans compter que tu as cent ans de plus !...

MADAME FOLLENTIN. – Mais, toi aussi, tu as cent ans de plus !

FOLLENTIN. – Oui, mais moi... c'est moi !... Ah ! non alors !... non ! non !

MADAME FOLLENTIN. – Oh ! rassure-toi, je n'ai aucunement l'intention de me cantonner dans le tête-à-tête, et la preuve c'est que ce soir même je vais m'offrir une petite fête. Tiens ! justement avec les deux jeunes gens de tout à l'heure que nous avons retrouvés « Au beau jardinier » où ils sont commis au rayon des gants.

FOLLENTIN. – Qu'est-ce que tu dis ? Tu vas aller faire la noce ?

MADAME FOLLENTIN. – Oui, je suis dans le train !

FOLLENTIN. – Écoute-moi, Caroline !... Je te défends !...

MADAME FOLLENTIN. – Tu me défends ?... Tu vas me faire le plaisir de rentrer à la maison, et un peu vite !... Et à l'avenir, de rester dans ton rôle d'homme marié !...

FOLLENTIN. – Qui est ?

MADAME FOLLENTIN. – Qui est de surveiller le ménage, de vérifier le linge, de faire les raccommodages.

FOLLENTIN. – Moi ! moi !... Ah ! non, non ! Je t'ai épousée sous un régime où la femme devait obéissance à son mari, je revendique mes droits !

MADAME FOLLENTIN. – Oui ! Eh bien ! les voilà, tes droits.

Elle lui allonge une gifle.

FOLLENTIN. – Oh !

Les deux jeunes gens entrent.

LES DEUX JEUNES GENS. – Nous sommes en retard ?...

MADAME FOLLENTIN. – Du tout !... Du tout !... Venez, mes petits amis.

FOLLENTIN. – Oh !

MADAME FOLLENTIN. – Et toi, à la maison !...

FOLLENTIN. – Oh !

Madame Follentin et les deux jeunes gens sortent.

SCÈNE XIII

FOLLENTIN, BIENENCOURT

BIENENCOURT, *en vieux monsieur vénérable qui est entré pendant les dernières répliques.* – Et toi, à la maison !... Et vous supportez, monsieur, qu'une femme vous parle de la sorte ?...

FOLLENTIN. – Vous l'avez entendue, monsieur, et c'est ma femme !... Voilà ce que votre époque en a fait !...

BIENENCOURT. – Il faut vous révolter.

FOLLENTIN. – Ah !... n'est-ce pas, Monsieur ! (*A part.*) Très sympathique, ce vieillard respectable, ça doit être un académicien.

BIENENCOURT. – Un homme beau et bien fait comme vous, est-ce que vous êtes fait pour croupir dans la médiocrité bourgeoise, pour mener la vie d'homme de ménage ? Allons donc !... Je connais vingt dames riches, monsieur, qui seraient trop heureuses de mettre leur fortune à vos pieds !...

FOLLENTIN. – Hein ?

BIENENCOURT. – Un mot !... un signe !... et je fais de vous le demi-castor [90] le plus envié de Paris !

FOLLENTIN. – Ah ça ! mais qui êtes-vous donc ?

BIENENCOURT. – Voici ma carte.

FOLLENTIN, *lisant.* – « Monsieur Alphonse, tableaux et objets d'art. » Ah çà ! mais monsieur, vous êtes !...

BIENENCOURT. – Procureur de la République !

FOLLENTIN. – Oh !

BIENENCOURT. – Tenez !... Voulez-vous connaître la grande vie d'aujourd'hui ?

FOLLENTIN. – Oh ! oui, je veux ! Oh ! oui, je veux !...

BIENENCOURT. – Voulez-vous la voir, la jeunesse du jour, la jeunesse décadente !... Je vais vous faire goûter d'une nuit d'orgie au vingt et unième siècle !...

Ils remontent. A ce moment la fenêtre se rouvre. La femme reparaît.

LA FEMME. – A moi !... Au secours !... On m'assassine !...

FOLLENTIN. – Ah ! non !... vous, là-haut !... On ne me la fait plus.

BIENENCOURT. – Allons !...

Changement à vue.

RIDEAU

2e TABLEAU

L'ORGIE ROMAINE

Tous les chœurs, hommes et femmes, sont étendus, les uns près des autres, enlacés et lascifs. Tous ont la coupe en main.

SCÈNE PREMIÈRE

CHŒURS, L'AMPHITRYONNE

CHŒURS.

C'est l'orgie
Avec toute sa folie.
Tous nos sens
Tressaillent en même temps,
L'ivresse envahit nos cervelles,
A nous ! A nous tous à l'envi,
D'âpres sensations nouvelles,
La vie en cache à l'infini.
C'est l'orgie
Avec toute sa folie.
Tous nos sens
S'enflamment en même temps.
Bacchanal !
Bacchanal !
Bacchanal infernale !
Buvons, buvons !
Nous roulerons,
Gai, gai, quand nous serons ronds.

L'AMPHITRYONNE.

Levons la coupe des ivresses
Dans un même élan enflammé,
A nos amants, à nos maîtresses,
A ce que nous avons aimé.
Coule en nos veines,
O coupe pleine,
Philtre idéal !
Ether fatal
Qui stupéfie !
Dans nos cervelles, dans nos esprits,
Par les vapeurs anéantis,
Répands, ah ! l'oubli de la vie,
Effaces-en les soucis !
Forçats de la machine ronde,
Transporte-nous dans l'au-delà !
Il faut jouir tant qu'on est là,
Car, après nous, la fin du monde !
Levons la coupe des ivresses...
etc. etc. etc.

SCÈNE II

LES MÊMES, FOLLENTIN, BIENENCOURT

BIENENCOURT, *introduisant Follentin.* – Entrez !

TOUS. – Ah !

FOLLENTIN. – Mesdames !

L'AMPHITRYONNE. – Quel est cet étranger ?

BIENENCOURT. – Salut à vous, éthéromanes, morphinomanes, intellectuels et raffinés, dernière expression de la jeunesse décadente d'aujourd'hui [91]. C'est un convive que je vous amène qui demande place à l'orgie.

L'AMPHITRYONNE. – Sois le bienvenu, qui que tu sois, noble étranger.

TOUS. – Sois le bienvenu.

FOLLENTIN. – Ah ! vraiment ?

L'AMPHITRYONNE. – Toi qui estimes comme nous qu'il faut arracher à la vie le secret de toutes ses jouissances, connaître toutes les sensations nouvelles, toi qui veux sacrifier avec nous au Dieu que nous adorons, à l'esprit du Mal, au Dieu du Vice, sois le bienvenu !

TOUS. – Sois le bienvenu !

FOLLENTIN, *à part.* – Ah ! Caroline ! Caroline ! c'est toi qui l'auras voulu !

L'AMPHITRYONNE. – Choisis, parmi ces belles, les chairs qui te tentent ! Pour toi les baisers fous, les étreintes passionnées, les caresses subtiles. C'est la fête des sens ! C'est l'orgie !

FOLLENTIN, *enlaçant les femmes qui s'offrent à lui.* – Ah ! si l'on me voyait au ministère !

L'AMPHITRYONNE. – Tiens ! prends cette coupe, et vous, versez le breuvage qui donne l'extase !

FOLLENTIN, *pendant qu'on lui verse.* – Ohé ! Ohé ! à nous la grande noce !

BIENENCOURT, *triomphant.* – Allons ! Cette fois tu m'appartiens ! Ah ! Ah ! Ah ! Ah ! Ah !

Il s'éclipse par la porte de droite qui se referme.

L'AMPHITRYONNE. – Bois !

FOLLENTIN, *goûtant.* – Oh ! nom d'un chien ! la sale drogue !

L'AMPHITRYONNE.

Levons la coupe des ivresses,
Dans un même élan enflammé,
A nos amants, à nos maîtresses,
A ce que nous avons aimé !
Que l'encens fume
Et nous embrume !
Que les parfums,
Subtils et fins,
Nous engourdissent,
Et que les roses en même temps,
Sous leurs pétales odorants,
En pluie, ah ! nous ensevelissent !
A nos derniers moments !
Cette minute est sans seconde,
C'est notre dernier rendez-vous
Et puisque le monde, c'est vous,
Ah ! buvons à la fin du monde !
Levons la coupe des ivresses,
etc. etc. etc.

FOLLENTIN. – Ah, çà ! De quelle fin du monde parlez-vous ?

L'AMPHITRYONNE. – De la fin qui nous attend.

FOLLENTIN. – Hein !

L'AMPHITRYONNE. – Nous allons connaître la plus subtile des sensations humaines.

FOLLENTIN. – Qui est ?

L'AMPHITRYONNE. – Mon palais est miné, et quand sonnera le dernier coup de minuit, nous allons tous sauter.

FOLLENTIN, *affolé.* – Sauter ! Ah ! mais pas du tout ! En voilà une sale blague ! (*Courant à la porte.*) Ouvrez ! Ouvrez !

L'AMPHITRYONNE. – Inutile ! Tout est fermé ! Et voici minuit qui sonne !

FOLLENTIN. – Minuit !

Les Chœurs, pendant que sonne minuit à coups espacés :

Voilà minuit ! minuit qui sonne !
C'est le grand saut dans l'inconnu,
Mes amis, courte et bonne,
Nous avons bien vécu !

(Pendant le chœur, Follentin, affolé, s'épuise contre la porte en parvenant à intervalles à établir le dialogue suivant).

FOLLENTIN. – Oh ! mon Dieu ! mon Dieu !... et cette porte !... cette porte qui résiste !... au secours !... au secours !... mon Dieu !... cinq... six... sept ! et Gabriel !... Gabriel qui n'est pas là !... Plus que trois !... Ah ! sauvez-moi ! sauvez-moi !

BIENENCOURT, *paraissant en Idole du Vice.* – Trop tard !

Le dernier coup de minuit sonne, violente détonation, tout le monde s'effondre.

CHANGEMENT

ÉPILOGUE

Même décor qu'au prologue. Seule, la pendule n'est plus sur la cheminée. Au lever du rideau, orage, éclairs et tonnerre.

SCÈNE PREMIÈRE

FOLLENTIN dans son lit dant les rideaux sont fermés,
MADAME FOLLENTIN
et MARTHE, en toilette du matin

MARTHE. – Quel orage, Mon Dieu !

Coup de sonnette.

MADAME FOLLENTIN. – Tiens ! va voir ! on sonne ! (*Pendant que Marthe va ouvrir, montrant le lit.*) Et dire que voilà vingt-quatre heures qu'il dort comme ça !

Gabriel entre vivement, introduit par Marthe, trempé comme une soupe, un parapluie ruisselant.

MADAME FOLLENTIN ET MARTHE. – Oh ! vous !

GABRIEL. – Oui ! oui ! Follentin ! vite ! il faut que je le voie !

MADAME FOLLENTIN. – Vous n'y pensez pas, voyons ! Vous savez comme il vous a reçu hier !

GABRIEL. – Ah ! Je vous garantis bien que la nouvelle que j'apporte...

Coup de tonnerre extrêmement violent.

LES DEUX FEMMES. – Oh !

Elles se signent.

MADAME FOLLENTIN. – Il n'a pas dû tomber loin, celui-là.

VOIX DE FOLLENTIN, *dans le lit.*– Arrêtez l'horloge ! arrêtez l'horloge !

TOUS. – Il se réveille.

GABRIEL, *courant au lit dont il ouvre les rideaux.* – Monsieur Follentin.

FOLLENTIN. – Ah ! Gabriel, mon bon ange ! Sauvez-moi ! Sauvez-moi encore !

GABRIEL. – Qu'est-ce que vous avez ?

MADAME FOLLENTIN. – Adolphe !

MARTHE. – Papa !

MADAME FOLLENTIN. – Réveille-toi, tu as le cauchemar.

FOLLENTIN. – Non ! non ! enlevez la pendule ! enlevez la pendule !

GABRIEL. – C'est justement pour ça que je viens.

FOLLENTIN. – Qu'est ce que vous dites ?

GABRIEL. – La pendule ! la pendule de Barras ! Ça y est ! Je l'ai vendue !

FOLLENTIN, MARTHE ET MADAME FOLLENTIN. – C'est-il possible !

FOLLENTIN. – Hein ! mais je ne veux pas ! 25 000 ! pas un sou de moins.

GABRIEL. – J'ai mieux !

TOUS. – Hein ? Combien ?

GABRIEL. – Douze cent mille francs !

FOLLENTIN, *étouffant d'émotion.* – Douze ! Douze !

Il s'affale sur son oreiller.

GABRIEL. – Voici le chèque que je vous apporte.

MADAME FOLLENTIN. – Ah ! mon ami !

MARTHE. – Mon cher Gabriel !

FOLLENTIN. – Mais comment avez-vous fait ?

GABRIEL. – Oh ! c'est bien simple ! Une note dans les journaux annonçant que vous aviez refusé un million de votre pendule. Immédiatement j'ai trouvé un Américain qui m'en a offert douze cent mille.

FOLLENTIN. – Ah ! mon enfant ! mon gendre !

TOUS LES TROIS (*à part avec joie*). – Son gendre !

FOLLENTIN. – Ah ! je l'ai toujours beaucoup aimé, ce garçon-là !

On sonne. Marthe court ouvrir.

MADAME FOLLENTIN. – Qu'est-ce que c'est ?

MARTHE. – M. Ebrahim.

FOLLENTIN, *à Ebrahim qui paraît.* – Ah ! trop tard, monsieur Ebrahim, c'est vendu !

EBRAHIM. – Ah ! combien ?

FOLLENTIN. – Douze cent mille francs !

EBRAHIM. – Tartoufle[92] ! pourquoi ne me l'avez-vous pas dit ? Je vous l'aurais achetée !

MARTHE, *qui a été pour fermer la porte, trouve Bienencourt sur le seuil.* – Ah ! Monsieur Bienencourt !

FOLLENTIN. – Bienencourt !

BIENENCOURT. – Tiens ! mon ami, tu m'as traité d'usurpateur, voici ma lettre de démission !... Je te cède ma place.

FOLLENTIN. – Toi ! toi ! tu as fait ça ! Tiens ! voilà ce que j'en fais de ta lettre de démission. (*Il la déchire.*) Ah ! mes amis ! mes amis ! Je suis bien heureux. Quand je pense que je m'échinais à chercher le bonheur à travers les siècles !... Pendant que, ce temps-là, il m'attendait chez moi.

MADAME FOLLENTIN. – Oui, mon ami, le véritable bonheur, c'est celui qu'on se fait soi-même.

FOLLENTIN. – Tu as raison, Caroline. Il est entre nos mains, l'Age d'Or !

RIDEAU

LE BOURGEON

COMÉDIE EN TROIS ACTES
REPRÉSENTÉE POUR LA PREMIÈRE FOIS À PARIS,
AU THÉÂTRE
DU VAUDEVILLE,
le 1er mars 1906.

NOTICE

Durant l'été 1905, après la création de *L'Age d'or,* Feydeau, désirant donner une nouvelle pièce, s'était installé à Puys, près de Dieppe, dans l'ancienne villa de Dumas fils. Il y avait travaillé à une comédie en trois actes nommée *Le Va-tout,* qui ne vit jamais le jour, ainsi qu'à une autre œuvre, *Au nom de la loi !* – qui devait subir le même sort – « grande machine sérieuse, le type de la pièce que l'on écrit pour sa satisfaction et qui ne fait pas le sou [1]. » Ces projets n'ayant pas abouti, comment l'idée d'écrire *Le Bourgeon* vint-elle à Feydeau ? A l'époque, le bruit avait couru que c'était à la suite d'une discussion que l'auteur aurait eue avec Paul Hervieu sur les difficultés respectives des genres – passablement différents – qu'ils cultivaient tous deux : le vaudeville et la comédie sérieuse. Feydeau aurait parié qu'il lui serait aisé d'écrire une pièce « à la Paul Hervieu » et ce dernier, qu'il serait parfaitement capable de composer un vaudeville. Seul l'auteur de *La Dame de chez Maxim* aurait donné suite à ce pari. D'autre part nous savons que, souffrant d'être étiqueté comme un simple « amuseur », – quelle que fût la célébrité qu'il avait acquise à ce titre – il désirait changer son image de marque. D'ailleurs, au cours d'une interview qu'il devait donner sept ans plus tard, l'auteur déclarait : « Je venais de faire représenter toute une série de vaudevilles (...) lorsque j'eus l'idée d'écrire une comédie d'un genre différent. Un sujet qui, au premier abord, pouvait paraître scabreux, me vint un jour à l'esprit ; sans hésiter, je décidai de le traiter [2]. » Il est permis de penser que *Le*

1. Cité par J. Lorcey, op. cit. p. 183.
2. Cf. Bibl. de l'Arsenal, cp. de presse R.F. 58.663

Bourgeon, composé, pour l'essentiel, pendant l'été de 1905, fut achevé à la fin de la même année, ou au début de 1906. « C'est à Plombières, nous dit l'auteur, que je me mis à écrire le premier acte ; plus je travaillais, plus j'aimais cette pièce, et à Villennes, chez mon ami Pierre Decourcelle [1] je travaillai au second acte ; en rentrant à Paris, je finis ma comédie [2]. »

C'est le 1er mars 1906, au Vaudeville, alors dirigé par Porel, que la pièce fut représentée pour la première fois. Elle était précédée par *L'Indiscret,* comédie en un acte de Beauvallon. Le choix du théâtre du Vaudeville était significatif : en effet, malgré son nom, l'ancien sanctuaire du vaudeville était devenu une scène d'où l'on excluait souvent les œuvres légères pour donner surtout des pièces prétendant à une certaine dignité littéraire : comédies de mœurs ou drames.

La pièce obtint 92 représentations, ce qui était une assez belle réussite pour un auteur que la clientèle du Vaudeville semblait mal préparée à accueillir. Adolphe Brisson, le critique du *Temps* évoque « le vif succès » obtenu par Feydeau [3]. Félix Duquesnel déclare : « Le sujet, traité au comique, a plu tout particulièrement au public du Vaudeville, sevré depuis longtemps du rire, et auquel on a servi trop souvent le ragoût à la sauce noire [4] ». « Le succès a été éclatant, constate Catulle Mendès, et il faut en féliciter le Tout-Paris, si perspicace, si sensible, si prêt à toute émotion d'art [5]. »
L'interprétation avait certainement contribué au succès et l'on notait tout particulièrement le « glorieux triomphe » d'Anna Judic [6] dont le nom seul eût suffi à attirer tout Paris, et qui interprétait le rôle de Madame de Plounidec [7].

---

1. Pierre Decourcelle (1857-1926), auteur d'opérettes, de revues, de comédies et surtout de drames, dont le plus célèbre est intitulé *Les deux Gosses* (Ambigu, 1896).
2. Cf. supra, p. 353, note 2.
3. *Le Théâtre,* 2e série, p. 222.
4. Dans la revue *Le Théâtre,* mars 1906, II, p. 2.
5. *La Revue théâtrale,* mars 1906.
6. Judic, née en 1850, d'abord chanteuse, débuta au Gymnase puis devint une des plus brillantes actrices de Paris. Engagée aux variétés, elle y créa les rôles de Niniche et de Mademoiselle Nitouche.
7. Figure aussi dans la distribution le jeune Victor Boucher qui devait faire pendant l'entre-deux guerres une si brillante carrière (cf. son personnage d'ivrogne dans *Les Vignes du seigneur* de Flers et Croisset, en 1923).

La critique, pour sa part, était, en général, très favorable. Trois ans après sa création, Léon Blum se souvenait encore du *Bourgeon* comme d'une des pièces « les plus pénétrantes, les plus originales, les plus délicatement exécutées qu'il nous ait été donné d'applaudir depuis longtemps [1]. » Camille le Senne remarquait : « M. Georges Feydeau a risqué la grosse partie d'aborder un grand sujet, un sujet de comédie, sans renoncer entièrement à ses procédés de chatouilleur de rates bourgeoises [2]. » Catulle Mendès est dithyrambique : « Quoi ! tour à tour de la farce extrême, de la comédie de caractère, du drame passionné, religieux aussi, presque sacré ! Quoi ! La dame de chez Maxim toute proche de la Marie de Magdala ! Un coquebin qui ressemble, tantôt à un jeune sot, tantôt à un jeune prophète ! Le vaudeville évangélique sans cesser d'être gai ! L'évangile en belle humeur sans cesser d'être auguste ! Il y a une espèce de petit prodige en ceci [3]. » Seuls Adolphe Brisson et Émile Faguet détonnent, dans ce concert de louanges : Brisson discerne dans *Le Bourgeon* « un je ne sais quoi d'équivoque, d'artificiel, d'insincère. On en veut à l'auteur de ne pas avoir traité assez sérieusement un sujet très sérieux. La chasteté du prêtre, les tourments de la vocation, la lutte entre l'amour terrestre et la foi : ce sont matières graves et qui exigent une forte méditation [4]. » Et Faguet, tout en constatant le succès, déclare : « Cette pièce m'a mis en fureur le plus souvent et m'a calmé de temps en temps, surtout vers la fin, par une certaine bonne grâce et une certaine bonne humeur (...) C'est un signe des temps qu'une pièce qui, l'auteur le sait aussi bien que moi, n'aurait pas été sifflée d'un bout à l'autre il y a trente ans, parce qu'elle n'aurait pas été d'un bout à l'autre, obtienne un succès qui tient du triomphe. Ainsi va le monde [5]. »

Du vivant de l'auteur, la pièce a été reprise, en 1913, à l'Athénée et, cette fois encore, la majorité de la critique, d'Abel Hermant à Robert de Flers, en passant par Nozières, a estimé que l'auteur s'était fort habilement tiré d'un sujet singulièrement scabreux, et que *Le Bourgeon* était une de ses meilleures pièces. On note des reprises posthumes à Bruxelles

1. *Comoedia,* 29 octobre 1909.
2. *La Revue Théâtrale,* mars 1906, p. 1.
3. Cité par *La Revue Théâtrale,* ibid.
4. *Le Théâtre,* 2e série, p. 222.
5. Cité par *La Revue Théâtrale,* ibid.

en 1922 [1] et à Nice en 1929 [2]. Il ne semble guère y en avoir eu d'autres depuis lors. Ce qui était naguère un sujet scabreux a cessé de choquer. Les précautions prises par l'auteur paraissent superflues et il est bien difficile de nos jours d'admirer encore la « hardiesse » de Feydeau. La conversion d'Étiennette semble fort artificielle et son langage suranné. Seules sont encore susceptibles de nous intéresser, les scènes dans lesquelles Feydeau se souvient qu'il est un vaudevilliste. Mais elles ne sauraient, non plus que la très adroite construction de la pièce, nous permettre de placer *Le Bourgeon* parmi les réussites de l'auteur. Celui-ci, d'ailleurs, malgré les succès obtenus, a eu la sagesse de revenir les années suivantes – avec *La Puce à l'oreille* et *Occupe-toi d'Amélie* – à un genre plus conforme à son génie.

Le Bourgeon a été publié pour la première fois en 1907, par la Librairie Théâtrale, puis recueilli en 1956 dans le tome IX du *Théâtre complet* des éditions du Bélier.

---

1. Le 27 janvier 1922, aux Galeries Saint-Hubert.
2. Le 5 novembre 1929, au Casino municipal.

RÉSUMÉ DE LA PIÈCE

Acte I. – *Le grand salon du château de Plounidec. Maurice, le fils de la comtesse de Plounidec, élevé de façon particulièrement austère, se destine à la prêtrise. Partisan d'une éducation plus libérale, l'oncle de Maurice a, pour sa part, élevé tout différemment sa fille Huguette. Il a, par ailleurs, fait appel à un médecin de ses amis, le docteur Vétillé. Son neveu est en effet la victime d'étranges malaises.*

Sur ces entrefaites, se présente Étiennette de Marigny, une jeune cocotte accompagnée de l'un de ses amis, Guérassin. Elle voudrait louer à la comtesse un pavillon de chasse attenant au château. Mais madame de Plounidec s'y refuse lorsqu'elle apprend qui est véritablement Étiennette. Là-dessus le médecin diagnostique chez Maurice une neurasthénie due à l'excessive chasteté de son existence : il faut lui trouver de quoi satisfaire les légitimes exigences de la nature... L'oncle de Maurice et même l'abbé Bourset, un ami de la famille, partagent ce point de vue. L'intransigeance de la comtesse est ébranlée. Quant à Étiennette, sauvée de la noyade par Maurice, elle est tombée amoureuse de lui. Madame de Plounidec, avant tout soucieuse de la santé de son fils, accepte de louer son pavillon à la jeune femme...

Acte II. – *Chez Étiennette, à Paris, Étiennette soupe avec son amant, Musignol ; elle entend changer totalement d'existence. Elle aime Maurice... mais d'un amour parfaitement pur. Bientôt elle reçoit la visite de la comtesse qui, surmontant sa honte, vient lui demander un service très particulier : rendre la santé à son fils en devenant sa maîtresse. Étiennette, indignée, lui oppose un refus catégorique. De son côté, Musignol s'en prend à Maurice puis lui présente ses excuses lorsqu'il apprend à qui il a affaire. La jeune femme éclaire alors le séminariste sur ses véritables activités puis lui fait connaître la passion qu'elle lui voue. D'abord stupéfait, Maurice se jette finalement dans ses bras.*

Acte III. – Le jardin de l'abbé Bourset. Maurice a convoqué toute sa famille. Son devoir n'est-il pas de réparer sa faute en épousant celle qu'il aime ? Ce point de vue provoque l'indignation générale. On insulte Étiennette que Maurice n'avait d'ailleurs pas consultée. Restée seule avec le séminariste, la jeune femme l'amène à renoncer à elle. Mieux encore : elle lui conseille d'épouser sa cousine Huguette qui n'a cessé de l'aimer et avec laquelle il trouvera le bonheur. Maurice se laisse convaincre. Huguette est enchantée. Étiennette, seule, regagne Paris.

PERSONNAGES

HEURTELOUP	MM.	LERAND
MARQUIS DE LAROCHE-TOURMEL .		GASTON DUBOSC
MUSIGNOL		LOUIS GAUTHIER
MAURICE DE PLOUNIDEC		ANDRÉ BRULÉ
GUÉRASSIN		BARON FILS
L'ABBÉ BOURSET		JOFFRE
VÉTILLÉ, médecin principal .		VICTOR BOUCHER
LUC		VERTIN
JEAN-LOU		LUCIEN BRULÉ
ROGER		BAUD
PREMIER VALET DE PIED		X
DEUXIÈME VALET DE PIED		X
COMTESSE DE PLOUNIDEC	Mmes	ANNA JUDIC
ÉTIENNETTE		JEANNE ROLLY
EUGÉNIE HEURTELOUP . .		CÉCILE CARON
HUGUETTE		YVONNE DE BRAY
LA CLAUDIE		HARLAY
CLÉO		DE MORNAND
LA MARIOTTE		HENRIETTE ANDRAL
LA CHOUTE		CALVILL
PAULETTE		MARIETTE LELIÈRES

ACTE I

AU CHATEAU DE PLOUNIDEC, EN BRETAGNE

Le grand salon du château. – Au premier plan, à droite, une porte donnant sur une pièce du château. – Immédiatement près de la porte, un bouton de sonnerie électrique. – Au-dessus de la porte, au deuxième plan, adossé au mur, un meuble-secrétaire, avec une chaise devant. – A gauche, premier plan, une cheminée surmontée d'un portrait enchassé dans la boiserie. – Au deuxième plan, grand pan coupé au centre duquel s'ouvre une vaste baie donnant de plain-pied sur une terrasse avec vue sur la mer. – Au fond, à gauche, une grande porte vitrée à quatre vantaux donnant sur le hall du château. – A droite de cette porte, séparée par un pan de mur, une porte assez grande, mais à un seul vantail, donnant sur la chambre de Maurice. – Tout le fond du hall est vitré, permettant de voir le parc dont il est séparé par la balustrade du perron. Face à la porte vitrée du salon, porte vitrée au fond du hall permettant d'accéder dans le parc. – Dans le salon, près et à gauche de la cheminée, un petit fauteuil tourné presque dos au public. – Au-dessus, près et à droite de la cheminée, une chaise-longue en osier, avec des coussins. – Un peu au-dessus, à droite de la chaise-longue une grande table ronde sur laquelle sont des journaux, des jeux, des ouvrages de dames. – Au milieu, une vasque avec des fleurs. – Devant la table un tabouret carré pour s'asseoir. – A droite de la table, un fauteuil ; à gauche, entre la chaise-longue et la table, et un peu au-dessus, une chaise dite « fumeuse » [1] *avec accoudoir, le siège face au public. – A droite, presque au milieu de la scène, un petit meuble « tricoteuse*[2] *», avec, à sa gauche, un petit fauteuil ; à sa droite, une bergère. – Dans la tricoteuse, les trois journaux catholiques dont il sera question ; des pelotes de laine, un ouvrage au tricot. – Au fond, de chaque côté de la porte vitrée, adossée au mur, une chaise à haut dossier. – Lustre en cristal au plafond. – Sur la terrasse, un ou deux fauteuils d'osier ; un télescope sur son trépied. – La banne de la baie est à moitié descendue. – Dans le hall, à gauche, grande table d'antichambre recouverte d'un tapis. – Il fait grand soleil dehors. – Toutes les entrées des gens venant de l'intérieur du château se feront par la droite du hall. – Les entrées venant de l'extérieur se feront naturellement par la porte du fond du hall.*

NOTA – Toutes les indications sont prises de la gauche du spectateur placé censément au centre de la salle ; « un tel passe à droite ; un tel passe à gauche », signifiera donc qu'un tel sera à droite, qu'un tel sera à gauche du spectateur. Même l'expression « un tel est à gauche d'un tel » indiquera qu'un tel est à gauche de un tel par rapport à ce même spectateur, alors qu'en réalité et par rapport à lui il sera à sa droite. Cependant quand les indications, au lieu de : « à droite de... à gauche de... », porteront : « à *la* droite de... à *la* gauche de... », il est évident qu'il s'agira alors de la gauche et de la droite réelles du personnage désigné.

SCÈNE PREMIÈRE

LA COMTESSE, puis EUGÉNIE, puis LA CLAUDIE, puis LE MARQUIS.
Dans le hall, LUC, DEUX VALETS DE PIED.

Au lever du rideau, la scène est un instant vide. Dans le hall, on voit passer un valet en livrée qui vient vite dire deux mots à Luc, le maître d'hôtel et repart aussitôt. Au même instant, toujours dans le hall, paraît Eugénie Heurteloup portant un flacon de sels et une burette de vinaigre ; elle arrive d'un pas rapide, comme une personne pressée d'apporter une chose qu'on attend.

LA COMTESSE, *sortant à moitié de la chambre de droite, premier plan. – A Eugénie qui a déjà pénétré dans le salon.* – De l'éther !... vite, apporte de l'éther !

Elle rentre dans la chambre, dont la porte reste ouverte.

EUGÉNIE, *rebroussant chemin.* – Bon !... *(Se cognant presque dans la Claudie qui accourt, une boule d'eau chaude à la main.)* La Claudie !...

LA CLAUDIE. – Madame ?...

EUGÉNIE. – Vite ! dans la pharmacie de Madame... de l'éther !

LA CLAUDIE. – Oui, madame.

EUGÉNIE, *à la Claudie qui déjà rebroussait chemin.* – Allez, donnez-moi ça ! *(Elle prend la boule des mains de la Claudie.)* Courez !

LA CLAUDIE. – Oui, madame.

Elle sort en courant.

LE MARQUIS, *sortant de la chambre et appelant.* – Luc ! Luc ! *(Il appuie sur le bouton électrique qui est près de la porte ; voyant Eugénie qui se dirige vers la chambre.)* Ah ! c'est le vinaigre ?... entrez, on l'attend.

Eugénie entre dans la chambre. – A l'extérieur, pendant ces dernières répliques, on a vu un deuxième valet remonter du perron, tenant deux bouteilles enveloppées qu'il a remises à Luc. A ce moment, sur le coup de sonnette, Luc paraît.

LUC. – C'est monsieur le marquis qui a sonné ?

LE MARQUIS, *qui a traversé la scène avant l'entrée de Luc.* – Oui. Avez-vous fait le nécessaire pour qu'on aille chercher le docteur au train de dix heures quarante ?

LUC. – Oui, monsieur ! j'ai fait prévenir le cocher.

LE MARQUIS. – Bon. *(Indiquant les bouteilles.)* Qu'est-ce que c'est que ça !

LUC. – C'est l'alcool à frictions pour M. Maurice.

LE MARQUIS. – Ah ! bon ! Allez les porter !

LUC. – Oui, monsieur le marquis.

Il entre dans la pièce de droite.

LE MARQUIS, *comme un homme qui en a par-dessus la tête.* – Oh ! la-la ! la-la ! *(Il se laisse tomber sur le fauteuil à droite de la table et pousse un soupir d'épuisement.)* Ff-fue !

Après quoi, tranquillement, il tire de sa poche un exemplaire du « Rire [3] *» et se met à regarder les images.*

VOIX DE LUC. – C'est l'alcool à frictions, madame la comtesse.

VOIX DE LA COMTESSE. – Ah ! posez ça là.

VOIX DE LUC. – Oui, madame.

Luc ressort.

LE MARQUIS. – Dites donc, Luc ?

LUC. – Monsieur le marquis ?

LE MARQUIS. – C'est toujours comme ça ici ?

LUC. – Dame ! depuis quelque temps !... M. Maurice a, à propos de rien, des vapeurs : il s'en va et puis y revient... C'est l'âge qui veut ça !

LE MARQUIS. – C'est pas amusant, vous savez.

LUC. – Eh ! non, monsieur le marquis, mais... on ne le fait pas pour s'amuser.

LE MARQUIS, *hochant la tête.* – Évidemment !

LUC. – Oui, monsieur le marquis. *(Il remonte pendant que le marquis se replonge dans son journal. – Brusquement une réflexion lui traverse le cerveau, il redescend.)* Ah !

LE MARQUIS, *relevant la tête.* Quoi ?

LUC. – Ah ! Non, rien !... je vois que monsieur le marquis a de quoi lire !... c'est parce que les journaux sont arrivés ! *(Prenant les journaux en question dans la tricoteuse.)* Si monsieur le marquis désirait... il y a *la Croix du Finistère*, le *Réveil Catholique*, la *Renaissance de la Foi* [4].

LE MARQUIS, *sur un ton plaisant.* – Non, merci.. j'ai le *Rire*.

LUC. – Enfin, ils sont là !... si monsieur le marquis voulait se distraire...

LE MARQUIS. – C'est ça, Luc ! merci.

LUC. – Oui, monsieur le marquis.

Il sort.

VOIX DE LA COMTESSE. – Eh bien, mon enfant chéri, c'est moi, ta maman.

VOIX DE MAURICE. – Qu'est-ce qu'il y a eu donc ?

VOIX DE LA COMTESSE. – Rien, rien ! Ne parle pas ! Ne te fatigue pas.

LE MARQUIS, *se levant et à lui-même, tout en se dirigeant vers la porte qui est restée entr'ouverte.* – Ah ! ah ! Je vois qu'il y a du mieux.

En passant devant la tricoteuse, il se débarrasse de l'exemplaire du Rire *préalablement plié en deux dans le sens de la longueur, en le déposant sur le tas des autres journaux. – Au moment d'arriver à la porte de la chambre, il s'arrête en voyant paraître la comtesse.*

LA COMTESSE, pénétrant dans le salon, et parlant à son fils du pas de la porte, tandis que le marquis regagne un peu à gauche. – Là, tu vas être bien raisonnable et te reposer un peu. *(A Eugénie qui paraît à la porte.)* Va ! passe, toi ! *(Elle la fait passer devant elle ; puis à Maurice, toujours invisible au spectateur.)* Je ferme la porte pour que tu n'entendes pas de bruit.

Elle ferme la porte.

LE MARQUIS, *qui est arrivé au tabouret devant la table.* – Eh ! bien ? Ça va mieux ?

LA COMTESSE, *gagnant le fauteuil à droite de la table.* – Oui, pour le moment ; mais c'est égal, tout cela m'inquiète bien.

EEUGÉNIE, *allant s'asseoir sur la bergère.* – Heureusement encore que cette indisposition l'a pris à cette heure-ci : il a pu au moins assister à l'office.

LE MARQUIS, *assis sur le tabouret. – Ironique.* – Ah ! oui !... ça c'est de la veine !

LA COMTESSE. – Enfin, qu'est-ce qu'il peut avoir ? C'est un solide gaillard, cependant ! Pourquoi, depuis quelque temps, ces faiblesses à propos de rien ? Ces syncopes ? Et puis cette nervosité, cette tristesse que rien ne justifie ?

LE MARQUIS. – Eh ! tu ne veux pas le croire ! Je te dis

que cet enfant est trop confit en dévotion.

LA COMTESSE et EUGÉNIE, *se récriant.* – Oh !

LE MARQUIS. – Mais oui ! mais oui ! tout ça l'exalte, lui tape sur le système nerveux.

EUGÉNIE, *tout en tricotant.* – Non, tu entends ton frère ? Il voudrait faire croire que c'est le zèle religieux de Maurice qui est cause...

LA COMTESSE, *faisant du crochet.* – Quelle hérésie !

LE MARQUIS. – Je dis... je dis qu'à un âge où un jeune homme a besoin de développer son corps par l'hygiène, par l'exercice, par la gymnastique et par... tout ce que vous voudrez, ça n'est vraiment pas le moment pour lui de s'étioler dans les méditations, les claustrations, les mortifications et autres choses déprimantes en « tion ». Ah ! la ! la ! lorsque j'avais son âge, moi, je ne pensais pas à toutes ces choses-là !... Quand je voyais une jolie fille !...

Il esquisse un geste significatif.

LA COMTESSE, *le rappelant à l'ordre.* – Onfroy !

LE MARQUIS. – C'est possible ! Mais au moins je me portais bien.

Il se lève et va à la cheminée.

EUGÉNIE. – Ah ! tiens ! laisse cet hérétique de côté, ma chère ; et pour ce qui est de ton fils, tranquillise-toi : j'ai brûlé ce matin à son intention un cierge sur l'autel de Saint Antoine de Padoue, ainsi !...

LA COMTESSE, *touchée.* – Oui ?

LE MARQUIS, *gagnant un peu vers elles.* – Quoi ? quoi, « Saint Antoine de Padoue » ? C'est pas sa partie, ça : il est pour les objets perdus.

EUGÉNIE. – Eh bien ?

LE MARQUIS. – Eh bien ! Maurice n'a rien perdu que je sache... *(Entre chair et cuir.)* si même on devait lui reprocher quelque chose...

Il remonte par la gauche de la table à hauteur de la baie.

EUGÉNIE. – Rien perdu ! et sa santé ?

LE MARQUIS, *ironique.* – Ah ! pardon ! C'est juste ! Saint Antoine la lui retrouvera.

EUGÉNIE, *de toute sa foi.* – Absolument.

LE MARQUIS. – Oui ! eh ! bien, si vous voulez bien, en attendant, moi, je vais vous amener un ami, qui, sans contrarier en rien l'action de Saint Antoine de Padoue, s'efforcera de concourir parallèlement au rétablissement de notre cher Maurice : c'est le docteur Vétillé, médecin principal dans l'armée, actuellement à Concarneau. J'ai reçu une dépêche il y a une heure m'annonçant son arrivée par le train de dix heures quarante.

LA COMTESSE, *vivement.* – Vraiment ? *(Se levant.)* Oh ! Mais as-tu dit qu'on envoie une voiture le prendre à la gare ?

LE MARQUIS, *avec une courbette gamine.* – Je me suis permis !... et il sera ici dans une demi-heure.

LA COMTESSE, *touchée.* – C'est gentil, Onfroy, ce que tu as fait là.

Pendant ce qui suit, la comtesse va par le fond, jusqu'à la porte de droite qu'elle ouvre doucement pour voir ce que fait son fils.

EUGÉNIE. – Évidemment, comme frère, vous valez mieux que comme chrétien.

LE MARQUIS. – N'est-ce pas ? Pour un démon, je ne suis pas un trop mauvais diable.

Il s'assied dos au public sur le tabouret, devant la table, et crayonne pour passer le temps, sur des papiers qu'il trouve devant lui.

LA COMTESSE, *refermant la porte sans bruit.* – Il dort !

LE MARQUIS, *tout en crayonnant.* – Ah ! bien, c'est bon ça !

SCÈNE II

LES MÊMES, LA CLAUDIE

La Claudie paraît, l'air dépité, un litre à la main.

LA CLAUDIE (2). – Madame la comtesse...

LA COMTESSE (2), *au-dessus et à gauche de la bergère dans laquelle est assise Eugénie.* – Te voilà, toi ! D'où arrives-tu ?

LA CLAUDIE. – Je ne trouve pas l'éther.

LA COMTESSE, *railleuse.* – Allons donc ? Il est bien temps !

LA CLAUDIE. – J'ai bien trouvé cette bouteille.

LA COMTESSE. – Qu'est-ce que c'est ?

LA CLAUDIE. – Je ne sais pas ! Ça ne peut pas remplacer !

LA COMTESSE, *lisant l'étiquette de la bouteille.* – Du sirop antiscorbutique. Ah, çà ! tu es folle ? Non, non, ça ne peut pas remplacer.

Elle passe au 2.

LA CLAUDIE. C'est tout de même du médicament.

LA COMTESSE, *s'asseyant et reprenant son crochet.* – Ah ! tu es bien restée paysanne ! Allons, va-t'en !

LA CLAUDIE, *elle remonte.* – Oui, madame la comtesse.

LA COMTESSE. – Ah ! *(La Claudie se sentant rappelée, s'arrête aussitôt.)* Et puis je voulais t'avertir : demain tu entreras à mon orphelinat de Kenogan.

LA CLAUDIE, *descendant d'un pas vers la comtesse.* – Moi ?

LA COMTESSE. – Oui, toi !... tu seras attachée à la lingerie.

LA CLAUDIE, *navrée.* – Oh !... madame me renvoie ?

LA COMTESSE. – Je ne te renvoie pas ! je te change d'emploi, voilà tout.

LA CLAUDIE, *les larmes dans les yeux.* – Oh ! mais pourquoi ?

LA COMTESSE, *avec un peu d'impatience.* – Ah !... Parce que j'en ai décidé ainsi ; je n'ai pas d'explication à te donner.

LA CLAUDIE, *pleurant presque.* – Oh ! je vois bien que madame la comtesse ne m'a pas encore pardonné le bal forain du 15 août.

LA COMTESSE. – Eh ! il ne s'agit pas de ça !

LA CLAUDIE. – Oh ! si ; tout ça, parce qu'on a dit à madame que j'avais dansé avec un cuirassier... qui était dans les dragons.

EUGÉNIE, *scandalisée.* – Vous avez dansé avec un dragon !

LA CLAUDIE. – Qui était dans les cuirassiers ! Oui, madame ! pour ça !

EUGÉNIE, *scandalisée.* – Oh !... un dragon !... et à cheval ! oh !

LE MARQUIS, *toujours dessinant.* – Bah ! tant qu'il ne l'a pas dragonnée.

LA COMTESSE, *sévérement, au marquis.* – Je t'en prie, toi, ne te mêle pas !... *(A la Claudie.)* Je te répète, mon enfant, qu'il n'y a pas l'ombre de disgrâce dans la mesure que je prends. Mais je ne dois pas oublier que j'ai charge d'âmes ! tu es orpheline ; c'est moi qui t'ai élevée ; j'ai donc pour devoir de veiller sur toi. Or, ce penchant que tu sembles manifester pour le plaisir m'est un avertissement ; tu arrives à un âge où la vie est pleine d'embûches pour une jeune fille ; et si elle n'a pas en elle une rigidité de principes suffisante pour y parer, elle y tombe fatalement un jour ou l'autre. Eh ! bien, je ne l'entends pas ainsi ; et pour commencer, il est urgent que je te retire à la promiscuité de l'office. Tu me comprends, n'est-ce pas ?

La Claudie qui écoute tout ce discours avec de grands yeux ahuris, fait un signe affirmatif de la tête que dément l'expression de sa physionomie.

LE MARQUIS, *levant les bras au plafond.* – Mais pas un mot ! Tu lui parles chinois !

LA COMTESSE. – N'importe ! Qu'il lui suffise de savoir qu'où je l'envoie, elle sera parfaitement heureuse..., dans une atmosphère d'honnêteté, de sainteté, à l'abri du mal et de la tentation, au milieu de bonnes sœurs...

LE MARQUIS, *avec une envolée de la main au-dessus de sa tête.* – Ohé ! Ohé !

LA COMTESSE. – Et elle y restera jusqu'à son mariage, où de ce fait ma responsabilité se trouvera dégagée.

EUGÉNIE. – Vous voyez, mon enfant, que c'est au contraire de la reconnaissance que vous devez à madame la comtesse pour la sollicitude qu'elle a pour vous.

La Claudie approuve de la tête, sans conviction.

LE MARQUIS, *à part, tout en se levant.* – Tu parles !

Il gagne la cheminée.

EUGÉNIE. – Remerciez donc votre maîtresse. !

LA CLAUDIE, *sans conviction.* – Merci, madame.

EUGÉNIE. – A la bonne heure.

LA COMTESSE. – J'ajoute que s'il te plaît de te marier tout de suite, il y a Jeannick qui ne demande qu'à t'épouser ; c'est un honnête homme, un bon cocher, et un excellent chrétien* : j'approuverai cette union.

LA CLAUDIE, *de toute l'impulsion de son cœur.* – Mais... il est vieux !

LA COMTESSE. – Vieux !

EUGÉNIE. – Ah, ça ! ma pauvre enfant ! Que demandez-vous donc au mariage ?

---

* Donner exactement la même valeur à ces trois qualités en les énumérant.

LA CLAUDIE, *bien naïvement.* – Mais... un jeune !

LA COMTESSE. – Voilà !... Voilà ce penchant pour les futilités que je redoute.

LA CLAUDIE. – Ben, tiens !

LA COMTESSE. – C'est bien, ma fille ! ne perdons pas de temps à discuter ; tu peux te retirer ; je n'ai plus besoin de toi.

La Claudie sort avec humeur.

SCÈNE III

LES MÊMES, moins LA CLAUDIE, puis HUGUETTE

LA COMTESSE. – Non ! vous l'avez entendue ? Cette paysanne ! Il lui faut un jeune.

EUGÉNIE. – C'est extraordinaire !

LE MARQUIS, *appuyant ironiquement sur le mot.* – Extraordinaire !

Il remonte à gauche de la table.

LA COMTESSE. – Enfin, qu'est-ce que tu en dis ?

LE MAQUIS, *paillard.* – Ce que j'en dis ?... hé !... je dis que c'est un beau brin de fille.

LA COMTESSE. – Oui ! Eh bien, justement c'est une des raisons pour lesquelles je l'éloigne. Je trouve qu'il n'est pas convenable que dans une maison où il y a un jeune homme de vingt ans, on ait des tendrons à son service.

LE MARQUIS, *ironique.* – Tu as peur que ton fils la détourne ?

LA COMTESSE. – Oh ! Dieu non !... Mais si bien armé que ce soit un être contre le démon, qui peut répondre que dans une heure de défaillance ?... Exposer une enfant à un contact journalier !...

EUGÉNIE, *sur un ton péremptoire.* – C'est très juste.

Le marquis hausse les épaules et gagne le fond.

LA COMTESSE. – Sans compter que j'ai remarqué que la petite tournait beaucoup trop autour de Maurice. Elle mettait une complaisance a être toujours fourrée dans sa chambre !... et l'enfant, lui, ça l'énerve.

LE MARQUIS, *redescendant entre elles deux.* – Mais ce qui l'énerve, c'est le combat entre sa chair qu'il n'entend pas et ses convictions qui l'assourdissent. S'il voulait seulement écouter un peu sa chair et s'il faisait comme elle lui dit, ah ! bien !... je te promets que ça ne l'énerverait pas longtemps.

EUGÉNIE. – Quelle horreur !

LA COMTESSE. – Tu as une de ces moralités !...

EUGÉNIE. – C'est dégoûtant.

LA COMTESSE. – J'élève mon fils comme je l'entends, libre à toi d'élever ta fille comme il te plaît... du moment que tu es satisfait de l'éducation que tu lui donnes !...

LE MARQUIS. – Tu la trouves mal élevée ?

LA COMTESSE. – Je ne la trouve pas élevée du tout. Tu en as fait une espèce de sauvageon, de garçon manqué, toujours par monts et par vaux, tantôt à cheval, tantôt à bicyclette.

EUGÉNIE, *avec dégoût*. – Des choses qui s'enfourchent.

LE MARQUIS. – Eh ? ben ?

EUGÉNIE. – Ça donne des idées.

LE MARQUIS. – Pas à elle.

LA COMTESSE. – Une enfant qui entend la messe tous les trente-six du mois ! – Elle devait nous rejoindre à l'église ce matin ; tu crois qu'elle est venue ? Ah ! bien oui ! – Une enfant qui n'a reçu aucune direction religieuse, qui a fait tout juste sa première communion... pour ne pas se faire remarquer, mais à part ça !... Mon pauvre Maurice a essayé plusieurs fois, lui, de la moraliser, de lui faire entrevoir les beautés de la doctrine chrétienne. Ah ! elle l'a bien reçu !... C'est tout juste si elle a été polie.

LE MARQUIS. – Si elle n'a pas été polie, elle a eu tort ; mais Maurice aurait peut-être mieux fait de garder pour lui ses tentatives de prosélytisme. Je ne tiens pas à faire de ma fille une dévote. Elle aura de la religion ce qu'il en faut... pour une femme du monde ; en tous cas ce sera une honnête femme, au tempérament solide, au caractère droit, avec tout ce qu'il faut pour rendre son mari heureux ; c'est tout ce que je lui demande. Je ne sais pas qui elle épousera, mais certainement ce ne sera pas le Christ ! Nous ne sommes pas ambitieux.

En ce disant il passe devant la comtesse et va vers la cheminée.

HUGUETTE, *qui est entrée sans bruit pendant que son père parlait et a entendu ces derniers propos*. – Bravo, papa !

Elle va déposer sur la tricoteuse son chapeau

qu'elle tenait à la main en entrant. – Elle a une très élégante toilette, mais toute déchirée, couverte de boue et trempée d'eau, surtout aux genoux.

LE MARQUIS, *se retournant à la voix de sa fille.* – Toi !

LA COMTESSE, *voyant l'état de la robe d'Huguette.* – D'où viens-tu, malheureuse enfant ? Dans quel état !

HUGUETTE, *indiquant à mesure les parties de sa toilette dont elle parle.* – Ah ! ça, ma tante, la déchirure : c'est les ronces ! le mouillé : c'est de l'eau !

LA COMTESSE. – Oh !

LE MARQUIS. – Eh bien ! tu t'es bien arrangée !

EUGÉNIE, *sur un ton de blâme dédaigneux.* – Une toilette neuve !

HUGUETTE, *elle passe devant la Comtesse et va vers son père pour l'embrasser.* – Oui ! c'est embêtant.

LA COMTESSE, *corrigeant.* – C'est ennuyeux, tu veux dire.

HUGUETTE, *dans les bras de son père et par-dessus l'épaule.* – Non ! C'est pas assez !

LE MARQUIS. – Elle a raison : « embêtant », c'est encore faible.

Il embrasse sa fille.

LA COMTESSE, *s'inclinant ironiquement.* – Ah ? bien, bien !... *(Changeant de ton.)* Mais avec tout ça, je croyais que tu devais venir nous rejoindre à la messe ?

HUGUETTE, *allant vers la comtesse.* – Mais oui, ma tante. *(Montrant sa robe.)* Vous voyez : j'était prête ; j'avais même fait toilette. *(S'asseyant sur le bord de la table, près de la Comtesse.)* Seulement, voilà, au moment de partir, dans la cour des écuries, j'ai vu le nouveau cheval arrivé hier ! Vous ne pensez pas vous en servir, ma tante ? il est vicieux ! Les hommes n'en venaient pas à bout ! *(Redescendant un peu.)* Voilà t'il pas que tout à coup, la bête fait un tête-à-queue, et v'lan ! son cavalier par terre ! Alors, je ne sais pas ce qui m'a pris, une sorte de vertige, d'envie irrésistible !... avant même qu'on ait eu le temps de faire « ouf », une, deux ! mon paroissien était dans les mains du palefrenier et j'avais, moi, enfourché le cheval !

En ce disant, elle a rassemblé ses jupes et s'est mise à cheval sur l'extrémité du tabouret qui est devant la table.

EUGÉNIE, *avec un sursaut scandalisé.* – Enfourché !

HUGUETTE, *bien naturellement.* – Il était sellé pour homme !

EUGÉNIE, *les yeux au ciel.* – Enfourché ! Et en grande toilette !

HUGUETTE. – Ça prouve qu'il n'y avait pas préméditation ! *(Reprendant son récit.)* Et alors *(Imitant le galop sur son tabouret.)* ç'a été une galopade à travers champs ! tantôt je conduisais le cheval ; tantôt... *(Moins fièrement)* il me conduisait ; et on dévorait l'espace, c'était amusant ! Mais c'est égal, il ne m'a pas désarçonnée... Alors, je me suis dit, je vais un peu lui faire faire du kilomètre sur la plage, *(Imitant de nouveau le galop, les mains tenant des rênes imaginaires.)* et patatam ! patapam ! nous voilà sur le sable ; on allait un train ! Quand tout à coup, *(Se levant et gagnant la baie a la gauche de la table.)* là, de l'autre côté de la pointe, où vous voyez la cabine du douanier, j'aperçois un rassemblement ; *(Au-dessus de la table, s'adressant à son père.)* tu connais ma curiosité ; je ne suis pas femme pour rien ! Je cingle mon cheval, un temps de galop et j'y suis. *(S'appuyant des deux poings sur la table.)* Qu'est-ce que je trouve ? Un groupe de marins qui entourait un pauvre petit jeune homme qui avait été entraîné par notre maudit raz de marée et qu'on venait de repêcher sans connaissance.

LA COMTESSE et EUGÉNIE. – Quelle horreur !

HUGUETTE, *à son père, en descendant vers lui par la gauche de la table.* – C'est intéressant, n'est-ce pas ? Était-il vivant ? Était-il mort ? On ne savait pas. Les pêcheurs discutaient gravement ! *(Allant vers la Comtesse.)* On parlait déjà de le pendre par les pieds... pour lui faire rendre son eau.

LE MARQUIS, *à la cheminée.* – Les crétins ! Sainte routine !

HUGUETTE. – Je me dis : ma bonne Huguette, si tu n'interviens pas, on va faire des boulettes. *(Se tournant vers son père et gaîment.)* Tiens ! c'est des vers ! Je ne l'ai pas fait exprès ! Alors, ma foi, je ne fais ni une ni deux, je saute à bas de ma bête et je viens mêler ma voix au chapitre. Naturellement, aucun médecin ! *(Un genou sur le tabouret.)* Par bonheur, j'avais déjà vu un cas pareil, une année à Biarritz ; je me suis rappelée comment avaient fait les hommes de l'art et, ma foi, je me suis mise à faire mon petit docteur. *(A son père.)*

Exercice illégal, oui, monsieur ! J'ai écarté le groupe et j'ai pris le commandement ; j'ai commencé par faire enlever le costume de bain du petit bonhomme.

EUGÉNIE. – Comment, « enlever » ? Mais alors... il était tout nu ?

HUGUETTE. – Naturellement.

EUGÉNIE, *scandalisée.* – Devant toi ! Oh !... Ça ne te faisait rien ?

HUGUETTE, *bien simplement.* – Non !

EUGÉNIE. – Oh !

LE MARQUIS, *de la cheminée.* – Mais c'est si ça lui avait fait quelque chose que c'eût été répréhensible. Je vous en prie. Eugénie, ne montez donc pas la tête à ma fille, n'est-ce pas ?

Il remonte par la gauche de la table.

EUGÉNIE. – Moi ? C'est moi qui... ? Oh !

HUGUETTE. – Une fois le petit en tenue, allez-y ! Je me dis : adieu, ma belle toilette ! D'ailleurs, il n'y avait pas gand mal, elle avait déjà eu affaire aux ronces. Je me plante par terre, les deux genoux dans la vase, à cheval sur le petit.

EUGÉNIE. – A cheval ! Encore !

LA COMTESSE. – En amazone, au moins ?

LE MARQUIS, *derrière le fauteuil de la comtesse. – Avec un sourire d'affectueuse commisération.* – En amazone !

HUGUETTE. – Oh ! Vous me voyez faisant de la respiration artificielle en amazone ! *(Passant devant la comtesse pour gagner le milieu de la scène.)* Mais non, ma tante ! là, corps à corps, face à lui, comme pour lutter... et c'était une lutte, en effet, contre la mort, là, qui guettait ! Aussi, à nous deux ! Je charge un marinier de la manœuvre des bras, tandis que moi, je m'occupais à rétablir les fonctions respiratoires par des pressions régulières au bas du sternum ; pendant ce temps-là, les autres me cherchaient des serviettes chaudes, des briques chaudes, des fers chauds, tout ce qu'on pouvait imaginer de chaud pour ramener la circulation !... Et nous avons respiré artificiellement comme ça pendant une heure et quart ! Ah ! je n'en pouvais plus ! Voilà que tout à coup nous avons vu la poitrine se soulever faiblement. Oh ! quelle émotion ! Nous n'en croyions pas nos yeux. Nous étions haletants ! Puis, soudain, un paquet d'eau de mer rejeté ! et un cri : un cri rauque, terrible, déchirant ! un cri qu'on n'oublie pas ! Ah ! ce cri, il m'a résonné jusqu'au cœur... Quelle joie ! C'était la résurrection ! Je vainquais la mort ! Je refaisais une vie ! Ah ! papa ! papa ! il me semblait que je faisais un enfant !

Elle se jette radieuse dans les bras de son père.

LA COMTESSE et EUGÉNIE, *choquées.* – Oh !

La comtesse, en poussant ce « oh », s'est levée et reste ainsi légèrement dos au public devant son fauteuil.

LE MARQUIS*. – Ma chère petite Huguette, je suis fière de toi.

HUGUETTE. – N'est-ce pas que j'ai été chic ?... *(Descendant légèrement vers Eugénie.)* Ah ! par exemple, ma messe était dans l'eau... comme ma robe ! *(A son père qui est descendu à sa suite.)* Mais bah ! je me disais : le bon Dieu, il est éternel, il peut attendre, tandis que mon moribond, lui, il ne peut pas... et ma foi, si j'ai fait tort au bon Dieu de sa messe, je suis sûre qu'il ne m'en voudra pas.

EUGÉNIE, *pincée.* – C'est commode !

LA COMTESSE. – Évidemment, ce que tu as fait est louable... quoique bien inconvenant pour une jeune fille.

LE MARQUIS, *s'interposant.* – Permets !

LA COMTESSE, *sur un ton péremptoire au Marquis.* – Quoique bien inconvenant ! *(A Huguette.)* Je veux bien que cela t'absolve, mais cela ne t'excuse pas d'avoir manqué à l'office.

Elle gagne par le fond jusqu'à la tricoteuse où elle dépose son ouvrage.

HUGUETTE. – En tout cas, je n'ai pas de regrets.

EUGÉNIE, *se levant.* – C'est un tort, car rien n'excuse de manquer à la messe ! J'ai un mari, moi ; c'est un homme...

LE MARQUIS, *passant devant Huguette pour s'approcher d'Eugénie et sur un ton ironique.* – Allons donc ?

EUGÉNIE, *hausse les épaules avec dédain, puis continue.* – Eh ! bien, il se ferait plutôt hacher que de ne pas accomplir ses devoirs religieux. Tous les jours, il va jusqu'à Concarneau[5] pour assister à l'office. Vingt-deux kilomètres à bicyclette ! dix pour aller, douze pour revenir.

---

* La Comtesse 1, le Marquis 2, Huguette 3, Eugénie 4.

LE MARQUIS. – Tiens ! Pourquoi deux de plus pour revenir ?

EUGÉNIE, *avec un haussement d'épaules de pitié.* – Parce que ça monte.

LE MARQUIS, *s'inclinant.* – Ah ! je n'y avais pas pensé.

Il gagne vers la cheminée. Huguette remonte au fond.

SCÈNE IV

LES MÊMES, MAURICE

La porte de Maurice s'ouvre à ce moment et l'on voit paraître le jeune homme, les yeux encore lourds de sommeil, les cheveux décoiffés par le contact de l'oreiller. Il est revêtu d'un pyjama de molleton violet foncé qui laisse apercevoir sa chemise de nuit ; aux pieds, des pantouffles. Sur le pas de la porte,il s'arrête et s'étire discrètement.

TOUS, *à son entrée, lui faisant accueil.* – Ah !

LA COMTESSE, *qui depuis la fin de la scène est debout derrière la bergère de droite, accourant vers son fils.* – Oh ! Tu t'es levé !

MAURICE, *gagnant la gauche, accompagné par sa mère qui le couve. – Gaîment et gentiment.* – Oui, maman, ça va mieux ! Ce peu de repos m'a fait du bien.

EUGÉNIE, *empressée.* – Tu ne veux pas t'asseoir ?

MAURICE, *avec insouciance.* – Oh !

LA COMTESSE. – Si, si. *(Au marquis.)* Onfroy ! le rocking ! le rocking !

LE MARQUIS, *tirant le rocking à lui, de façon à amener le pied de ce meuble entre le fauteuil gauche de la cheminée et le tabouret.* – Voilà ! voilà !

MAURICE. – Oh ! mon oncle, je vous en prie !

LE MARQUIS. – Laisse donc ! laisse donc ! Tiens, étends-toi.

MAURICE. – Oh ! Je suis confus !

Il s'assied sur le rocking.

LA COMTESSE, *le calant avec des coussins.* – Et tiens ! sous ta tête ! sous tes reins !

MAURICE, *gentiment.* – Mais, maman, je vous assure !

Vous allez me faire prendre pour plus malade que je ne suis.

Il s'étend.

LA COMTESSE, *s'asseyant sur le tabouret près de son fils.* – Alons, allons, veux-tu te laisser soigner !

Le marquis s'assied sur le fauteuil près de la cheminée, Eugénie est debout devant le fauteuil, à droite de la table.

MAURICE. – Et puis il va être l'heure de mon bain de mer.

LA COMTESSE. – Tu vas prendre un bain après avoir été souffrant ?

MAURICE. – Mais je crois bien, maman. Cela me fait tant de bien ! Qu'est-ce que j'ai ? De la faiblesse. Eh ! bien, rien ne me remonte comme cela ! Regardez, hier je n'ai pas pris de bain à cause du temps et aujourd'hui le ressort m'a manqué.

LA COMTESSE. – En tout cas, tout à l'heure, doit venir un médecin que ton oncle a eu la gentillesse de mander ; je te prie d'attendre qu'il t'ait vu avant de te baigner.

MAURICE, *soumis et indifférent.* – Bien, maman. *(Avec intérêt.)* Monsieur le curé n'est pas venu ?

LA COMTESSE. – Il a fait dire qu'il passerait te voir dans la matinée. Il ne tardera pas.

MAURICE. – Oh ! oui ; sa visite me fera du bien. J'ai tant, tant à lui dire !

LA COMTESSE. – Eh ! mon Dieu, toi !...

LE MARQUIS. – Ah ! bien !... qu'est-ce que je dirais, moi !

LA COMTESSE. – Toi, mon pauvre enfant !

MAURICE. – Oh ! maman, on a beau faire !... on est des pécheurs tout de même.

EUGÉNIE, *avec un soupir profond.* – Hélas !

Elle gagne la droite et va s'asseoir dans la bergère.

LE MARQUIS, *avec le même soupir, mais ironique.* – Eh ! oui !

MAURICE, *apercevant Huguette, qui, un peu au-dessus de la table, avait été masquée jusque-là à son cousin par la présence d'Eugénie.* – Ah ! Huguette. Je ne te voyais pas. *(Huguette descend entre le fauteuil de la table et la table.)* Eh ! qu'est-ce qui t'est arrivé ?

EUGÉNIE, *tricotant.* – Ah ! oui, gronde-la ! Elle a encore fait de ses folies.

MAURICE, *sur un ton de reproche affectueux.* – Oh !

HUGUETTE, *à Eugénie.* – Oh ! Vous n'avez pas besoin d'inciter Maurice à me gronder ; il est déjà assez porté à voir tous mes défauts !

MAURICE, *avec douceur.* – Tu m'en veux encore de ce que, hier, je me suis cru autorisé par l'affection que je te porte...

HUGUETTE, *sur un ton où perce un peu de dépit.* – Mais pas du tout !... seulement je sens que je suis tellement indigne !...

MAURICE. – Comme tu me parles durement ! Jadis nous étions si bons camarades !

HUGUETTE, *même ton.* – C'est que, jadis, tu étais un garçon comme tout le monde. Maintenant tu es un saint !

MAURICE, *se défendant en souriant.* – Oh !

HUGUETTE. – Mais si ! Tout le monde est d'accord là-dessus. Eh ! bien, moi, je ne suis pas une sainte ; alors, n'est-ce pas, je sens tellement la distance !...

Maurice pousse un soupir.

LA COMTESSE, *sur un ton de reproche.* – Huguette ! mon enfant !

LE MARQUIS, *se levant et affectueusement grogneur.* – Voyons, Huguette !

HUGUETTE, *allant à la tricoteuse prendre son chapeau.* – Qu'est-ce que vous voulez, ma tante ? On est ce qu'on est ! Je ne peux pas me refaire. *(Brisant la discussion.)* Allons, je vais me changer ! Comme cela on ne verra plus les traces de mes folies ! A tout à l'heure.

LE MARQUIS, *avec un geste amical de la main.* – A tout à l'heure.

Il remonte par la gauche de la table.

HUGUETTE, *sort dans le hall ; à peine sortie, elle repasse la tête.* – Tenez ! voici mon cousin Hector qui rentre ! Je vous le passe !

Elle disparaît à droite. Pendant les répliques suivantes on voit Heurteloup arriver dans le hall.

LE MARQUIS, *au-dessus et à droite de la table.* – Elle est drôle, cette petite !

LA COMTESSE, *avec une moue.* – Tu trouves !

SCÈNE V

LES MÊMES, HEURTELOUP

Il est en veston d'alpaga noir, pantalon noir ; petite cravate noire de la largeur d'une ficelle autour du cou et dont le nœud a tourné sur le côté ; aux pieds, de grosses bottines noires. Des pinces serrent son pantalon autour de sa cheville ; il a un feutre mou sur la tête.

HEURTELOUP, *retirant son feutre et s'épongeant le front.* – Oh ! mes enfants, quelle chaleur dehors !...

Il va à la comtesse.

LA COMTESSE, *à qui Heurteloup baise la main.* – Aussi, mon cher Hector, faire de la bicyclette par une température pareille !...

HEURTELOUP, *allant embrasser sa femme.* – C'est vrai !

EUGÉNIE. – Oh ! regarde un peu, tu es en transpiration.

HEURTELOUP, *allant serrer la main du marquis toujours à la même place.* – C'est cette montée en plein soleil. (*Redescendant.*) Ah ! je vous annonce la visite de Monsieur le curé ; je viens de le brûler sur la route ; il se dirigeait de ce côté.

MAURICE, *avec joie.* – Ah ?

HEURTELOUP. – Au moment où je l'ai croisé, il m'a crié : « A tout à l'heure, je vous rejoins. » (*On entend très au lointain deux coups de timbre bien distincts.*) Et tenez, il franchit la grille du parc ! On vient de timbrer deux fois.

LA COMTESSE. – En effet.

Elle se lève et remonte. Pendant ce qui suit, on voit Luc arriver de droite par le hall, et aller ouvrir la porte donnant sur le perron pour recevoir le curé à son arrivée.

HEURTELOUP, *allant par devant, serrer la main à Maurice.* – Bonjour, Maurice. Eh ! quoi ? Pas encore habillé.

MAURICE. – J'ai été un peu indisposé tout à l'heure.

HEURTELOUP. – Allons, bon, encore !

MAURICE. – Oui, mais c'est fini à présent. Et... il y avait beaucoup de monde à l'église ?

HEURTELOUP. – A Concarneau ! Ah ! plein ! tu penses : un sermon du Père Euchariste ! Vraiment il est admirable !

MAURICE. – Ah ! oui.

HEURTELOUP. – Quelle fougue ! Quelle force de persuasion ! quelle éloquence ! Ah ! l'animal.

EUGÉNIE, *sévèrement*. – Hector !

HEURTELOUP, *allant à Eugénie*. – Pardon : lapsus ! (*Corrigeant*.) Quel orateur !

EUGÉNIE. – A la bonne heure !... (*Remarquant sa cravate toute de travers*.) Oh ! comme ta cravate est mise !

HEURTELOUP, *pendant que sa femme lui arrange sa cravate*. – Oh ! qu'est-ce que ça fait ? Tu penses bien que je vais me changer... et puis, si tu crois que je m'occupe de ces colifichets !

EUGÉNIE, *lui refaisant son nœud*. – Ah ! tu n'es pas coquet ! (*Le nœud fait*.) Là, au moins !...

HEURTELOUP. – Tu es contente, hein ? Quand tu peux me donner l'air d'un gandin.

LE MARQUIS, *sur le ton le plus sérieux*. – Le fait est qu'on pourrait s'y tromper.

HEURTELOUP. – Oui ? Eh bien ! vous êtes témoin que c'est le fait de ma femme.

Il gagne l'extrême droite. A ce moment on aperçoit l'abbé dans le hall, introduit par Luc. La comtesse va au-devant de lui.

SCÈNE VI

LES MÊMES, L'ABBÉ BOURSET*

LA COMTESSE, *allant au-devant de l'abbé*. – Ah ! monsieur le curé, que c'est gentil !

L'ABBÉ, *descendant, accompagné de la comtesse*. – Vous êtes vraiment trop bonne, madame la comtesse ! Monsieur le marquis, je vous présente mes hommages.

Il va vers Maurice.

MAURICE, *se levant*. – Ah ! mon cher père, je vous attendais avec impatience.

L'ABBÉ. – Voulez-vous bien ne pas bouger, mon cher enfant.

MAURICE. – Mais pourquoi donc ? Je suis solide à présent.

---

* Maurice 1 ; le Marquis 2, au-dessus de la table ; l'Abbé 3 ; la Comtesse 4 ; Eugénie 5 ; Heurteloup 6.

L'ABBÉ. – Non, non je vous en prie, restez assis ! (*A Eugénie.*) Madame, mes respects ! (*A Heurteloup, sans aller à lui.*) Monsieur Heurteloup, je ne vous dis pas bonjour, c'est déjà fait sur la route.

HEURTELOUP. – Oui, monsieur le curé.

L'ABBÉ, *s'asseyant sur le tabouret près de Maurice qui s'est rassis sur la chaise longue, mais sans s'étendre.* – Alors, quoi donc, mon cher enfant ? Vous avez encore eu un de ces vilains malaises ?

MAURICE. – Mon cher père, la santé corporelle est peu de chose à côté de la santé spirituelle et c'est celle-ci qui me préoccupe. Voilà pourquoi j'ai besoin de votre direction éclairée. Si j'avais été mieux, je me serais rendu à votre confessionnal.

L'ABBÉ. – Je suis tout à votre dévotion, mon cher enfant.

LA COMTESSE. – Nous allons te laisser, mon chéri ; si tu désires t'entretenir avec M. le curé...

MAURICE. – Pourquoi, ma mère ? Nous pouvons aussi bien passer dans ma chambre, M. le curé et moi.

LA COMTESSE. – Mais non, mais non ! d'ailleurs, j'ai des comptes à vérifier ; Eugénie viendra m'aider. Quant au marquis, il ira au-devant du docteur ; c'est bien le moins qu'on lui doive.

LE MARQUIS. – Mais oui ! et puis ça me dégourdira les jambes.

HEURTELOUP. – Et moi, ma mission est toute tracée : je suis en transpiration, je vais me changer.

MAURICE. – Comme vous voudrez.

Tout le monde remonte pour laisser Maurice et l'abbé ; le marquis et la comtesse en tête, Eugénie et Heurteloup en dernier.

L'ABBÉ, *hélant Heurteloup de sa place.* – M. Heurteloup ! *Tout le monde s'arrête à l'appel de l'abbé. Maurice assis sur le pied de la chaise longue, la tête dans sa main, le coude sur le genou, s'absorbe pendant ce qui suit dans ses méditations.*) Vous reveniez de Concarneau quand je vous ai croisé tout à l'heure ?

HEURTELOUP. – Oui, monsieur le curé.

L'ABBÉ, *sur un ton d'affectueux reproche.* – Le service divin de notre humble église de village, alors, ne vous suffit pas ?

HEURTELOUP, *descendant vers l'abbé.* – Oh ! ce n'est pas cela. Mais la bicyclette m'est recommandée, et puis, la perspective d'entendre prêcher le Révérend Père Eucha-riste !...

L'ABBÉ. – Ah ! oui !... Cela a dû être un désappointement pour les fidèles d'apprendre qu'ils en seraient privés.

HEURTELOUP, *très visiblement décontenancé.* – Hein ? Comment ? Mais... pas du tout.

Tout le monde redescend un peu, excepté le marquis qui reste au-dessus du fauteuil de droite de la table, et le monocle dans l'œil, se met à observer Heurteloup d'un air narquois.

EUGÉNIE, *descendant* (6). – En quoi privé ?... Le Père Eucharista a prêché.

LA COMTESSE, *descendant* (5). – Il a même été d'une éloquence, paraît-il !

L'ABBÉ*. – Mais ce n'est pas possible !... Il a la rougeole depuis deux jours.

HEURTELOUP, *de plus en plus gêné.* – Mais voyons !... Oh ! vous faites erreur, je vous assure.

Il remonte.

L'ABBÉ. – Enfin, voyez plutôt les journaux catholiques. Les avez-vous là ?

HEURTELOUP, *vivement et instinctivement se rapprochant de la tricoteuse.* – Non ! non !

LA COMTESSE, *étonnée.* – Tiens !... comment ?...

LE MARQUIS, *bien perfide, le sourire aux lèvres.* – Si, si, ils sont là.

Il indique la tricoteuse d'un geste de la tête.

LA COMTESSE, *allant à la tricoteuse.* – Ah ! ça m'étonnait aussi !

Grimace d'Heurteloup. La comtesse prend les journaux de la main droite. Au moment de les passer, elle aperçoit dans le nombre le Rire *posé là par le marquis. Elle détache aussitôt ce journal des autres en le prenant avec horreur du bout des doigts de sa main gauche. Avec répugnance, le tenant loin d'elle. Qu'est-ce que c'est que ça ?*

LE MARQUIS, *le plus naturellement du monde.* – Ah ! c'est le *Rire*. C'est à moi.

---

* Maurice sur le rocking, l'Abbé sur le tabouret, Heurteloup près de l'Abbé, le Marquis au-dessus de la table, la Comtesse, Eugénie.

LA COMTESSE (5) *passant le journal à Heurteloup* (4) *qui le passe au marquis* (3). – C'est toi qui introduis ces choses chez moi !...

L'ABBÉ, *curieusement et avec bonne humeur.* – C'est le numéro de cette semaine ? Oh ! vous permettez... ?

Il se lève.

LE MARQUIS, *lui tendant le numéro.* – Mais comment donc, monsieur le curé !

Les deux femmes échangent un regard d'étonnement.

LA COMTESSE. – Eh ! quoi, monsieur le curé, vous n'êtes pas scandalisé ?

EUGÉNIE. – Le *Rire*, monsieur le curé ! le *Rire* !

L'ABBÉ. – Mais oui, madame, le *Rire* !... le rire est une belle qualité française qui n'a jamais contaminé personne, et ma foi, j'avoue que je le salue partout où je le rencontre.

EUGÉNIE, *n'en croyant pas ses oreilles.* – Oh !

L'ABBÉ. – Vous me le prêtez, monsieur le marquis ?

LE MARQUIS. – Mais volontiers.

L'ABBÉ. – Merci.

Il plie le journal et le met dans la poche de sa soutane. – La comtesse, ahurie, a considéré cette scène bouche bée, les bras écartés. – Heurteloup qui est à côté d'elle, et qui n'a pas perdu de vue les journaux qu'elle tient toujours à la main, les lui tendant pour ainsi dire, ne manque pas une aussi bonne occasion de les subtiliser ; le plus naturellement du monde et sans que la comtesse s'en aperçoive, il les lui prend et les glisse aussitôt entre son veston et son gilet. Ce jeu de scène très rapide n'échappe pas au marquis.

L'ABBÉ. – Là !... et maintenant les journaux !

LA COMTESSE, *s'apercevant seulement de leur disparition.* – Ah !... Eh ! bien, les journaux ? Les journaux ?

LE MARQUIS, *indiquant malicieusement Heurteloup qui remonte à pas de loup vers le hall avec le vague espoir de passer inaperçu.* – C'est Heurteloup qui les a.

LA COMTESSE et EUGÉNIE. – Hector ! Hector !

LA COMTESSE. – Les journaux !

HEURTELOUP. – Hein ? ah ! oui... tiens ! (*En manière d'excuse.*) Inadvertance !

LE MARQUIS, *moqueur.* – Évidemment ! Évidemment !

HEURTELOUP, *les tendant à l'abbé.* – Pardon !

L'ABBÉ, *prenant les journaux et se rasseyant sur le tabouret.* – Ah ! la *Croix du Finistère* !... voyons. (*Il déplie la feuille en question.*) Eh ! tenez ! (*Lisant.*) Nous apprenons que le R. P. Euchariste dont la parole vibrante a si souvent touché les cœurs de nos lecteurs, est atteint d'une rougeole bénigne, ce qui le met dans l'obligation de remettre à plus tard le sermon qu'il devait prononcer aujourd'hui devant les fidèles de Concarneau. (*A Heurteloup.*) Vous voyez que je n'invente rien.

EUGÉNIE, *étonnée mais sans défiance.* – Qu'est-ce que cela signifie ?

HEURTELOUP, *allant à sa femme.* – Mais je ne sais pas ! Qu'est-ce que tu veux que je te dise ? Ou c'est un canard, ou alors il aura été remplacé et j'aurai pris un autre pour lui.

EUGÉNIE, *facile à convaincre.* – Ah ! peut-être, oui, oui.

La comtesse qui est un peu redescendue pendant la lecture, remonte au fond vers le marquis.

HEURTELOUP. – Ce que je peux dire c'est qu'il y a un dominicain qui a prêché ; maintenant, est-ce le P. Eucharisrte, ça ?... En tous cas, il a joliment bien prêché. Ah ! le bougre !

EUGÉNIE, *sévèrement.* – Hector !

HEURTELOUP. – Pardon, lapsus !... Allons, je vais me changer.

LA COMTESSE. – C'est cela ! Laissons Maurice avec M. le curé.

LE MARQUIS. – A tout à l'heure.

Ils sortent.

EUGÉNIE, *tout en sortant derrière eux avec Heurteloup.* Et sur quoi a-t-il prêché ?

HEURTELOUP. – Oh ! bien tu sais, un peu sur tout, un peu sur rien... comme on prêche.

Ils disparaissent à droite, à la suite de la comtesse. Le marquis a pris son chapeau et sort par le fond pour aller à la rencontre du docteur.

SCÈNE VII

L'ABBÉ, MAURICE

L'ABBÉ, *qui s'était levé à la sortie générale, allant à Maurice et paternellement lui mettant la main sur l'épaule, ce qui le tire de sa méditation.* – Eh ! bien, nous voici seuls, mon cher enfant ; qu'avez-vous donc de si grave à confesser ?

MAURICE. – Oh ! mon père, mon père, je m'accuse parce que j'ai péché, monstrueusement péché.

Il se laisse tomber sur les deux genoux.

L'ABBÉ, *le relevant et le faisant asseoir sur le pied de la chaise longue.* – Mon enfant ! Mon fils, relevez-vous ! (*S'asseyant en face et tout près de lui, sur le tabouret.*) Ici nous ne sommes pas au confessionnal ; et confiez-vous à moi, comme à votre père spirituel. Je suis sûr que vous vous exagérez vos fautes.

MAURICE. – Oh ! non, mon père ! Dieu m'est témoin pourtant que ma volonté n'y est pour rien. Comment dans mon cerveau, dont j'écarte avec tant de zèle toute idée coupable, a-t-il pu germer une horreur pareille ?... Cette nuit, j'ai fait un cauchemar : j'ai vu la Magdeleine au pied de N.S. Jésus-Christ. Elle était belle, belle ! ses cheveux étaient défaits et son corps était nu jusqu'à la taille... Elle implorait Notre Seigneur et ses yeux brûlaient d'un amour profane. (*L'Abbé hoche la tête.*) Oh ! comment oserai-je vous dire... ?

Il ramène son bras sur son front pour dissimuler sa honte.

L'ABBÉ, *paternellement.* – Allez, mon enfant, allez !

MAURICE, *faisant un effort sur lui-même et reprenant sa confession.* – Tout à coup, je m'aperçus que le Christ me ressemblait ; oui, mon père, le Christ c'était moi ! Quel sacrilège ! Quel péché d'orgeuil !... et la Magdeleine, la Magdeleine c'était, traits pour traits, la Claudie, notre servante ! Elle me regardait, avec ces yeux que je lui ai déjà vus en réalité, ces yeux qui me gênent... et, c'est affreux à dire : moi, moi le Christ, au lieu de repousser ses avances, d'essayer de l'amener au bien, de lui dire les mots qui purifient, je n'avais pas le courage ! que dis-je ? j'éprouvais comme une joie de sa présence, son regard me troublait, sa caresse me retenait ! C'était moi, moi qui la rapprochais de moi, et avant que j'aie pu me ressaisir, oh ! mon père ! je devenais humainement et misérablement sa chose !... (*Avec des sanglots.*) Vous entendez, mon père, sa chose ! sa chose !

Il se laisse tomber aux pieds du prêtre et sanglote, la tête enfouie dans son bras et appuyée sur les genoux de l'abbé.

L'ABBÉ, *lui caressant paternellement la tête.* – Mon enfant ! Mon pauvre enfant !

MAURICE, *relevant la tête.* – Ah ! Comment expierai-je un pareil sacrilège ! (*Il se lève et passe à droite.*) Quand je me suis éveillé, j'ai prié ; j'ai prié jusqu'au matin, implorant mon pardon, me déchirant la poitrine, me meurtrissant les chairs ; mais je le sens bien : Dieu s'est retiré de moi !

L'ABBÉ, *se levant* (1) *et allant à lui* (2). – Non, mon enfant, non ! Dieu ne s'est pas retiré de vous ! Certes votre rêve est criminel et le démon vous a visité cette nuit. Mais croyez-vous que tous, et parmi les plus saints, nous n'avons pas eu à subir des épreuves pareilles ? Est-ce que saint Antoine n'eut pas à résister à toutes les tentations qui l'hallucinaient ? Sa sainteté en a-t-elle été diminuée ?

MAURICE. – Oh ! mon père, si c'etait vrai !

L'ABBÉ, *lui prenant le bras.* – Dieu ne retient que les péchés que l'homme commet à l'état conscient ; (*Tout en marchant de façon à gagner tous deux la droite de la scène.*) Mais sa miséricorde est trop grande pour qu'il fasse un grief d'un péché qui se produit en dehors du libre arbitre. Aussi, est-ce en son nom, mon fils, que je vous absous, et que je vous dis : allez en paix, vos péchés vous sont remis.

MAURICE, *se précipitant dans ses bras.* – Oh ! mon père, mon père, que la bonté de Dieu est infinie !

L'ABBÉ, *le serrant dans ses bras.* – Mon cher enfant ! Que j'admire l'ardeur de votre foi de néophyte !

MAURICE. – Mon père, je suis heureux.

L'abbé l'embrasse.

SCÈNE VIII

LES MÊMES, LA COMTESSE, puis LUC dans le hall, LE MARQUIS et VÉTILLÉ

LA COMTESSE. – Dans les bras l'un de l'autre ! Voilà qui est de bon augure. (*Descendant au-dessus du fauteuil de droite de la table.*) Je vous demande pardon de vous interrompre : (*A Maurice.*) Maurice, voici le docteur.

MAURICE. – Comment ! Déjà ! On n'a pas averti.

LA COMTESSE. – Je te demande pardon, on a timbré deux fois*. Dans le feu de votre entretien vous n'aurez pas entendu.

MAURICE, *montrant l'abbé.* – Ah ! ma mère, mon meilleur médecin, le voici.

LA COMTESSE. – Ah ! voici ces messieurs.

Sur ces dernières répliques, on a vu, dans le hall, paraître Luc qui est allé se planter à son poste près de la porte donnant sur le perron. – Arrivent le marquis et Vétillé que Luc introduit aussitôt.

LE MARQUIS, *s'effaçant pour laisser passer le docteur.* – Tenez, si vous voulez entrer, mon cher docteur ?

VÉTILLÉ, *uniforme de médecin principal.* – Pardon.

Se trouvant face à face avec la comtesse, il s'incline.

LE MARQUIS (3). – Ma chère sœur, je te présente mon ami, monsieur le médecin principal Vétillé.

VÉTILLÉ (2). – Madame, très honoré.

LA COMTESSE (1), *descendant en scène tout en parlant.* – Combien c'est aimable à vous de vous être dérangé, Docteur !... Vraiment, par cette chaleur... !

VÉTILLÉ, *descendant à l'exemple de la comtesse.* – Il fait chaud, en effet ! il fait chaud !

LA COMTESSE. – Et surtout en uniforme !

VÉTILLÉ. – Ah ! ça, madame, c'est un principe chez moi ! Je déplore la fâcheuse tendance que je vois chez les officiers de se mettre en pékins dès qu'ils peuvent. On doit avoir l'orgueil de son uniforme.

---

* Les deux coups de timbre dont parle la Comtesse ne doivent pas avoir été sonnés, le public devant avoir, comme Maurice, l'illusion de ne pas les avoir remarqués.

LA COMTESSE. – Ces sentiments vous font honneur.

VÉTILLÉ, *tout en se retournant vers l'abbé qui est devant le fauteuil à gauche de la bergère.* – En tout cas, c'est ma façon de voir, ça ne fait de mal à personne ; (*A l'abbé sans transition.*) Vous êtes ecclésiastique, monsieur, si je ne me trompe... ?

L'ABBÉ, *souriant.* – Et catholique, oui, monsieur.

LA COMTESSE, *présentant.* – M. l'abbé Bourset, curé de notre village.

VÉTILLÉ, *s'inclinant.* – Ah ! parfaitement ! (*Poursuivant sa pensée.*) Eh ! bien, il ne vous vient pas à l'idée de vous mettre en pékin ? Alors, pourquoi est-ce que je m'y mettrais ?

L'ABBÉ. – Parfaitement dit.

Il remonte.

LA COMTESSE, *présentant son fils qui est derrière la bergère et redescend par l'extrême droite.* – Je vous présente également mon fils.

Maurice s'incline.

VÉTILLÉ, *allant à Maurice et se plantant devant lui en assujétissant son lorgnon sur son nez.* – Aha ! C'est le jeune phénomène en question.

LA COMTESSE. – C'est lui dont la santé...

VÉTILLÉ, *les deux poings sur les hanches, et dévisageant Maurice comme il le ferait d'un soldat au régiment.* – Oui, oui, je suis au courant. Le marquis m'a exposé en venant. Eh ! bien, mais... je ne peux pas vous répondre comme ça, moi ! faudrait voir, faudrait voir !

LA COMTESSE, *esquissant un mouvement dans la direction de la chambre du fond.* – Si vous voulez, docteur, que nous passions dans la chambre de mon fils.

VÉTILLÉ. – Eh ! bien, mais... ça me paraît ce qu'il y a de plus pratique.

LA COMTESSE, *à son fils, l'invitant à se rendre dans sa chambre.* – Maurice !

MAURICE. – Voilà, maman !

Il remonte par l'extrême droite ; Vétillé remonte à la suite de la comtesse. – A ce moment on entend deux coups de timbre au lointain.

LA COMTESSE. – Oh ! justement voici du monde, dépêchons-nous ! (*A l'abbé et au marquis, qui sont restés en place.*) Vous permettez ! (*Ils s'inclinent.*) Par ici docteur !

Elle entre dans la chambre de Maurice suivie du docteur et de Maurice. – On voit, comme précédemment, paraître Luc dans le hall pour attendre les nouveaux arrivants.

SCÈNE IX

LE MARQUIS, L'ABBÉ, puis LUC, ÉTIENNETTE, GUÉRASSIN

LE MARQUIS, *de sa place, c'est-à-dire au-dessus de la table. – Après un temps.* – Dites donc, monsieur le curé ! vous tenez à voir le monde ?

L'ABBÉ, *derrière la bergère.* – Pas du tout.

LE MARQUIS. – Moi non plus ! Eh ! bien, si nous cédions la place... ? Allons fumer une bonne pipe dans ma chambre.

L'ABBÉ, *bien bonhomme.* – C'est que... je ne fume pas.

LE MARQUIS. – J'ai dit : « *une*... bonne pipe ». C'est moi qui la fumerai.

Il va à l'abbé.

L'ABBÉ. – Ah ! A ce compte-là, je veux bien.

LE MARQUIS, *apercevant Étiennette suivie de Guérassin qui pénètre dans le hall.* – Oh !... Venez, monsieur le curé.

Il lui tend le bras et l'entraîne. Tous deux sortent par la droite premier plan. – Pendant ce qui précède on a vu Guérassin retirer son cache-poussière que Luc a déposé sur la table du hall.

LUC, *une fois la sortie de l'abbé et du marquis, introduisant.* – Si monsieur et madame veulent entrer, je vais aller prévenir madame la comtesse.

ÉTIENNETTE (2). – C'est cela ! (*Luc va frapper à la porte de Maurice et entre. – A Guérassin, après la sortie de Luc.*) Dis donc ! Bien, ici ! pur ! noblesse vieille roche ! Ça se sent.

GUÉRASSIN (1). – Archipur !

ÉTIENNETTE. – Archi !

LUC, *ressortant de la chambre de Maurice et sans descendre.* – Madame la comtesse prie madame de l'attendre un instant.

ÉTIENNETTE. – Bien ! (*Luc gagne le hall dont il referme la porte sur le salon – Étiennette s'assied sur le petit fauteuil à gauche de la bergère tandis que Guérassin en fait autant sur le fauteuil à droite de la table. – Une fois assis.*) Mais qu'est-ce que je disais donc ? Ah ! oui... Alors, n'est-ce pas ? En bas : le salon...

GUÉRASSIN. – Oui !

ÉTIENNETTE. – La salle à manger,...

GUÉRASSIN. – Oui !...

ÉTIENNETTE. – Et du billard je fais ma chambre à coucher.

GUÉRASSIN. – Oui. (*Changeant de ton.*) Oh ! bien, tu sais, comme je n'y suis pas admis !...

ÉTIENNETTE, *avec un sourire narquois.* – Oh ! tu ne voudrais pas !

GUÉRASSIN. – Tiens ! pourquoi donc ?

ÉTIENNE. – Mais voyons ! Il y a trop longtemps qu'on se connaît ! Ces choses-là, c'est tout de suite ou jamais.

GUÉRASSIN. – C'est consolant !

ÉTIENNETTE. – Mon pauvre vieux, aujourd'hui, tu es le « sans importance » pour moi !... D'ailleurs comme pour mes amants. Regarde : quand ils s'absentent, à qui me confient-ils ? À toi ! Musignol mon actuel, au moment de partir en manœuvres, qu'est-ce qu'il t'a dit ? « Tu tiendras un peu compagnie à Étiennette ! » Pourquoi ? Parce qu'on sait que tu es de tout repos.

GUÉRASSIN, *avec un sourire vexé.* – C'est ça ! C'est exquis !

ÉTIENNETTE, *se levant et remontant tout en parlant.* – Oh ! Tiens ! tu ne mérites pas ton bonheur.

GUÉRASSIN, *ronchonnant.* – Oui, c'est entendu.

ÉTIENNETTE, *avec un soupir de regret.* – Et pourtant si au lieu de toi, tout de même, j'avais fait cette tournée d'auto avec un autre !...

GUÉRASSIN, *idem.* – Non, mais va donc !

ÉTIENNETTE. – Je ne sais pas si c'est la griserie de la vitesse, si c'est la campagne, l'air de la mer, le vent chaud, le soleil ?... Ah ! Je me sens amoureuse aujourd'hui !

GUÉRASSIN. – Allons, de qui encore ? Pas de Musignol, assurément.

ÉTIENNETTE. – Oh ! non, lui, c'est mon amant.

GUÉRASSIN. – Alors ?

ÉTIENNETTE. – Mais de personne, malheureusement. Amoureuse, un point, c'est tout. Amoureuse en disponibilité. (*Au-dessus du fauteuil sur lequel est assis Guérassin.*) Il y a des moments comme cela où l'on sent que l'on aimerait aimer quelqu'un ! Mais tu penses bien que si je l'avais ce quelqu'un, je serais avec lui, je ne serais pas avec toi.

GUÉRASSIN. – Merci.

ÉTIENNETTE, *allant jusqu'à la baie.* – Pas de quoi ! (*Admirant le paysage.*) Regarde-moi cette vue, cette mer verte ! cette bonne brise tiède ! Ça ne t'incite pas à l'amour ?

GUÉRASSIN, *qui s'est levé sur ces paroles, allant se mettre à côté d'elle à sa droite.* – Mais si, je te dis !

Il lui prend la taille.

ÉTIENNETTE, *se dégageant.* – Oh ! là ! t'es bête ! (*Changeant de ton.*) Ah ! J'aimerais à prendre un bain là-dedans ! On se déshabillerait dans la cabine, là-bas...

GUÉRASSIN, *d'une main lui prenant la taille, de l'autre le poignet et la faisant familièrement passer au 2.* – Oui, eh bien ! on se baignera quand on sera arrivé à Roscoff[6] ! On a emporté ses costumes et ses peignoirs pour ça ! Au moins là-bas, il y a des bains organisés.

ÉTIENNETTE, *sentimentale.* – Justement, ce ne sera pas la même chose ! Se baigner avec un tas de gens qu'on ne connaît pas !... dans la même eau !

GUÉRASSIN. – On ne peut pourtant pas vous donner une mer par personne.

ÉTIENNETTE, *revenant à sa place primitive et désignant la mer.* – Mais c'est ce qu'on a ici : l'Océan à soi tout seul ; la mer tout à vous, la mer toute vierge.

GUÉRASSIN, *sur le ton d'un homme qui la connaît dans les coins.* – Mais non ! Elle a l'air comme ça ; mais c'est la même qu'à Roscoff. Elle fait sa vierge ici, et là-bas elle s'est donnée à tout le monde !... Faut pas s'en laisser conter.

ETIENNETTE. – Ah ! Tu n'as pas l'âme poétique pour un sou.

GUÉRASSIN. – Ah ! Toi tu l'as, l'âme poétique !

ÉTIENNETTE. – Toujours.

A ce moment Heurteloup, venant du hall, pénètre carrément dans le salon, comme un homme qui

qui entre dans une pièce où il ne s'attend à trouver personne. Il a changé de vêtements et porte une longue redingote noire très sévère.

SCÈNE X

LES MÊMES, HEURTELOUP, puis LA COMTESSE

HEURTELOUP, *qui se dirigeait vers la table, apercevant Étiennette et Guérassin. – Avec un petit mouvement de recul.* – Oh ! pardon, je ne savais pas !...

ÉTIENNETTE ET GUÉRASSIN, *le reconnaissant.* – Ah ! Totor !

HEURTELOUP, *reculant instinctivement vers la porte de Maurice.* – Nom d'un chien ! Étiennette, Guérassin !

ÉTIENNETTE. – Eh ! bien, qu'est-ce que tu fais ici ?

HEURTELOUP, *revenant à eux.* – Chut ! Taisez-vous ! C'est le sein de la famille : ma femme, mes cousin, cousine, neveu, tout le tralala... et des curés ! De la religion jusqu'au cou !

ÉTIENNETTE, *riant.* – Ah ! c'est pour ça que tu es en sacristain ?

HEURTELOUP. – C'est ma tenue de recueillement. Surtout, si on vient, vous ne me connaissez pas.

ÉTIENNETTE. – Ah ! Mon pauvre Totor !

GUÉRASSIN, *à pleine voix.* – Eh ! bien, et la Choute ?

HEURTELOUP, *sursautant.* – Oh ! chut donc !

GUÉRASSIN, *sans voix, articulant simplement avec les lèvres.* – Eh ! bien, et la Choute ?

HEURTELOUP. – Elle est à Concarneau ! Pauvre petite, c'est pas drôle ! Juste deux heures par jour pour se voir ! C'est sec !... et de plus, le matin ! Assommant pour les deux ! Mais pas moyen autrement ! Faut que ça concorde avec les offices ! *(Étiennette et Guérassin rient.)* Choute qui n'aime pas qu'on l'éveille de bonne heure ! Comme c'est gai ! et moi, obligé d'avaler des kilomètres de bécane ! Voilà un calvaire ! Oh ! le mariage ! *(Étiennette et Guérassin rient à gorge déployée.)* Chut ! la cousine !

On redevient subitement sérieux avec l'aspect des gens qui ne se connaissent pas. Heurteloup s'écarte avec des petites révérences, pour se donner l'air de quelqu'un qui vient seulement d'entrer.

LA COMTESSE, *s'avançant vers Étiennette.* – Madame de Marigny ?

ÉTIENNETTE, *très correcte.* Oui, madame.

LA COMTESSE (4). – Mon maître d'hôtel m'a remis votre carte. Excusez-moi de vous avoir fait attendre, mais j'étais avec mon fils qui vient d'être un peu souffrant.

ÉTIENNETTE (2). – Mais je vous en prie, madame.

LA COMTESSE, *indiquant Guérassin.* – Monsieur de Marigny sans doute ?

GUÉRASSIN (1), *après une seconde d'hésitation voyant que c'est lui dont il est question.* – Non !... non madame, à mon grand regret, je dois le dire.

LA COMTESSE. – Ah ! pardon.

ÉTIENNE. – Monsieur est un de mes amis qui a bien voulu m'accompagner : monsieur Guérassin.

Guérassin s'incline. La comtesse fait un salut aimable de la tête.

LA COMTESSE, *présentant Heurteloup* (3) *un peu au-dessus.* – Mon cousin, monsieur Hector Heurteloup.

Salut correct et froid de part et d'autre.

HEURTELOUP. – Je vous demande pardon, j'ai fait irruption dans le salon, ignorant qu'il y avait du monde, mais je puis...

Il fait signe de se retirer.

ÉTIENNETTE. – Mais du tout, ce que j'ai à dire ne cache aucun mystère.

LA COMTESSE, *indiquant le fauteuil à droite de la table.* – Je vous en prie.

Heurteloup avance un peu ledit fauteuil sur lequel s'assied Étiennette, puis, en faisant le tour de la table par en dessus, va s'asseoir sur le pied de la chaise longue. Guérassin s'assied sur le tabouret, la comtesse, sur le fauteuil gauche de la bergère.

ÉTIENNETTE, *une fois tout le monde assis.* – Voici en deux mots, madame... J'ai vu qu'il y avait, attenant au parc de ce château, un pavillon de chasse disposé en maison d'habitation, et qui est à louer.

LA COMTESSE. – Parfaitement.

ÉTIENNETTE. – Je l'ai visité et il me plaît tout à fait. Alors, comme on m'a dit que c'était vous qui en étiez propriétaire...

LA COMTESSE. – En effet, madame ! mais l'on aurait dû vous dire également que c'était mon intendant qui avait charge... Mais n'importe ! je suis bien heureuse que vous vous soyez adressée à moi, puisque cela me permet de recommander tout particulièrement votre requête à mon intendant.

ÉTIENNETTE. – Vraiment madame, je suis confuse !

LA COMTESSE. – Mais du tout, madame. Croyez bien que c'est en égoïste que je parle. Vous devez le savoir mieux que personne, dans notre monde, nous avons un peu le préjugé de caste. Aussi, quand il m'arrive de pouvoir louer à quelqu'un de la noblesse...

ÉTIENNETTE, *un peu interloquée.* Ah ?

Elle jette un regard à Guérassin qui en adresse un à Heurteloup qui, lui, ne bronche pas.

LA COMTESSE, *cherchant dans sa mémoire.* – « De Marigny » ! j'ai connu un chevalier de Marigny. Est-ce que vous auriez épousé son fils ?

Guérassin ne peut réprimer un pouffement de rire qui, dans l'effort qu'il fait pour le retenir, prend l'apparence d'un vaste éternuement qu'il étouffe aussitôt dans son mouchoir. Heurteloup et Étiennette le foudroient d'un regard.

LA COMTESSE, *qui croit qi'il a éternué.* – A vos souhaits, monsieur.

GUÉRASSIN, *une seconde interloqué.* – Hein ? Mille grâces, madame.

LA COMTESSE. – C'est le grand soleil qui enrhume.

GUÉRASSIN. – C'est le grand soleil, évidemment.

Il lance un petit coup de pied d'intelligence à Heurteloup, qui, gêné, se détourne d'un mouvement brusque. Mais comme il est tout au pied du rocking, ce jeu de scène fait basculer la chaise longue qui le dépose par terre, en repliant son dossier sur lui.

TOUS. – Oh !

LA COMTESSE. – Eh ! bien qu'est-ce qui vous prend, Hector ?

HEURTELOUP, *se relevant et se rasseyant.* – Hein ! rien... c'est le rocking qui a basculé.

LA COMTESSE. – Oh ! vous nous donnez des émotions ! *(A Étiennette.)* Je vous demandais donc, madame, si...

ÉTIENNETTE, *avec décision.* – Mon Dieu, madame, j'aime

mieux être franche : je ne suis pas mariée. J'ai bien connu le chevalier de Marigny, mais il fut un ami et un père pour moi ; à ce point, que quand j'ai eu la douleur de le perdre, son nom m'est resté par l'habitude ; et comme aucun héritier n'était là pour le recueillir, j'ai continué à le porter au théâtre.

LA COMTESSE, *refroidie.* – Ah ! vous ?...

Elle se lève, Étiennette se lève également.

GUÉRASSIN, *à part.* – Aïe donc !

Il se lève à son tour. Seul Heurteloup reste assis.

ÉTIENNETTE. – Quant à moi, mon nom est beaucoup moins aristocratique : je m'appelle vulgairement Charlotte Cunard, comme mon père qui tenait un petit café rue de la Tour d'Auvergne. Vous voyez donc, madame, que je serais fort en peine pour faire croire que j'ai du sang bleu dans les veines.

LA COMTESSE, *pincée.* – Mon Dieu, madame, après ce que...

ÉTIENNETTE, *lui coupant la parole.* – Laissez-moi achever, madame... quand ce ne serait que pour me permettre de dire moi-même ce qui me serait plus pénible à entendre de votre bouche. De la profession de foi que vous avez bien voulu me faire tout à l'heure, je dois conclure que j'ai peu de chance de retrouver les bonnes dispositions que vous sembliez avoir à mon égard, et que, par conséquent, pour ce pavillon...

LA COMTESSE, *avec effort.*– Écoutez, madame, puisque vous avez le tact de comprendre certaines susceptibilités, qui sont peut-être d'un autre âge, mais enfin qui sont.

ÉTIENNETTE. – Oui, madame, oui.

LA COMTESSE. – Certes, je ne jette la pierre à personne ; mon cousin vous dira que nos sentiments chrétiens sont trop ancrés...

ÉTIENNETTE. Ah ?

Elle se tourne d'un air moqueur vers Heurteloup ainsi que Guérassin.

HEURTELOUP, *les lèvres pincées.* – Hein ?... euh... Oui !... oui, oui, oui.

LA COMTESSE. – Mais enfin, dans notre entourage, très austère, un milieu artiste surgissant tout à coup !... Ce serait même une gêne de part et d'autre.

ÉTIENNETTE. – Il suffit, madame ! Ne vous croyez pas

obligée de me donner des explications. Soyez bien persuadée, même, que si j'avais pu prévoir..., mais l'écriteau ne portait aucune restriction... alors, je me suis cru permis... N'importe ! je suis édifiée et il ne me reste plus qu'à m'excuser.

LA COMTESSE. – Croyez que je suis désolée...

ÉTIENNETTE, *avec une pointe d'ironie.* – Ne vous désolez pas, madame, il n'y a vraiment pas de quoi ! *(A Guérassin sur un ton détaché.)* Vous venez, mon ami ? *(Saluant.)* Madame ! Monsieur...

LA COMTESSE, *s'inclinant légèrement puis, tout en remontant un peu.* – Si vous voulez accompagner madame jusqu'à son automobile, Hector ?

HEURTELOUP. – Volontiers.

Il remonte par la gauche de la table, remet en passant le fauteuil occupé par Étiennette à sa place primitive et sort à la suite des deux visiteurs.

LA COMTESSE, *s'inclinant une dernière fois.* – Madame.

Échange de saluts. Au moment de la sortie, Eugénie paraît à la porte du salon ; elle s'efface devant Étiennette et les deux hommes. On échange des saluts froids et Eugénie reste un moment sur le pas de la porte à regarder la sortie.

LA COMTESSE, *une fois la sortie faite, agitant son mouchoir comme pour chasser les miasmes et gagnant à gauche.* – Ah ! pouah ! pouah !

EUGÉNIE, *sur le pas de la porte.* – Qu'est-ce que c'est que ces gens ?

LA COMTESSE. – Une actrice ! Une actrice chez moi !

EUGÉNIE, *descendant au-dessus de la table.* – Une actrice !

LA COMTESSE, *gagnant le milieu de la scène.* – Ah ! ces créatures ont toutes les audaces !

EUGÉNIE. – Une actrice ! Et M. Heurteloup se commet avec elle ?

LA COMTESSE, *se dirigeant vers la chambre de son fils.* – Non, ne t'inquiète pas, c'est moi qui l'ai prié...

EUGÉNIE. – Ah ! J'espère !

Elle descend en scène.

SCÈNE XI

LES MÊMES, VÉTILLÉ, puis LE MARQUIS
et l'ABBÉ

LA COMTESSE, *voyant le docteur qui sort de chez son fils.* – Ah ! docteur !... (*Redescendant en scène avec lui.*) Eh ! bien, vous avez examiné mon fils ?

VÉTILLÉ (3). – Eh ! oui, madame. Il se dispose à aller prendre son bain.

LA COMTESSE (2). – Ah ! vous autorisez ?...

VÉTILLÉ. – Certes ! Très bon, la mer ! Ça fouette le sang !... Tout ce qui est exercice violent, j'approuve.

LA COMTESSE. – Et comment l'avez-vous trouvé ? Qu'est-ce qu'il a ?

VÉTILLÉ. – Qu'est-ce que vous voulez que je vous dise ? C'est un garçon qui fait de la neurasthénie.

LA COMTESSE, *s'effarant.* – Ah ! mon Dieu ! C'est grave ?

VÉTILLÉ. – En soi, non !... mais enfin, c'est toujours un mauvais terrain.

LA COMTESSE. – Vous m'effrayez ! Quand je pense que ce garçon doit partir en octobre pour son service militaire.

VÉTILLÉ. – Ah ? Bon, ça ! très bien, parfait !

LA COMTESSE. – Ah ?

VÉTILLÉ. – C'est ce qui peut lui arriver de meilleur. Il trouvera parmi ses camarades des exemples salutaires à son état, et, s'il a la bonne idée de les suivre...

LA COMTESSE. – Vraiment, docteur ? Ah ! Vous me tranquillisez ! Mais enfin, étant donné l'état actuel, comment peut-on enrayer ?...

VÉTILLÉ. – Comment ?

LA COMTESSE. – Oui.

VÉTILLÉ, *embarrassé et tout en se tortillant la moustache.*– Comment ! (*Brusquement.*) Écoutez-moi, madame : je suis un vieux militaire, et, pour, moi, un chat est un chat.

LA COMTESSE. – Oui, docteur, oui.

VÉTILLÉ. – Eh ! bien, ce qu'il faudrait à votre fils, dame ! il faudrait !... il faudrait !...

LA COMTESSE, *sur les charbons.* – Mais quoi ? Quoi ?

VÉTILLÉ, *éclatant.* – Mais qu'il marche, madame ! qu'il marche [7] !

LA COMTESSE, *qui ne comprend pas.* – Qu'il marche ?

VÉTILLÉ. – Évidemment !

LA COMTESSE, *très naïvement.* – Mais... il marche, docteur.

VÉTILLÉ, *interloqué.* – Hein !... Avec qui ?

LA COMTESSE. – Mais avec ma cousine, avec moi, avec M. le curé.

VÉTILLÉ, *ahuri.* – Hein ? (*Retenant une envie de rire.*) Ah ! non, non ! vous n'y êtes pas du tout ! Notez que je ne trouve pas mauvais qu'il fasse du footing avec madame, ou avec M. le curé, mais ce n'est pas du tout cela que j'entends.

LA COMTESSE. – Mais alors, quoi ? Quoi ?

VÉTILLÉ, *s'emballant.*– Mais ne comprenez-vous pas, madame, que ce qui travaille cet enfant, c'est sa jeunesse, c'est son printemps ! ne comprenez-vous pas qu'il subit la loi de la nature, commune à tous les êtres, commune aux oiseaux, aux fleurs, aux arbres, à tout ce qui a une vie ? C'est le bourgeon qui c*rr*ève de sève jusqu'à éclater. (*Esquissant le mouvement de remonter pour redescendre aussitôt.*) Eh ! bien, nom de D... ! (*Sur ce juron qu'il n'achève pas, Eugénie et la comtesse comme deux poules effarouchées se rapprochent instinctivement l'une de l'autre. Eugénie fait un rapide signe de croix. La comtesse contracte sa figure comme lorsqu'on entend scier un bouchon.*) qu'on fasse donc ce qu'il faut pour qu'il éclate.

LA COMTESSE, *commençant à s'énerver.* – Mais qu'est-ce qu'il faut, docteur ?

VÉTILLÉ, *à tue-tête.* – Mais une femme, madame, une femme !

LA COMTESSE. – Une femme ?

EUGÉNIE. – Pourquoi faire ?

VÉTILLÉ, *subitement calmé.* – Ah ! ça, madame, vous m'en demandez trop.

LA COMTESSE. – Une femme !... mon fils !... mais... c'est un saint !

VÉTILLÉ. – Eh ! justement, madame, mais c'est un saint-vierge ! Et c'est ce qu'il ne faut pas.

LA COMTESSE. – Mais songez, docteur, songez que mon fils a l'intention de se consacrer à Dieu.

EUGÉNIE. – Et Dieu impose à ses ministres, comme premier devoir, la chasteté.

VÉTILLÉ. – Ah ! ça, madame, c'est un autre point de vue, chacun son traitement ; moi, ce n'est pas le mien.

Il remonte.

LA COMTESSE, *remontant à sa suite par un mouvement arrondi de façon à passer au 3.* – Et puis, enfin, mon fils est trop jeune pour le marier.

VÉTILLÉ. – Mais qui est-ce qui vous parle de le marier ?

LA COMTESSE, *scandalisée.* – Oh ! Oh !

Elle gagne la droite jusqu'au-dessus du fauteuil.

EUGÉNIE, *gagnant la droite également.* – Oh ! mais docteur, vous êtes le diable !

VÉTILLÉ, *riant.* – Mais non, madame, mais non.

Il gagne jusqu'à la baie.

LE MARQUIS, *passant la tête par l'embrasure de la porte par laquelle il est sorti, et qu'il entr'ouvre avec précaution.* – On est parti ?

Il entre suivi de l'abbé.

LA COMTESSE, *s'élançant vers lui pour redescendre aussitôt par la gauche du fauteuil qui est près de la tricoteuse.* – Ah ! viens, Onfroy ! Et vous, monsieur le curé, venez à notre secours. M. le docteur est en train de nous dire des choses terribles.

EUGÉNIE, *à l'abbé qui est descendu par la droite, passant devant lui, les mains jointes, dos au public, de façon à arriver à l'extrême droite.* – Terribles !

LE MARQUIS, *au-dessus de la bergère.* – A ce point ?

L'ABBÉ. – Ah ! mon Dieu ! Quoi donc ?

LA COMTESSE. – Il a vu Maurice, n'est-ce pas, et il nous a dit qu'il faudrait... qu'il faudrait... Oh ! non, je n'oserai jamais.

Elle se laisse tomber sur le fauteuil.

VÉTILLÉ, *descendant au-dessus de la table et du fauteuil de droite.* – J'ai dit, j'ai dit... que ce jeune homme était arrivé à la nubilité et que la nubilité avait ses exigences.

LE MARQUIS, *triomphant.* – Là ! qu'est-ce que je disais ?

Il va au docteur. L'abbé sérieux et songeur, hoche la tête.

LA COMTESSE. – Ainsi, vous comprenez, M. le Curé, ce que l'on voudrait, que mon fils...

EUGÉNIE. – Oui, l'œuvre de chair, et sans mariage encore ! Voyons, M. le Curé, parlez ; dites votre indignation.

L'ABBÉ, *entre la comtesse assise, et Eugénie.* – Ah ! madame, la question est grave, et vaut qu'on y réfléchisse.

LA COMTESSE. – Hein ?

EUGÉNIE. – Comment, vous ne frémissez pas ?

L'ABBÉ. – Je suis bien obligé de tenir compte de l'état particulier de Maurice. Il est établi que son tempérament manifeste des exigences impérieuses qui rejaillissent sur sa santé. Eh bien ! qui vous dit que ce tempérament qu'il ignore aujourd'hui ne le trahira pas quelque jour ?

EUGÉNIE. – C'est vous, monsieur le curé, qui parlez ainsi !

L'ABBÉ. – Mais oui, madame, c'est moi. Le vœu de chasteté est un sacrifice dont on ne mesure souvent pas assez l'étendue. Au moins, Maurice, s'il le prononce quelque jour le fera-t-il en connaissance de cause ; et, dût-il en résulter son renoncement à une vocation dont il ne se sentirait pas la force, j'aimerais encore mieux cela, alors qu'il en est temps encore, que le voir devenir plus tard un mauvais prêtre ou un renégat.

Il gagne le milieu de la scène en passant devant la comtesse.

LE MARQUIS. – Voilà !

VÉTILLÉ. – Parfaitement parlé !

La comtesse affalée, les yeux à terre, écarte les bras et les laisse retomber comme une femme désorientée.

EUGÉNIE, *pimbêche.* – Vraiment, monsieur le curé, vous êtes d'un libéralisme ! Certes, votre prédécesseur était autrement intransigeant.

Elle remonte et va s'appuyer sur le dossier de la bergère.

L'ABBÉ. – Bien oui !... je sais : il y a les deux écoles. Moi, j'estime que l'intransigeance est incompatible avec le caractère du prêtre. La religion de Dieu est faite d'indulgence et de miséricorde. Eh bien ! je crois qu'il faut écouter les enseignements d'en haut et ne pas être plus légitimiste (*Indiquant le ciel du doigt et avec un bon sourire.*) que le roi.

Il gagne un peu la gauche.

LE MARQUIS. – Bravo !

Il remonte au fond.

VÉTILLÉ, *qui est descendu par la gauche de la table.* – M. le curé, je ne suis pas positivement un bondieusard ; mais, vrai, vous m'allez ! vous devriez être militaire.

L'ABBÉ. – Halte-là ! M. le médecin principal. En temps de guerre, nous avons notre place comme vous sur le champ de bataille ! Nous ne tuons pas, voilà tout.

VÉTILLÉ, *se rebiffant.* – Mais moi non plus, monsieur le curé ! moi non plus !... quoique médecin.

Il remonte par le même chemin et va rejoindre le marquis près de la baie.

L'ABBÉ. – Oh ! ce n'est pas cela que je voulais dire, soyez-en persuadé.

VÉTILLÉ, *tout en remontant.* – A la bonne heure.

L'ABBÉ. – Et maintenant, madame la comtesse, je vous ai dit ce que ma conscience me dictait, je ne veux pas intervenir plus longtemps dans une question qui sort vraiment trop de mes attributions. Vous avez eu la gracieuseté de m'inviter à déjeuner, j'ai encore mon bréviaire à dire, je vais, si vous le permettez, me recueillir un peu par là.

LA COMTESSE, *abattue.* – Faites, monsieur le curé.

Il passe derrière le fauteuil de la comtesse, dans la direction de la porte de droite, il s'arrête en entendant parler Eugénie.

EUGÉNIE, *pincée.* – Et moi aussi je m'en vais, parce que, vraiment, devant la tournure que prennent les choses !...

Elle remonte entre l'abbé et la bergère.

LE MARQUIS, *moqueur.* – Mais allez donc, Eugénie, allez donc !

EUGÉNIE, *sortant.* – Mais certainement je vais ! Certainement je vais !...*Elle sort par le fond droit.*

L'ABBÉ, *sur le pas de la porte.* – A tout à l'heure.

Il sort de droite.

SCÈNE XII

LE MARQUIS, LA COMTESSE, VÉTILLÉ, puis MAURICE

VÉTILLÉ, *descendant vers la comtesse.* – Tout le monde s'en va ?... Mais alors, moi aussi.

LA COMTESSE, *se levant.* – Quoi ? Vous aussi, docteur ?

VÉTILLÉ. – Mais, madame, ma mission est terminée ; pour la décision que vous avez à prendre, c'est affaire de famille, et je n'ai pas voix au chapitre. (*A ce mo-*

ment, la porte de Maurice s'ouvre et l'on voit celui-ci en costume de bain achevant de passer son peignoir que Luc lui tend.) D'ailleurs, voici votre fils qui est prêt ; si vous le permettez, en attendant l'heure de mon train, je descendrai avec lui, assister à son bain.

LA COMTESSE, *regardant son fils qui sort de sa chambre – avec émotion et d'une voix étranglée.* – Le pauvre petit !

MAURICE, *sortant de sa chambre.* – Je vais prendre mon bain, maman.

LA COMTESSE, *s'efforçant de dissimuler son trouble.* – Oui, mon enfant, va !... Tiens, M. le docteur t'accompagne.

MAURICE. – Ah ! c'est bien aimable ! Alors, venez docteur.

Il fait mine de gagner le hall.

VÉTILLÉ, *faisant le même mouvement.* – Voilà.

LA COMTESSE, *le voyant s'en aller, brusquement.* – Maurice !

MAURICE, *se retournant.* – Maman ?

LA COMTESSE, *très émue.* – Embrasse-moi, mon enfant, embrasse-moi bien !

MAURICE, *allant à elle.* – Mais avec joie, maman. (*Il l'embrasse, elle le mange de baisers.*) Qu'est-ce que vous avez ?

LA COMTESSE, *voulant cacher son émotion.* – Rien, rien, mon enfant ! va ! va !

MAURICE, *que cette réponse ne satisfait pas.* – Ah ?

Il adresse au marquis un regard interrogateur.

LE MARQUIS, *au-dessus et à gauche de la table.* – Hein ?... Mais il n'y a rien. Ta mère éprouve le besoin de t'embrasser. C'est très naturel.

MAURICE, *peu convaincu.* – Ah ?... oui... (*A part.*) C'est drôle (*Haut à Vétillé.*) Eh ! bien, docteur, si vous voulez ?...

VÉTILLÉ. – Je vous suis.

LA COMTESSE, *le regardant partir.* – Pauvre petit !

VÉTILLÉ. – A tout à l'heure, madame ! Je viendrai vous présenter mes hommages.

LA COMTESSE, *remontant.* – C'est cela, docteur, à tout à l'heure.

LE MARQUIS, *remontant également.* – Et merci.

LA COMTESSE. – Ah ! oui.

VÉTILLÉ, *fait un geste pour dire que cela n'en vaut pas la peine, puis :* A tout à l'heure !

Il sort rejoindre Maurice.

SCÈNE XIII

LA COMTESSE, LE MARQUIS

LA COMTESSE, *sur le pas de la porte du salon, les yeux dans la direction prise par son fils.* – Et c'est cet enfant-là qu'on voudrait que moi... Oh ! non, jamais ! jamais !

Elle descend jusqu'à l'extrême gauche.

LE MARQUIS, *descendant au-dessus du fauteuil droite de la table.* – Allons ! Solange...

LA COMTESSE, *se retournant vers le marquis.* – Hein ? Tu triomphes, toi !

LE MARQUIS. – Moi ?

LA COMTESSE, *s'asseyant sur le tabouret.* – Mais en quoi êtes-vous donc faits, vous autres hommes, que tous, jusqu'aux plus purs, vous soyez ainsi assujettis à la tyrannie de votre chair ?

LE MARQUIS, *allant à elle.* – Prends garde, ma chère sœur, tu es en train de blasphémer ! Songe que c'est le bon Dieu qui a organisé les choses ainsi, pour la perpétuation de son œuvre. Et il a bien fait ! car c'est encore le meilleur moyen d'assurer la conservation de l'espèce.

Il gagne la droite.

LA COMTESSE. – Pauvre petit être si chaste, si pur... dans les bras d'une femme !...

LE MARQUIS. – Ah ! dame !

LA COMTESSE. – Alors sa mère ?... sa mère ne lui suffit plus ?

LE MARQUIS, *avec une bonhomie narquoise.* – Oh ! Tu ne voudrais pas !

Il remonte vers le fond.

LE COMTESSE. – Et il faudrait que j'aille démolir dans son âme le monument de candeur que j'avais si jalousement édifié. (*Se dressant.*) Oh ! non, ça, jamais, jamais !

LE MARQUIS, *avec un geste évasif.* – Ah !

LA COMTESSE, *passant à droite.* – Tu t'en chargeras toi, si tu veux.

LE MARQUIS, *s'inclinant.* – Merci de la commission.

LE COMTESSE, *douloureusement.* – Moi, je fermerai les yeux, puisqu'il le faut.

LE MARQUIS, *allant à elle.* – Mais il m'enverra religieusement promener.

LA COMTESSE, *s'affalant sur le fauteuil près de la tricoteuse.* – Ah ! mon Dieu ! mon Dieu !

SCÈNE XIV

LES MÊMES, HUGUETTE

HUGUETTE, *accourant et se dirigeant droit vers la baie.* – Ma tante, ma tante ! Qu'est-ce qui se passe sur la plage ? Je vois des gens qui courent en tous sens ! et au loin, dans la mer, une personne qui a l'air d'être entraînée par le courant.

LE MARQUIS, *se précipitant sur la terrasse.* – Entraînée !

LA COMTESSE, *courant à la baie.* – Allons bon ! Qu'est-ce qui arrive encore ?

HUGUETTE*. – Quelque nouvelle victime du raz de marée.

LA COMTESSE, *avec angoisse.* – Ce n'est pas Maurice ?

HUGUETTE. – Non, Maurice connaît sa plage et ne se risque pas de ce côté-là.

LE MARQUIS, *qui interroge l'horizon avec la longue-vue.* – On dirait une femme ! Je vois sur sa tête comme une marmotte rouge.

HUGUETTE. – La malheureuse !

LE MARQUIS. – Elle lutte éperdument contre le courant.

HUGUETTE. – Et pas une barque, pas un homme pour aller à son secours !

LA COMTESSE. – De tous ces marins, aucun ne sait nager.

LE MARQUIS. – Heureusement qu'elle a l'air de bien savoir, elle ! Ah ! voilà quelqu'un qui s'est mis à l'eau et fait force de bras dans sa direction.

LA COMTESSE, *poussant un cri de détresse.* – Mon Dieu ! mais c'est Maurice !

Le MARQUIS et HUGUETTE, *tressaillant.* – Maurice !

LA COMTESSE. – Oui, oui, je reconnais son maillot.

LE MARQUIS, *quittant la longue-vue.* – Oui, c'est Maurice !

HUGUETTE, *répétant angoissée.* – Maurice !

---

* Le Marquis, sur la terrasse, suivant le drame par le télescope. – Huguette contre le chambranle de la baie le plus éloigné de la scène. – La Comtesse de l'autre côté et plus en scène que les autres.

LA COMTESSE. – Mon Dieu ! mon Dieu ! mon enfant ! Mais il est fou ! (*Courant comme une folle vers le hall.*) Maurice !... Maurice !...

LE MARQUIS. – Voyons, Solange, un peu de sang-froid.

LA COMTESSE. – Mais tu ne vois pas que les flots l'entraînent ! Maurice ! Maurice ! (*Ell sort, suivie du marquis. Arrivée dans le hall.*) Luc ! Luc ! tout le monde ! Vite ! Venez tous, M. Maurice est en train de se noyer... Maurice ! Maurice !

Elle disparaît par le fond, suivie du marquis. – Huguette est restée affalée, sans forces contre le chambranle de la baie. – A peine le marquis et la comtesse sont-ils sortis depuis quelques secondes que l'on voit dans le hall, surgir en trombe, Luc suivi des deux valets de pied ; ils traversent, affolés, avec des « ah ! mon Dieu ! quelle catastrophe ! qu'est-ce qui se passe ?... vite dépêchons ! etc. » *et disparaissent par le fond – quelques secondes encore et courant à leur suite, passe Eugénie, trottinant tant qu'elle peut pour les rattraper, en levant de grands bras au ciel*.*

HUGUETTE, *qui est restée comme paralysée, les yeux fixés sur l'horizon.* – J'ai peur ! J'ai peur ! Oh ! qu'il est déjà loin !... Il a presque rejoint la femme ! (*Les yeux au ciel.*) Mon Dieu ! Mon Dieu ! Vous ne laisserez pas se consommer une pareille catastrophe ! (*Tombant à genoux contre la fumeuse dont le dossier lui tient lieu de prie-Dieu.*) Mon Dieu ! je vous implore à genoux, sauvez Maurice ! Sauvez-le ! Je sais que son vœu le plus ardent est de m'amener à vous. Eh bien ! je jure de me faire votre servante ! mais sauvez-le, mon Dieu, sauvez-le !

SCÈNE XV

HUGUETTE, L'ABBÉ

L'ABBÉ, *accourant, très inquiet.* – Que se passe-t-il donc ? J'ai entendu crier ; tout le monde courait !

---

* Mettre de l'air entre ces entrées successives. – Une fois le Marquis et la Comtesse sortis, compter jsqqu'à 4 ou 5 et faire passer les domestiques ; même temps pour faire passer Eugénie.

HUGUETTE, *courant à l'abbé.* – Ah ! monsieur le curé, recevez mon serment ! Devant vous je renouvelle le vœu que je viens de faire à Dieu de renoncer au monde et d'entrer au couvent.

L'ABBÉ. – Qu'y a-t-il donc ? Vous m'effrayez !

HUGUETTE. – Il y a que Maurice est en péril, qu'il va se noyer peut-être.

L'ABBÉ. – Se noyer, Maurice ! Et vous ne me dites pas ça tout de suite !...

Il sort rapidement.

HUGUETTE, *continuant à lui parler bien qu'il ne l'écoute plus.* – Ah ! sauvez-le, mon père ! Ramenez-le ! *(Après un temps d'abattement, relevant la tête.)* Où est-il ? Je n'ose regarder... ! *(Risquant un regard et avec un cri rauque.)* Je ne le vois plus... ! Ah ! si, il a gagné à gauche... ! On dirait qu'il se rapproche de la rive... ! la femme est près de lui... ! Ah ! Seigneur, est-ce possible ? Courage, Maurice, courage !... un peu d'effort... ! Va... ! va... ! Il n'y a plus très loin... ! On dirait qu'il a pied... ! Oui... ! oui... ! Il soutient la femme qui a l'air épuisée... ! Il la prend dans ses bras ! Sauvés ! Ils sont sauvés ! Ah ! Dieu ! soyez béni ! qui avez eu pitié de ma détresse !

Sa phrase s'achève dans une sorte de rire convulsif ; en même temps elle tombe à genoux contre la fumeuse.

SCÈNE XVI

HUGUETTE, LUC, DEUX VALETS DE PIED, LA CLAUDIE, puis L'ABBÉ

LUC, *suivi des deux valets qui portent des peignoirs, des brosses à friction, des bouteilles d'alcool.* – Venez ! venez vous autres ! *(Au premier valet de chambre tout en ouvrant la porte du fond.)* Tenez, vous ! apprêtez tout par là, chez M. Maurice. *(A l'autre ouvrant la porte de droite.)* Vous, dans cette pièce pour la dame. *(A La Claudie qui accourt.)* Et toi, La Claudie, des serviettes dans les deux chambres. Vite !

Les deux valets de chambre sont entrés au fur et à mesure des ordres, chacun dans la chambre qu'on lui a indiquée. – Au moment où La Claudie s'apprête à rebrousser chemin, elle s'efface pour laisser entrer l'abbé, puis sort immédiatement, suivie de Luc qui regagne précipitamment le parc, tandis que la Claudie file à droite.

L'ABBÉ, *accourant.* – Ah ! mon enfant, remerciez le Très-Haut. Il a exaucé votre prière.

HUGUETTE (1), *qui s'est relevée à l'entrée des domestiques.* – Je le sais, monsieur l'abbé ! de la fenêtre j'ai suivi tout le drame. Ah ! que Dieu soit béni ! *(Après un temps, changeant de ton.)* Vous avez reçu mon serment, monsieur l'abbé, je le tiendrai.

L'ABBÉ (2). – Non, mon enfant, non ! Dieu a entendu votre cri de détresse et en a eu pitié, mais jamais il ne fait de sa miséricorde le prix d'un marché. Un vœu prononcé dans de telles circonstances ne saurait être valable ! devant lui, et en son nom, je vous en relève !...

HUGUETTE. – Cependant, monsieur l'abbé... !

L'ABBÉ. – Chut ! voici du monde.

Il descend un peu à droite.

SCÈNE XVII

LES MÊMES, LA COMTESSE, suivie d'EUGÉNIE

LA COMTESSE, *radieuse et émue allant à l'abbé.* – Sauvé ! Il est sauvé ! Ah ! monsieur l'abbé !

L'ABBÉ. – Madame la comtesse, le Seigneur était avec vous.

EUGÉNIE, *accourant (2) à la suite de la comtesse et s'arrêtant au fond.* – O Jésus ! Marie ! Sainte Mère de Dieu ! Soyez bénie !

Elle se signe.

LA COMTESSE (3), *à Huguette (1).* Huguette ! Huguette ! Ton cousin est sauvé !

HUGUETTE, *sur un ton sauvage.* – Oui !...

Elle sort brusquement par la terrasse.

LA COMTESSE, *la regardant partir.* – Petit cœur sec, va !

Elle descend à gauche.

L'ABBÉ, *descendant à l'extrême droite.* – Hé ! Sait-on jamais ce qui se passe au fond d'un cœur ?

EUGÉNIE, *elle descend par la gauche de la table.* – Il n'y a qu'à la voir !

L'ABBÉ, *sur un ton plein de sous-entendus.* – Oui, je sais bien !

SCÈNE XVIII

LES MÊMES, LE MARQUIS, suivi de MAURICE en peignoir, portant dans ses bras ÉTIENNETTE, en costume de bain et enveloppée d'un peignoir – elle a une marmotte rouge sur la tête. A leur suite, GUÉRASSIN, VÉTILLÉ, LUC.

A ce moment, grande rumeur ; on voit arriver précédé du marquis, Maurice portant Étiennette à moitié évanouie et accompagné des personnes ci-dessus désignées – Cette entrée doit durer l'espace d'un éclair – Le Marquis s'efface à gauche, pour livrer le chemin à Maurice – Luc se précipite, en passant derrière la bergère, pour ouvrir la porte droite, premier plan ; Maurice descend avec Étiennette et passe devant la bergère pour gagner la chambre – Au-dessus du cortège, cavalcadant, tel un Auguste de cirque, Guérassin portant les vêtements d'Étiennette et ne trouvant rien d'autre que de répéter à satiété. « Quel drame, mon Dieu, quel drame ! » – Vétillé suit également – A l'entrée des personnages, la comtesse se précipite au-devant de son fils, ainsi qu'Eugénie. C'est un vrai brouhaha dans lequel on distingue ce qui suit, dit en quelque sorte ensemble. – Tout le monde parle à la fois, en faisant irruption dans la pièce.

LE MARQUIS. – Tenez, par ici !

MAURICE. – La porte, Luc, la porte !

LA COMTESSE. – Ah ! mon enfant ! quelle imprudence !

MAURICE. – Oui, maman, tout à l'heure.

Luc ouvre la porte de droite.

GUÉRASSIN. – Quel drame, mon Dieu ! quel drame !

ÉTIENNETTE, *reprenant ses sens.* – Qu'est-ce qu'il y a eu donc ?

MAURICE. – Rien, rien ! docteur, venez !
VÉTILLÉ. – Voilà !
GUÉRASSIN. – Quel drame ! mon Dieu ! quel drame !

Il entre à la suite de tout le monde, dans la pièce, premier plan droit.

SCÈNE XIX

LA COMTESSE, LE MARQUIS, EUGÉNIE, puis LA CLAUDIE

LA COMTESSE *, *qui a accompagné tout le monde jusqu'à la porte, se laissant tomber dans la bergère.* – Ah ! Onfroy ! Onfroy, l'émotion par laquelle je viens de passer... !

LE MARQUIS, *entre la porte et la bergère.* – Voyons, ce n'est pas le moment de te laisser aller, maintenant que tout est fini.

LA COMTESSE, *voyant La Claudie faire irruption et derrière elle, se diriger, son paquet de serviettes en mains, vers la chambre de droite, premier plan.* – Qu'est-ce que c'est ?

LA CLAUDIE, *faisant un crochet et venant à gauche du fauteuil voisin de la tricoteuse.* – C'est les serviettes.

LA COMTESSE, *avec humeur.* – Eh ! bien, dépêchez-vous ! qu'est-ce que vous restez là à causer ?

LA CLAUDIE. – Mais c'est madame qui me parle !

LA COMTESSE. – Mais allez donc, voyons !

LA CLAUDIE, *pirouettant à la voix de la comtesse.* – Oui, madame.

Elle refait le même crochet en sens inverse, et gagne rapidement la chambre de droite.

LA COMTESSE. – Dire que j'aurais pu ne jamais le revoir !

EUGÉNIE, *tout en gagnant la gauche.* – Et tout ça pour cette demoiselle !

LE MARQUIS, *au-dessus de la bergère.* – Qu'est-ce que vous voulez, Eugénie ? C'est toujours vous qui faites la perte des hommes.

EUGÉNIE, *humblement, les mains croisées sur la poitrine.* – Moi ?

* Eugénie 1, la Comtesse 2, le Marquis 3.

LE MARQUIS, *s'avançant vers le milieu de la scène.* – Votre sexe !

Eugénie hausse les épaules. – Le marquis remonte.

LA COMTESSE. – Ah ! je t'en prie !... Ne plaisante pas. Tu as le cœur aussi sec que ta fille.

Elle se lève.

EUGÉNIE. – Et ce n'est pas peu dire !

LE MARQUIS, *en appuyant sur le « oui ».* – Oui, Eugénie ! Oui !

SCÈNE XX

LES MÊMES, MAURICE, L'ABBÉ

MAURICE, *sortant de la chambre et se dirigeant vers la sienne.* – Là ! Eh bien ! maintenant qu'il n'y a plus d'inquiétude à avoir, je vais me rhabiller.

L'ABBÉ, *qui le suit.* – C'est ça ! Ne prenez pas froid !

LA COMTESSE, *qui est remontée, vivement à son fils.* – Oh ! vilain enfant ! Tu n'aimes donc pas ta mère pour lui infliger des transes pareilles ?

MAURICE. – Mais maman, il fallait bien !...

LA COMTESSE, *entre lui et la porte de sa chambre.* – Promets-moi, promets-moi que plus jamais...

MAURICE. – Oui, maman ! seulement... je vais prendre froid.

LE MARQUIS. – Mais oui, laisse-le donc aller !...

LA COMTESSE. – Ah ! On voit que ce n'est pas ton fils à toi !... *(A Maurice.)* Va, mon enfant, va !... *(A l'Abbé.)* Monsieur l'Abbé, accompagnez-le ! Veillez à ce qu'il ne manque de rien.

MAURICE, *tout en entrant dans sa chambre dont il laisse la porte ouverte.* – Oh ! ce n'est pas la peine.

LA COMTESSE. – Si, si ! Je vous en prie M. l'abbé.

L'ABBÉ. – Mais comment donc, madame ! *(Il entre dans la pièce, et parlant à Maurice qu'on ne voit plus, comme pour l'exhorter, et en se donnant de petites tapes d'une main dans l'autre.)* Allons ! allons !

LA COMTESSE, *au moment de refermer la porte. – Apercevant la Claudie qui sort de droite, avec une partie du linge dans les bras.* – Eh bien ! voyons, le linge ! le linge de M. Maurice.

LA CLAUDIE. – Mais j'étais là avec la dame noyée.

LA COMTESSE, *nerveuse.* – Eh ! « la dame ! la dame ! », elle pouvait attendre : tandis que M. Maurice peut attraper froid.

LE MARQUIS, *avec logique.* – Mon Dieu, la dame aussi !

LA COMTESSE, *avec un superbe égoïsme.* – Oui, oh ! mais la dame... ! *(A La Claudie.)* Eh ! bien courez, voyons !

LA CLAUDIE. – Oui, madame.

Elle entre chez Maurice.

EUGÉNIE, *apercevant le docteur qui sort de chez Étiennette.* – Ah ! le docteur !

SCÈNE XXI

LES MÊMES, VÉTILLÉ

VÉTILLÉ, *remontant dans la direction de la comtesse.* – Allons, nous en avons été quittes pour la peur !... La petite syncope de cette jeune dame n'est que le résultat de l'émotion. Tout va bien.

EUGÉNIE (1), *bien pimbêche.* – Vraiment, ce n'était pas la peine de venir jeter le trouble dans notre milieu pour si peu de chose !

LE MARQUIS (2), *railleur.* – Qu'est-ce que vous voulez Eugénie ?... Cette pauvre dame, elle a fait ce qu'elle a pu.

EUGÉNIE, *haussant les épaules avec dédain.* Ah !

VÉTILLÉ (3), *qui a regardé sa montre.* Oh ! mais l'heure de mon train approche ! Il serait bon de penser au départ.

LA COMTESSE. –Vous avez le temps docteur. (*A Eugénie.*) Veux-tu voir si le phaéton [8] est attelé ?

EUGÉNIE, *remontant.* – J'y vais !

VÉTILLÉ. – Oh ! madame, ne vous donnez pas la peine !

EUGÉNIE, *passant entre le marquis et Vétillé – moitié miel et moitié vinaigre.* – Mais comment donc, docteur !

Elle sort.

VÉTILLÉ. – Moi, madame, pendant ce temps, je vais aller prendre congé de votre fils, et voir, ce qui est peu probable, s'il n'a pas besoin de mes services. La vérité c'est que cela me permettra de le féliciter pour son courage et son dévouement, car pour ce qui est de sa santé, je suis sans inquiétude. Je vous ai dit le seul remède qu'elle réclamait. (*Voyant à la physionomie de la comtesse que ce genre de recommandation la met au supplice.*) Allons, je sens que je vous fais souffrir ; je vais retrouver votre fils.

LA COMTESSE. – Tenez, par ici, docteur.

SCÈNE XXII

LE MARQUIS, LA COMTESSE, PUIS LA CLAUDIE

LA COMTESSE, *referme la porte et pousse un gros soupir ; puis, remarquant le marquis qui se mord les lèvres d'un air narquois.* – Ah ! je t'en prie, ne prend pas cet air malin ! tu m'agaces !

Elle descend à gauche.

LE MARQUIS, *de l'air le plus candide.* – Moi ?

LA COMTESSE, *allant s'asseoir sur le fauteuil à droite de la table.* – C'est vrai ! c'est ta faute tout ça ! C'est toi qui as sermonné le docteur.

LE MARQUIS, *descendant près d'elle.* – Moi !

LA COMTESSE. – Oui ! Eh bien ! vous aurez beau vous liguer contre moi ! jamais, tu m'entends, jamais !

Le marquis s'incline avec un geste de soumission et va s'asseoir sur le fauteuil près de la tricoteuse. A ce moment, la Claudie sort de la chambre de Maurice.

LA COMTESSE, *avec anxiété.* – Ah ! Eh bien ? M. Maurice ?

LA CLAUDIE, *qui s'apprêtait à sortir, descendant auprès de la comtesse.* – Oh ! ça va bien !

LA COMTESSE, *respirant.* – Ah ! tant mieux ! (*La Claudie remonte pour sortir, – la rappelant.*) La Claudie !

LA CLAUDIE, *redescendant.* – Madame la Comtesse ?

LA COMTESSE, *après un effort visible.* – Non..., rien.

LA CLAUDIE. – Ah ?

Elle remonte.

LA COMTESSE, *brusquement.* – Si !... (*La Claudie s'arrête. – La comtesse voyant le regard du marquis fixé sur elle, et le sourire moqueur qu'il a sur les lèvres.*) Ah ! ne ris pas, toi ! (*A la Claudie, avec embarras.*) Ça... ça t'ennuie beaucoup de rentrer à l'orphelinat de Kenogan[9] ?

LA CLAUDIE, *levant de grands bras.* – Oh ! madame la Comtesse... !

LA COMTESSE, *avec des efforts qui lui coûtent.* – Eh bien !... c'est bien !... pour le moment je consens... Nous... nous verrons plus tard !... tu resteras au château.

LA CLAUDIE, *avec expansion.* – Oh ! merci, madame la Comtesse !

LA COMTESSE, *avec humeur, lui coupant son élan.* – Ah ! C'est bien... va !... va !... ne m'agace pas.

Elle se lève et gagne la gauche.

LA CLAUDIE, *interloquée.* – Oui, madame la Comtesse.

Elle sort radieuse.

LE MARQUIS, *une fois la Claudie sortie.* – Allons donc ! Tu te ranges au parti de la raison !

LA COMTESSE, *protestant.* – Moi ! moi ! qu'est-ce que tu veux dire ?

LE MARQUIS, *bien amicalement.* – Allons, voyons ! Crois-tu que je ne lis pas dans ta pensée ? (*Se levant et allant vers elle.*) Pourquoi ce brusque revirement, si ce n'est parce que tu te dis...

LA COMTESSE, *toute honteuse et sur un ton suppliant.* – Oh ! tais-toi ! tais-toi !

LE MARQUIS. – Ah ! tu vois bien que j'ai deviné juste.

LA COMTESSE, *s'affalant sur le tabouret.* – Ah ! les enfants !... les enfants !

LE MARQUIS, *derrière elle, lui prenant affectueusement les épaules entre ses deux mains.* – Ne te désole donc pas, va !... C'est la loi humaine après tout !... Eh ! bien, pourquoi s'insurger contre elle ? Faisons en sorte que Maurice ne vive pas plus longtemps en marge de cette loi !... et pour cela, le mieux est de laisser parler la nature : entoure habilement Maurice, sans avoir l'air de rien, de jolies femmes, de frimousses aguichantes !... qu'il en trouve partout et tout le temps !... que diable, il n'y a pas un homme qui n'ait son heure de défaillance et, un jour où la tentation sera trop forte...

Il gagne la droite.

LA COMTESSE, *bien simplement.* – Je le connais, il se mettra à prier.

LE MARQUIS. – Oh ! alors, zut !

Il remonte.

LA COMTESSE. – Et puis, tu es bon ! « Entoure-le, entoure-le » ! Comment veux-tu que je m'y prenne ! Je n'en connais pas, moi, des femmes ! En as-tu toi ?

LE MARQUIS, *qui est un peu redescendu sur les paroles de sa sœur.* – Moi ? Mais ma pauvre sœur du bon Dieu, il y a longtemps que je suis rangé des voitures !

LA COMTESSE. – Quoi ?

LE MARQUIS. – Expression qui veut dire qu'il y a longtemps que j'ai enrayé du jour où j'ai constaté que j'étais au-dessous de mes affaires... et que je ne faisais plus honneur à ma signature... ! Aujourd'hui, je vis dans mes terres de Touraine et ce n'est pas là que... (*Allant à elle.*) La dernière que j'ai connue était une nommée Clarisse Houlgate qui avait fait les beaux jours du 16 mai [10].

LA COMTESSE, *avec une lueur d'espoir.* – Ah ? Eh bien ! voilà ! Qu'est-ce qu'elle est devenue ?

LE MARQUIS. – Dame ! elle est devenue... vieille ; du moins je le suppose, parce que, avec les femmes, les années, ce n'est pas comme avec les hommes.

LA COMTESSE. – N'importe ! Tu pourrais te renseigner ! une femme d'un certain âge... ! elles ont le sentiment maternel plus développé. Cette Houlgate me conviendrait très bien.

LE MARQUIS. – Non, mais tu es superbe ! Ce n'est pas à toi qu'il faut qu'elle convienne ! c'est à ton fils.

Il remonte.

LA COMTESSE. – C'est vrai ! (*Avec découragement.*) Ah ! mon Dieu ! mon Dieu ! que le rôle d'une mère est donc difficile !

Elle remonte vers la droite de la table.

SCÈNE XXIII

LES MÊMES, HEURTELOUP, puis VÉTILLÉ

HEURTELOUP, *accourant, venant du hall côté droit et descendant milieu de la scène.* – Qu'est-ce qu'on vient de me dire ? Maurice entraîné par le raz de marée ?...

LA COMTESSE. – Non !... non !... rassurez-vous.

LE MARQUIS. – C'est fini !... C'est fini !...

EUGÉNIE, *qui est entrée sur les derniers mots de son mari.* – Ah ! tu arrives toujours comme les carabiniers [11], toi. (*A la Comtesse, tout en descendant par la gauche de la table.*) La voiture du docteur est avancée.

LE MARQUIS. – Ah ? bon ! (*Allant ouvrir la porte de Maurice et appelant.*) Docteur !

VÉTILLÉ, *paraissant.* – Voilà !

LE MARQUIS. – La voiture vous attend.

VÉTILLÉ. – Ah ! parfait ! (*À la Comtesse.*) Madame, votre fils est en excellent état.

LA COMTESSE, *l'accompagnant jusqu'au hall ainsi que le marquis.* – Encore merci, docteur.

VÉTILLÉ. – Mais comment donc ! Madame la Comtesse, je vous présente mes respects.

LA COMTESSE. – Au revoir, docteur, et ne nous abandonnez pas !

LE MARQUIS. – Je vous accompagne.

VÉTILLÉ. – Parfait ! (*S'inclinant devant Eugénie et Heurteloup.*) Monsieur ! Madame !

HEURTELOUP et EUGÉNIE. – Au revoir, docteur !

Sortie du marquis et de Vétillé.

SCÈNE XXIV

LA COMTESSE, HEURTELOUP, EUGÉNIE,
PUIS ETIENNETTE ET GUÉRASSIN

LA COMTESSE, *au-dessus de la table et tout en mettant un peu d'ordre.* – Ah ! je suis tout de même plus rassurée maintenant que j'ai vu le docteur.

HEURTELOUP, *à droite du tabouret et devant.* – Ça a l'air d'un bon médecin.

EUGÉNIE, *à gauche du tabouret et devant.* – Tu trouves, toi ?... un médecin qui traite par la pornographie !

HEURTELOUP. – Oh !

EUGÉNIE. – Jamais il ne te soignera ! tu entends !...

HEURTELOUP, *avec un soupir de résignation.* – Bon !

EUGÉNIE. – Ni moi non plus.

A ce moment paraît Etiennette qui entre timidement, suivie de Guérassin. Elle est entièrement rhabillée à l'exception de son manteau que Guérassin porte sur le bras.

ENSEMBLE
mais avec
des sentiments
différents

LA COMTESSE. – Madame de Marigny !

EUGÉNIE. – L'actrice !

HEURTELOUP, *à part.* – Etiennette !

ETIENNETTE, *timidement.* – Excusez-moi, madame la Comtesse...

LA COMTESSE, *qui est toujours au-dessus de la table, descendant vivement entre celle-ci et le rocking, et écartant Eugénie et Heurteloup pour passer entre eux afin d'aller plus vite à Etiennette.* – Vous, vous ! madame ! Mais comment donc ! Mais je vous en prie, mais asseyez-vous !... Après les émotions que vous venez de traverser... !

TOUS, *étonnés.* – Hein ?

ETIENNETTE, *n'en croyant pas ses oreilles.* – Oh ! vraiment, madame, je suis confuse !

LA COMTESSE, *la faisant asseoir dans la bergère.* – Mais, je vous en prie, ne vous excusez pas.

EUGÉNIE, *à part, scandalisée.* – Oh ! (*Haut et sèchement impérative.*) Viens, Hector !

HEURTELOUP. – Moi ?

EUGÉNIE. – Oui, toi ; viens !

LA COMTESSE, *qui s'est assise dans le fauteuil près de la bergère, à Eugénie.* – Tu t'en vas ?

EUGÉNIE, *très pincée.* – Oui ! nous avons à faire par là.

Elle remonte par la gauche de la table.

LA COMTESSE, *en prenant philosophiquement son parti.* – Ah ? Bien !

Heurteloup fait signe de la tête à la comtesse que ce n'est pas vrai et suit en époux résigné ; ils sortent.

LA COMTESSE, *une fois la sortie faite.* – Ah ! madame ! A quel effroyable danger vous venez d'échapper ! j'en suis encore tout en émoi.

ETIENNETTE. – Ah ! Madame !

GUÉRASSIN, *debout, appuyé à la bergère d'Etiennette.* – J'en ai mon déjeuner qui m'est resté là.

ETIENNETTE. – Et c'est au courage de monsieur votre fils que je dois... Aussi, avant de partir...

Elle se lève.

LA COMTESSE, *la faisant rasseoir.* – Eh quoi ! vous songez déjà à nous quitter ?

ETIENNETTE. – Mais oui, madame.

LA COMTESSE, *avec hésitation.* – Écoutez, madame !... vous... vous auriez désiré louer ce petit pavillon... ?

ETIENNETTE. – Oh ! madame ! ne revenons plus sur ce caprice d'un moment dont vous m'avez fait comprendre toute l'outrecuidance.

LA COMTESSE. – Mais du tout madame. J'ai réfléchi et après tout..., tout bien pesé..., je ne vois pas pourquoi ...

ETIENNETTE. – C'est trop aimable madame. Mais non !... d'ailleurs, ce n'eût été que pour l'année prochaine, ainsi... !

LA COMTESSE, *bien naïvement.* – Oh ! comme c'est tard !...

ETIENNETTE, *étonnée.* – Tard ! pourquoi ?

LA COMTESSE, *id.* – Mon fils sera au régiment à ce moment.

ETIENNETTE, *qui n'y entend pas malice.* – Ah ! monsieur votre fils sera... ?

LA COMTESSE. – Oui, madame ! Penser qu'on crée des êtres pour en faire de la chair à canon... !

ETIENNETTE, *pousse un soupir approbatif puis après réflexion.* – Oh !... en temps de paix.

GUÉRASSIN. – C'est moins dangereux.

LA COMTESSE. – C'est ce qui me console.

ETIENNETTE, *se levant.* – Mais madame, je ne voudrais pas abuser... et si, avant de partir, vous m'autorisiez à exprimer ma reconnaissance à monsieur votre fils...

LA COMTESSE. – Mais comment donc ! Il sera trop heureux !... Il doit être prêt ; je vais le chercher.

Elle remonte vers la chambre de son fils.

ETIENNETTE, *suivant la comtesse par une passade arrondie.* – Comment vous remercier, madame...

LA COMTESSE. – Mais voyons... !

Elle sort, Guérassin est passé à gauche au moment où Etiennette est remontée.

SCÈNE XXV

LES MÊMES, MOINS LA COMTESSE

ÉTIENNETTE, *une fois la porte refermée, descendant vivement vers Guérassin* (1) *et avec transport.* – Ah ! Guérassin ! Guérassin ! Ce garçon, depuis qu'il m'a serrée dans ses bras, depuis que j'ai éprouvé son étreinte vigoureuse, tandis qu'il me disputait aux flots... ! Ah ! je ne sais pas, Guérassin !... Jamais je n'ai été serrée comme cela !

GUÉRASSIN, *faisant claquer sa main sur sa cuisse.* – Allons, bon !

ÉTIENNETTE. – Vois-tu, en une minute, en une seconde, j'ai senti que celui-là c'était mon homme ! je lui appartenais.

GUÉRASSIN, *attestant le ciel.* – Elle devient folle !

ÉTIENNETTE. – Guérassin ! je n'ai jamais éprouvé cela !

SCÈNE XXVI

LES MÊMES, LA COMTESSE, PUIS MAURICE, ET L'ABBÉ

LA COMTESSE, *sortant de la chambre et descendant au-dessus de la bergère.* – Voici mon fils, Madame.

ÉTIENNETTE, *s'élançant à sa rencontre.* – Ah ! Monsieur je... (*Maurice paraît, suivi de l'abbé. Il est en tenue de séminariste. Étiennette ne peut réprimer un sursaut à cette apparition.*) Ah !

GUÉRASSIN, *idem.* – Ah ! (*Riant sous cape.*) Oh !

MAURICE, *descendant un peu.* – Que je suis heureux, madame, de vous savoir saine et sauve !

ÉTIENNETTE, *essayant de dissimuler sa déception et de faire bonne contenance.* – Et c'est à vous que je le dois... monsieur l'abbé ! Ah ! comment reconnaîtrai-je jamais... !

MAURICE. – C'est le ciel que vous devez remercier, madame ; moi, je n'ai été que le bras qui exécute.

ÉTIENNETTE. – C'est égal, monsieur l'abbé, je ne vous reverrai peut-être jamais, mais je tiens à vous dire que j'emporterai d'ici le souvenir le plus reconnaissant.

MAURICE, *très simplement.* – Adieu donc, madame, et que Dieu vous protège !

Il descend jusqu'à la gauche du fauteuil qui est près de la tricoteuse ; la comtesse est près de lui devant le fauteuil, le curé au-dessus de la tricoteuse.

ÉTIENNETTE. – Adieu, monsieur l'abbé !

On s'incline de part et d'autre. Étiennette remonte lentement.

MAURICE, *brusquement pris d'un étourdissement.* – Ah !

Il a porté le bras droit à son front, de la main gauche il s'est retenu au dossier du fauteuil.

TOUS. – Ah !

LA COMTESSE, *qui a retenu son fils sur le point de tomber.* – Maurice ! mon enfant !

MAURICE, *se remettant.* – Ce n'est rien : un de ces fâcheux vertiges !... C'est passé. Merci.

LA COMTESSE. – Ah ! que tu me donnes de tourments.

MAURICE. – Ce n'est rien. (*A Étienne.*) Adieu, madame.

ÉTIENNETTE, *s'incline à nouveau, puis au moment de sortir, jette un dernier regard à Maurice ; après quoi, à part, avec un soupir.* – Ah ! C'est dommage !

RIDEAU

ACTE II

Chez Étiennette. – Petit salon très élégant. – A gauche premier plan, une cheminée avec sa garniture. – Deuxième plan, une porte. – Au fond, plein milieu, porte donnant sur une galerie. – A droite, premier plan, une fenêtre bow-window. – Deuxième plan, une porte. – Près de la cheminée, côté le plus rapproché de la scène, un petit fauteuil, dos au public. – De l'autre côté, lui faisant vis-à-vis, une bergère. – A droite de la bergère, un canapé face au public. – Adossée au canapé, une table de même grandeur. – Sous le canapé, un coussin de pied. – Un peu à droite et devant le canapé, à un mètre environ, un siège-tabouret. – Près de la grande table et à sa droite, une chaise volante. – A droite de la scène, près du bow-window, un peu au-dessus, un sofa, entouré d'un paravent. – Devant le sofa, un peu vers la gauche un siège-tabouret. – A gauche du sofa, un fauteuil portatif. – Entre le sofa et le fauteuil, une toute petite table à tiroirs. – Au fond, de chaque côté de la porte, un meuble de style. – Au fond, dans la galerie, face à la porte, un canapé. – Dans l'embrasure du bow-window, jardinière avec des plantes vertes. – Sur la grande table un service à café, une cave à liqueurs et une boîte contenant des cigarettes. – A la dernière feuille de gauche du paravent est suspendu, amené par un fil, un bouton de sonnerie électrique. – Autre bouton électrique à droite de la cheminée. – Lustre de style au plafond.

SCÈNE PREMIÈRE

ETIENNETTE, PAULETTE, CLÉO, GUÉRASSIN, MUSIGNOL, tenue de cheval d'officier de dragons

Au lever du rideau, Étiennette, face au public, au-dessus de la table qui est derrière le canapé, sert le café tout en discutant avec Musignol. – Celui-ci, plus bas en scène un peu à droite, est entre Paulette et Guérassin. – Cléo [12] *est près d'Étiennette. – Tout le monde parle à la fois : Guérassin et Paulette essayant de calmer Musignol ; Cléo de convaincre Étiennette. On entend des « allons Étiennette... ! – Mais non, mais non ! – Musignol voyons ! – Ah ! laissez-moi.. ! » etc.*

MUSIGNOL *, *brusquement, à Étiennette.* – Voyons, Étiennette, ça n'est pas sérieux ! Qu'est-ce que tu as ? Qu'est-ce que je t'ai fait ?

ÉTIENNETTE, *tout en versant du café.* – Mais rien, je te répète ! tu ne m'as rien fait. J'en ai assez ! j'en ai assez ! et voilà tout.

MUSIGNOL. – Ah ! non, non, celle-là... !

PAULETTE, *quittant Musignol et gagnant la cheminée.* – Oh ! ce qu'ils sont embêtants !

ÉTIENNETTE, *présentant une tasse à Cléo.* – Une tasse de café, Cléo ?

CLÉO, *prenant la tasse.* – Merci. *(A mi-voix.)* Pourquoi es-tu dure comme ça avec ce pauvre Musignol ?

ÉTIENNETTE, *écartant Cléo qui va, par la suite, s'asseoir dans la bergère près de la cheminée.* – Ah ! non, je t'en prie, hein ! ne te mêle pas ! *(A Guérassin.)* Du café, Guérassin ?

GUÉRASSIN, *remontant légèrement.* – Avec beaucoup de sucre, s'il te plaît.

MUSIGNOL, *gagnant sur la droite.* – Non, non, elle est raide, celle-là ! *(Revenant brusquement à Guérassin qui est redescendu n° 4.)* Enfin, qu'est-ce que tout cela veut dire, hein ?... Qu'est-ce que tu as fait d'Étiennette pendant mon absence ?

GUÉRASSIN, *ahuri de cette interpellation.* – Moi ?...

---

* Cléo 1, Etiennette 2, Paulette 3, Musignol 4, Guérassin 5.

MUSIGNOL. – Oui, toi ! je te l'ai confiée comme à un être de tout repos.

GUÉRASSIN, *se vexant.* – Ah ! bien, dis donc... !

MUSIGNOL. – Je reviens de manœuvres aujourd'hui...

ÉTIENNETTE, *apportant à Guérassin la tasse qu'elle a préparée pendant ce qui précède.* – Mais laisse donc Guérassin tranquille, il n'a rien à voir dans tout ça.

Elle remonte.

GUÉRASSIN, *sa tasse en main, gagnant la droite du canapé.* – Là ! C'est clair !

MUSIGNOL. – Pardon ! il me doit des comptes !... *(S'asseyant sur le tabouret, à droite de la scène.)* Comment ! j'accours ici, n'ayant qu'une idée : revoir mon Étiennette, lui apporter toutes les économies d'amour de cinq semaines de célibat... !

ÉTIENNETTE, *tout en tendant une tasse de café à Paulette par-dessus le dossier du canapé. – Haussant les épaules.* – Ah ! laisse-moi donc tranquille !

MUSIGNOL, *remontant vers Etiennette.* – Oui, de célibat !

Paulette qui était debout, un genou sur le canapé, une fois servie, s'assied sur le canapé.

ÉTIENNETTE, *lui coupant la parole.* – Du café ?

MUSIGNOL, *interloqué.* – Hein ?... Je veux bien. *(Reprenant.)* Et au lieu de l'accueil que j'attendais, je trouve une femme de glace, que ma tendresse excède, que mes assiduités insupportent ! Qu'est-ce que ça veut dire tout ça ? Pourquoi ? *(A Guérassin en le tirant par la manche, ce qui renverse à moitié la tasse de café qu'il tient à la main.)* Pourquoi ?

GUÉRASSIN. – Ah ! zut ! *(S'essuyant avec son mouchoir.)* Mais est-ce que je sais, mon ami ?

Musignol redescend un peu à droite.

ÉTIENNETTE. – Non, mais c'est extraordinaire !... Enfin est-ce que nous avons contracté un bail pour l'éternité, dis ? Je n'ai pas aliéné ma liberté, que je sache ? Eh ! bien, il me convient de la reprendre, je la reprends.

MUSIGNOL, *rageur.* – Allons donc !... dis donc qu'il y a un homme là-dessous ! il y a un homme !

ÉTIENNETTE, *excédée.* – Oh ! *(Changeant de ton et descendant* (4) *à gauche de Musignol* (5). Tiens ! ton café.

MUSIGNOL, *boudeur.* – Je n'en veux pas !...

ÉTIENNETTE. – A ton aise ; qui est-ce qui en veut ?

MUSIGNOL. – Moi.

Il prend rageusement la tasse.

ÉTIENNETTE, *remontant à sa place primitive au-dessus de la table.* – Ce n'était pas la peine de dire que tu n'en voulais pas.

PAULETTE. – Écoutez, mes enfants, vous n'avez pas bientôt fini de vous chamailler ?

CLÉO. – Mais laisse-le donc. Tout ça c'est des raffinements d'amoureux : on se dispute et puis, c'est bien meilleur après.

ÉTIENNETTE. – Oh ! bien, je t'assure, tu ne me connais pas.

MUSIGNOL, *déposant sa tasse vide sur la petite table qui est près du paravent.* – Quand une femme subit une transformation pareille, sans raison apparente, c'est qu'il y a un homme !

ÉTIENNETTE, *descendant et excédée.* – Eh ! bien, oui, là, il y a un homme ! Es-tu content ?

MUSIGNOL, *avec un ricanement rageur.* – Ah ! qu'est-ce que je disais ! hein, Guérassin ? Qu'est-ce que je disais ?

GUÉRASSIN, *gagnant la gauche.* – Eh ! bien, mon ami, qu'est-ce que tu veux que j'y fasse ?

Il s'assied en face de Cléo dans le fauteuil, dos au public, près de la cheminée.

PAULETTE. – Allons, voyons, voyons !

MUSIGNOL. – Je savais bien que si tu étais ainsi changée à mon égard, c'est que tu avais abusé de mon absence pour me tromper.

CLÉO, *le rappelant à l'ordre.* – Oh ! Musignol !...

MUSIGNOL. – Parfaitement !

ÉTIENNETTE. – Te tromper. Ah ! non, mon ami, je ne t'ai pas trompé ! Si ce n'était que cela, tu n'aurais constaté aucun changement en moi !

MUSIGNOL. – C'est exquis !

ÉTIENNETTE. – Non, le sentiment qui m'étreint est autrement élevé, car il m'a entièrement transformée. Il m'a donné l'horreur de ma situation, le mépris de la vie que je mène ; qu'est-ce que je suis après tout ? Une femme entretenue, une cocotte.

CLÉO. – Ah ! bien, dis donc, au moins n'en dégoûte pas les autres.

MUSIGNOL, *furieux.* – Et quel est-il, l'auteur de ce miracle ? Le godelureau, le polichinelle... ?

ÉTIENNETTE, *allant prendre la tasse déposée par Musignol pour la reporter sur la grande table.* – Va, va, insulte-le ! Epanche ton dépit impuissant ; tout cela ne changera rien à ce qui est.

MUSIGNOL, *écumant.* – Étiennette... !

ÉTIENNETTE, *se retournant et le toisant.* – Quoi ?

GUÉRASSIN, *se levant.* – Allons, voyons, mes enfants, ça n'est pas sérieux !

ÉTIENNETTE, *redescendant.* – Oh ! très sérieux !

CLÉO. – Mais non, Étiennette, tu n'en penses pas un mot.

ÉTIENNETTE. – Pourquoi parlerais-je de la sorte si mon parti n'était pas pris ? Ai-je l'air d'une femme qui cède à un caprice ou à un mouvement d'humeur ? Non, c'est posément, tranquillement, mais bien résolument que je lui dis : « C'est fini, fini nous deux. »

Elle s'assied face au public sur le tabouret de gauche, tandis que Guérassin va déposer sa tasse vide sur la table, derrière le canapé.

MUSIGNOL, *pincé et comme un homme qui prend une résolution.* – C'est bien ! puisqu'il en est ainsi, il ne me reste plus qu'à m'en aller.

ÉTIENNETTE, *écartant les bras en signe d'acquiescement.* – Eh ! bien, mon ami... !

MUSIGNOL, *après un temps.* – Adieu !

GUÉRASSIN, *redescendant par la droite de la table.* – Voyons, Musignol, tu ne vas pas faire cela !

MUSIGNOL. – Oh ! si, par exemple !... Oh ! si !...

PAULETTE, *se levant.* – Mais non ! (*Allant à Étiennette.*) Étiennette, dis-lui un mot aimable !

ÉTIENNETTE. – Moi ? je n'ai rien à dire.

CLÉO, *se levant.* – Allons, voyons, Musignol !

MUSIGNOL. – Non, non, inutile d'essayer de me retenir. Maintenant, moi aussi, mon parti est pris !

PAULETTE. – Ah ! non, écoutez, mes enfants, vous n'êtes pas rigolos !

Elle va déposer sa tasse sur la petite table près du paravent et redescend à droite.

MUSIGNOL, *à Étiennette.* – Et puis, tu sais, tu pourras venir me supplier après, ce sera comme si tu flûtais !

ÉTIENNETTE, *les yeux au plafond et avec un calme déconcertant.* – Je ne flûterai pas.

MUSIGNOL. – Et quant à ton gigolo... !

ÉTIENNETTE, *id.* – Ça n'est pas un gigolo !

MUSIGNOL. – Ton « tout ce que tu voudras », je te réponds bien que jamais tu ne l'auras.

ÉTIENNETTE, *avec un rictus plein de mélancolie.* – Je le sais ! Oh ! mais n'en tire aucune vanité, tu n'y seras pour rien !

MUSIGNOL. – Voilà ! Vous l'entendez ! Non, quand je pense que je lui étais fidèle ! que je repoussais des avances !... car enfin si j'avais voulu, en manœuvres, Dieu sait... ! Ah ! il y en a plus d'une... ! Oh ! mais maintenant, plus souvent que je me gênerai !

ÉTIENNETTE, *avec le même calme.* – Merci de me dire cela ; car enfin une chose pouvait me faire hésiter ; c'était la peur de te faire de la peine, mais maintenant que tu as pris soin de mettre ma conscience en repos.

MUSIGNOL, *subitement petit garçon et sur un ton qui dément tout ce qu'il a dit.* – Hein ?... Oh ! mais c'est pas vrai, tu sais ! c'est pas vrai !

TOUS, *entourant Étiennette.* – C'est pas vrai, là ! c'est pas vrai.

ÉTIENNETTE, *écartant tout le monde du geste.* – Trop tard, mon ami ! ce qui est dit est dit ! et puis, si ce n'est pas vrai aujourd'hui, ce le sera demain.

MUSIGNOL. – Oh ! non, non, jamais ! Étiennette, je t'en prie !

GUÉRASSIN, CLÉO, PAULETTE, *intercédant.* – Étiennette !...

ÉTIENNETTE, *se levant.* – Non, mon ami, non. Donnons-nous la main et quittons-nous en bons camarades.

Elle lui tend la main.

MUSIGNOL. – Ah ! ça, non, par exemple ! adieu !

Il remonte.

ÉTIENNETTE. – A ton aise !

Elle gagne la cheminée.

MUSIGNOL, *redescendant.* – Jamais, tu m'entends, jamais je ne remettrai les pieds ici !

Il remonte à nouveau.

ÉTIENNETTE. – Soit !

TOUS. – Oh !

MUSIGNOL, *qui a été jusqu'à la porte, l'a même ouverte pour sortir, se ravisant au moment de partir, referme la porte, redescend comme pour aller encore dire quelque chose à Étiennette, hésite un instant, puis, ne trouvant rien, avise Guérassin tranquillement adossé contre le côté droit du canapé.* – Oh ! toi, tu sais, je te garde un chien de ma chienne !

Il sort précipitamment.

GUÉRASSIN. – Ah ! mais zut, à la fin ! est-ce que j'y suis pour quelque chose ?

Il gagne la droite.

ETIENNETTE, *excédée.* – Ah ! non, maison nette ! maison nette ! maison nette !

Elle va s'asseoir sur la partie droite du canapé de gauche.

GUÉRASSIN, *allant vers Étiennette.* – Voyons, Étiennette, ce n'est pas possible ! C'est ton séminariste qui te monte comme ça au cerveau ?

ÉTIENNETTE. – Ah ! je ne sais ce qui me monte au cerveau ; ce que je sais, c'est que je suis une autre femme et que je romps avec mon passé.

PAULETTE, *ébahie.* – Ah !

Elle va au-dessus de la table derrière le canapé prendre et allumer une cigarette.

CLÉO, *s'asseyant près d'Étiennette sur le canapé.* – Mais ma pauvre Étiennette, mais c'est de l'amour !

ÉTIENNETTE. – Eh bien ! oui, je l'aime, là ! je l'aime !

CLÉO, *tout en prenant sans se lever, la cigarette que Paulette lui passe par-dessus la table.* – Eh ! bien, mon colon !

Elle allume sa cigarette à celle de Paulette, que cette dernière lui tend également par-dessus la table.

ÉTIENNETTE. – Oh ! mais rien de commun avec l'amour tel que nous le concevons : c'est quelque chose de pur, d'idéal...

GUÉRASSIN, *sur le même ton qu'Étiennette.* – D'éthéré...

ÉTIENNETTE, *sur un ton sans réplique.* – Mais oui !... (*Après un temps.*) Oh ! certes, d'abord, je l'ai désiré comme un autre homme : matériellement, sensuellement. J'avais comme un besoin de lui, de le voir, de lui dire mon amour. Il est venu ; je n'ai pas osé ; l'aveu a expiré sur mes lèvres ; j'ai compris que j'aimais l'inaccessible ; qu'un mot l'éloignerait à jamais. Alors j'ai refoulé cet amour, je me suis tue pour le garder, n'ayant plus qu'une terreur, c'est qu'il apprît ce que j'avais été, tant je tremblais qu'il me méprisât !... Et je l'ai revu souvent depuis ; peu à peu, j'ai subi l'ascendant de sa parole, qui a été pour moi comme une eau lustrale, comme un bain purificateur ; aussi la pensée que j'ai pu le désirer m'apparaît aujourd'hui comme une monstruosité ; si je l'aime, si je l'aime toujours, du moins c'est d'un amour noble, immatériel, quelque chose comme un amour spirituel.

GUÉRASSIN, *narquois.* – Ah ! tu le trouves spirituel !

PAULETTE, *qui, pendant tout ce qui précède, est restée debout au-dessus de la table, à prendre un petit verre de liqueur.* – C'est idiot, on n'aime pas dans le clergé !

Elle va s'asseoir dans le fauteuil au-dessus de la cheminée.

CLÉO, *à Paulette.* – Tu parles !... (*A Étiennette.*) Qu'est-ce que tu peux espérer ?

ÉTIENNETTE, *vivement et avec conviction.* – Oh ! rien ! je n'espère rien !

GUÉRASSIN, *s'asseyant en face d'elle sur le tabouret.* – Eh ! bien, si tu n'espères rien, ne gâche donc pas ta situation à plaisir. Tu as en Musignol un protecteur sérieux !...

ÉTIENNETTE, *avec indignation se levant et gagnant la droite.* – Moi, le tromper avec Musignol ! ah ! jamais !

GUÉRASSIN, *dos au public.* – Mais tu es superbe !... Ce n'est pas lui que tu tromperais avec Musignol, c'est Musignol que !... puisqu'il est le premier occupant.

ÉTIENNETTE, *debout au milieu de la scène.* – Quand je te répète que c'est une métamorphose qui s'est opérée en moi. Je vais te paraître idiote si je te disais que je rêve de choses folles : d'entrer dans un couvent, de me consacrer au bien, d'étonner le monde par ma dévotion ; puis, de tout cela, d'aller lui faire l'offrande, à lui ! et de lui dire : « voilà votre œuvre ! »

GUÉRASSIN, *railleur.* – C'est ça ! la Magdeleine au vingtième siècle ! Mais ça ne se fait plus, ma chérie !

PAULETTE, *se levant et allant à la cheminée.* – Et tu t'imagines que tu ne l'aimes plus avec tes sens !

CLÉO. – Mais c'est des loufoqueries de femme amoureuse.

GUÉRASSIN. – Si c'en est ! (*Se levant.*) Mais aie donc le courage de t'interroger sincèrement ! ce n'est pas Dieu que tu vois en lui ; c'est lui que tu vois en Dieu ! Alors inconsciemment tu t'es dit : « la religion, voilà le terrain qui nous rapprochera. »

ÉTIENNETTE. – Ah ! tais-toi, tais-toi, tu blasphèmes !

GUÉRASSIN. – C'est possible, mais j'y vois clair !

On sonne.

ÉTIENNETTE, *tressaillant.* – Mon Dieu, on a sonné !... c'est peut-être lui ! *Elle court au fond.*

CLÉO, PAULETTE, *ne comprenant pas.* – Lui ?

Cléo s'est levée.

ÉTIENNETTE, *très agitée allant et venant au fond.* – Oui, monsieur l'abbé de Plounidec ; c'est l'heure où il vient généralement... Allons, bon ! qu'est-ce que j'ai fait de ?...

CLÉO, *remontant entre fauteuil et canapé vers Étiennette.* – De quoi ?

ÉTIENNETTE, *cherchant à droite et à gauche.* – Je ne sais pas... c'est de... Je ne sais plus ce que je voulais...

Elle gagne ainsi la cheminée.

GUÉRASSIN, *gouailleur.* – Là, là, regarde-là !... Elle valse !

ÉTIENNETTE, *furieuse.* – Allons voyons, toi !...

Tout en parlant, elle écarte Paulette qui est devant la cheminée, et la gêne pour se regarder dans la glace ; rapidement elle arrange sa coiffure en se mirant.

GUÉRASSIN, *à qui ce jeu de scène n'a pas échappé.* – Eh ! bien, quoi donc ? Dans la glace maintenant ?... Mais oui, on est très bien ! Du moment que l'âme est belle...

ÉTIENNETTE. – Ah ! te tairas-tu, insupportable plaisant !

Elle remonte dans la direction de la porte du fond.

SCÈNE II

LES MÊMES, ROGER, HEURTELOUP, LA CHOUTE

ROGER, *paraissant au fond et se rangeant à droite de la porte.* – Monsieur et madame Heurteloup !

Pendant ce qui suit il ramasse les tasses qui traînent et les range sur le plateau qu'il emporte aussitôt.

HEURTELOUP et LA CHOUTE, *passant leurs deux têtes dans l'embrasure de la porte.* – Bonjour, les enfants !

ÉTIENNETTE, *désappointée.* – Vous !

PAULETTE, *debout dos au public non loin du tabouret de gauche.* – Heurteloup !

CLÉO. – La Choute !

GUÉRASSIN, *sur un ton de déception affecté.* – Ah !... Ce n'est que vous !

HEURTELOUP, *qui est allé embrasser Étiennette puis Cléo, descendant par la gauche vers Paulette et tout en marchant.* – Comment : « Ce n'est que nous » ?

Il embrasse Paulette.

LA CHOUTE, *qui est allée embrasser Étiennette et Cléo, descendant vers Paulette par la droite du canapé, ce qui la fait se croiser avec Heurteloup qui va serrer la main à Guérassin.* – C'est encore gentil !...

Elle embrasse Paulette.

ÉTIENNETTE, *descendant par le milieu de la scène.* – Ne faites pas attention : c'est son genre d'esprit.

GUÉRASSIN, *avec un geste de désinvolture.* – C'est mon genre.

CLÉO, *qui est descendue près de la cheminée.* – Ah, ça ! vous êtes à Paris, vous autres ?

LA CHOUTE *et* HEURTELOUP, *ensemble et vivement.* – Non, non !

CLÉO. – Comment : « non, non » ?

HEURTELOUP *, *sur un ton dévot.* – Je suis actuellement en retraite au monastère de Concarneau, où je prépare mon jubilé [13].

TOUS. – Non ?

LA CHOUTE, *dévotement, les mains croisées sur la poitrine.* – Et moi aussi.

ÉTIENNETTE. – C'est du joli !

PAULETTE. – Et ta femme a donné là-dedans ?

HEURTELOUP. – Ma femme, tu parles !... Elle est ici avec la famille à l'occasion de l'entrée de notre neveu au régiment.

GUÉRASSIN. – Oui, oui... le petit séminariste.

ÉTIENNETTE, *très simplement.* – En effet, c'est demain qu'il entre au corps.

HEURTELOUP. – Ah ! tu sais ?

GUÉRASSIN. – Comment, si elle sait !

HEURTELOUP. – Alors j'ai trouvé ce truc pour me donner campo ! et surtout, défense de m'écrire, de m'envoyer mes lettres : tout au jubilé ! Je suis retiré du monde ! Comme ça, c'est un mois de bon ! Ohé ! Ohé !

Il s'assied sur le tabouret de gauche.

LA CHOUTE. – Et ce qu'on jubile, ouh ! mon Totor !

Elle lui saute sur les épaules.

---

* Cléo 1, Paulette 2, Heurteloup 3, la Choute 4, Etiennette 5, Guérassin 6.

HEURTELOUP, *gesticulant des épaules pour se dégager de son étreinte.* – Allons, voyons ! Ah ! celle-là, quand elle n'est pas sur mon dos, sur mes reins ou sur mes épaules !...

GUÉRASSIN, *jovialement.* – C'est que tu te retournes.

On rit.

LA CHOUTE, *quittant Heurteloup et sur un ton scandalisé que dément une envie de rire mal dissimulée.* – Ah ! dis donc, toi ! si tu étais convenable !

HEURTELOUP, *se levant et passant devant la Choute pour aller à Étiennette.* – Au fait, à propos de convenances, qu'est-ce qu'a donc Musignol ? Nous venons de le croiser dans la rue. Je lui ai dit : « Bonjour, Musignol. » Il m'a répondu : « ... la garde meurt et ne se rend pas. »

LA CHOUTE, *un genou sur le tabouret quitté par Heurteloup.* – Comment, pas du tout ! Il t'a répondu : m...

HEURTELOUP, *vivement, lui mettant la main sur la bouche, et presque crié :* Je sais ! *(Sur un ton de voix plus pondéré.)* Mais c'est comme ça que ça se dit dans les salons.

LA CHOUTE, *bien naïvement.* – Oh !... comme c'est plus long !

On rit.

GUÉRASSIN. – Ah ! il t'a dit ?... Eh bien, ça ne m'étonne pas ! ce pauvre Musignol ! campo aussi ; mais lui pas de son propre gré. Étiennette vient de rompre.

LA CHOUTE et HEURTELOUP. – Non ?

GUÉRASSIN. – Et en cinq sec encore !

ÉTIENNETTE, *remontant jusqu'à la petite table près du paravent. – Avec humeur.* – Mais qu'est-ce que ça a d'intéressant ?

HEURTELOUP. – Ah ! bien, je comprends alors.

GUÉRASSIN, *se rapprochant d'Heurteloup.* – Et pourquoi, je vous le demande ?

ÉTIENNETTE, *se précipitant* (6) *sur Guérassin* (5). – Allons, voyons Guérassin !

GUÉRASSIN, *l'écartant du bras gauche.* – Si ! si ! il faut qu'ils sachent.

ÉTIENNETTE, *essayant de le faire taire en lui mettant la main sur la bouche.* – Non !... non !

GUÉRASSIN, *se débattant contre son étreinte et dominant la voix d'Étiennette qui, pendant cette phrase, pique autant qu'elle peut des « non !... non !... Ce n'est pas vrai ! »* –

C'est parce que madame est amoureuse de ton neveu, le jeune Plounidec.

HEURTELOUP, LA CHOUTE, *ahuris.* – Non ?

ÉTIENNETTE, *furieuse.* – Ce n'est pas vrai !

GUÉRASSIN, CLÉO, PAULETTE. – Si, si !... c'est vrai, c'est vrai !...

ÉTIENNETTE, *très vexée allant s'asseoir sur le tabouret de droite.* – Vous êtes stupides !

HEURTELOUP, *se tordant.* – Maurice ? ah ! ah ! Elle est bien bonne.

LA CHOUTE, *se laissant tomber sur le tabouret de gauche.* – Le petit séminariste ! ah ! ah ! je me tords.

ENSEMBLE

GUÉRASSIN. – Hein ? N'est-ce pas qu'elle est drôle ?
CLÉO. – Croyez-vous, hein ?
PAULETTE. – Ah ! la pauvre Étiennette !

Tous les cinq se tordent de rire.

ÉTIENNETTE, *après les avoir laissé rire un instant en les considérant d'un air de profonde pitié.* – Non, mais je vous en prie !... Voulez-vous que j'appelle les domestiques, le concierge ?

CLÉO, *un genou sur le tabouret sur lequel la Choute est elle-même assise.* – Oh ! bien, quoi ! du moment qu'il y a de l'amour au fond d'une chose, il y a pas de mal.

ÉTIENNETTE, *dépitée.* – Je ne vous dis pas ! mais enfin ça ne regarde que moi.

PAULETTE. – C'est égal, une soutane, moi, ça me jetterait un froid.

CLÉO. – Pourquoi ? C'est toujours un homme qui est dedans. Tiens ! moi, j'en ai connu un comme ça qui avait voulu se faire prêtre.

TOUS, *étonnés.* – Ah !

CLÉO. – C'était un juif !

TOUS. – Quoi ?

CLÈO. – Oui, enfin, un prêtre juif.

GUÉRASSIN. – Ah ! un rabbin !

CLÉO, *affirmative.* – C'est ça !... *(Changeant de ton.)* Seulement après, ça ne lui avait plus dit. Alors il était entré à la Bourse.

GUÉRASSIN, *avec bonne humeur.* – Oui !... monsieur voulait un temple !

CLÉO. – Eh ! bien, vous savez, mes enfants, c'était un homme comme tout le monde, à peu de chose près.

GUÉRASSIN, *s'inclinant gouailleur.* – Voyez-vous ça !...

CLÉO *résumant.* – Tout ça c'est pour dire qu'un homme n'est jamais qu'un homme.

Elle remonte au coin droit du canapé.

HEURTELOUP, *gagnant le 5, vers Étiennette.* – Ah ! non, mais c'est égal, Maurice ! Ah ! ma pauvre Étiennette, celui qui le dégourdira celui-là !

ÉTIENNETTE, *sur un ton sans réplique.* – Je n'ai pas l'intention de le dégourdir.

GUÉRASSIN. – Mais non ! c'est ce qu'il y a de superbe : foin de la chair ! l'amour psychique ! le collage blanc !... Voilà ce qu'elle rêve !

LA CHOUTE. – Ah ! ben !...

HEURTELOUP. – Mon Dieu ! à ce compte-là, on peut s'entendre. Mais autrement ! ah ! la ! la ! Mais tenez, voilà Maurice soldat ; je parie qu'il sortira du régiment aussi novice qu'il y entre. Il le quittera gradé... et vierge.

LA CHOUTE, *avec une conviction comique.* – Sortir vierge d'un régiment ! oh !... moi je pourrais pas !

GUÉRASSIN, *moqueur.* – Tiens ! l'autre !

On rit.

HEURTELOUP. – Assez, la Choute ! je suis là.

On sonne.

ÉTIENNETTE, *se dressant tout d'une pièce.* – On a sonné !

Vivement, elle court vers la porte. Dans son mouvement précipité, elle a été donner contre Heurteloup qui lui barre le chemin, le dos tourné ; elle le fait pivoter et gagne le fond, en proie à la même agitation que précédemment.

GUÉRASSIN. – Tenez, là ! regardez-la ! le boston qui recommence.

ÉTIENNETTE, *au fond.* – Eh ! bien, quoi ? Je ne peux plus bouger ? C'est extraordinaire, ma parole !

Heurteloup va s'asseoir sur le tabouret de droite.

SCÈNE III

LES MÊMES, ROGER

ROGER, *au fond.* – Madame, c'est monsieur l'abbé de Plounidec.

ÉTIENNETTE, *très agitée.* – Mon Dieu, c'est lui !... c'est lui !... *(A Roger.)* Où est-il ? Vous l'avez fait entrer par là ?

ROGER. – Oui, madame, dans le petit salon.

ÉTIENNETTE. – Bon, tout de suite ! Je vous sonnerai ! *(Sortie de Roger. – Étiennette descend en passant devant Cléo, jusqu'à la Choute – Cléo, aussitôt ce mouvement, descend à droite d'Étiennette. Pendant ce qui suit, Guérassin gagne la cheminée par le fond de la scène.)* Mes enfants, vous êtes très gentils, mais vous allez vous en aller.

TOUTES, *se levant.* Oh !

PAULETTE. – Comment, juste au moment ?...

CLÉO. – Oh ! laisse-nous le voir !...

ÉTIENNETTE. – A vous ?

TOUTES TROIS, *l'entourant.* – Oh ! oui ! oh ! oui !

HEURTELOUP, *se levant vivement.* – Mais non, mais non, mais pas du tout ! Je ne tiens pas à le voir, moi ! merci ! et mon monastère !... Ah ! non !

LA CHOUTE, *qui est devant Étiennette et dos au public, se tournant pour se rapprocher d'Heurteloup.* – Eh ! bien, tu iras faire un somme sur la chaise-longue d'Étiennette. Justement tu n'as pas fermé l'œil entre Concarneau et Paris.

HEURTELOUP. – A qui la faute ?

LA CHOUTE. – Je ne te dis pas ! Eh ! bien, voilà l'occasion de te refaire. *(A Étiennette, se rapprochant du groupe et sans transition.)* Oh ! montre-le nous.

CLÉO et PAULETTE. – Montre-nous le !

LA CHOUTE. – Montre-le nous-le !

ÉTIENNETTE. – Mais non, voyons ! En voilà une idée ! Ce n'est pas une bête curieuse !

TOUTES. – Oh ! pourquoi ? pourquoi ?

ÉTIENNETTE. – Mais parce que ! Parce qu'il y a là une question de bienséance, de délicatesse !... Vous présenter à monsieur l'abbé, vous !

PAULETTE, *dégageant, en descendant avant-scène gauche.* – Ah ! mais dis donc, tu es encore aimable !

CLÉO, *dégageant vers la droite.* – Du moment qu'il vient chez toi, il peut nous voir !

LA CHOUTE, *qui a dégagé en même temps que Cléo de sorte qu'elles conservent respectivement le même numéro.* – D'autant qu'on a des usages !...

GUÉRASSIN, *adossé à la cheminée.* – Si on en a !...

ÉTIENNETTE. – Oui, je ne vous dis pas ; mais...

PAULETTE, *par-dessus l'épaule et sur un ton pincé, tout en gagnant au-dessus de la table par la gauche de la scène.* – Mais avoue donc la vérité ! Après le portrait dithyrambique que tu nous as fait de ton petit ecclésiastique, tu as peur que nous ayons une déception.

ÉTIENNETTE, *indignée.* – Oh !

CLÉO. – C'est vrai ce que dit Paulette ! Il est peut-être très toc, ton séminariste.

LA CHOUTE, *surenchérissant.* – Très moche !

ÉTIENNETTE, *indignée.* – Toc ! monsieur l'abbé ! Ah bien ! par exemple !...

Elle va à la cheminée pour sonner.

PAULETTE, *de l'air le plus détaché, tout en se dirigeant vers la porte du fond comme une personne qui se dispose à s'en aller.* – Allons, au revoir.

LES DEUX AUTRES, *entrant dans le jeu de Paulette.* – Au revoir.

Elles remontent.

ÉTIENNETTE, *s'élançant plus vite que les trois femmes entre elles et la porte.* – Hein ?... du tout, du tout, vous allez me faire le plaisir de rester là.

TOUTES, *se faisant prier.* – Mais non, mais non !

CLÉO. – Tu nous as fait comprendre que nous étions de trop.

ÉTIENNETTE, *voulant parler.* – Non, pardon !...

LA CHOUTE, *lui coupant la parole.* – Nous ne voulons pas être indiscrètes.

ÉTIENNETTE. – Oui ? Eh ! bien, vous vous en irez tout à l'heure si vous voulez, mais pas avant d'avoir vu monsieur l'abbé.

TOUTES, *sans conviction.* – Mais non ! mais non !

ÉTIENNETTE, *sur un ton impératif.* – Ah !... je le veux ! *(Les trois femmes descendent de l'air détaché de personnes qui veulent bien faire la concession qu'on leur demande ; Étiennette va sonner à la cheminée.)* Toc, mon séminariste ! Ah ! ben, je vous ferai voir, moi, s'il est toc !

PAULETTE. – Soit ! C'est bien pour t'être agréable !

Elle descend jusqu'au coin droit du canapé.

CLÉO, LA CHOUTE, *descendant vers la droite.* – Oh ! oui !

GUÉRASSIN, *adossé à la cheminée.* – *A part.* – Comme les femmes connaissent le cœur humain !

SCÈNE IV

LES MÊMES, ROGER, PUIS MAURICE

ROGER. – Madame a sonné ?

ETIENNETTE, *du coin de la cheminée.* – Introduisez monsieur l'abbé.

HEURTELOUP *, *qui s'était assis pendant cette scène sur le sofa de droite, se levant vivement et saisissant au passage son chapeau qu'il avait déposé lors de son entrée sur la petite table près du paravent.* – Eh ! là, attendez ! attendez ! que je m'évapore !

LA CHOUTE. – Bon, va !

HEURTELOUP, *à la Choute.* – Quand Maurice s'en ira, tu viendras me prévenir.

LA CHOUTE. – Entendu !

HEURTELOUP, *sur le pas de la porte de droite, à Roger sur le seuil de celle du fond.* – Vous pouvez introduire.

Il sort.

ÉTIENNETTE. – C'est ça. *(Sortie de Roger . – Descendant légèrement vers les trois femmes.)* Et vous, je vous en prie, observez-vous, surtout !... De la tenue !... songez que vous n'avez pas affaire à un gigolo !...

TOUTES, *sur le ton ennuyé dont on accueille une recommandation superflue.* – Mais ouis, mais oui !

ETIENNETTE. – Que monsieur l'abbé ignore tout de moi ; que s'il se doutait jamais !...

PAULETTE. – Allons, voyons, tout de même, il ne s'imagine pas être chez une chanoinesse !

Elle passe à droite.

ETIENNETTE. – Il ne s'imagine rien du tout ! son esprit ignore tellement le mal qu'il ne lui arrive même pas de le soupçonner.

CLÉO, *un peu vexée.* – « Le mal ! le mal !... » Tu es toujours à parler du mal ! Vraiment, de quoi avons-nous l'air ? C'est vrai ça !

ETIENNETTE. – Allons, voyons, Cléo, tu ne vas pas !... *(Sans transition, en voyant entrer Maurice introduit par Roger – remontant vivement entre la cheminée et la table, pour s'élancer à sa rencontre.)* Ah ! monsieur l'abbé !... quel plaisir de vous voir !...

* Guérassin 1, à la cheminée ; Etiennette 2, au-dessus de la cheminée ; Paulette 3, au coin du canapé ; Cléo 4, et la Choute 5 ; Heurteloup 6, sur le sopha.

MAURICE, *s'arrêtant, un peu interdit.* – Oh ! madame, vous avez du monde ; si j'avais su !... vraiment, je suis indiscret !

ETIENNETTE. – Indiscret, vous, monsieur l'abbé !

PAULETTE, *remontant légèrement vers Maurice.* – C'est nous qui sommes indiscrètes, mais nous n'avons pas voulu nous en aller, monsieur l'abbé.

En ce disant elle esquisse une révérence.

CLÉO, *même jeu que Paulette.* – Nous avions un si grand désir de vous connaître, monsieur l'abbé !

Elle fait la révérence.

LA CHOUTE, *même jeu.* Notre amie Étiennette nous a fait un tel éloge de vous, monsieur l'abbé !

Révérence.

MAURICE, *qui est descendu peu à peu en scène suivi d'Étiennette.* – Oh ! mesdames.

GUÉRASSIN, *de la cheminée.* – Voilà un accueil qui doit rassurer vos scrupules, monsieur l'abbé.

MAURICE, *allant serrer la main à Guérassin.* – On n'est pas plus aimable que ces dames. Votre serviteur, monsieur Guérassin !

GUÉRASSIN, *gaîment, avec une courbette comique.* – Mais... nous en sommes un autre, monsieur l'abbé.

ÉTIENNETTE, *présentant* *. – Mesdames Paulette de Vermandois et Cléo de.. de Montespan [14].

Les deux femmes font une profonde révérence.

MAURICE, *s'inclinant, et galamment.* – Ah ! mesdames, voilà des noms qui appartiennent à l'histoire.

GUÉRASSIN, *à part.* – Ils n'appartiennent même qu'à elle.

ÉTIENNETTE. – Et... *(Voyant la Choute un peu remontée, lui faisant de la tête signe d'avancer.)* une petite amie à nous, Simone Clovisse ; dans l'intimité, « La Choute ».

MAURICE. – De mieux en mieux, un nom de roi, maintenant.

LA CHOUTE, *bien espiègle.* – Quoi ! « La Choute » ?

MAURICE. – Non, Clovis.

LA CHOUTE. – Oh ! de mollusque plutôt : ça s'écrit *deux S-E* [15].

MAURICE, *un peu interloqué.* – Ah ?... Ah ?

---

* Guérassin 1, à la cheminée ; Maurice 2 ; Etiennette 3 ; la Choute 4, un peu au-dessus des autres ; Cléo 5 ; Paulette 6.

LA CHOUTE. – On n'est pas ambitieuse !

ÉTIENNETTE. – Et maintenant, mes amies, vous le connaissez, mon sauveur ; celui à qui je dois d'être près de vous en ce moment.

MAURICE, *modestement.* Oh ! madame !

PAULETTE. – Oui, oh ! Étiennette nous a dit ! vous avez montré un courage !

CLÉO. – Si, si ! il paraît que vous avez été sublime.

MAURICE, *protestant.* – Oh !

ÉTIENNETTE, *avec admiration.* – S'il a été sublime !

Elle remonte légèrement jusqu'au coin droit du canapé.

LA CHOUTE. – Que vous avez affronté les courants les plus dangereux.

MAURICE. – Mais non, mais non ! quelle exagération ! j'avais un bain à prendre, je l'ai pris ; voilà tout !

TOUTES, *se pâmant.* – Ah !

PAULETTE. – Quelle simplicité dans le dévouement !

LA CHOUTE. – C'est un héros !

CLÉO et PAULETTE. – Un héros !

ÉTIENNETTE, *confirmant l'expression.* – Un héros.

MAURICETTE, *tout confus.* – Mais je vous en prie, mesdames, je vous en prie !

LA CHOUTE, *bas aux deux femmes, avec orgueil.* – Et dire que c'est mon cousin par alliance !

MAURICE. – D'ailleurs je n'étais pas seul ; et M. Guérassin ici présent...

GUÉRASSIN, *bien modeste.* – Oh ! moi..., sur le rivage !

ÉTIENNETTE. – Oui, demandez-lui donc s'il se serait mis à l'eau, lui, pour me sauver. *(A Guérassin.)* Car enfin, pourquoi ? Pourquoi ne t'es-tu pas mis à l'eau ?

GUÉRASSIN, *très bon enfant.* – J'sais pas nager.

ÉTIENNETTE. – En voilà une raison !

MAURICE, *avec un sourire d'indulgence.* – Oh ! si madame, c'en est une. Et puis enfin, il faut être juste : sans monsieur Guérassin qui m'a signalé le danger que vous couriez, je ne me serais certainement pas aperçu...

GUÉRASSIN, *saisissant la balle au bond.* – Ah ! je ne suis pas fâché !... car enfin, c'est moi, le monsieur qui courait en tous sens en criant : « Au secours, au secours ! il y a une femme qui se noie ».

LA CHOUTE. – Eh ! ben quoi ! C'est pas sorcier !

GUÉRASSIN. – C'est pas sorcier ; mais fallait y penser.

ÉTIENNETTE, *brusquement.* – Oh ! Mais je vous en prie, monsieur l'abbé, vous restez là debout !

Tout en parlant elle a gagné jusqu'à la bergère près de la cheminée, en faisant le tour au-dessus de la table.

Tout ceci très rapide et presque l'un sur l'autre :

PAULETTE, *allant chercher le tabouret de droite et le rapportant.* – C'est vrai, un siège pour monsieur l'abbé.

LA CHOUTE, *allant chercher la chaise à droite de la table.* – Tenez, monsieur l'abbé, prenez donc cette chaise !

CLÉO, *qui est allée prendre le fauteuil près du paravent.* – Non, ce fauteuil, plutôt, monsieur l'abbé ! vous serez mieux.

Toutes trois, rangées en demi-cercle, lui présentent chacune son meuble qu'elles tiennent à hauteur de poitrine.

ÉTIENNETTE, *agacée de tant de zèle de leur part, sur un ton un peu sec.* – Laissez donc ! laissez donc !... *(Sur un ton plus impératif.)* Laissez !

LES TROIS FEMMES, *interloquées.* – Ah ?

ÉTIENNETTE, *sur un ton plus doux, et tout en avançant la bergère avec l'aide de Guérassin.* – Voici le fauteuil qu'affectionne M. l'abbé ! Je commence à connaître ses goûts !

Les femmes, toutes déconfites, ont été remettre les meubles à leur place primitive. Guérassin, qui est resté au-dessus de la bergère après l'avoir avancée, remonte au-dessus de la table. Étiennette descend au fauteuil face à la bergère de Maurice et s'assied.

MAURICE, *assis.* – Oh ! vraiment, mesdames, je suis confus !

ENSEMBLE

PAULETTE, *revenant vivement.* – Mais comment donc, M. l'abbé.

CLÉO, *id.* – Mais c'est bien le moins, M. l'abbé.

LA CHOUTE, *id.* – Oh ! M. l'abbé, nous sommes trop heureuses.

L'ABBÉ. – Oh ! mesdames...

LA CHOUTE. – Vous êtes bien, Monsieur l'abbé ?

MAURICE. – Mais, comment donc !...

PAULETTE, *près du canapé au-dessus de Cléo.* – Vous ne désirez pas un tabouret ?

MAURICE. – Madame ! je vous en prie.

CLÉO, *se précipitant et presque à genoux pour ramasser le coussin qui est sous le canapé.* – Ou ce coussin sous vos pieds ?

MAURICE. – Mais non, mais non !... oh ! vraiment, mesdames !...

Ces trois répliques des trois femmes tant elles sont empressées, doivent arriver l'une sur l'autre sans attendre les réponses de Maurice qui doivent être piquées dans le dialogue. – Cléo, au refus de Maurice, a remis le coussin sous le canapé.

ÉTIENNETTE. – Vous ne direz pas qu'on n'est pas heureux de vous gâter, monsieur l'abbé.

MAURICE. – Oh ! madame, je ne sais comment remercier ; je suis confus !

Les trois femmes se sont assises, la Choute sur le tabouret de gauche, Cléo et Paulette sur le canapé, la première à gauche, la seconde à droite.

GUÉRASSIN, *qui est descendu à droite du canapé.* – Le fait est qu'il y a longtemps que je viens ici ; jamais on n'en a fait fait le quart pour moi.

PAULETTE. – Oh ! ben, tiens, toi !

LA CHOUTE. – Tu n'es pas ecclésiastique, toi !

GUÉRASSIN, *s'inclinant devant l'argument.* – Non !... ça c'est vrai !

CLÉO, *très femme du monde, à Maurice.* – C'est si rarement qu'il nous est donné de converser avec un fils de l'Église.

GUÉRASSIN, *à part.* – Ouh ! là !

PAULETTE, *sur le même ton que Cléo.* – Que c'est une joie pour nous, M. l'abbé.

MAURICE, *tout en s'inclinant légèrement.* – Vraiment ?

LA CHOUTE, *avec beaucoup de tenue.* – Il y a des moments où on en a jusque-là des laïcs !

PAULETTE, *les yeux au ciel.* – Ah ! la religion !

MAURICE. – Vous l'aimez ?

CLÉO, *lyrique.* – Ah ! oui !... la messe, la messe surtout !...

PAULETTE, *sur le même ton lyrique.* – En musique !

LA CHOUTE, *id.* – Celle de onze heures... à la Madeleine.

PAULETTE, *id.* – C'est la plus chic !

CLÉO, *avec une légère moue.* – Oui. *(Changeant de ton.)* Eh ! bien, non !... non moi, celle qui me touche davantage, *(S'agrippant le cœur.)* celle qui me prend là : ce n'est pas cette messe mondaine, élégante, et qui ressemble à un spectacle ; non : *(Sentimentale.)* c'est la messe toute simple, dans une pauvre église de village.

MAURICE. – Combien vous êtes dans le vrai !

PAULETTE et LA CHOUTE, *vivement, ne voulant pas être en reste.* – Oh ! mais nous aussi ! nous aussi !

GUÉRASSIN, *à part.* – Tiens, parbleu !

CLÉO. – Est-ce l'humilité du saint lieu ? Est-ce le recueillement qui y règne ? Je ne sais pas ; mais c'est plus fort que moi : mon cœur se gonfle, ma gorge se contracte !... je pleure... comme un veau.

GUÉRASSIN, *avec une commisération jouée.* – Oh ! pauvre Cléo ! *(Entre chair et cuir.)* le retour à la nature !

MAURICE. – Ah ! mesdames, cela réchauffe le cœur de vous entendre parler de la sorte ! je vois que vous êtes de ferventes chrétiennes.

PAULETTE ET CLÉO. – Si nous le sommes !

LA CHOUTE, *sentimentale et les yeux au ciel.* – Et comment !

MAURICE. – Oh ! ça ne m'étonne pas d'ailleurs. Dans un milieu comme celui-ci !...

ÉTIENNETTE, *s'inclinant, très touchée.* – Oh ! monsieur l'abbé !

MAURICE. – Ah ! mesdames, je ne sais pas si vous avez des enfants ?...

TOUTES TROIS, *sursautant instinctivement.* – Hein ?

CLÉO, *ne pouvant réprimer ce cri du cœur.* – Ah ! non, alors !

LA CHOUTE, *inconsidérablement.* – On fait attention.

MAURICE, *bien naïvement.* – A quoi ?

LA CHOUTE, *interloquée.* – Hein ? Comment ?... mais à... à...

CLÉO, *vivement.* – Aux commandements !

LA CHOUTE et PAULETTE, *vivement.* – Voilà ! oui, voilà !

ÉTIENNETTE, *vivement.* – Oh !... Ces demoiselles ne sont pas mariées ?

TOUTES. – Euh ! Non !... non... nous ne... non.

MAURICE, *au comble de la confusion.* – Oh !... oh ! je suis confus !... vous êtes encore jeunes filles.

TOUTES, *ne sachant que répondre.* – Hein ? Oh !... euh !...

LA CHOUTE, *ne trouvant pas de meilleure explication.* –

Nous... nous ne sommes pas mariées.

CLÉO et PAULETTE. – Nous ne sommes pas mariées.

GUÉRASSIN, *avec un sérieux comique.* – Elles ne sont pas mariées.

MAURICE, *ne sachant comment s'excuser.* – Oh ! mesdemoiselles ! et moi qui vous tiens des propos !... *(Brusquement.)* Je ne vous ai pas choquées ?

TOUTES. – Du tout ! Du tout !

GUÉRASSIN, *comme précédemment.* – Du tout ! Du tout !

SCÈNE V

LES MÊMES, ROGER

Roger paraît au fond tenant un plateau sur lequel est un papier plié en deux et va directement à la Choute.

ÉTIENNETTE. – Qu'est-ce que c'est, Roger ?

ROGER, *présentant le papier à la Choute.* – Un mot pour madame.

LA CHOUTE, *étonnée.* – Pour moi ?

MAURICE, *corrigeant malicieusement.* – Pour mademoiselle.

ROGER, *conciliant.* – Pour mademoiselle.

LA CHOUTE. – Vous permettez ? (*Se levant et descendant un peu à droite pour lire.*) « Est-ce qu'il y en a encore pour longtemps ? » (*Sur un ton moitié lassé moitié rieur.*) Oh ! (*lisant.*) « Je m'embête par là ! viens un peu : on rira !... » *(A part en riant.)* Quelle brute ! (*Haut, à Roger.*) C'est bien ! dites que je viens ! (*Roger sort. – A Maurice.*) Je vous demande pardon, monsieur l'abbé, c'est une personne qui est là, qui a... à m'entretenir.

GUÉRASSIN, *à part.* – « A l'entretenir » ! c'est un rien !

MAURICE, *se levant.* – Mais, mademoiselle, je vous en prie !... Ah ! seulement je vous demanderai la permission de vous présenter mes adieux.

LA CHOUTE. – Oh ! mais je reviens.

MAURICE. – C'est que moi je suis obligé de partir.

TOUTES, *se levant.* – Oh ! déjà ?... déjà ?

MAURICE. – Hélas ! oui, mesdames, Je n'étais venu que pour prier madame de Marigny de m'excuser si je suis forcé de renoncer pour aujourd'hui à notre conférence quotidienne.

ÉTIENNETTE. – Oh ! vraiment ?

MAURICE. – C'est demain que je rentre à la caserne et nous sommes convoqués pour aujourd'hui, avant six heures, à la Place [16].

TOUTES, *désappointées.* – Oh !

LA CHOUTE, *enfant gâtée.* – Oh ! qu'ils sont ennuyeux à la Place ! vous ne pouvez pas y aller un autre jour ?

MAURICE, *avec un geste désolé tout en souriant de l'innocence de sa question.* – Impossible ! Avec les choses militaires !...

LA CHOUTE. – En disant que vous étiez avec nous !

MAURICE, *id.* – Même en disant ça.

LA CHOUTE, *sur un ton de regret, à Maurice qui sur ces dernières répliques a gagné le milieu de la scène.* – Allons ! Puisqu'il en est ainsi, au revoir monsieur l'abbé, et, j'espère, à bientôt.

MAURICE *. – Mais je l'espère aussi.

LA CHOUTE, *après avoir fait une révérence à Maurice. – sur un ton déluré.* – A tout à l'heure, vous autres.

Elle sort.

MAURICE, *qui, sur la sortie de la Choute, est remonté.* – Charmante jeune fille !... (*A Guérassin qui est à sa gauche.*) et quelle nature supérieure !...

GUÉRASSIN, *avec une admiration jouée.* – Ah !

Roger entre du fond, avec une carte sur un plateau ; il va vers Etiennette près de la cheminée, en descendant par la gauche de la table.

ÉTIENNETTE. – Qu'est-ce encore ?

ROGER. – Madame, c'est une dame, accompagnée de... de sa femme de chambre, qui demande à être reçue en particulier.

ÉTIENNETTE, *ennuyée.* – Allons, bon ! quoi ? Quelle dame ?

ROGER. – Voici sa carte. *Il présente le plateau à Étiennette.*

ÉTIENNETTE, *prenant la carte et lisant.* – Comtesse de Plounidec !...

MAURICE. – Maman !

TOUS. – Hein ?

---

* Etiennette 1, près de la cheminée ; Cléo 2 ; Paulette 3 ; Maurice 4 ; Guérassin 5, un peu au-dessus ; la Choute 6.

ÉTIENNETTE, *allant* (3) *à Maurice.* – Madame votre mère ! Madame votre mère, chez moi ?...

MAURICE. – Pourquoi ? Qu'est-ce que ça signifie ?

ÉTIENNETTE. – Je ne sais pas. Pourvu que ce ne soit pas pour !...

MAURICE. – Pour quoi ?

ÉTIENNETTE. – Hein ? Non, rien !... *(A Roger.)* Vous n'avez rien remarqué dans l'air de cette dame ?...

ROGER, *au dessus de la table.* – Dans son air ?... Non.

Il remonte près de la porte.

MAURICE. – Il faut vraiment quelque raison majeure pour que ma mère vienne ainsi vous demander un entretien particulier.

ÉTIENNETTE, *troublée.* – Oui, évidemment.

MAURICE. – Ah ! je voudrais bien savoir !...

ÉTIENNETTE. – Écoutez, monsieur l'abbé, cet entretien ne saurait être long ; *(Indiquant la porte de gauche.)* voulez-vous attendre par là avec ces dames et Guérassin. *(A Guérassin, qui est au-dessus de la table, causant avec Cléo et Paulette, l'invitant à indiquer le chemin.)* Guérassin !

GUÉRASSIN. – Entendu !

Il remonte et pendant ce qui suit, tout en bavardant avec Paulette et Cléo, passe dans la pièce de gauche dont la porte reste ouverte.

ÉTIENNETTE. – Aussitôt madame votre mère partie, je viendrai vous donner l'explication.

MAURICE. – Attendre, cela me mettrait bien en retard ! d'autant qu'il faut que je passe encore chez moi avant d'aller à la Place ; *(Tout en marchant avec Étiennette dans la direction de la porte de gauche.)* mais voici ce que je puis faire : de chez moi, – c'est sur mon chemin – avant la Place, je remonte ici savoir...

ÉTIENNETTE. – Eh ! bien, c'est ça ! Tenez, passons par là. *(A Roger, avant de sortir.)* Et vous, introduisez ces dames.

ROGER. – La bonne aussi ?

ÉTIENNETTE. – Hein ?

ROGER. – La bonne ?

ÉTIENNETTE. – Oui..., non..., comme le désirera madame la comtesse. *(A Maurice.)* Allons !

MAURICE. – Mon Dieu ! pourvu que cela ne soit pas quelque contrariété !

Ils sortent.

SCÈNE VI

ROGER, PUIS LA COMTESSE, EUGÉNIE, un en-tout-cas à la main et un réticule suspendu au poignet

ROGER, *allant ouvrir au fond et se rangeant côté gauche de la porte.* – Si madame la comtesse veut entrer. *(Tandis que la comtesse entre et descend à droite, à Eugénie qui s'attarde dans le vestibule à regarder autour d'elle – sur un ton amical et un peu protecteur.)* Entrez !... entrez, ma fille !

EUGÉNIE, *sur le seuil de la porte.* – « Ma fille » ! Eh ! bien, dites donc, malotru !

Elle gagne la gauche au-dessus de la table.

ROGER, *sans s'émouvoir.* – Pardon !... *(Rectifiant.)* Mademoiselle.

EUGÉNIE, *rectifiant.* – Madame.

ROGER, *conciliant.* – Madame. *(A la comtesse.)* Madame prie madame la comtesse de l'attendre un instant.

LA COMTESSE. – Merci.

Roger sort.

EUGÉNIE, *maugréant.* – « Ma fille ! » *(A la comtesse, tout en descendant entre la cheminée et la table.)* Tu vois ce que l'on gagne à aller chez ces dames ; ce valet m'a prise pour une cocotte.

LA COMTESSE. – Mais non ! pour une gouvernante, tout au plus ! tu as une tenue tellement sévère.

EUGÉNIE, *devant le tabouret de gauche.* – J'ai la tenue d'une femme honnête.

LA COMTESSE. Merci pour moi.

EUGÉNIE. – Écoute, Solange ! il en est encore temps ! Notre place n'est pas ici ! Allons-nous-en !

LA COMTESSE, *froidement décidée.* – Non, ma chère ! non ! inutile !

EUGÉNIE. – Mais c'est fou, voyons ! toi, la femme rigide, la femme de toutes les vertus, aller composer avec une courtisane ! Et pour quel motif !

LA COMTESSE. – Inutile, je te dis, ma décision est prise. Va-t'en si tu veux ; moi, je reste.

Elle s'assied sur le tabouret de droite.

EUGÉNIE. – C'est bien, je resterai donc ! Ce n'est pas dans une pareille démarche que je t'abandonnerai à toi-même ! Mais cela m'est dur !

Elle s'assied sur le tabouret de gauche.

LA COMTESSE. – Ah ! où as-tu vu que les calvaires fussent semés de roses ?

A ce moment paraît Étiennette, arrivant de gauche.

SCÈNE VII

LES MÊMES, ETIENNETTE

EUGÉNIE, *voyant Étiennette.* – Elle !

La comtesse et Eugénie se lèvent. Celle-ci prend son air le plus pincé.

ÉTIENNETTE, *accourant vers la comtesse mais s'arrêtant respectueusement à une certaine distance.* – Vous, madame la comtesse, chez moi !...

Dans son mouvement, son regard tombe sur Eugénie, elle s'incline légèrement, Eugénie répond par un salut à peine esquissé.

LA COMTESSE. – Oui, moi !... Je comprends : ma visite a lieu de vous étonner. Évidemment, je pourrais la justifier par de vagues prétextes : invoquer l'accident dont vous avez été victime chez moi, qui me fait un devoir, étant de passage à Paris, d'aller m'informer de vos nouvelles !... Non ! j'aime mieux aborder les choses franchement.

ÉTIENNETTE, *avec angoisse.* – Mon Dieu ! ce sont les visites de monsieur votre fils qui vous déplaisent et vous venez me signifier...

LA COMTESSE, *la rassurant.* – Moi ! quelle idée ! Non ! il ne s'agit pas de ça !

ÉTIENNETTE, *ne sachant que croire.* – Ah ?... alors je ne vois pas... (*Brusquement et tout en se portant au-dessus du fauteuil qui est près du paravent pour l'avancer de façon à ce qu'il tienne le milieu entre les deux tabourets.*) Oh ! mais je vous en prie madame, asseyez-vous donc.

LA COMTESSE, *gagnant le fauteuil que lui présente Étiennette.* – Pardon !

ÉTIENNETTE, *qui est descendue aussitôt à droite, indiquant le tabouret de gauche à Eugénie.* – Madame !

LA COMTESSE, *présentant.* – Ma cousine, madame Heurteloup.

ÉTIENNETTE, *très aimable, faisant des frais.* – Mais je crois déjà avoir eu le plaisir d'entrevoir madame. C'est au moment où je prenais congé de madame la comtesse ; madame est entrée si je ne me trompe et alors... ! Seulement je n'avais pas eu l'honneur de... de, euh ! (*Interloquée par l'attitude d'Eugénie, qui a écouté tout cela, l'air dédaigneux, la bouche en cul de poule, le regard dans le vague et avec ces dodelinements de tête tels qu'en ont les vieilles filles.*) Asseyez-vous donc, madame, je vous en prie.

La comtesse et Eugénie s'asseyent sur les meubles indiqués, Étiennette sur le tabouret de droite.

LA COMTESSE, *avec effort.* – Ah ! madame, la démarche que je viens faire près de vous est d'un ordre tellement délicat... !

EUGÉNIE, *entre ses dents.* – Ça !...

LA COMTESSE. – ... que vraiment, au moment de l'aborder, j'hésite : un trouble m'envahit.

ÉTIENNETTE, *inquiète.* – Eh ! mon Dieu, quoi donc madame ?

LA COMTESSE. – J'espère que vous ne prendrez pas ce que je vais vous dire en mauvaise part et que vous me tiendrez compte de l'effort que je m'impose ; nous sommes femmes ; au fond de toute femme, il y a une mère !... Vous me comprendrez.

ÉTIENNETTE, *empressée.* – Parlez, madame ! je serai trop heureuse si vous m'apportez une occasion de reconnaître tout ce qui a été fait pour moi dans votre famille.

LA COMTESSE. – Merci de ces bonnes paroles !... C'est une pauvre mère affolée qui vient vous trouver. Il s'agit d'une question où je suis tellement incompétente... ! Si vous saviez : les uns me disent : « il faut faire ceci ! », les autres me répètent : « n'en faites rien ! » Je ne sais plus à quel saint me vouer. Alors j'ai pensé à m'adresser à vous comme on s'adresse... à un avocat consultant. Vous avez tant d'expérience !...

ÉTIENNETTE, *un peu ébaubie.* – Moi, madame ! et en quelle matière ?

LA COMTESSE. – Eh ! bien voilà !... il s'agit de mon fils.

ÉTIENNETTE. – De monsieur l'abbé ?

LA COMTESSE. – Oui ! (*Bas à Eugénie.*) L'écrin... ! (*Celle-ci, qui a assisté à toute cette scène, comme si elle planait dans d'autres régions, a un sursaut, tel quel-*

qu'un qu'on rappelle à la réalité. La comtesse après un temps.) Passe-moi l'écrin !

Eugénie fait une moue de victime résignée, et ouvrant son réticule en tire successivement : un mouchoir, un paroissien, puis un chapelet ; en le voyant, elle lève un regard au ciel, esquisse un signe de croix avec le chapelet – tout cela très discrètement – pendant que la comtesse donne des signes d'impatience.

LA COMTESSE, *voyant qu'Eugénie n'en finit pas – avec un sourire gêné, à Étiennette.* – Tout de suite, madame !

Nouveau signe d'impatience à Eugénie. Celle-ci a enfin trouvé l'écrin. Elle le passe à la comtesse, honteusement, les bras tendus vers la terre et en détournant la tête. Après quoi, elle range bien soigneusement son chapelet, son paroissien, son mouchoir et ayant refermé son réticule, reprend son air pimbêche.

LA COMTESSE, *aussitôt qu'Eugénie lui a remis l'écrin.* – Mais d'abord laissez-moi vous offrir cette petite bagatelle.

ÉTIENNETTE. – A moi ?... Oh ! madame, mais non... ! Il n'y a aucune raison...

LA COMTESSE. – Si, si ! je sais ! Mon frère qui est bien renseigné m'a dit qu'il était d'usage... ! Et puis n'est-il pas naturel que l'avocat-conseil perçoive des honoraires ?...

ÉTIENNETTE, *qui a ouvert l'écrin.* – Oh ! madame, je suis confuse... ! la belle bague !

LA COMTESSE. – Vous la garderez comme un souvenir des émotions que nous avons traversées ensemble ! C'est mon fils en quelque sorte qui vous l'offre par mes mains.

ÉTIENNETTE. – A ce titre, elle me sera chère par-dessus tout.

Elle se soulève pour déposer l'écrin sur la petite table près du paravent et vient aussitôt reprendre sa place.

LA COMTESSE, *après un temps embarrassé. Brusquement, sans préparation.* – Il est bien souffrant, le pauvre petit.

ÉTIENNETTE. – Qui ? Monsieur l'abbé ?

EUGÉNIE, *ne pouvant se contenir.* – Je t'en prie, Solange.

LA COMTESSE, *à mi-voix avec humeur, à Eugénie.* – Ah !

laisse-moi, Eugénie ! (*À Étiennette. – Subitement radoucie.*) Puisque vous voyez Maurice, il ne lui est jamais arrivé chez vous d'être pris d'une faiblesse ?... D'avoir une syncope ?

ÉTIENNETTE. – En effet, il y a trois jours. Cela nous a assez inquiétés.

LA COMTESSE. – Eh ! bien, voilà !... Il paraît que c'est le résultat d'un excès de santé.

ÉTIENNETTE. – Ah ?

LA COMTESSE. – Oui.

ÉTIENNETTE. – Je ne saisis pas.

LA COMTESSE. – Oui, évidemment !... à première vue cela a l'air d'un paradoxe ; mais il paraît qu'en la matière, le trop est aussi préjudiciable que le pas assez !... Oh ! ces enfants quelle cause de souci !... Il a de la neurasthénie, comprenez-vous ? La sève,... la nature, le... le bourgeon, je ne sais comment vous expliquer... ! (*Bien ingénument.*) Il faut qu'il marche !

EUGÉNIE, *un coup au cœur.* – Oh !

ÉTIENNETTE, *se rejetant en arrière, estomaquée.* – Comment ?

LA COMTESSE, *vivement.* – Ce n'est pas moi qui parle, c'est le docteur ! une façon de dire qu'il faut que... que...

ÉTIENNETTE. – Oh ! je comprends.

LA COMTESSE, *avec une admiration pleine d'humilité.* – Ah ! vous comprenez ! Comme vous êtes instruite ! Moi, sur le moment, je ne comprenais pas. Eugénie non plus. (*Eugénie pince les lèvres.*) Mais quand on m'a mis les points sur les i !... (*Avec émotion.*) Ah ! madame de Marigny, vous ne savez pas ce que c'est pour une maman, quand on vient lui dire brutalement : « Eh ! bien, voilà : vous avez un fils qui est un ange de vertu ; désormais il n'en faut plus de cette vertu et à partir de maintenant il est désirable que... que... »

ÉTIENNETTE, *affolée à cette perspective.* – Oh ! mais il ne faut pas ! Il ne faut pas !

EUGÉNIE, *se dressant triomphante.* – Ah ! tu entends ! tu entends ce que dit madame ?

LA COMTESSE. – Eh ! est-ce que cela n'a pas été mon premier cri du cœur : « Il ne faut pas » ? cri de révolte, d'indignation devant ce qui me paraissait une monstruosité !... (*Avec amertume.*) Et puis... quand j'ai vu tout le monde se mettre de la partie, se liguer contre moi... !

EUGÉNIE, *qui s'est rassise pendant ce qui précède.* – Ah ! pas moi. !

LA COMTESSE. – Non, pas toi : mais le docteur, mon frère, monsieur le curé lui-même ! (*La voix dans le grave.*) Oui, madame, monsieur le curé ! Alors, peu à peu, j'en suis arrivée à me demander où était mon devoir. Je me suis raisonnée ; je me suis dit que la santé de mon enfant était en jeu ; que peut-être j'étais une égoïste à vouloir pour mon fils un bien qui n'était apparemment pas celui qui lui convenait ; que si son tempérament devait être une entrave continuelle à ce qu'il avait cru être sa vocation, ce tempérament, en somme, c'était Dieu qui le lui avait donné ; que s'il l'avait fait ainsi, c'est qu'il le réservait peut-être pour une autre mission ; qu'on n'allait pas contre la volonté céleste... ! et alors, insensiblement, je me suis résignée au sacrifice qu'on attendait de moi... ! je l'ai accepté... ! j'ai fini par le souhaiter ! (*Approchant son fauteuil légèrement d'Étiennette et toute honteuse, sombrant la voix.*) J'ai fini par chercher à le provoquer... Ah ! vous ne savez pas ce dont l'amour d'une mère est capable !

ÉTIENNETTE. – Oh ! Madame ! Alors, quoi ? Vous voudriez jeter votre fils dans les bras de... ?

LA COMTESSE, *toute désemparée.* – Est-ce que je sais... !

EUGÉNIE, *accablant la Comtesse sous sa réprobation.* – Eh ! bien oui ! Eh ! bien, oui ! Voilà le fond de sa pensée : au moment où son fils va entrer au régiment, où il n'aura pas trop de toute sa fermeté pour lutter contre la contagion des mauvais exemples, au lieu de le fortifier dans ses convictions religieuses, elle en arrive à souhaiter... ! Ah !

Elle détourne la tête d'un geste de dégoût.

ÉTIENNETTE, *reculant terrifiée.* – Ah ! madame, vous ne ferez pas cela !

LA COMTESSE, *suppliante.* – Mais alors donnez-moi un conseil ! Venez à mon secours ! Vous voyez bien que je suis un pauvre être désorienté, perdu... ! Voyons, il s'agit de Maurice ! Après ce qu'il a fait pour vous, il ne peut vous être indifférent !

ÉTIENNETTE, *un peu plus bas que le tabouret qu'elle vient de quitter et presque dos au public.* – Votre fils ! Ah ! Madame, si vous me demandiez ma vie... ! de me jeter au feu pour lui... !

LA COMTESSE, *se levant et s'approchant d'Étiennette.* –

Oh ! je ne vous en demande pas tant : aidez-moi, Madame, aidez-moi. Vous êtes bonne, vous êtes noble, vous... vous portez un grand nom.

ÉTIENNETTE, *humblement, sentant l'ironie de sa noblesse d'occasion.* – Oh !... ne parlez pas de mon nom.

LA COMTESSE, *avec conviction.* – Laissez donc ! lorsqu'on croit pouvoir se parer d'un titre, c'est qu'on se sent de force à le porter ; (*S'asseyant sur le tabouret que vient de quitter Étiennette de façon à être plus près de celle-ci.*) et puis vous avez la noblesse du cœur qui est la première de toutes ! Mais comprenez donc que ce que je rêve pour mon fils, c'est un être d'élection qui serait digne de lui ; une femme de sentiment si raffiné, si délicat, – qui l'aimerait assez et de façon suffisamment élevée – que les relations qui s'établiraient entre eux seraient bien plus une communion d'âmes que toute autre chose. (*Sur un ton d'imploration.*) Ah ! si vous vouliez ! si vous vouliez !

ÉTIENNETTE, *ayant peur de comprendre.* – Si je voulais... ?

LA COMTESSE. – Mais ne voyez-vous pas que vous êtes l'incarnation de la femme que j'ai rêvée ? Vous êtes prête à vous jeter au feu pour mon fils, dites-vous !... Eh ! bien, pour lui... faites moins et plus. Retenez-le par le charme qui se dégage de vous ; soyez son amie, sa confidente, sa conseillère ; et, mon Dieu, si quelque jour... (*Avec beaucoup de honte et d'une voix de moins en moins perceptible.*) dans l'ardeur de vos sentiments... vous en arrivez à... (*Après un instant d'hésitation où on sent qu'elle ne trouve plus ses mots.*) à la grâce de Dieu !

Sursaut de révolte chez Eugénie.

ÉTIENNETTE. – Hein !

LA COMTESSE. – Mon pauvre petit, il est à vous !

ÉTIENNETTE, *les yeux hagards.* – A moi ?

LA COMTESSE. – Je vous le donne.

ÉTIENNETTE, *passant au* (2) *en écartant du geste l'image évoquée par la comtesse.* – Oh ! non... ! Oh ! non ! non, pas ça !

LA COMTESSE, *se levant.* – Comment ?

ÉTIENNETTE. – Non ! pas ça, pas ça !

Eugénie s'est levée en même temps que la comtesse ; son visage a pris une expression radieuse ; elle entrevoit l'intervention divine.

LA COMTESSE, *qui n'en croit pas ses oreilles.* – « Non » ! Vous dites « non » ! Ah, çà ! je rêve ? C'est moi qui ici m'humilie jusqu'à vous demander ce qui révolte en même temps mes sentiments de mère et mes pudeurs de femme ! Et c'est vous qui me repoussez ! qui dites non !

ÉTIENNETTE, *douloureusement.* – Madame, je vous en supplie !

LA COMTESSE. – Pourquoi ? Pourquoi ? Mon fils est jeune, mon fils est beau !

ÉTIENNETTE, *avec exaltation.* – Oh ! oui !... oui !...

LA COMTESSE. – Elles sont légion les femmes qui seraient heureuses et fières... !

ÉTIENNETTE, *id.* – Oh ! oui, certes !

LA COMTESSE. – Enfin, vous m'avez fait entendre que vous l'aimiez.

ÉTIENNETTE, *à voix presque basse.* – Oh ! oui !

LA COMTESSE. – Alors, je ne comprends pas ! A quel sentiment obéissez-vous donc ? (*Sur un ton de doux reproche.*) Car enfin, vous en avez accueilli qui ne le valaient pas.

ÉTIENNETTE, *avec amertume, tout en remontant péniblement.* – Ah ! voilà !... voilà ! oui ; c'est sur cette réputation que vous vous êtes dit que vous n'aviez qu'à vous adresser à moi !

LA COMTESSE. – Oh ! madame !

ÉTIENNETTE, *se retournant pour redescendre.* – Oh ! ne croyez pas qu'ici intervienne chez moi le moindre sentiment d'amour-propre froissé ; non, le sentiment auquel j'obéis est plus haut que cela !... oui, j'aime votre fils, mais je l'aime d'un amour tellement pur, tellement élevé, tellement... chaste ! qu'il a pris en quelque sorte quelque chose de supra-terrestre. Certes, quand il m'est apparu pour la première fois, alors qu'il me disputait aux flots, cela a été pour moi comme un coup de foudre ! comment n'aurais-je pas été séduite par tant de courage, de beauté physique ?

LA COMTESSE, *avec tout l'orgueil d'une mère.* – Ah ! n'est-ce pas qu'il est beau !

ÉTIENNETTE, *levant les yeux au ciel.* – S'il est beau !

LA COMTESSE, *d'une traite, et en en ayant plein la bouche.* – Oh ! oui, il est beau !

ÉTIENNETTE. – Malheureusement quelques minutes après ces instants d'émotion, je devais le revoir encore et cette fois il portait la soutane. (*Se laissant tomber sur le tabouret qu'occupait Eugénie. – Celle-ci pendant ce qui *suit, derrière Étiennette et un peu à droite* (2), *écoutera comme en extase, les deux bras presque tendus au-dessus de la tête d'Étiennette.*) Cela a été comme une glace sur mon amour naissant. J'en ai compris aussitôt toute l'hérésie, toute l'impossibilité ! Alors, ce qui était chez moi un désir des sens, brusquement est devenu une dévotion pieuse. (*Après un temps.*) J'ai revu M. Maurice ; peu à peu il s'est emparé de mon âme ; il l'a transformée, pétrie à ses idées, à ses croyances ; il a fait de la femme déchue, une pécheresse repentante ; il m'a sauvée du mal. Oh ! j'ai continué à l'adorer, oui !... j'ai continué, mais religieusement, dévotement, comme on adore au pied des autels : à genoux et prosternée.

LA COMTESSE, *les yeux fixés à terre, hochant la tête.* – Oui !... oui !

EUGÉNIE, *avec lyrisme.* – C'est bien, madame ! c'est bien ce que vous dites là.

ÉTIENNETTE, *se levant sur place.* – Et vous voulez après cela que je profane ce sentiment devenu si pur... ? Oh ! madame la comtesse ! vous que monsieur votre fils m'a appris à révérer comme une sainte, comme la plus vertueuse des femmes, est-il possible qu'il ait pu naître en vous une pensée pareille !

LA COMTESSE, *profondément humiliée.* – Madame... !

EUGÉNIE (2), *au-dessus d'Étiennette.* – Et faut-il que ce soit madame qui te rappelle à tes principes ? À tout ton passé ?

LA COMTESSE, *traversant la scène et gagnant le 1.* – Assez, assez !... mon Dieu, ces paroles : il me semble entendre l'écho de ma conscience !... (*Les yeux au ciel.*) Mon Dieu, vous voyez ma détresse, éclairez-moi ! enseignez-moi la vérité !

EUGÉNIE, *avec le ton et le geste du prédicateur.* – La vérité, la vérité ! c'est de notre bouche qu'elle sort !

ÉTIENNETTE. – Vous tremblez pour la santé de votre fils !... Eh ! madame, ne croyez donc pas ceux qui vous effraient ! c'est une crise passagère dont il se remettra ! Au-dessus de la santé de son corps, il y a la santé de son âme qui a droit à votre sollicitude.

EUGÉNIE, *avec énergie.* – Absolument !

LA COMTESSE, *ne sachant plus à quel saint se vouer.* – Ah ! mon Dieu !...

ÉTIENNETTE, *comme suprême argument.* – Et puis, et puis... ! je ne peux pas être à lui et je ne veux pas qu'il soit à d'autres ! (*Sur un ton d'imploration.*) Ah ! madame, qu'il reste chaste ! qu'il reste chaste !

LA COMTESSE, *avec énergie.* – Eh ! bien, oui ! Assez de compromission comme cela ! assez d'intrigues équivoques !... J'étais égarée ; vous m'avez remise sur le chemin de la raison : merci, madame, je ne l'oublierai pas.

ÉTIENNETTE, *radieuse.* – Oui ?

EUGÉNIE, *avec un accent de triomphe.* – Ah ! je savais bien que la lumière se ferait.

Elle gagne la droite.

ÉTIENNETTE. – Ah ! madame, que je suis heureuse de vous entendre parler ainsi !

EUGÉNIE, *s'inclinant avec respect.* – Madame, je vous avais mal jugée ; je vous fais réparation.

A ce moment on entend un bruit de rires à la cantonade, des « à dada ! à dada ! » et des « hue, là ! hue ! ».

LA COMTESSE. – Qu'est-ce que c'est que ça ?

EUGÉNIE. – « A dada » ?

ÉTIENNETTE, *à part, gagnant au-dessus de la cheminée.* – Mon Dieu, Heurteloup, je l'avais oublié... !

SCÈNE VIII

LES MÊMES, HEURTELOUP, LA CHOUTE

A ce moment la porte de droit s'ouvre violemment, à deux battants, et Heurteloup surgit avec La Choute sur les épaules. Il descend bien franchement en cavalcadant joyeusement, avec des « à dada, à dada ! » accompagnés de « hue là, hue ! » poussés par la Choute. Il arrive ainsi en plein milieu de la scène, face à la comtesse. – Tableau.

LA COMTESSE et EUGÉNIE. – Ah !

HEURTELOUP, *manquant de s'effondrer.* – Ah !

LA COMTESSE. – Heurteloup ?

Heurteloup pivote sur lui-même et se trouve face à face avec sa femme.

HEURTELOUP. – Ma femme !

EUGÉNIE. – Mon mari !

LA CHOUTE. – La famille !

Elle saute à bas de ses épaules et s'éclipse derrière le paravent, tandis qu'Heurteloup est sur le point de s'évanouir de saisissement. Il porte la main à son col pour le déboutonner, comme un homme qui sent venir la congestion.

EUGÉNIE, *qui est remontée, centre de la scène, à hauteur de la table, de façon à couper la retraite à son mari, brandissant son en-tout-cas.* – Mon mari ! avec des gourgandines ! Ah ! polisson !

Elle cherche à le rattraper, mais déjà Heurteloup s'est ressaisi. Course de va-et-vient entre les deux époux autour de la table.

EUGÉNIE, *l'en-tout-cas levé.* – Attends un peu ! attends un peu !

LA COMTESSE. – Eugénie ! je t'en prie !

ÉTIENNETTE. – Madame ! madame !

EUGÉNIE, *tout en poursuivant sa course.* – Laissez-moi ! (*Courant après son mari qui parvient à s'échapper et à gagner la porte.*) Hector ! Hector ! veux-tu venir ici ! veux-tu venir ici !

Elle sort à sa suite.

LA COMTESSE, *sans laisser tomber le mouvement.*– Ah ! mon Dieu ! (*A Étiennette.*) Je vous demande pardon, madame, mais ma cousine... ! je ne peux pas la laisser... !

ÉTIENNETTE. – Mais je comprend très bien, faites.

LA COMTESSE. – Au revoir, madame, excusez-moi. (*Sortant en appelant.*) Eugénie ! Eugénie !

Elle disparaît.

ÉTIENNETTE, *au fond.* – Quelle histoire, mon Dieu !

LA CHOUTE, *descendant entre le paravent et l'extrême-droite.* – Eh ! ben, vrai !

Sur la fin de cette scène ont paru Guérassin, Paulette et Cléo. Les femmes ont leur chapeau sur la tête ; elles sont prêtes à partir.

SCÈNE IX

ÉTIENNETTE, LA CHOUTE, CLÉO, PAULETTE, GUÉRASSIN, PUIS ROGER, PUIS MAURICE

CLÉO, *allant à Étiennette.* – Qu'est-ce qu'il y a donc ?

PAULETTE, *descendant jusque devant le canapé.* – Qu'est-ce qui se passe ?

GUÉRASSIN, *au-dessus de la cheminée.* – Pourquoi ce tapage ?

ETIENNETTE.– Ne m'en parlez pas ! C'est Heurteloup qui vient de se faire pincer par sa femme avec La Choute sur le dos !

Elle redescend un peu.

TOUS. – Oh ! le malheureux !

LA CHOUTE. – Ce qu'il va se faire saler !

ÉTIENNETTE, *à La Choute.* – En tout cas, rien ne pouvait m'être plus désagréable, surtout en la circonstance actuelle.

Tout en parlant, elle remet le fauteuil qu'elle avait avancé à la Comtesse, à sa place primitive.

LA CHOUTE. – Qu'est-ce que tu veux, on ne l'a pas fait pour son plaisir.

ROGER*, *paraissant au fond.* – Madame ?

ÉTIENNETTE. – Quoi ?

ROGER. – Madame sait que Monsieur l'abbé est là.

ÉTIENNETTE. – Monsieur l'abbé !

ROGER. – Comme madame était occupée avec ces dames, je l'avais fait entrer dans le boudoir.

ÉTIENNETTE. – Mais, vite, introduisez.

Roger sort.

VOIX DE ROGER. – Si monsieur l'abbé veut entrer ?

MAURICE, *paraissant en uniforme de la ligne ; la tunique et pas d'arme.* – Mesdames.

TOUS, *étonnés.* – Ah !

ÉTIENNETTE, *qui est allée à sa rencontre.* – Monsieur l'abbé !... Ah !... qui vous reconnaîtrait ainsi ?...

LA CHOUTE. – Oh ! vous êtes joliment bien en défenseur de la patrie !

---

* Pour les besoins de la scène, pendant ce dialogue entre Etiennette et Roger, discrètement, la Choute repoussera le tabouret qui est devant le sopha jusqu'à l'extrême droite.

PAULETTE et CLÉO. – Oh ! oui ! oh ! oui !

MAURICE, *tout gêné, descendant par le milieu de la scène, jusqu'à proximité de la cheminée.* – Oh ! ne vous moquez pas ! Je me sens tout guindé. Je ne dois pas positivement avoir l'air martial.

TOUTES. – Mais si !... mais si !

LA CHOUTE. – Oh !... et comment se fait-il ?...

MAURICE. – Mais d'ordre de l'archevêché, il nous a été prescrit de nous présenter en tenue.

LA CHOUTE. – Ah ! bien, c'est une fière idée qu'il a eue là, l'archevêché !

TOUTES. – Oh ! oui ! oh ! oui !

GUÉRASSIN, *au-dessus de la table.* – Ah ! l'attrait de l'uniforme !

Paulette est remontée pendant ce qui précède et est prés de Guérassin.

MAURICE, *à Étiennette qui l'a suivie près de la cheminée.* – Chère madame, je suis revenu en hâte : eh ! bien, ma mère ?

ÉTIENNETTE. – Hein ? oh ! rien !... simple visite de courtoisie. Madame la Comtesse s'est crue obligée de me faire l'honneur, après l'accident qui m'était arrivé chez elle...

MAURICE. – Ah ! tant mieux, cela me tranquillise ; je craignais...

ÉTIENNETTE. – Quoi donc ?

MAURICE. – Je ne sais pas... que peut-être, elle trouvât mauvais...

ÉTIENNETTE. – Rassurez-vous, il n'est rien entré de pareil dans sa pensée.

MAURICE. – J'en suis bien heureux.

A ce moment on entend des voix à l'extérieur.

ÉTIENNETTE. – Qu'est-ce que c'est que ça ?

La porte du fond s'ouvre avec fracas, et l'on aperçoit Musignol discutant avec Roger.

SCÈNE X

LES MÊMES, ROGER, MUSIGNOL

MUSIGNOL, *écartant Roger.* – Inutile ! laissez !

Roger se retire.

TOUS, *excepté Maurice.* – Musignol !

Tandis que tout le monde reste cloué sur place, Musignol demeure sur le pas de la porte, embrassant d'un regard le tableau qu'il a devant lui.

MUSIGNOL, *avec un ricanement, en apercevant Maurice.* – Aha !

Le képi sur la tête et le stick à la main ; les poings sur les hanches, il descend l'air provocateur, la démarche insolente, dans la direction de Maurice. A la vue de l'officier, celui-ci a pris l'attitude militaire.

MUSIGNOL, *arrivé à peu distance de Maurice. Avec dédain.* – C'est bien ! repos !

ÉTIENNETTE, *descendant entre Maurice et Musignol et sur un ton provocateur.* – Qu'est-ce que vous venez faire ici ?

MUSIGNOL, *sur un ton ironique où l'on sent percer la rage contenue.* – Rien ! simple curiosité ! (*Tout en remontant en arpentant la scène.*) Je voulais le voir, le don Juan, le bourreau des cœurs ! le chérubin auquel on me sacrifiait.

MAURICE. – Hein ?

TOUS. – Qu'est-ce qu'il dit ?

ÉTIENNETTE, *furieuse.* – Musignol !

MUSIGNOL, *se retournant et froidement.* – Quoi ?

GUÉRASSIN, *qui a Musignol à proximité.* – Musignol, voyons !

MUSIGNOL, *descendant.* – Laisse-moi, toi ! (*A Étiennette en indiquant Maurice avec un sourire de dédain.*) Un simple soldat !... Ah !... (*A Maurice.*) Avancez, militaire !

MAURICE, *interloqué.* – Mon lieutenant... !

ÉTIENNETTE, *sur un ton qui ne souffre pas de réplique.* – Ne bougez pas !

MUSIGNOL. – Vous dites ?

ÉTIENNETTE. – Je dis qu'en voilà assez ! Vous vous conduisez comme un butor ; sortez !

Elle remonte un peu.

MUSIGNOL, *sur un ton gouailleur.* – Moi ?... Ah ! vous ne voudriez pas que devant mon inférieur !...

ÉTIENNETTE. – Il n'y a ici ni inférieur ni supérieur ! vous n'êtes pas à la caserne, mais chez moi !... Il n'y a que deux hommes en présence.

MUSIGNOL, *levant son stick et marchant sur Maurice.* – Vous avez raison et je vais...

MAURICE, *reculant légèrement.* – Mon lieutenant !...

ÉTIENNETTE, *qui s'est jetée entre eux, de façon à faire à Maurice un rempart de son corps.* Touchez-le donc !

TOUS, *se rapprochant de Musignol.* – Voyons, voyons, Musignol !

MUSIGNOL, *les écartant et impérativement.* – Laissez-moi !

MAURICE, *avec douceur et énergie.* – Prenez garde, mon lieutenant ! vous allez commettre un acte que vous regretterez après.

MUSIGNOL, *persifleur.* – Parce que ?...

MAURICE, *avec calme et dignité.* – Parce que deux choses m'empêchent de vous répondre : votre grade...

MUSIGNOL. – Soit ! je l'oublie.

MAURICE. – Et mon caractère.

MUSIGNOL, *sarcastique.* – Son caractère !... C'est un soldat qui parle !

MAURICE, *avec le même calme.* – Non, mon lieutenant, c'est un ecclésiastique.

MUSIGNOL, *avec un recul.* – Un ecclésiastique !

ÉTIENNETTE. – Oui, un ecclésiastique !... J'espère maintenant que vous comprendrez tout ce que votre attitude a d'odieux, tout ce que votre sortie a de révoltant.

MUSIGNOL, *abruti par cette révélation, se laissant tomber sur le tabouret de gauche.* – Un ecclésiastique !

Il reste comme atterré, les yeux fixés au sol. Instinctivement sa main va chercher son képi ; il se découvre.

ÉTIENNETTE. – Et voilà à quel degré d'aberration vous en arrivez avec vos suppositions pitoyables et votre jalousie aveugle : à oublier le respect de votre grade et à vous rendre publiquement ridicule.

MUSIGNOL, *brusquement, et d'une voix sourde, à Étiennette qui est tout près de lui ; comme un gamin qui se repent et demande pardon ; les mots lui montant aux lèvres, rapides et pressés.* – Étiennette ! Étiennette ! je me suis conduit comme une brute ! J'ai été fou ! J'ai vu rouge ! C'est la jalousie qui m'a fait perdre la tête ! Pardon ! pardon !

ÉTIENNETTE. – Ce n'est pas à moi qu'il faut demander pardon, mais à celui que vous avez offensé.

Elle indique Maurice.

MAURICE, *qui, par discrétion, tourne le dos à la scène, la tête penchée et les bras croisés, se retournant et sur un ton de prière.* – Madame !...

MUSIGNOL, *résistant.* – A lui !... A ce soldat !

ÉTIENNETTE, *rectifiant.* – A monsieur l'abbé. (*Musignol reste silencieux, mais on sent le combat qui se livre en lui.*) Ah !... je le veux !

Elle passe au-dessus de Musignol et descend à sa gauche.

MUSIGNOL, *après un dernier effort.* – *Sans bouger de place.* – Monsieur l'abbé... je vous demande pardon.

MAURICE, *voulant lui épargner son humiliation.* Mon lieutenant !... oh ! non !

MUSIGNOL, *lui tendant la main.* – Monsieur l'abbé, voulez-vous me donner la main ?

MAURICE, *allant à lui avec empressement.* – Oh !... mon lieutenant !...

Ils se serrent la main.

MUSIGNOL. – Merci !

ÉTIENNETTE, *gagnant le milieu droit de la scène et sur un ton de satisfaction rageuse.* – Ah !

TOUS, *félicitant Musignol.* – A la bonne heure !

Musignol, pensant en être quitte et avoir bien mérité d'Étiennette, va à elle comme un homme assuré de sa rentrée en grâce.

ÉTIENNETTE, *à Musignol au moment où il arrive à elle, la bouche enfarinée.* – Et maintenant, allez ! allez-vous-en ! allez-vous-en !

MUSIGNOL, *estomaqué par cet accueil.* – Tu me chasses ?

ÉTIENNETTE, *marchant sur lui.* – Par votre façon d'agir vous avez élevé entre vous et moi une barrière infranchissable !... jamais ! jamais, je ne vous pardonnerai.

MUSIGNOL, *suppliant.* – Étiennette !

ÉTIENNETTE. – Non, non, je ne veux plus vous voir. (*Excédée.*) Allez-vous-en !... Mais allez-vous-en !

Elle gagne l'extrême-droite.

GUÉRASSIN, *descendant à la droite de Musignol et sur un ton bon garçon.* – Va-t'en, Musignol... ! ne l'irrite pas ; ça vaut mieux.

MUSIGNOL, *se retournant et heureux d'épancher sa colère sur quelqu'un.* – Ah ! toi, par exemple, tu paieras pour les autres !

Il le repousse et lui applique deux soufflets.

GUÉRASSIN, *au premier soufflet.* – Oh ! (*Au second.*) Oh !

TOUS, *comme un écho de Guérassin.* – Oh !... Oh !

MUSIGNOL, *remontant.* – Je suis à vos ordres !

Il sort.

GUÉRASSIN, *encore sous le coup du saisissement.* – Mais... mais il m'a giflé ?

LES FEMMES, *sauf Étiennette.* – Mais oui, il t'a giflé !

GUÉRASSIN. – Ah ! par exemple (*Courant après Musignol.*) Monsieur !... monsieur, vous m'en rendrez raison !

Il sort dans la direction de Musignol.
Tout cela très rapide et l'un sur l'autre

CLÉO. – Non, mais a-t-on jamais vu ?

LA CHOUTE. – En voilà un soudard !

PAULETTE. – Quel pignouf !

ÉTIENNETTE, *qui les a fait remonter en les poussant du geste vers la porte du fond.* – Oui ! c'est bien ! Allez ! laissez-moi.

Ensemble tout en se laissant pousser vers la porte :

CLÉO. – Non, c'est vrai, ça !

LA CHOUTE. – Gifler Guérassin !

PAULETTE. – En voilà des façons !

ÉTIENNETTE, *pressant leur départ.* – Allez ! allez !

Ensemble

LA CHOUTE. – Alors, adieu.

PAULETTE. – Adieu.

CLÉO. – Adieu.

ÉTIENNETTE, *pressée de les renvoyer.* – Oui, adieu, adieu. (*Au moment où les femmes sortent, elle se retourne pour aller à Maurice ; elle le trouve en train de remonter et se disposant à sortir également. – Sur un ton de prière.*) Oh ! non !... vous, pas !... Vous, restez !

MAURICE, *voulant partir.* – Madame !...

ÉTIENNETTE. – Je vous en supplie, pas comme cela ; pas avant de m'avoir entendue ; que je me sois disculpée... !

MAURICE, *descendant vers la droite jusque devant le sofa.* – Oh ! madame, pourquoi m'avez-vous menti ?

ÉTIENNETTE, *au-dessus du fauteuil qui est près de la petite table.* – Eh ! bien, oui ! oui, c'est vrai, j'aurais dû vous dire, vous avouer..., mais je n'ai pas osé !... Je ne voulais pas rougir devant vous. Oui, cet homme était mon amant : je suis une malheureuse, une créature indigne.

MAURICE, *avec un accent de tristesse.* – Vous voyez bien que ma place n'est pas ici.

ÉTIENNETTE, *avec élan.* – Elle n'est pas ici si vous vous occupez de l'opinion du monde ! elle est ici si vous tenez compte du rôle que vous y avez à remplir.

MAURICE, *la regardant un instant, puis.* – Que voulez-vous dire ?

ÉTIENNETTE, *id.* – Vous voyez bien que j'ai soif de repentir, soif de pardon. Vous qui m'avez indiqué la voie du bien, allez-vous m'abandonner, alors que j'ai encore si besoin de vous ? Alors que mon initiation est encore si nouvelle ? Alors que ma foi est encore si chancelante ?

MAURICE, *lentement et comme inspiré.* – C'est vrai !

ÉTIENNETTE. – Vous ne doutez pas de ma sincérité, n'est-ce pas ? Eh ! bien, lorsque la pécheresse vous crie : « au secours ! » lui refuserez-vous la main et vous détournerez-vous d'elle ?

MAURICE, *avec une profonde conviction.* – Non, vous avez raison ! je reste.

ÉTIENNETTE, *radieuse.* – Quoi ! je puis espérer ?...

MAURICE. Venez ! Parlez ! Confiez-vous à moi !

Tout en parlant il la fait asseoir sur le sofa et s'assied lui-même sur le tabouret qui est auprès ; il se débarrasse de son képi en le posant derrière lui sur le tabouret.

ÉTIENNETTE, *une fois assise.* – Ah ! monsieur l'abbé, merci pour ces paroles réconfortantes ! Ah ! vous ne savez pas quelle influence vous avez eue sur moi !

MAURICE. – Moi ?

ÉTIENNETTE. – En m'arrachant aux flots qui m'entraînaient, vous avez cru opérer un sauvetage ordinaire ? Vous avez fait un sauvetage moral. Je n'ai plus qu'un objectif aujourd'hui : travailler au rachat de mes fautes et devenir la créature que vous souhaiteriez que je sois. Voilà le miracle que vous avez opéré.

MAURICE, *touché.* – Eh ! quoi, c'est à cause de moi... ?

ÉTIENNETTE. – Ah ! je serais si heureuse de mériter votre estime !

MAURICE. – Oh ! madame... !

ÉTIENNETTE. – Mais j'ai besoin qu'on me soutienne, j'ai besoin du secours de vos lumières : soyez mon conseiller, mon directeur de conscience ! dites ! vous voulez bien ?

MAURICE, *avec un enthousiasme mystique.* – Si je veux !... Je suis encore bien novice, bien impuissant à exprimer les choses que pourtant je ressens ! mais puisque Dieu est avec moi, c'est lui qui m'inspirera les mots qu'il faut dire et par lesquels je vous persuaderai.

ÉTIENNETTE. – Promettez-moi que vous viendrez me voir souvent.

MAURICE. – Toutes les heures de liberté que mon service me laissera, je vous les consacrerai.

ÉTIENNETTE. – Et vous m'apprendrez à croire ?

MAURICE. – A croire ! Est-ce qu'on apprend à croire ! On croit, et voilà tout !

ÉTIENNETTE, *se laissant glisser sur les genoux, et les deux mains jointes contre sa joue gauche.* – Eh ! bien, oui, je croirai ; je croirai puisque vous me le dites.

MAURICE, *avec un geste d'apôtre.* – Non !... pas parce que je vous le dis, mais parce que telle est votre volonté.

ÉTIENNETTE, *humble et soumise.* – Alors parce que telle est ma volonté.

MAURICE, *doucement.* – Mais relevez-vous ! pourquoi vous agenouiller ?

ÉTIENNETTE, *sur un ton de prière.* – Laissez-moi rester ainsi ; c'est l'attitude qui convient à la pénitente.

Elle s'assied sur les genoux, les mains toujours jointes, le coude gauche appuyé sur le sofa.

MAURICE, *avec élévation.* – Regardez Marie de Béthanie, celle que nous appelons la Magdeleine : c'était une pécheresse comme vous ; mais elle eut la foi en la présence du Sauveur et c'est par là qu'elle toucha le cœur de Jésus.

ÉTIENNETTE, *hoche la tête doucement puis, timidement.* – Mais... la Magdeleine aima le Christ ?

MAURICE, *id.* – Oui, mais elle l'aima comme il voulait être aimé.

ÉTIENNETTE. – C'était une courtisane ; comment se fait-il qu'elle ait pu concevoir un autre amour que celui qui lui était habituel ?

MAURICE, *id.* – Elle fut touchée de la grâce.

ÉTIENNETTE, *comme dans un rêve.* – A moins qu'elle n'ait eu conscience de l'impossibilité de son amour et que plutôt que de voir s'éloigner d'elle celui qu'elle aimait, elle n'ait préféré se résigner à cette adoration muette qui devait lui cacher la nature de ses pensées.

MAURICE, *avec une énergie mystique.* – Croyez-vous donc

que le Christ qui lisait dans son âme se serait mépris sur le caractère de ses sentiments ?

ÉTIENNETTE, *id.* – C'est pourtant tellement le propre des femmes de savoir plier leur amour à l'idéal de ceux qu'elles aiment.

MAURICE, *avec élan.* – Non ! non ! chez elle, tout est spontané, tout est sincère ! (*D'une voix pleine de trendresse.*) Pécheresse encore, elle voit le Christ et reconnaît Dieu dans la chair du Fils de l'Homme. Elle se rend auprès de lui avec un vase d'albâtre rempli de parfum ; elle commence par arroser ses pieds de larmes ; puis elle les essuie avec les cheveux de sa tête, elle baise ses pieds et les oint de parfums.

ÉTIENNETTE, *à qui tout ceci paraît peu de chose.* – Quand on aime !

MAURICE, *avec transport.* – Comprenez-vous la beauté de cet acte de foi et d'humilité ? Comprenez-vous que le Sauveur en fut touché par tout ce qu'il contenait de repentir, d'expiation et d'amour ? Comprenez-vous ? Comprenez-vous ?

ÉTIENNETTE, *comme grisée.* – Ah ! je ne sais pas... je ne sais pas si je comprends le sens de vos paroles !... je comprends que votre voix est une musique qui me monte à l'âme, me berce et m'étourdit.

MAURICE, *décontenancé par ces paroles inattendues, presque à mi-voix.* – Madame ! Madame ! Perdez-vous l'esprit ?

ÉTIENNETTE, *id.* – Ah ! je comprends la Magdeleine quand je me mets à sa place : s'humilier devant celui qu'on aime. Quelle joie !... Ah ! si je pouvais !... si je pouvais... !

MAURICE, *reculant sur son tabouret.* – Madame !...

ÉTIENNETTE, *s'approchant de lui, en se traînant sur les genoux.* – Etre à vos pieds, toujours, les inonder de mes larmes, comme elle !... Ah ! comme je comprendrais cela !...

MAURICE, *se levant en essayant de se dégager.* – Quelles paroles osez-vous dire !

ÉTIENNETTE, *essayant de le retenir.* – Non, non ! ne vous éloignez pas, laissez-moi me serrer, me blottir contre vous.

MAURICE, *scandalisé.* – Madame ! Madame ! Retirez-vous !

Il passe à gauche, Étiennette en s'accrochant à lui pour le retenir à pivoté sur les genoux ;

mais il s'est dégagé presque aussitôt de son étreinte.

ÉTIENNETTE, *qui a gagné ainsi presque le milieu de la scène, toujours à genoux.* – Par pitié !... oui, je suis folle !... mais la Magdeleine aima le Christ. Pourquoi moi, pécheresse comme elle, n'aimerais-je pas à son exemple ? Mais est-ce que tout l'Évangile n'est pas un livre d'amour ? Eh ! bien, après tout, pourquoi rougirais-je d'un sentiment que les Écritures magnifient !

MAURICE, *avec horreur, la repoussant du geste.* – Taisez-vous ! Taisez-vous !... Votre amour est coupable. Celui-là la religion le réprouve !

ÉTIENNETTE, *se levant brusquement, et avec résolution.* – Eh ! bien, tant pis ! j'en ai trop dit pour pouvoir reculer, et puis je n'ai plus la force de lutter ! (*Marchant sur lui et presque dans son oreille.*) je vous aime ! je vous aime ! je vous aime !

MAURICE, *affolé.* – Malheureuse, c'est le démon qui vous possède ! Chassez-le ! chassez-le !

Il esquisse un rapide signe de croix, tout en gagnant jusqu'à la cheminée où il demeure le dos tourné pour éviter le regard d'Étiennette.

ÉTIENNETTE. – Moi, le chasser ! quand il me donne une des sensations les plus intenses que j'aie ressenties de ma vie !

MAURICE, *se retournant à demi et douloureusement.* – A moi... ! vous osez !

ÉTIENNETTE, *à l'angle droit du canapé et de la table.* – Oui, j'ose ! oui, j'ose ! Jusqu'alors vous aviez la soutane qui commandait à mon respect. Désormais vous n'êtes plus l'ecclésiastique pour moi ! vous êtes un soldat, vous êtes un homme.

MAURICE, *qui face à la cheminée a écouté tout cela l'air terrifié, les deux mains jointes en implorant le ciel avec détresse.* – Ah ! pourquoi suis-je venu ici ?

ÉTIENNETTE, *qui a gagné jusqu'à lui avec une âpre joie.* – Pourquoi ? Parce que vous m'aimez aussi.

MAURICE, *vivement et douloureusement.* – Non ! non !

ÉTIENNETTE, *tout contre lui ; un peu au-dessus, à la cheminée.* – Mais si, mais si, si j'ai été dupe, vous l'avez été autant que moi. Pourquoi avez-vous tremblé tout à l'heure, quand vous avez appris la présence de votre mère ? Oui, pourquoi ? Si ce n'est parce que vous sentiez bien que le sentiment qui vous attirait n'était peut-être pas aussi évangélique que vous vouliez le croire. (*Presque dans l'oreille de Maurice, qui écoute tout cela terrifié, les coudes serrés contre lui, le cou dans les épaules et les mains collées contre ses oreilles comme pour se défendre d'entendre.*) Eh ! bien, ce sentiment, c'était l'amour ! et l'amour terrestre, l'amour charnel, celui qui tenaille, qui persécute et finit toujours par avoir raison de la volonté !

MAURICE, *sur un ton de souffrance et de prière, avec des sanglots dans la voix.* – Taisez-vous ! Taisez-vous !

ÉTIENNETTE, *implacable.* – Vous pouvez vous dérober aujourd'hui, vous me reviendrez demain, parce que ma pensée est dans la vôtre, parce que vous m'aimez ! vous m'aimez ! et maintenant (*Appuyant sur le « savez ».*) vous savez que vous m'aimez !

MAURICE, *douloureusement.* – Être de perdition, vous aspirez à ma chute !

ÉTIENNETTE, *avec transport.* – J'aspire à mon bonheur et j'aspire au vôtre ! (*Maurice a un geste de révolte.*) Oui, au vôtre ! (*Avec perfidie.*) Et tenez ! voulez-vous savoir ce que madame votre mère est venue faire tout à l'heure ?

MAURICE. – Ma mère ?

ÉTIENNETTE. – Me prier de m'employer à ce que vous appelez votre chute.

MAURICE, *scandalisé.* – Ma mère ! ma mère... ! Vous osez !

ÉTIENNETTE. – Oui... ! Et elle n'est pas seule à souhaiter : monsieur le curé...

MAURICE, *abasourdi.* – Monsieur le curé !

ÉTIENNE. – Oui, monsieur le curé, le vôtre... !

MAURICE, *avec un désespoir comique.* – Mon Dieu, qu'est-ce que je dois entendre ?

ÉTIENNETTE. – Vous voyez que tout conspire contre vous ! Et vous-même, oui, vous-même, qui résistez en vain ! vous pouvez me maudire, mais vous ne partirez pas !

MAURICE, *avec plus d'angoisse que de conviction réelle.* – Oh ! si !

Il traverse vivement la scène pour aller chercher son képi laissé sur le tabouret de droite.

ÉTIENNETTE, *sûre à présent du triomphe, tout en gagnant le milieu de la scène.* – Non ! car si vous aviez dû partir, il y a longtemps que vous ne seriez plus là.

MAURICE, *arrêté dans son élan par la vérité de ces paroles, – implorant le ciel.* – Mon Dieu, ayez pitié de moi !

SCÈNE XI

LES MÊMES, ROGER

ROGER, *entrant, avec une lettre sur un plateau.* – Madame !

ÉTIENNETTE (1), *avec humeur.* Allez-vous-en ! Laissez-nous !

ROGER (2), *à mi-voix en présentant le plateau.* – C'est monsieur Musignol qui a fait monter cette lettre.

ÉTIENNETTE, *vivement.* – C'est bien.

Elle prend la lettre d'un geste brusque.

ROGER. – Il attend la réponse en bas.

ÉTIENNETTE, *l'œil fixé sur Maurice.* – Bon ! bon !... Je vous sonnerai pour la réponse ! Allez !

ROGER. – Bien, madame.

Il sort.

ÉTIENNETTE, *elle jette un regard de défi sur Maurice, puis, cyniquement, froidement comme quelqu'un qui pose les conditions d'un marché, tendant sa lettre non décachetée.* – C'est de mon amant ! Je n'ai pas besoin de lire. Il me demande pardon et me supplie de le laisser revenir, Dois-je lui faire dire qu'il peut monter ?

MAURICE, *ne pouvant retenir ce cri du cœur.* – Oh ! non !...

ÉTIENNETTE, *se rapprochant de lui comme une chatte.* – Que vous importe ? Ce n'est pas l'intérêt de mon salut qui vous préoccupe encore, je suppose ?

MAURICE, *essayant de se donner le change à lui-même.* – Pourquoi pas ?

Il rencontre le regard d'Étiennette et détourne les yeux.

ÉTIENNETTE. – Allons donc ! (*Derrière lui tout contre, et figure contre figure.*) Mais ayez donc le courage de regarder la vérité en face. Croyez-vous que j'aie pu me méprendre sur le cri que vous venez de pousser ? Mais c'est le cri de la chair, fait d'amour, de jalousie et de désir. Vous voyez bien que vous m'aimez, (*Le faisant retourner face à elle d'un geste brusque.*) tu le vois bien que tu m'aimes !

MAURICE, *sans force.* – Non ! non ! (*D'une voix suppliante.*) laissez-moi ! laissez-moi !

ÉTIENNETTE, *d'un ton sec.* – C'est bien !

Elle appuie sur la poire électrique suspendue au paravent et attend sur place.

MAURICE, *avec angoisse.* – Qu'allez-vous faire ?

Roger entre.

ÉTIENNETTE (2), *à Roger* (1). – Faites dire à M. Musignol qu'il peut monter.

MAURICE, *douloureusement, et d'une voix à peine perceptible, presque dans l'oreille d'Étiennette.* – Oh ! non...

ÉTIENNETTE, *vivement.* – C'est bien ! Faites dire qu'il n'y a pas de réponse.

Sortie de Roger.

MAURICE. – Oh ! mon Dieu ! pourquoi m'avez-vous abandonné ?

ÉTIENNETTE, *s'élançant vers lui.* – Mais viens donc ! Grand enfant !

Elle l'enlace dans ses bras et tous deux s'effondrent sur le sofa ; leurs lèvres se joignent.

RIDEAU

ACTE III

Le jardin du presbytère de l'abbé Bourset. – Paysage d'automne. – A gauche, le corps de bâtiment du presbytère occupant deux plans. Au premier plan, la porte d'entrée surélevée de trois marches. Au deuxième plan, une fenêtre ; devant la fenêtre, un banc. Au quatrième plan, la haie de clôture qui sépare le jardin de la route. Entre le deuxième et le quatrième plan, le chemin qui sépare le bâtiment de la haie de clôture. Au fond, un peu à gauche, et face au public, entre deux pilastres de pierre, une grille donnant accès dans le jardin ; pendant tout l'acte, la grille est grande ouverte. A droite de la scène, le jardin est clos par un mur percé d'une porte pleine au premier plan. Au deuxième plan, à droite, accolée au mur, une serre au faîte de laquelle on parvient au moyen d'une échelle de fer garnie de sa rampe. Au milieu de la scène, à droite, un vieux chêne qu'enchâsse un banc de bois circulaire. A gauche de la scène, une table de jardin ; un fauteuil de jardin devant, une chaise idem au-dessus. Entre le banc de gauche et les marches, une chaise. Entre le gros arbre et la porte de droite, une brouette sans coffre de façon à pouvoir s'asseoir dessus. Au lointain, mouvement de terrain dominant la mer qui s'étend à l'infini.

SCÈNE PREMIÈRE

LA MARIOTTE, JEAN-LOU, PUIS L'ABBÉ

Aù lever du rideau, la Mariotte est assise sur les marches de la porte d'entrée, en train d'éplucher des légumes qu'elle met à mesure dans une terrine placée à côté d'elle sur la chaise. Debout sur le banc, Jean-Lou est en train de remettre un carreau qui manquait à la fenêtre.

LA MARIOTTE. – Eh ! bien, Jean-Lou, ça avance ?

JEAN-LOU. – Ça va être fini, la Mariotte. J'en suis au masticage.

LA MARIOTTE. – Oui ! Ben, tâche un peu à pas me salir partout avec ton mastic.

JEAN-LOU. – Que non ! ça me connaît.

LA MARIOTTE. – Oui ! ben, tâche ! (*Elle chantonne tout en épluchant.*) « C'est le mois de Marie, c'est le mois le plus beau... »

JEAN-LOU, *sur un ton détaché et tout en travaillant.* – Dites donc, la Mariotte ?

LA MARIOTTE. – Qué ?

JEAN-LOU. – Je voudrais bien vous demander quelque chose.

LA MARIOTTE. – Fais, mon p'tiot.

JEAN-LOU. – Vous qui avez du goût...

LA MARIOTTE, *modeste et flattée.* – Oh !

JEAN-LOU. – Je voudais avoir votre avis sur un objet...

LA MARIOTTE. – Et quoi donc ?

JEAN-LOU. – Oh ! c'est peu de chose... C'est pour la demoiselle du Château, vous savez,... qui m'a sauvé de la noyade le jour où je faisais l'idiot, sans connaissance sur la plage. Il paraît que sans elle, ça y était de mon Jean-Lou.

LA MARIOTTE, *approuvant.* – Ça !

JEAN-LOU. – Alors, ça vaut bien quéch'chose, n'est-ce pas ? Seulement quoi ?... Ah ! ce que j'ai cherché ! Quand on n'est pas riche, pas vrai ? Et puis, je voulais que ce soit un souvenir qui eût rapport... et puis, qu'il vînt bien de moi. Alors, je ne sais pas si c'est bien,... j'ai pensé que ça !... (*Il saute à bas de son banc et va chercher dans le casier qui forme le bras de son crochet*[17] *posé contre la table du jardin.*)

LA MARIOTTE. – Voyons ?

JEAN-LOU, *tirant du casier de son crochet un objet assez volumineux enveloppé soigneusement dans de l'ouate.* – Oh ! ce n'est pas un objet de valeur !... Ce n'est qu'un objet d'art, fait par moi. C'est tout le mérite. (*Il présente l'objet qu'il a développé tout en parlant ; c'est une espèce de grand verre gravé.*)

LA MARIOTTE. – Ah ! mais c'est joli !

JEAN-LOU, *flatté dans son for intérieur.* – Vous trouvez ? C'est moi qui l'ai gravé. Vous voyez, d'un côté : « *A ma sauveteuse, son sauveté* ». Ça dit tout !... Et au milieu, nos initiales entrelacées. De l'autre côté, elle, assise.

LA MARIOTTE. – Ah ! c'est elle, ça ?

JEAN-LOU. – C'est elle.

LA MARIOTTE. – Je ne l'aurais pas reconnue.

JEAN-LOU. – Sur du verre, n'est-ce pas !... Et au-dessus de sa tête, une femme, en l'air, qui brandit une couronne ; j'ai vu ça dans des tableaux. Ça fait bien,... et moi, à genoux, lui baisant respectueusement le bout des doigts, une main sur mon cœur.

LA MARIOTTE. – Oui, oui.

JEAN-LOU. – Au fond, la mer avec une moitié de soleil qui en sort. C'est ce qu'on appelle une allégorique.

LA MARIOTTE. – Comme tu es instruit !

JEAN-LOU. – On a été élevé à la ville, pas vrai ? (*Changeant de ton.*) Vous croyez que ça lui fera plaisir ?

LA MARIOTTE. – Comment, mais c'est très joli !

JEAN-LOU, *modeste.* – Oh ! c'est simple. (*Changeant de ton.*) Ça pourra lui servir de verre à table. Comme ça, chaque fois qu'elle boira, ce verre lui dira : « c'est le petit que j'ai sauvé ! »... et ça fera plaisir à tous les deux.

LA MARIOTTE. – Bien pensé, mon p'tiot ; faut lui porter ça.

JEAN-LOU, *comme saisi d'épouvante à cette perspective.* – Qui, moi ?... Oh ? non, non !

LA MARIOTTE. – Comment ?

JEAN-LOU, *sur un ton câlin.* – Non, vous !... vous, vous lui porterez !... Moi, voyez-vous, j'oserais pas la regarder en face. Quand on a été vu tout nu par une demoiselle, et que c'est pas voulu, on a trop honte.

LA MARIOTTE. – Jean-Lou, t'as de l'orgueil !

JEAN-LOU. – J'aime pas me faire remarquer. (*Il retourne à son crochet dans l'intention de ranger son précieux cadeau.*).

L'ABBÉ, *paraissant au seuil de la porte du presbytère. Il tient à la main un porte-bouteilles muni de quatre bouteilles cachetées.* – Eh ! bien, c'est comme ça que tu travailles, flâneur ?

JEAN-LOU. – J'ai fini, monsieur l'abbé.

L'ABBÉ, *descendant au 2.* – Qu'est-ce que tu montrais, là, à la Mariotte ?

JEAN-LOU, *au 3.* – Oh ! c'est rien d'intéressant, Monsieur l'Abbé.

LA MARIOTTE, *au 1, toujours assise sur sa marche.* – C'est un cadeau qu'il voulait offrir à la demoiselle du château en manière de reconnaissance.

L'ABBÉ. – Ah ?... voyons !

JEAN-LOU, *confus.* – Oh ! Monsieur l'Abbé !...

L'ABBÉ. – Allons ! Allons !

LA MARIOTTE. – Te fais donc pas prier.

JEAN-LOU. – Oh ! pour ce que c'est !... (*Il présente le verre à l'abbé.*)

L'ABBÉ, *examinant le verre.* – Ah ! mais... c'est bien, ça.

JEAN-LOU.– C'est simple.

L'ABBÉ, *lisant l'inscription.* – « A ma sauveteuse, son sauveté. » (*Il s'incline avec un sourire légèrement ironique.*).

JEAN-LOU. – Ça peut aller ?

L'ABBÉ. – Mon Dieu !... c'est du français du cœur.

JEAN-LOU, *sincère.* – Ah ! oui !... du cœur.

L'ABBÉ. – Alors, c'est parfait !... Qu'est-ce que c'est que cette chose-là, cette espèce de brioche qui est au milieu ?

JEAN-LOU. – C'est mademoiselle.

L'ABBÉ. – Ah ! c'est Mademoiselle ! Oui, oui, oui... mais évidemment, je regardais mal.

JEAN-LOU. – Et moi à côté.

L'ABBÉ, *lui rendant le verre.* – Mes compliments, Jean-Lou, c'est tout à fait gentil.

JEAN-LOU. – Ah, bien ! je suis content, monsieur l'Abbé. (*Il remonte au-dessus de la table pour ranger ses outils et se préparer au départ.*)

L'ABBÉ, *à la Mariotte.* – Je sors, la Mariotte.

LA MARIOTTE. – Où est-ce que vous allez encore porter notre vin ?

L'ABBÉ. – Qu'est-ce que ça te fait puisque nous n'en buvons ni l'un, ni l'autre ?

LA MARIOTTE. – Possible ! mais quand il n'y en aura plus pour mettre dans les burettes, hein ? Comment fera-t-on pour le Saint Office, hein ?

L'ABBÉ, *la singeant.* – Eh ! bien, on en fera venir d'autre, « hein » !... Ne grogne pas !... Je m'absente cinq minutes. Si Madame la comtesse et sa famille arrivent pendant ce temps, dis-leur que je suis à deux pas, chez la Marie-Jeanne qui est accouchée ce matin ; qu'on veuille bien m'attendre, le temps que tu viennes me chercher.

LA MARIOTTE. – Voilà donc où il va passer, notre vin : chez la Marie-Jeanne, une fille-mère !

L'ABBÉ, *corrigeant.* – Une mère, c'est tout ce que j'ai à savoir ! et une mère qui a d'autant plus besoin de moi que la place du mari est vide à son chevet, par conséquent !...

LA MARIOTTE. – C'est bon, allez ! Tout ce que je dirai ou rien...

L'ABBÉ. – Tu es bien aimable de me donner la permission. (*Il remonte. La Mariotte hausse les épaules et, pendant ce qui suit, rentre dans le presbytère en emportant ses ustensiles de ménage.*)

JEAN-LOU, *tout en passant les bretelles de son crochet.* – Je peux disposer, Monsieur l'Abbé ?

L'ABBÉ, *au fond.* – Oui... Ah ! Et puis, si tu vois ton oncle, dis-lui qu'il vienne réparer mon mur, là. (*Il indique le côté droit de la scène.*) Ces diables de gamins me l'ont dégradé en l'escaladant pour venir marauder dans mes espaliers. Que diantre ! je leur laisse ma porte, ils pourraient bien se dispenser de détériorer ma clôture. Enfin ! va !

JEAN-LOU. – Oui, Monsieur l'Abbé. (*Il se dirige vers la droite.*)

SCÈNE II

LES MÊMES, HUGUETTE

HUGUETTE, *arrivant de gauche. Elle est à bicyclette et descend ainsi jusqu'à l'avant-scène.* – Bonjour, monsieur le Curé. (*Elle descend de bicyclette.*)

L'ABBÉ. – Ah ! Mademoiselle Huguette !...

JEAN-LOU, *essayant de s'esquiver sans être remarqué.* – Oh !

L'ABBÉ, *tout en déposant son casier à bouteilles sur le banc circulaire de l'arbre.* – Ah ! bien, justement... (*Voyant Jean-Lou qui cherche à s'esquiver et le rattrapant par son crochet avec le bec de corbin de sa canne* [18].) Eh ! là, ne t'en va donc pas, toi, là-bas.

JEAN-LOU, *tout gêné.* – Mais, monsieur l'abbé...

HUGUETTE, *tout en déposant sa bicyclette contre le mur du presbytère, un peu au-dessus du banc.* – J'arrive en avant-garde ; la famille me suit.

L'ABBÉ. – Parfait !... Tenez, mademoiselle Huguette, voici un petit gars qui n'ose pas vous dire qu'il a une surprise pour vous.

HUGUETTE, *descendant.* – Pour moi ?

L'ABBÉ, *faisant passer Jean-Lou au 2 en le prenant par l'oreille.* – Allez, Jean-Lou !

JEAN-LOU, *tout honteux et se faisant un peu tirer.* – Oh ! non ! non !

L'ABBÉ. – Comment « non » ?

JEAN-LOU, *tenant toujours son verre enveloppé de ouate dans la main.* – C'est-à-dire... Oh ! Mademoiselle... c'est une bêtise, une façon de vous remercier... bien faiblement...

HUGUETTE. – Et de quoi, mon Dieu ?

JEAN-LOU. – Mais de... (*Bien godiche.*) C'est moi le noyé, Mademoiselle.

HUGUETTE, *le regardant.* – Ah ! c'est vous que... (*Elle baisse les yeux instinctivement.*)

JEAN-LOU, *baissant la tête.* – C'est moi, oui, Mademoiselle... Jean-Lou, le vitrier...

HUGUETTE. – Oh ! je vous demande pardon, je ne vous reconnaissais pas. C'est que... c'est la première fois que je vous vois... (*hésitant et baissant les yeux*) comme ça.

JEAN-LOU, *gêné.* – Oui, en effet...

(Ils restent un instant décontenancés, n'osant se regarder ; à un moment donné, leurs regards se rencontrent ; ils rebaissent aussitôt les yeux.)

L'ABBÉ, *voyant leur embarras réciproque, jovialement.* – Eh ! bien, c'est le moment d'y aller de ton offrande. (*Sur un ton un peu moqueur.*) « *A ma sauveteuse, son sauveté* ».

JEAN-LOU. – Oui, monsieur le Curé. (*A Huguette.*) Alors, voilà, Mademoiselle, si c'était un effet de votre bonté d'accepter ce modeste vase en souvenir de la chose... *(Il lui tend le verre sans oser la regarder.)*

HUGUETTE, *prenant le verre sans regarder non plus Jean-Lou.* – Oh ! vous êtes bien aimable, monsieur Jean-Lou.

JEAN-LOU, *id.* – Je l'ai gravé moi-même... pour vous.

HUGUETTE, *id.* – Pour moi ?

JEAN-LOU, *id.* – C'est pas bien beau.

HUGUETTE, *id.* – Oh ! c'est très joli.

JEAN-LOU. – C'est simple.

HUGUETTE. – Ça me touche profondément, monsieur Jean-Lou.

JEAN-LOU. – Alors, vrai ! Mademoiselle, vous ne m'en voulez pas ?

HUGUETTE. – Et de quoi, Monsieur Jean-Lou ?

JEAN-LOU. – Mais... de m'être montré si impoli... par ma tenue ce jour-là.

HUGUETTE. – Oh ! pouvez-vous dire !

JEAN-LOU. – Si, si, je sais très bien que ce n'est pas comme ça qu'on se présente à une demoiselle... surtout qui n'est pas de votre monde.

HUGUETTE. – Ce n'était pas de votre faute, monsieur Jean-Lou.

JEAN-LOU. – Sûr que c'était pas ma faute ! Et il est évident que, sur le moment, on n'y a réfléchi ni l'un ni l'autre.

HUGUETTE. – Oh ! non !

JEAN-LOU. – Seulement, quand après ça on se rencontre, on a beau faire, on pense, on se rappelle... et on se trouve tout gêné.

HUGUETTE. – C'est un peu vrai, pourtant, ce que vous dites là.

JEAN-LOU. – Oh ! je le sens bien, allez.

HUGUETTE. – Est-ce bête ! Je vous aurais revu comme vous étiez la première fois, je ne sais pas, il me semble que ça m'aurait paru tout naturel.

JEAN-LOU. – J'aurais tout de même pas osé.

HUGUETTE. – Non, évidemment !... Aujourd'hui je vous revois comme ça... et, je ne peux pas dire pourquoi, j'ai comme un peu de honte... Ça me gêne.

JEAN-LOU, *hoche la tête, puis.* – C'est mon vêtement qui me fait remarquer.

HUGUETTE. – Oh ! mais ça passera.
JEAN-LOU. – Faut l'espérer !... Au revoir, Mademoiselle.
HUGUETTE. – Au revoir, monsieur Jean-Lou.
JEAN-LOU, *fait mine de s'en aller, puis s'arrêtant aussitôt.* – Et quand on se rencontrera... des fois... eh ! bien, alors, v'là tout ! on ne se regardera pas, mais on saura que le cœur y est.
HUGUETTE. – Oui, monsieur Jean-Lou.
JEAN-LOU. – C'est ça, oui. (*Brusquement, changeant de ton.*) Au revoir, monsieur le Curé.
L'ABBÉ. – Au revoir, Jean-Lou (*Jean-Lou sort rapidement par la droite.*) Brave petit gars, tout de même.
HUGUETTE. – Je crois que j'ai été stupide.
L'ABBÉ. – Mais non, mais non, ma chère enfant.
HUGUETTE. – Si ! si ! et je suis capable de lui avoir fait de la peine... Ah ! que c'est bête d'être bête comme ça !...

(Elle remonte vers sa bicyclette et range dans une sacoche, pendant ce qui suit, le verre que lui a donné Jean-Lou.)

SCÈNE III

LES MÊMES, LA COMTESSE, LE MARQUIS, EUGÉNIE

(Ils arrivent, comme Huguette, par le fond gauche.)

LA COMTESSE, *franchissant la grille d'entrée et immédiatement, à l'abbé avec une certaine inquiétude dans la voix.* – Ah ! monsieur le Curé !...
L'ABBÉ, *s'inclinant.* – Madame la Comtesse.
LA COMTESSE. – Vous nous avez fait prier de venir.
L'ABBÉ. – Mais oui, Madame. Bonjour, Monsieur le Marquis ; (*A Eugénie*) bonjour, Madame.
LE MARQUIS, EUGÉNIE, *franchissant la grille.* – Bonjour, Monsieur le Curé.

(Le Marquis descend à la suite de la Comtesse. Eugénie descend par la gauche.)

LA COMTESSE, *tout en descendant dans la direction de l'arbre.* – Qu'est-ce qu'il y a ? Qu'est-ce qui se passe ?

Pourquoi cette convocation... officielle ?

(Elle s'assied sur le banc circulaire, le Marquis est debout entre elle et l'abbé, mais un peu au-dessus).

L'ABBÉ. – Ah ! ça ! Madame, je serais bien embarrassé pour vous le dire. J'ai reçu une lettre de M. Maurice m'annonçant son arrivée et me priant, si vous n'y voyiez pas d'inconvénient, de convier ici toute sa famille. Je me suis conformé aux instructions.

LA COMTESSE. – Pourquoi, mon Dieu ? Ça ne vous inquiète pas, tout ça ?

L'ABBÉ. – Oh ! quant à cela, il n'y a aucune inquiétude à avoir, le ton de la lettre est enjoué ; M. Maurice y parle d'un grand bonheur.

HUGUETTE, *qui, toujours à la même place, est occupée à gonfler un des pneus de sa machine.* – Ah ?

LA COMTESSE, *bien naïvement.* – Il a peut-être été nommé sergent.

LE MARQUIS. – Ça m'étonnerait ! Il est au régiment depuis quinze jours ! à ce compte-là, il serait général à la fin de l'année. Ça ne va pas si vite.

LA COMTESSE. – Mais alors, quoi ? Quoi ?

L'ABBÉ, *avec un geste d'ignorance.* – Ah !

LE MARQUIS. – Non, écoute, tu ne vas pas t'inquiéter, hein ? Puisqu'il s'agit d'un bonheur, on peut attendre.

(Tout en parlant il quitte la Comtesse et gagne jusqu'à Huguette.)

EUGÉNIE. – C'est évident.

LA COMTESSE, *avec un soupir de résignation.* – Oui.

L'ABBÉ. – Mais oui ! mais oui !... (*A Eugénie.*) Et M. Heurteloup, madame ? J'ai appris avec joie qu'il était entièrement remis. Est-il vrai qu'il fasse aujourd'hui sa première sortie ?

EUGÉNIE. – C'est exact, monsieur le Curé ; vous allez même le voir d'une minute à l'autre. Je l'ai laissé en train de s'habiller et de fort méchante humeur.

L'ABBÉ. – Ah !

EUGÉNIE. – Au point qu'il vient d'avoir une colère après moi !

L'ABBÉ. – Ah ?... Oh ! alors, il est tout à fait bien !

EUGÉNIE. – Tout à fait !... Mais c'est égal, nous avons eu une rude alerte !

LA COMTESSE. – En effet ! Et pendant plusieurs jours on a redouté la fièvre muqueuse [19].

EUGÉNIE. – Mais heureusement, ça n'a été qu'une forte jaunisse.

L'ABBÉ. – Ah ! tant mieux !

LE MARQUIS, *qui est descendu à l'extrême gauche sur les dernières paroles d'Eugénie, pince-sans-rire.* – Une grosse émotion éprouvée à Paris qui lui a tourné la bile.

L'ABBÉ. – Ce pauvre M. Heurteloup !

EUGÉNIE. – Oh ! ne le plaignez pas ! C'est le ciel qui l'a puni. Aujourd'hui qu'il est sain et sauf, je déclare qu'il n'a eu que ce qu'il méritait ! Un homme, monsieur le Curé, à qui on aurait donné le bon Dieu sans confession et qui se débauchait avec des hétaïres.

L'ABBÉ. – Non, ce n'est pas possible !

LE MARQUIS, *affectant le plus profond sérieux.* – Êtes-vous bien sûre, Eugénie ?

EUGÉNIE. – Si je suis sûre ! Il a avoué. Un peu plus, il concubinait !

LE MARQUIS, *id.* – Non ?... Oh !... Heureusement que vous êtes arrivée à temps.

EUGÉNIE. – Un jour de plus, il était trop tard !

(Le Marquis et la Comtesse, avec un sentiment différent.)

LE MARQUIS ET LA COMTESSE. – Oh !

EUGÉNIE. – Oh ! mais, maintenant, je l'ai à l'œil. D'ailleurs, je le défie bien d'aller courir la prétentaine avec la mesure que j'ai prise à son égard, pendant sa maladie, aussi bien, je dois le dire, pour son salut que pour sa pénitence !

LA COMTESSE. – Ah ! mon Dieu ! quoi donc ?

EUGÉNIE. – Moi !... (*Bien catégoriquement.*) je l'ai voué au bleu !

TOUS, *ébahis.* – Non !

(A ce moment explosion de cris et de rires à la cantonade gauche et Heurteloup paraît se débattant contre une ribambelle de gamins qui le huent à qui mieux mieux.)

SCÈNE IV

LES MÊMES, HEURTELOUP

HEURTELOUP, *en costume entièrement bleu-ciel, chapeau et souliers bleus ; aux gamins qui lui font la conduite sur la route et dominant leurs cris.* – Avez-vous fini de me suivre, tas de galopins ? Voulez-vous filer ? Qu'est-ce que c'est que ça donc ?

LES GAMINS, *se sauvant.* – Ah !

(Heurteloup a franchi la grille, l'air furieux, la figure maussade.)

TOUS, *stupéfaits.* – Ah !

HEURTELOUP, *après un temps, à Eugénie.* – Voilà ce que tu me vaux, toi !

TOUS, *riant.* – Ah ! ah ! ah ! ah ! ah !

HUGUETTE, *se tordant.* – Ah ! Monsieur Heurteloup, que vous êtes drôle comme ça !

LE MARQUIS. – Vous avez l'air du prince Saphir [20].

HEURTELOUP *, *descendant entre la Comtesse et Eugénie.* – Oui !... eh bien ! je la trouve mauvaise ! Qu'est-ce que c'est que cette plaisanterie ? Mes vêtements ! qu'est-ce que tu as fait de tous mes vêtements ?

EUGÉNIE, *sur un ton sans réplique.* – Je les ai distribués aux pauvres.

HEURTELOUP. – C'est trop fort ! Tu t'imagines que je vais continuer à me promener comme un chienlit [21] ?

EUGÉNIE. – Eh ! bien, tu resteras chez toi ! C'est autant de gagné.

HEURTELOUP. – Ah ! non, par exemple !... non !

EUGÉNIE. – Il n'y a pas à dire : « Ah ! non ! »... J'ai pris l'engagement, si tu revenais à la santé, de te vouer au bleu [22] ; un engagement est un engagement.

HEURTELOUP. – Un engagement qu'on prend soi-même, soit ! Mais celui qu'on prend pour vous !... (*A l'Abbé.*) Monsieur le Curé, vous allez me relever de ce vœu et sans tarder.

L'ABBÉ, *avec un reste de rire dans la voix.* – Mais, monsieur Heurteloup, je n'ai à vous relever de rien du tout, puisque ce n'est pas vous qui avez fait le vœu. Ah ! si madame Heurteloup le demande, elle...

EUGÉNIE, *n'entendant pas de cette oreille.* – Du tout, du tout ! Mais qu'est-ce qu'on dirait, lui qui, grâce à Dieu, a une réputation de piété, si on savait qu'après avoir dû son retour à la santé au vœu pris en son nom, monsieur s'en dégageait et en faisait litière ?

LE MARQUIS, *ironique.* – Oui !... Oh ! ce serait grave !

---

* Le marquis (1) près d'Huguette (2) ; plus en scène, Eugénie (3), Heurteloup (4), la Comtesse (5), l'Abbé (6).

LA COMTESSE. – Il est évident qu'un vœu !...

HEURTELOUP. – Oui ? Eh bien ! je m'en moque.

EUGÉNIE. – Non ! non !... il en a pour cinq ans ! (*Après un temps.*) On verra après.

HEURTELOUP, *éclatant.* – Ah ! c'est comme ça !... Eh bien ! non, entends-tu ? J'en ai assez de plier devant toi, d'être sous le boisseau ! Je secoue le joug, je relève la tête. Je suis le maître à la fin !

EUGÉNIE, *le toisant de toute sa hauteur.* – Qu'est-ce que c'est ?...

HEURTELOUP, *intimidé.* – Oui, enfin... je dis...

EUGÉNIE, *impérative.* – En voilà assez !

Elle remonte pour s'éloigner de son mari et redescend aussitôt et dans le même mouvement vers la Comtesse (5) *qui cause avec l'abbé* (6).

HEURTELOUP, *rongeant son frein.* – Oh !

LE MARQUIS, *qui est redescendu un peu avant, – bas à Heurteloup.* – Ma pauvre victime !

HEURTELOUP, *entre ses dents.* – Oh ! divorcer ! divorcer !... la pincer avec un amant !

LE MARQUIS. – Eugénie ? Oh !... elle ne voudrait jamais.

HEURTELOUP, *comme un homme qui ne le sait que trop, avec découragement.* – Ah !... et lui non plus !

LA MARIOTTE, *paraissant à la fenêtre du presbytère.* – Monsieur le Curé, si vous avez à faire avec ces dames, je pourrais bien aller jusque chez la Marie-Jeanne porter les bouteilles.

L'ABBÉ. – Non, non, j'irai moi-même plus tard, merci.

(La Mariotte disparaît.)

LA COMTESSE. – La Marie-Jeanne !... Qui ?... La petite vachère ?

L'ABBÉ. – De la ferme, oui, madame ; elle a mis au monde un jeune chrétien ce matin.

TOUS. – Non ?

LE MARQUIS. – Voyez-vous ça !

(Tout le monde s'est rapproché curieusement de l'abbé.)

HUGUETTE, *de la présence de qui personne n'a tenu compte, tout occupée qu'elle est à arranger sa bicyclette, – après avoir relevé la tête à la confidence du curé, descendant pour surgir entre le marquis et Eugénie.* – Tiens ! je ne savais pas qu'elle fût mariée.

(Tout le monde reste un instant interloqué par l'intervention subite de la jeune fille.)

LA COMTESSE, *se sachant que répondre.* – Hein ?... la...

LE MARQUIS. – La... la vachère ?... oh !... euh !...

L'ABBÉ, *id.* – C'est-à-dire que... euh !...

LE MARQUIS, *approuvant l'explication de l'abbé.* – Oui.

L'ABBÉ. – Voilà !

HUGUETTE, *renseignée par leur gêne même.* – Ah ?... bon !... je comprends.

(Elle remonte.)

TOUS. – Quoi ?

HUGUETTE, *tout en retournant à sa bicyclette.* – Rien ! rien !

EUGÉNIE, *après un temps, à son mari comme si c'était sa faute.* – Voilà !... voilà ce que ça amène, ces choses-là !

(Heurteloup, la pensée ailleurs, brutalement rappelé à la réalité par l'apostrophe de sa femme, la regarde, ahuri, puis lève des yeux résignés au ciel, hausse les épaules et va s'asseoir sur le banc devant le presbytère.)

L'ABBÉ. – La pauvre petite est dans le dénuement complet ; rien qu'un pauvre grabat et personne auprès d'elle. Alors, j'allais lui porter... (*Il indique son casier à bouteilles.*)

LA COMTESSE. – Ah ! mais que ne le disiez-vous ! On ne peut la laisser ainsi ! Je vais la faire transporter à notre asile de Kénogan où elle trouvera auprès des bonnes sœurs tous les soins désirables comme aussi tous les bons conseils qu'il est regrettable qu'on n'ait pu lui donner plus tôt.

EUGÉNIE, *pincée.* – On aurait une honnête fille de plus.

LE MARQUIS, *avec bon sens.* – Bien, oui !... Mais un petit français de moins. Tout compte fait, je ne sais pas si ça ne vaut pas encore mieux comme ça.

HUGUETTE, *descendant vers la comtesse avec sa bicyclette en main.* – Si vous voulez, ma tante, j'ai ma bicyclette, je puis pédaler jusqu'au château, c'est l'affaire de dix minutes.

LA COMTESSE. – C'est ça ! tu diras à Luc de faire le nécessaire pour le transport de la mère et du bébé.

HUGUETTE, *grimpant sur sa machine.* J'y cours. *(Elle franchit la grille et disparaît par la gauche.)*

L'ABBÉ. – Que vous êtes charitable !

LA COMTESSE, *avec un sourire modeste.* – Laissez donc !... (*Changeant de ton.*) La pauvre fille ! Qu'est-ce qui lui a encore fait ça ?

L'ABBÉ. – Est-ce qu'on sait !

EUGÉNIE, *avec dédain.* – Quelque homme... évidemment !

LE MARQUIS, *avec le plus grand sérieux.* – Prenez garde, Eugénie ! vous accusez à la légère.

(Heurteloup qui s'est levé, descend d'un air distrait entre le marquis et Eugénie.)

L'ABBÉ. – Je l'ai demandé à la petite ; c'est triste ! Elle ne le sait pas elle-même ! Elle m'a répondu : « C'est un monsieur à bicyclette ! »

(Tout le monde hoche la tête, déplorant en silence. Soudain un éclair traverse le cerveau d'Eugénie ; elle relève la tête : « A bicyclette ! » – porte la tête à droite : « Est-ce que ce serait ?... » – Regarde son mari fixement dans les yeux : « toi ! » – Tout ce jeu de scène muet doit durer exactement trois secondes ; ce sont en quelque sorte trois soubresauts successifs de la tête où Eugénie doit tout exprimer par la physionomie.)

HEURTELOUP, *foudroyé par le regard de sa femme, la regarde, ahuri, comme pour dire « qu'est-ce qu'elle a encore ? » puis comprenant sa pensée.* – Quoi ? Quoi ? tu ne vas pas encore me mettre ça sur le dos ! Il n'y a pas que moi en France qui aie une bicyclette.

EUGÉNIE, *sèchement.* – C'est possible ! Mais je constate que vous avez pour ce genre de sport un amour un peu trop marqué.

HEURTELOUP. – Allons, bon !

LE MARQUIS. – Écoutez, Eugénie, je vous jure que pour faire un enfant, la bicyclette...

EUGÉNIE, *moitié miel, moitié vinaigre.* – Je vous en prie, Onfroy ! (*A Heurteloup.*) Dorénavant, vous me ferez le plaisir de restreindre un peu vos sorties à bicyclette. (*Elle remonte par la droite de la table.*)

HEURTELOUP, *rongeant son frein.* – Oh !

LE MARQUIS, *lui prenant le bras et très gamin.* – Allez ! au bleu aussi, la bécane.

HEURTELOUP, *soulageant son cœur.* – Oh ! le célibat ! le célibat !

(Ils remontent ensemble par la gauche de la table ; à ce moment, à la porte premier plan droit, paraît Jean-Lou.)

SCÈNE V

LES MÊMES, JEAN-LOU

JEAN-LOU, *l'air mystérieux, allant sur la pointe des pieds jusqu'à l'abbé.* – Monsieur le Curé ! monsieur le Curé ! (*Saluant.*) Messieurs, Mesdames.

L'ABBÉ. – Te voilà revenu, toi.

JEAN-LOU, *bas au curé.* – C'est monsieur l'abbé de Plounidec qui m'envoie...

L'ABBÉ, *à haute voix aux autres.* – Ah ! bien justement, mesdames...

JEAN-LOU, *vivement.* – Oh ! chut !... (*Confidentiellement.*) Monsieur l'abbé est là, en carriole ; il voudrait vous toucher deux mots en particulier avant de voir sa famille ; alors il vous fait prier, si elle est déjà arrivée, de l'éloigner...

L'ABBÉ. – Bon. (*Il va pour remonter.*)

JEAN-LOU, *achevant sa phrase.* – ... Habilement.

L'ABBÉ, *s'arrêtant court.* – Ha... habilement ?

JEAN-LOU, *confirmant.* – Habilement.

L'ABBÉ, *un peu déconfit.* – Habilement, oui. (*Se décidant et bien bêta.*) Hum !... Que... que penseriez-vous, messieurs, mesdames, d'aller jusqu'au bout du jardin ?

(Le marquis et Heurteloup au fond au-dessus du banc de gauche, – plus en scène Eugénie, la Comtesse, – plus bas, devant le grand arbre, l'Abbé et Jean-Lou.)

TOUS, *étonnés.* – Nous ?

LA COMTESSE. – Pourquoi faire ?

L'ABBÉ, *interloqué.* – Hein ?... je ne sais pas !... Tenez, j'ai... j'ai un poirier qui est assez curieux : il ne produit pas de poires.

EUGÉNIE. – Qu'est-ce qu'il produit ?

L'ABBÉ. – Rien du tout !... Si cela vous intéressait ?...

LA COMTESSE, *malicieusement.* – Vous avez quelqu'un à recevoir !

L'ABBÉ, *avec un sursaut d'étonnement.* – A quoi avez-vous vu cela ?

LA COMTESSE, *souriant.* – Oh ! c'est difficile à deviner ! c'est Maurice, hein ?

L'ABBÉ, *légèrement confus.* – Maurice, oui.

LA COMTESSE. – Il voudrait vous parler en particulier.

L'ABBÉ. – Comme vous êtes perspicace !

LA COMTESSE. – Et il vous a fait prier de nous éloigner.

L'ABBÉ, *sans voix, rien que par l'articulation des lèvres.* – Habilement, oui.

LA COMTESSE. – Que de mystères, mon Dieu !... Eh ! bien, plutôt que d'aller rendre visite à votre poirier qui ne donne pas de poires, je propose d'utiliser ces instants en poussant jusque chez la Marie-Jeanne. On lui montrera qu'elle n'est pas tout à fait abandonnée. Cela va-t-il ?

TOUS. – Ça va.

L'ABBÉ. – Oh ! Madame, comme vous êtes plus habile que moi.

LA COMTESSE, *souriant.* – Croyez-vous ? (*Aux autres, en se dirigeant vers le fond.*) – Allons !

EUGÉNIE, *au fond, au moment de sortir, à Heurteloup qui, pendant ce qui précède, a cueilli machinalement une fleur rouge dont il a paré sa boutonnière, – absolument comme s'il y avait le feu.* – Veux-tu enlever ça, toi !

HEURTELOUP, *ahuri par cette apostrophe.* – Hein !... quoi ?

EUGÉNIE. – Ça !... c'est rouge !

HEURTELOUP, *haussant les épaules.* – Oh !

LE MARQUIS, *railleur.* – Vous n'avez plus droit qu'au bleuet.

Il lui enlève sa fleur et se la passe à la boutonnière.

EUGÉNIE, *à son mari qui, furieux, les deux mains derrière le dos, sort avec des haussements d'épaules rageurs.* – Ah !... et puis toi, je t'en prie, pas de tête, hein ?

Ils sortent tous par le fond droit.

SCÈNE VI

L'ABBÉ, JEAN-LOU, PUIS MAURICE

L'ABBÉ, *redescendant vers Jean-Lou.* – Là ! si tu veux prévenir monsieur l'abbé que je suis à sa disposition.

JEAN-LOU, *gagnant la droite.* – Ça ne sera pas long ! Il attend dans la ruelle.

L'ABBÉ. – Bon ! va !

JEAN-LOU, *appelant du pas de la porte.* – Eh ! monsieur l'abbé !

VOIX DE MAURICE. – Voilà !

JEAN-LOU, *à l'abbé.* – Le v'là !

Maurice est en civil : blouse de chasse à trois plis et ceinture ; knickerbockers, le tout en étoffe anglaise. Leggins et feutre mou.

MAURICE, *le pas déluré, l'air gamin, entrant vivement et, en passant pour aller à l'abbé, donnant une tape amicale sur la joue de Jean-Lou.* – Merci, Jean-Lou. (*Se précipitant dans les bras de l'abbé.*) Bonjour, monsieur le Curé.

Ils s'embrassent pendant que Jean-Lou sort.

L'ABBÉ(1). – Mon cher enfant ! ça me fait plaisir de vous voir.

MAURICE(2). – Et à moi donc ! (*Passant au 1 ; tout ce qui suit très chaud, très vibrant, très jeune.*) Ah ! monsieur le Curé, les joies que je viens d'éprouver en me retrouvant ici... ! Tous ces lieux que je connais depuis mon enfance, il me semble que je les vois avec d'autres yeux ! Comme c'est beau, notre cher patelin !

L'ABBÉ, *tout près de lui.* – C'est aujourd'hui que vous vous en apercevez ?

MAURICE, *se retournant vers lui.* – Oui ! c'est à croire que je n'ai jamais regardé !... J'ai toujours eu les yeux trop tournés à l'intérieur ; alors, je ne voyais pas au dehors ! (*Bien gosse.*) C'est bien, la nature, vous savez !

L'ABBÉ. – Si c'est bien !

MAURICE, *sans lui laisser le temps de placer sa réponse.* – C'est ça qui vous prouve l'existence de Dieu.

L'ABBÉ. – Tiens !

MAURICE, *sautant d'une idée à l'autre.* – Et à part ça, ça va bien ? La santé, oui ?

L'ABBÉ, *s'asseyant sur le banc circulaire de l'arbre de façon à être de profil au public et face au presbytère, parlant face à Maurice.* – Ma parole, je ne vous reconnais pas ; cette exubérance ! cette gaîté !... C'est le service militaire qui vous a transformé ainsi ?

MAURICE. – Mais oui ! le service militaire, et aussi...

L'ABBÉ. – Quoi ?

MAURICE, *sur un ton plein de sous-entendus.* – Je ne sais pas,... un tas de choses. (*Brusquement, changeant de ton.*) Où est ma famille ?

L'ABBÉ. – Vous aviez à me parler, je l'ai éloignée... (*Toussotant.*) habilement.

MAURICE. – Bien !

L'ABBÉ. – Qu'avez-vous à me dire ?

MAURICE, *se penchant vers lui.* – Votre sentiment à vous demander sur un cas de conscience.

L'ABBÉ. – Et quoi donc ?

MAURICE, *bien précis comme pour l'énoncé d'un problème.* – Un homme a aimé une femme, ils sont tombés dans le péché ; cet homme estime cette femme. Quel est son devoir ?

L'ABBÉ, *bien nettement.* – Mais cela ne souffre aucun doute ! Il doit réparer la faute par le mariage.

MAURICE, *lui serrant vigoureusement les mains.* – Merci ! C'est la réponse que j'attendais.

L'ABBÉ, *un peu interloqué, avec une pointe d'inquiétude.* – Mais pour qui me demandez-vous... ?

MAURICE. – Chut !... chut !... je vous le dirai plus tard. (*Changeant de ton.*) Et maintenant, Monsieur le Curé, (*Avec pompe.*) introduisez la famille.

L'ABBÉ, *un peu ahuri.* – L'introduire ? Mais... elle n'est pas là ! Il faut que j'aille la chercher.

MAURICE. – Elle n'est pas là ?

L'ABBÉ. – Mais c'est l'affaire de dix minutes. Attendez-moi, je vous la ramène. (*L'Abbé se lève et va prendre le casier à bouteilles qui est derrière l'arbre, sur le même banc que lui.*)

MAURICE. – Oh ! monsieur le Curé, non, s'il en est ainsi : je...

L'ABBÉ. – Laissez donc ! laissez donc ! Là où sont les vôtres, j'avais justement à aller.

MAURICE. – Oh ! vraiment, je suis confus.

L'ABBÉ. – Dix minutes !

Il sort par le fond droit.

SCÈNE VII

MAURICE, puis ÉTIENNETTE, puis LA MARIOTTE, puis HUGUETTE

Maurice regarde partir le curé, puis gagne rapidement d'un pas léger la porte donnant sur la ruelle.

MAURICE, *ouvrant la porte et, du seuil, faisant signe à l'extérieur.* – Entre ! (*Il gagne la gauche.*)

ÉTIENNETTE. – Ah, çà ! m'expliqueras-tu ce que tout cela signifie... et ce que tu manigances ?

MAURICE, (1) *pivotant sur lui-même et très gamin, tout en lui prenant gentiment les épaules entre les deux mains.* – Taratatata ! inutile, Madame... Je ne vous dirai rien tant que je ne jugerai pas le moment venu. Vous m'avez promis de ne pas m'interroger, de vous en rapporter à moi ; vous êtes à ma discrétion.

Il l'embrasse dans le cou.

ÉTIENNETTE. – Quel enfant tu fais ! Je ne te reconnais pas.

MAURICE. – Mais je ne me reconnais pas moi-même. Il me semble que j'ai des années de jeunesse en retard, que j'existe pour la première fois. Assez longtemps j'ai vécu comprimé dans ma chrysalide, j'ai besoin d'étendre mes ailes et de voler éperdûment. J'ai besoin de mon âge, j'ai besoin de vivre, j'ai besoin d'aimer.

ÉTIENNETTE. – Qu'il est loin le petit séminariste à la soutane noire dont le rigorisme m'imposait, dont la pureté me troublait.

MAURICE. – Qu'il est loin l'être de vanité qui s'imaginait avoir en lui toutes les vertus du sacrifice ! Il a suffi d'un sourire de femme pour le ramener à la réalité et lui montrer qu'il n'était qu'un homme.

ÉTIENNETTE. – Regretterais-tu quelque chose ?

MAURICE. – Ai-je l'air de quelqu'un qui éprouve des regrets ?

Il l'embrasse dans le cou.

LA MARIOTTE, *arrivant de gauche, deuxième plan, avec des artichauts à la main et apercevant Maurice qui a fini d'embrasser Étiennette – avec force courbettes.* – Oh ! monsieur l'abbé, vous !

MAURICE, *tout près d'Étiennette et au-dessus d'elle – bien brutalement.* – Bonjour, la Mariotte !... Je vous présente ma bonne amie.

LA MARIOTTE, *qui déjà s'inclinait, sursautant, scandalisée.* – Jésus-Marie ! Est-ce vous, monsieur l'abbé, qui parlez ainsi ?

MAURICE, *marchant vers elle, ce qui la fait reculer, épouvantée.* – Ah ! c'est qu'il y a du nouveau, la Mariotte ! beaucoup de nouveau !... et je suis un vil pécheur comme tous les autres.

LA MARIOTTE, *qui est arrivée ainsi jusqu'au pied du perron, s'abritant le visage de son coude levé comme pour se garer de Maurice qui la poursuit sans merci.* – Mon Dieu ! mon Dieu ! Monsieur l'abbé est possédé du démon !

Elle se signe avec un de ses artichauts et se précipite, affolée, dans le presbytère.

MAURICE, *ravi de l'effet obtenu, se laissant tomber dans le fauteuil qui est devant la table, et s'y carrant.* – Voilà ! je l'ai scandalisée, la Mariotte !

ÉTIENNETTE. – Tu te fais un jeu de ces choses aujourd'hui. Tu es bien comme ces petits collégiens tout fiers des premières grivoiseries qu'ils apprennent, qui les répètent à tout le monde pour bien montrer qu'ils ne sont plus innocents.

MAURICE. – Tu crois ?... C'est qu'en effet je suis le collégien en vacances ou plutôt le petit soldat qui s'émancipe. (*Se levant et allant à Étiennette.*) Si tu voyais au régiment les progrès que je fais... ! Je commence à jurer, ma chère amie !... Je dis : « nom d'une pipe », « ventre de biche », « mille tonnerres » !

ÉTIENNETTE, *se laissant tomber tout effarée sur le banc de l'arbre.* – Non ! et puis quoi ?

MAURICE. – Oh ! c'est tout ! Merci ! (*Dévotement sincère.*) Plus, ça offenserait le bon Dieu.

ÉTIENNETTE. – A la bonne heure !

MAURICE, *s'asseyant tout près d'elle, à sa droite.* – Ah ! dis que tu n'es pas contente de nous sentir tous les deux ici ?

ÉTIENNETTE. – Chez le Curé ?

MAURICE. – Non, ici ! à Plounidec ! où nous nous sommes vus pour la première fois.

ÉTIENNETTE, *doucement émue.* – C'est vrai, pourtant.

MAURICE, *montrant l'océan.* – Regarde-la, la grande verte, la vilaine qui a failli t'enlever à moi.

ÉTIENNETTE, *corrigeant vivement.* – Regarde-la, la grande verte, l'exquise, qui nous a donnés l'un à l'autre.

MAURICE. – C'est vrai, pourtant, je suis un ingrat.

ÉTIENNETTE, *s'asseyant sur le banc circulaire et se laissant aller à la douceur de l'existence.* – Ah ! qu'il serait doux de vivre ici tous les deux, toujours.

MAURICE, *vivement.* – Oui ?... C'est ta pensée que tu dis là ?

ÉTIENNETTE, *comme dans un rêve.* – Oh ! oui.

MAURICE. – Et tu ne regretterais rien de ta vie de Paris, de ton passé ? Tu ne regarderais jamais en arrière ?

ÉTIENNETTE. – Tu sais bien qu'aujourd'hui mon horizon, c'est toi.

MAURICE. – Alors, si par hasard ce vœu se réalisait... ?

ÉTIENNETTE. – Quoi ! vivre ici, près de toi, toujours ?

MAURICE. – Oui, et régulièrement, légitimement.

ÉTIENNETTE, *se levant, dos au public, et se reculant de Maurice.* – Malheureux ! quels mots prononces-tu ? Ne joue pas avec ces choses-là, c'est mal !

MAURICE. – Pourquoi pas ? Est-ce que tu ne m'aimes pas ? Est-ce que je ne t'aime pas ?

ÉTIENNETTE. – Moi ! moi ! après ce que j'ai été, après ce que tu m'as connue ? Voyons !

MAURICE. – Tais-toi ! tais-toi ! tout cela est racheté ! tout cela est oublié !

ÉTIENNETTE. – Tu ferais cela, toi ?... Ah ! non, je rêve, je suis folle...

MAURICE. – Non, tu ne rêves pas ! C'est la réalité ! C'est pour cela que nous sommes ici ! C'est là le secret que je te cachais.

ÉTIENNETTE, *n'en croyant pas ses oreilles.* – Ah ! Maurice ! Maurice ! (*Puis brusquement.*) Mais non ! Mais non ! ce n'est pas possible !... Oui, tu es sincère, tu le ferais comme tu le dis, mais tu ne songes pas aux tiens, à ta mère qui jamais ne consentira !

MAURICE. – Ma mère ?... Mais tu ne la connais pas ; mais elle sera la première à t'accueillir quand elle saura qu'en toi est mon bonheur. Crois-tu donc qu'elle n'a pas l'âme assez haute pour s'élever au-dessus des préjugés sociaux ? Mais son cœur est tout de charité chrétienne ; toujours elle m'a prêché la miséricorde et le pardon ; et elle te repousserait, toi, quand je lui dirai : « Maman, voici celle que j'ai choisie et que je veux épouser » ? Allons donc ! tu vas voir comme elle va être contente.

ÉTIENNETTE. – Ah ! Maurice ! Maurice ! si je rêve, ne me réveille pas !

MAURICE, *la prenant dans ses bras.* – Je t'aime. (*Ils se tiennent longuement embrassés. A ce moment, au fond, on voit paraître Huguette à bicylette. Elle saute de sa machine, s'apprête à entrer et soudain aperçoit le couple enlacé.*)

HUGUETTE, *ne pouvant réprimer un cri de douloureuse surprise.* – Ah !

ÉTIENNETTE ET MAURICE, *arrachés de leur étreinte par le cri d'Huguette.* – Hein !... Qu'est-ce que c'est ?

MAURICE. – Huguette ! (*Il se précipite vers la grille en appelant.*) Huguette ! Huguette !

HUGUETTE, *qui a déjà enfourché sa bicyclette, se sauvant à toutes pédales pour dissimuler son trouble.* – Oui oui Tout de suite ! je reviens ! je reviens ! *Elle a disparu par le fond droite*

MAURICE. – Eh ! bien, qu'est-ce qu'elle a ? (*Appelant.*) Huguette ! Huguette !

VOIX D'HUGUETTE, *dans le lointain.* – Oui !

MAURICE, *revenant à Étiennette.* – Pourquoi se sauve-t-elle ?

ÉTIENNETTE. – Bien sûr, elle nous a vus et sa pudeur de jeune fille s'est effarouchée.

MAURICE. – C'est donc un spectacle si effrayant que celui de deux êtres qui s'aiment ?

ÉTIENNETTE. – Non, devant la nature, mais oui de par le monde.

MAURICE. – Eh bien ! vive la nature ! Je vous aime, madame !

ÉTIENNETTE. – Et moi aussi, monsieur !

Maurice lui a pris la tête entre les deux mains et lui applique un long baiser sur les yeux. Sur ces deux dernières répliques, on a vu surgir la tête d'Huguette au-dessus du mur de droite.

HUGUETTE, *avec un découragement navré.* – Oh ! encore !

MAURICE, *entraînant doucement Étiennette vers le presbytère.* – Et maintenant, madame, vous allez me faire le plaisir d'aller un peu vous recoiffer. Vous êtes tout ébouriffée.

ÉTIENNETTE. – Qu'est-ce que ça fait !

MAURICE, *faisant claquer sa langue contre ses dents pour la rappeler à l'obéissance.* – Tsse ! tsse ! je veux !... j'ai mes raisons. Dites que c'est la vanité, si vous voulez. Je tiens à ce qu'on vous voie avec tous vos avantages.

ÉTIENNETTE. – Enfant, va !

L'un tenant la taille de l'autre, comme deux amants, ils sont entrés dans le presbytère. A peine ont-ils franchi le seuil de la maison qu'Huguette, qui ne les a pas perdus de l'œil, enjambe le mur, descend le long de l'échelle de fer de la serre et gagne jusqu'à la fenêtre du presbytère pour épier le couple. Sa figure est mauvaise, ses traits sont contractés. Elle a un geste de rage. A ce moment paraissent sur la route l'Abbé, la Comtesse, le Marquis, Eugénie et Heurteloup. En les voyant, Huguette fait un effort sur elle-même ; elle se laisse tomber sur le banc et se compose un visage indifférent.

SCÈNE VIII

HUGUETTE, L'ABBÉ, LA COMTESSE,
LE MARQUIS, EUGÉNIE,
HEURTELOUP, PUIS MAURICE

L'ABBÉ, *paraissant au fond, suivi des autres personnages ; arrivé à la porte, il s'efface.* – Passez, mesdames ! passez, messieurs !

LA COMTESSE, *entrant la première.* – Pardon.

LE MARQUIS, *qui est entré à la suite de la comtesse, allant à Huguette.* – Ah ! te voilà, toi ! C'est toi qui laisses ta bicyclette contre le mur ? Tu veux donc qu'on te la vole ?

HUGUETTE. – Oh ! il n'y a pas de danger. Je vais aller la reprendre. (*Elle se lève et passe au* (2).)

Le Marquis (1), *Huguette* (2), *la Comtesse* (3), *l'Abbé* (4), *Eugénie* (5), *Heurteloup* (6).

LA COMTESSE. – Tu as été au château ?

HUGUETTE. – Oui, ma tante, on va faire le nécessaire.

LA COMTESSE. – Eh ! bien, et Maurice ?... Qu'est-ce que tu en as fait ?

HUGUETTE, *d'un air qu'elle s'efforce de rendre indifférent.* – Je ne sais pas, ma tante ! Il m'a semblé le voir entrer au presbytère comme j'arrivais.

LA COMTESSE. – Oui ! (*Appelant.*) Maurice ?

TOUS, *se rapprochant du presbytère et appelant à l'exemple de la Comtesse.* – Maurice ! Maurice !

HUGUETTE, *vivement.* – Je vais chercher ma bicyclette.

Elle gagne rapidement le fond, désireuse d'éviter une rencontre avec Maurice.

MAURICE, *paraissant sur le seuil du perron.* – Maman !

Il se précipite dans ses bras.

LA COMTESSE, *l'embrassant tendrement.* – Mon fils ! mon chéri ! Comme ça me fait plaisir !

MAURICE, *embrassant sa mère à son tour.* – Ma chère maman ! (*Au Marquis qui est à droite.*) Bonjour, mon oncle ! (*Allant à Eugènie qui est au 4 à la gauche de la Comtesse* (3).) Bonjour, Eugénie ! (*Id. à Heurteloup qui est devant l'arbre près de la brouette.*) Bonjour, Hector ! Oh ! le drôle de costume ? Pourquoi êtes-vous si céleste ?

HEURTELOUP, *avec humeur.* – Ne m'en parle pas ! on m'a voué à la Vierge.

MAURICE, *riant.* – Non ?

LE MARQUIS, *de sa place.* – Oui !... ça le change.

MAURICE. – Mes compliments ! (*Retournant à sa mère. En passant, jetant son chapeau vers le banc qui entoure l'arbre.*) Ma chère maman, j'ai prié monsieur le Curé de vous réunir tous pour vous entretenir d'une décision grave que j'avais l'intention de prendre et pour laquelle j'avais besoin de votre avis (*Indiquant l'abbé qui est un peu au-dessus des autres.*) ainsi que celui de Monsieur le Curé.

LA COMTESSE. – Ah ! mon Dieu ! Quoi donc ?

Tout le monde s'assied à l'exception de Maurice : la Comtesse sur le fauteuil à droite de la table, l'abbé sur le fauteuil qui est au-dessus, le Marquis sur la chaise entre le banc et le perron, Eugénie sur le banc circulaire de l'arbre, Heurteloup sur la brouette.

MAURICE, *une fois tout le monde assis.* – Maman, je vais sans doute vous causer une grande déception : je renonce à ma carrière sacerdotale !

LA COMTESSE. – Toi ?

L'ABBÉ. – Est-il possible !

MAURICE. – Oui.

EUGÉNIE. – La voilà, l'influence néfaste de la caserne !

MAURICE. – Non, Eugénie, non ! la caserne n'a rien à voir dans ma décision, croyez-le bien. Seulement, il m'a été donné de constater que je n'avais pas en moi les vertus suffisantes, la force de caractère nécessaire pour remplir dignement ma mission et rester à la hauteur du vœu que j'aurais prononcé. (*Après un temps d'hésitation.*) Et puis, enfin, ma mère,... je ne suis plus chaste !

LA COMTESSE, *se levant d'un bond ainsi qu'Eugénie.* – Toi !

EUGÉNIE, *se dressant.* – Oh ! (*Elle se signe.*)

LE MARQUIS, *riant sous cape.* – Patratas !

L'ABBÉ, *joignant les mains.* – Seigneur Dieu !

LA COMTESSE. – Toi, mon enfant ! Mon ange de pureté, d'innocence !

MAURICE. – Il est loin, ma pauvre maman, votre ange de pureté, d'innocence. Aujourd'hui je ne suis qu'un homme, et un homme aussi faible que tous les autres.

Maurice dégage un peu. La Comtesse se laisse tomber, anéantie, sur son fauteuil.

EUGÉNIE, *avec dépit, à son mari.* – Voilà !... voila !...

HEURTELOUP. – C'est ça ! Ça va encore être de ma faute ! (*Eugénie se rassied sur le banc au pied de l'arbre.*)

MAURICE. – Vous me pardonnerez, mes chers parents, et vous, monsieur le Curé, cette défection qui anéantit les espérances que vous aviez pu fonder sur moi.

LE MARQUIS, *philosophe.* – Oh ! moi...

L'ABBÉ. – Mon pauvre cher enfant, je ne saurais trouver en mon cœur le courage de vous blâmer. Tout le monde n'a pas été créé pour être prêtre. Je l'ai déjà dit à madame votre mère. Si vous n'avez pas en vous la force de résignation, d'abnégation qu'exige la carrière sacerdotale, il vaut mieux que les choses en soient ainsi.

MAURICE. – Ah ! Dieu sait pourtant que sincèrement j'avais cru à ma vocation, parce que, dès le plus jeune âge, j'avais été nourri dans les idées de religion avec l'horreur qu'on m'avait enseignée du péché de la chair. Aussi quand je sentais mon cœur battre à tout rompre dans ma poitrine, mon sang bouillonner dans mes veines, affluer à mes joues, je croyais bonnement que c'était là une manifestation de l'exaltation religieuse... Mais aujourd'hui, ah !... aujourd'hui, j'ai compris... aujourd'hui, je sais !

L'ABBÉ, *hochant la tête.* – Oui !... c'est encore une grâce du ciel que vous ayez été éclairé à temps.

A ce moment, au fond, paraît Huguette traînant sa bicyclette. Elle entre doucement sans qu'on la remarque et s'arrête à peu de distance du pas de la porte.

MAURICE, *allant s'asseoir sur le bras du fauteuil de sa mère, et bien câlin avec elle.* – Et ceci m'amène, maman, au grand point pour lequel je voulais vous parler. Maman, j'ai l'intention de me marier.

Ce mot produit un choc chez Huguette qui s'accule, pour ne pas tomber, contre le pilastre de la grille.

TOUS. – Hein ?

Eugénie se lève, anxieuse, suspendue aux lèvres de Maurice.

LA COMTESSE. – Te marier, toi ! Mais avec qui ? Avec qui ?

MAURICE, *se levant.* – Avec celle que j'ai jugée digne d'être ma femme, avec celle à qui vous avez vous-même témoigné votre sympathie, avec celle que j'aime enfin. (*Allant chercher Étiennette sur le perron.*)

LA COMTESSE. – Achève, mon enfant, avec... ?

MAURICE, *ramenant Étiennette par la main.* – Avec Madame de Marigny. (*A ces mots, Huguette sort précipitamment.*)

TOUS. – Hein !

LA COMTESSE, *n'en croyant pas ses oreilles.* – Qu'est-ce que tu dis ?... avec Madame ?...

LE MARQUIS, *à part.* – Oh ! ça va un peu loin ! ça va un peu loin !

MAURICE. – Venez, Étiennette ! (*A la Comtesse.*) Ma mère, embrassez votre fille !

LA COMTESSE, *hors d'elle-même.* – Ah, çà ! tu es fou ! tu perds la tête ! toi, épouser... Madame !

MAURICE, *très naturellement.* – Mais oui !

LA COMTESSE, *id.* – Ah, non !... par exemple ! Moi vivante, jamais je ne consentirai !

ÉTIENNETTE, *essayant timidement de s'interposer.* – Madame...

EUGÉNIE. – C'est inconcevable... !

MAURICE. – Quoi ! ma mère, voilà comment vous accueillez celle que je vous dis aimer, celle qui, comme je le désire, deviendra bientôt ma femme ?

LA COMTESSE. – Ta femme !... Et tu crois que je donnerai mon autorisation à un mariage pareil !... Ah, çà ! oublies-tu ce que tu dois au nom que tu portes, ce que tu nous dois à nous, ce que tu te dois à toi-même ?...

MAURICE. – Ma mère, j'aime et j'estime Madame de Marigny.

LA COMTESSE, *avec un ricanement.* – Madame de Marigny !

ÉTIENNETTE. – Il suffit, madame ! Épargnez-moi, de grâce, de plus amples outrages !...

LA COMTESSE, *hautaine.* – Vraiment !

ÉTIENNETTE. – Vous pouvez bannir toute crainte, j'ai compris ! Ce mariage ne se fera pas.

LA COMTESSE, *id.* – Certes ! il ne se fera pas !... Ah ! mes compliments, Madame, voilà donc comment vous avez reconnu la confiance que je vous ai un moment témoignée en abusant de la candeur de cet enfant pour en faire la proie de votre misérable ambition !

MAURICE. – Ma mère... !

ÉTIENNETTE. – Oh ! Madame ! combien vous pouvez être injuste ! Si vous connaissiez ma conduite, vous verriez que rien ne vous autorise à porter contre moi une telle accusation !

LA COMTESSE. – Comment donc ! tout cela, n'est-ce pas, s'est fait malgré vous !... en dehors de vous !...

ÉTIENNETTE. – Certes !

LA COMTESSE. – Vous me croyez donc bien sotte !... Vous vous trompez, Madame ! les femmes comme vous sont décidément très habiles !

ÉTIENNETTE, *avec un sursaut de révolte.* – Madame... !

EUGÉNIE. – Mais ne discute donc pas ! Viens ! notre place n'est pas ici.

ÉTIENNETTE. – Du tout, madame, si quelqu'un doit se retirer, c'est moi. Je repartirai par le prochain train et je vous promets que je ne vous importunerai pas davantage.

MAURICE. – Étiennette !

ÉTIENNETTE. – Inutile, Maurice ! (*A la Comtesse.*) Mais avant de vous quitter, madame, je tiens à vous déclarer que non seulement je n'ai rien fait pour pousser votre fils à sa détermination, (*Haussement d'épaules de la part de la Comtesse.*) je vous le jure, mais encore, en venant ici, j'ignorais le but de notre voyage. C'est tout à l'heure seulement que votre fils s'est ouvert à moi de ses intentions. J'avoue que, sur le moment, j'ai été grisée !... Quelle femme ne le serait pas ? Mais vous vous êtes chargée de me rappeler à la réalité... un peu cruellement, je dois dire. Je vous en remercie et profiterai de la leçon, soyez-en certaine !... Adieu, Madame. (*Elle rentre dans le presbytère.*)

MAURICE, *des larmes dans la voix.* – Oh ! ma mère,

comme vous avez été dure et cruelle. Je n'attendais pas semblable attitude de votre part.

LA COMTESSE. – Mais, mon pauvre enfant, tu ne sais pas à quelle femme tu as affaire, tu ne sais donc pas ce qu'elle a été !

MAURICE. – Je sais tout, maman, mais je sais aussi ce qu'elle est aujourd'hui, et cela me suffit.

EUGÉNIE. – Tu veux épouser une cocotte !

MAURICE, *froissé.* – Ah ! Eugénie, je vous en prie !

LE MARQUIS. – Mais, mon enfant, songe au scandale, toi, le comte de Plounidec.

LA COMTESSE. – Songe à ce qu'on dira.

MAURICE. – Que m'importe l'opinion du monde, j'ai ma conscience avec moi. (*Il passe* (1) *extrême gauche.*)

LA COMTESSE ET EUGÉNIE. – Oh !

LE MARQUIS. – Voyons, Maurice, je ne suis pas sujet à caution, moi, tu sais ! je suis un vieux libéral.

MAURICE. – Mais justement, mon oncle, vous êtes un vieux libéral, et, pour me comprendre, il faut être un religieux. Je suis sûr que monsieur le Curé me comprend, lui.

L'ABBÉ, *qui, dos au public debout près de la table, semble plongé dans ses réflexions, sursautant légèrement en se sentant interpellé et se retournant, embarrassé.* – Hein ?... euh ! je... certainement !... je... je vous comprends, mais... je comprends aussi madame la Comtesse et monsieur le Marquis.

MAURICE, *au marquis.* – Que vous me blâmiez, vous, je l'admets ! (*Passant devant le marquis pour aller à sa mère.*) Mais toi, ma mère ! toi qui pratiques la doctrine chrétienne, toi qui m'as toujours prêché la pitié et le pardon, tout cela n'était donc que des mots ?

LA COMTESSE. – Entre le pardon et le mariage, il y a une marge.

MAURICE. – Parce qu'elle a été une pécheresse ?... Mais n'en est-elle pas plus digne d'intérêt ?... Et la morale du Christ : « Il lui sera beaucoup pardonné, car elle a beaucoup aimé ». (*Sur ce dernier mot, il a gagné jusqu'au marquis.*)

LE MARQUIS. – Trop !... elle a trop aimé !

EUGÉNIE. – Le Christ a pardonné à la Magdeleine repentante, mais il ne l'a pas épousée.

MAURICE. – Et puis, enfin, il y a une chose qui est au-dessus de tout ça ! Entre Étiennette et moi, il y a eu le péché, et, dans un cas pareil, c'est le devoir de l'homme de réparer par le mariage.

LE MARQUIS, *les bras au ciel.* – Mais où as-tu pris cela ?

MAURICE, *indiquant l'abbé.* – Monsieur le Curé me le confirmait encore tout à l'heure.

L'ABBÉ, *qui, se sentant à nouveau interpellé, en a marqué sa contrariété par une moue ennuyée.* – Permettez, je ne savais pas que dans l'espèce il s'agissait d'une personne qui...

LE MARQUIS. – Mais, parbleu !... Ah ! si c'était une jeune fille que tu eusses détournée, bon !...

L'ABBÉ, *approuvant.* – Voilà !

LE MARQUIS. – ... Mais Madame de Marigny !...

LA COMTESSE, *les mains au ciel ainsi qu'Eugénie.* – Madame de Marigny !

LE MARQUIS. – Mais, mon pauvre petit, si chaque fois que l'on a commis le péché, il fallait réparer par le mariage, mais tous les hommes seraient polygames.

MAURICE, *avec brusquerie.* – Que voulez-vous, mon oncle, chacun sa morale.

Il s'assied, boudeur, sur le fauteuil qu'occupait sa mère ; le Marquis, à bout d'arguments, lève les bras au ciel et remonte.

EUGÉNIE, *suffoquant.* – Non, c'est de la folie ! (*A Heurteloup.*) Mais dis-lui donc, toi !... au lieu de rester muet comme une carpe !

HEURTELOUP, *toujours sur sa brouette, l'air détaché, le ton sec.* – Je ne me mêle pas des choses qui ne me regardent pas.

EUGÉNIE. – Alors, tu approuves ce mariage ?

HEURTELOUP, *les deux mains agrippées aux barres de la brouette et avec explosion.* – Je n'approuve jamais le mariage !

EUGÉNIE. – Hein !

HEURTELOUP, *avec un coup de poing sur la barre de traverse de la brouette.* – Je suis pour le célibat ! (*Se levant et à pleine voix.*) Vive le célibat ! (*Il remonte.*)

EUGÉNIE. – Insolent !

HEURTELOUP, *du fond, avec soulagement.* – Aïe, donc !

LA COMTESSE, *qui, pendant ce qui précède, nerveuse, a arpenté la scène, redescendant – à Maurice.* – Et puis enfin, toute cette discussion est inutile !... Si tu ne comprends pas certaines choses, c'est à moi d'avoir de la raison pour toi ! Ce mariage ne se fera pas parce que je ne le veux pas.

MAURICE, *se levant et douloureusement.* – C'est bien, ma mère, je sais trop le respect que je vous dois pour aller à l'encontre de votre volonté ! Mais je n'imaginais pas que, par vous, j'aurais à choisir entre mes devoirs filiaux et ceux que me dicte ma conscience. C'est dur !

LA COMTESSE, *toute retournée.* – Mon pauvre petit, tu m'en veux ?

MAURICE, *très simplement, mais avec un profond chagrin.* – Non ! Mais j'en souffre. Adieu, Maman.

Il gagne vers la droite dans la direction de la sortie.

LA COMTESSE. – Tu pars ?

MAURICE, *(5) s'arrêtant à la voix de sa mère, tout en prenant son chapeau sur le banc de l'arbre – avec des larmes dans la voix.* – Oui..., la carriole qui nous a amenés n'est peut-être pas encore dételée. Je dois rentrer au corps demain matin, et alors (*Sentant qu'il va pleurer.*) à tout à l'heure, maman. (*Il essuie une larme du revers de la main et gagne vivement la porte de droite. Sortie.*)

LA COMTESSE, *bouleversée – après un temps.* – Pauvre petit, il s'en va le cœur brisé.

LE MARQUIS, *à gauche de la table.* – Que veux-tu, il y a des opérations nécessaires. Il faut savoir s'y résigner pour le bonheur de ceux qu'on aime.

L'ABBÉ, *à droite de la table.* – C'est que c'est une opération au cœur, monsieur le Marquis, et le cœur ne s'opère pas comme on veut.

LE MARQUIS, *hochant la tête.* – Eh ! je sais bien.

LA COMTESSE, *avec un soupir.* – Hélas !

EUGÉNIE, *avec une conviction comique.* – Mais qu'est-ce qui se dégage donc de nous, mon Dieu ! que les hommes subissent ainsi notre empire ?

HEURTELOUP, *du fond, gouailleur, indiquant sa femme.* – Ah ! non ! Écoutez-la !

SCÈNE IX

LES MÊMES, ÉTIENNETTE

A ce moment Étiennette paraît sur le perron du presbytère.

TOUS, *à part.* – Elle !

Chacun esquisse le mouvement de remonter comme pour lui céder la place.

ÉTIENNETTE, *sur un ton de prière déférente à la Comtesse.* – Ne vous en allez pas, Madame.

LA COMTESSE, *la toisant avec dédain.* – Madame !...

On s'arrête.

ÉTIENNETTE, *l'arrêtant du geste.* – Non, non, ne dites rien.

LA COMTESSE. – Mais...

ÉTIENNETTE. – Tout à l'heure, Madame, je n'ai pu réprimer un mouvement d'humeur, je ne vous ai pas parlé avec tout le respect que je dois à la mère de Maurice.

LA COMTESSE. – Oh ! Madame, croyez bien que les questions de susceptibilité n'ont rien à faire en l'occurrence. Il s'agit de questions autrement importantes.

ÉTIENNETTE. – Oui, je sais. Vous craignez que l'influence que j'ai pu prendre sur votre fils ait raison de votre volonté et ne l'amène à un mariage que vous réprouvez. (*Avec fermeté.*) Je vous le répète, tranquillisez-vous, Madame ; Monsieur votre fils le voudrait encore que c'est moi qui m'y opposerais.

TOUS. – Hein ?

LA COMTESSE, *sceptique.* – Si je pouvais vous croire !

ÉTIENNETTE, *avec plus de fermeté encore.* – Il ne se fera pas !...

LA COMTESSE. – Pourtant...

ÉTIENNETTE. – Non, ne dites rien, Madame... Laissez-moi seulement avoir un entretien avec votre fils ; je crois que vous serez contente de moi.

LA COMTESSE, *hésite un instant, regarde Étiennette fixement pour tâcher de lire dans sa pensée, puis.* – Soit ! (*Elle s'incline légèrement, passe devant Étiennette, gagne le perron, et une fois la troisième marche franchie, se retourne pour dire* :) Pardonnez-moi d'être obligée de vous faire du mal.

ÉTIENNETTE. – Vous défendez votre fils, Madame, il n'y a rien de plus respectable.

LA COMTESSE, *s'inclinant légèrement.* – Merci !

La Comtesse entre dans le presbytère tandis qu'Étiennette remonte. Le Marquis entre à la suite de la Comtesse suivi de l'Abbé, suivi lui-même d'Heurteloup et d'Eugénie qui se chamaillent à voix basse. Arrivé à la troisième marche, l'abbé se retourne pour laisser passer le couple en discorde. Heurteloup, qui marche en quelque sorte à reculons pour discuter avec sa femme, n'a pas vu le mouvement du curé et va donner contre lui. Le choc le renvoie sur sa femme qui le repousse brutalement. Après quoi ils entrent tous trois dans le presbytère. Étiennette qui, au fond et face au presbytère, a regardé à distance tout ce jeu de scène, n'a pas aperçu Huguette qui est entrée sur ces entrefaites avec sa bicyclette à la main. En se retournant, elle se trouve nez à nez avec elle.

ÉTIENNETTE. – Oh ! pardon, mademoiselle.

HUGUETTE, *qui a déposé dès son entrée sa bicyclette contre la haie du fond.* – Oh ! vous ! vous ! je vous déteste ! (*Elle se sauve, troisième plan gauche.*)

ÉTIENNETTE, *interloquée.* – Hein ? (*Après un temps, très lentement et avec un hochement de tête.*) Ah ! oui... oui, je comprends !

SCÈNE X

ÉTIENNETTE, MAURICE

Maurice entre de droite, le visage profondément attristé – Allant à Étiennette.

MAURICE. – Ma pauvre Étiennette !

ÉTIENNETTE. – Mon enfant chéri !

MAURICE. – Moi qui me promettais tant de joie de ce voyage ! Si j'avais pu me douter... !

ÉTIENNETTE. – C'était à moi de prévoir tout ce qui est arrivé au lieu de me laisser bercer par une chimère !

MAURICE, *se laissant tomber sur le banc de l'arbre.* – Oh ! maman a été vraiment cruelle ! (*Il dépose d'un geste accablé son chapeau près de lui sur le banc.*)

ÉTIENNETTE, *debout devant lui, lui mettant affectueusement une main sur l'épaule.* – Ne l'accuse pas, Maurice ; à sa place, ayant un fils, j'aurais agi comme elle.

MAURICE, *haussant les épaules.* – Oh !

ÉTIENNETTE. – Si ! si ! vois-tu, c'est un aveu qu'il faut avoir le courage de se faire à soi-même : nous ne sommes pas des femmes que l'on épouse. Nous sommes ici-bas pour donner du plaisir, pour donner de l'amour, il ne nous appartient pas de donner un foyer. Contentons-nous de notre rôle. De toi, j'aurai eu le meilleur de toi-même, la fleur de ta jeunesse, tes premiers baisers, tes premières étreintes. Tu auras été le printemps, le sourire de ma vie ; et toujours de ton souvenir se dégagera pour moi comme un parfum d'amour qui embaumera jusqu'à mes vieux jours. Qu'ai-je le droit de demander de plus ? Ne suis-je pas parmi les heureuses ?

MAURICE. – Étiennette, tes paroles me brisent le cœur.

ÉTIENNETTE. – Crois-tu qu'elles ne déchirent pas le mien, mon aimé ? Mais quand nous fermerions les yeux à la réalité, empêcherons-nous qu'elle soit ?... Renonce à ce mariage, Maurice ! nous ne sommes pas des femmes qu'on épouse.

MAURICE. – Mais tout cela, ce sont des conventions du monde ! Est-ce qu'il peut m'empêcher de t'aimer, le monde ? Est-ce qu'il pourra faire que je puisse aimer une autre femme que toi ?

ÉTIENNETTE. – Enfant ! tu parles bien comme un être qui aime pour la première fois et qui croit encore à l'éternité de l'amour ! Mais si j'étais assez démente pour accepter le bonheur que tu m'offres... avec tout ton cœur aujourd'hui, mais c'est toi, demain, qui ne me pardonnerais pas de n'avoir pas eu de la raison pour toi.

MAURICE, *désespéré.* – Étiennette, comme tu me juges mal !

ÉTIENNETTE, *avec un soupir d'amertume.* – Je ne te juge pas mal, je te juge selon la nature des hommes. Crois-moi, mon cher aimé, (*S'asseyant tout près de lui à sa droite.*) il faut nous prendre pour ce que nous sommes : quelque chose comme ces fleurs de luxe voyantes et capiteuses, arrangées pour paraître, que l'on achète pour orner sa boutonnière, plus encore pour les autres que pour soi-même et que le soir venu, alors que déjà elles se flétrissent, on jette dans un coin comme une chose dont on a pris tout ce qu'elle pouvait donner. La vérité, vois-tu, c'est la petite fleur, bien plus modeste, quelquefois sauvage, au parfum plus discret, mais si jolie ! si pure ! si délicate ! que votre œil découvre, que votre regard choisit et que votre main cueille sur la branche même qui l'a fait naître. Celle-là, vous l'aimez parce que vous sentez que le premier vous l'avez vue, qu'elle n'est que pour vous. C'est cette petite fleur-là qu'il te faut, Maurice, cette petite fleur un peu sauvage, que ton œil n'a pas découverte et qui pourtant existe, ici, pas loin, à portée de ta main.

MAURICE, *d'un ton presque bourru.* – Quoi ? Qui ça ?

ÉTIENNETTE. – Ta cousine.

MAURICE. – Huguette ?

ÉTIENNETTE. – Oui.

MAURICE, *haussant les épaules.* – Elle ? La bonne histoire ! elle ne peut pas me sentir. (*En ce disant il s'est levé et, boudeur, remonte un peu vers le fond.*)

ÉTIENNETTE, *gagnant un peu la droite.* – Crois-tu ?

MAURICE. – J'en suis sûr.

ÉTIENNETTE, *affirmative.* – Elle t'aime.

MAURICE, *se retournant à demi et par-dessus son épaule, d'un air narquois.* – Elle te l'a dit ?

ÉTIENNETTE. – Peut-être pas précisément dans ces termes, mais enfin quelque chose d'approchant. Elle m'a dit : « Oh ! vous ! vous, je vous déteste ! »

MAURICE, *redescendant* (1) *vers Étiennette* (2). – Ah ! Eh bien ?

ÉTIENNETTE. – Eh bien ? Pourquoi me déteste-t-elle si ce n'est parce qu'elle sent que je possède le cœur de son Maurice qu'elle aime et qu'elle ne me pardonne pas de lui ravir. Épouse-la, mon aimé, c'est la femme qu'il te faut.

MAURICE. – Quoi ! tu veux me quitter ?

ÉTIENNETTE, *vivement.* – Moi ! Moi ! te quitter ? Oh ! non, non... pas encore !

MAURICE. – L'épouser, moi !... Étiennette, mais c'est fou !

ÉTIENNETTE. – Oh ! mais non, mais non !... comprends-moi, je ne te demande pas de l'épouser... tout de suite ! (*Lui prenant amicalement les épaules entre les mains.*) Oh ! non !... Je te demande simplement de te faire à cette idée, d'envisager cette perspective... (*Puis avec la voix légèrement étranglée, et luttant contre les larmes* :) pour plus tard, beaucoup plus tard !... dans... un an... un an et demi.

MAURICE, *très par-dessus la jambe*. – Oh ! Alors, nous avons le temps d'y penser. (*Il se dégage et gagne le n° 2.*)

ÉTIENNETTE, *insistant*. – Promets-moi qu'alors tu l'épouseras ?

MAURICE, *comme un homme qui voit le temps devant lui et trouve inutile de discuter*. – Bon, bon, soit ! puisque ça te fait plaisir !

ÉTIENNETTE, *hochant tristement la tête*. – Oh ! plaisir... !

MAURICE. – C'est entendu : dans un an !

ÉTIENNETTE, *vivement*. – Oh ! un an... un an et demi.

MAURICE, *se retournant vers elle*. – Ah ! ah ! tu vois !... tu marchandes déjà !

Ils remontent côte à côte vers le fond. A ce moment un incident invisible au public attire l'attention d'Étiennette.

ÉTIENNETTE, *indiquant le deuxième plan gauche*. – Oh ! tiens ! Regarde un peu qui vient là ?

MAURICE, *regardant*. – Huguette ! qu'est-ce qu'elle a ?

Pour observer en se dissimulant ils vont se réfugier derrière l'arbre, restant toujours visibles aux spectateurs.

SCÈNE XI

LES MÊMES, LA MARIOTTE, HUGUETTE

HUGUETTE, *en pleurs, poursuivie par la Mariotte qui la harcèle*. – Mais laissez-moi, je vous dis, laissez-moi !

LA MARIOTTE. – Mais enfin, qu'est-ce que vous avez, Mademoiselle ?

HUGUETTE. – Mais rien, quoi ! je n'ai rien.

LA MARIOTTE. – Comment, rien ! Je vous trouve là, au fond du jardin, pleurant à chaudes larmes.

HUGUETTE, *convulsivement*. – Oh !

LA MARIOTTE. – Attendez, je vais un peu aller trouver votre papa pour qu'il voie clair dans tout ça.

HUGUETTE. – Oh ! non, non ! Je vous le défends !

LA MARIOTTE. – Si, si ! Je ne veux pas que vous ayez du chagrin, moi ! (*Elle entre au presbytère.*)

HUGUETTE, *s'effondrant sur le banc qui entoure l'arbre.* – Oh ! n'avoir même pas la liberté de pleurer en paix. (*Elle pleure, la tête dans ses mains. – Maurice et Étiennette ont écouté tout cela avec compassion.*)

ÉTIENNETTE, *émue, à Maurice à mi-voix.* – Dis-lui un mot, voyons ! console-la !

Maurice hésite un instant, puis se laissant persuader, va s'asseoir tout près d'Huguette.

MAURICE, *une fois assis.* – Tu pleures, Huguette ?

HUGUETTE (1) *sursautant.* – Hein ! Toi ! (*Essuyant vivement ses yeux.*) Non ! non !

MAURICE (2) *affectueusement.* – Si, je le vois bien. Qu'est-ce que tu as ?

HUGUETTE. – Rien !... c'est nerveux !

MAURICE, *id.* – Non, ça n'est pas nerveux ! Tu as du chagrin... Est-ce vrai ce qu'on m'a dit, que c'est à cause de moi ?

HUGUETTE. – De toi ? Oh ! non !... non !

MAURICE. – Ah ! n'est-ce pas que ce n'est pas exact (*Avec un geste de la tête dans la direction d'Étiennette qui, elle, assiste à cet entretien, dissimulée par l'arbre*) ce qu'on voudrait me persuader, que, soi-disant, tu m'aimerais ?

HUGUETTE, *vivement.* – Oh ! non ! non !

MAURICE, *sur un ton de triomphe à l'adresse d'Étiennette.* – Ah ! (*A Huguette.*) Qu'au contraire, la vérité, c'est que plutôt, un peu d'antipathie...

HUGUETTE, *avec feu.* – D'antipathie ! oh ! non... (*Plus timidement.*) Non !

MAURICE. – Non ?

HUGUETTE, *toute confuse.* – Oh ! Maurice ! Maurice, laisse-moi !

MAURICE. – Tu me repousses ?

HUGUETTE, *se cachant la figure dans les mains.* – Oh ! que je suis malheureuse !

MAURICE, *affectueusement.* – Huguette !

ÉTIENNETTE, *s'avançant.* – Pourquoi avoir ainsi la pudeur de ses sentiments ?

HUGUETTE, *se dressant, haineuse.* – Vous !

ÉTIENNETTE, *avec beaucoup de douceur, tout en cherchant à cacher sa souffrance.* – Je dis, moi, qu'il y a une petite cousine qui adore son petit cousin, mais qui aimerait mieux mourir plutôt que de le lui dire et qui pourtant ne serait pas fâchée qu'il le sache !... Eh ! bien, il le sait, le petit cousin.

HUGUETTE, *les yeux pleins de larmes.* – Oh ! Madame, c'est mal de...

ÉTIENNETTE. – Mais non, mais non, et l'on s'est dit que si un jour le petit cousin épousait la petite cousine...

HUGUETTE, *à travers ses larmes.* – Oh ! taisez-vous ! taisez-vous !

ÉTIENNETTE. – ... cela ferait un petit ménage très assorti...

HUGUETTE, *id.* – Madame, je vous en conjure !

ÉTIENNETTE. – ... et où chacun pourrait faire le bonheur de l'autre.

HUGUETTE, *id.* – Oh ! Madame... !

ÉTIENNETTE. – Et maintenant la petite cousine se décidera-t-elle à avouer qu'elle aime bien son petit cousin ?

HUGUETTE, *id.* – Oh ! Madame, et moi qui vous ai parlé si durement tout à l'heure.

ÉTIENNETTE, *simulant l'étonnement.* – A moi ? Et qu'est-ce que vous m'avez dit ?

HUGUETTE, *id.* – Oh ! vous avez bien entendu. J'ai osé vous dire : « Vous, je vous déteste ! »

ÉTIENNETTE. – Allons donc ! comme c'est curieux ! j'avais entendu tout autre chose.

HUGUETTE, *surprise.* – Et quoi donc ?

ÉTIENNETTE. – J'avais entendu : « Oh, Madame, comme j'aime mon petit cousin Maurice. » Vous articulez bien mal, Mademoiselle.

HUGUETTE. – Oh ! comme vous vous vengez !

ÉTIENNETTE. – Avouez que la vengeance est douce.

HUGUETTE. – Je ne sais que répondre : oh ! j'ai trop honte !

ÉTIENNETTE, *lui prenant doucement la tête et l'appuyant contre la poitrine de Maurice.* – Allons, jeune fiancée, appuyez là votre tête, vous y cacherez mieux votre honte.

HUGUETTE. – Oh ! Madame.

MAURICE, *affectueusement.* – Petite Huguette. (*Il l'embrasse dans les cheveux tandis qu'Étiennette au-dessus d'eux, un genou sur le banc, les rapproche et les regarde avec une douloureuse émotion.*)

ÉTIENNETTE, *en faisant un effort sur elle-même.* – A la bonne heure.

SCÈNE XII

LES MÊMES, LE MARQUIS

LE MARQUIS, *sortant rapidement du presbytère.* – Qu'est-ce qu'on me dit : ma fille... (*Restant coi devant le tableau qu'il a devant les yeux.*) Ah !

HUGUETTE, *courant se jeter dans les bras de son père.* – Papa !

MAURICE. – Mon oncle !

ÉTIENNETTE, *passant devant Maurice et allant vers le Marquis.* – Monsieur le Marquis, pardonnez-moi de m'être mêlée de ce qui ne me regarde pas !

MARQUIS, *surpris.* – Comment ?

ÉTIENNETTE. – Je viens de fiancer deux êtres faits l'un pour l'autre.

LE MARQUIS, *interloqué.* – Hein !... Vous ?

ÉTIENNETTE, *s'efforçant de dissimuler sa douleur.* – J'ai donc l'honneur de vous demander – oh ! pour dans un an... un an et demi !... la main de Mademoiselle votre fille pour son cousin Maurice.

LE MARQUIS, *suffoqué.* – Comment !... c'est vrai ?

HUGUETTE. – Puisque madame le dit.

LE MARQUIS, *n'en croyant pas ses oreilles.* – Ce n'est pas possible ! J'en tombe des nues. Allons ! C'était notre beau projet d'autrefois ! Mais je le croyais bien dans l'eau. (*A ce moment Huguette quitte son père et se sauve en courant ves le presbytère.*) Eh ! bien, quoi donc ! Huguette ! où vas-tu ? Où vas-tu ?

Il cherche à la rattraper, mais s'arrête sur la première marche du perron.

HUGUETTE, *tout en courant.* – Je reviens ! je reviens. (*Elle sort.*)

MAURICE, *ahuri.* – Qu'est-ce qu'elle a ?

ÉTIENNETTE, *qui, pendant toute cette scène, a souffert visiblement un véritable calvaire, allant à Maurice et avec une émotion contenue.* – Et maintenant, mon petit Maurice, il faut être bien raisonnable et me laisser m'en aller.

MAURICE, *sursautant.* – Hein ! Tu pars ?

ÉTIENNETTE. – Je ne saurais rester davantage. Ma place n'est plus ici.

MAURICE. – Oh ! alors, attends-moi ; je rentre avec toi.

ÉTIENNETTE, *vivement.* – Non ! non ! Toi, tu partiras ce soir.

MAURICE, *suppliant.* – Étiennette !

Le Marquis, comprenant la scène, reste à l'écart et prend un air absent.

ÉTIENNETTE. – Si ! si ! Tu vas être bien mignon et faire ce que je te dis.

MAURICE, *avec angoisse.* – Étiennette, tu ne penses pas à me quitter ?... Tu rentres à Paris, mais une fois là-bas... ?

ÉTIENNETTE, *luttant contre ses larmes.* – Mais oui, mais oui !... Tu sais bien que je t'aime.

MAURICE. – A demain, alors ?

ÉTIENNETTE. – A demain. (*Maurice tend ses lèvres vers elle pour l'embrasser, elle le repousse doucement.*) Allons ! allons ! sage !...

MAURICE. – Étiennette !

ÉTIENNETTE. – Chut ! Chut ! Demain !

Elle a gagné doucement à reculons jusqu'à la porte de droite. – Au moment de la franchir, à Maurice qui la regarde littéralement terrassé, elle envoie un baiser et sort. Elle n'est pas plus tôt dehors qu'Huguette paraît tirant la Comtesse par la main ; à leur suite, l'Abbé, Eugénie, Heurteloup.

SCÈNE XIII

MAURICE, LE MARQUIS, HUGUETTE, LA COMTESSE, L'ABBÉ, EUGÉNIE, HEURTELOUP

HUGUETTE, *entraînant la Comtesse.* – Venez ! venez, ma tante ! Vous ne savez pas la nouvelle ?... Maurice m'a demandé ma main.

TOUS, *stupéfaits.* – Hein !

MAURICE, *tombant des nues.* – Moi ?

LA COMTESSE. – Est-il possible ! Toi ! mon enfant !

MAURICE, *abasourdi.* – Non, c'est-à-dire que...

LA COMTESSE, *radieuse.* – Oh ! mon enfant ! mon chéri ! Ce mariage-là, à la bonne heure !

MAURICE. – Maman, je vais vous dire...

EUGÉNIE, *qui, ainsi qu'Heurteloup, a fait le tour par le fond, surgissant à la gauche de Maurice.* – Oh ! Maurice ! Ça, oui ! Voilà qui est bien !

(Elle lui serre la main et remonte.)

MAURICE, *abasourdi.* – Comment ?

L'ABBÉ, *surgissant à son tour à la droite de Maurice, la Comtesse étant un peu remontée.* – Mes compliments ! Une union comme celle-là !...

(Il lui serre la main et remonte féliciter la Comtesse.)

MAURICE, *id.* – Écoutez, Monsieur le Curé...

HEURTELOUP, *surgissant à sa gauche.* – Je ne suis pas pour le mariage, mais celui-là !...

(Il lui serre les mains avec chaleur.)

MAURICE, *id.* – Mais enfin !...

HUGUETTE, *passant son bras autour du sien.* – Tu vois comme tout le monde est content.

LE MARQUIS. – Allons, mon fils ! dans mes bras !

MAURICE. – Je voudrais pourtant...

HUGUETTE, *le poussant dans les bras de son père.* – Là ! dans les bras de papa !

LE MARQUIS, *l'étreignant.* – Mon enfant ! Mon gendre !

TOUS. – Bravo ! bravo !

MAURICE, *avec un affolement comique.* – Mais ça y est !... On me marie alors !... On me marie !...

(Au milieu des applaudissements, on entend des « très bien », « À la bonne heure »...)

LA COMTESSE, *qui est descendue à l'extrême gauche, à la droite du Marquis.* – Alors, tu consens ?

LE MARQUIS, *en regardant Maurice.* – Si je consens !... Je crois bien !

(Pendant ces dernières répliques, on a entendu à la cantonade le grelot d'un cheval.)

MAURICE, *instinctivement, se précipitant vers la grille du fond, et à part.* – Étiennette !

(Tout le monde le regarde, étonné.)

LE MARQUIS, *à qui ce jeu de scène n'a pas échappé, hochant la tête, et à part.* – Aha ! (*Voyant Maurice qui, s'étant rendu compte que son mouvement a été remarqué, redescend un peu gêné – reprenant sa phrase.*) Je consens,... mais pas tout de suite.

TOUS, *désappointés.* – Oh !

LE MARQUIS. – Non, non !... ce sont encore deux enfants !... Maurice finira son service militaire. Pendant ce temps, Huguette se fera plus femme !... Dans un an... un an et demi. (*Sournoisement.*) Je suis persuadé que Maurice se rangera à mon désir.

MAURICE, *hypocritement.* – Mais, mon oncle, du moment que c'est votre volonté.

LE MARQUIS, *malicieusement.* – C'est ma volonté, oui !... oui !...

HUGUETTE, *passant son bras autour de celui de Maurice.* – L'important, c'est de savoir qu'on s'épousera, n'est-ce pas ?

(Elle entraîne Maurice vers l'arbre sur le banc duquel ils s'asseyent.)

LA COMTESSE, *bas, au Marquis.* – Ah, çà !... pourquoi ?... Pourquoi tant de temps ?

LE MARQUIS, *comme un homme qui a son idée de derrière la tête.* – Parce que... (*pour donner une raison*) parce que, ma chère Solange, ces enfants ne sont mûrs, ni l'un ni l'autre, pour le mariage ; et puis !... et puis enfin, parce que j'estime qu'en matière de fièvre, il ne faut jamais essayer de la faire rentrer. Il faut que ça sorte... et puis que ça passe.

LA COMTESSE. – Je ne comprends pas.

LE MARQUIS. – Oui, mais moi, je me comprends.

L'ABBÉ, *debout près du jeune couple assis.* – Allons ! voilà un mariage que je bénirai, car j'espère bien qu'il se fera à Plounidec.

LA COMTESSE. – Certes !

HEURTELOUP, *à l'extrême droite.* – Est-ce qu'il faudra que j'y assiste en bleu ?

EUGÉNIE, *prés de lui.* – Naturellement !

HEURTELOUP. – Eh bien ! Elle est verte, celle là !

LE MARQUIS. – Qu'est-ce que vous voulez, Heurteloup ! ça n'est pas rose tous les jours !

RIDEAU

VARIANTE

NOTA : *Quelques impresarios étrangers m'ont fait remarquer à propos de l'homme que l'on voue au bleu au dernier acte du* Bourgeon, *que ce genre de vœu étant inconnu dans certains pays, il convenait, pour faire comprendre la chose, d'initier le public des dits pays, par une scène préparatoire qui en assurerait l'effet. J'ai donc écrit dans ce but la variante ci-dessous qui, je l'espère, satisfera à toutes les exigences.*

G.F.

ACTE I

SCÈNE IX

LES MÊMES, VÉTILLÉ, PUIS LE MARQUIS ET L'ABBÉ

LA COMTESSE, *voyant le docteur qui sort de chez son fils.* – Ah ! Docteur !... (*Redescendant en scène avec lui.*) Eh ! bien vous avez examiné mon fils ?

VÉTILLÉ (3). – Eh ! oui, madame ; il se dispose à aller prendre son bain.

LA COMTESSE (2). – Ah ! vous autorisez ?

VÉTILLÉ. – Certes ! très bon, la mer ; ça fouette le sang ! Tout ce qui est exercice violent, j'approuve.

LA COMTESSE. – Ah ! Docteur, si vous saviez – ma cousine peut vous le dire – tous les tourments que cet enfant m'a donnés depuis sa naissance, avec sa santé !... Tout petit, j'ai failli le perdre de la scarlatine ! Les médecins l'avaient abandonné, Docteur !

VÉTILLÉ. – Ils n'en font jamais d'autres !

LA COMTESSE. – Heureusement, j'étais là ! je l'ai sauvé, moi !... malgré eux !

VÉTILLÉ. – Eh ! mon Dieu !... et comment ? Ça m'intéresse, vous comprenez !

LA COMTESSE, *comme de la chose la plus simple du monde.* – En le vouant au bleu.

VÉTILLÉ. – Quoi ?

LA COMTESSE. – Je l'ai voué au bleu.

VÉTILLÉ. – C'est la première fois que j'entends parler de cette médication-là.

EUGÉNIE, *à part, avec pitié.* – Médication !

LA COMTESSE, *avec un sourire indulgent.* – Vous ne me paraissez pas, Docteur, très versé sur les choses de la religion.

VÉTILLÉ. – Dame ! madame, évidemment !... ce n'est pas beaucoup ma partie.

EUGÉNIE, *à part et comme précédemment.* – Sa partie !

LA COMTESSE. – Eh ! bien, docteur, pour vous initier : quand on a des raisons d'appeler la Miséricorde Divine sur un être aimé, on le voue à la Vierge, oui !... pour un temps déterminé.

VÉTILLÉ, *avec un profond sérieux.* – Ah !

LA COMTESSE. – Et alors, il est entendu que pendant cette période on ne l'habille, des pieds à la tête, qu'en bleu.

VÉTILLÉ. – Oui-da !

EUGÉNIE. – ... qui est la couleur de notre sainte Mère la Vierge Marie.

VÉTILLÉ. – Oui, oui, oui, oui !... Eh ! bien, mais, dites donc, si vous avez confiance dans ce remède, moi vous savez !... Avant tout, la foi.

EUGÉNIE, *avec amour.* – Oh ! oui.

LA COMTESSE. – Hélas ! docteur, mon fils part en octobre pour son service militaire.

VÉTILLÉ. – Ah ? ah ?... oh ! mais très bon ça ! Je ne voudrais pas vous faire de la peine, mais j'aurais bien plus confiance dans ce remède-là qu'en votre machin bleu, vous savez !

EUGÉNIE, *scandalisée.* – Oh !

VÉTILLÉ. – Le régiment, aha ! parlez-moi de ça ! voilà qui vous requinque un homme ! Sans compter que votre fils trouvera parmi ses camarades des exemples salutaires à son état et s'il a la bonne idée de les suivre !...

LA COMTESSE. – Vraiment, Docteur ? Oh ! vous me tranquillisez : moi qui me faisais un monde !... Mais enfin, qu'est-ce qu'il a ?

VÉTILLÉ. – Votre fils ?

LA COMTESSE. – Oui !

VÉTILLÉ. – Eh ! bien, mais qu'est-ce que vous voulez que je vous dise ? C'est un garçon qui fait de la neurasthénie.

LA COMTESSE, *s'effarant*. – Ah ! mon Dieu, c'est grave ?

VÉTILLÉ. – En soi, non ; mais enfin c'est toujours un mauvais terrain.

LA COMTESSE. – Dieu ! mon Dieu !... et comment pensez-vous qu'on puisse enrayer ?...

VÉTILLÉ. – Comment ?

LA COMTESSE. – Oui.

VÉTILLÉ, *hésite un moment, puis brusquement*. – Écoutez-moi, madame ! Je suis un vieux militaire et pour moi un chat est un chat.

LA COMTESSE. – Oui, Docteur, oui.

VÉTILLÉ. – Eh ! bien, ce qu'il faudrait à votre fils, dame !... il faudrait !... il faudrait !...

LA COMTESSE, *sur les charboms*. – Mais quoi ? Quoi ?

VÉTILLÉ, *éclatant*. – Mais qu'il marche, madame ! qu'il marche !

Etc., etc.

FIN

LA PUCE A L'OREILLE

PIÈCE EN TROIS ACTES
REPRÉSENTÉE POUR LA PREMIÈRE FOIS SUR LA SCÈNE
DU THÉÂTRE DES NOUVEAUTÉS, LE 2 MARS 1907.

NOTICE

Depuis *La Main passe* en 1904, les pièces de Feydeau, *L'Age d'or, Le Bourgeon*, n'avaient jamais, malgré le bon accueil qu'elles avaient reçu de la part de la critique et du public, ni dépassé, ni même atteint la centième représentation, cette fameuse « centième » à l'occasion de laquelle les directeurs de théâtre conviaient l'auteur et les interprètes à un joyeux dîner. N'était-il pas grand temps pour Feydeau – dont la situation financière était toujours critique – de revenir au vrai vaudeville auquel il devait sa célébrité ? C'est donc la sage décision qu'il prit. Or, grâce à Marcel Simon, ami et interprète de l'auteur, nous avons quelque idée de la genèse de la pièce qu'il mit alors en chantier. « Dans le courant de l'année 1906, nous confie Simon, j'aimais à me retrouver avec lui, dans son appartement de la rue de Longchamp[1] où il me parlait très cordialement de ses travaux et de ses projets. Depuis l'arrivée à Paris de Frégoli[2], l'auteur de *La Dame de chez Maxim* avait toujours voulu écrire un vaudeville sur les sosies (...) En 1906, il allait réaliser son désir et pendant de longs mois, il travailla à une pièce où il y avait deux individus que l'on pouvait prendre l'un pour l'autre et qui n'arrivaient pas à se rencontrer (...) Cette pièce eut pour titre : *La Puce à l'oreille*[3]. En fait ce titre était primitivement, d'après le manuscrit que nous avons

1. Au numéro 146.

2. Leopoldo Fregoli (1867-1936), acteur italien à transformations, remplissait jusqu'à 60 rôles différents. Il vint à Paris en 1896, 1900, 1905, 1910, 1916.

3. Interview de Marcel Simon, le 13 janvier 1921, à l'occasion d'une reprise de la pièce à la Scala. Cp. de presse, Bibl. de l'Arsenal, Rf. 58.660.

consulté[1], *Les Maris des deux pôles*, par allusion aux tempéraments fortement opposés des deux héros de cette œuvre. Ce titre bizarre fut fort heureusement remplacé par celui que nous connaissons aujourd'hui.

La première représentation de la pièce eut lieu le 2 mars 1907 au théâtre des Nouveautés, alors dirigé par Micheau. Le soir de la première, la pièce remporta un triomphe. « Je serais bien étonné, écrivit Duquesnel, si *La Puce à l'oreille* n'avait pas un sort analogue à celui des meilleurs vaudevilles de Georges Feydeau[2]. Stoullig note pour sa part : « C'est une pièce pour laquelle il fallait inventer un qualificatif : cocasse, plaisante, comique, endiablée, vertigineuse, elle était tout cela et plus encore. » Le critique est particulièrement sensible au *mouvement* qui entraîne l'œuvre : « Le maître vaudevilliste qu'est Georges Feydeau a mené cette action avec un tel mouvement, un tel emportement, *prestissimo*, d'un bout à l'autre, qu'il n'a pas permis aux acteurs et au public de reprendre haleine une toute petite seconde[3]. » Parmi les éléments qui ont le plus diverti l'auditoire de l'époque, Stoullig observe que ce n'est pas le lit tournant qui a obtenu le plus d'effet, mais le couple Ferraillon, tenancier du Minet-galant. Ce couple, « croqué à la Maupassant, est magnifique de vérité impudente. En quelques répliques, il est cinématographié pour toujours[4]. » La presse note également dans la pièce de Feydeau la « rigueur de la construction », le caractère indispensable de tous les éléments sous une apparente fantaisie, la clarté d'une intrigue pourtant complexe et A.F. Hérold, le critique du *Mercure de France*, observe avec une remarquable prescience : « Il se peut qu'un jour les vaudevilles de M. Georges Feydeau soient donnés comme des modèles parfaits de composition ; il se peut qu'ils survivent à beaucoup de pièces très ambitieuses[5]. »

Comme d'habitude, l'auteur avait parfaitement dirigé ses comédiens, qu'il avait choisis, pour la majorité des rôles importants, parmi ceux auxquels il avait déjà confié des responsabilités : Germain pour le double rôle très difficile de Chandebise-Poche et qui savait garder tout son naturel dans l'outrance, Landrin, qui campait un Ferraillon irrésistible de

1. Ce manuscrit a été légué par madame Jacques Feydeau à la bibliothèque de la Société des auteurs dramatiques, le 12 février 1971.
2. *Le Théâtre*, n° 198, mars 1907, II.
3. *Les Annales du Théâtre et de la Musique*, 1907, p. 409.
4. Ibid. p. 411.
5. *Le Mercure de France*, mars 1907, p. 346.

cynisme, Marcel Simon, qui interprétait Tournel avec sa finesse et sa fantaisie habituelles (il avait débuté dans *Monsieur chasse* en 1892), l'excellent Torin (le duc de Valmonté dans *La Dame de chez Maxim*) qui tenait son public au point que sa seule entrée en scène mettait la salle en joie, jouait Camille Chandebise, l'homme qui ne pouvait prononcer que les voyelles. Du côté des femmes, Armande Cassive que, depuis *La Dame*, l'auteur considérait un peu comme son « fétiche », composait une Raymonde élégante et spirituelle et Suzanne Carlix interprétait Lucienne.

Toutes les conditions étaient donc réunies pour que *La Puce à l'oreille* fît, comme le prédisaient les critiques, une carrière au moins aussi longue que *La Main passe*. Malheureusement, la mort de Torin, brutalement survenue le 19 mars 1907, alors que la vaudeville n'avait été créé qu'un peu plus de deux semaines auparavant, vint tout compromettre. Selon l'expression de Stoullig, « elle avait mis comme un nuage[1] » sur la pièce – d'autant que le disparu était particulièrement aimé, aussi bien par ses confrères que par le public. On dut interrompre les représentations pour quelques jours, afin de former un remplaçant et la salle rouvrit ses portes. Le public revint, mais moins nombreux, et l'on dut retirer la pièce de l'affiche en mai. Il fallut revenir à *Vous n'avez rien à déclarer ?*, pièce de Maurice Hennequin et Pierre Véber qui avait déjà obtenu 163 représentations aux Nouveautés. *La Puce à l'oreille* avait alors été jouée 86 fois.

Les mérites de cette pièce sont analogues à ceux que l'on peut reconnaître aux grands vaudevilles dont Feydeau avait trouvé la formule avec *Tailleur pour dames* en 1886, et surtout avec *Monsieur chasse* (1892) et les pièces suivantes. Parmi les éléments qui constituent l'originalité particulière de cette œuvre, on notera, en ce qui concerne le décor, non pas tellement l'exploitation des ressources scéniques qu'offrait l'escalier du Minet Galant (puisqu'on en trouvait déjà un dans *Fil à la patte* et dans *L'Hôtel du Libre-Échange*), mais plutôt l'ingénieux lit tournant de l'hôtel qui permet, à la moindre alerte, d'escamoter le couple adultère pour lui substituer un vieillard perclus de rhumatismes. L'auteur comptait d'ailleurs beaucoup sur l'effet de ce décor, si nous en jugeons d'après les soins méticuleux qu'il avait consacrés à en expliquer le mécanisme aux machinistes[1].

---

1. *Les Annales*... op. cit., p. 412.

D'autre part, l'extraordinaire adresse avec laquelle Feydeau a su renouveler le thème des sosies pourtant vieux comme le monde, donne également à cette pièce une place privilégiée, et, à cet égard, Feydeau rivalise aisément avec Plaute, Molière ou Tristan Bernard[2].

Enfin la critique – critique de l'époque ou critique récente – a remarqué la dynamique particulièrement rapide de la pièce, notamment au second acte. Lors de la reprise de 1967, Pierre Marcabru observait : « Jamais Feydeau n'avait accumulé en un même point autant de pétards et ne les avait allumés aussi vite. Un véritable feu d'artifice au-dessus d'une fourmilière bouleversée. Le comédien ne sait plus où donner de la tête. Chaque porte et jusqu'au lit, cache quelque ressort secret. Le moindre geste et un diable sort de sa boîte. En un mot le monde tremble sur ses bases. Le vaudeville vole en éclats[3]. »

La qualité de la pièce explique que, malgré l'accident dont elle avait été la victime à la création, elle a été maintes fois reprise. Ainsi, en automne 1915, à la Renaissance, avec Marcel Simon dans le rôle de Chandebise ; dans la distribution figure un jeune acteur, Jules Muraire dit Raimu. On note d'autres reprises, à Déjazet en 1917, à la Scala en 1921, puis en 1925 et 1928. Après la deuxième guerre mondiale, il faut mentionner celle qui a lieu au Théâtre Montparnasse-Gaston Baty pendant la saison 1952-1953, la pièce étant mise en scène par Georges Vitaly. Cette reprise – qui est un succès – est généralement considérée comme un « nouvel indice de la fixation de la valeur Feydeau », pour reprendre l'expression de Marc Beigbeder[4]. A contre-courant, quelques esprits chagrins protestent : « Il y a maintenant un snobisme Feydeau (...) observe un critique, il vaut mieux que Gaston Baty n'ait pas vu cela[5]. »

Nulle fausse note, en revanche, après la reprise de 1967 au Théâtre Marigny, où la pièce est mise en scène par Jacques Charon et pas davantage lorsque La Comédie-Française inscrit *La Puce à l'oreille* à son répertoire, le 1er février 1978, et en

1. Cf. les abondantes indications techniques qui précèdent le second acte.

2. *Les Ménechmes* (216 avant J.C. ?), *Amphitryon* (1668), *Les Jumeaux de Brighton* (1908).

3. *Candide,* 4 décembre 1967.

4. *Revue théâtrale,* n° 22, 5 janvier 1953, p. 84.

5. Bourget-Pailleron, *La Revue des Deux Mondes,* 15 décembre 1952, pp. 737-738.

confie la mise en scène à Jean-Laurent Cochet[1]. Mentionnons encore une reprise de la pièce au Théâtre national de Marseille (« La Criée ») en 1985, avec une mise en scène de son directeur, Marcel Maréchal.

La pièce, d'abord publiée à la Librairie Théâtrale (1909), a été recueillie dans le tome IV du *Théâtre complet* des Éditions du Bélier en 1950.

1. Mise en scène de Jean-Laurent Cochet. La distribution comportait, entre autres : Jean Le Poulain (Victor-Emmanuel Chandebise – Poche), Michel Duchaussoy (Camille Chandebise), Alain Pralon (Tournel), Georges Descrières (Homénidès), Michel Aumont (Ferraillon), Paule Noëlle (Raymonde), Alberte Aveline (Lucienne).

RÉSUMÉ DE LA PIÈCE

Acte I. – Le salon des Chandebise. Le docteur Finache, médecin de la « Boston Life Company » est venu rendre visite à Chandebise, directeur de cette société. En l'absence de son maître, Étienne, le domestique, le reçoit. Arrivent alors Lucienne Homénidès de Histangua, amie de madame Chandebise, puis Camille, son neveu, qu'une malformation du palais empêche de prononcer les consonnes et enfin madame Chandebise elle-même (Raymonde). Celle-ci a fait venir Lucienne pour lui demander conseil. Elle soupçonne son mari de la tromper. N'a-t-elle pas reçu un colis expédié par un certain hôtel du Minet Galant et contenant les bretelles de Victor Emmanuel Chandebise ? Comment en avoir le cœur net ? Lucienne suggère d'adresser au mari une lettre passionnée, censée écrite par une inconnue, et qui lui fixerait rendez-vous. Si l'époux vient, Raymonde sera édifiée. Lucienne consent à écrire elle-même cette missive à Chandebise qu'elle convoque au Minet Galant.

Le docteur apporte à Camille un palais d'argent qui permettra à celui-ci de s'exprimer normalement. On apprend que tous deux sont des habitués du Minet Galant, puis que les bretelles renvoyées à Raymonde appartenaient en fait à Camille.

Chandebise consulte Finache au sujet de certaines défaillances sexuelles qui le préoccupent depuis quelque temps. Puis il reçoit la lettre d'amour, la lit avec surprise et la communique à son ami Tournel. D'une grande modestie, il se persuade que le billet était en réalité destiné à Tournel qui est, lui, un authentique séducteur. C'est donc ce dernier qui ira au rendez-vous.

Chandebise montre également sa lettre à Homenidès de Histangua : « L'escritoure de ma femme ! » s'exclame celui-ci, au comble de la fureur. Il prétend tuer Chandebise qui détourne sa colère sur Tournel puis tente, mais en vain, de prévenir ce dernier du danger qu'il court.

Acte II. – L'Hôtel du Minet Galant. Un grand hall au premier étage. Chambres à droite et à gauche. Escalier. Les propriétaires de l'hôtel, Ferraillon et sa femme Olympe ont truqué les lieux : en cas de danger, on presse un bouton et le lit de l'une des chambres tourne sur lui-même avec la paroi. Il disparaît dans la pièce voisine pendant que fait son apparition un second lit où se trouve habituellement installé Baptistin, le vieil oncle de l'hôtelier.

Le garçon de l'hôtel, un certain Poche, ivrogne invétéré, présente cette particularité d'être le parfait sosie de Chandebise. Un client original, l'anglais Rugby, sort de sa chambre à intervalles réguliers pour demander si la femme qu'il attend n'est pas arrivée.

Raymonde Chandebise vient, conformément au plan prévu, tenter de surprendre son mari. Elle s'installe dans la chambre où le rendez-vous lui a été fixé. Mais c'est Tournel qui se présente... Il essaye d'abuser de la situation car il courtise Raymonde depuis quelque temps. Celle-ci résiste et, prise de panique, presse un bouton, s'imaginant ainsi obtenir du secours. Mais elle disparaît, emportée par la tournette, tandis que surgit le vieux Baptistin : c'est lui que Tournel, auquel la substitution des personnages a échappé, couvre de baisers.

Raymonde et Tournel rencontrent alors Poche qu'ils prennent pour Victor Emmanuel : ils implorent sa clémence qu'il leur accorde bien volontiers, après un instant d'ahurissement. Mais Ferraillon vient rétablir la vérité : Poche est son domestique.

Surviennent alors Camille et Antoinette, sa maîtresse, qui est la femme de chambre de Raymonde et l'épouse d'Étienne. On devine leur effroi lorsqu'ils aperçoivent Poche qu'ils s'imaginent être Chandebise. Antoinette, affolée, se réfugie chez Rugby. Sur ces entrefaites, survient Étienne venu prévenir Tournel des dangers qu'il court. Pénétrant dans la chambre de Rugby, il a la surprise d'y trouver sa propre femme demi-nue. Elle s'échappe mais l'anglais inflige une sévère correction au valet.

Paraît alors Lucienne venue rejoindre Raymonde. Mais voici Histangua écumant de rage et brandissant un revolver : Lucienne, Chandebise et Tournel fuient à toutes jambes. Ferraillon botte le postérieur de Victor Emmanuel qu'il prend pour Poche et le contraint à revêtir la livrée de ce dernier. Raymonde et Tournel, se croyant encore en présence du domestique, lui demandent une voiture : à leur grande surprise, Chandebise saute à la gorge de son ami. Enfin Histangua, surprenant sa femme avec Poche, le poursuit à coups de revolver.

Acte III. – Chez Chandebise. Antoinette qui s'est procurée un ingénieux alibi, parvient à mystifier Étienne. Raymonde, Tournel et Lucienne s'entretiennent au sujet de la « folie » de Victor-Emmanuel dont l'attitude leur paraît incompréhensible.

Poche se présente alors pour réclamer sa livrée. Pris pour Chandebise, il est traité comme un grand malade et comme un ivrogne, ce qui provoque sa colère. Le docteur Finache parvient difficilement à l'envoyer au lit.

Arrivé peu après, Victor Emmanuel s'exaspère, lui aussi, en constatant l'étrange accueil qu'on lui réserve. Par ailleurs Ferraillon, venu à la recherche de son domestique, poursuit Chandebise qu'il prend pour Poche. Victime de la même méprise, Histangua vient le provoquer en duel. Au cours de sa fuite, le héros aperçoit son double et commence à douter de sa propre raison. Poursuivi à son tour par Histangua, Poche saute par la fenêtre.

Tous les malentendus s'éclaircissent enfin. Raymonde demande pardon à son mari de l'avoir soupçonné d'infidélité. Mais n'avait-elle pas une excuse ? Ses défaillances sexuelles lui avaient mis « la puce à l'oreille ».

PERSONNAGES

VICTOR-EMMANUEL CHANDEBISE	MM.	GERMAIN
POCHE		GERMAIN
CAMILLE CHANDEBISE ...		TORIN
ROMAIN TOURNEL		MARCEL SIMON
Dr FINACHE		MATRAT
CARLOS HOMENIDÈS DE HISTANGUA		MILO DE MEYER
AUGUSTIN FERRAILLON .		LANDRIN
ÉTIENNE		PAUL ARDOT
RUGBY		ROBERTHY
BAPTISTIN		GAILLARD
RAYMONDE CHANDEBISE	Mmes	ARMANDE CASSIVE
LUCIENNE HOMENIDES DE HISTANGUA		SUZANNE CARLIX
OLYMPE FERRAILLON ...		ROSINE MAUREL
ANTOINETTE		GENS
EUGÉNIE		J. ROSE

La pièce se passe au mois de juin, le premier et le troisième acte à Paris, le deuxième acte à Montretout.

ACTE I

Le salon des Chandebise. Style anglais. Décor à pan droit à gauche ; à pan coupé à droite. Au fond, une grande baie à fond plein et cintré au centre duquel est une porte à deux battants (ferrures et verrous extérieurs). A droite et à gauche de la baie, portes à un battant avec verrous extérieurs. A gauche, premier plan, une fenêtre. A droite, premier plan, une porte à un seul battant et également en acajou (serrure et verrou intérieurs). Au deuxième plan, en pan coupé, une cheminée un peu haute, avec sa garniture. Dans les boiseries, petits panneaux tendus en lampas bouton d'or ; rideaux de la fenêtre et décor de la baie en même lampas ; brise-bise à la fenêtre. Le mobilier général est en acajou et de style anglais. Au fond, dans le panneau qui sépare la baie de la porte de droite, chiffonnier étroit et assez haut. Lui faisant pendant, à gauche de la baie, petit meuble d'appui. A gauche, entre la fenêtre et le fond, petit meuble à trois tiroirs. Devant la fenêtre, dans l'embrasure, une banquette sans dossier. Contre la banquette, une de ces grandes papeteries anglaises, montées sur pieds en forme de X, qui, fermées, ne tiennent pas plus de place qu'un épais carton à dessin et, ouvertes, forment tables, avec, à l'intérieur, tout ce qu'il faut pour écrire. Au lever du rideau, ce meuble est fermé. Au milieu de la scène, à gauche, non loin de la banquette et au-dessus d'elle, un petit canapé au dossier d'acajou ajouré, placé de biais et dos au public. Lui faisant vis-à-vis, au-dessus de la banquette, une petite table de fantaisie, avec, de chaque côté, une chaise. A droite de la scène, une grande table placée perpendiculairement à la scène. De chaque côté, une chaise. Glace au-dessus de la cheminée. Gravures anglaises encadrées dans les panneaux.

Bibelots ad libitum. *Dans le hall extérieur, face à la porte de la baie, une banquette d'antichambre. Au-dessus, au mur, un téléphone. Invisible au public, la porte d'entrée du grand escalier est censément à gauche du hall à la hauteur du panneau qui sépare la porte de gauche du salon de la porte de la baie.*

SCÈNE PREMIÈRE

CAMILLE, puis ANTOINETTE, puis ÉTIENNE et FINACHE

Au lever du rideau, Camille est debout, appuyé contre le coin gauche du chiffonnier, le dos tourné à la baie ; il consulte un dossier qu'il a retiré d'un des tiroirs ouverts devant lui. Un léger temps. La porte fond gauche s'entrouvre lentement et l'on voit se glisser la tête d'Antoinette. Elle jette un coup d'œil inquisiteur dans la pièce, aperçoit Camille à son occupation, gagne jusqu'à lui sur la pointe des pieds, lui saisit, par derrière, la tête à deux mains et lui donne un brusque baiser.

CAMILLE, *surpris et reprenant tant bien que mal son équilibre, sur un ton bougon.* – Allons, voyons !

On doit entendre : « A-on ! O-on ! ».

ANTOINETTE. – Mais n'aie donc pas peur, quoi ! Les patrons sont sortis.

CAMILLE. – Oui, oh !

ANTOINETTE. – Allez ! vite, un bec [1] ! (*Camille a un geste d'épaules d'enfant maussade.*) Allons ! Allons !

Camille la regarde un instant, comme un homme qui ne sait s'il doit rire ou se fâcher, puis, brusquement émoustillé, il lui donne un gros baiser goulu. A ce moment la porte du fond s'ouvre, livrant passage à Étienne et à Finache.

ÉTIENNE, *encore dans le vestibule.* – Entrez toujours, monsieur le docteur.

ANTOINETTE *et* CAMILLE *ensemble.* – Oh !

Ils se séparent brusquement. Camille a détalé comme un lapin et s'éclipse par la porte de droite. Antoinette a gagné vivement à gauche et reste toute bête sur place.

ÉTIENNE (2) *à Antoinette (1), tandis que Finache (3) est descendu un peu à droite.* – Eh ! bien, qu'est-ce que tu fais là, toi ?

ANTOINETTE, *interloquée.* – Hein ! Moi ?... c'est... c'est pour les ordres... les ordres pour le dîner.

ÉTIENNE. – Quoi ! les ordres. Tu ne sais pas que Monsieur et Madame sont sortis ? Allez ! à tes fourneaux ! la place d'une cuisinière n'est pas dans l'appartement.

ANTOINETTE. – Mais...

ÉTIENNE. – Allez, houste !

Antoinette sort de gauche en grommelant.

FINACHE, *assis sur la chaise à gauche de la table.* – Oh ! mais, quel mari autoritaire vous faites !

ÉTIENNE. – Il faut ça avec les femmes ! Si vous ne les menez pas, c'est elles qui vous mènent. Je ne mange pas de ce pain-là.

FINACHE. – Bravo !

ÉTIENNE . – Voyez-vous, monsieur le docteur, cette petite femme-là, c'est un caniche pour la fidélité, mais c'est un tigre pour la jalousie. Elle est tout le temps à fouiner dans l'appartement, bien sûr pour m'épier. Elle a dû se monter le job[2]... à cause de la femme de chambre.

FINACHE, *avec une pointe d'ironie qui échappe à Étienne.* – Ah ? Elle s'est monté le job ?

ÉTIENNE. – Je vous demande un peu ! Moi, une camériste.

FINACHE. – Comment donc ! (*Se levant.*) Oui, mais ce n'est pas tout ça, puisque Monsieur n'est pas là...

ÉTIENNE, *avec bonhomie, les deux mains dans la bavette de son tablier.* – Oh ! mais ça ne fait rien ! j'ai le temps. Je tiendrai compagnie à Monsieur.

FINACHE, *un peu interloqué.* – Hein ? Ah ! certainement. C'est très aimable... et très tentant, mais je craindrais d'abuser.

ÉTIENNE, *id.* – Du tout, du tout ! Je n'ai rien de pressé.

FINACHE, *s'inclinant ironiquement.* – Oh ! alors ! et vous ne savez pas à quelle heure il va rentrer, monsieur ?

ÉTIENNE. – Oh ! pas avant un bon quart d'heure.

FINACHE. – Ah ! diable ! (*Prenant sur la table son chapeau et s'en couvrant. Tout en remontant.*) Eh ! bien, écoutez... dans ce cas-là, et quelque agrément que j'aurais à rester avec vous...

ÉTIENNE. – Oh ! monsieur me flatte !

FINACHE. – Du tout, du tout ; mais on n'est pas dans la vie uniquement pour s'amuser. J'ai un malade à voir près d'ici, eh ! bien, ma foi, je vais l'expédier.

ÉTIENNE, *se méprenant, scandalisé.* – Oh !

FINACHE. – Hein ? (*Comprenant sa pensée.*) Oh ! pas comme vous l'entendez. Non, non, merci ! J'ai des malades, j'y tiens ! c'est mon fonds de commerce. Non, j'expédie ma visite et je reviens dans un quart d'heure.

ÉTIENNE, *s'inclinant.* – J'aurais mauvaise grâce à insister.

FINACHE, *affectant l'air contrit.* – Vous me désobligeriez (*Finache fait mine de sortir. Étienne passe au 2, au-dessus de la table. Finache, redescendant.*) Ah ! maintenant, si votre patron rentre avant mon retour (*tirant un dossier de sa poche*), vous lui remettrez ça. Vous lui direz que j'ai examiné le client qu'il m'a envoyé, qu'il est en parfait état et qu'il peut l'assurer en toute confiance.

ÉTIENNE, *indifférent et distrait.* – Ah !

FINACHE, *affirmatif.* – Oui, ça vous est égal.

ÉTIENNE, *avec un geste d'insouciance.* – Oh !

FINACHE. – Évidemment ! A moi aussi ! Seulement, qu'est-ce que vous voulez, ça intéresse Monsieur le directeur, pour Paris et la province, de la « Boston Life Company ».

ÉTIENNE, *familier.* – Oui ! le patron, quoi ! (*Finache s'incline en manière d'acquiescement.*) Oh... ! entre nous !...

FINACHE. – Soit ! « le patron », puisque vous le permettez. Vous lui direz que son hidalgo est de première classe..., comment donc déjà ?... Don Carlos Homénidès de Histangua.

ÉTIENNE. – Ah ! chose ! Histangua ! Oui, oui, je connais. Justement sa femme est là... qui attend madame dans le salon.

FINACHE. – Ah ?... Comme le monde est petit ! J'ai examiné son mari ce matin et sa femme est dans la pièce à côté.

ÉTIENNE. – Ils ont même dîné ici tous les deux avant-hier.

FINACHE. – Ainsi, voyez !...

ÉTIENNE, *s'asseyant comme chez lui, sur la chaise à droite de la table, tandis que Finache est debout de l'autre côté.* – Mais dites-moi donc, docteur, puisque je vous tiens...

FINACHE. – Ce qui me plaît chez vous, c'est que vous n'êtes pas fier.

ÉTIENNE, *bien naturellement et avec bonhomie.* – Pourquoi le serais-je ? Non, je voulais vous demander, parce qu'on en causait ce matin avec ma dame.

FINACHE, *précisant.* – Madame Chandebise.

ÉTIENNE. – Non, pas la patronne, ma dame à moi.

FINACHE. – Ah ! votre femme !

ÉTIENNE. – Oui, enfin, madame ! « Votre femme », ça n'est pas respectueux.

FINACHE, *s'inclinant, ironiquement.* – Je vous demande pardon...

ÉTIENNE, *suivant son idée.* Quand on a comme ça..., mais asseyez-vous donc.

FINACHE, *obéissant, ironiquement.* – Pardon.

Il s'assied.

ÉTIENNE, *bien face à Finache et le corps rejeté en arrière dans son fauteuil en équilibre sur les pieds de derrière.* – Quand on a comme ça, de chaque côté du ventre, comme un point continuel ?

Pour bien préciser les points, des deux mains retournées, il se donne des petits coups de chaque côté de l'abdomen.

FINACHE, *assis en face d'Étienne.* – Ah ! bien, ça vient souvent des ovaires.

ÉTIENNE. – Oui ? Eh bien ! j'ai ça, moi !

FINACHE, *ayant peine à garder son sérieux.* – Ah ? Eh bien ! mon ami, faut vous les faire enlever.

ÉTIENNE, *se levant et remontant.* – Hein ? Ah ! non, alors ! Je les ai, je les garde.

FINACHE, *qui s'est levé également.* – Oh ! mais remarquez, mon garçon, que je ne vous les demande pas.

ÉTIENNE, *passant au 1 par le fond.* – Oh ! vous pourriez !

SCÈNE II

LES MEMES, LUCIENNE

LUCIENNE, *paraissant à la porte de gauche, à Étienne.* – Dites-moi donc, mon ami... (*Apercevant Finache.*) Oh ! pardon, monsieur. (*A Étienne.*) Vous êtes sûr que Madame Chandebise va rentrer ?

ÉTIENNE (2). – Ah ! sûr, Madame !... Madame m'a même bien recommandé : « Si Madame... » euh !... enfin, le nom de Madame.

LUCIENNE (1), *venant à son aide.* – Homenidès de Histangua.

ÉTIENNE, *approuvant.* – C'est ça, « vient à venir... ».

FINACHE (3). – Ouïe ! « Vient à venir... ».

ÉTIENNE, *à Finache, avec une certaine dignité froissée.* – Parfaitement !... (*A Lucienne.*) « Ne la laissez pas s'en aller, j'ai absolument besoin de la voir ».

LUCIENNE. – Eh ! bien, oui, c'est ce qu'elle m'a écrit ; c'est même pour cela que je suis étonnée... Enfin, je vais attendre encore un peu.

ÉTIENNE. – C'est ça, madame. (*Lucienne remonte comme pour regagner la pièce dont elle vient, mais s'arrête à la voix d'Étienne.*) Justement, je conversais avec Monsieur...

FINACHE, *ironique.* – Oui ! nous conversions.

ÉTIENNE, *présentant.* – Docteur Finache. (*Échange de saluts.*) Le médecin en chef de la « Boston Company » qui me disait qu'il avait vu le mari de Madame ce matin.

LUCIENNE. – Allons donc !

FINACHE, *gagnant un peu vers elle, tandis qu'Étienne passe au 3.* – C'est exact, madame... J'ai l'honneur d'examiner monsieur de Histangua.

LUCIENNE. – Tiens ! mon mari s'est fait examiner ? Quelle drôle d'idée !

FINACHE. – Ce sont les petites indiscrétions de toutes les compagnies d'assurances. Je vous félicite, madame..., vous avez un mari ! une santé ! un tempérament !...

LUCIENNE, *bas, avec un soupir et tout en se laissant choir sur la chaise à gauche de la scène, face au canapé.* – Ah ! Monsieur ! À qui le dites-vous !

FINACHE. – Eh ! bien, mais c'est très flatteur.

LUCIENNE. – Oh ! oui, monsieur... mais si fatigant !

FINACHE. – On n'a rien sans peine.

ÉTIENNE, *avec un soupir.* – Et dire que voilà ce que rêve madame Plucheux.

LUCIENNE. – Qui ça, madame Plucheux ?

ÉTIENNE. – Mon épouse ! Elle qui me fait toujours honte ! Il lui faudrait un homme comme le mari de Madame.

FINACHE. – Eh ! bien, mon Dieu, avec l'autorisation de

Madame et le consentement de monsieur de Histangua, il y aurait peut-être moyen d'arranger ça.

ÉTIENNE. – Hein ? Ah ! non, alors.

LUCIENNE, *se levant et gaiement.* – Oh ! mais dites donc, docteur, mais... moi non plus !...

FINACHE, *riant.* – Oh ! pardon, madame, c'est ce diable d'Étienne qui me fait dire des bêtises. (*Traversant la scène pour aller chercher son chapeau.*) Allons, je me sauve, si je veux être revenu dans un quart d'heure. (*Saluant.*) Madame, enchanté.

LUCIENNE, *s'inclinant.* – Et sans rancune, docteur.

FINACHE. – Mais je l'espère bien.

Il remonte avec Étienne.

ÉTIENNE, *accompagnant le docteur.* – Pour en revenir à ce que nous disions, docteur... quand je m'appuie comme ça, mes ovaires...

FINACHE. – Oui ? Eh ! bien, prenez donc une bonne purge, ça les calmera.

Ils sortent.

SCÈNE III

LUCIENNE, puis CAMILLE

LUCIENNE, *regardant partir le docteur.* – Quel type ! (*Regardant sa montre.*) Une heure sept ! C'est ce que Raymonde appelle m'attendre avec impatience... Enfin !...

Elle s'assied sur une des chaises à gauche de la scène et prend une brochure qu'elle feuillette distraitement.

CAMILLE, *venant du fond droit, se dirigeant vers le cartonnier pour y remettre le dossier qu'il a pris précédemment, apercevant Lucienne.* – Oh ! pardon, Madame !

En réalité et dans tout le courant de l'acte, il doit parler d'une façon absolument inintelligible, la voix dans le masque et en ne prononçant, mais bien nettement, que les voyelles, comme les gens qui ont le palais perforé.

LUCIENNE, *relevant la tête et s'inclinant légèrement.* – Monsieur !...

CAMILLE. – C'est sans doute le directeur de la Boston Life Company que Madame attend ?

On entend à peu près ceci : é-an-oue, on en e i e en e a o-ou eie on-a-i, e a-a a-en ?

LUCIENNE, *un peu interloquée.* – Comment ?

CAMILLE, *répétant aussi peu distinctement.* – Je dis : c'est sans doute monsieur le directeur de la Boston Life Company que Madame attend ?

LUCIENNE, *avec un sourire inquiet.* – Je vous demande pardon, je ne comprends pas bien ce que vous dites...

CAMILLE, *plus lentement, mais aussi confusément.* – Non, je demande : la personne que Madame attend, c'est bien monsieur le dir...

LUCIENNE, *lui coupant la parole et comme pour s'excuser de ne pas comprendre.* – Non ! non ! Française, moi French ! Französich !

Elle se lève.

CAMILLE, *même jeu.* – Hein ? Mais... moi aussi !

LUCIENNE. – Si vous voulez vous adresser au valet de chambre ! Moi, je ne suis pas de la maison. J'attends madame Chandebise avec qui j'ai rendez-vous.

CAMILLE , *même jeu.* – Ah ! oh ! je vous demande pardon. (*Gagnant jusqu'au cartonnier avec des révérences à reculons.*) Je demandais ça parce que si ç'avait été pour monsieur le directeur de la Boston Life Company...

LUCIENNE. – Oui, monsieur, oui...

CAMILLE (*il est arrivé au cartonnier, y remet son dossier, referme le tiroir puis, au moment de sortir fond droit.*) Je vous demande pardon !

LUCIENNE, *qui l'a regardé partir avec des yeux ébahis, après un temps.* – Qu'est-ce que c'est que cet Iroquois ?

Tout en parlant, elle est passée à droite.

SCÈNE IV

LUCIENNE, ÉTIENNE, puis RAYMONDE

ÉTIENNE, *arrivant du fond.* – Je viens vois si Madame ne s'ennuie pas trop !

LUCIENNE (2), *vivement à Étienne.* – Oh ! mon ami, vous allez me dire : il est entré un homme à l'instant...

ÉTIENNE (1), *avec un léger sursaut de surprise.* – Un homme ?

LUCIENNE. – Oui, il m'a parlé agrach. Je ne sais pas ce qu'il ma raconté. (*Imitant Camille.*) On a ou e a o i o in... quelque chose comme ça.

ÉTIENNE, *riant.* – Ah !... c'est M. Camille.

LUCIENNE. – Ah ?... un étranger, hein ?

ÉTIENNE. – Lui ? Pas du tout... c'est le neveu de Monsieur, le propre fils de son frère... son neveu germain, quoi !... Ah ! bien..., je comprends que Madame ait eu de la peine !... Il a un vice de prononciation, madame ; il ne peut pas prononcer les consonnes...

LUCIENNE. – Allons donc !...

ÉTIENNE. – Oui, Madame ! C'est même très gênant quand on n'est pas habitué. Moi, je commence un peu à comprendre...

LUCIENNE. – Ah ! il vous a donné des leçons...

ÉTIENNE. – C'est pas ça, mais à force d'entendre, n'est-ce pas, l'oreille se fait...

LUCIENNE, *s'asseyant sur la chaise à gauche de la table.* – Oui, oui.

ÉTIENNE. – Alors, monsieur l'a pris comme secrétaire. Comme il ne pouvait se placer nulle part à cause – sauf votre respect – de sa fichue façon de parler.

LUCIENNE. – Dame ! un homme qui n'a que des voyelles à vous offrir.

ÉTIENNE. – Bien, oui ! c'est pas assez !... Je sais bien qu'en écrivant, il donne aussi les consonnes, mais on ne peut pas toujours écrire, pas vrai ? (*Remontant au-dessus de la table.*) Ah ! c'est bien dommage, allez ! Un garçon si sérieux, si rangé ! Si je vous disais qu'on ne lui connaît pas de maîtresse, madame.

LUCIENNE. – Allons donc !

ÉTIENNE, *bien naïf.* – Moi, du moins.

LUCIENNE, *se levant.* – Eh ! bien, il est bien loti, votre jeune homme.

ÉTIENNE, *poussant un soupir.* – Ah ! oui ! (*Voyant Raymonde paraître au fond.*) Ah ! voici Madame !

LUCIENNE, *allant à elle.* – Toi, enfin !

RAYMONDE, *entrant en coup de vent.* – Ah ! ma pauvre amie... je suis désolée... (*A Étienne, tout en gagnant au-dessus de la table, sur laquelle elle dépose son réticule.*) Laissez-nous, Étienne !

ÉTIENNE. – Oui, madame. (*A Lucienne.*) Madame m'excuse ?

LUCIENNE. – Comment donc !

Sortie d'Étienne.

RAYMONDE, *tout en retirant son chapeau qu'elle dépose sur le meuble à droite de la porte du fond.* – Je t'ai fait attendre.

LUCIENNE, *moqueuse.* – Crois-tu ?

RAYMONDE. – C'est que je viens de faire une course d'un loin !... Je t'expliquerai ça. (*Brusquement, se rapprochant* (2) *de Lucienne* (1).) Lucienne, si je t'ai écrit de venir, c'est qu'il se passe une chose grave ! Mon mari me trompe.

LUCIENNE. – Hein ! Victor-Emmanuel ?

RAYMONDE. – Victor-Emmanuel, parfaitement.

LUCIENNE. – Ah ! Tu as une façon de vous coller ça dans l'estomac.

RAYMONDE. – Le misérable ! Oh ! mais je le pincerai !

Elle passe au 1.

LUCIENNE. – Comment, tu le pinceras ! Mais alors, tu n'as pas la preuve ?

RAYMONDE. – Eh ! non ! je ne l'ai pas ! Le lâche ! Oh ! mais je l'aurai.

LUCIENNE. – Ah ! Comment ?

RAYMONDE. – Je ne sais pas ! tu es là, tu me la trouveras.

Elle s'assied sur le canapé.

LUCIENNE, *debout tout près d'elle.* – Moi ?

RAYMONDE. – Oh ! si, si ! Ne dis pas non, Lucienne. Tu étais ma meilleure amie au couvent. Nous avons beau nous être perdues de vue pendant dix ans, il y a des choses qui ne s'effacent pas. Je t'ai quittée Lucienne Vicard ; je t'ai retrouvée Lucienne Homenidès de Histangua ; ton nom a pu s'allonger, ton cœur est resté le même ; j'ai le droit de te considérer toujours comme ma meilleure amie.

LUCIENNE. – Ça, certes !

RAYMONDE. – C'est donc à toi que j'ai le droit d'avoir recours quand j'ai un service à demander.

LUCIENNE, *sans conviction et tout en s'asseyant en face d'elle.* – Tu es bien bonne, je te remercie.

RAYMONDE, *sans transition.* – Alors, dis-moi ! Qu'est-ce que je dois faire ?

LUCIENNE, *ahurie.* – Hein ! pour ?...

RAYMONDE. – Pour pincer mon mari, donc !

LUCIENNE. – Mais est-ce que je sais, moi !... c'est pour ça que tu me fais venir ?

RAYMONDE. – Mais oui.

LUCIENNE. – Tu en as de bonnes ! D'abord, qui est-ce qui te dit qu'il est pinçable, ton mari ? C'est peut-être le plus fidèle des époux.

RAYMONDE. – Lui ?
LUCIENNE. – Dame ! puisque tu n'as pas de preuves.
RAYMONDE. – Il y a des choses qui ne trompent pas.
LUCIENNE. – Justement ! ton mari est peut-être de celles-là !...
RAYMONDE. – Allons, Voyons !... Je ne suis pas une enfant à qui on en conte. Qu'est-ce que tu dirais, toi, si brusquement ton mari, après avoir été un mari !... Enfin, un mari, quoi ! cessait brusquement de l'être, là, v'lan ! du jour au lendemain ?...
LUCIENNE, *avec délice.* – Ah ! je dirais : « ouf ! »
RAYMONDE. – Ah ! ouat ! Tu dirais « ouf ! »... ça se raconte avant, ces choses-là ! Moi aussi, cet amour continu, ce printemps partout, je trouvais ça fastidieux, monotone. Je me disais : « Oh ! un nuage ! une contrariété ! un souci ! quelque chose !... » J'en étais arrivée à songer à prendre un amant, rien que pour m'en créer, des soucis.
LUCIENNE. – Un amant, toi ?
RAYMONDE. – Ah ! dame ! tu sais, il y a des moments ! J'avais déjà jeté mon dévolu !... Tiens, monsieur Romain Tournel, pour ne pas le nommer, avec qui je t'ai fait dîner avant hier... Tu ne t'es pas aperçue qu'il me faisait la cour ? Ça m'étonne, toi, une femme ! Eh bien ! ç'a été à deux doigts, ma chère !...
LUCIENNE. – Oh !
RAYMONDE. – N'est-ce pas, comme il disait : « C'est le plus intime ami de mon mari. Il se trouvait naturellement tout désigné pour... » (*Se levant.*) Oh ! mais maintenant, plus souvent... que je prendrai un amant !... maintenant que mon mari me trompe !
LUCIENNE, *se levant également et gagnant la droite.* – Veux-tu que je te dise ?
RAYMONDE . – Quoi ?
LUCIENNE. – Toi, au fond, tu es folle de ton mari.
RAYMONDE. – Folle, moi ?
LUCIENNE. – Alors, qu'est-ce que ça te fait ?
RAYMONDE. – Tiens ! ça m'agace ! Je veux encore bien le tromper, mais qu'il me trompe, lui ! Ah ! non ! ça, ça dépasse !
LUCIENNE, *tout en retirant son manteau.* – Tu as une morale délicieuse.
RAYMONDE. – Quoi, je n'ai pas raison ?
LUCIENNE, *tout en déposant son manteau sur la table de*

droite. – Si, si, si ! Seulement, voilà..., tout ce que tu m'exposes ne me prouve rien.

RAYMONDE, *remontant au-dessus de la table.* – Comment, ne te prouve rien ! Quand un mari a été pendant des années un torrent impétueux et que, brusquement, pfutt !... plus rien !... à sec !...

LUCIENNE, *assise à gauche de la table.* – Mais oui ! Quoi !... Le Manzanarès[3] est comme ça, et ça ne prouve pas qu'il se détourne de son lit.

RAYMONDE. – Oh !

LUCIENNE. – Est-ce que tu n'as pas vu souvent dans les casinos des gens étonnant la galerie par leur estomac, taillant à banque ouverte, que l'on retrouve quelque temps après jouant la pièce de cent sous ?

RAYMONDE, *rageuse et en voix de tête.* – Mais si seulement il la jouait, la pièce de cent sous ! Mais rien ! Il est le monsieur qui tourne autour de la table.

Elle remonte près du meuble sur lequel elle a déposé son chapeau.

LUCIENNE. – Eh ! bien, raison de plus !... ça ne prouve pas qu'il se décave ailleurs. Ça prouve simplement qu'il est décavé, un point, c'est tout.

RAYMONDE, *qui a écouté tout cela, adossée au meuble du fond et les bras croisés.* – Oui-da ! (*Redescendant jusqu'à la table et fouillant dans son réticule dont elle tire une paire de bretelles qu'elle brandit sous le nez de Lucienne.*) Eh bien !... et ça ?

LUCIENNE. – Qu'est-ce que c'est que ça ?

RAYMONDE, *sur un ton péremptoire.* – Des bretelles.

LUCIENNE, *sur le même ton.* – C'est ce qu'il me semblait.

RAYMONDE, Et sais-tu à qui elles sont, ces bretelles ?

LUCIENNE. – A ton mari, je présume !

RAYMONDE, *vivement.* – Ah ! ah ! tu vois, tu ne le défends plus autant.

LUCIENNE. – Mais non, quoi ! Je dis ça... parce que je suppose que si tu as des bretelles sur toi, elles sont plutôt à ton mari qu'à un autre monsieur.

RAYMONDE, *qui a remis les bretelles dans le réticule, allant déposer ce dernier sur le meuble du fond et redescendant* (1), *tout en parlant, au milieu de la scène.* – Parfaitement ! Eh bien, peux-tu m'expliquer maintenant comment il se fait que mon mari les ait reçues ce matin par la poste, ces bretelles ?

LUCIENNE. – Par la poste ?...

RAYMONDE. – Oui, un colis postal que j'ai ouvert, par mégarde, en inspectant son courrier.

LUCIENNE. – Et pourquoi l'inspectais-tu, son courrier ?

RAYMONDE, *du ton le plus naturel.* – Pour savoir ce qu'il y avait dedans.

LUCIENNE, *s'inclinant ironiquement.* – C'est une raison.

RAYMONDE. – Tiens !

LUCIENNE. – C'est ça que tu appelles ouvrir un colis... par mégarde !

RAYMONDE. – Mais dame ! par mégarde, signifie : qui ne m'était pas adressé.

LUCIENNE. – Ah ? Bon !...

RAYMONDE. – Eh ! bien, tu reconnaîtras que si on lui renvoyait ses bretelles par la poste, c'est apparemment qu'il les avait oubliées quelque part.

LUCIENNE, *se levant et gagnant la gauche.* – Ah ! dame, ça !

RAYMONDE. – Oui !... Et sais-tu quel il était. ce... « quelque part » ?

LUCIENNE, *jouant la frayeur.* – Tu me fais peur.

RAYMONDE. – L'hôtel du « Minet Galant », ma chère !

LUCIENNE. – Qu'est-ce que c'est que ça ?

RAYMONDE. – Comme son nom l'indique, pas une pension de famille, bien sûr.

LUCIENNE, *hochant la tête.* – Hôtel du Minet Galant !

RAYMONDE, *tout en remontant pour aller prendre dans le meuble à gauche de la porte du fond, une petite boîte en bois ou en carton avec laquelle elle redescend aussitôt.* – Tiens, d'ailleurs, voici la boîte qui contenait l'envoi. Tu peux voir l'étiquette, c'est imprimé ; et, en dessous, le nom et l'adresse de mon mari : « M. Chandebise, 95, boulevard Malesherbes. »

LUCIENNE, *lisant la suscription.* – Hôtel du Minet Galant. Oui !

RAYMONDE. – Et à Montretout, ma chère ! encore un nom qui en dit long ! Je te répète, toutes les inconvenances. (*Elle repose la boîte sur une table de droite.*) Tu comprends, il n'y a pas d'erreur, mon compte est net : je *la* suis...

LUCIENNE. – Oh !

RAYMONDE. – Mon Dieu, jusque-là, j'avais bien des doutes... en voyant mon mari un peu... un peu...

LUCIENNE, *venant à son aide.* – Manzanarès.

RAYMONDE, Oui ! je me disais bien : « Eh ! ben ? Eh !

ben, quoi donc ? » Mais alors, ça ! ça ! ah ! non ! ça m'a mis la puce à l'oreille !...

Elle va reporter la boîte dans le meuble où elle est allée la prendre.

LUCIENNE. – Ah ! Il est évident !

RAYMONDE, *redescendant.* – Et si tu voyais cet hôtel, ma chère. Il a l'air de sortir de chez le confiseur.

LUCIENNE. – Comment, « si tu voyais !... » tu le connais donc ?

RAYMONDE. – Naturellement ! j'en viens !

LUCIENNE. – Hein !

RAYMONDE. – C'est pour ça que j'étais en retard.

LUCIENNE. – Oh !

RAYMONDE. – Tu penses bien que j'ai voulu en avoir le cœur net. Je me suis dit : il n'y a qu'un moyen, interroger le tenancier. Ah ! bien ! si tu crois qu'on interroge comme ça un tenancier ! c'est effrayant ce qu'on se soutient dans le vice, ma chère ! Il n'a rien voulu savoir.

LUCIENNE. – Tiens ! c'est l'A.B.C. du métier.

RAYMONDE. – C'est du propre ! Tu ne sais pas ce qu'il m'a dit : « Mais, Madame, si je divulguais le nom des gens qui fréquentent mon hôtel, mais vous seriez la première à n'y jamais venir ! » Oui, à moi ! Et il n'y pas eu mèche d'en tirer autre chose. Je te dis, une carpe !

LUCIENNE, *avec une moue.* – Oh ! tu l'anoblis !

RAYMONDE. – Aussi, je vois bien que nous n'avons à compter que sur nous-mêmes. Les hommes se soutiennent entre eux, il faut que nous en fassions autant... Tu es plus débrouillarde que moi... tu connais les faits... Qu'est-ce que je dois faire ?

LUCIENNE. – Diable ! Tu me prends là au dépourvu !

RAYMONDE. – Oh ! voyons ! aie un éclair de génie !

LUCIENNE. – Oui, oh ! je sais bien ! (*Cherchant.*) Voyons !... Si tu avais une explication avec ton mari ?

RAYMONDE. – Oh ! oh ! C'est toi qui me dis ça ?... Tu penses bien qu'il me répondrait par un mensonge. Il n'y a rien de menteur comme un homme... si ce n'est une femme.

LUCIENNE. – Oui, c'est même, je crois, les deux seuls êtres de la création qui... ah ! écoute, il y aurait peut-être un moyen que j'ai vu servir souvent au théâtre [4].

RAYMONDE. – Ah ! quoi ? Quoi ?

LUCIENNE. – Oh ! il n'est pas génial ! Seulement avec les hommes, n'est-ce pas ? On prend une feuille de papier à lettres bien parfumé, on adresse une lettre à son mari... une lettre brûlante, comme si c'était d'une autre femme, bien entendu !... et l'on termine en lui donnant un rendez-vous.

RAYMONDE. – Un rendez-vous ?

LUCIENNE. – Auquel on a soin d'aller, naturellement.. Si le mari vient, on est fixé.

RAYMONDE. – Oui ! oui, tu as raison. Ce n'est peut-être pas génial, mais ce sont généralement les moyens les plus classiques qui réussissent le mieux. (*Tout en allant chercher le meuble-papeterie qui est devant la fenêtre, l'apportant et l'ouvrant devant le canapé.*) Nous allons écrire tout de suite à Victor-Emmanuel.

LUCIENNE, *sur un ton désinvolte.* – Écrivons à Victor-Emmanuel !

RAYMONDE, *qui s'est assise sur le canapé et se disposant à écrire ; se ravisant.* – Ah ! oui ! Mais... il reconnaîtra mon écriture.

LUCIENNE, *avec un grand sérieux.* – Dame ! si tu lui as déjà écrit, il est certain !...

RAYMONDE, *se levant.* – Écoute, la tienne... il ne la connaît pas... Toi !... toi, tu vas lui écrire.

En ce disant, elle tire Lucienne pour la faire passer à sa place.

LUCIENNE, *résistant.* – Moi ? Ah ! non ! non ! Ça non ! C'est trop délicat !

RAYMONDE. – Eh ! bien, voilà tout : je fais appel à ta délicatesse. (*Sur un ton sévère.*) Ah ! Es-tu ma meilleure amie ou ne l'es-tu pas ?

LUCIENNE, *faiblissant.* – Ah ! tiens, toi ! tu me conduiras en enfer !

RAYMONDE. – Eh ! bien, tu y retrouveras mon mari.

LUCIENNE. – Grand bien me fasse ! (*Résignée, s'asseyant sur le canapé devant le pupitre.*) Allons, donne-moi du papier à lettres !

RAYMONDE, *au-dessus de la papeterie, tirant d'un des casiers un cahier de papier à lettres.* – Voilà, tiens !

RAYMONDE. – Hein ! mais pas le tien, voyons ! il le reconnaîtraît !

RAYMONDE. – Je suis bête ! C'est vrai ! (*Allant au petit meuble qui est entre la fenêtre et la porte de gauche.*) Attends, j'ai quelque chose qui fera peut-être l'affaire...

Du papier que j'ai acheté pour les enfants de ma sœur, pour leurs compliments.

Elle brandit trois ou quatre feuilles de papier à dentelle, orné de fleurs peintes.

LUCIENNE. – Hein ! ça ? Oh ! il croirait qu'il a affaire à une cuisinière, il n'irait pas.

RAYMONDE, *avec un hochement de tête.* – C'est vrai.

LUCIENNE. – Tu n'as pas du papier suave, suggestif ?

RAYMONDE, *tirant une boîte de papier à lettres du meuble à gauche de la porte du fond.* – Mon Dieu, j'ai bien ce mauve. Je venais de l'acheter pour la campagne, il n'est pas très suggestif.

LUCIENNE. – Non !... Enfin, en le parfumant fortement.

RAYMONDE. – Oh ! pour ça, j'ai ce qu'il faut : un certain trèfle incarnat que j'avais mis de côté pour le rendre parce que je ne peux pas le supporter. Attends !...

Tout en parlant, elle va presser le bouton électrique à droite de la fenêtre.

SCÈNE V

LES MÊMES, CAMILLE, puis ANTOINETTE

A ce moment, sortant de la pièce de droite, paraît Camille, un dossier à la main. Il jette un regard inquisiteur dans le salon.

CAMILLE . – Je vous demande pardon !...

RAYMONDE, *debout, près du petit meuble à gauche de la scène.* – Qu'est-ce que vous voulez, Camille ?

CAMILLE, *dans son langage incompréhensible.* – Faites pas attention ! Je regardais si Victor-Emmanuel n'était pas rentré.

RAYMONDE, *le plus simplement du monde, sur le ton de la conversation.* – Non, pas encore. Pourquoi ?

CAMILLE, *id.* – Parce que j'ai tout un courrier à lui faire signer, et puis des renseignements à lui demander au sujet d'un contrat à préparer ; je suis un peu embarrassé, alors j'aurai voulu...

RAYMONDE. – Oh ! bien ! je pense qu'il ne peut guère tarder.

CAMILLE. – Bon ! je vais attendre. Après tout, il n'y a

que ça à faire, n'est-ce pas ? Il n'est pas là, tout ce que je dirai ou rien...

RAYMONDE. – Évidemment ! Évidemment ! (*A Lucienne qui, depuis le commencement de ce dialogue, écoute bouche bée, le regard allant successivement d'un interlocuteur à l'autre pour s'arrêter définitivement avec admiration sur Raymonde.*) Pourquoi me regardes-tu comme ça, toi ?

LUCIENNE, *décontenancée.* – Hein ? Pour rien, rien !...

CAMILLE, *à Lucienne sur un ton jovial.* – Eh ! bien, madame, ma cousine a fini par rentrer ! Elle ne vous a pas trop fait attendre ?

LUCIENNE, *un peu interloquée par cette apostrophe et voulant avoir l'air d'avoir compris.* – En effet, monsieur, oui, je vous reconnais ; nous avons même causé ensemble tout à l'heure.

RAYMONDE, *malicieusement.* – Non ! Non ! ce n'est pas de ça qu'il te parle. Il te dit que j'ai tout de même fini par rentrer et que je ne t'ai pas trop fait attendre.

CAMILLE, *approuvant.* – C'est ça, c'est ça.

LUCIENNE, *gênée et s'efforçant d'être aimable.* – Ah ?... Ah ! oui, oui... oui, parfaitement.

RAYMONDE, *présentant.*– Monsieur Camille Chandebise, notre cousin ; Madame Carlos Homenidès de Histangua !

Camille s'incline pendant que Raymonde redescend par l'extrême gauche.

LUCIENNE (2) *se levant.*– Très heureuse, monsieur... Excusez-moi si je ne vous ai pas compris tout à l'heure, mais je suis un peu dure d'oreille.

CAMILLE, *jovial.* – Oh ! c'est trop aimable à vous, Madame, de me dire ça !... la vérité, c'est qu'on me comprend difficilement, parce que j'ai un défaut de prononciation...

LUCIENNE (2), *souriant gauchement comme une personne qui n'a rien compris.* – Oui, oui, oui ! (*A Raymonde, comme pour l'appeler à son secours.*) Quoi ?

RAYMONDE, *avec un sérieux comique.* – Il te dit qu'il a un défaut de prononciation.

LUCIENNE, *jouant l'étonnée.* – Hein ?... Ah ?... C'est vrai ?... Ah ! oui, peut-être... maintenant que vous me le faites remarquer.

CAMILLE, *avec force sourires et courbettes.* – Oh ! vous êtes trop indulgente.

ANTOINETTE, *entrant du fond et descendant n° 3.* – C'est Madame qui a sonné ?

RAYMONDE, *tandis que Lucienne, se rassied sur le canapé.* – Ah ! oui, mais pas vous, Adèle. J'ai sonné deux coups.

ANTOINETTE. – Adèle est montée dans sa chambre. Alors, je suis venue.

RAYMONDE. – Enfin, ça ne fait rien. Allez donc dans mon cabinet de toilette et rapportez-moi une boîte contenant un flacon d'odeur qui est dans le tiroir de droite de ma coiffeuse.

ANTOINETTE. – Bien, Madame.

RAYMONDE. – Vous verrez, il y a « tréfle incarnat » imprimé sur la boîte.

ANTOINETTE. – Oui, Madame.

En se retournant pour sortir, elle trouve à sa gauche Camille (4). Facétieusement, elle décrit autour de lui, très gêné, un demi-cercle, tout en le fixant les yeux dans les yeux. Elle arrive ainsi à prendre le 4 et Camille le 3. A ce moment, dos au public, de la main gauche, elle fait un violent pinçon dans la hanche gauche de Camille et sort de l'air le plus imperturbablement sainte nitouche.

CAMILLE, *projeté en avant par la douleur.* – Oh !

RAYMONDE et LUCIENNE, *sursautant.* – Quoi ?

CAMILLE, *pendant qu'Antoinette sort.* – Rien, rien ! Dans la hanche, une douleur aiguë qui m'a fait sursauter.

RAYMONDE. – Aha ! C'est rhumatismal, ça !

CAMILLE, *se frottant la hanche tout en gagnant à droite, avec des courbettes à reculons.* – C'est... c'est rhumatismal, évidemment.

RAYMONDE. – Évidemment !

CAMILLE. – Je vais continuer mon travail par là... (*Saluant.*) Madame...

LUCIENNE, *s'incliant légèrement.* – Monsieur.

CAMILLE, *arrivé à la porte.* – Mes hommages !

Il sort. Les deux femmes le regardant sortir, puis, aussitôt qu'il a disparu, éclatent de rire.

LUCIENNE. – Ah ! non, je t'admire de comprendre un mot de son langage.

RAYMONDE, *malicieusement.* – C'est pour ça que tu me regardais, hein ?

LUCIENNE. – Oui.

RAYMONDE. – Qu'est-ce que tu veux : la force de l'habitude. Mais je t'aime, toi, qui voulais lui faire croire que tu n'avais rien remarqué de sa façon de parler.

LUCIENNE. – Je ne voulais pas lui être désagréable.

ANTOINETTE, *arrivant de gauche, un flacon à la main.* – C'est ça, Madame ?

RAYMONDE, *prenant le flacon.* – C'est ça, merci. (*Elle s'assied sur un des sièges qui font vis-à-vis au canapé sur lequel Lucienne est assise. Antoinette sort.*.) Allons ! Si nous écrivions un peu notre lettre avant que mon mari ne rentre.

LUCIENNE. – Tu as raison. (*Se disposant à écrire.*) Voyons, comment allons-nous lui tourner ce poulet ?

RAYMONDE. – Ah, ça !...

LUCIENNE. – D'abord, où notre inconnue aurait-elle reçu le coup de foudre en voyant ton mari ?

RAYMONDE. – Oui ! où ?

LUCIENNE. – Etes-vous allés au théâtre, ces temps-ci ?

RAYMONDE. – Mercredi dernier, au Palais-Royal, avec M. Tournel.

LUCIENNE. – M. Tournel ?

RAYMONDE. – Celui que je t'ai dit qui a failli être mon amant.

LUCIENNE. – Ah ! oui ! Eh ! bien, ça va des mieux ! Tu vas voir. (*Écrivant.*) « *Monsieur, je vous ai vu l'autre soir au théâtre du Palais-Royal...* »

RAYMONDE, *avec une moue.* – Oui !... Tu ne trouves pas ça bien froid pour un coup de foudre ?

LUCIENNE. – Bien froid ?

RAYMONDE. – On dirait un constat d'huissier. Je ne sais pas, moi, il me semble que j'aurais écrit btutalement, là : « *Je suis celle qui ne vous a pas quitté des yeux, l'autre soir, au Palais-Royal !* » et pas de « monsieur », rien ! v'lan ! Aïe donc !...

LUCIENNE. – Eh ! mais, dis donc ! mais tu as la vocation, toi !

RAYMONDE, *modeste.* – Mon Dieu, je dis comme il me semble que j'écrirais...

LUCIENNE. – Bien, oui, nous sommes d'accord. (*Elle retire du cahier de papier à lettres la feuille commencée qu'elle laisse sur le pupitre et écrivant immédiatement sur la nouvelle feuille de papier.*) « *Je suis celle qui ne vous a pas quitté des yeux...* »

RAYMONDE, *dictant.* – ... « *L'autre soir, au Palais-Royal* ! » Là... c'est chaud, c'est direct !

LUCIENNE. – C'est vécu ! (*Continuant*) ... « *Vous étiez dans une loge avec votre femme et un monsieur...* »

RAYMONDE. – M. Tournel.

LUCIENNE, *tout en écrivant.* – Oui, mais ça, ce n'est pas à la dame de le dire. (*Reprenant le texte de la lettre*)... « *Des gens près de moi vous ont nommé...* »

RAYMONDE, *répétant comme dans une dictée.* – ... *Vous, ont nommé...*

LUCIENNE, *répétant de même en écrivant.* – ... « *Nommé... C'est comme ça que j'ai su qui vous étiez...* »

RAYMONDE. – Comme c'est simple !

LUCIENNE, *écrivant.* – ... « *Depuis ce temps, je ne rêve que de vous...* »

RAYMONDE. – Oh ! oh !... tu ne crois pas que c'est un peu exagéré ?

LUCIENNE. – Mais oui ! mais oui ! mais c'est ce qu'il faut ! ces choses-là, c'est toujours exagéré pour les autres, jamais pour soi.

RAYMONDE. – Ah ! Si tu es sûre, ça va bien.

LUCIENNE, *écrivant.* – « *Je suis prête à faire une folie. Voulez-vous la faire avec moi ? Je vous attendrai aujourd'hui à cinq heures à l'Hôtel du Minet Galant.* »

RAYMONDE. – Oh ! tu crois ? Il va se méfier, juste le même hôtel.

LUCIENNE. – Au contraire, ça l'excitera ! (*Écrivant.*) Entre parenthèses : « *Montretout, Seine. Vous demanderez la chambre au nom de M. Chandebise.* »

RAYMONDE, *dictant.* – ... « *J'espère en vous...* »

LUCIENNE, *écrivant, tout en approuvant de la tête.* – « *J'espère en vous* ! » Parfaitement ! Oh ! mais il y a de l'étoffe en toi.

RAYMONDE. – Faut bien faire son apprentissage.

LUCIENNE, *écrivant.* – « *Une femme qui vous aime.* » Là, le parfum, maintenant.

RAYMONDE, *qui a débouché le flacon pendant que Lucienne écrivait.* – Voilà.

Elle lui tend le flacon.

LUCIENNE. – Ça va bien.

Elle verse de l'odeur sur ses doigts et en asperge le papier à coups de pichenettes.

RAYMONDE, *se dressant en voyant toute l'encre de l'écriture étalée par l'odeur.* – Oh !

LUCIENNE, *même jeu que Raymonde.*– Sapristi !

RAYMONDE. – Ah ! bien, c'est du propre !

LUCIENNE. – Oui.

RAYMONDE. – C'est tout à recommencer

LUCIENNE. – Attends donc ! non, ça va servir, au contraire. (*Se rasseyant et écrivant.*) « *Post-scriptum. Pourquoi, en vous écrivant, ne puis-je retenir mes larmes ? Oh ! faites que ce soient des larmes de joie et non de désespoir.* » (*Parlé.*) Et allez donc ! au trèfle incarnat ! V'lan.

RAYMONDE. – C'est égal, il va trouver que tu as beaucoup pleuré pour une femme seule.

LUCIENNE. – Laisse donc ! Ça lui semblera tout naturel. Et maintenant l'adresse. (*Écrivant sur l'enveloppe.*) « *M. Victor-Emmanuel Chandebise, 95, boulevard Malesherbes. Personnel.* » (*Se levant et passant au 2 tout en collant l'enveloppe.*) Là ! et à présent, il nous faut un commissionnaire. As-tu quelqu'un pour l'envoyer chercher ?

RAYMONDE, *qui a refermé le pupitre et est en train de le rapporter à sa place primitive.* – Quelqu'un ? Ah ! diable !... Mais oui !... J'ai... toi.

LUCIENNE, *se cabrant.* – Moi ? Ah ! permets !

RAYMONDE. – Mais oui, voyons ! Comprends donc ! Je ne peux pas envoyer un domestique pour qu'il revoie son même commissionnaire apporter la lettre. Ce serait risquer de tout compromettre. De même, moi, je ne peux pas y aller non plus. Si mon mari demande le signalement de la dame au commissionnaire et qu'il donne le mien, le pot aux roses est découvert. Tandis que toi, parfait ! Tu es indiquée !...

LUCIENNE. – Voilà ! Toute la corvée !

RAYMONDE. – Enfin, es-tu ma meilleure amie, oui ou non ?

LUCIENNE. – Ah ! oui. Oh ! mais, tu sais, tu abuses !

Sonnerie à l'extérieur.

RAYMONDE. – On a sonné. Ce doit être mon mari. (*Remontant par l'extrême gauche et indiquant la porte également à gauche.*) Vite ! file par là, et la porte à droite, tu retombes dans l'antichambre.

LUCIENNE, *remontant par le milieu de la scène pour gagner la porte indiquée.* – Bon ! à tout à l'heure.

RAYMONDE. – A tout à l'heure.

Lucienne sort, pendant que Raymonde va enfer-

mer son flacon dans le petit meuble de gauche. A ce moment, la porte du fond s'entr'ouvre et l'on aperçoit dans le vestibule Chandebise qui parle à Étienne. Tournel est derrière lui.

SCÈNE VI

RAYMONDE, CHANDEBISE, TOURNEL, ÉTIENNE

CHANDEBISE, *le chapeau sur la tête, à Étienne.* – Et le docteur vous a dit qu'il repasserait ?

ÉTIENNE. – Oui, Monsieur.

CHANDEBISE. – Bon ! ça va bien !... (*A Tournel qui, lui, a son chapeau à la main.*) Entre, mon vieux ! (*Il le fait passer devant lui. Tournel descend à droite de la table de droite.*) Je te demande un moment, j'ai mon courrier à signer...

RAYMONDE, *qu'ils n'ont pas aperçue.* – Oui, même Camille t'attend comme le Messie.

CHANDEBISE (2), *à gauche de la table de droite et un peu au-dessus.* – Tiens ! tu es là, toi ?

TOURNEL, *de sa place.* – Oh ! bonjour, chère Madame.

RAYMONDE. – Bonjour, Tournel. (*A son mari.*) Oui, je suis là.

CHANDEBISE. – J'ai rencontré Tournel dans l'escalier, alors nous sommes montés ensemble.

RAYMONDE, *indifférente.* – Ah !...

TOURNEL, *prenant des papiers dans la serviette qu'il a apportée et qu'il dépose sur la table.* – Oui, j'apporte la liste de quelques nouveaux clients à assurer.

CHANDEBISE. – Parfait ! Tu me donneras ça tout à l'heure.

En parlant il relève son pantalon comme quelqu'un qui est gêné par sa bretelle.

RAYMONDE, *à qui ce geste n'a pas échappé.* – Qu'est-ce que tu as à tirer ton pantalon ? C'est tes bretelles qui te gênent ?

CHANDEBISE. – Oui.

RAYMONDE. – Ce n'est donc pas celles que je t'ai achetées ?

CHANDEBISE. – Hein ? Si, si.

RAYMONDE. – Elles ne te gênaient pas, avant.

CHANDEBISE. – C'est parce que je les ai trop tirées.

RAYMONDE, *faisant mine d'aller à lui.* – C'est facile, je vais te les desserrer.

CHANDEBISE, *reculant instinctivement.* – Mais non... non ! ce n'est pas la peine, je les desserrerai bien moi-même.

RAYMONDE, *pincée.* – Ah ?... Bon ! Comme tu voudras !

CHANDEBISE, *à Tournel.* – Tu permets ? Je suis à toi dans un instant.

TOURNEL. – Va donc ! Va donc !

Chandebise ouvre la porte de la pièce de droite.

VOIX DE CAMILLE, *accueillant l'entrée de Chandebise.* – Ah !

CHANDEBISE, *vexé de cette exclamation dont le ton équivaut à quelque chose comme : toi ! oh ! c'est pas trop tôt !* – Ah ! bien, oui, quoi !... Ah ! tu es bon ! j'ai eu à faire.

Il sort et referme la porte sur lui.

TOURNEL, *aussitôt la disparition de Chandebise, se précipitant vers Raymonde qui est au fond de la scène, un peu à gauche.* – Ah ! Raymonde, Raymonde, j'ai rêvé de vous cette nuit.

RAYMONDE, *lui coupant son élan.* – Oh ! non, mon ami, non ! Merci ! ce n'est pas quand mon mari me trompe que je vais songer à en faire autant.

TOURNEL, *ahuri.* – Hein ?

RAYMONDE. – C'est bon quand on n'a rien d'autre à penser, ces choses-là !

TOURNEL. – Mais Raymonde, Raymonde !... Vous m'aviez dit !... vous m'aviez fait espérer !...

RAYMONDE. – Oui ? Eh ! bien, c'est possible... Mais il n'y avait pas eu les bretelles ! mais maintenant qu'il y a les bretelles !... bonsoir !

Elle sort à gauche.

TOURNEL, *reste un moment abruti, puis.* – Eh bien ! elle est forte, celle-là ! Quoi, « les bretelles » ? Qu'est-ce que ça veut dire, « les bretelles » ?

En parlant il a gagné jusqu'à la gauche de la table de droite.

SCÈNE VII

TOURNEL, CAMILLE, puis FINACHE

CAMILLE, *dans l'embrasure de la porte du fond droit, sur un ton jovial.* – Monsieur Tournel ! Mon cousin vous demande.

TOURNEL, *avec humeur.* – Quoi ?

CAMILLE, *s'efforçant de mieux articuler, sans y parvenir.* – Mon cousin vous demande.

TOURNEL, *id.* – Je ne comprends pas ce que vous dites. Quand vous vous déciderez à parler clairement !...

CAMILLE. – Attendez !

Il tire de la poche de son veston un bloc de fiches, de sa poche à mouchoir un crayon et, tout en écrivant, scande chaque syllabe.

CAMILLE. – Mon cou- sin- vous de- mande.

Ayant terminé, il détache la fiche et la passe à Tournel.

TOURNEL, *lisant.* – *« Mon cousin vous demande. »* Ah ! Eh ! bien, quoi ! on le dit.

Tout en maugréant, il ramasse ses papiers et, remontant avec, mais en laissant la serviette, sort fond droit.

CAMILLE, *une fois Tournel sorti.* – Pignouf ! (*Descendant, tout en parlant, jusqu'à l'avant-scène.*) Non mais, en voilà encore un phénomène ! Je me dérange pour venir le chercher et il m'engueule !

A ce moment, la porte du fond s'ouvre, Étienne introduit Finache et le dialogue suivant s'échange...

ÉTIENNE. – Oui, Monsieur, il est là.

FINACHE. – Ah ! bon !

ÉTIENNE, *sortant.* – Je vais le prévenir.

Tandis que Camille, qui ne les a pas entendus entrer, continue ses doléances.

CAMILLE. – Enfin, c'est trop fort ! Je lui dis très obligeamment : « Tournel, mon cousin vous demande ». Il me le fait répéter, je le lui ai écrit et il a le toupet de me répondre : « Eh ! bien, vous ne pouviez pas le dire ? » Ah ! bien, plus souvent que je me dérangerai encore pour un porc-épic pareil !

FINACHE, *qui le contemple depuis un instant.* – Eh ! bien, quoi donc, l'ami Camille, on récite des monologues maintenant ?

CAMILLE, *sursautant.* – Hein ? Ah ! c'est vous, docteur. Non, j'étais en train de bougonner après quelqu'un qui m'attrapait parce que...

FINACHE, *qui ne comprend pas.* – Oui, bon, ne vous donnez pas la peine... (*Changement de ton.*) Et à part ça, jeune sacripant, quoi de neuf ?... On fait la noce ?

CAMILLE, *se rapprochant vivement de Finache et sur un ton de voix plus bas.* – Oh ! oh ! chut ! Taisez-vous !

FINACHE. – Ah ! oui, c'est vrai ! Ici, vous passez pour l'austère Camille. Vous tenez à votre réputation.

CAMILLE, *sur les charbons.* – Je vous en prie !...

FINACHE. – Malheureusement, pour son médecin, il y a toujours une heure dans la vie... où on est obligé de dépouiller le petit saint !... Aussi, pour moi qui sais, ça m'amuse bien quand je les vois tous s'imaginer que vous...

CAMILLE, *riant jaune.* – Oui, oui...

FINACHE. – Dites-moi, vous avez profité de mon conseil ?

CAMILLE. – Quel ?

FINACHE. – Pour l'hôtel du Minet Galant ?

CAMILLE, *dans les transes.* – Oh ! taisez-vous !

FINACHE. – Mais quoi ! nous sommes entre nous !... Vous y avez été ?

CAMILLE, *hésite une seconde, jette un coup d'œil à droite et à gauche, puis à voix basse...* Oui.

FINACHE. – Qu'est-ce que vous en dites ?

CAMILLE, *avec des yeux d'extase au ciel.* – Oh !

FINACHE. – Hein ! n'est-ce pas ? Quand je vous le disais. Mais moi quand je veux faire la noce, je ne connais que cet hôtel-là. Allons, je vois que vous êtes sur les charbons. Tenez, allez prévenir votre cousin.

CAMILLE, *enchanté de cette diversion.* – C'est ça !... c'est ça !...

FINACHE. – Ah ! à propos, pendant que j'y pense, que je vous donne votre machin...

CAMILLE, *redescendant.* – Quel machin ?

FINACHE, *tirant un écrin de sa poche.* – Ce que je vous ai promis... qui vous permettra de parler comme tout le monde.

CAMILLE. – Ah ! oui. Vous l'avez ?

FINACHE. – Oui !... N'est-ce pas ?... Qu'est-ce qui entrave cette faculté chez vous ?... Un vice congénital, la voûte du palais qui n'a pas eu le temps de se former.

Alors les sons, au lieu de trouver cette cloison naturelle qui les fait rebondir au dehors, vont se perdre dans le masque.

CAMILLE. – C'est ça !

FINACHE. – Eh bien ! c'est cette cloison que je vous apporte. Et regardez comme c'est joli, bien présenté !

CAMILLE. – Voyons !

FINACHE, *ouvrant l'écrin.* – Un palais d'argent, mon cher, comme dans les contes de fées.

CAMILLE, *joignant les mains avec admiration.* – Oh !

FINACHE. – Et dans un écrin, madame !... Avoir son palais dans un écrin, ce n'est pas à la portée de tout le monde.

CAMILLE. – Oh !... Et je pourrai parler !

FINACHE. – Quoi ?

CAMILLE. – Et je pourrai... Attendez. (*Il veut mettre tout de suite le palais dans sa bouche.*)

FINACHE, *l'arrêtant par le poignet.* – Non, pas comme ça. Faites-le d'abord tremper dans de l'eau avec de l'acide borique. On ne sait pas dans quelles mains ça a passé.

CAMILLE. – Vous avez raison ! Non, mais je disais. (*Articulant de son mieux.*) Et je pourrai parler ?

FINACHE, *qui a saisi.* – Si vous pourrez parler !... Comment donc ! C'est-à-dire que si même vous avez du talent, vous pourrez entrer à la Comédie-Française.

CAMILLE, *radieux.* – Ah ! ! ! Je vais tout de suite le mettre dans l'eau.

(Il remonte.)

VOIX DE CHANDEBISE. – Camille !

FINACHE. – Tenez, on vous appelle.

CAMILLE. – Oh ! bien, vous direz que je viens tout à l'heure.

Il disparaît par le fond.

SCÈNE VIII

FINACHE, CHANDEBISE

CHANDEBISE, *entrant du fond droit.* – Camille !

FINACHE, *allant à lui.* – Il est à vous tout de suite ; il a eu affaire par là. (*Lui tendant la main.*) Ça va bien ?

CHANDEBISE. – Ah ! bonjour, Finache. Ah, bien ! tenez-vous, je suis content de vous voir, j'avais justement à vous parler.

FINACHE. – Ah !... Je suis déjà venu tout à l'heure. Étienne vous a dit ?

CHANDEBISE. – Oui, oui... pour le certificat de Histangua... Il paraît même qu'il est de première !

FINACHE. – De première !... Le voici, du reste.

Il tire de sa poche un dossier qu'il lui remet.

CHANDEBISE, *prenant le dossier.* – Merci.

FINACHE, *s'asseyant à gauche de la table.* – Et qu'est-ce que vous avez à me dire ?

CHANDEBISE, *s'asseyant en face de lui, à droite de la table.* – Eh ! bien, voilà ! Je voulais vous consulter, pour moi, sur une question assez délicate. Figurez-vous qu'il m'arrive une chose un peu extraordinaire.

FINACHE. – Et quoi donc ?

CHANDEBISE. – Voyons ! Comment vous expliquerai-je cela ? Vous savez que j'ai une femme délicieuse.

FINACHE. – Ça, nous sommes d'accord.

CHANDEBISE. – Bon ! Vous savez, d'autre part, que personne n'est moins coureur que votre serviteur ?

FINACHE. – Ah ?

CHANDEBISE, *l'air un peu vexé.* – Quoi, « ah ! » Vous dites : « Ah ?... » Si !

FINACHE. – Mais je ne sais pas, mon ami.

CHANDEBISE. – Eh ! bien, je vous le dis. Je ne vous étonnerai donc pas en vous confiant que ma femme résumait tout pour moi : l'épouse et l'amante... Ce qui revient à dire que j'ai toujours été pour elle, je puis m'en vanter entre nous, un mari à la hauteur.

FINACHE. – Ah ?

CHANDEBISE. – Quoi, « ah ? » Vous dites : « ah !... » Si !

FINACHE. – Mais je ne sais pas, mon ami.

CHANDEBISE. – Eh ! bien, je vous le dis ! A la hauteur et même plus.

FINACHE. – Eh ! bien, mais c'est très bien, ça !... Seulement, je ne vois pas où ce préambule...

CHANDEBISE, *se levant, puis s'asseyant sur le coin de la table, côté droit au fond.* – Eh ! bien, voilà, justement !... Avez-vous vu jouer aux Nouveautés : « Vous n'avez rien à déclarer [5] ? »

FINACHE. – Hein ?

CHANDEBISE. – Je vous demande si vous avez vu jouer « Vous n'avez rien à déclarer ? »

FINACHE. – Mon Dieu !...

CHANDEBISE. – Quoi ! Vous l'avez vu ou vous ne l'avez pas vu ?

FINACHE, *égrillard.* – Je vais vous dire : entre les deux !... Je n'étais pas seul dans ma baignoire, alors...

CHANDEBISE, *riant.* – Ah ! bon, oui ! Il y a des lacunes.

FINACHE, *riant.* – Voilà.

CHANDEBISE. – N'importe ! Vous en avez toujours vu assez pour être au courant du sujet : un bon petit jeune homme fait son voyage de noces avec madame. Il est en train de lui inculquer les premiers principes de la grammaire matrimoniale, quand, au meilleur de la leçon, surgit un douanier dont l'intempestif : « Vous n'avez rien à déclarer ? » vient brutalement couper à monsieur le fil de ses idées.

FINACHE. – Ah ! oui, en effet, je me rappelle... vaguement.

CHANDEBISE. – Vaguement ?... Eh ! bien, mon vieux ! On voit bien que le douanier n'a pas passé par votre baignoire.

Il se lève et gagne le n° 1 au milieu de la scène.

FINACHE, *riant et avec malice.* – Il n'y a pas passé.

CHANDEBISE, *allant, tout en parlant, prendre la chaise à gauche de la scène et, après l'avoir retournée, se mettant à cheval dessus.* – Bref ! pour le pauvre petit jeune homme, dès lors, cela devient comme une obsession ! Chaque fois qu'il lui prend vélléité de réaborder avec madame la question laissée une première fois dans le vague..., il voit le douanier, il entend le : « Vous n'avez rien à déclarer ? » et couic ! plus personne.

FINACHE. – C'est embêtant !

CHANDEBISE, *avec conviction.* – Ah ! oui ! (*Se levant.*) Eh ! bien, mon cher, c'est exactement ce qui m'arrive avec ma femme.

FINACHE. – Hein !

CHANDEBISE. – Parfaitement ! Un beau jour... ou plutôt une sale nuit... (*Il va remettre sa chaise à la place primitive.*) il y a de ça un mois, j'étais très amoureux, à mon habitude ; je m'en étais exprimé à madame Chandebise qui en avait accueilli aussitôt l'expression. Quand, tout à coup, je ne sais ce qui a pu se passer...

FINACHE, *malicieusement.* – Le douanier est entré ?

CHANDEBISE, *par distraction.* – Oui ! (*Vivement.*) Hein ?

Euh ! Non !... Oh ! mais c'est tout comme : un malaise, un trouble, je ne sais pas, je me suis senti devenir... (*Voix d'ange et tout en se rapetissant sur les jambes à mesure.*) ... Enfant, enfant, tout petit enfant !

FINACHE. – Diable ! C'est raide !

CHANDEBISE *tourne les yeux de son côté, puis avec une moue significative.* – Si on peut dire. (*Changeant de ton.*) Mon Dieu, tout d'abord, je ne m'en émus pas autrement, fort de tout un passé glorieux, n'est-ce pas ? Je me dis : après tout, revers aujourd'hui, revanche demain !

FINACHE. – C'est la guerre !

CHANDEBISE. – Oui, mais voilà-t-il pas que le lendemain, j'ai la malencontreuse idée de me dire : « Attention, mon vieux ! Si tu allais faire comme hier !... » Faut-il être bête pour se fourrer des choses pareilles en tête, juste à un moment où on a besoin de toute sa confiance en soi !... Naturellement, ça ne manque pas ! l'anxiété me prend et v'lan ! comme la veille, la tape !

FINACHE. – Mon pauvre Chandebise !

CHANDEBISE. – Ah ! oui, mon pauvre Chandebise ! car désormais, c'est fini ! Ça devient l'idée fixe ! Je ne me pose même plus la question ! Je n'ose même plus me dire : « Ce soir, est-ce que je... ! » Non, je me dis : « Ce soir, je ne... ! » Et v'lan ! ça ne rate pas.

FINACHE, *blagueur.* – Oui, tandis que vous...

CHANDEBISE. – Comment ? Allons, Finache, voyons ! ce n'est pas le moment de plaisanter.

FINACHE, *se levant.* – Ah ! bien, quoi ? Vous n'attendez pas que je prenne votre cas au tragique ! Mais il est de tous les jours, votre cas ! Vous êtes simplement victime d'un phénomène d'auto-suggestion. Eh ! bien, c'est à vous d'en avoir raison. Un peu de force de caractère, que diable ! Vouloir, c'est pouvoir !

CHANDEBISE. – Euh ! Euh !

FINACHE. – Si au lieu de vous dire : « Est-ce que je ?... » ce qui vous fiche à bas, il faut vous dire (*Bien affirmatif.*) « Je ! » et voilà ! Jamais douter de soi dans la vie. Ah ! Et puis... et puis surtout, ne pas y mettre d'amour propre. Mais oui, mais oui, tout ça, c'est de l'amour propre ! Eh ! bien, l'amour propre et l'amour, ça ne va pas ensemble... Si même il y en a un qu'on appelle propre, c'est pour le distinguer de l'autre... qui ne l'est pas ! Tout ce que vous venez de me raconter, c'est à votre femme que vous auriez dû le dire, pas à moi... et cela bien nettement, bien tranquillement, au lieu d'essayer de faire le malin avec elle. Il serait arrivé qu'elle aurait ri, vous en auriez ri ensemble, chacun y aurait mis du sien et l'émotion, l'inquiétude désormais au rancart, ça aurait marché comme sur des roulettes.

CHANDEBISE *pensif*. – Vous avez peut-être raison !

FINACHE. – En dehors de ça, du sport, de l'exercice. Il faudra que je vous ausculte tout à l'heure !... Vous travaillez trop !... trop de bureau ! (*Lui appliquant son genou dans les reins et le faisant ployer en appuyant les deux mains sur ses épaules.*) Regardez, vous avez une tendance à vous voûter. (*Passant au 1.*) C'est pour ça que je vous ai ordonné des bretelles américaines ; je suis sûr que vous ne les avez pas mises.

CHANDEBISE, *relevant son gilet pour montrer ses bretelles.* – Ah ! si ! si ! Et pour être forcé de les conserver, j'ai même donné toutes mes bretelles ordinaires. C'est mon cousin Camille qui en a hérité. Mais vraiment, celles-là, c'est bien laid !

FINACHE. – Bah ! vous êtes seul à les voir.

CHANDEBISE. – Mais non ! Tout à l'heure, ma femme a failli mettre le nez dessus.

FINACHE. – La belle affaire !

CHANDEBISE, *gagnant la droite.* – Merci ! Il ne manque plus que d'ajouter ce ridicule à l'autre.

FINACHE, *le suivant.* – Ah ! Tenez, vous mettez de la vanité où il ne devrait pas y en avoir ! (*Changeant de ton.*) Allez ! enlevez votre veston, que je vous ausculte.

Au moment où Chandebise s'apprête à retirer son veston, la porte du fond s'ouvre et paraît Lucienne, introduite par Étienne.

SCÈNE IX

LES MÊMES, LUCIENNE, ÉTIENNE
puis RAYMONDE, puis TOURNEL

LUCIENNE, *à Étienne.* – N'est-ce pas, prévenez Madame !

CHANDEBISE, *ramenant vivement les revers de son veston qu'il écartait déjà pour se dévêtir.* – Oh !

ÉTIENNE. – Oui, Madame.

Il sort.

CHANDEBISE, *à Finache, tout en passant devant celui-ci pour gagner le 3.* – Tout à l'heure ! (*A Lucienne.*) Vous, chère Madame.

LUCIENNE. – Mais oui ! vous allez bien ?

CHANDEBISE. – Mais comme vous-même. Vous venez voir ma femme ?

LUCIENNE. – C'est-à-dire que je reviens ! J'ai eu une course à faire, mais je l'ai déjà vue tout à l'heure... d'ailleurs, monsieur aussi.

FINACHE, *s'inclinant.* – En effet.

CHANDEBISE. – Ah ! alors, je n'ai pas besoin de vous présenter... Vous ne lui avez pas trouvé l'air bien nerveux ?

LUCIENNE, *indiquant Finache.* – A Monsieur ?

CHANDEBISE. – Non, à ma femme ; je ne sais pas ce qu'elle a ce matin..., elle n'est pas à prendre avec des pincettes.

LUCIENNE. – Je n'ai pas trouvé.

CHANDEBISE. – Ah ! bien ! tant mieux.

RAYMONDE, *paraissant à la porte de gauche.* – Ah ! te voilà !

LUCIENNE, *allant à elle.* – Rebonjour !

RAYMONDE, *bas.* – Eh bien ?

LUCIENNE, *bas.* – C'est fait ! il me suit.

RAYMONDE. – Bon !

ÉTIENNE, *apportant la lettre sur un plateau.* – Monsieur !

CHANDEBISE. – Hein ?

LUCIENNE, *bas à Raymonde.* – Voilà !

ÉTIENNE. – C'est une lettre personnelle pour Monsieur qu'un commissionnaire vient d'apporter.

CHANDEBISE, *étonné.* – Pour moi ? Tiens ! (*Aux deux femmes.*) Vous permettez ? (*Il tire son lorgnon, se le plante au bout du nez, décachète la lettre puis, après l'avoir parcourue, ne pouvant réprimer une exclamation de surprise.*) Oh ! par exemple !

RAYMONDE, *vivement.* – Quoi ?

CHANDEBISE. – Rien !

RAYMONDE, *perfide.* – Ce n'est pas un ennui ?

CHANDEBISE. – Oh ! non, non... C'est... c'est une affaire d'assurances.

RAYMONDE, *sèchement.* – Ah ! (*A Lucienne, bas et furieuse.*) Viens, toi ! je crois que c'est clair !

Elles sortent de gauche.

CHANDEBISE, *à Finache, tout en gagnant l'extrême gau-*

che. – Ah ! non, mon cher, non !... les femmes sont étonnantes ! Vous ne devineriez jamais ce qui m'arrive.

FINACHE. – Quoi ?

TOURNEL, *paraissant à la porte de droite, son dossier à la main.* – Dis donc !... c'est comme ça que tu me laisses en plan.

CHANDEBISE. – Ah ! bien, tiens !... Arrive donc, toi, tu n'es pas de trop.

TOURNEL, *descendant et déposant en passant son dossier sur la table.* – Qu'est-ce qu'il y a ? (*A Finache.*) Bonjour docteur !

FINACHE. – Bonjour, Tournel.

CHANDEBISE. – Mes enfants, tenez-vous bien !... (*Ménageant son effet.*) Je viens de faire... un béguin.

TOUS LES DEUX. – Hein !

TOURNEL. – Toi ?

FINACHE. – Vous ?

CHANDEBISE. – Ça vous la coupe, ça ? (*Passant au 2.*) Tenez !... Je n'invente rien. (*Lisant en appuyant sur chaque mot.*) *« Je suis celle qui ne vous a pas quitté des yeux, l'autre soir, au Palais-Royal... »*

TOURNEL. – Toi ?

FINACHE. – Vous ?

CHANDEBISE, *se dandinant.* – Moi, vous ! parfaitement ! Elle ne m'a pas quitté des yeux.

TOURNEL. – Ah ! bien ! celle-là !

CHANDEBISE, *lui serrant la main.* – Merci !

TOURNEL, *lui prenant la lettre des mains et continuant la lecture. – Vous étiez dans une loge avec votre femme et un monsieur...*

CHANDEBISE. – Et un monsieur ! voilà, c'est toi : « et un monsieur », c'est-à-dire X..., premier venu, grisaille, poussière.

TOURNEL. – Ah ! bien, dis donc !

CHANDEBISE. – Aha ! c'est bien mon tour. (*Lui reprenant la lettre et lisant.*) *« Des gens près de moi vous ont nommé, c'est comme ça que j'ai su qui vous étiez... »*

TOURNEL, *railleur.* – Belle malice !

CHANDEBISE. – *« Depuis ce temps, je ne rêve que de vous... »*

TOUS DEUX, *n'en revenant pas.* – Non ?

CHANDEBISE, *se pâmant.* – Elle ne rêve que de moi ! (*Envoyant une bourrade à Tournel.*) Eh ! Tournel !

TOURNEL. – Il y a ça ?

CHANDEBISE, *avec suffisance, tout en faisant constater sur la lettre.* – Mais oui, mon vieux ! Il y a ça !...

FINACHE, *devant l'évidence.* – Eh ! oui, il y a ça !

TOURNEL, *n'en revenant pas.* – Dieu ! que c'est curieux ! (*A Finache.*) Vous ne trouvez pas ?

FINACHE, *ne sachant que répondre.* – Pffeu ! Tous les rêves sont dans la nature.

TOURNEL. – Évidemment !... (*Moqueur.*) Ça doit dépendre de l'estomac.

CHANDEBISE. – Ah bien ! dis donc, toi.

TOURNEL. – Non ! je ris...

CHANDEBISE, *poursuivant sa lecture.* – *« Je suis prête à faire une folie. Voulez-vous la faire avec moi ? » (Parlé.)* Pauvre petite. Elle tombe bien ! (*A Finache.*) Hein, Finache ?

FINACHE. – Pourquoi donc ?

CHANTEBISE. – Allons, voyons ! après ce que je vous ai dit !

FINACHE, *avec un geste d'insouciance.* – Ah ! bah !

Il va s'asseoir à la droite de la table.

CHANDEBISE, *lisant.* – *« Je vous attendrai aujourd'hui à cinq heures à l'hôtel du Minet Galant. »*

FINACHE, *sursautant.* – A l'hôtel du Minet Galant ?

CHANDEBISE, *gagnant jusqu'à la gauche de la table.* – Oui ! Montretout[6], Seine.

FINACHE. – Oh ! mais bravo ! C'en est une qui la connaît !... C'est une pratique !

CHANDEBISE, *s'asseyant.* – Pourquoi ? Est-ce que cet hôtel ?...

FINACHE. – Un rêve, mon cher. C'est toujours là que je fais mes farces.

CHANDEBISE. – Voyez-vous ça ! Ce que c'est que d'être une âme pure ! Je l'ignorais.

FINACHE. – Ah ! bien ! Je suis sûr que Tournel !...

TOURNEL, *tout en gagnant au-dessus de la table de façon à occuper le 2.* – Ah ! non. Je connais de nom, mais c'est tout.

CHANDEBISE, *brusquement.* – Ah ! mes amis !

TOUS DEUX. – Quoi !

CHANDEBISE. – Elle a pleuré.

TOURNEL et FINACHE. – Non ?

CHANDEBISE. – Parfaitement ! Elle a pleuré ! Tenez. (*Lisant.*) *« Post-scriptum. Pourquoi, en vous écrivant, ne puis-je retenir mes larmes ? Ah ! faites que ce soient des larmes de joie et non de désespoir.* » Pauvre petit cœur ! Et il n'y a pas à dire que ça n'est pas. Regardez, elle a inondé.

Il présente la lettre sous le nez de Tournel qui est debout, les deux mains appuyées sur la table.

TOURNEL, *flairant la lettre.* – Ah ! mes enfants !

TOUS DEUX. – Quoi ?

TOURNEL. – Oh ! mes enfants ! Qu'est-ce qu'elle fourre donc dans ses larmes qui sent si fort ?

Il descend, n° 1, au milieu de la scène.

FINACHE. – Chut ! La larme a son secret, la larme a son mystère ! Un mélange ! respectons son secret.

CHANDEBISE, *se levant.* – Oui ! blaguez ! blaguez !... Aha ! mon vieux Tournel, moi aussi je fais des béguins. Ainsi, pendant que nous étions là, au Palais-Royal, que nous ne nous doutions de rien, une femme nous dévorait des yeux.

TOURNEL. – Voilà !

CHANDEBISE, *à Tournel.* – Tu as remarqué qu'une femme nous faisait de l'œil ?

TOURNEL. – Non !... C'est-à-dire, il m'avait bien semblé m'apercevoir un moment, mais je croyais que c'était à moi, alors !

CHANDEBISE. – Ah ! vraiment, tu... (*Brusquement.*) Oh ! mais triple idiot que je suis !... Évidemment !... évidemment !

TOURNEL et FINACHE. – Quoi ?

Finache se lève.

CHANDEBISE. – Ce n'est pas moi qui lui ai tapé dans l'œil, c'est toi !

TOURNEL. – Moi ?

CHANDEBISE. – Mais dame ! C'est toi qu'elle a pris pour moi ! Et comme on a dit mon nom en désignant la loge, naturellement, comme elle ne regardait que toi...

TOURNEL, *fat.* – Tu crois ?...

CHANDEBISE. – Parbleu !

TOURNEL, *même jeu.* – Ah ! peut-être !... Oui.

CHANDEBISE. – Mais regarde-moi ! Est-ce que je puis inspirer des béguins, moi ?... Tandis que toi !... mais c'est tout naturel, c'est ta fonction. (*A Finache.*) C'est sa fonction. (*A Tournel.*) Tu as l'habitude de tourner la tête aux femmes ! Tu es beau !

TOURNEL, *très flatté, se défendant pour la forme.* – Allons ! Allons !

CHANDEBISE. – Mais si, quoi ! C'est pas un mystère.

FINACHE. – Avec çà que vous ne le savez pas !

TOURNEL. – Non ! j'ai du charme, voilà tout.

CHANDEBISE. – Là ! il a du charme ! Ah ! Cocotte, va ! je ne te le fais pas dire ! Enfin, quoi ! il y a des femmes qui se sont suicidées pour toi ! Est-ce vrai, oui ou non ?

TOURNEL, *modeste.* – Oh !... une !

CHANDEBISE. – Ah !

TOURNEL. – Et encore, elle va très bien.

CHANDEBISE. – Enfin, ça n'empêche pas.

TOURNEL. – De plus, c'est très contestable. Elle s'est empoisonnée en mangeant des moules.

CHANDEBISE et FINACHE. – Des moules ?

TOURNEL. – Je venais de la quitter ! Elle a répandu le bruit que c'était par chagrin !... Mais elle a beau dire, quand on veut mourir, on ne choisit pas les moules..., c'est trop aléatoire.

CHANDEBISE, *sur un ton catégorique.* – Allons ! Allons ! Il n'y a pas d'erreur, cette lettre est à mon nom, mais elle est à ton adresse.

TOURNEL, *hésitant, à Finache.* – Qu'est-ce que vous en pensez ?

FINACHE, *ouvrant de grands bras et ne voulant pas s'engager.* – Oh ! moi !...

CHANDEBISE. – Mais oui, mais oui ! Eh ! bien, puisqu'elle est à ton adresse, c'est toi qui iras.

TOURNEL, *se défendant sans conviction.* – Ah ! non ! non !

CHANDEBISE. – D'abord moi, ce soir, je ne suis pas libre ! Nous donnons un banquet à notre directeur d'Amérique, ainsi !...

TOURNEL. – Non ! écoute, non, vraiment !...

CHANDEBISE. – Allons donc ! Tu en meurs d'envie !

TOURNEL. – Tu crois ?

CHANDEBISE. – Tiens, regarde ton nez !... il titille !

TOURNEL, *louchant en regardant le bout de son nez.* – Il titille ! mon nez ! Eh ! bien, alors, j'accepte.

CHANDEBISE, *lui envoyant sur l'épaule une tape amicale qui le fait passer au n° 2.* – Ah ! Cocotte ! va !

Il remonte un peu.

TOURNEL. – D'autant plus que ça me va assez. (*A Finache.*) J'avais précisément fait liaison nette en prévision d'une aventure sur laquelle je comptais et qui se trouve momentanément retardée.

CHANDEBISE, *qui est redescendu et surgit entre eux.* – Ah ! avec qui ?

TOURNEL, *interloqué par l'apparition de Chandebise.* – Mais avec... euh !... je ne peux pas te le dire !

Il passe au n° 1.

CHANDEBISE, *à Finache en singeant Tournel.* – Y peut pas me le dire ! (*A Tournel.*) Ah ! Cocotte, va !

TOURNEL. – Ton inconnue me servira d'intérim.

CHANDEBISE, *sur un ton sautillant.* – Très heureux de te la céder.

TOURNEL, *l'imitant.* – On n'est pas plus aimable ! (*Sans transition.*) Allez ! donne-moi la lettre !

CHANDEBISE. – Hein ! Ah ! non ! D'ailleurs, pourquoi faire ! Tu n'en as pas besoin !... tu n'as qu'à aller à l'hôtel en question et demander la chambre à mon nom. Tu comprends, des lettres comme ça, je n'en reçois pas si souvent ! Je veux au moins que si, un jour, mes petits enfants – en admettant que j'en aie – trouvent celle-ci dans mes papiers, ils puissent se dire : « Fallait-il que grand-père fût beau pour exciter des passions pareilles !... » Je serai au moins beau dans la postérité !... Allez, Finache, venez m'ausculter.

TOURNEL, *emboîtant le pas derrière lui.* – Eh bien ! et les signatures ?

Il est remonté au-dessus de la table et brandit son dossier.

CHANDEBISE. – Deux minutes et je suis à toit. Tenez Finache, passons par là, nous ne serons point dérangés.

FINACHE. – A vos ordres ! *Ils sortent de droite, premier plan.*

SCÈNE X

TOURNEL, puis RAYMONDE, puis CAMILLE

TOURNEL, *son dossier à la main, ronchonnant.* – Deux minutes ! Deux minutes ! Après ça, ce sera autre chose. (*Après un temps, souriant complaisamment.*) Hôtel du Minet Galant !... quelle peut être encore cette femme qui s'est éprise de moi ?

RAYMONDE, *son chapeau sur la tête.* – Monsieur Chandebise n'est pas là ?

TOURNEL. – Il est par là avec le docteur. Je puis l'appeler.

RAYMONDE. – Non ! Non ! Ne le dérangez pas !... Si vous le voyez tout à l'heure, vous lui direz que je sors avec Madame de Histangua..., que si je rentre tard, il n'ait pas à s'inquiéter, que je resterai peut-être à diner avec une amie.

TOURNEL. – Oh bien ! je crois que lui-même ne rentrera pas de bonne heure non plus, alors !

RAYMONDE, *vivement pour le faire se couper.* – Ah ! Pourquoi donc ça ?

TOURNEL, *qui n'y entend pas malice.* – Hein ? Mais parce qu'il m'a dit, je crois, qu'il banquetait ce soir avec son directeur d'Amérique.

RAYMONDE. – Ah ! Il vous a dit ! Je ne suis pas fâchée de le savoir. Eh bien ! c'est faux... car c'est demain qu'a lieu ce banquet !... J'ai vu l'invitation, alors !...

TOURNEL. – Ah !... Oh ! mais alors, c'est qu'il se trompe de jour, je vais lui dire.

Il faut mine d'aller retrouver Chandebise.

RAYMONDE, *l'arrêtant du geste.* – Non ! Non ! il ne se trompe pas de jour. Ne faites pas de zèle inutile. Tout ça, c'est parfaitement intentionnel ; c'est un alibi pour lui permettre de revenir ce soir en disant qu'il a confondu la date... Je sais parfaitement à quoi m'en tenir.

TOURNEL, *voulant réparer son impair.* – Je vous assure ! Il était parfaitement sincère ! A moi, voyons, il n'a pas de raison de raconter des histoires.

RAYMONDE. – Ah ! Il en a donc vis-à-vis de moi ?

TOURNEL. – Hein ? Mais pas du tout. Vous me faites dire des choses que je ne dis pas !

RAYMONDE. – Oui ! Oh ! je comprends votre jeu, allez ! Comme vous savez que, maintenant que mon mari me trompe, vous n'avez rien à espérer de moi, alors, vous croyez très fin de me persuader que c'est le plus fidèle des époux.

TOURNEL. – Mais je vous assure, je vous parle sincèrement.

RAYMONDE. – Oui ? Eh ! bien, tant pis, ce sera tout comme... Adieu !

Elle remonte vers la gauche.

TOURNEL, *voulant la rattraper.* – Raymonde !

RAYMONDE. – Ah ! flûte !

Elle sort en lui fermant la porte au nez.

TOURNEL, *qui, instinctivement, a fait un bond en arrière, interloqué.* – Flûte ! Oh ! me répondre flûte ! Oh !...

CAMILLE, *arrivant du fond avec un verre rempli d'eau et un petit paquet d'acide borique. Le verre est sans pied et de couleur.* – Ah ! monsieur Tournel ! Eh ! bien..., êtes-vous de meilleure humeur ?

TOURNEL, *sur le même ton que Raymonde.* – Ah ! flûte, vous !

Tout en parlant, il passe devant lui et sort de droite deuxième plan...

CAMILLE, *reste un moment coi, puis.* – Quel mufle !

Il gagne au-dessus de la table puis, face au public, il pose son verre devant lui sur la table et se met à déplier le petit paquet d'acide borique.

Ce que j'ai eu de peine à mettre la main sur l'acide borique. (*Il verse le contenu du paquet dans le verre, puis prenant son verre d'une main, son palais d'argent de l'autre, il le tient un moment entre l'index et le pouce, telle l'hostie au-dessus du calice, puis, avec amour.*) Là ! trempe, mon palais !... trempe !...

Il écarte l'index du pouce et le palais tombe dans le verre qu'il va déposer sur la cheminée.

SCÈNE XI

CAMILLE, ÉTIENNE, puis HOMENIDÈS
puis CHANDEBISE et FINACHE, puis TOURNEL.

ÉTIENNE, *annonçant.* – Senor Don Homenidès de Histangua.

HOMENIDÈS, *descendant franchement en scène.* – Yo vous saloue !

CAMILLE, *saluant.* – Ah ! Monsieur de Histangua !

HOMENIDÈS. – Et Mossieu Chandébisse, il n'est pas là ?

CAMILLE. – Si, si, mon cousin est à vous tout de suite, il est occupé avec son médecin.

HOMENIDÈS. – Ah ! bueno ! bueno [7] !

A ce moment la porte de droite s'ouvre et paraissent Finache et Chandebise.

CAMILLE. – Eh ! justement, les voici.

FINACHE, *remontant par l'extrême droite comme un homme qui va s'en aller.* – En somme, pas autre chose à faire que ce que je vous ai dit.

CHANDEBISE. – Parfait ! C'est entendu !

HOMENIDÈS. – Cher ami... yo souis le vôtre !

CHANDEBISE. – Ah ! mon cher ! comment ça va ?

HOMENIDÈS. – Mais bueno ! Et le docteur aussi ? La santé, ça va ?

FINACHE. – Mais toujours ! vous de même ? Excusez-moi, mais justement je m'en allais !

HOMENIDÈS. – Oh ! yo [8] vous prie.

FINACHE. – Allons ! au revoir.

TOUS. – Au revoir.

FINACHE, *au moment de sortir, s'arrêtant sur le pas de la porte.* – Ah !... et pour celui qui ira : bon Minet Galant !

CAMILLE, *qui est au-dessus de la table, pirouettant sur les talons.* – Oh ! l'idiot !

Il s'éclipse par la droite, fond.

FINACHE. – Au revoir.

Il sort.

HOMENIDÈS, *une fois Finache sorti.* – Et dites ?... Mon épousse, il est là ?

CHANDEBISE. – Parfaitement, avec ma femme.

HOMENIDÈS. Oui. Yo lo souppossais... d'ailleurs. Elle m'avait dit qu'elle allait prendre mon devant.

CHANDEBISE, *qui ne comprend pas, regarde Homenidès, étonné.* – Elle allait prendre votre devant ?

HOMENIDÈS. – Oui ! Enfin, elle est venoue ?

CHANDEBISE. – Ah ! qu'elle allait venir en avant !

HOMENIDÈS. – Eh ! c'est lé même !

CHANDEBISE. – Oui, oui... Voulez-vous que je la prévienne ?

HOMENIDÈS. – Non ! yo la verrai tout à l'hore ! Ah ! Chandebise. Eh ! bien, yo l'ai été cet' matine à votre Compagnie. Yo l'ai vou, votre doctor.

CHANDEBISE. – Oui, c'est ce qu'il m'a dit.

HOMENIDÈS. – Oui... Il m'a fait ouriner.

CHANDEBISE. – Comment ?

HOMENIDÈS. – Ouriner ! P'sser !... P'sser !...

CHANDEBISE, *comprenant.* – Ah ! oui, parfaitement.

HOMENIDÈS. – Porque ça ?

CHANDEBISE. – Quoi ?

HOMENIDÈS. – Qu'il m'a fait ouriner ?

CHANDEBISE. – Dame ! Il faut bien, pour savoir si vous êtes en état d'être assuré.

HOMENIDÈS. Qué ça lé récarde ? Ce n'est pas moi qué yo m'assoure, c'est ma femme.

CHANDEBISE, *interloqué.* – Hein ? Ah ! ah !... vous ne m'aviez pas dit.

HOMENIDÈS. – Yo vouss ai dit : yo vo faire oune assourance !... vous né mé l'avez pas demandé por qui.

CHANDEBISE, *jovial.* – Oh ! bien, c'est un petit malheur facilement réparable... Vous n'en êtes pas à ça près !... Madame Homenidès n'aura qu'à aller à la Compagnie et...

HOMENIDÈS. Et qué ?... On lui fera faire comme à moi ?

CHANDEBISE. – Ah ! dame !

HOMENIDÈS, *très froid, très pincé, mais très net.* – Yo lé vo pas !

CHANDEBISE. – Mais...

HOMENIDÈS, *élevant le ton à mesure.* – Yo lé vo pas ! yo lé vo pas ! (*Le dernier « yo lé vo pas » très scandé et appuyé.*) Yo lé vo pas.

En parlant il passe devant Chandebise.

CHANDEBISE. – Mais, voyons !... il faut être raisonnable ! c'est la règle !

HOMENIDÈS, *faisant une volte sur lui-même qui le met face à face avec Chandebise, avec violence.* – Les règles, yo les brisse ; yo l'ai p'ssé pour elle.

CHANDEBISE, *bien énergiquement.* – Ah ! mais non !... Ce n'est pas possible !

HOMENIDÈS, *repassant au 2.* – Eh ! Bueno ! Elle sera pas assourée, voilà tout !

CHANDEBISE. – Voyons ! Vous n'êtes pas si jaloux ?

HOMENIDÈS. – Cé n'est pas la yhaloussie, mais yo trouve qué c'est unférior à la dignité.

CHANDEBISE. – Oh ! préjugé !...

HOMENIDÈS. – Yhaloux, moi ! Oh ! non, yo né lé souis pas.

CHANDEBISE, *voulant être aimable.* – Vous êtes sûr de la fidélité de madame de Histangua. Ça ne m'étonne pas, du reste !

HOMENIDÈS. – Il n'est pas ça !... Mais yo sais qu'elle sait que yo serais terriple ! elle n'osserait pas.

CHANDEBISE. – Ah ?

HOMENIDÈS, *tirant un revolver de sa poche dont il présente le canon à Chandebise.* – Vous voyez ce bipelot ?

CHANDEBISE, *se garant instinctivement avec la main et courant autour d'Homenidès comme autour d'un axe, ceci afin de fuir le canon du revolver. Il passe ainsi au 2.* – Eh ! là ! Chut ! Allons ! Allons ! Ne jouez pas avec ces choses-là.

HOMENIDÈS, *en haussant les épaules.* – Il n'est pas dé dancher. Il est la baguette.

CHANDEBISE, *peu rassuré.* – Oui, enfin !...

HOMENIDÈS, *les dents serrées.* – Si yo la pinçais avec oun mossieur, ah ! ah ! le mossieur ! il récévrait oun malle... dans le dos !... qui lui réssortirait... dans le dos.

CHANDEBISE, *ahuri.* – Hein ! à lui ?

HOMENIDÈS, *brutal, et presque crié.* – Non !... à elle !...

CHANDEBISE. – Ah ! ah ?... Oui, oui... Ah ! parce que vous supposez que...

Geste des mains esquissant le rapprochement de deux individus.

HOMENIDÈS. – Quoi ? Yo soupposse !... quoi ? Yo soupposse !

CHANDEBISE, *voulant éviter de le mettre en colère.* – Non ! rien ! rien !

HOMENIDÈS, *plus calme.* – Comme elle sait. Yo l'ai prévenoue à notre nouit de noces.

CHANDEBISE, *à part.* – Charmante déclaration !

HOMENIDÈS, *remettant le revolver dans la poche et gagnant la gauche.* – Elle ne s'y frotterait pas !

TOURNEL, *paraissant à la porte de droite.* – Eh ! bien, voyons, mon vieux !

CHANDEBISE. – Un instant ! un instant !

TOURNEL. – Non ! écoute, tu sais !... j'ai autre chose à faire.

CHANDEBISE. – Tout de suite !... prépare les pièces, je suis à toi dans une seconde.

TOURNEL, *avec un peu d'humeur.* – Oh !

Il rentre dans la pièce dont il referme la porte derrière lui.

HOMENIDÈS. – Quel est cet homme ?

CHANDEBISE. – M. Tournel.

HOMENIDÈS. – Tournel ?

CHANDEBISE. – Un ami à moi, qui est en même temps courtier de la compagnie.

HOMENIDÈS. – Ah !

CHANDEBISE, *croyant Tournel toujours là et voulant le présenter.* – Un charmant garçon ! M. Tournel, tiens !...

Il n'est plus là !... qui n'a qu'un défaut,... coureur comme une fille !

HOMENIDÈS, *avec indulgence.* – Pfffeu !

CHANDEBISE. – Il est pressé de s'en aller parce que justement il y a une femme qui l'attend.

HOMENIDÈS, *riant.* – Aha !

CHANDEBISE, *avec un peu de fatuité.* – Quant je dis « qui l'attend », c'est peut-être moi... (*Tirant à moitié de la poche à mouchoir de son veston la lettre qu'il caresse complaisamment de la main tout en parlant.*) Car c'est à moi qu'elle a écrit une lettre bouillante d'amour !

HOMENIDÈS, *intéressé.* – Es verdad[9] ? (*Poussé par la curiosité.*) Et quelle est cette femme ?

CHANDEBISE. – Je l'ignore ! Ce n'est pas signé.

Il tire la lettre complètement de sa poche.

HOMENIDÈS, *profond.* – Quelque anonyme, peut-être.

CHANDEBISE. – J'en arrive à le croire. Ça doit être une femme du monde..., quelque femme mariée.

HOMENIDÈS. – A quoi vous vîtes ?

CHANDEBISE, *qui ne comprend pas.* – S'il vous plaît ?

HOMENIDÈS, *répétant plus haut.* – A quoi vous vîtes ?

CHANDEBISE, *répétant machinalement.* – A quoi je vite ! oui, oui, mais... au style d'abord,... au ton. Les cocottes sont moins sentimentales et plus positives. Tenez, voyez plutôt.

Il a déplié la lettre et la tend à Homenidès.

HOMENIDÈS, *riant tout en prenant la lettre.* – Alors, il y a oun cocou, là-dedans ?

CHANDEBISE. – Ça vous fait rire ?

HOMENIDÈS, *jubilant, voix de tête.* – Ça m'amousse !

CHANDEBISE. – Mauvaise âme.

HOMENIDÈS, *parcourant des yeux la lettre et poussant un cri.* – Ah !

CHANDEBISE, *ahuri.* – Quoi ?

HOMENIDÈS, *éclatant tout en arpentant la scène à grandes enjambées jusqu'à l'extrême gauche.* – Caramba ! Hija de la perra que te parió[10] *!*

CHANDEBISE. – Qu'est-ce que vous avez ?

HOMENIDÈS. – L'escritoure de ma femme !

CHANDEBISE, *sursautant.* – Qu'est-ce que vous dites ?

HOMENIDÈS, *bondissant sur lui et l'acculant contre la table.* – Ah ! Missérable ! Canaille !

CHANDEBISE, *essayant de se dégager.* – Eh ! là, eh ! là.

HOMENIDÈS, *le tenant d'une main à la gorge, de l'autre cherchant son revolver dans la poche de derrière de son pantalon.* – Mon bouledogue [11] ! où est mon bouledogue ?

CHANDEBISE, *cherchant instinctivement par terre autour de lui.* – Il y a un chien ?

HOMENIDÈS, *tirant son revolver de sa poche.* – Ah ! le voilà !

CHANDEBISE, *à la vue du revolver braqué sur lui.* – Allons ! voyons ! voyons !

HOMENIDÈS, *armant son revolver, tout en maintenant Chandebise contre la table en lui enfonçant son genou dans le ventre.* – Ah ! Madame te l'écrit !

CHANDEBISE, *se dégageant et gagnant la droite par-devant la table.* – Mais non ! Mais non ! D'abord, ce n'est sûrement pas votre femme !... toutes les femmes ont la même écriture aujourd'hui.

HOMENIDÈS, *gagnant un peu à gauche.* – Allons donc ! yo la connais !...

CHANDEBISE. – Et puis d'abord, quoi ? Ça n'est pas moi qui y vais, c'est Tournel.

HOMENIDÈS. – Tournel ? Quouel ? L'homme qu'il était là tout à l'hore ! Bueno ! yo le touerai !

CHANDEBISE, *remontant vivement jusqu'à la porte du fond droit par la droite de la table.* – Hein ? Mais non, voyons ! puisqu'il n'y a encore rien de fait !... je vais aller prévenir Tournel et tout sera arrangé.

HOMENIDÈS, *qui est remonté parallèlement, mais plus vite que lui pour lui barrer le chemin.* – Yo vous lé défends ! yo veux laisser consommer la chose ! yo l'ai la preuve et yo toue !

CHANDEBISE, *essayant de l'amadouer.* – Voyons, Histangua !

A ce moment à la cantonade on entend le brouhaha des voix de Lucienne et de Raymonde.

HOMENIDÈS, *poussant Chandebise vers la porte de droite premier plan en le menaçant du revolver.* – J'entends la voix de ma femme, rentre là, toi !

CHANDEBISE. – Histangua, mon ami !

HOMENIDÈS, *féroce.* – Ye souis ton ami, mais yo té toue comme oun chien. (*Chandebise veut parler.*) Allez ! Allez ! ou yo tire.

CHANDEBISE, *ne se le faisant pas dire deux fois et disparaissant par la porte que lui indique Homenidès.* –

Non ! Non !...

Homenidès donne un tour de clef, puis s'éponge le front, suffoquant presque.

SCÈNE XII

HOMENIDÈS, puis LUCIENNE, RAYMONDE, puis TOURNEL

LUCIENNE, *arrivant, suivie de Raymonde.* – Ah ! vous étiez là, mon ami.

HOMENIDÈS, *s'efforçant de paraître calme.* – Oui, y'étais là ! y'étais là !

RAYMONDE, *passant devant Lucienne pour aller à Homenidès.* – Oh ! bonjour, M. de Histangua !

HOMENIDÈS. – Bonyour, Madame... Ça va bien, oui ?... lé mari ?...

RAYMONDE. – Mais oui, merci !

HOMENIDÈS. – Les enfants ?

RAYMONDE. – Mais... je n'en ai pas.

HOMENIDÈS. – Ah ! ah ! Dommage !... Alors, bueno !... cé séra pour une autre fois.

RAYMONDE, *riant.* – Évidemment ! Évidemment !

LUCIENNE, *qui l'observe depuis un instant.* – Qu'est-ce que vous avez ?

HOMENIDÈS, *avec une rage contenue.* – Yo n'ai rien, quoi ? Yo n'ai rien !...

LUCIENNE, *peu convaincue.* – Ah !... je sors avec Raymonde. Vous n'avez pas besoin de moi ?

HOMENIDÈS, *même jeu.* – Non ! non ! allez, yo vous prie... Allez !

LUCIENNE. – Alors, au revoir !

RAYMONDE. – Au revoir, cher Monsieur.

HOMENIDÈS, *rageur.* – Au revoir, Madame, au revoir.

LUCIENNE, *qui veut en avoir le cœur net.* – Qué tienes, querido mió ? Qué te pasa por que me pones una cara así [12] ?

HOMENIDÈS, *d'autant plus nerveux qu'il veut persuader qu'il n'a rien.* – Te aseguro que no tengo nada [13].

LUCIENNE. – Ah ! Jesús ! Qué carácter tan insoportable tienes !

Elles sortent.

HOMENIDÈS, *aussitôt les femmes sorties, éclatant.* – Oh ! sin vergüenza [14] ! oh ! la garça ! la garça !

Il est arrivé à l'extrême droite quand on entend tambouriner à la porte de droite premier plan. Bondissant jusqu'à la porte.

HOMENIDÈS. – Assez ! là, ou yo tire !

Le bruit cesse. Il remonte nerveusement par la droite et arrive à proximité de la porte du fond quand celle-ci s'ouvre pour livrer passage à Tournel.

TOURNEL, *à Homenidès.* – M. Chandebise n'est pas là ?

HOMENIDÈS, *à part, serrant les dents.* – L'autre à présent, le Tournel. (*Haut, avec des sourires sous lesquels on sent l'envie de mordre.*) Non, mossieur, non, il n'est pas là.

TOURNEL, *sans s'apercevoir de l'état d'Homenidès.* – Ah ! bien. Si vous le voyez, ayez l'obligeance de lui dire que j'ai laissé toutes les pièces sur le bureau, il n'aura qu'à relever les noms.

HOMENIDÈS, *bien face à Tournel.* – Oui, mossieur, oui !

TOURNEL. – Quant à moi..., je ne peux pas l'attendre plus longtemps.

HOMENIDÈS, *nerveux à travers son amabilité affectée.* – C'est ça, allez, allez !

TOURNEL, *étonné.* – Comment ?

HOMENIDÈS, *s'emportant.* – Allez ! ou yo vous... !

Ses mains, à portée du cou de Tournel, se crispent comme pour l'étrangler.

TOURNEL. – Ou je vous quoi ?

HOMENIDÈS, *se maîtrisant sur-le-champ.* – Mais rien du tout, mossieur, rien du tout. (*Très aimable.*) Allez ! Allez !

TOURNEL. – Ah ! (*Remontant.*) Drôle d'individu ! (*Saluant.*) Monsieur !

Tournel sort du fond.

HOMENIDÈS. – Ah ! Y'étouffe. (*Apercevant le verre dans lequel trempe le palais de Camille et courant vers lui.*) Ah ! (*Il en avale goulûment le contenu.*) Ah ! ça fait dou bien ! (*Soudain, se rendant compte du goût de ce qu'il a bu.*) Pouah !... qu'est-cé qu'ils ont fourré là-dedans qui l'est salé ?

Il dépose avec dégoût le verre vide sur la table et redescend par l'extrême droite.

SCÈNE XIII

HOMENIDÈS, CAMILLE puis CHANDEBISE, puis TOURNEL

CAMILLE, *paraissant du fond droit et descendant par la gauche de la table.* – M. de Histangua ! tout seul ?

HOMENIDÈS, *bondissant vers lui.* – Oh ! vous !... (*Se calmant aussitôt.*) Vouss arrivez bien ! yo m'en vais !

CAMILLE. – Ah !

HOMENIDÈS. – Quand yo serai parti (*désignant la porte droite, premier plan*) cette porte-là ! allez !... je vouss autorisse !... ouvrez à votre maître !... allez !

En parlant, il l'a pris par le revers de son veston et le fait passer ainsi au 2.

CAMILLE, *ahuri par cette bousculade.* – Comment, à mon maître ?

HOMENIDÈS, *avec rage, gagnant le fond à grandes enjambées.* – Oh ! sin vergüenza ! cómo podría imaginarone que mi mujer tuviese un amante[15] !

Il sort comme un énergumène.

CAMILLE, *après l'avoir regardé sortir, l'air à moitié ahuri, moitié moqueur, le singeant.* – Que mi mujer tuviese un amante ! (*Riant.*) On ne comprend pas un mot de ce qu'il dit ! (*Allant vers la porte de droite, premier plan.*) À mon maître ! Quel maître ? (*Il ouvre la porte de droite premier plan. Avec un recul en voyant paraître Chandebise tout défait.*) Toi ?

CHANDEBISE, *encore transi de peur, n'osant s'aventurer dans la pièce.* – Il est parti ?

CAMILLE. – Qui ?

CHANDEBISE, *toujours dans le chambranle de la porte.* – Ho... Homenidès ?

CAMILLE. – Oui !

CHANDEBISE, *même jeu.* – Et Madame Homenidès ?

CAMILLE. – Aussi, avec Raymonde.

CHANDEBISE. – Allons, bien... Et Tournel ?

CAMILLE. – Il vient de partir.

CHANDEBISE, *passant devant lui.* – Parti aussi ! c'est la guigne ! oh ! il n'y a pas un moment à perdre ! Qui envoyer là-bas pour les prévenir à leur arrivée ? (*Trouvant.*) Ah ! Étienne.

CAMILLE. – Où ça, là-bas ?

CHANDEBISE. – Eh ! bien, au chose, au machin !... Ah !

zut ! là-bas, enfin ! (*Le prenant pas les revers de son veston.*) Nous sommes sur un volcan ! un drame épouvantable ! un double assassinat, peut-être.

CAMILLE, *sursautant.* – Qu'est-ce que tu dis ?

CHANDEBISE. – Voyons ! J'ai le temps avant le banquet de courir jusque chez Tournel ! Attends moi ! Mon chapeau ! où est mon chapeau.

Il gagne le 2.

CAMILLE. – Ah ! mon Dieu, qu'est-ce qui se passe ?

CHANDEBISE, *vivement.* – Ah ! Je n'ai pas le temps de t'expliquer. Si, pendant mon absence, Tournel revenait ici pour une raison quelconque, dis-lui surtout qu'il n'aille pas au rendez-vous qu'il sait..., il y va de sa vie !

CAMILLE, *bondissant.* – De sa vie !

CHANDEBISE. – Tu as bien compris ?... De sa vie !

CAMILLE, *affolé.* – Oui, oui, de sa vie !

CHANDEBISE. – Quel drame, mon Dieu, quel drame !

Il sort droite premier plan.

CAMILLE, *gagnant la gauche.* – Ah ! çà ! qu'est-ce qu'il y a donc dans l'air aujourd'hui ? Qu'est-ce qu'ils ont tous ?

TOURNEL, *faisant une brusque apparition à la porte du fond.* – J'ai dû laisser ma serviette ici.

CAMILLE. – Tournel !

TOURNEL, *prenant sa serviette sur la table.* – Ah ! la voici !

CAMILLE, *bondissant vers lui. Précipité et incompréhensible.* – Au nom du ciel ! N'allez pas où vous savez ! il y va de votre vie !

TOURNEL. – Quoi ?

CAMILLE, *s'aggrippant éperdument à lui.* – Au rendez-vous ! au rendez-vous ! n'y allez pas !... il y va de votre vie !

TOURNEL, *le faisant pivoter et le rejetant au loin pour s'en dégager.* – Ah ! fichez-moi la paix ! Je ne comprends pas ce que vous dites !...

CAMILLE, *reprenant vivement son équilibre et courant après lui.* – Tournel !... Tournel !...

TOURNEL, *s'échappant.* – Zut ! bonsoir !

Il sort précipitamment au fond.

CAMILLE, *courant à la cheminée où il a laissé le verre qu'il ne retrouve pas.* – Mon Dieu ! mon palais !... où a-t-on mis mon palais ? (*Avisant le verre sur la table.*)

Ah ! le voilà ! (*Il enfonce rapidement le palais dans sa bouche et courant aussitôt vers le fond.*) Tournel ! Tournel !

CHANDEBISE, *son chapeau sur la tête, accourant aux cris.* – Après qui en as-tu donc comme ça ?

CAMILLE, *un pied dans le vestibule, un pied dans le salon, avec volubilité et le plus clairement du monde.* – Mais après Tournel !... Je n'ai jamais vu une brute pareille ! Je lui ai dit tout ce que tu m'avais chargé de lui dire !... il n'a même pas voulu m'écouter.

CHANDEBISE, *ahuri, se laissant tomber sur un siège.* – Ah !... il parle !...

CAMILLE, *courant et appelant pendant que le rideau tombe.* – Tournel !... Tournel !... Eh ! Tournel !

RIDEAU

ACTE II

A Montretout. Le premier étage de l'hôtel du Minet Galant. Pour répondre à son enseigne, tout y est galant, chatoyant, suggestif.

La scène est divisée en deux. A gauche, occupant à peu de chose près les trois cinquièmes de la scène, un grand hall auquel on accède par un escalier au fond, escalier qui se prolonge aux étages supérieurs. A gauche, premier plan, une console contre le mur. Au-dessus de la console, patères auxquelles sont accrochés un dolman de livrée et une casquette de chasseur. Au deuxième plan, une porte ouvrant sur la chambre occupée par Rugby. Au troisième plan, couloir conduisant à d'autres chambres ; la porte d'une de celles-ci est visible de face au public. Entre cette porte et le hall, contre le mur, est suspendu un tableau de sonneries électriques. A droite du hall, la cloison qui sépare le dit hall des deux chambres contiguës, la première visible au public. Cette cloison se termine au premier plan en col de cygne. Au deuxième plan, porte donnant accès au hall dans la chambre. Au troisième plan, porte donnant dans la chambre contiguë dont l'intérieur, par conséquent, n'est pas visible du public. Dans le hall, contre le col de cygne de la cloison, une banquette.

Dans la chambre de droite, au fond, un lit à baldaquin, rehaussé par une marche tapissée et à pans coupés. A droite du lit formant pan coupé, fenêtre donnant sur un jardin. Au premier plan droite, porte donnant sur le cabinet de toilette. A gauche, contre le col de cygne, une petite table en laqué blanc. Au fond, à gauche du lit, une chaise. Autre chaise entre la fenêtre et la porte du cabinet de toilette. De chaque côté du lit, dans l'encadrement du panneau du fond et placé à hauteur d'œil, un bouton de sonnette électrique. Ces boutons doivent être faits de la façon suivante : le bouton sur lequel on presse, large et peint en noir ; la rondelle de bois qui complète ce bouton, peinte en laqué blanc ; le tout appliqué sur une plaque mince et rectangulaire en bois laqué blanc de quatorze centimètres de large sur quinze de hauteur. Tracer un filet noir à un centimètre du bord intérieur de la plaque, puis un second filet parallèle au précédent et à un centimètre de ce dernier, puis enfin un filet en circonférence à un demi-centimètre de la rondelle de bois qui est appliquée sur la plaque ; tout ceci afin de donner de loin à ces sonnettes l'aspect d'une cible. Ces boutons actionnent, quand on les presse, des grelots de bois placés en coulisse par lesquels les machinistes sont avertis chaque fois qu'ils ont à faire manœuvrer la tournette du lit. Voici en quoi consiste cette tournette : dans *la marche sur laquelle repose le lit, se trouvent enchâssés deux disques, l'un, celui du dessous fixe et horizontal, de façon à corriger la pente de la scène, l'autre superposé mobile et roulant sur galets feutrés ou caoutchoutés. Le panneau du mur forme le diamètre de ce disque ; de sorte que lorsque les machinistes, au moyen d'un fil actionné par un tambour, font pivoter ce disque, le panneau et le lit tournent avec lui et font place au panneau et au lit de la pièce voisine : ces deux panneaux et ces deux lits doivent donc être identiques. La tête de ces lits, quand ils sont en scène, doit être du côté de la fenêtre, le pied, par conséquent, du côté de la porte. Pour cacher tout interstice entre le panneau et son encadrement, mettre des joints en caoutchouc qui serviront en même temps à amortir le choc à l'arrêt. Le mouvement de la tournette est en va-et-vient et ne fait, par conséquent, jamais le tour complet. Étant donné le lit qui est en scène au lever du rideau, chaque fois qu'on fera venir l'autre dans lequel est couché Baptistin, il arrivera de gauche à droite, et inversement s'en retournera de droite à gauche.***

* Dans cet acte, l'artiste chargé du rôle de Chandebise aura à incarner alternativement ce personnage et celui de Poche. Pour ce faire, des costumes truqués sont nécessaires. Dès le lever du rideau, l'artiste aura sous les effets de Poche, son costume de Chandebise qu'il ne quittera du reste de la soirée. Le costume de Poche est composé d'un pantalon de livrée vert bouteille ou bleu de capote d'infanterie (enfin peu voyant), d'un gilet semblable à boutons de cuivre, d'une chemise de cotonnade rose et de chaussons en feutre noir assez montants ; les chaussons, bien entendu, sont mis par-dessus les bottines vernies ; quant à la chemise elle n'est qu'apparente, ce sont des manches partant de l'emmanchure du gilet, et un devant à col rabattu cousu à l'ouverture du gilet ; un tablier et un foulard blanc de fausse soie complètent ce costume. C'est dans cette tenue que l'artiste jouera toute la première partie de l'acte jusqu'à la dernière scène de Poche avant la première entrée de Chandebise. A partir de là, chaque fois qu'il aura à revenir en Poche, comme il faut que les changements soient rapides, il aura un gilet et un pantalon semblables aux premiers, mais ceux-là complètement truqués, s'ouvrant par derrière et fermant à ressorts.

(Au surplus nous conseillons, pour la confection de cette livrée spéciale, de s'adresser à Fashionable House, 16, boulevard Montmartre – qui les a exécutés pour le théâtre des Nouveautés.)

SCÈNE PREMIÈRE

FERRAILLON, EUGÉNIE, puis OLYMPE, puis BAPTISTIN, puis RUGBY

Au lever du rideau, Eugénie est en train de terminer la chambre de droite.

FERRAILLON, *débouchant du couloir de gauche.* – Eugénie !... Eugénie !... (*Arrivant à la porte de la chambre de droite.*) Eugénie !

EUGÉNIE, *sans s'émouvoir, tout en plumeautant.* – Monsieur ?

FERRAILLON, *du pas de la porte.* – Qu'est-ce que vous faites ?

EUGÉNIE. – J'finis la chambre, Monsieur !

FERRAILLON, *entrant dans la pièce.* – Alors, vous appelez ça une chambre faite, vous ?

EUGÉNIE. – Mais, monsieur...

FERRAILLON. – Vous appelez ça une chambre faite ! Et ce lit, hein ! c'est un lit fait ? On dirait, ma parole, qu'il y a déjà des gens qui ont couché dedans.

EUGÉNIE, *entre chair et cuir.* – Dame, plutôt !

FERRAILLON. – Oh ! quoi ! quoi ! de l'esprit, maintenant ! Pas de ça, Lisette ! Non, mais dites tout de suite que vous prenez ma maison pour un hôtel borgne.

EUGÉNIE, *ironique.* – Oh !

FERRAILLON. – Non, mademoiselle ! vous saurez que c'est une maison de luxe ! un hôtel... comme il faut !... où il ne vient que des gens mariés.

Il redescend un peu à gauche.

EUGÉNIE. – Oui, mais pas ensemble.

FERRAILLON, *revenant vivement sur elle.* – Est-ce que ça vous regarde ? Ils ne le sont que davantage, puisqu'ils le sont chacun de leur côté. Mademoiselle se permet de juger ma clientèle, maintenant ! Allons, refaites-moi ce lit-là et un peu vite !

Il rejette les couvertures puis gagne le hall.

EUGÉNIE, *à part.* – Ah ! non, ce qu'il me court !

OLYMPE, *qui a paru au fond, arrivant d'en bas et portant une pile de draps. C'est le type de l'ancienne très jolie femme, envahie par la graisse, mais qui n'a pas abdiqué. 57 ans, mais ne les paraissant pas, trop serrée dans son corset, très peinte et très bijoutée.* – A qui en as-tu donc, Ferraillon ?

Elle va poser ses draps sur la console de gauche.

FERRAILLON. – C'est cette fille qui n'en fiche pas une secousse ! Ah ! là ! là ! je regrette de ne pas l'avoir eue un peu sous moi au régiment ! Ce qu'il aurait fallu qu'elle marche !

OLYMPE, *sévèrement.* – Oh ! Ferraillon !

FERRAILLON. – Hein ?... Oh ! qu'elle marche... qu'elle marche droit. Ah ! bien, si tu crois que je pense à la gaudriole ! Merci ! j'en vois trop, ça me dégoûte.

OLYMPE. – Ah ! j'espère !...

FERRAILLON, *apercevant Baptistin qui arrive d'en bas et paraît avec un air de chien battu. Allant à lui, le prenant au collet et le faisant passer au 2.* – Ah ! te voilà, toi ! D'où arrives-tu encore ? De chez le mastroquet, bien sûr !

BAPTISTIN. – Moi ?

FERRAILLON. – Il est cinq heures ! pourquoi n'es-tu pas dans ton lit... comme tu le devrais ? Enfin, veux-tu travailler, oui ou non ?

BAPTISTIN, *timide.* – Oui.

FERRAILLON. – Eh ! bien, alors, va te coucher ! (*Baptistin remonte et s'arrête à la voix de Ferraillon.*) C'est vrai, ça ! Voilà un être qui n'est bon à rien, qui a la chance d'avoir des rhumatismes... indiscutables, pour lesquels je lui fais des rentes !... Pourquoi ? Je me le demande !... parce que j'ai trop de cœur et que je n'ai pas voulu laisser un oncle à moi dans la mistoufle et monsieur n'a qu'une idée, se soustraire à ses devoirs pour courir chez les bistrots.

BAPTISTIN. – Écoute...

FERRAILLON. – Rien du tout ! (*Passant au 2.*) Ah ! les bistrots, voilà des boîtes qu'on devrait fermer au nom de la moralité publique. (*A Baptistin.*) Et si on avait eu besoin du vieux monsieur malade en ton absence, hein !... qui est-ce qui l'aurait fait à ta place, le vieux monsieur malade ? Pas moi, bien sûr ! Ça aurait été du propre en cas de flagrant délit !

BAPTISTIN. – Mais je savais que...

FERRAILLON. – C'est bon ! la ferme ! allez ! dans ta chambre et ouste ! là, au pieu !... qu'est-ce que c'est que ça donc ? (*Baptistin, soumis, rentre la tête basse dans la pièce de droite du fond.*) La voilà bien, la famille !... Tout lui est dû et ça ne doit rien à personne.

RUGBY, *surgissant hors de la chambre de gauche et bien dans le dos de Ferraillon.* – Nobody called ?

FERRAILLON (3), *sursautant et pivotant sur lui-même.* – Comment ?

RUGBY (2), *soupe au lait.* – Nobody called, I said !

Ferraillon et Olympe se regardent, ahuris.

Rugby, voyant qu'on ne l'a pas compris, plus doucement à Olympe. – Il you please, anybody called for me ?

OLYMPE (1). – Non, nobodé, nobodé, Monsieur !

RUGBY, *bougon.* – Huah !... thanks [16] !

Il rentre chez lui, furieux. Ferraillon et Olympe se regardent un instant, abrutis.

FERRAILLON, *après un temps.* – Qu'est-ce qu'il a dit ?

OLYMPE. – Je crois qu'il a demandé si personne n'était venu.

FERRAILLON. – C'est extraordinaire, cette manie qu'il a de vous parler en anglais. Est-ce que je ne lui parle pas en français, moi ?

OLYMPE. – Il ne sait pas notre langue.

FERRAILLON. – Ce n'est pas une raison pour que je comprenne la sienne. (*L'imitant.*) « Nobodécoll ». Ah ! il peut se vanter d'avoir le sourire, celui-là.

OLYMPE. – Le pauvre homme ! C'est la troisième fois qu'il vient et, chaque fois, la dame qu'il attendait lui a posé un lapin.

FERRAILLON. – On en poserait à moins ! S'il est ainsi avec les femmes : « Nobodécoll ! » Je comprends que ça les fasse filer !

OLYMPE, *approuvant.* – Ça ! (*Se disposant à reprendre sa pile de draps.*) Allons, je vais monter mes draps à la lingerie.

FERRAILLON. – Mais ne te donne donc pas la peine ! (*Appelant.*) Eugénie !

EUGÉNIE, *qui, pendant les scènes qui précèdent et après avoir refait le lit, a disparu dans le cabinet de toilette et vient de rentrer dans la chambre quelques répliques au-dessus.* – Monsieur ?

FERRAILLON. – Vous avez fini la chambre ?

EUGÉNIE, *son plumeau sous le bras et un broc à la main.* – Tout de même, Monsieur.

FERRAILLON, *au-dessus de la porte.* – Oui. Oh ! je sais bien ! Une chambre, c'est toujours fini quand on veut.

EUGÉNIE, *se dirigeant vers le couloir de gauche.* – Comme c'est toujours pour la redéfaire une fois qu'elle est faite !...

FERRAILLON. – Bon. Je vous dispense de vos réflexions

profondes et saugrenues. Voilà une pile de draps, vous allez la porter à la lingerie.

EUGÉNIE. – Moi ?

FERRAILLON. – Naturellement ! pas moi.

EUGÉNIE, *déposant son broc et son plumeau dans le couloir avec un soupir de résignation.* – Bien. (*A part.*) Quel métier de bourrique !

Elle remonte comme pour gagner l'escalier. A la voix d'Olympe, elle s'arrête.

OLYMPE. – Ah !... pendant que j'y pense ! (*Indiquant la pièce droite, premier plan.*) Vous ne disposerez pas de cette chambre, elle est retenue.

FERRAILLON, *allumant une cigarette.* – Ah ! par qui ?

OLYMPE. – Par M. Chandebise. (*A Eugénie.*) Vous vous rappellerez ?

EUGÉNIE. – Oui, Madame, le monsieur qui parle comme ça.

Elle prononce : « Parle comme ça » à la façon de Camille.

OLYMPE. – Précisément.

FERRAILLON, *qui s'est assis sur la banquette qui est contre le col de cygne.* – Ah ! il vient aujourd'hui ?

OLYMPE. – Oui ! Tiens, voici la dépêche qu'il envoie. (*Voyant Eugénie qui se rapproche et écoute.*) Ça va bien, Eugénie !

EUGÉNIE, *se méprenant.* – Moi, Madame ? Très bien, merci.

OLYMPE. – Non, je vous dis : ça va bien, je n'ai plus besoin de vous.

EUGÉNIE. – Ah ! oui ! Madame. (*A part en s'en allant.*) Ça m'étonnait aussi !

Elle remonte dans la direction de l'escalier du fond.

OLYMPE. – Non, prenez donc par l'escalier du couloir. Ça revient au même et vous ne risquez pas de croiser les clients avec votre pile de draps.

EUGÉNIE. – Oui, Madame.

Elle sort par le couloir de gauche.

OLYMPE, *à Ferraillon.* – Voilà ce qu'elle dit, la dépêche : « *Réserver pour tantôt 5 heures même chambre que dernière fois. Chandebise.* » Or celle qu'il avait la dernière fois, c'est celle-ci.

Elle indique la chambre de droite.

FERRAILLON, *se levant.* – Ah ! parfait !... Alors, on va y

jeter le coup d'œil du maître. (*Il entre dans la chambre, suivi de sa femme.*) Ah ! bien, c'est mieux.

OLYMPE. – Et le cabinet de toilette ; y a-t-il tout ce qu'il faut ? Très important, le cabinet de toilette !

Elle entre dans le cabinet de toilette.

FERRAILLON. – Maintenant, pressons un peu sur ce bouton pour voir si mon imbécile d'oncle est à son poste.

Il presse sur le bouton qui est à gauche du lit ; la cloison tourne sur son pivot, emmenant le lit qui est en scène et auquel fait place le lit de la chambre contiguë et dans lequel est Baptistin.

BAPTISTIN, *couché sur le dos, entonnant un refrain coutumier.* – Oh ! mes rhumatismes ! mes pauvres rhumatismes !

Il est en chemise de nuit, une marmotte sur la tête.

FERRAILLON, *l'arrêtant.* – Oui ! bon, ne te fatigue pas ! Ce n'est que moi.

BAPTISTIN, *se mettant sur son séant.* – Ah ! c'est toi ? Eh bien, tu vois, toi qui m'attrapes toujours ; j'y suis, à mon bureau.

FERRAILLON. – Eh ! bien, mon vieux ? Je te paie pour ça ! Allez, au tiroir ! (*Il réappuie sur le bouton, nouveau tour sur pivot de la cloison ramenant le premier lit.*) Tout va bien. (*Olympe sort du cabinet de toilette et emboîte le pas à son mari qui gagne le haut. Ferraillon, tout en marchant.*) Où est Poche ?

OLYMPE, *suivant son mari.* – A la cave, qui range le bois.

FERRAILLON, *extrême gauche.* – A la cave ?... Tu es folle ! Enfin, voyons, je t'ai dit qu'il n'avait qu'un défaut, celui de se saouler et tu l'envoies à la cave.

OLYMPE. – Mais le vin est cadenassé dans les casiers ; il n'y a pas de danger.

FERRAILLON. – Ah ! c'est que je le connais, le bougre ! Il a beau m'avoir juré qu'il était corrigé de son vice, je sais ce qu'en vaut l'aune. Je l'ai connu, moi, au régiment ; il a été trois ans mon brosseur ! Je les ai connus ses repentirs : ils allaient du lundi au samedi !... et le dimanche, v'lan ! la cuite hebdomadaire.

OLYMPE, *avec philosophie.* – Eh ! bien, il était dans le mouvement.

FERRAILLON. – Oui, c'était un précurseur. En attendant,

moi, je ne le collais pas au bloc !... mais je lui flanquais une de ces tripotées, ah !... qu'il en était corrigé jusqu'au samedi. Il n'y a que le dimanche que c'était à recommencer. Ce qui n'empêche que c'était une perle au service ! Honnête, travailleur... et dévoué ! Ah ! je pouvais le bousculer, celui-là, le malmener !... C'était une joie ! c'est-à-dire que, quand je lui flanquais mon pied quelque part, ah ! le roi n'était pas son cousin !

OLYMPE, *chatte, la tête contre l'épaule de Ferraillon et les yeux au ciel.* – Tu bats si bien !

FERRAILLON, *modeste.* – Oui, oh !... je battais ! Maintenant... on se fatigue, tu sais... C'est égal, voilà un serviteur comme je les aime !... Ce n'est pas comme les domestiques d'aujourd'hui, à qui on ne peut parler qu'avec la bouche en cul de poule... Aussi, quand il y a quinze jours je l'ai retrouvé sans place, je n'ai pas hésité à le prendre à notre service.

OLYMPE, *gagnant la droite du hall.* – Tu as joliment bien fait !

A ce moment, dans l'escalier, venant des dessous, paraît Poche, un crochet de bois sur le dos. Il est en tenue de travail : pantalon et gilet de livrée, tablier à bavette et chaussons de feutre, cheveux mal peignés comme un homme qui vient de faire son ouvrage. A le regarder, c'est le sosie absolu de Chandebise, seulement en vulgaire, en lourdaud ; c'est le même homme, mais d'une couche sociale inférieure. Il tient à la main une dépêche.

SCÈNE II

LES MÊMES, POCHE, EUGÈNIE

FERRAILLON (1), *à l'apparition de Poche.* – Ah ! bien, quand on parle du loup !... Qu'est-ce qu'il y a, Poche ?

POCHE (2), *esquissant le salut militaire, la voix bien traînée.* – Une dépêche, chef !

FERRAILLON, *l'imitant tout en allant à lui.* – « Une dépêche, chef ! » Allons, donne !... (*Prenant en passant la dépêche de la main de Poche tout en allant à sa femme.*)

Merci. (*Voyant Poche qui est descendu un peu à gauche et le contemple d'un air béat et attendri.*) Mon Dieu ! qu'il est laid, cet animal-là ! (*A Poche qui sourit béatement, tout en esquissant instinctivement des saluts militaires.*) As-tu fini de me regarder comme ça, imbécile ! (*Tout en parlant, il a ouvert la dépêche ; allant à la signature.*) Ah !... encore de Chandebise ! (*A ce moment, Eugénie paraît en haut de l'escalier et descend lentement pendant que Ferraillon lit le contenu de la dépêche.*) *Retenir bonne chambre pour moi...*

OLYMPE, *avec une pointe d'ironie.* – Eh ! bien, il y tient !

FERRAILLON. – *Et y introduire qui la demandera à mon nom.* (*A Eugénie qui est arrivée au bas des marches et à Poche.*) Vous avez entendu, vous autres ? Si on demande la chambre réservée à M. Chandebise, vous introduirez dans celle-ci.

Il désigne la chambre de droite, premier plan.

EUGÉNIE. – Oui, Monsieur.

POCHE, *sourit béat, salut militaire.* – Oui, chef.

FERRAILLON. – Et maintenant, vous pouvez disposer. (*Eugénie sort par le couloir. Poche reste sur place à contempler son maître.*) Eh ! bien... T'as pas entendu ? espèce de cosaque ! (*Le prenant par le bras et le faisant pivoter.*) Allez, ouste ! détale ! (*Il lui envoie un coup de pied quelque part. Poche remonte, l'air radieux et gravit les marches de l'escalier sans quitter Ferraillon du regard.*) Tiens ! regarde un peu s'il a l'air content ! Je te dis qu'il m'adore, cet animal-là. (*Faisant brusquement la grosse voix.*) Veux-tu filer ! qu'est-ce que c'est que ça, donc !

Poche obéit avec précipitation et manque ainsi de tomber aux marches supérieures.

OLYMPE, *une fois Poche disparu.* – C'est tout de même une bonne pâte !

SCÈNE III

OLYMPE, FERRAILLON, RUGBY, puis FINACHE

RUGBY, *sortant en trombe de sa chambre et allant droit à Ferraillon qui, un pied sur la première marche de l'escalier, lui tourne le dos.* – Nobody called ?

FERRAILLON, *sursautant et pivotant vivement sur lui-même.* – Hein ?

RUGBY. – Listen, it's the second time that I ask if anybody called for me[17] !

FERRAILLON. – Eh ! non !... Nobodé, zut !

RUGBY. – Aoh !... thanks !

Il réintègre sa chambre comme il est venu.

OLYMPE, *après la sortie de Rugby.* – L'amour d'homme !

FERRAILLON. – Il a une façon de sortir comme un diable d'une boîte.

OLYMPE. – C'est vrai, il vous donne des couleurs !

FINACHE, *paraissant dans l'escalier, venant des dessous.* – Bonjour, colonel !

FERRAILLON, OLYMPE. – Ah ! Monsieur le docteur.

FINACHE, *descendant entre eux.* – Bonjour, Madame Ferraillon ! Vous avez une chambre ?

OLYMPE (3). – Toujours pour vous, Monsieur le docteur.

FINACHE (2). – On n'est pas venu me demander ?

FERRAILLON (1). – Pas encore, Monsieur le docteur.

FINACHE. – Ah ! tant mieux !

FERRAILLON. – Monsieur le docteur est en bonne fortune ?

FINACHE. – Oh ! en bonne fortune !... Je suis en petit collage.

OLYMPE. – Ah ! bien, ce n'est pas pour dire, mais voilà plus d'un mois !...

FINACHE. – J'ai un peu papillonné à droite et à gauche.

FERRAILLON. – C'est mal, ça, de ne pas être fidèle.

FINACHE. – Ah ! mais avec la même ! avec la même !

FERRAILLON. – Oh ! je ne parle pas de la dame, je parle pour nous.

FINACHE. – Ah ! bon.

FERRAILLON. – Ah ! bien ! si on devait être fidèle en amour, nous n'aurions plus qu'à fermer la maison.

FINACHE. – Très judicieux. (*Changeant de ton.*) Dites-moi donc, on entre comme dans un bois dans votre hôtel. (*Remontant légèrement.*) Je n'ai pas vu votre garçon au bureau.

OLYMPE. – Poche ?

FINACE, *redescendant.* – Quoi, Poche ? Non, Gabriel, le beau Gabriel.

FERRAILLON. – Ah ! c'est vrai ! vous ne savez pas... Évidemment, depuis le temps ! Nous l'avons congédié, Gabriel.

PINACHE. – Oh ! pourquoi ? Il était si décoratif !

FERRAILLON. – Justement, trop ! Il était trop joli garçon.

OLYMPE. – Il faisait des béguins dans la clientèle.

Elle remonte un peu.

FINACHE, *passant au 3.* – Voyez-vous ça !

FERRAILLON, *gagnant vers Finache.* – Vous comprenez que c'était inacceptable ! Si un client ne peut plus amener sa maîtresse sans risquer de se la voir soulever par le personnel !... Ah ! non, nous sommes une maison de confiance.

FINACHE, *qui s'est assis sur la banquette, approuvant.* – Comment, si vous êtes...

FERRAILLON. – Aussi, faut de la discipline ! Je ne connais que ça, moi ! C'est que j'ai été militaire, moi, tel que vous me voyez.

FINACHE. – Oui-da ! Alors, c'est donc vrai, votre grade, colonel ?

OLYMPE, *qui est descendue au 1.* – Comment, si c'est vrai !

FERRAILLON (2). – Tiens !... Je suis ancien sergent-major au 29e de ligne ; c'est pour ça qu'on m'appelle colonel.

FINACHE. – Oui, oui !... vous êtes colonel... au civil.

FERRAILLON, *avec bonhomie.* – Oh ! bien, n'est-ce pas ? dans la vie privée, un grade de plus ou de moins !... (*A Olympe.*) Veux-tu voir, mon chou, le n° 10 pour Monsieur le docteur ?

OLYMPE. – Oui.

Elle gagne l'escalier dont elle gravit les marches pendant ce qui suit.

FINACHE, *indiquant la chambre de droite.* – Eh ! quoi, le 5, là, n'est pas libre ?

FERRAILLON. – Hélas ! non.

FINACHE, *désappointé.* – Oh !

FERRAILLON. – Mais le 10, c'est la même disposition, juste au-dessus.

FINACHE. – Bah ! va pour le 10 !

OLYMPE, *qui est presque au haut de l'escalier.* – Je vais le faire préparer.

FERRAILLON. – C'est ça. Va, ma chérie.

Elle sort.

SCÈNE IV

LES MÊMES, moins OLYMPE

FINACHE, *une fois Olympe disparue.* – Une femme précieuse, hein ! Madame Ferraillon ?

FERRAILLON. – Ah !... et si sérieuse !

FINACHE. – C'est drôle, souvent je me suis demandé où je l'ai vue ?

FERRAILLON, *hochant la tête.* – Ah ! ça !... (*En gagnant légèrement la droite.*) Vous... vous n'avez pas connu... autrefois une demi-mondaine, la belle Castaña... qu'on avait surnommée « Culotte de peau » ?

FINACHE, *interrogeant sa mémoire.* – Castaña ?... Attendez donc !

FERRAILLON. – Si ! qui a été si longtemps la maîtresse du duc de Gennevilliers.

FINACHE. – Ah ! oui, oui ! et qui s'est fait servir, un jour au Grand-Seize [18], toute nue sur un plat d'argent.

FERRAILLON. – Vous y êtes ! (*Avec une certaine satisfaction.*) Eh ! bien, c'est elle ! c'est ma femme ; je l'ai épousée.

FINACHE, *un peu interloqué.* – Ah !... ah ?... mes compliments !

FERRAILLON. – Elle a eu un béguin pour moi lorsque j'étais sergent au 29e de ligne. (*En manière de justification.*) J'étais beau gars !... l'uniforme !... Elle a toujours eu un pépin pour les militaires.

FINACHE. – « Culotte de peau » !

Il rit.

FERRAILLON, *riant.* – Voilà ! (*Redevenant sérieux.*) Elle... elle a voulu m'entretenir.

FINACHE. – Non ?

FERRAILLON. – Oh ! mais... je ne mange pas de ce pain-là ! D'autre part, elle avait de l'argent de côté, du physique et... de la réputation ; je puis le dire : c'était un parti. Alors, je lui ai proposé le mariage et... ça s'est fait comme ça.

FINACHE, *s'asseyant sur la banquette.* – Mes compliments !

FERRAILLON. – Mais avant, j'ai posé mes conditions... J'ai des principes, moi !... Je lui ai dit : à partir de maintenant, plus de noce, plus d'amants... (*Penché vers Finache.*) Parce que – je ne sais pas si vous êtes comme moi – mais je trouve que du moment que vous prenez une femme, il ne faut plus qu'elle ait d'amants.

FINACHE, *avec un sérieux ironique.* – Vous êtes absolument dans le vrai.

FERRAILLON. – Avant tout, je tiens à la respectabilité !... Et alors, voilà ! on a ouvert cette maison.

Il gagne un peu vers la gauche.

FINACHE, *se levant.* – Vous êtes un sage.

FERRAILLON. – Et l'on vit comme ça, modestement, comme des bourgeois rangés... on économise pour les vieux jours. Et même, à ce propos, j'ai réfléchi à ce que vous m'aviez proposé l'autre jour... pour l'assurance sur la vie, vous savez !

FINACHE. – Ah ! ah ! vous y venez !

FERRAILLON. – Bien oui, quoi ! J'ai quarante-quatre ans, ma femme... (*Il tousse.*) Cinquante-deux... enfin, environ.

FINACHE, *blaguant à froid.* – Eh ! ben ! mais c'est très bien, ça ! On dit qu'il faut toujours qu'il y ait sept ou huit ans de différence entre les époux.

FERRAILLON, *sans conviction.* – Oui !... Il vaudrait peut-être mieux que ce fût plutôt la femme qui...

FINACHE. – Je ne vous dis pas, mais enfin, quand on ne peut pas, il vaut encore mieux que ce soit le mari.

FERRAILLON. – Évidemment ! Évidemment !... (*Changeant de ton.*) Alors, si je pouvais la faire assurer, la pauvre chérie, de façon qu'à sa mort...

FINACHE. – Elle ?... Ah ! diable ! cinquante-deux ans !... si c'était vous, ce serait beaucoup moins cher.

FERRAILLON. – Oh ! mais moi, si vous voulez ! pourvu qu'à sa mort...

FINACHE. – Ah ! non ! non !... Alors, dans ce cas-là, c'est à la vôtre que...

FERRAILLON. – A la mienne ? Ah ! mais non, alors, non ! comme ça, ça ne m'intéresse pas du tout.

FINACHE. – Enfin, nous verrons à trouver une combinaison ; venez toujours nous voir.

FERRAILLON. – Quand ?

FINACHE. – Tous les matins, vous me trouverez de dix à onze, chez le directeur pour la France de la Boston Life Company, 95, boulevard Malesherbes.

FERRAILLON, *inscrivant sur sa manchette.* – Boulevard Malesherbes, bien !... et je n'ai qu'à demander ?...

FINACHE. – Le directeur de la Compagnie. Je le préviendrai.
FERRAILLON. – Parfait !... Merci de votre obligeance.
FINACHE. – Mais comment donc !

SCÈNE V

LES MÊMES, OLYMPE, puis RUGBY, puis RAYMONDE

OLYMPE, *du haut de l'escalier.* – Si Monsieur le docteur veut venir voir la chambre.
FINACHE, *s'élançant vers l'escalier et tout en grimpant quatre à quatre.* – Hein ! Mais je crois bien que je veux venir voir la chambre ! Je crois bien que je... (*A Ferrraillon, du haut de l'escalier.*) Ah ! et si on vient me demander, prévenez-moi tout de suite, n'est-ce pas ?

Il disparaît aux étages supérieurs.

FERRAILLON, *s'inclinant, puis le regardant partir.* – C'est beau, l'amour !
RUGBY, *surgissant hors de sa chambre et dans le dos de Ferraillon.* – Nobody called [19] ?
FERRAILLON. – Ah ! pas comme ça, par exemple.
RUGBY. – Nobody called for me, I say [20] ?
FERRAILLON, *le sourire aux lèvres et à mi-voix.* – La barbe !
RUGBY, *tendant l'oreille.* – What [21] ?
FERRAILLON, *id.* – La barbe !
RUGBY, *qui ne comprend pas.* – Baabe ?
FERRAILLON, *sur le ton le plus aimable.* – Oui, l'Englisch ! tu me regardes avec des yeux ronds, mais je ne suis pas fâché de profiter de ton ignorance de notre langue pour te dire ce que je pense : la barbe !
RUGBY, *id.* – Baabe !... Aoh ! thanks.
FERRAILLON. – A ton service.

Rugby est déjà arrivé au seuil de sa porte quand paraît Raymonde dans l'escalier, la figure cachée par une voilette épaisse.

RUGBY, *arrêté net par l'arrivée de Raymonde.* – Aoh !
FERRAILLON (2). – Vous désirez, Madame ?
RAYMONDE (3). – La chambre retenue par monsieur Chandebise.

FERRAILLON, *passant devant elle pour aller ouvrir la porte de la chambre de droite.* – Ah ! par ici, Madame !

Rugby, qui n'a point quitté Raymonde du regard, ne pouvant pas distinguer ses traits, s'avance sans façon jusqu'à elle et se met à tourner autour d'elle comme autour d'un bec de gaz, ceci en la dévisageant effrontément et en chantonnant un air de gigue sur lequel son pas se rythme.

RUGBY, *tout en contournant Raymonde qui le regarde, ahurie, et pivote instinctivement sur elle-même.* – « Turnin around town, Knocking people down, Kissing every girl you meet[22]. » (*Constatant que Raymonde n'est pas celle qu'il cherche.*) No ! it's not that one !

Il rentre dans sa chambre, les mains dans les poches, en sifflotant son air de gigue.

RAYMONDE, *ahurie de son aplomb.* – Eh ! bien, qu'est-ce qu'il a, celui-là ?

FERRAILLON. – Ne faites pas attention, Madame, c'est un original d'outre-mer.

RAYMONDE, *descendant un peu à gauche.* – Il ne manque pas de toupet ! (*A Ferraillon.*) Il n'est encore venu personne demander la chambre ?

Elle relève un peu son voile.

FERRAILLON. – Personne, non. (*Descendant vers elle.*) Eh ! mais, ma parole, je ne me trompe pas ! c'est bien Madame qui est déjà venue ce matin.

RAYMONDE. – Hein ?

FERRAILLON. – Oui, oui, parfaitement. Ah ! Madame, je suis flatté ! Je comptais bien que ma discrétion m'assurerait, le cas échéant, la clientèle de Madame, mais vrai ! je n'attendais pas si tôt !...

RAYMONDE, *choquée et décontenancée.* – Mais, Monsieur, en voilà des façons ! Je ne vous permets pas de supposer...

FERRAILLON, *s'inclinant aussitôt.* – Excusez-moi Madame. (*Remontant jusqu'à la porte et s'effaçant pour laisser passer Raymonde.*) Si Madame veut prendre la peine...

RAYMONDE, *passant devant lui, puis arrivée sur le pas de la porte, elle se retourne pour toiser Ferraillon d'un air hautain.* – Sse !...

Elle gagne l'extrême droite de la chambre.

FERRAILLON, *qui est entré dans la pièce à sa suite.* –

Voici la chambre. Madame voit, elle est très confortable. Le lit...

RAYMONDE, *hautaine, lui coupant la parole.* – C'est bien, Monsieur !... je n'en ai que faire.

L'air digne, elle passe au I.

FERRAILLON, *interloqué.* – Ah ! (*A part, tout en se dirigeant vers le cabinet de toilette.*) C'est une vicieuse !... (*Haut.*) Voici le cabinet de toilette, avec eau chaude, eau froide, bain, douche...

RAYMONDE, *agacée.* – Bon ! bon ! je n'ai pas l'intention d'habiter.

FERRAILLON. – Oui, Madame. (*Remontant au lit.*) Enfin, là, – très important à noter – en cas de flagrant délit, j'appelle l'attention de Madame : de chaque côté du lit, un bouton...

RAYMONDE, *passant à droite.* – Mais, enfin, c'est bien !... je m'assurerai moi-même... Veuillez me laisser, Monsieur.

FERRAILLON, *interloqué.* – Mais, Madame...

RAYMONDE. – Je n'ai plus besoin de vous.

FERRAILLON. – Ah ?... Bien, Madame. (*Il gagne la porte et, au moment de sortir.*) Madame, votre serviteur.

RAYMONDE, *nerveuse.* – Au revoir, monsieur, au revoir.

FERRAILLON, *en refermant la porte sur lui.* – C'est une maîtresse à la grinche !

RAYMONDE. – Cet homme est d'un manque de tact !

FERRAILLON, *apercevant Poche qui redescend avec son crochet vide.* – Eh ! Poche !

POCHE, *le regard tendre, saluant militairement.* – Chef ?

FERRAILLON. – C'est bientôt fini, ton trimballage de bois ?

POCHE, *id..* – Encore un chargement, chef.

FERRAILLON, *passant.* – Bien ! alors, au trot ! Et puis après, tu me feras le plaisir de passer ta livrée au lieu de la laisser traîner ici. Ce n'est pas sa place. (*Tout en parlant, il a indiqué la veste de livrée qui est suspendue, ainsi que la casquette, à une des patères au-dessus de la console.*) C'est l'heure où les clients arrivent, tu dois être en tenue.

POCHE. – Oui, chef.

Fausse sortie. Sonnerie.

FERRAILLON. – Tiens ! on sonne. (*Consultant le tableau.*) C'est l'Anglais, va voir ce qu'il veut.

POCHE. – Oui, chef.

Il dépose son crochet contre la rampe de l'escalier et se dirige vers la chambre de gauche, sans cesser de fixer des yeux tendres sur Ferraillon et frappe à la porte de Rugby.

VOIX DE RUGBY. – Come in [23] !

Poche entre chez Rugby. Raymonde qui, pendant tout ce qui précède, a inspecté la chambre, ouvert la fenêtre, etc., à ce moment est entrée dans le cabinet de toilette.

SCÈNE VI

FERRAILLON, TOURNEL, puis POCHE, puis RAYMONDE

TOURNEL, *arrivant du fond.* – Pardon ! la chambre de monsieur Chandebise ?

FERRAILLON (1). – C'est ici, Monsieur ! Mais... si je ne me trompe, vous n'êtes pas M. Chandebise ?

TOURNEL (2). – Non, mais ça ne fait rien. Je le représente.

FERRAILLON, *acquiesçant de la tête.* – Ah ! D'ailleurs la dépêche dit d'introduire quand on demandera la chambre à son nom, alors !... la dame est là, Monsieur.

TOURNEL. – Ah !... et... elle est bien ?

FERRAILLON, *le regarde, étonné, puis.* – Monsieur désire avoir mon avis ? Il me semble que, du moment qu'elle plaît à Monsieur.

TOURNEL. – C'est que... je ne la connais pas.

FERRAILLON. – Ah ?

FOURNEL. – Alors, avant de m'engager, si ça devait être une vieille toupie.

FERRAILLON. – Non ! Non ! rassurez-vous ! Elle ne doit pas avoir le caractère en sucre, mais elle est jolie.

TOURNEL, *avec un geste désinvolte.* – Oh ! ben !... Comme ce n'est pas pour le caractère qu'on y va !

FERRAILLON, *avec un rire approbateur.* – Non ! (*Passant devant lui.*) Alors, Monsieur, voici la chambre.

Il entre dans la chambre suivi de Tournel. Voyant la fenêtre ouverte, il la ferme pendant ce qui suit. Tournel, lui, dépose son chapeau sur la petite table qui est contre le col de cygne.

POCHE, *sortant de chez Rugby et parlant à la cantonade.* – Tout de suite, Monsieur ! (*A part.*) Il me demande un *nobodécol,* J'sais pas ce que c'est ! (*Un temps.*) Je vas lui servir un vermouth.

Il remonte jusqu'à l'escalier, prend son crochet et descend dans les dessous.

FERRAILLON, *qui a fermé la fenêtre.* – Personne ici ? Je vais voir par là.

Il frappe à la porte du cabinet de toilette.

VOIX DE RAYMONDE. – Qu'est-ce que c'est ?

FERRAILLON, *la joue contre la porte.* – Le monsieur de Madame est là.

VOIX DE RAYMONDE. – Voilà.

FERRAILLON, *gagant le 1 en décrivant un demi-cercle respectueux pour passer devant Tournel.* – Madame est là, Monsieur.

TOURNEL. – Ah ! bon, très bien.

FERRAILLON, *sur le pas de la porte, au moment de se retirer.* – Grand bien vous fasse, Monsieur !

TOURNEL, *fermant la porte sur Ferraillon qui, par la suite, remonte vers l'escalier et gagne les étages supérieurs.* – Merci. (*Jetant un coup d'œil autour de lui.*) Tiens ! c'est gentil, ici ! coquet, bien meublé (*Son regard tombe sur les boutons électriques.*) Ah ! c'est les sonnettes, ça !... Eh ! bien, quand on s'ennuie, au moins on peut faire un carton. (*Il fait la mimique de tirer au pistolet dans la direction du bouton de droite du lit.*) Mais c'est pas tout ça ! Voyons,... comment se présenter d'une façon originale ? Ah ! comme ça... ce sera drôle !

Il va s'asseoir sur le lit et en tire les rideaux de façon à être complètement dissimulé.

RAYMONDE, *faisant irruption hors du cabinet de toilette. Elle a toujours son chapeau sur la tête.* – Ah ! te voil... (*Ne voyant personne.*) Eh ! bien,... où est-il ?

TOURNEL, *derrière les rideaux.* – Coucou !

RAYMONDE, *à part.* – « Coucou ». Attends un peu !

TOURNEL, *même jeu.* – Coucou !

Raymonde est remontée jusqu'au lit ; de sa main droite elle écarte vivement le rideau de droite et, du revers de sa main gauche, applique un violent soufflet sur la joue de Tournel.

RAYMONDE. – Tiens !...

TOURNEL, *au reçu de la gifle.* – Oh !

Il saute hors du lit.

RAYMONDE, *bondissant en arrière.* – C'est pas lui !...

TOURNEL (1). – Raymonde ! Vous ?... C'est vous !...

RAYMONDE (2), *ahurie.* – Monsieur Tournel !

TOURNEL. – Ah ! bien !... si je m'attendais !... (*Tout en frottant la joue droite.*) Ah ! l'agréable surprise !

RAYMONDE. – Ah çà !... qu'est-ce que vous faites ici ?

TOURNEL, *avec panache.* – Qu'importe ce que j'y fais !... (*Vite, comme pressé de donner son explication pour passer à autre chose.*) Une... une intrigue d'amour, là !... C'était une femme... une femme qui m'aimait !... Elle m'avait vu au théâtre, alors le... le coup de foudre !... elle m'a écrit et, par bonté d'âme, moi...

RAYMONDE. – Mais pas du tout !... mais pas du tout !...

TOURNEL, *se méprenant à la protestation de Raymonde, avec fougue.* – Mais cette femme, cette femme... je m'en moque ! je ne la connais pas, je ne l'aime pas ! tandis que vous !... Oh ! mon rêve... mon rêve se réalise ! Vous êtes là devant moi, toute à moi !... Vous voyez-bien que le ciel se met de la partie !

Tout en parlant, il essaie de la prendre entre ses bras.

RAYMONDE, *se dégageant et passant au 1.* – Mais laissez-moi !...

TOURNEL. – Non ! Non !

RAYMONDE. – Ce n'est pas à vous qu'on a écrit... c'est à mon mari.

TOURNEL. – Mais non, mais non !... C'est invraisemblable !... il est laid, lui. Seulement, nous étions ensemble, n'est-ce pas ?... Alors la personne a confondu et...

RAYMONDE, *s'efforçant de lui couper la parole.* – Mais pas du tout ! mais pas du tout ! (*Comme un argument sans réplique.*) La lettre à mon mari, c'est de moi.

TOURNEL, *avec un sursaut d'étonnement.* – De vous ?

RAYMONDE, *bien catégorique.* – Absolument !

TOURNEL. – Vous écrivez des lettres d'amour à votre mari ?

RAYMONDE. – Je voulais voir s'il me trompait... s'il viendrait au rendez-vous.

TOURNEL, *poussant un cri de triomphe.* Ah !... Eh ! bien, vous voyez ! vous qui ne vouliez plus être à moi, parce que vous pensiez que votre mari vous était infidèle ! vous voyez qu'il n'est pas venu et c'est moi qu'il a délégué à sa place comme plus conforme à la vraisemblance !

RAYMONDE, *frappée par l'argument.* – C'est vrai !

TOURNEL. – Et savez-vous ce qu'il a dit en recevant cette lettre, votre lettre ? Il a dit : « mais qu'est-ce qu'elle me veut, cette dame ?... elle ne sait donc pas que je ne trompe pas ma femme !... »

RAYMONDE. – Il a dit ça ?...

TOURNEL. – Oui !

RAYMONDE. – Ah ! que je suis heureuse ! que je suis heureuse !

Elle se jette au cou de Tournel et l'embrasse sur les deux joues.

TOURNEL, *radieux.* – Ah ! Raymonde ! ma Raymonde ! (*Bien près d'elle, du bras droit enserrant sa taille, tandis que du bras gauche, pendant ce qui suit il appuie chacune de ses phrases de gestes oratoires.*) Eh ! bien, hein !... vous vous repentez maintenant d'avoir douté de lui ! (*Il l'embrasse goulûment.*) Hong ! Hong ! vous reconnaissez à présent... (*id.*) Hong ! Hong ! que vous n'avez plus le droit de l'incriminer ! (*id.*) Hong ! Hong ! que vous n'avez plus le droit de ne pas le tromper ! (*Baisers répétés.*) Hong ! Hong ! Hong ! le pauvre cher homme !

RAYMONDE, *l'étreignant à son tour.* – Oui ! oui !... vous avez raison. (*Elle l'embrasse à son exemple.*) J'ai eu tort ! C'est mal à moi de l'avoir soupçonné. (*Nouveaux baisers.*) Mon brave Chandebise, c'est mal ! Je vous en demande pardon.

Baisers.

TOURNEL, *lyrique.* – Non ! non ! pas de pardon... soyez à moi, ça suffit.

RAYMONDE, *lyrique.* – Oui, oui, c'est le châtiment !

TOURNEL, *transporté.* – Oh ! Raymonde, je vous aime, je t'aime !... je t'aime, je vous aime !... Raymonde, ma Raymonde !

RAYMONDE. – Ah ! non, quand je pense... que je croyais que c'était mon mari qui faisait « coucou ! »

TOURNEL, *avec envolée.* Eh ! bien, ça revient au même ! nous le ferons pour lui.

RAYMONDE. – Quoi !

TOURNEL. – Coucou ! (*Avec exaltation, la serrant contre sa poitrine.*) Raymonde ! ma Raymonde !

RAYMONDE, *se débattant.* – Tournel !... Tournel !

Qu'est-ce qui vous prend ?... Laissez-moi me remettre de mon émotion...

Elle s'est dégagée et a passé n° 2.

TOURNEL, *revenant à la charge.* – Non ! Non ! profitons-en, au contraire ! profitez de votre trouble tant qu'il est chaud !

RAYMONDE, *se débattant entre ses bras.* – Tournel ! Tournel ! voyons !

TOURNEL, *sans l'écouter.* Dans ces moments-là, les sensations sont bien plus intenses ! (*L'entraînant malgré elle vers le lit.*) Allons ! venez !... venez, viens !... viens, venez !

RAYMONDE, *affolée.* Quoi ? Quoi ?... Qu'est-ce que vous faites ? Où m'entraînez-vous ?

TOURNEL, *un pied déjà sur la marche du lit, entraînant toujours Raymonde.*) Mais là !... là où le bonheur nous attend !

RAYMONDE. – Hein ! Là ? Vous êtes fou !... (*Elle lui donne une poussée qui l'envoie s'asseoir sur le lit et passe à gauche.*) Pour qui me prenez-vous !...

TOURNEL, *ahuri.* – Comment ? Mais ne m'avez-vous pas laisser entendre que vous consentiez ?...

RAYMONDE, *vivement et avec hauteur.* – A être votre amante... oui ! (*Gagnant la droite, avec dignité.*) Mais coucher avec vous ! Ah ! Me prenez-vous pour une prostituée ?

TOURNEL, *tout à fait sur le rebord du lit et bien piteux.* – Mais alors... quoi ?...

RAYMONDE, *superbe de dignité.* – Mais... le flirt, les émotions qu'il comporte : se parler les yeux dans les yeux, la main dans la main. Je vous donne la meilleure partie de moi-même !...

TOURNEL, *lève la tête vers Raymonde, puis :* – Laquelle ?

RAYMONDE. – Ma tête... mon cœur.

TOURNEL, *en faisant fi.* – Oh ! pfutt !

RAYMONDE, *le toisant avec hauteur.* – Ah çà ! quelle pensée a donc été la vôtre ?

TOURNEL, *se levant et très chaud.* – Mais la pensée de tout galant homme qui convoite l'amour d'une femme ! (*Marchant sur Raymonde.*) Comment ! Quand tout nous pouse l'un vers l'autre... que les événements se mettent de la partie !... quand votre mari lui-même me jette dans vos bras !... Car c'est votre mari, Madame, qui m'a envoyé.

RAYMONDE. – Mon mari !

TOURNEL. – Oui, Madame, votre mari ! et c'est de vous seule que viendrait la résistance !... Ah ! non, Madame, non ! vous n'êtes pas en nombre !

Il cherche à l'étreindre.

RAYMONDE, *se dégageant et passant au 1.* – Tournel ! Tournel !, voyons, calmez-vous !

TOURNEL, *revenant à la charge.* – Et vous croyez que je me contenterai de ce que vous me proposez ?... Le flirt... les yeux dans les yeux et la moitié de votre personne... la moins en rapport avec les circonstances ?

RAYMONDE, *qui a fini, Tournel gagnant toujours vers elle, par être acculée entre la table et le col de cygne.* – Tournel, voyons !

TOURNEL. – Mais qu'est-ce que vous voulez que je fasse de votre tête et de votre cœur ?

RAYMONDE. – Oh !

TOURNEL, *arpentant théâtralement la scène, ce qui le porte vers la droite.* – Ah ! non ! Ils sont jolis les avantages que vous m'offrez, une perspective d'énervement dans le vide, de désirs jamais satisfaits ! et, pour toutes faveurs, quoi, encore ? Faire les courses de Madame et promener son petit chien, quand il en a envie... de se promener. (*Tout en parlant, revenant brusquement à Raymonde qui se fait toute petite dans un coin.*) Ah ! (*Chaque « non » très scandé.*) Non ! Non ! Non !

RAYMONDE, *effrayée.* – Tournel !

TOURNEL, *en pleine figure de Raymonde.* – Nooon !... (*Sur un ton de menace.*) Et puisque vous avez ainsi l'ignorance des règles fondamentales des choses de l'amour, moi je vous les enseignerai.

RAYMONDE, *terrorisée et suppliante.* – Tournel, mon ami !

TOURNEL. – Vous ne pensez pas que j'accepterai de sombrer sous le ridicule, ne serait-ce que devant mes yeux... en sortant d'ici, gros-Jean comme devant !

RAYMONDE, *id.* – Tournel, voyons !

TOURNEL. – Non ! Non ! Vous êtes à moi ! vous m'appartenez ! et je vous veux.

Il l'a empoignée par la taille et essaie de l'entraîner vers le lit.

RAYMONDE, *se défendant comme elle peut.* – Tournel ! allons, Tournel !

TOURNEL, *id.* – Non ! Non !

RAYMONDE, *dans un suprême effort arrive à le repousser,*

saute vivement à deux genoux sur le lit et posant le doigt sur le bouton électrique à droite du lit. – Un pas de plus et je sonne.

TOURNEL. – Eh ! sonnez tant que vous voudrez ! Moi, je réponds bien qu'on n'entrera pas !

Il court à la porte d'entrée pousser le verrou : ce que voyant, Raymonde presse sur le bouton ; immédiatement le panneau tourne sur lui-même, entraînant avec lui le lit et Raymonde et amenant à la place le lit dans lequel est couché Baptistin.

RAYMONDE, *entraînée par la tournette.* – Ah ! mon Dieu, au secours !

TOURNEL, *qui ne voit pas le jeu de scène auquel il tourne le dos et se méprenant aux cris de Raymonde.* – Oui ! vous pouvez crier « au secours !... » ça m'est égal ! (*Triomphant, à part.*) Ça y est ! je la tiens ! elle est à moi ! (*Il saute comme un fou sur le lit où il s'attend à trouver Raymonde et ainsi, couché pour ainsi dire sur Baptistin, il se met à l'embrasser..*) Oh ! Raymonde ! ma Raymonde !

SCÈNE VII

TOURNEL, BAPTISTIN, puis RUGBY, puis POCHE puis FERRAILLON.

TOURNEL, *sautant hors du lit à la vue de Baptistin.* – Ah !

Affolé, ahuri, ne comprenant rien à ce qui lui arrive, pendant un bon moment, il va, vient comme un écureuil en cage avec des regards effarés à droite, à gauche, au lit, comme un homme qui a littéralement perdu le nord.

BAPTISTIN, *entonnant son refrain coutumier.* – Oh ! mes rhumatismes !

TOURNEL, *retrouvant sa salive.* – Qu'est-ce que c'est que ça ?

BAPTISTIN. – Mes pauvres rhumatismes !

TOURNEL, *à Baptistin.* – Qu'est-ce que vous faites là, vous ? D'où sortez-vous ? Par où êtes-vous entré ?

BAPTISTIN, *se redressant sur son séant et l'air bien abruti.* – Hein ?

TOURNEL. – Et Raymonde !... Raymonde ! Mais où est-elle ? (*Courant ouvrir la porte donnant sur le hall, appelant.*) Raymonde ! Raymonde ! (*A part.*) Personne ! (*Il réintègre la chambre dont il laisse la porte ouverte et, tout en gagnant le cabinet de toilette, appelant.*) Raymonde ! Raymonde !

Il disparaît dans le cabinet de toilette.

RAYMONDE, *sortant comme une folle de la chambre du fond droit où la tournette l'a transportée.*) Qu'est-ce qui s'est passé ?... Où suis-je ? Oh ! mon Dieu ! (*Appelant.*) Tournel ! Tournel ! (*A part.*) Ah ! Non ! assez ! assez de cet hôtel ! filons ! filons !

Elle se précipite dans l'escalier. A peine a-t-elle disparu que Rugby fait irruption hors de sa chambre.

RUGBY. – Alloh ! boy ! (*Ne trouvant personne à qui parler.*) Nobody here ! (*Il est arrivé à la cage de l'escalier, appelant en se penchant par-dessus la rampe.*) Boy ! Boy !

RAYMONDE, *surgissant dans l'escalier dont elle a regrimpé les marches quatre à quatre.* – Ciel ! mon mari !... Mon mari dans l'escalier !

Voyant la porte de Rugby ouverte, elle se précipite dans la chambre.

RUGBY, *la regarde un instant ahuri, puis sa figure prend un air émoustillé et s'élançant à sa suite.* – Ah ! that's a darling, hurrah [24] !

Il traverse la scène à grandes enjambées et pénètre dans la chambre dont la porte se referme sur lui.

POCHE, *de l'escalier descendant en scène.* – Je suis bête ! Je ne trouve pas le vermouth ! pas étonnant ! Je l'ai donné hier à Baptistin. (*Appelant .en se dirigeant vers la chambre fond droit.*) Baptistin ! Eh !

BAPTISTIN, *qui dans son lit, son binocle sur le nez, parcourt son journal.*– Ici !

POCHE, *redescend et, sur le pas de la porte.* – Tiens ! t'es là, toi ?... Dis donc, vieux, qu'est que t'as fait du vermouth ?

BAPTISTIN. – Dans la chambre à côté... tu sais, sur l'armoire.

POCHE. – Ah ! bon.

Il remonte et entre dans la pièce indiquée.

TOURNEL, *sortant du cabinet de toilette et gagnant le hall après avoir pris en passant son chapeau sur la table.* – Personne ! Enfin, où est-elle ?

Il remonte dans la direction de l'escalier. A ce moment font irruption de la chambre de gauche Raymonde et Rugby, celle-là luttant pour se dégager de l'étreinte de l'autre.

Presque ensemble

RUGBY. – Aoh ! darling ! darling ! don't go ! remain with me [25] !

RAYMONDE. – Voulez-vous me laisser ! Voulez-vous me laisser, espèce de satyre !

TOURNEL, *redescendant.* – Ah ! la voilà !

A ce moment Raymonde, du plat de ses deux mains, a repoussé Rugby et, prenant du champ, lui envoie une gifle ; Tournel, qui surgit entre eux, arrive juste à temps pour l'encaisser.

TOURNEL, *se frottant la joue.* – Oh ! encore !

RUGBY. – Aoh ! thanks !

TOURNEL, *saluant rapidement Rugby, tout en poussant Raymonde dans la direction de la chambre.* – Bonjour, Monsieur !

Rubgy rentre chez lui en marmonnant, tandis que Raymonde, effondrée, a pénétré dans la chambre, suivie de Tournel.

TOURNEL, *refermant la porte sur lui.* – Ah ! Raymonde ! Raymonde !

RAYMONDE. – Ah ! mon ami, c'est trop d'émotion ! Mon mari...

TOURNEL, *cependant sans comprendre.* – Oui !

RAYMONDE. – Mon mari qui est ici !

TOURNEL, *effondré, dit machinalement.* – Oui ! (*Comprenant subitement.*) Quoi !... Chandebise ?

RAYMONDE. – Victor-Emmanuel, oui ! déguisé en domestique !... Comment ? Pourquoi ? Je ne sais pas !... Pour nous pincer, c'est sûr !

TOURNEL, *affolé.* – Ce n'est pas possible, voyons !...

BAPTISTIN, *par acquit de conscience.* – Ah ! mes rhumatismes !... mes pauvres...

RAYMONDE, *poussant un cri.* – Ah !

TOURNEL, *sursautant.* – Quoi ?

RAYMONDE, *indiquant Baptistin.*– Qu'est-ce que c'est que celui-là ?

TOURNEL. – Hein ! Où ça ? Là ? Je ne sais pas. C'est un malade ! Il a surgi tout à coup !... (*A Baptistin.*) Qu'est-ce que vous faites là, vous ?

BAPTISTIN. – Mais c'est vous qui m'avez fait venir.

TOURNEL. – Moi ?

RAYMONDE, *remontant jusqu'au lit.* – Mais enfin, faites-le partir, voyons, faites-le partir.

TOURNEL. – Mais absolument !... (*A Baptistin.*) Allez ! Allez ! fichez-moi le camp !

BAPTISTIN. – Non mais, si je vous gêne, vous savez, pressez sur ce bouton-là... Je retournerai là d'où je suis venu !...

TOURNEL. – Ah ! bien sûr, alors !... et que ça ne va pas traîner !

Il presse sur le bouton gauche du lit.

RAYMONDE, *pendant que la tournette fonctionne.* – Ah ! non ! non ! ça, c'est le comble, par exemple ! introduire des spectateurs !...

TOURNEL. – Mais, ma chère amie, ce n'est pas de ma faute !... Je vous assure que...

Pendant qu'ils discutent, là, en plein au milieu de la scène, devant et tout contre la marche du lit, la tournette a agi, emportant le lit contenant Baptistin pour y substituer l'autre lit sur lequel est assis Poche, un litre de Vermouth à la main.

POCHE, *le coude encore en l'air comme un homme qui a été surpris en train de boire.* – Eh ! là ! Eh ! là ! Eh bien ! quoi donc ?

RAYMONDE, *bondissant à l'extrême droite.* – Dieu !

TOURNEL, *bondissant à l'extrême gauche.* – Chandebise !

RAYMONDE. – Mon mari ! Je suis perdue !

TOURNEL, *allant vivement au lit et les mains jointes, à Poche qui, toujours assis sur le lit, les considère, abruti.* – Mon ami ! Mon ami ! Ne crois pas ce que tu vois !...

RAYMONDE, *id.* – Grâce ! Grâce ! Ne condamne pas sans m'entendre.

POCHE, *ahuri.* – Hein ?

TOURNEL, *avec volubilité. Tout ce qui suit, d'un personnage à l'autre, bien chaud, bien serré.* – Les apparences nous accablent, mais je te jure que nous ne sommes pas coupables.

RAYMONDE, *id.* – Oui ! Il dit la vérité ! Nous ne pensions ni l'un ni l'autre à nous rencontrer.

TOURNEL, *id.* – Tout ça, c'est la faute de la lettre !

RAYMONDE, *id.* – La lettre, oui !... C'est moi, moi qui suis cause de tout. Je l'avais fait écrire parce que...

TOURNEL. – Voilà ! voilà ! c'est l'exacte vérité !

TOURNEL. – Voilà ! voilà ! c'est l'exacte vérité !

RAYMONDE, *s'agenouillant sur la marche.* – Oh ! je t'en demande pardon !... Je croyais que tu me trompais.

POCHE. – Moi !

RAYMONDE. – Ah ! dis-moi, dis-moi que tu me crois, que tu ne doutes pas de ma parole.

POCHE. – Mais oui ! Mais oui ! (*Se tordant.*) Mais qu'est-ce qu'ils ont ?

RAYMONDE, *reculant effrayée par ce rire idiot qui lui paraît sardonique, avec énergie.* – Ah ! je t'en prie, Victor-Emmanuel... ne ris pas comme ça !... ton rire me fait mal.

POCHE, *à qui l'injonction de Raymonde a coupé le rire tout net.* – Mon rire ?

RAYMONDE, *revenant à lui.* – Ah ! oui ! Je vois !... Je vois !... tu ne me crois pas.

TOURNEL, *faisant pendant à Raymonde de l'autre côté de Poche.* – C'est pourtant l'évidence même.

RAYMONDE. – Ah ! mon Dieu !... Comment te convaincre ?

POCHE, *brusquement, se levant et descendant en scène.* – Écoutez ! je vous demande pardon, mais il faut que j'aille porter ce vermouth au 4.

Il fait mine de gagner la porte.

RAYMONDE, *qui est descendue à sa suite, le faisant pivoter par le bras et l'amenant face à elle, impérativement.* – Victor-Emmanuel !... qu'est-ce que tu as ?

POCHE, *étonné.* – Moi ?

TOURNEL, *qui a suivi le mouvement faisant pivoter Poche à son tour de façon à le retourner face à lui.* – Je t'en prie, mon ami !... Dans un instant aussi grave, nous parler de vermouth !...

POCHE. – Mais faut bien, le 4 l'attend ! Tenez, v'là la bouteille.

RAYMONDE. – Ah ! non, assez ! Assez de cette comédie !... Ah ! tiens ! injurie-moi, bouscule-moi, bats-moi ! (*Elle tombe à ses pieds.*) Mais j'aime mieux tout que ce calme effrayant.

TOURNEL, *tombant comme Raymonde aux pieds de Poche.* – Ah ! tiens ! bats-moi aussi !

POCHE, *les regardant tous les deux à ses pieds, elle (3) à sa gauche, lui (1), à sa droite.* – Ah ! bien ! celle-là, par exemple ! *(A Raymonde.)* Mais je vous assure, Madame...

RAYMONDE, *douloureusement.* – Ah ! tu vois ! tu vois ! tu ne me tutoies plus.

POCHE. – Moi ?

RAYMONDE, *lui saisissant les mains et sur un ton suppliant.* – Oui, dis-moi tu !...

TOURNEL, *id., de l'autre côté.* – Dis-lui tu !

POCHE, *tout en se mettant également à genoux, pour être à leur hauteur.* – Ah ?... Oh ! moi, je veux bien !... (*Reprenant.*) Mais je t'assure, Madame...

TOURNEL. – Oh ! mais pas « Madame », tu as l'air de parler belge... Appelle-la Raymonde, voyons !

POCHE. – Ah ! bon... (*Reprenant.*) Je t'assure, Raymonde...

RAYMONDE. – Ah ! Dis... dis que tu me crois !

POCHE, *avant tout ne voulant pas la contrarier.* – Mais oui, je te crois !

TOURNEL. – A la bonne heure !

RAYMONDE, *avec élan.* – Alors embrasse-moi, voyons, embrasse-moi.

POCHE, *n'en croyant pas ses oreilles.* – Hein ! moi ?

RAYMONDE. – Embrasse-moi !... ou je croirai que tu m'en veux toujours !

POCHE. – Oh ! je veux bien !... *Toujours sur les genoux, il se tourne face à elle et, après s'être essuyé les lèvres avec le revers de la main, lui passant ses deux bras autours du cou, cela sans lâcher le litre qu'il tient à la main, il embrasse Raymonde sur les deux joues.*

RAYMONDE, *radieuse.* – Ah !

TOURNEL, *les exhortant.* – C'est ça ! c'est ça !

RAYMONDE, *baisant les mains de Poche.* – Ah ! merci ! merci !

POCHE, *se pourléchant les lèvres.* – Elle a la peau douce !

TOURNEL, *qui s'est relevé et, reculant d'un pas pour se donner du champ, avec lyrisme.* – Et moi aussi... ! embrasse-moi !

POCHE, *tout en se relevant, ainsi que Raymonde.* – Ah ! Aussi ?

TOURNEL. – Oui ! pour me prouver que tu ne doutes pas de moi non plus.

POCHE. – Bon ! (*Il va pour embrasser Tournel.*) Nom d'un chien ! qu'il est grand !

Il monte sur la marche du lit et embrasse Tournel.

TOURNEL, *un poids de moins sur la conscience.* – Ah ! ça fait du bien !

POCHE. – Oui !... la dame surtout.

RAYMONDE. – « La dame » !

POCHE, *faisant mine de gagner la porte.* – Et maintenant... je vais porter le vermouth au 4.

RAYMONDE. – Encore ?

TOURNEL, *qui l'a arrêté au passage et ramené où il était.* – Ah ! çà ! voyons ! Qu'est-ce que c'est que cette plaisanterie ?

RAYMONDE, *le tirant à elle par le bras.* – Es-tu mon mari, oui ou non ?

POCHE. – Moi ? Ah ! non ! Je suis le garçon de l'hôtel.

TOURNEL, *reculant, ahuri.* – Quoi ?

RAYMONDE, *reculant de même.* – Mon Dieu ! Victor-Emmanuel a un transport au cerveau.

POCHE. – Mais non ! Mais pas du tout ! Tout ça, c'est des *aqui-propos* ; d'abord, je m'appelle Poche ! Et puis, si vous ne me croyez pas, demandez plutôt à Baptistin.

Il remonte vers le lit.

RAYMONDE, *remontant un peu vers le lit.* – Baptistin ?

TOURNEL, *remontant également de façon à occuper le 2.* – Quel Baptistin ?

POCHE. – Le vieux monsieur malade. Attendez !

Il appuie sur le bouton à gauche du lit, la tournette fonctionne, amenant le lit dans lequel Baptistin est couché.

BAPTISTIN. – Oh ! mes rhumatismes !... mes p...

POCHE, *s'asseyant sur le pied du lit.* – Non ! Il ne s'agit pas de ça ! Dis un peu qui que je suis.

BAPTISTIN, *se mettant sur son séant.* – Comment, qui que t'es !... Tu ne le sais donc pas ?

POCHE. – Moi, si !... mais c'est pour madame !

RAYMONDE, *passant devant Tournel de façon à prendre le 3.* – Oui ! qui est monsieur ?

BAPTISTIN. – Mais c'est Poche !

TOURNEL et RAYMONDE, *avec un même recul d'étonnement.* – Poche !

BAPTISTIN. – Le garçon de l'hôtel !

POCHE. – Là ! qué qu'jai dit ?

RAYMONDE, *n'y voyant plus clair.* – Ah ! çà ! voyons, voyons ! Comment, il serait vrai ?...

FERRAILLON, *du haut de l'escalier qu'il descend, appelant.* – Poche !

TOURNEL. – Une ressemblance pareille !... voyons ! Ce n'est pas possible, tout cela, c'est un coup monté !

FERRAILLON, *appelant.* – Poche ! Eh ! Poche !

POCHE, *répondant de la chambre à l'appel de Ferraillon.* – Chef ! (*Aux autres.*) Je vous demande pardon ! Le patron m'appelle.

RAYMONDE, *au moment où il va sortir, l'attrapant par le bras et le faisant pivoter pour se livrer passage.* – Le patron ! Ah ! bien ! Nous allons savoir !

Elle gagne le hall.

TOURNEL, *de même que Raymonde attrapant Poche par le bras et le faisant pivoter.* – Mais ôtez-vous donc de là.

Il emboîte le pas derrière Raymonde.

RAYMONDE, *à Ferraillon.* – Monsieur ! Monsieur !

FERRAILLON. – Madame ?

RAYMONDE. – Veuillez, je vous prie, nous dire qui est monsieur ?

Elle indique Poche qui vient de sortir de la chambre.

TOURNEL. – Oui !

FERRAILLON, *regardant du côté indiqué.* – Poche !

POCHE, *à Raymonde et à Tournel.* – Là !

RAYMONDE et TOURNEL, *se regardant ahuris.* – Poche !

FERRAILLON, *marchant sur lui.* – Poche ! ici ! et une bouteille à la main ! (*Le saisissant par le bras droit et lui allongeant un coup de pied à chaque épithète, ce qui fait tourner Poche autour de lui comme autour d'un pivot et finit, au dernier coup de pied, par le ramener à sa place primitive.*) Ah ! animal ! ah ! brute ! ah ! poivrot !

A chaque coup de pied, Poche, toujours tenu par le bras, saute en l'air en poussant un « Oh ! ». A chaque coup de pied, également, Tournel et Raymonde, qui se tiennent serrés l'un contre l'autre, subissent pour ainsi dire le contre-coup, poussant un « Oh ! » avec un petit sursaut, comme s'ils recevaient le coup en même temps.

POCHE, *à peine lâché par Ferraillon, à Raymonde et à Tournel.* – Là ! vous voyez ce que je vous disais !

FERRAILLON, *lui arrachant le litre des mains.* – Voilà que tu recommences !

TOURNEL et RAYMONDE. – Hein ?

POCHE. – Mais patron, c'est pour le 4.

FERRAILLON, *revenant à la charge.* – Je vais t'en donner, moi, du 4 !... (*Même jeu de coups de pied que précédemment.*) Tiens ! Tiens ! Tiens ! et tiens !

POCHE. – Mais patron !...

FERRAILLON, *lui montrant l'escalier.* – Et fous-moi le camp un peu vite !

POCHE, *détalant.* – Oui, patron ! (*Au moment de s'engager dans la descente de l'escalier.*) Là, vous voyez ce que je vous disais !...

Il disparaît.

FERRAILLON, *aux autres.* – Je vous demande pardon, Monsieur, Madame, c'est notre garçon, une espèce d'alcoolique.

Il sort par le couloir de gauche, laissant Raymonde et Tournel, complètement effondrés, l'œil fixe et la bouche bée.

RAYMONDE, *après un temps, hochant la tête.* – Le garçon ! C'était le garçon d'hôtel !

TOURNEL (1), *adossé contre la console, brusquement.* – Raymonde !

RAYMONDE. – Quoi ?

TOURNEL. – Nous avons embrassé le garçon d'hôtel !

RAYMONDE. – Eh bien ! je le sais bien !... Je viens de le dire.

TOURNEL. – J'avais pas entendu !... Ah ! je suis abasourdi !... une ressemblance pareille ! C'est pas possible !

RAYMONDE. – Et pourtant, il faut bien se rendre à l'évidence !... Ah ! si je n'avais pas vu le patron le traiter comme il l'a traité, je douterais encore ! Mais des coups de pied quelque part !... Oh ! non !... même pour me donner le change, Victor-Emmanuel n'irait pas jusqu'à accepter des coups de pied dans le...

TOURNEL, *froidement.* – Dos !...

RAYMONDE. – Oui !

TOURNEL. – C'est évident !

RAYMONDE, *effondrée, se traînant jusqu'à la banquette sur laquelle elle se laisse tomber.* – Ah ! mon ami ! Quelle émotion !... j'ai la gorge sèche !... De l'eau, donnez-moi un peu d'eau !

TOURNEL, *brusquement empressé, machinalement, il tâte ses poches.* – De l'eau ? De l'eau !

RAYMONDE. – Mais, pas dans vos poches !...

TOURNEL. – Oui ! oui !... où ça, de l'eau ?

RAYMONDE, *se levant.* – Mais dans la chambre.

TOURNEL, *gagnant avec empressement la chambre.* – Oui, oui ! de l'eau !... (*A Baptistin.*) Où y a-t-il de l'eau ?

BAPTISTIN, *s'interrompant de lire son journal.* – Mais dans le cabinet de toilette !

TOURNEL. – Merci !

Il gagne le cabinet de toilette.

RAYMONDE, *dolente, à Baptistin, en passant devant lui et sans s'arrêter pour attendre sa réponse.* – Hein, croyez-vous ? C'était le garçon d'hôtel !

BAPTISTIN, *pour répondre quelque chose.* – Y a de ces choses... dans la vie !...

Elle va jusqu'à la fenêtre qu'elle entrouvre afin de respirer un peu d'air. Baptistin, philosophe, se replonge dans son journal.

SCÈNE VIII

LES MÊMES, POCHE, EUGÉNIE, puis CAMILLE, et ANTOINETTE

Sur ces dernières répliques, Poche, venant des étages inférieurs, a apparu, son crochet chargé de bois sur le dos. Arrivé sur le palier, une des bûches de son chargement tombe à terre.

POCHE, *à Eugénie qui descend précisément des étages supérieurs.* – Tenez, Eugénie, remettez-moi donc cette bûche qui vient de tomber.

EUGÉNIE. – Volontiers.

Elle ramasse la bûche en question et va la remettre sur le crochet dont elle consolide le chargement pendant ce qui suit ; Poche, dos au public, est sur la première marche de l'escalier montant.

RAYMONDE, *refermant la fenêtre.* – Ah ! çà ! voyons ! mais qu'est-ce qu'il fait, Tournel ? Qu'est-ce qu'il fait ? *(Allant au cabinet de toilette.)* Eh bien ! cette eau ?

Elle entre dans le cabinet de toilette.

CAMILLE, *gai et déluré, surgissant de l'escalier, en tenant Antoinette par la main. Ils entrent carrément en scène. Lui parle clair et net, ayant son palais d'argent.* – Allez, viens bébé !... viens mon poulet ! C'est l'heure du crime !... Et qu'on va donc bien l'aimer, son gros Camille ! Viens ! On a dû nous retenir une chambre !

POCHE, *qui est descendu en les voyant entrer et surgissant entre eux.* – Vous demandez, monsieur ?

CAMILLE. – Ce que je... *(Bondissant en croyant reconnaître Chandebise.)* Victor-Emmanuel !

Il pivote sur les jarrets et se précipite dans la chambre de droite, troisième plan.

ANTOINETTE, *même jeu et pour la même cause que Camille.* – Monsieur !

Affolée, elle se précipite chez Rugby.

POCHE, *tout en remontant.* – Mais qu'est-ce qu'ils ont donc tous, aujourd'hui, à m'appeler Victor-Emmanuel ?...

Il s'engage dans l'escalier et gagne les étages supérieurs, tandis qu'Eugénie sort de gauche.

A ce moment Raymonde sort du cabinet de toilette, suivie de Tournel qui emboîte le pas derrière elle.

TOURNEL (2), *à Raymonde.* – Eh bien ! ça va mieux ?

RAYMONDE (1). – Oui, non... Je ne sais pas... Ces émotions !... Je me sens faible, faible, comme si j'allais me trouver mal.

TOURNEL, *se précipitant vers Raymonde.* – Ah ! non ! ne faites pas cela !

RAYMONDE. – Qu'est-ce que vous voulez, mon ami, ce n'est pas pour mon plaisir.

TOURNEL. – Non, évidemment ! Tenez, vous devriez vous étendre un peu, vous reposer un moment... Venez ! allongez-vous sur le lit...

Doucement, à reculons et avec force ménagements, il la conduit jusqu'au lit.

RAYMONDE, *très dolente, se laissant conduire.* – Ah ! oui, ce n'est pas de refus !

Elle se laisse tomber sur le lit et pousse un cri en sentant sous elle le corps de Baptistin.

RAYMONDE et BAPTISTIN, *poussant un même cri.* – Ah !

Raymonde se relève d'un bond et gagne la droite.

TOURNEL. – Qu'est-ce qu'il y a ? *(A Baptistin.)* Hein !...

C'est encore vous ! vous êtes donc toujours là ?

BAPTISTIN, *se redressant sur son séant.* – Mais c'est vous qui m'avez fait venir.

RAYMONDE, *nerveuse, revenant à proximité du lit.* – Non, c'est trop, vraiment. *(Secouant Tournel.)* Mais allez, mon ami, faites-le partir, vous n'allez pas discuter !

TOURNEL, *à Raymonde.* – Mais oui ! *(A Baptistin.)* Allez ! retournez chez vous.

Il presse sur le bouton gauche du lit.

RAYMONDE, *qui est montée sur la marche du lit, sans réfléchir à l'existence de la tournette, furieuse, à Baptistin.* – C'est insensé d'envahir comme ça la chambre des gens. *(Poussant un cri en se sentant emportée par la tournette.)* Ah !

TOURNEL, *la rattrapant à la volée.* – Eh ! là ! Eh !

CAMILLE, *acculé et cramponné au lit amené par la tournette.* – Ah ! là ! là ! Ah ! là ! là ! *(Reconnaissant Raymonde et Tournel.)* Ah !

TOURNEL et RAYMONDE, *se retournant au cri et ne faisant qu'un saut en arrière.* – Camille !

Ils se précipitent comme des fous hors de la chambre.

CAMILLE, *criant.* – Je vous demande pardon ! c'est le lit qui a tourné !

RAYMONDE, *sans arrêter sa course.* – C'est pas lui ! Il parle !

TOURNEL, *courant à la suite de Raymonde.* – Il parle ! c'est pas lui ! c'est pas lui !

CAMILLE, *descendant du lit.* – C'est le lit qui a tourné !

RAYMONDE, *arrivée à l'extrême gauche, rebroussant chemin et gagnant en courant l'escalier.* – Oh ! j'en ai assez, partons ! partons !

TOURNEL, *id.* – Oh ! oui, partons !...

Ils disparaissent dans l'escalier.

CAMILLE. – Tournel et Raymonde, ici ! Qu'est-ce que ça veut dire ? S'ils m'ont reconnu, je suis joli !... *(Il a gagné le hall après avoir refermé la porte de la chambre derrière lui.)* Eh ! bien ! et Antoinette !... Qu'est-ce qu'elle fait par là ?... *(Entrant carrément dans la chambre de Rugby.)* Antoinette !... *(Cri de surprise.)* Oh !

On entend aussitôt un grand brouhaha dans la chambre de Rugby, bruit de dispute où s'entremêlent les voix de Camille, de Rugby et d'Antoinette, meubles renversés, verres cassés.

Ce bruit ne discontinue pas pendant les répliques suivantes.

RAYMONDE, *reparaissant comme une folle, suivie toujours de Tournel.* – Étienne ! voilà Étienne, à présent !

TOURNEL, *courant à la suite de Raymonde.* – Votre valet de chambre. Ah ! quel aria, mon Dieu ! quel aria !

Ils se précipitent tous deux dans le couloir de gauche. Pendant ce temps, le brouhaha a grossi dans la chambre de Rugby. Brusquement, la porte s'ouvre et, comme par un ressort, Camille est projeté en scène. En même temps, surgit Rugby à ses trousses.

RUGBY. – Get away ! get away [26] !

CAMILLE, *revenant à lui.* – Mais, Monsieur !...

RUGBY, *dos au public et face à Camille, ce dernier un peu au-dessus.* – Ah ! God damn !

Il lui envoie un coup de poing en pleine figure.

CAMILLE. – Oh ! *(Nouveau coup de poing qui lui fait cracher son palais. Parlant dès lors comme au premier acte.)* Oh ! mon palais ! J'ai perdu mon palais !

Il veut redescendre pour le ramasser.

RUGBY, *le saisissant à bras-le-corps et l'emportant dans la pièce de droite, troisième plan.* – But get away, I say [27] !

CAMILLE, *emporté par Rugby.* – Mon palais ! je veux mon palais !

RUGBY, *le jetant comme un paquet dans la pièce où il disparaît.* – Here you are ! *(Traversant la scène dans la direction de sa chambre.)* Have you ever seen somebody with such cheek ? *(Entrant dans la chambre.)* Aoh ! it's me, my darling [28] !

La porte se referme ; à peine a-t-il disparu qu'Étienne surgit en scène, venant du fond.

SCÈNE IX

ÉTIENNE, puis EUGÉNIE

ÉTIENNE, *tout en descendant en scène.* – Eh ! bien, il n'y a donc personne dans cet hôtel ?... *(Son œil à ce moment tombe sur le palais de Camille qui est à terre près de lui, il la regarde, puis le pousse du pied.)* Tiens ! de l'argenterie !... *(Le ramassant.)* Oh ! c'est mouillé !...

EUGÉNIE, *qui arrive du couloir de gauche, se dirigeant vers l'escalier pour gagner les étages supérieurs. S'arrêtant sur la première marche.* – Vous demandez, Monsieur ?

ÉTIENNE. – Ah ! Mademoiselle !... *(Eugénie descend n° 1.)* D'abord, voici un objet d'art dont je ne m'explique pas bien l'usage et que je viens de trouver à terre.

Il lui remet le palais.

EUGÉNIE, *l'examinant.* – Tiens ! c'est drôle !... Ça doit être un bijou ancien.

Elle en montre l'effet à Étienne en s'appliquant le palais contre le col, tel une broche. Sur ces entrefaites, Camille est sorti de sa chambre, le dos courbé, les yeux à terre, il avance, cherchant son palais.

CAMILLE. – Je voudrais bien retrouver mon palais. *(Il arrive ainsi presque contre Étienne. Il relève la tête et reconnaît le valet de chambre, aussitôt, sans se redresser, il pivote sur les jarrets et, à grandes enjambées, en pliant les genoux, de façon à se faire aussi petit que possible, il file au plus vite.)* Dieu ! Étienne !

Il s'éclipse dans la chambre de droite, troisième plan.

EUGÉNIE, *qui, ainsi qu'Étienne, n'a pas vu le jeu de scène.* – Quelque client qui l'aura laissé tomber, je le déposerai au bureau.

ÉTIENNE. – C'est ça !... Et maintenant, dites-moi, il n'est pas venu une dame demander la chambre de M. Chandebise ?...

EUGÉNIE. – Si !...

ÉTIENNE. – Et où est-elle, cette dame ?...

EUGÉNIE. – Ah ! mais Monsieur, je n'ai pas le droit !

ÉTIENNE. – Allez ! Allez ! il faut que je la voie ! Son mari peut surgir d'un moment à l'autre ! C'est un bougre qui la tuerait !...

EUGÉNIE, *effrayée.* – Ah ! mon Dieu !...

ÉTIENNE. – Il faut absolument que je la prévienne.

EUGÉNIE. – Oh ! Alors, à ce compte-là !... Tenez, Monsieur, je l'ai vue entrer là !...

Elle indique la chambre de Rugby.

ÉTIENNE, *passant devant elle et allant jusqu'à la porte de la chambre indiquée.* – C'est bien !

Il frappe à la porte.

VOIX DE RUGBY. – Come in !

ÉTIENNE, *pénétrant dans la chambre.* – Je vous demande pardon, Monsieur !...

Cri simultané d'Antoinette et de Rugby dans la chambre.

ANTOINETTE et RUGBY. – Ah !

VOIX D'ÉTIENNE. – Ma femme !

Immédiatement on entend un boucan d'enfer dans la chambre. Bruit de dispute, cris, bousculades, etc.

EUGÉNIE, *qui avait déjà regagné l'escalier, revenant au bruit.* – Qu'est-ce qu'il y a ?

À ce moment, hors de la chambre, affolée, surgit Antoinette, les cheveux en désordre, épaules et bras nus et tenant à la main son chapeau et son corsage qu'elle n'a pas eu le temps de remettre.

ANTOINETTE, *éperdue, se précipitant vers l'escalier.* – Étienne ! Étienne ici !... Au secours ! Au secours !

Un quart de seconde pendant lequel le boucan n'a pas cessé et Étienne a bondi à la poursuite de sa femme qui, déjà, dégringole l'escalier.

ÉTIENNE. – Arrêtez-là ! Arrêtez-la !

RUGBY, *qui s'est lancé aussitôt à ses trousses, le rattrapant de la main droite par le bras gauche et le faisant pirouetter autour de lui, de façon à le coller contre le cadre de la scène.* – Ah ! you bloody fool !

ÉTIENNE, *au choc du mur.* – Oh !

EUGÉNIE, *par répercussion.* – Ah !

RUGBY. – I'm going to kill you [29] ! *(Le prenant par les deux épaules et lui cognant le dos chaque fois contre le mur.)* Here you are [30] !

ÉTIENNE, *de douleur.* – Oh !

RUGBY, *id.* – Here you are !

ÉTIENNE. – Oh ! mais c'est ma femme.

RUGBY, *id.* – Here you are !

ÉTIENNE. – Oh !... Voulez-vous me lâcher !

RUGBY, *le lâchant et regagnant sa chambre.* – And now get away !

Il rentre.

ÉTIENNE. – C'est trop fort ! C'est moi qu'on fait cornard et c'est moi qui reçois les coups !...

EUGÉNIE. – Ah ! bien ! si vous m'aviez dit que c'était vous, le mari !...

ÉTIENNE. – Non, mais est-ce que vous vous imaginez que je le savais ?... *(Eugénie hausse les épaules et remonte vers l'escalier, tandis que des étages supérieurs descend Poche, son crochet vide à la main.)* Ah ! non, moi ! moi ! cornard !... un valet de chambre !... Ah ! la coquine !... Attends un peu ! attends un peu !... *(Il s'élance vers l'escalier près duquel causent Eugénie et Poche, s'arrêtant ahuri à la vue de Poche.)* Ah !... Monsieur !

POCHE, *interloqué.* – Comment ?

ÉTIENNE. – Monsieur ! avec un crochet à la main.

POCHE. – Eh ! bien, oui ! j'ai un crochet ; pourquoi pas ?...

ÉTIENNE. – Ah ! Monsieur !... Monsieur !... Je suis cocu, Monsieur !...

POCHE, *jovial.* – Oui-da ?

ÉTIENNE, *indiquant la chambre de Rugby.* – Oui, Monsieur !... Là, par un Anglais !...

POCHE, *id.* – Ah ! Nobodécoll !

ÉTIENNE. – Je ne sais pas, il ne m'a pas dit son nom. Oh ! mais, puisque Monsieur est là, puisque Monsieur n'a plus besoin de moi, Monsieur peut me permettre... Je veux courir après la scélérate, la rattraper, et alors !... Monsieur permet ?

POCHE, *bon enfant.* – Mais allez donc ! allez donc !

ÉTIENNE. – Merci, Monsieur. Ah ! la gueuse ! la gueuse !

Il se précipite dans l'escalier à la poursuite de sa femme.

POCHE, *descendant un peu en scène, ainsi qu'Eugénie.* – Je ne sais pas ce qu'il y a dans l'air aujourd'hui, mais ils me font tous l'effet d'avoir un hanneton dans le coco !

VOIX DE LUCIENNE, *dans les dessous.* – Oh !... mais faites donc attention !

On entend une sonnerie.

EUGÉNIE, *regardant au tableau.* – Tenez, on sonne dans le couloir ; voyez donc, c'est pour vous.

POCHE, *passant devant Eugénie pour gagner le couloir.* – Oui !... voilà !... voilà !

Il disparaît.

SCÈNE X

EUGÉNIE, LUCIENNE, puis CAMILLE, puis CHANDEBISE

LUCIENNE, *montant, tout en continuant à regarder dans la cage de l'escalier.* – Oh ! mais, je ne me trompe pas, c'est bien Étienne, le valet de chambre des Chandebise !

EUGÉNIE (1). – Madame demande ?

LUCIENNE (2), *allant à Eugénie.* Ah ! Mademoiselle !... Cet homme, qui vient presque de me renverser dans l'escalier tant il courait, ce n'était pas le valet de chambre de M. Chandebise ?

EUGÉNIE. – Ah ! c'est bien possible, Madame, car il m'a demandé la chambre retenue à ce nom-là. Tout ce que je sais, c'est que c'est une histoire à n'y rien comprendre. Il est venu pour prévenir une dame qu'elle ait à déguerpir, parce que son mari était au courant de tout, et quand il a été face à face avec la dame, v'lan ! il s'est trouvé que c'était sa femme, à lui !... C'est un vrai rébus !

LUCIENNE. – Ah ! çà ! voyons, qu'est-ce que vous racontez ?... Vous m'avez l'air de faire une salade !...

EUGÉNIE. – Dame ! Madame, je vous dis ce que j'ai vu.

LUCIENNE. – Oui, enfin, soit ! Dites-moi, quelle est-elle la chambre au nom de M. Chandebise ?

EUGÉNIE, *indiquant la pièce de droite.* – La ch... ? Oh ! ben, c'est celle-ci !

LUCIENNE. – Bon ! J'y vais !

EUGÉNIE. – A votre aise, Madame ! J'ai l'ordre de mettre la chambre à la disposition de qui la demandera.

Elle monte vers les étages supérieurs.

LUCIENNE. – Bon, je vous remercie.

Elle va frapper à la porte, tandis qu'Eugénie sort de gauche.

CAMILLE, *sortant de sa chambre, comme précédemment, à la recherche de son palais.* – Je voudrais pourtant bien retrouver mon palais...

Il décrit ainsi un mouvement en faucille qui le ramène contre Lucienne.

LUCIENNE, *toujours face à la porte contre laquelle elle frappe.* – Eh ! bien, on ne répond pas ?...

Elle refrappe.

CAMILLE, *se trouvant près de Lucienne, relevant la tête pour voir qui est la personne. D'une voix étranglée.* – Madame de Histangua ! Oh ! assez vu ! assez vu, cet hôtel !

Il détale et se précipite dans l'escalier vers les étages inférieurs.

LUCIENNE, *ouvrant la porte de la chambre et y entrant tout en parlant.* – Personne !... Comment se fait-il ?... Raymonde m'a dit : « Je pince mon mari entre cinq heures et cinq heures dix !... Viens donc à cinq heures et demie ce sera fini. » Est-ce qu'elle ne m'aurait pas attendue ? Voyons par là !

Elle va jusqu'au cabinet de toilette, qu'elle explore d'un coup d'œil.

CAMILLE, *reparaissant affolé et, dans un élan assez violent pour pouvoir venir jeter des mots à l'avant-scène et dans un mouvement en faucille regagner sans s'arrêter la chambre, troisième plan droit.* – Victor-Emmanuel !... Encore Victor-Emmanuel !

Il se précipite dans ladite chambre.

LUCIENNE, *gagnant le hall et descendant tout en parlant jusqu'à la rampe.* – C'est extraordinaire !... Ah ! ma foi, tant pis, je m'en vais.

Elle pivote sur elle-même et remonte vers l'escalier pour s'en aller.

CHANDEBISE (1), *venant du fond, tenue du premier acte, complet, jaquette gris noir, chemise blanche, col rabattu, souliers vernis.* – Voyons, à qui m'adresser ?... *(Apercevant Lucienne.)* Ah ! vous !

LUCIENNE. – Monsieur Chandebise !

CHANDEBISE, *la prenant vivement par la main et l'entraînant jusqu'à l'avant-scène.* – Ah ! enfin, je vous trouve !

LUCIENNE, *ahurie.* – Qu'est-ce qu'il y a ?

CHANDEBISE. – Vous avez vu Étienne, mon valet de chambre ?

LUCIENNE. – Hein ! Pourquoi ?

CHANDEBISE, *tout ceci haché et précipité.* – Parce que je vous l'avais dépêché, ne... ne pouvant venir moi-même. J'avais... j'avais un banquet qui m'empêchait... Mais... je me suis aperçu... qu'il n'était que demain, mon banquet. Alors, j'ai... j'ai couru pour vous dire...

LUCIENNE. – Quoi ? Quoi ? Me dire quoi ?

CHANDEBISE, *changeant de ton.* – Ah ! malheureuse enfant ! quelle folie !... m'aimer,... moi !

LUCIENNE, *avec un sursaut en arrière.* – Quoi ?

CHANDEBISE, *sur un ton qui ne supporte pas de réplique.* – Allons, allons, je sais ! Mais aussi, pourquoi n'avoir pas signé votre lettre ?

LUCIENNE, *de plus en plus suffoquée.* – Ma lettre ! quelle lettre ?

CHANDEBISE. – Mais celle que vous m'avez écrite pour me donner rendez-vous ici !

LUCIENNE, *comprenant.* – Ah ! *(Changeant de ton.)* Mais qui vous fait supposer que ce soit moi qui...

CHANDEBISE. – Eh ! parce que, voilà, moi, ne sachant pas, je l'ai montrée à votre mari !

LUCIENNE, *faisant un bon en arrière.* – Hein !

CHANDEBISE. – Il a reconnu votre écriture.

LUCIENNE. – Qu'est-ce que vous dites ?

CHANDEBISE. – Et il est capable de vous tuer !

LUCIENNE, *affolée, la voix stridente.* – Ah ! Caramba !... mais où est-il ?

CHANDEBISE. – Il doit être à nos trousses !

LUCIENNE. – A nos trousses ?... Et vous restez-là !... mais filons ! filons !

Elle se sauve, éperdue.

CHANDEBISE, *courant à sa suite.* – Oh ! fol amour ! fol amour !

Ils disparaissent comme des fous dans l'escalier. En même temps paraît Olympe, venant du couloir de gauche.

OLYMPE, *appelant.* – Eugénie !... Eugénie !... Mais où est-elle, cette fille ?

Elle est à ce moment face au côté droit de l'escalier, obstruant ainsi le côté de la descente.

SCÈNE XI

OLYMPE, puis CHANDEBISE, LUCIENNE, puis RAYMONDE, TOURNEL, puis HISTANGUA

CHANDEBISE, *remontant comme un fou, suivi de Lucienne, aussi affolée que lui.*– C'est lui ! C'est Histangua ! Sauve qui peut !

LUCIENNE. – Mon mari, je suis perdue !

OLYMPE. – Qu'est-ce qu'il y a ?

CHANDEBISE, *se cognant dans Olympe et la faisant pivoter par le bras, ce qui l'envoie sur Lucienne.*– Mais retirez-vous donc de là !

OLYMPE.– Hein !

LUCIENNE, *même jeu dans l'autre sens.* – Mais allez-vous en donc !

Lucienne s'est réfugée dans la pièce de droite, puis dans le cabinet de toilette où elle disparaît ; Chandebise s'est précipité dans la chambre de Rugby.

OLYMPE. – Oh ! mais Madame...

RAYMONDE, *débouchant du couloir, suivie de Tournel. Elle a la figure voilée.* – Oh ! partons ! je ne serai tranquille que quand nous serons hors d'ici !...(*Allant donner dans Olympe.*) Mais allez-vous-en donc !

Elle la fait pivoter pour se frayer un chemin.

OLYMPE. – Ah !

TOURNEL. – Ah ! oui, partons ! (*A Olympe, même jeu.*) Mais fichez-nous donc le camp !

Ils dégringolent l'escalier vers les étages inférieurs.

OLYMPE, *étourdie.*– Mais qu'est-ce qu'il y a ? Qu'est-ce qu'il y a ?

VOIX DE HISTANGUA, *dans les dessous.* – Où sont-ils, les missérables, que yo les toue, que yo les étrangle ?

Cri de Raymonde et de Tournel.

OLYMPE, *se rapprochant du côté droit de l'escalier.* – Qu'est-ce ? Qu'est ce que c'est encore ?

RAYMONDE, *reparaissant affolée.* – Homenidès de Histangua ! (*Se cognant dans Olympe.*) Oh ! mais allez-vous en !

Elle la fait pivoter.

OLYMPE. – Ah ! Ah !

TOURNEL, *dans le même mouvement que Raymonde.* – Le rastaquouère ! (*A Olympe, même jeu.*). Oh ! mais vous serez donc toujours là !

Ils se sauvent par le couloir de gauche.

OLYMPE, *étourdie, à bout de respiration.* – Ah ! mon Dieu ! mon Dieu !

HISTANGUA, *surgissant comme un sauvage, en brandissant un revolver.* – Lé Tournel et oune dame voilée !... C'est elle ! C'est ma femme ! Ah ! missérable !

Il remonte pour s'élancer à la poursuite des fugitifs.

OLYMPE, *affolée, s'interposant.* – Mais où allez-vous, Monsieur ?

HOMENIDÈS, *la faisant pirouetter.* – Yo vais les touer tous les deux ! Allez vous promener !

Il se précipite dans le couloir.

OLYMPE. – Les tuer ! Ah ! mon Dieu ! Au secours ! Au secours !...

SCÈNE XII

OLYMPE, FERRAILLON, EUGÉNIE, puis CHANDEBISE et RUGBY

FERRAILLON (3) *arrivant d'en haut quatre à quatre et suivi d'Eugénie.* – Qu'est-ce qu'il y a ? Pourquoi tout ce bruit ?

OLYMPE (2) *hors d'haleine.* – Ah ! Ferraillon ! Un fou ! un fou qui veut tout tuer !

FERRAILLON, *avec un sursaut.* – Quoi ?

OLYMPE, *se trouvant mal dans les bras d'Eugénie* (1). – Ah !... Aha !... Ah ! Aha !...

EUGÉNIE, *appelant à l'aide.* – Monsieur ! Monsieur !

FERRAILLON, *se précipitant pour la soutenir de l'autre côté.* – Allons, bon ! tenez, menez-la par là (*Il indique dans le couloir, la chambre visible du public, tout en accompagnant les deux femmes.*) Faites-lui respirer des sels !

EUGÉNIE, *tout en emmenant Olympe.* – Oui, Monsieur !

Ferraillon introduit Olympe et Eugénie dans la pièce indiquée puis ressort en fermant la porte sur lui. Cependant, un bruit de chamaillade, peu à peu, s'est élevé dans la chambre de Rugby. On entend des « Get out of my sight ! Get out of my sight[31] ! » *de la part de l'Anglais et des* « mais je ne peux pas ! mais je ne peux pas ! Il y a un énergumène !... » *venant de Chandebise.*

FERRAILLON, *descendant au bruit.* – Mais on fait du potin chez l'Anglais ! Qu'est-ce que c'est encore ?

Brusquement, la porte s'ouvre et surgissent en corps-à-corps, Chandebise et Rugby, le premier s'aggrippant au battant de la porte, l'autre dans le dos du premier, l'enlaçant par la taille et s'efforçant de lui faire lâcher, prise.

Ensemble

RUGBY, *luttant contre Chandebise.* – Will you leave my door ! Will you leave my door [32] !

CHANDEBISE, *résistant de toutes ses forces.* – Voulez-vous me laisser ! Voulez-vous me laisser !

FERRAILLON, *intervenant.* – Ah ! çà ! qu'est-ce qu'il y a donc ?

A ce moment, par un effort plus violent, Rugby a eu raison de Chandebise qu'il envoie d'un même mouvement pirouetter à sa gauche. Ferraillon se trouve juste là pour le recevoir, le happe au passage et, le faisant à nouveau pirouetter, l'envoie s'asseoir sur la banquette à droite du hall.

CHANDEBISE, *tombant assis sur la banquette pendant que Rugby rentre en grommelant dans sa chambre.* – Ah ! mais dites donc, vous !

FERRAILLON (1), *faisant un saut en arrière à la vue de Chandebise.* – Poche !... Encore Poche !

CHANDEBISE (2), *se levant et venant se camper devant lui.* – Qu'est-ce que vous dites ?

FERRAILLON, *de la main gauche le saisissant par le bras gauche et lui donnant, à chaque invective, un coup de pied au bon endroit.* – Ah ! saligaud !

CHANDEBISE, *sautant en l'air à chaque coup de pied.* – Qu'est-ce que c'est ?

FERRAILLON, *id.* – Voyou !

CHANDEBISE, *id.* – Ah ! mais !

FERRAILLON, *id.* – Cochon !

CHANDEBISE, *id., puis se dégageant.* – Ah ! mais dites donc, vous !

FERRAILLON, *sur un ton de menace.* – Quoi ?

CHANDEBISE, *qui, sous l'effet des coups de pied, et du fait qu'il était tenu par le bras, a pivoté autour de Ferraillon, se trouve ainsi revenu à sa place primitive, prenant du champ.* – Je suis M. Chandebise, directeur de la Boston Life Company.

FERRAILLON, *tout à l'extrême gauche, et bien large en montrant Chandebise de la main.* – Voilà !... Il est saoul ! Il est complètement saoul !

CHANDEBISE, *marchant sur lui.* – Monsieur, vous recevrez mes témoins.

FERRAILLON, *le saisissant comme précédemment par le bras et le faisant pivoter autour de lui à coups de pieds.* – Oui ? Eh ! bien, tiens ! pour tes témoins !

CHANDEBISE, *sautant en l'air à chaque coup de pied.* – Oh !

FERRAILLON, *id.* – Et tiens ! pour Chandebise.

CHANDEBISE, *id.* – Oh !

FERRAILLON, *id.* – Et tiens !... tiens ! tiens !

A chaque « tiens ! » Chandebise pousse un « oh ! »

CHANDEBISE, *ramené comme précédemment à sa place primitive.* – Ah ! mais, à la fin, vous !...

Il va se camper sous le nez de Ferraillon.

FERRAILLON, *avisant sa jaquette.* – Et puis, qu'est-ce que c'est que ça ? Veux-tu bien...

Il l'attrape par le col de sa jaquette et se met en devoir de la lui retirer.

CHANDEBISE, *se défendant comme il peut.* – Hein ! mais non !... mais voulez-vous...

FERRAILLON. – Allez ! Allez ! quelle est cette plaisanterie ?

Il lui retire, malgré lui, sa jaquette.

CHANDEBISE. – Ah ! mais, voyons !

FERRAILLON, *lui enlevant son chapeau.* – Veux-tu enlever ça !

Il va accrocher chapeau et jaquette à la patère libre.

CHANDEBISE, *littéralement terrassé.* – Mon Dieu !... c'est un fou !

FERRAILLON, *qui a décroché la casquette et la livrée, revenant à Chandebise.* – Allez ! mets ta casquette !

Il la lui colle sur la tête et la lui enfonce jusqu'aux oreilles d'un coup de poing.

CHANDEBISE. – Non ! non !

FERRAILLON, *voulant lui passer le veston de livrée.* – Là ! Et ta veste !

CHANDEBISE, *se défendant.* – Je ne veux pas ! Je ne veux pas !

FERRAILLON, *la lui enfilant de force.* – Tu ne veux pas ! c'est à moi que tu dis que tu ne veux pas ! Allez ! et vivement !

CHANDEBISE, *effrayé, le cou dans les épaules, se faisant obéissant et soumis.* – Oui !.. oui, oui !

FERRAILLON, *lui indiquant l'escalier.* – Et maintenant,

ouste ! dans ta chambre ! et plus vite que ça !

CHANDEBISE, *se précipitant vers l'escalier.* – Oui, oui !... c'est un fou ! il est fou !

FERRAILLON, *s'élançant vers l'escalier, comme s'il allait courir après lui.* – Qu'est-ce que tu dis ? Veux-tu que je t'en flanque encore une ?

CHANDEBISE, *vivement, tout en montant.* – Non, non !

FERRAILLON, *sur la première marche.* – Eh ! bien, alors, fous le camp !

CHANDEBISE (1), *montant, sans le quitter du regard.* – Il est fou ! c'est un fou !

FERRAILLON, *escaladant brusquement trois marches en trépignant sur chaque marche.* – Veux-tu me foutre le camp, nom de Dieu !

Chandebise, effrayé, détale au plus vite, au point qu'il en manque de tomber. Il disparaît. *

FERRAILLON, *redescendant les marches qu'il vient de gravir, puis, bien large, au public.* – Le voilà, tenez ! le voilà l'effet du vermouth ! il est encore ivre-mort, parbleu ! Ah ! là, là ! dire que quand on a un bon domestique, il faut qu'il soit ivrogne !

Tout en parlant, il est descendu un peu en scène.

EUGÉNIE, *sortant en coup de vent de la chambre où est Olympe. Chaque fois et tant que la porte de la chambre sera ouverte, on entendra des petits « hi ! han ! » spasmodiques poussés par Olympe à la cantonade.* – Monsieur ! Monsieur !

FERRAILLON, *obsédé.* – Qu'est-ce qu'il y a encore ?

EUGÉNIE (1). – Madame a une attaque de nerfs.

---

* Dès qu'il aura disparu aux yeux du public, l'artiste chargé du rôle de Chandebise, tout en descendant l'escalier du praticable, placé derrière le décor, retirera sa veste de livrée et la casquette. Arrivé au bas, il doit trouver une chaise pour s'asseoir et deux habilleurs qui lui présentent le pantalon truqué, chacun tenant un des bouts du ressort grand ouvert. Il passe rapidement ledit pantalon par-dessus le pantalon qu'il a ; en même temps, on lui enfile ses chaussons par-dessus ses souliers vernis. Un peu plus loin, deux autres habilleurs l'attendent avec le gilet truqué grand ouvert dans lequel il n'a qu'à glisser les bras. Aussitôt, on lui passe le tablier et le foulard. Un coup de main dans les cheveux pour se décoiffer et il n'a plus qu'à rentrer en scène, sa transformation est faite.

FERRAILLON, *passant au* 1. – Ah ! là ! Qu'est-ce qu'elle nous barbe encore, celle-la !... (*Se retournant vers Eugénie.*) Tenez, montez donc vite au 10 et priez le docteur Finache, s'il peut disposer d'un moment, de venir voir ma femme !

EUGÉNIE. – Je cours, Monsieur !

Elle grimpe en hâte vers les étages supérieurs.

FERRAILLON. – Oh ! là, là ! pas une minute de tranquillité ! quel rasoir ! (*Il entre chez sa femme dont on entend, l'espace de temps que la porte est ouverte, les petits cris nerveux.*) Eh ! bien, quoi donc, ma chérie, ça ne va donc pas ?

La porte se referme. *

SCÈNE XIII

POCHE, puis FINACHE et EUGÉNIE

POCHE, *venant de gauche, des lettres à la main et gagnant le milieu de la scène, tout en dénouant les cordons de son tablier qu'il retire pendant ce qui suit.* – Là ! maintenant, vite à la gare ! (*Il va accrocher son tablier à la patère ; n'apercevant plus sa livrée qu'il s'attendait à trouver toujours suspendue.*) Eh ! bien. (*Il jette un coup d'œil par terre.*) Qu'est-ce qui m'a chauffé ma veste et ma casquette ? Ben ! mon colon ! il ne manque pas de culot, celui-là !... Et à la place, il m'a laissé un chapeau et une jaquette. (*Essayant le chapeau.*) Tiens ! il me va !... Ah ! bien, tant pis ! faut que j'aille jusqu'à la gare, un *pannetôt* en vaut un autre, je rendrai celui-là quand on m'aura rendu le mien. (*Tout en parlant, et sans retirer son foulard, il a passé la jaquette de Chandebise par-dessus son gilet de livrée, Il remonte comme pour s'en aller. On sonne. Rebroussant chemin.*) Allons ! bon ! on me sonne encore.

Il sort de gauche.

---

* Aussitôt sorti, l'artiste retire vivement la jaquette et le chapeau. Il trouve les habilleurs qui lui retirent son foulard et son gilet en en retournant les manches pour aller plus vite ; ils les remettront à l'endroit après le changement. Plus loin, la chaise l'attend avec les deux autres habilleurs qui lui retirent ses chaussons et son pantalon. Rapidement, un coup de peigne et on lui passe la casquette et la livrée dont il se revêtira tout en montant l'escalier du praticable.

EUGÉNIE, *venant d'en haut, suivie de Finache.* – Par là, Monsieur le docteur ! Par là !

FINACHE, *finissant de repasser sa jaquette et descendant à la suite d'Eugénie.* – Ah ! non ! mais si vous vous imaginez que je suis venu ici pour soigner des malades !... Quoi ! Qu'est-ce qu'elle a, votre patronne ?

EUGÉNIE. – Oh ! c'est pas grand'chose. Comme qui dirait un taf[33] qu'elle vient d'avoir...

FINACHE, *qui en comprend pas.* – Un taf ?

EUGÉNIE. – Oui... Un taf !... Enfin, une venette[34]..., une frousse, quoi !

FINACHE. – Ah ! une frousse !... Mais dites-le donc ! Du moment que vous parlez français !...

EEUGÉNIE. –... Qui lui a tourné les sangs !... alors, ses nerfs, n'est-ce pas ?...

FINACHE. – Et c'est pour ça que vous me dérangez ?... Mais vous n'aviez qu'à prendre un bon siphon et à l'arroser !.... C'était calmé.

EUGÉNIE. – Enfin, à tant faire que Monsieur le docteur a pris la peine de descendre, autant que Monsieur le docteur la voie.

FINACHE. – Évidemment, puisque j'y suis !

EUGÉNIE, *introduisant Finache.* – Oui, Monsieur le docteur ! Par ici, Monsieur le docteur !

La porte ouverte, on entend les petits cris d'Olympe. La porte se referme sur eux. A peine ont-ils disparu qu'au haut de l'escalier on aperçoit Chandebise, toujours avec sa livrée et sa casquette, se risquer avec circonspection.

SCÈNE XIV

CHANDEBISE, puis RAYMONDE et TOURNEL puis FERRAILLON

CHANDEBISE, *du haut de l'escalier.* – Le... le fou est parti ?... (*Descendant tout en parlant.*) Ah ! là, là !... Qu'est-ce que j'ai pris ! Ah ! bien, si c'est comme ça qu'il accueille la clientèle, on ne doit pas revenir deux fois !... Quel énergumène ! (*Allant jusqu'à la patère à laquelle Ferraillon avait accroché ses vêtements.*) Ah !... Eh ! bien... et ma jaquette ?... et mon chapeau qu'il avait accrochés là ?... Eh bien ! qu'est-ce qu'ils sont devenus ?...

Il cherche par terre, autour de lui. Sur ces derniers mots, du haut de l'escalier qu'ils descendent quatre à quatre, surgissent Raymonde et Tournel.

RAYMONDE, *tout en dégringolant l'escalier.* – Nous l'avons dépisté !... Vite, une voiture !...

TOURNEL, *id., à la suite de Raymonde.* – Ah ! bien, tenez, voilà le garçon !

RAYMONDE. – Ah ! oui, le garçon !

CHANDEBISE, *toujours penché, cherchant ses effets.* – Ah ! bien, celle-là, par exemple !...

RAYMONDE, *arrivée à Chandebise qui lui toune le dos.* – Vite ! Poche, une voiture !

CHANDEBISE. – Quoi ?

TOURNEL. – Une voiture !

CHANDEBISE, *bondissant à la vue de Raymonde.* – Ma femme !

TOURNEL. – Hein !

RAYMONDE, *bondissant.* – Mon mari ! C'était lui ! C'était lui !

Elle se sauve éperdue.

CHANDEBISE. – Et Tournel avec elle !

TOURNEL, *médusé.* – C'était lui !

CANDEBISE, *sautant à la gorge de Tournel.* – Qu'est-ce que tu fais ici, hein ? Qu'est-ce que tu fais ici avec ma femme ?

Les deux mains au collet, il le fait pirouetter de façon à l'envoyer à sa gauche.

TOURNEL, *à moitié étranglé.* – Mais, mon ami, tu le sais.

CHANDEBISE. – Quoi ? Quoi ?

TOURNEL. – Nous t'avons expliqué tout à l'heure.

CANDEBISE, *l'acculant contre la banquette sur laquelle la perte de l'équilibre le fait s'effondrer.* – Quoi ! tu m'as expliqué... (*Le secouant.*) Veux-tu me répondre, hein ? Veux-tu me répondre ?...

TOURNEL, *effaré.* – Allons ! Voyons ! Allons ! Voyons !

FERRAILLON, *sortant en coup de vent de la chambre.* – Ah ! cà ! vous n'avez pas bientôt fini ce potin ? (*Il attrape Chandebise par le bras droit et l'envoie ainsi à l'extrême gauche. Tournel, libéré, en profite pour détaler au plus vite.*) Poche ! encore Poche !

CHANDEBISE. – Le fou !

FERRAILLON, *comme dans une scène précédente, lui envoyant un coup de pied à chaque invective.* – Ah ! salaud !

CHANDEBISE, *sautant en l'air.* – Eh ! là ! eh ! là !

FERRAILLON, *id.* – Animal !

CHANDEBISE, *id.* – Oh !

FERRAILLON, *id.* – Cochon !

CHANDEBISE, *id.* – Allons, voyons !

FERRAILLON. – Tu n'en as pas encore reçu assez ?

CHANDEBISE (1), *détalant.* – Si ! Si ! Au secours ! Au fou ! Au fou !

FERRAILLON, *courant à sa suite pendant que l'autre grimpe l'escalier au galop.* – Je vais t'en donner du fou, espèce d'ivrogne. Allez ! dans ta turne ! et je t'y enfermerai moi-même et tu y resteras jusqu'à demain matin à cuver ton vin !... Allez ! Allez ! et plus vite que ça !...

Ils disparaissent à l'étage supérieur, l'un poursuivant l'autre. *

SCÈNE XV

RUGBY, puis CAMILLE,
puis LUCIENNE, puis HISTANGUA

A peine les deux hommes ont-ils disparu que Rugby, comme un homme à bout de patience, sort de sa chambre dont il laisse la porte ouverte.

RUGBY. – God damn. I will have to see myself if this is going on for ever [35] !

Tout en parlant, il a gagné l'escalier et disparaît dans les dessous.

CAMILLE, *sortant, deuxième plan droit et descendant en scène.* – Je crois que le chemin est libre, c'est le moment de filer.

LUCIENNE, *qui est sortie du cabinet de toilette en même temps que Camille sort de sa chambre, s'arrête sur le pas de la porte de la chambre et écoute avant d'ouvrir.* – Je n'entends plus de bruit.

---

* Pour les nouvelles transformations à venir, opérer comme il a été dit la première fois, non pour le tablier qui est resté en scène, mais pour la jaquette et le chapeau.

CAMILLE, *inspectant une dernière fois le plancher.* – Mais qu'est-ce qu'a pu devenir mon palais ?

Il décrit ainsi un mouvement en faucille d'abord vers la gauche, pour remonter en demi-cercle, et aller donner en plein dans Lucienne quand elle sortira de la chambre.

LUCIENNE, *sortant dans le hall.* – Mon mari doit être reparti.

CAMILLE, *nez à nez avec Lucienne.* – Madame de Histangua !...

Il pivote sur les talons pour fuir.

LUCIENNE, *le reconnaissant.* – Monsieur Camille ! (*S'agrippant à lui.*) Ah ! Monsieur Camille ! ne me quittez pas ! ne m'abandonnez pas ! mon mari est à mes trousses... avec un revolver ! il veut tuer tout le monde !

CAMILLE, *sursautant.* – Nom de Dieu !

LUCIENNE. – Je vous en prie, ne me quittez pas !...

CAMILLE. – Non, non !

VOIX D'HISTANGUA, *dans les dessus.* – Par où qu'ils sont, les missérables ?...

LUCIENNE, *bondissant.* – Mon mari !

CAMILLE. – Lui ! Filons !

Ils se précipitent tous les deux vers l'escalier, mais viennent se buter contre Rugby qui remonte. Affolés, ils rebroussent chemin. Camille s'élance dans la chambre de droite, premier plan, dont il referme la porte contre laquelle il s'arc-boute. Lucienne, elle, voyant la porte de Rugby ouverte, se précipite à tout hasard dans la chambre.

RUGBY, *qui, de l'escalier, a considéré, ahuri, le jeu de scène, voyant Lucienne rentrer dans la chambre. Avec jubilation.* – Aoh ! That's a pretty girl [36] !

Il franchit la scène à grandes enjambées et rentre dans sa chambre.

HISTANGUA, *dégringolant l'escalier et bondissant en scène.* – Par où qu'ils sont... Qué yo les toue, qué yo les occisse ?... Mais par où qu'elle est, la chambre de mossieur Chandebisse ?... Mais il n'est donc personne dans cet hôtel ?...

Il se précipite vers l'escalier et disparaît vers les étages inférieurs.

SCÈNE XVI

POCHE, LUCIENNE, RUGBY, CAMILLE,
puis HISTANGUA, puis EUGÉNIE, puis tout le monde

POCHE, *arrivant de gauche.* – Eh ! bien, qu'est-ce qui crie comme ça ?

LUCIENNE, *sortant de chez Rugby, serrée de près par lui.* – Voulez-vous me laisser, impudent personnage !

Elle se retourne, le repousse et lui envoie une gifle.

RUGBY. – Again !... Aoh ! it's disgusting[37] !

Il réintègre sa chambre.

POCHE, *riant.* – Bien touché !

LUCIENNE, *se précipitant vers Poche.* – Ah ! Monsieur Chandebise !

POCHE. – Quoi ?

LUCIENNE. – C'est le ciel qui vous envoie. Sauvez-moi ! Cachez-moi !

POCHE. – Qu'est-ce qu'il y a, Madame ?

LUCIENNE, *s'affaissant à moitié contre la poitrine de Poche.* – Mon mari me poursuit !... il veut me tuer !...

POCHE, *sursautant.* – Qu'est-ce que vous dites ?

LUCIENNE. – Ah ! sauvez-moi !... Sauvez-moi !

POCHE, *la soutenant dans son bras droit.* – Tenez, tenez, par ici, la sortie.

Tout en parlant, ils ont gagné comme cela à petits sauts de côté, l'un tenant l'autre jusqu'à l'escalier. Là, Poche fait passer Lucienne et tous deux descendent quelques marches.

VOIX DE HISTANGUA, *dans les dessous.* – Oh ! Caramba ! yo vous tiens !

LUCIENNE, *reparaissant comme une folle, suivie de Poche.* – Le voici ! (*Allant à la porte de droite, premier plan.*) Ouvrez ! Ouvrez !

CAMILLE, *pesant de tout son poids contre la porte.* – On n'entre pas !

POCHE. – Dépéchez-vous !... (*Éperdue, elle va du côté de la chambre de Rugby.*) Non, pas par là ! c'est l'Anglais !

LUCIENNE. – Mais où ? Où ?

POCHE. – Là, chez Baptistin !

HISTANGUA, *dont on n'a pas cessé d'entendre les impréca-*

tions dans les dessous pendant tout ce qui précède, surgissant en scène comme un énergumène. – Inoutile dé vous cacher ! Yo vous ai vus !

EUGÉNIE, *sortant de chez Olympe.* – Vous demandez, Monsieur ?

HISTANGUA. – M. Chandebisse et la dame qui l'est avec ?

EUGÉNIE, *indiquant la chambre où est Camille.* – Là, Monsieur. Dans cette chambre.

Elle sort de gauche.

HISTANGUA, *à la porte de droite, premier plan.* – Ouvrez ! Ouvrez ! que yo vous toue !

CAMILLE, *riant.* – N'y a personne !

HISTANGUA, *poussant la porte.* – Voulez-vous ouvrir !... oune, deux, trois ! (*Il donne chaque fois une poussée à la porte de droite, premier plan. La dernière, plus forte que les autres, envoie baller Camille. Histangua lui saute à la gorge.*) Ma femme ! Où il est, ma femme... que yo la toue... que yo l'occisse ?

CAMILLE, *à l'extrême droite, terrifié et ne sachant plus ce qu'il dit.* – Mais je ne l'ai pas !... je vous donne ma parole ! tenez, fouillez-moi !

A l'appui de son dire, il retourne les poches de son pantalon.

HISTANGUA, *sans l'écouter, gagnant la gauche.* – Ah ! oui ! qué yo la trouve et yo la toue, aussi vrai... qué yo fais mouche sur cette cible !...

Il tire un coup de revolver sur le bouton à droite du lit ; le lit tourne et paraissent Lucienne et Poche.

LUCIENNE. – Mon mari !

Elle se sauve, suivie de Poche.

HISTANGUA. – Ma femme !

Il se précipite à sa poursuite en tirant des coups de revolver. Lucienne et Poche filent par le fond. Histangua est arrêté dans sa course par tous les gens de l'hôtel qui sont accourus au bruit des coups de feu. On lui saisit le bras que l'on maintient en l'air, mais il continue à tirer pendant que le rideau tombe.

RIDEAU

ACTE III

SCÈNE PREMIÈRE

ANTOINETTE, puis ÉTIENNE

Même décor qu'au premier acte,*

Au lever du rideau, la scène est vide ; les portes sont fermées. Brusquement, celle du fond s'ouvre. Antoinette, affolée, entre en coup de vent et referme vivement la porte sur elle. On sent qu'elle a revêtu à la hâte sa tenue de cuisinière ; elle accourt en achevant d'agrafer sa robe ; elle tient son tablier et son bonnet à la main.

ANTOINETTE. – Mon Dieu, Étienne !... Étienne qui revient !... Je n'aurai jamais le temps !... (*Elle achève son ajustage.*) Ah ! là !... quand on est émue, on n'avance pas !... Aïe donc, voyons !

VOIX D'ÉTIENNE, *cantonade gauche.* – Antoinette !... Antoinette !...

ANTOINETTE. – Oh !...

Elle va pousser le verrou de la porte du fond.

VOIX D'ÉTIENNE, *plus rapprochée.* – Antoinette !...

---

* Nota. – La porte du milieu ne doit jamais s'ouvrir que d'un seul battant, excepté dans les cas spécialement indiqués dans le courant de l'acte.

ANTOINETTE, *tout en passant son tablier et son bonnet.* – Oh ! mon Dieu !

VOIX D'ÉTIENNE, *derrière la porte du milieu.* – Antoinette !... (*Il agite de l'extérieur les battants de la porte qui résistent.*) Allons, bon ! veux-tu ouvrir ? Oh ! la gueuse ! Elle s'est enfermée !... (*La voix s'éloigne dans la direction de gauche.*) Attends un peu !...

ANTOINETTE, *qui a terminé sa toilette.* – Vite !

Elle va tirer le verrou qu'elle avait poussé et, rapidement, sur la pointe des pieds, gagne la chambre de droite, premier plan.

ÉTIENNE, *le chapeau sur la tête et dans la tenue du second acte, surgissant par la porte fond gauche.* – Antoinette !... Où est-elle encore fourrée ? Antoinette !

ANTOINETTE, *paraissant sur le seuil de la porte de droite et très calme.* – C'est toi qui cries comme ça ?...

ÉTIENNE. – Parfaitement !... Qu'est-ce que ça veut dire de t'enfermer ?...

ANTOINETTE, *jouant l'ignorance.* – Quoi ?

ÉTIENNE. – Je te demande pourquoi tu étais enfermée ?

ANTOINETTE, *avec un aplomb imperturbable.* – Moi ? J'étais pas enfermée.

ÉTIENNE, *tué de son aplomb.* – Ah ! bien, par exemple ! (*Afin de confondre sa femme, il s'élance vers la porte du fond, tourne le bouton. La porte s'ouvre, ahuri.*) Tiens !

ANTOINETTE, *adossée à la table, les bras croisés, l'œil au plafond, l'air ironique et le ton gouailleur.* – Si tu ne sais plus ouvrir une porte, maintenant !...

ÉTIENNE. – Ah ! bien, celle-là, elle est forte ! Oh ! d'ailleurs, tout ça n'a pas d'importance. Veux-tu me dire un peu ce que tu fabriquais tout à l'heure à l'hôtel du Minet Galant ?

ANTOINETTE, *comme si on lui parlait chinois.* – Au quoi ?...

ÉTIENNE. – A l'hôtel du Minet Galant.

ANTOINETTE, *appuyant sur « qu'est-ce ».* – Qu'est-ce que c'est que ça ?

ETIENNE. – Comment, « qu'est-ce que c'est que ça » !... Ah ! bien, tu en as du culot !... Je viens de t'y surprendre, il n'y a pas une demi-heure...

ANTOINETTE, *bondissant censément sous l'outrage.* – Moi ! Moi, tu m'as surprise ?

ÉTIENNE. – Oui, toi !

ANTOINETTE, *avec le plus grand calme.* – J'ai pas bougé d'ici.

ÉTIENNE, *n'en revenant pas de son cynisme.* – Qu'est-ce que tu dis ?

ANTOINETTE. – Je dis la vérité !...

ÉTIENNE. – Tu n'as pas bougé d'ici ?... Ah ! non, celle-là !... Certes, je m'attendais à tout, que tu trouverais une bonne raison, une explication ingénieuse !... Mais me répondre que tu n'as pas été à l'hôtel du... Ah ! non, ça !...

ANTOINETTE. – Je ne peux pourtant pas te dire ce qui n'est pas.

ÉTIENNE. – Mais, malheureuse, je t'y ai vue !... de mes propres yeux, vue !...

ANTOINETTE, *avec un sang-froid déconcertant.* – Et après ? Qu'est-ce que ça prouve ?

ÉTIENNE, *suffoqué.* – Oh !

ANTOINETTE, *péremptoirement.* – Que tu m'aies vu ou non..., je n'y étais pas !...

ÉTIENNE. – Oh ! non ! cet aplomb !... alors que je t'ai surprise, là-bas !... à moitié déshabillée... dans les bras d'un Anglais !

ANTOINETTE. – Moi ?

ÉTIENNE, *bien dans le nez d'Antoinette.* – Oui, toi ! Oui, toi ! Même qu'il est tombé sur moi à coups de poings.

ANTOINETTE. – D'un Anglais ?... moi ?... moi ?... Mais comment aurais-je fait ? Je sais pas l'anglais.

ÉTIENNE, *avec un rire qui sonne faux.* – Aha ! aha !... En voilà une raison !... Comme si on se comprenait pas dans toutes les langues... pour certaines choses !... Avec la pantomime !... Tu n'étais pas dans les bras d'un Anglais ?

ANTOINETTE, *toujours imperturbable.* – Je n'ai pas bougé d'ici.

ÉTIENNE. – Mais nom de D... ! (*A bout d'arguments, plantant là Antoinette et gagnant la gauche, bien entre ses dents.*) Chameau !... Elle ment comme une femme du monde. (*Revenant sur Antoinette.*) Ah ! tu n'as pas bougé d'ici ! Eh ! bien, c'est ce que nous allons savoir.

Il se dirige vers le fond.

ANTOINETTE, *avec inquiétude, gagnant d'un ou deux pas vers lui.* – Qu'est-ce que tu vas faire ?

ÉTIENNE, *revenant vers sa femme.* – Interroger le concierge.

ANTOINETTE. – Le concierge !

ÉTIENNE. – Il me dira, lui, si tu es sortie.

Il va pour remonter.

Tout ce dialogue, très chaud, très rapide, doit en quelque sorte s'entremêler comme dans une discussion exaspérée.

Ensemble

ANTOINETTE, *s'accrochant à lui qui, de son côté, pendant tout ce qui suit, cherche à se dégager de son étreinte. A mesure qu'il arrache une main, elle le reprend de l'autre.* – Étienne ! tu es fou... Tu ne vas pas aller mêler le concierge à cette discussion ridicule !... Tu veux donc qu'on se moque de toi ?

ÉTIENNE. – Aha ! Ça te la coupe !... Tu n'avais pas prévu celle-là, hein ? Tu croyais que tu allais me rouler et maintenant que tu sens que tu vas être pigée !...

ANTOINETTE. – Allons, voyons, Étienne !

ÉTIENNE, *la repoussant.* – Rien du tout !

ANTOINETTE, *jetant le manche après la cognée.* – Eh ! fais comme tu voudras !

Elle va se camper face au public, dos à la table et les bras croisés.

ÉTIENNE, *qui a couru aussitôt au vestibule, laissant derrière lui les deux battants de la porte ouverts, se précipite au téléphone qui fait face au public. Sonnant, puis décrochant le récepteur.* – Allo !... C'est vous, monsieur Ploumard ? Bon !... Dites-moi !... ma question va peut-être vous étonner, mais j'ai besoin de savoir. A quelle heure ma femme est-elle sortie aujourd'hui ?... (*Un temps. La figure d'Antoinette, exprime une certaine angoisse.*) Hein ?... Comment, elle n'est pas sortie ?... (*La figure d'Antoinette se rassérène, elle pousse un soupir de soulagement.*) Voyons, ce n'est pas possible ; dites que vous ne l'avez pas vue passer... Comment ?... Elle est venue manger la soupe avec vous ! (*Petit sursaut de joie à peine visible chez Antoinette dont l'œil, dès lors, devient moqueur, la lèvre gouailleuse.*) Hein ?... Oui, j'entends bien, comme personne ne dînait là-haut, elle est venue... (*N'en croyant pas ses oreilles.*) Ah ! ça ! Voyons !... voyons !...

ANTOINETTE, *toujours dans la même position et sans décroiser les bras, présentant les cinq doigts de sa main au public, puis, d'un geste de la tête, indiquant le télé-*

phone. – Cinq francs... ça me coûte, ça !

ÉTIENNE, *qui est resté un instant coi.* – Je n'y comprends rien !... C'est invraisemblable !... C'est bien !... je vous remercie... je vous demande pardon.

Il accroche le récepteur avec humeur et rentre dans le salon, l'air vexé et rageur. Il a tiré les battants de la porte sur lui en rentrant.

ANTOINETTE, *gouailleuse.* – Eh ! ben ?...

ÉTIENNE, *brutalement.* – Ah ! fiche-moi la paix ! (*Avec humeur, gagnant la gauche.*) C'est à se demander si je suis fou, si j'ai la berlue !...

ANTOINETTE, *remontant dans la direction de la porte fond gauche.* – Ce qu'on peut être bête quand on est jaloux !

ÉTIENNE, *remontant 2.* – Oui !... C'est bon !... Allez !... à ta cuisine !... (*On sonne.*) Nous reprendrons cette explication-là.

ANTOINETTE. – Oh ! comme tu voudras.

Elle hausse les épaules et sort. Nouveau coup de sonnette.

ÉTIENNE, *sur un ton obsédé, répondant au coup de sonnette.* – Voilà ! Voilà !... (*A part.*) Ou cette femme est un monstre de cynisme, ou alors il faut que je me fasse soigner. (*Nouvelle sonnerie.*) Mais voilà !

Il sort un instant de scène. On entend le bruit de la porte d'entrée qui s'ouvre et se referme et l'on distingue la voix de Raymonde mêlée à celle d'Étienne.

SCÈNE II

ÉTIENNE, RAYMONDE, TOURNEL

RAYMONDE, *entrant, suivie de Tournel. Tout en parlant, elle descend jusqu'au canapé tandis que Tournel reste au fond de la scène, à gauche de la porte du milieu.* – Eh ! bien... vous n'entendiez pas sonner ?

ÉTIENNE (3), *répondant aux questions par acquit de conscience, mais visiblement préoccupé d'autre chose.* – Si, Madame, je venais...

RAYMONDE (1). – Monsieur ?... Monsieur n'est pas rentré ?

ÉTIENNE. – Euh !... Non, Madame.

RAYMONDE. – C'est bien, laissez-nous.

ÉTIENNE. – Oui, Madame... (*Tout en s'en allant et à l'adresse de sa femme, très entre ses dents.*) Chameau !...

TOURNEL, *qui se trouve là pour recevoir le mot.* – Vous dites ?

ÉTIENNE. – Hein ?... Oh ! c'est pas à Monsieur...

TOURNEL. – Ah ! j'espère !

Étienne sort.

TOURNEL, *peu soucieux de rester davantage.* – Eh ! bien, ma chère amie, puisque maintenant vous êtes chez vous, moi, je...

RAYMONDE, *qui est près du canapé, en train de retirer son chapeau et ses gants, se tournant vers Tournel.* – Hein ?... Ah ! non, non, vous n'allez pas me laisser, hein ?

Elle dépose chapeau et gants sur l'un des meubles à sa proximité.

TOURNEL, *déconfit.* – Ah !

RAYMONDE, *nerveuse, ne pouvant rester en place.* – Merci !... Je ne sais pas dans quelle disposition rentrera mon mari... Vous avez vu tout à l'heure, quand il nous a rencontrés la seconde fois à l'hôtel du Minet Galant, il avait l'air de vouloir vous étrangler !... Vous comprenez que si la fantaisie lui en reprenait...

TOURNEL, *aussi placide qu'elle est agitée.* – Oui..., vous pensez qu'il vaudrait mieux que je sois là.

RAYMONDE. – Ah ! oui !... oui ! je ne tiens pas à être seule pour recevoir le choc.

TOURNEL, *résigné.* – Bon !... bon, bon !

Il descend en scène.

RAYMONDE. – Ça n'a pas l'air de vous enthousiasmer.

TOURNEL, *sans enthousiasme.* – Ben ! vous savez !...

RAYMONDE. – Ah ! c'est bien ça !... tous les mêmes : audacieux dans l'entreprise et renâclant devant les responsabilités.

TOURNEL. – Oh ! oh ! D'abord, quoi, les responsabilités !... Il ne s'est rien passé.

RAYMONDE, *allant à lui.* – Oh ! ce n'est pas votre faute... s'il ne s'est rien passé ! En tous cas, mon mari n'en sait rien... s'il ne s'est rien passé ! Et, nous trouvant là-bas, il a le droit de se figurer... ce qu'il se figure, d'ailleurs. Sa colère de tantôt en est la preuve !...

TOURNEL. – Évidemment, parbleu !... Ce que je ne comprends pas, par exemple, c'est pourquoi elle s'est manifestée si tardive.

RAYMONDE. – Ah ! oui, ça !...

TOURNEL. – Car enfin, quand il a surgi la première fois, debout sur son lit... avec un litre à la main...

RAYMONDE. – Oui !

TOURNEL. – Il n'a pas paru autrement estomaqué de nous voir ; il avait même l'air content, si on peut dire...

RAYMONDE. – Comment ! Il nous a même embrassés...

TOURNEL. – Absolument ! Et v'lan ! nous le retrouvons plus tard... en livrée ; il bondit sur nous et paraît indigné !... Pourtant, dans ce genre d'aventures, on a généralement sa conviction faite tout de suite, ce ne sont pas des choses qui viennent à la réflexion.

RAYMONDE, *passant au 2.* – C'est ce que je me dis ! C'est à n'y rien comprendre... (*On sonne.*) Mon Dieu, on a sonné ! C'est peut-être lui...

TOURNEL, *inquiet.* – Déjà !...

On entend le bruit de la porte qu'on ouvre.

VOIX DE LUCIENNE. – Madame est rentrée ?

Bruit de porte qu'on referme.

VOIX D'ÉTIENNE. – Oui, Madame, oui.

RAYMONDE. –Ah ! non, c'est Lucienne. (*Elle remonte vers la porte du fond, qu'elle ouvre.*) Ah ! entre, viens !

SCÈNE III

RAYMONDE, LUCIENNE, TOURNEL

LUCIENNE, *passant devant Raymonde et descendant dans la direction de la table.* – Ah ! Raymonde ! Raymonde ! Quel drame ! Quelle tragédie !...

RAYMONDE, *levant les yeux au ciel.* – A qui le dis-tu !...

LUCIENNE. – Tiens ! mes jambes, elles font comme ça...

Elle fait trembler ses genoux.

RAYMONDE *et* TOURNEL, *sur un ton de condoléance.* – Oh !

LUCIENNE, *se laissant tomber sur le siège à gauche de la table.* – Oh ! mais je ne veux plus rentrer chez moi... Ah ! non, non !... *(Sans transition et sur le même ton.)* Bonjour, Monsieur Tournel ! je vous demande pardon...

TOURNEL. – Ça ne fait rien !... Nous avons le temps !

LUCIENNE, *sans même l'écouter, revenant à ses moutons.* – J'irai habiter n'importe où... sous les ponts. Mais me retrouver à nouveau face à face avec mon fauve de mari !... Ah ! non, non ; j'ai eu trop peur !

RAYMONDE. – Ah ! oui ! parlons-en, de ton mari... Quel énergumène !... Quand il nous a aperçus au Minet Galant, Tournel et moi... je ne sais ce qui lui a pris... il s'est mis à nous poursuivre en brandissant un revolver, comme s'il voulait nous tuer.

TOURNEL. – Oui, nous. Je vous demande un peu pourquoi !...

LUCIENNE, *se levant.* – Quoi, vous aussi, vous avez subi sa chasse à courre ?...

TOURNEL. – Oui ! quel volcan ! quelle soupe au lait !

LUCIENNE, *adossée à la table de droite.* – Ah ! moi, je n'en suis pas remise !... Heureusement que j'ai trouvé ton mari qui m'a soutenue et entraînée ! Sans ça je défaillais et je ne sais ce qui serait arrivé.

RAYMONDE. – Ah ! c'est mon mari qui ?...

LUCIENNE. – Oui... Oh ! il m'a même bien effrayée, lui aussi.

RAYMONDE. – Ah ! Ah !

LUCIENNE. – Je ne sais pas si c'est l'émotion qui, brusquement, lui a tapé sur le cerveau...

RAYMONDE. – Ah ! toi aussi, tu as remarqué ?

LUCIENNE. – Si j'ai remarqué !... Je l'avais vu dix minutes avant, il m'avait parlé très raisonnablement, m'avait averti des dispositions de mon mari et suppliée de m'en aller... Crac ! survient la scène : poursuite homérique !... on dégringole l'escalier tous deux... on arrive en bas... Il me regarde drôlement et, tout haletant, il me dit : « Ah ! là ! là ! qu'est-ce que c'est que ce peau-rouge !... Vous le connaissez ? » Tu vois ma tête !... « Comment, si je le connais ! Évidemment, puisque c'est mon mari. Vous le connaissez aussi bien que moi !... » Il me répond : « Mais je ne vous connais pas !... Qui êtes-vous ? » *(Petit soubresaut.)* Ah ! mon Dieu !... Ah ! mon Dieu *(Prononcer ah ! badieu !)* Je me dis : « Ça y est !... V'là Chandebise qui déménage ! » Je le fixe, il ne riait pas... Ah ! mon Dieu... *(Id.)* Et le voilà qui se met à me débiter un tas de choses incohérentes...

RAYMONDE, *à Tournel.* – Voilà ! Voilà ! comme à nous !

TOURNEL. – Comme à nous.

LUCIENNE. – Est-ce que je sais ?... Que c'était lui le garçon de l'hôtel... Qu'il montait du bois..., qu'on lui avait pris sa livrée, un tas d'inepties.

RAYMONDE. – C'est insensé !...

TOURNEL. – Insensé.

LUCIENNE. – Et brusquement, qu'est-ce qui ne lui passe pas par la tête ?... De vouloir m'entraîner chez le marchand de vins... Moi !

RAYMONDE *et* TOURNEL. – Oh !

LUCIENNE. – Tu me vois !... Je bondis : « Allons, voyons ! Chandebise !... Chandebise ! » Il me fait : « Poche ! Poche ! »

RAYMONDE *à Tournel.* – Oui, c'est ça : « Poche ! Poche ! »

TOURNEL, *s'asseyant sur la chaise à droite de la petite table gauche de la scène.* – C'est le cliché.

LUCIENNE. – Oh ! ma foi, le trac me prend !... Je plante là ton mari et son marchand de vins, et je me mets à filer, à filer... Ah ! tiens, que j'en file encore.

Elle se laisse tomber sur le siège à gauche de la table.

RAYMONDE. – Oui !... Je ne comprends pas !... Je ne comprends pas ! Ou mon mari a perdu la tête ou c'est un coup monté. Je ne comprends pas !

TOURNEL, *brusquement, à pleine voix et sur un ton profond.* – Ah ! C'est égal !

LES DEUX FEMMES. – Quoi ?

TOURNEL, *bien piteux.* – Quelle journée !

RAYMONDE. – C'est tout ?... Ah ! je croyais que vous alliez...

TOURNEL. – Non.

RAYMONDE. – Ah ! Nous sommes dans un joli pétrin !...

TOURNEL. – Oui...

LUCIENNE. – Entre un mari qui veut vous brûler la cervelle...

RAYMONDE. – Et, un qui est en train de perdre la sienne.

TOURNEL. – Que de cervelles !

TOUS TROIS. – Ah ! nous sommes bien !

On sonne. Instinctivement Lucienne et Tournel se dressent et se rapprochent de Raymonde au milieu de la scène.

LUCIENNE, *à voix presque basse.* – On... a sonné !

RAYMONDE *et* TOURNEL, *id.* – Oui !

TOURNEL, *id.* – C'est... c'est peut-être Chandebise.

RAYMONDE, *id.* – Ça m'étonnerait, il a sa clé.

TOURNEL, *id.* – Ça s'oublie quelquefois.

RAYMONDE, *id.* – C'est vrai.

TOURNEL, *dos au public, face aux deux femmes.* – Ainsi, moi, je me rappelle une fois, c'était en hiver, il neigeait...

RAYMONDE, *lui coupant la parole.* – Ah ! non, mon ami, non ! pas d'historiettes, hein ! C'est pas le moment.

TOURNEL, *interloqué.* – Ah ! Bon !... Bon, bon !

Il va se rasseoir à sa place primitive.

RAYMONDE, *excédée.* – Oh ! là, là !

LUCIENNE. – Ah ! çà ! on n'ouvre donc pas ?

RAYMONDE. – Je ne sais pas !... Pourtant, si on a sonné...

TOURNEL. – C'est que c'est quelqu'un.

RAYMONDE, *s'inclinant devant cette vérité de Lapalisse.* – Évidemment.

TOURNEL. – Oui, enfin, je me comprends.

Pendant ces dernières répliques on a entendu la porte extérieure s'ouvrir et se refermer.

SCÈNE IV

LES MÊMES, ÉTIENNE, POCHE

ÉTIENNE, *entrant effaré.* – Madame ! Madame !

RAYMONDE. – Eh ! bien ! qui est-ce ?

ÉTIENNE. – Ah ! Madame !

RAYMONDE. – Quoi ?

ÉTIENNE. – C'est Monsieur !

TOURNEL (1) *et* LUCIENNE (3). – Ah !

RAYMONDE (2). – Eh ! *ben ?*

ÉTIENNE (4). – Eh ! *ben !* je ne sais pas ce qu'à Monsieur... Je lui ai ouvert..., il est entré... comme ça : *(Il imite la démarche de Poche.)* et il m'a dit : « Est-ce que c'est ici que demeure Monsieur Chandebise ? »

TOUS. – Hein ?

ÉTIENNE. – Oui, Madame !... J'ai cru tout d'abord, moi, qu'il voulait rire... Alors, pour être à la hauteur, j'ai fait : « Héhé ! héhé ! pour sûr que c'est ici que demeure Monsieur Chandebise, héhé !... héhé ! » Mais il ne rigolait pas ! Il n'a pas bronché et il m'a dit : « Voulez-vous le prévenir que je viens au sujet de la livrée... »

TOUS. – Non !...

ÉTIENNE. – Oui, Mesdames ! Oui, Monsieur !...

RAYMONDE. – Ah ! non, non ! Ça ne va pas recommencer, cette comédie-là !... *(A Étienne avec énergie.)* Où est Monsieur ?

ÉTIENNE. – Dans l'antichambre !... il attend.

TOURNEL et LUCIENNE. – Hein !

RAYMONDE, *bondissant de surprise.* – Comment, il attend ?

TOURNEL et LUCIENNE. – Dans l'antichambre ?

RAYMONDE. – Oh ! par exemple.

Elle remonte, suivie des autres personnages, jusqu'à la porte qu'elle pousse et qui s'ouvre à deux battants. Tournel et Raymonde sont à gauche de la porte, Étienne et Lucienne à droite. On aperçoit au fond du vestibule, Poche, le chapeau sur la tête, assis à l'extrême bord de son siège et attendant bien sagement. A la vue des personnages son visage, de sérieux qu'il était, se fait souriant.

TOUS, *reculant de surprise.* – Oh !...

RAYMONDE. – Eh bien ! qu'est-ce que tu fais là ?

POCHE, *se soulevant à demi, l'air abruti.* – Si ou plaît ?

RAYMONDE. – Est-ce que c'est ta place, voyons, dans l'antichambre, comme un fournisseur ?...

POCHE, *soulevant à peine son chapeau.* – Madame ?

TOUS. – « Madame ! »

RAYMONDE. – « Madame !... » Allons, entre !...

Elle descend légèrement.

POCHE, *s'avançant jusqu'au seuil de la porte.* – C'est que j'attends Monsieur Chandebise.

TOURNEL et LUCIENNE. – Quoi ?

RAYMONDE. – Qu'est-ce que tu dis ?

ÉTIENNE. – Hein ! Madame !... Madame entend ?

POCHE, *lui envoyant en manière de bonne farce un coup de son chapeau dans l'estomac.* – Eh !... mais je vous reconnais vous ! C'est vous qui étiez tantôt au Minet Galant ?

ÉTIENNE. – Oui, Monsieur, oui.

POCHE. – C'est vous le cocu !

ÉTIENNE, *vexé.* – Oh ! Oh !... Monsieur !

RAYMONDE. – Qu'est-ce qu'il dit ?

POCHE, *à la voix de Raymonde, se tournant vers elle.* – Eh ! mais... Madame aussi !... C'est la Madame de l'hôtel... avec qui qu'on s'est embrassé... *(S'avançant vers elle.)* Bonjour, Madame.

RAYMONDE, *effrayée, tirant Tournel à elle, pour le mettre entre elle et Poche.* – Ah ! mon Dieu !... Tournel ! Tournel, qu'est-ce qu'il a ?

TOURNEL. – Allons, allons, mon ami.

POCHE, *indiquant Tournel.* – Ah ! et puis, son gigolo !... Ah ! bien ! celle-là !... Ça va bien ?

Il veut l'embrasser.

TOURNEL, *l'écartant.* – Allons ! voyons ! Victor-Emmanuel !... Victor-Emmanuel !

Il descend, ainsi que Raymonde, vers la gauche.

POCHE, *descendant milieu de la scène.* – Non ! Poche ! Poche !

LUCIENNE, *qui est descendue contre la table de droite.* – Là ! Poche !... Poche !... Voilà !

POCHE, *reconnaissant Lucienne et, tout en parlant, allant à elle.* – Ah !... Et Madame... avec qui on a détalé à cause du peau-rouge. Oh ! Madame, croyez-moi ! Zut ! Hein ! Quelle venette !

LUCIENNE, *un peu effarée.* – Euh ! Oui... oui...

Se sentant acculée, elle se glisse tout en parlant le long de la table et, ffrutt ! s'esquive pour rejoindre les autres.

POCHE, *se tordant.* – Hi ! hi !... Mais alors tout le monde demeure ensemble ! Hi ! hi ! c'est rigolo !

TOUS, *serrés les uns contre les autres, le considérant, navrés. Très en sourdine.* – Oh !

POCHE, *arrêté dans son rire par l'attitude générale.* – Eh bien ! qu'est-ce que vous avez ?

TOUS, *vivement.* – Rien !... rien !... rien !...

POCHE, *à part.* – Ils sont très gentils, mais ils sont un peu loufoques dans cette famille.

Il gagne la droite.

RAYMONDE. – Mais qu'est-ce qu'il a ? Mais qu'est-ce qu'il a ?

LUCIENNE, *bas, à Raymonde.* – Oh ! le malheureux ! Je t'assure, tu devrais le montrer à un médecin.

ÉTIENNE, *qui, pendant tout ce temps, est resté au fond de la scène, descendant et à mi-voix.* Madame ne veut pas que je téléphone à M. le docteur ?

RAYMONDE. – Oh ! faites ce que vous voudrez !

ÉTIENNE. – Oui, Madame. *Il remonte.*

POCHE, *remontant vers Étienne.* – Vous partez ?

ÉTIENNE. – Oui, Monsieur, oui.

POCHE. – Ah ! bien. N'oubliez pas de dire à Monsieur Chandebise...

LUCIENNE, *à Raymonde.* – Tu l'entends !

ÉTIENNE, *à Poche.* – Oui, Monsieur, oui.

Il sort en refermant la porte sur lui.

TOURNEL. – Pourquoi fait-il l'idiot comme ça ?

RAYMONDE. – Ce n'est pas possible que ça ne soit pas un coup monté.

POCHE, *redescendant vers les autres pour leur donner des explications.* – C'est parce que j'avais ma livrée accrochée, n'est-ce pas...

LUCIENNE et TOURNEL, *pour ne pas le contrarier.* – Oui, oui !...

RAYMONDE, *passant devant Tournel pour marcher sur Poche et avec autorité.* – Allons ! en voilà assez !

POCHE, *interloqué, restant la bouche ouverte.* – Ah !

RAYMONDE, *sur un ton saccadé et ferme.* – Si tu es malade, dis-le, on te soignera !... Si, au contraire, c'est une attitude que tu prends, je te déclare qu'elle est stupide.

POCHE, *id.* – Ah !

RAYMONDE. – On t'a expliqué comment les choses se sont passées... On t'a prouvé par A plus B qu'il n'y avait jamais rien eu entre M. Tournel et moi ! Madame Homenidès est là pour te confirmer la vérité.

LUCIENNE. – Absolument.

RAYMONDE. – Eh ! bien, ça doit suffire !... Maintenant si tu persistes à croire... Eh ! bien, fais comme tu voudras... Après tout, M. Tournel est là pour te répondre.

Tout en parlant, elle a saisi par sa manche Tournel qui ne s'y attend pas, en train qu'il est de parler à Lucienne et l'envoie brusquement contre Poche.

TOURNEL, *dans le mouvement.* – Moi ?

POCHE, *qui l'a reçu dans l'estomac, l'envoyant rebondir à sa gauche.* – Oh !

RAYMONDE. – Absolument ! que tu nous croies ou ne nous croies pas, adopte au moins l'attitude que comporte la situation et cesse de te donner en spectacle en faisant l'idiot.

POCHE. – Moi ?

RAYMONDE. – C'est vrai, ça ! Tantôt tu te rends à l'évidence, tu nous serres dans tes bras, tu nous embrasses !... Dix minutes après, tu sautes à la gorge de Monsieur Tournel.

POCHE, *se retournant vers Tournel.* – Je vous ai sauté à la gorge ?

TOURNEL. – Oui.

RAYMONDE. – Enfin, quoi ! à quoi ça rime ? Nous crois-tu, oui ou non ?

POCHE. – Mais, tiens !

RAYMONDE. – Eh ! bien, alors, embrasse-nous une bonne fois et que ce soit fini.

POCHE. – Moi ? Mais plutôt dix fois qu'une.

TOUS. – A la bonne heure !

Poche s'est essuyé la bouche du revers de la main et se met en devoir d'embrasser Raymonde.

RAYMONDE, *au moment où Poche effleure déjà sa joue, le repoussant.* – Oh !

TOURNEL, *qui le reçoit sur le pied, pousse un cri de douleur.* – Oh !

TOUS. – Quoi ?

RAYMONDE, *sur un ton indigné.* – Mais tu as bu ?

POCHE. – Hein ?

RAYMONDE. – Tu sens l'alcool.

POCHE. – Moi ?

RAYMONDE, *le saisissant par le menton et lui tournant brusquement la tête en plein dans le nez de Tournel qui s'est approché sans défiance.* – Mais tenez, sentez, mon cher, sentez !

TOURNEL, *reculant, à moitié asphyxié.* – Oh !

RAYMONDE. – Là !

TOURNEL. – Fffue !... un vrai bidon !

RAYMONDE, *sur un ton de reproche indigné.* – Tu bois ! Tu bois, maintenant ?

TOUS. – Oh !...

POCHE. – Quoi ? Quoi... Je bois ! En v'là un mot, pour trois ou quatre malheureux demi-setiers [38] qu'on s'a distribués, histoire de se remettre les sangs !... Vous en auriez fait autant.

RAYMONDE, *remontant.* – Voilà ! Il est gris ! Il est complètement gris !

TOUS, *scandalisés.* – Oh !

POCHE, *allant à la remorque de Raymonde.* – Moi ? Ah ! mais dites donc !... Mais pas du tout !... Et vous savez, ma petite dame !...

RAYMONDE, *l'écartant du geste.* – Allez ! allez, monsieur, allez cuver votre alcool ailleurs !

POCHE. – Quoi ?

TOURNEL. – Oh ! Toi ! Toi ! Victor-Emmanuel !

POCHE, *dans le nez de Tournel.* – Poche d'abord ! Poche !

Il appuie sur le P de chaque « Poche » de façon à envoyer une bouffée de son haleine dans le visage de Tournel.

TOURNEL, *incommodé par son haleine d'alcoolique, le repoussant des deux mains.* – Eh ! Poche ! Poche, si tu veux !...

LUCIENNE, *qui ne veut pas recevoir Poche que la poussée envoie de son côté, se dérobant par un crochet et gagnant vivement la droite.* – Oh !

POCHE, *reprenant son équilibre.* Eh ! oui, je veux !... Eh ! oui, je veux ! *(A part.)* C'est vrai, ça ! *(Maronnant.)* Si ça continue, j'vas me foute en colère, moi !...

RAYMONDE. – Ah ! c'est honteux !

SCÈNE V

LES MÊMES, FINACHE, ÉTIENNE

ÉTIENNE, *accourant.* – Voilà le docteur, Madame.

TOUS. – Ah !

FINACHE*, *accourant et à Raymonde.* – Eh ! bien, quoi donc ? Étienne me dit que justement il était en train de me téléphoner ? (*Amicalement, avec un salut de la main à Poche.*) Bonjour Chandebise !

POCHE, *tournant la tête pour voir à qui s'adresse ce mot.* – Où ça, Chandebise ?

FINACHE, *qui déjà s'est retourné vers Raymonde, croyant à une facétie de Chandebise, lui faisant la politesse d'un sourire de complaisance.* – Héhé !... très drôle ! (*A Raymonde.*) Mais qu'est-ce qu'il y a donc ?

RAYMONDE, *indiquant Poche.* – Il y a que Monsieur est ivre-mort.

---

* P. 1 – E. au fond 2 – F. 3 – R. 4 – L. 5 – T. 6.

FINACHE, *avec un sursaut de surprise.* – Hein ! Allons donc ! Lui ?

ÉTIENNE, *avec le même sursaut.* – Quoi ! Monsieur ?

TOURNEL *et* LUCIENNE. – Oui, oui.

POCHE. – Moi ?

RAYMONDE. – Sentez-le, plutôt ! Sentez-le !

FINACHE, *à Poche duquel il s'est rapproché.* – Voyons ! c'est pas possible !... Vous êtes gris, vous ?

POCHE. – Moi ?... (*Haussant les épaules avec un air de pitié.*) Pffu !...

FINACHE, *qui a reçu son souffle en plein nez, avec un rejet du corps en arrière.* – Oh !

POCHE. – C'te blague !

FINACHE, *à Raymonde en faisant allusion à Poche.* – Oh ! oui ! Oh ! très fort !

RAYMONDE. – Là ! vous voyez !

ÉTIENNE, *qui est descendu au-dessus du canapé et, scandalisé.* – Oh !... Monsieur !...

POCHE. – Quoi ?

FINACHE. – Mon pauvre ami !... Mais qu'est-ce qu'on vous a fait avaler pour vous mettre dans un état pareil ?...

POCHE. – Hein ! Vous aussi ?... (*Marchant sur Finache.*) Ah ! mais dites donc, mon bonhomme.

FINACHE, *reculant.* Mon bonhomme !

POCHE. – Vous avez fini de m'acheter [39], hein ?... Je ne suis pas plus ivre que vous...

FINACHE, *essayant de le calmer.* – Allons ! voyons, voyons !

POCHE, *passant devant lui et s'adressant successivement à chaque personnage qui, aussitôt qu'il approche, s'esquive avec des « oui !... oui, oui ! » inquiets et gagne vivement la gauche de la scène.* – C'est vrai, ça ! C'est à qui se paiera ma tête depuis mon arrivée !... Je ne vous connais pas, moi !... Qu'est-ce que vous me voulez ?... Je suis ici pour voir M. Chandebise, eh bien ! je veux voir M. Chandebise... et puis v'là tout !

Il remet son chapeau sur la tête et arpente d'un air rageur la scène de haut en bas, puis de bas en haut. Tous les personnages, rassemblés les uns contre les autres, forment une ligne en biais devant le dossier du canapé et le considèrent atterrés. P. 1 – E. 2 derrière F.R. 3 à côté de F – L. 4 – T. 5.

FINACHE, *n'en croyant pas ses oreilles.* – Oh ! là... Oh ! là !...

RAYMONDE, *à Finache.* – Vous voyez !

LUCIENNE. – Il a des éclairs de lucidité et puis, brrrout ! plus rien !

TOURNEL. – Et c'est comme ça depuis cet après-midi...

FINACHE. – Ah ! il l'est bien !

Ils le considèrent tous en silence avec des hochements navrés de la tête.

POCHE, *voyant tous ces yeux fixés sur lui.* – Et puis, quoi ?... Quand vous me regarderez !... Je suis bon garçon, mais j'aime pas qu'on se paie ma fiole !

FINACHE. – Oui, mon ami, oui.

TOUS. – Oui, oui !

POCHE. – Ah ! mais !... *Il remonte et arpente la scène en maugréant.*

RAYMONDE, *à Finache.* – Croyez-vous ! Non, croyez-vous !

TOURNEL. – Oui, hein ?

Poche s'est assis avec humeur sur la chaise à gauche de la table de droite.

LUCIENNE *et* ÉTIENNE, *navrés.* – Oh !

FINACHE, *tout le dialogue qui suit, chuchoté et sans quitter Poche du regard.* – Je n'en reviens pas !... Est-ce qu'il lui est déjà arrivé à votre connaissance ?...

RAYMONDE. – Mais jamais !... N'est-ce pas, Étienne ?

ÉTIENNE, *au-dessus d'eux.* – Jamais !

FINACHE. – C'est que ces phénomènes d'hallucination, cet état d'amnésie poussé jusqu'à la perte de la notion de sa propre personnalité, je n'ai jamais constaté cela que chez des alcooliques invétérés.

TOUS. – Non ?

FINACHE. – Après, nous n'avons plus que le delirium tremens !...

TOUS, *considérant Poche avec commisération.* – Oh !

Poche, agacé, a retiré son chapeau et en donne un grand coup sur la table.

TOUS, *sursautant.* – Ah !

RAYMONDE. – Mais voyons, c'est insensé !... Il ne prend jamais qu'un petit verre après chaque repas.

TOURNEL. – Et souvent il en laisse la moitié.

ÉTIENNE. – Oui, que même c'est moi qui la bois, pour pas la laisser perdre.

LUCIENNE. – Et ce n'est vraiment pas un petit verre par repas...

FINACHE. – Mais si ! mais si ! Quelquefois ça suffit... L'alcoolisme n'est pas une question de quantité, c'est une question d'idiosyncrasie.

TOURNEL. – Voilà !

TOUS, *excepté Tournel.* – De quoi ?

FINACHE. – D'idiosyncrasie.

TOURNEL. – Oui ! (*A Finache, avec la satisfaction de sa supériorité.*) Elles ne savent pas... (*Sortant du rang et dos au public.*) C'est-à-dire la disposition plus ou moins grande qu'un individu a... à devenir idiot.

FINACHE, *qui a approuvé de la tête avec des « oui, oui », l'explication de Tournel, brusquement.* – Hein ? Mais non, non !...

TOURNEL, *étonné.* – Ah ?... Je croyais.

Il reprend sa place N° 2.

FINACHE. – L'idiosyncrasie, c'est-à-dire la façon propre à chaque individu de ressentir l'effet d'une chose. Ainsi un tel absorbe un litre de trois-six [40] par jour, ça ne lui fait rien. Un autre boit à peine un petit verre et il devient alcoolique.

POCHE, *qui les regarde depuis un instant, se penchant brusquement et à part.* – Une thune [41] !... qu'ils sont en train de me chiner.

FINACHE. – Et naturellement, c'est pour ceux-là que c'est le plus dangereux !... parce qu'ils ne se méfient pas. Un petit verre après chaque repas ! qu'est-ce que c'est que ça ?... Oui ! jusqu'au jour où arrive la bonne crise... Et voilà ! voilà le résultat !...

TOUS, *bien serrés les uns contre les autres, le corps plié légèrement sur les genoux, considérant Poche avec commisération.* – Oh !...

POCHE, *après un temps.* – Dites donc ! le rang d'oignons !... ça vous amuse ?

TOUS. – Quoi ?

POCHE, *remettant son chapeau sur la tête et se levant.* – Oui ! vous me comprenez très bien !... Eh ! bien, il faudrait que ça cesse ou ça finira mal !...

FINACHE, *allant à lui.* – Mais quoi donc, mon bon ami, quoi donc ?

POCHE. – Oui, je ne suis pas idiot, vous saurez !

FINACHE, *cherchant à le calmer.* – Là ! Là !... (*Aux autres.*) L'irritabilité, vous la voyez ?... C'est une des manifestations !...

POCHE, *revenant à lui.* – Quoi ?

FINACHE. – Rien, mon ami, rien !... Tendez donc la main.

POCHE, *étonné.* – La main ?

FINACHE, *tendant le bras en avant, la main raide et les doigts écartés.* – Oui ! comme ça, tenez !

POCHE, *obéissant machinalement.* – Pourquoi faire ?

Sa main ainsi tendue a un tremblement caractéristique.

RAYMONDE. – Oh ! comme elle tremble !

TOUS. – Oh !

FINACHE, *lui tenant l'avant-bras.* – Là ! Le voyez-vous ?... Le voyez-vous, le tremblement alcoolique ?... C'est un des symptômes les plus caractéristiques.

POCHE, *bondissant de colère.* – Ahaha ! Ahaha ! Ahaha !

TOUS, *sursautant de frayeur.* – Ah !

POCHE, *trépignant et passant dans le mouvement entre Finache, qui s'est écarté en arrière, et Raymonde.* – En voilà assez ! En voilà assez !... En voilà assez !...

TOUS, *s'écartant précipitamment.* – Ah ! mon Dieu !

FINACHE, *essayant de le calmer.* – Eh ! bien... Eh ! bien, quoi donc, mon vieux ?

POCHE, *à Raymonde.* – Vous voulez me fiche en colère, n'est-ce pas ? (*A Finache.*) Vous voulez me fiche en colère ?

TOUS. – Mais non ! Mais non !

RAYMONDE. – Mon ami, voyons, calme-toi !...

POCHE, *se retournant vers Raymonde et en pleine figure.* – Ah ! vous !... foutez-moi la paix !

RAYMONDE, *bondissant en arrière.* – Hein ! qu'est-ce qu'il a dit ?

FINACHE, *la faisant remonter tout en parlant. Les autres suivent le mouvement par l'extrême gauche.* – Rien ! Rien !... ne faites pas attention ! Dans ces moment-là, un homme n'a pas sa tête... Tenez ! allez par là !... Ne l'irritez pas !

RAYMONDE, *au fond.* – C'est trop fort !... Il a beau être alcoolique !... Me dire ff... qu'est-ce qu'il m'a dit ?

FINACHE, *poussant tout le monde vers la porte de gauche.* – Eh ! bien, oui, il est surexcité ; qu'est-ce que vous voulez !... Laissez-moi seul avec Étienne. Nous allons essayer de le coucher.

RAYMONDE, *sur le point de sortir.* – Ah ! oui ! alors, couchez-le, parce que vraiment !...

FINACHE. – Mais oui, mais oui !... Allez, Tournel !... (*A*

Lucienne.) Madame, je vous demande pardon.

LUCIENNE. – Mais docteur, certainement !... Oh ! si ce n'est pas malheureux, à son âge...

TOURNEL. – Oui ! tenez, je me rappelle avoir vu comme ça un petit alcoolique... Il avait douze ans... c'était en été...

RAYMONDE. – Ah ! non, non, vous nous raconterez cela une autre fois !...

Ils sortent. Étienne qui, lorsque tout le monde est remonté, est remonté en tête, est au fond, à droite de la porte centrale.

SCÈNE VI

POCHE, FINACHE, ÉTIENNE

FINACHE, *redescendant vers Poche qui arpente la scène nerveusement.* – Eh ! bien, voyons, mon ami !

POCHE. – Ah ! vous avez eu un blair de les faire sortir... parce que ça allait se gâter !...

FINACHE. – Mais parbleu !... J'ai bien senti, voyons !

POCHE. – Non, mais qu'est-ce que c'est que ces gens-là ?... Ils sont pas un peu marteau ?

FINACHE, *par complaisance.* – Un peu marteau !... un peu marteau !...

POCHE, *à Étienne qui est descendu* (3). – Qu'est-ce que je disais !... Un peu marteau !

ÉTIENNE, *à l'exemple de Finache.* – Un peu marteau !... Un peu marteau !...

POCHE. – Ah ! mais fallait me faire signe !... me glisser tout bas : « Ils sont louftingues !... » (*A Finache qui a profité de ce qu'il tendait le bras pour lui saisir le poignet afin de lui tâter le pouls.*) Qu'est-ce que vous avez à me prendre la main ?

FINACHE, *tirant sa montre de sa main droite restée libre.* – Rien, rien ! c'est par amitié.

POCHE, *avec insouciance.* – Ah ! *(Reprenant.)* Je ne me serais pas emballé !... *(Riant.)* Je sais bien ce que c'est : avec les braques, il faut toujours dire comme eux.

FINACHE, *remettant sa montre dans sa poche.* – C'est curieux ! vous n'avez presque pas de pouls.

POCHE. – Quoi ?...

FINACHE. – Je dis : vous n'avez presque pas... *(A Étienne.)* Il n'a presque pas de pouls.

POCHE, *jovial.* – Ben, évidemment ! Quoi, j'suis pas pouilleux !...

Avec un gros rire satisfait, il gagne la droite.

FINACHE, *riant par complaisance.* – Aha ! ha ! très drôle ! Aha ! Aha ! *(Bas à Étienne, en lui donnant une tape sur le bras.)* Riez ! Riez donc !

ÉTIENNE. – Moi ? Bon. *(Riant sans conviction.)* Ah ! ha ! ah ! ha ! aha !

POCHE, *indiquant Étienne.* – Ça le fait rigoler, le larbin !

FINACHE, *passant au 2.* – Oui ! oui, oui ! oui, oui ! *(Redevenant sérieux.)* Là ! Eh ! bien, maintenant qu'on a bien ri, on va être bien raisonnable.

POCHE. – Quoi ?

FINACHE. – Voilà ! moi, je suis un ami... *(Sur un ton qui ne souffre pas de doute.)* Vous me connaissez.

POCHE. – Non !

FINACHE, *un peu interloqué.* – Ah ! bon... bon ! bon. Eh ! bien, je suis le docteur, le bon docteur. C'est moi qui soigne !... bobos !... malades !... tisanes !... diète !... Le bon docteur !

POCHE. – Eh ! bien, oui, quoi, je suis pas gâteux !... Vous êtes docteur.

POCHE. – Voilà.

POCHE, *à part.* – Qu'est-ce qu'il a à faire l'idiot ?

FINACHE, *d'un air profond.* – Eh ! bien, je sens... je sens, en vous regardant, que vous devez être fatigué.

POCHE, *surpris.* – Moi ?

FINACHE. – Si, si, vous êtes fatigué !... *(A Étienne.)* Il est fatigué !...

ÉTIENNE, *abondant dans son sens.* – Il est fatigué.

POCHE. – Fatigué ? Ah ! bien, dame !... dites donc ! on le serait à moins !... Levé à cinq heures, balayé l'hôtel, ciré les parquets, monté le bois...

FINACHE. – Évidemment ! Évidemment !...

ÉTIENNE. – Évidemment !

ÉTIENNE et FINACHE, *échangeant un regard navré en hochant la tête.* – Oh !

FINACHE. – Eh ! bien, savez-vous, vous allez vous déshabiller et vous coucher !...

POCHE. – Moi ?... Ah ! non ! non, non !

FINACHE, *toujours accommodant.* – Ah !... bon ! bon !... Eh ! bien, alors, au moins, vous allez retirer cette jaquette dans laquelle vous êtes mal... Étienne va vous apporter une robe de chambre... bien confortable !...

POCHE. – Ah ! oui, mais... ma livrée ?

FINACHE. – Mais oui, mais oui !... Mais c'est en attendant... *(Faisant un signe à Étienne.)* Étienne !

ÉTIENNE. – Oui, Monsieur le docteur.

Il remonte, fait le tour de la table et entre dans la pièce de droite.

FINACHE, *profitant de ce que Poche est tourné dans la direction de la chambre de droite pour se coller ventre à dos contre lui et la main gauche sur son épaule, l'avant-bras droit tendu au-dessous de l'épaule droite de Poche de façon à lui indiquer la chambre en question.* – Là ! et maintenant ! *(Tout en parlant imprimant, à son corps un mouvement de va-et-vient d'avant en arrière et réciproquement, mouvement que Poche est forcé de suivre.)* Il y a par là un excellent lit...

POCHE. – Qu'est-ce qu'il a à faire la pompe comme ça !

FINACHE. – ... Vous allez vous y étendre...

POCHE. – Il va me foute le mal de mer.

FINACHE. – ... Et faire une bonne dodote !

POCHE, *se retournant.* – Moi ?... Oh ! mais, voyons !... Vous n'y pensez pas ! Eh ! ben, et M. Chandebise ?

FINACHE. – M. Chandebise ? *(A part, levant les bras au ciel.)* Ah ! mon Dieu ! *(A Poche.)* Eh ! bien, s'il vous dit quelque chose, vous viendrez me le dire !

POCHE, *conciliant.* – Ah ! bon.

ÉTIENNE, *apportant la robe de chambre.* – Voilà la robe de chambre !

FINACHE. – Là ! Retirez votre jaquette.

POCHE, *se laissant retirer sa jaquette par Étienne et Finache.* – Ah ! bien ! c'est pas pour dire..., vous faites de moi ce que vous voulez !..

FINACHE. – Vous êtes une pâte !... *(On lui passe sa robe de chambre.)* Hein !... Dites que vous n'êtes pas bien là-dedans ?

POCHE, *nouant la cordelière autour de sa taille.* – Oh ! c'est-à-dire que j'ai l'air du cocher du Lord-Maire !

FINACHE, *pendant qu'Étienne va déposer la jaquette sur le siège à droite de la table.* – Là ! vous voyez !

POCHE. – C'est vrai que c'est plus douillet que la livrée.

FINACHE. – Mais, parbleu ! Ah ! Et maintenant, j'ai un petit doigt qui me dit que vous devez avoir soif.

POCHE, *jovial.* – Ah !... il est malin, votre petit doigt.

FINACHE, *riant.* – N'est-ce pas ?... Eh ! bien, je vais vous faire donner quelque chose à boire... Ça ne vous semblera peut-être pas très bon, mais il faudra avaler tout de même.

POCHE. – Ah ! du raide ?

FINACHE. – Hein !... Oui, plutôt !... plutôt !

POCHE, *gagnant la droite.* – Allez ! Allez ! je crains pas !

FINACHE. – A merveille ! *(Bas à Étienne qui, après avoir déposé la jaquette, est redescendu.)* Vous avez de l'ammoniaque par là ?

ÉTIENNE. – Oui, monsieur.

POCHE, *qui n'entend pas ce qu'ils disent.* – Pour une aubaine, ça, c'est une aubaine !

Il va s'asseoir à gauche de la table.

FINACHE. – Eh ! bien, nous allons lui en préparer dix gouttes dans un verre d'eau.

ÉTIENNE. – Bien, Monsieur.

FINACHE. – Et puis, quand il sera dégrisé, vous lui ferez prendre... *(Passant devant Étienne.)* Attendez, je vais vous faire faire une ordonnance.

ÉTIENNE, *le suivant.* – Oui, Monsieur.

FINACHE, *gagnant la droite.* – Où y a-t-il de quoi écrire ?

ÉTIENNE, *désignant l'écritoire qui est devant la fenêtre.* – Là, dans ce petit meuble !

FINACHE, *se dirigeant vers le meuble indiqué.* – Bien ! Ah ! mais d'abord, emmenez-le !... Emmenez-le coucher...

ÉTIENNE. – Bien, Monsieur le docteur. *(Bien affectueux, à Poche.)* Allez, Monsieur. Si Monsieur veut venir ? Tenez, Monsieur, prenez mon bras !

POCHE, *touché, tout en se levant en lui prenant le bras.* – Ah ! vous avez bon cœur, vous !

ÉTIENNE, *tout en l'emmenant à son bras dans la direction de la chambre de droite.* – Oh ! Monsieur m'honore...

POCHE. – Si, si !... Ça m'embête, tenez, que vous soyez cocu !

ÉTIENNE. – Moi ?

POCHE. – Dame ! C'est vous qui me l'avez dit.

ÉTIENNE, *faisant passer Poche le premier.* – Hein ?... Ah ! mais je ne le suis plus ! elle prenait la soupe chez le concierge !

POCHE (1), *au moment de sortir.* – Ah ?... Oh ! ben ! si elle ne prenait que ça !

*Ils sortent.**

SCÈNE VII

FINACHE, puis CAMILLE, puis ANTOINETTE, puis ÉTIENNE

FINACHE, *qui, pendant ce qui précède, a apporté l'écritoire, l'a ouvert devant le canapé. Il est face au public et, par conséquent, au-dessus de l'écritoire et du canapé.* – Oh ! pristi ! que ça sent fort ! C'est ce papier qui est parfumé comme ça ! *(En ce disant, il porte à son nez la feuille de papier mauve sur laquelle, au premier acte, Lucienne a écrit son premier essai de lettre. Quand Finache porte le papier à son nez, l'écriture étant en dessous, se présente face au public.)* Oui !... oh !... c'est à tomber. *(Il repose le papier au milieu des autres dans la papeterie, puis, faisant le tour du meuble, va s'asseoir dos au public, sur le canapé, se disposant à écrire. Au moment où il s'assied pour rédiger son ordonnance, on entend claquer la porte d'entrée.)* Ah ! on vient de fermer la porte du grand escalier !... Ça doit être Camille.

Camille entre dans le hall.

CAMILLE, *apercevant Finache et encore tout haletant.* – Vous !... Ah ! docteur, je m'en souviendrai de votre hôtel ! Il s'est passé des choses ! Ah ! oui, il s'en est passé !

---

* Aussitôt sorti de scène, l'artiste dépouillera son costume de Poche (pantalon et gilet) pour sa transformation en Chandebise qu'il n'aurait pas le temps de faire après sa scène prochaine. Une fois le pantalon et le gilet enlevés, il enfilera la veste de livrée, repassera par-dessus sa robe de chambre et remettra son foulard autour du cou. Le pantalon de Chandebise ne devant pas être de couleur voyante, l'attention du public n'est pas attirée par le peu qu'on en voit.

FINACHE, *toujours assis, ne saisissant pas un mot de son discours précipité.* – Quoi ?... quoi ?... mais ne parlez donc pas si vite.

CAMILLE. – Si vous saviez ce qui s'est passé !

FINACHE. – Mais mettez votre palais, que diable ! Ce n'est pas la peine que je vous en aie apporté un.

CAMILLE. – Je l'ai perdu, mon palais !

FINACHE. – Hein !

CAMILLE. – C'est un Anglais qui me l'a envoyé promener en me flanquant un coup de poing dans la mâchoire.

Il joint la mimique à la parole en envoyant un coup de poing dans l'espace.

FINACHE, *qui a peine à le comprendre.* – Un Anglais qui vous a donné un coup de poing dans la mâchoire !

CAMILLE. – Oui !... Et si je n'avais eu que ça ! Mais il me semble que j'ai vécu un cauchemar, aujourd'hui !... Et tous ceux que j'ai rencontrés dans cet hôtel ! Et Tournel !... Et Raymonde !... Et Chandebise... avec un crochet de bois sur le dos !... Pourquoi un crochet de bois, je vous le demande ? Et Madame Homenidès, et son mari qui chassait au pistolet ! Pan ! Pan ! Je vous dis, j'ai eu tout, tout ! Ah ! quelle tragédie ! Mon Dieu ! quelle tragédie !

Il se laisse tomber sur le siège à gauche de la table de droite.

ANTOINETTE, *arrivant de gauche.* – Madame m'envoie demander à Monsieur le docteur comment va Monsieur.

FINACHE. – Monsieur ? Mieux ! Mieux, vous lui direz... *(Se levant.)* Ou plutôt, non ! J'y vais moi-même.

CAMILLE. – Qu'est-ce qu'il y a donc ?

FINACHE, *remontant.* – Rien ! Chandebise qui est un peu souffrant !

CAMILLE, *hochant la tête.* – Allons, bien !

ÉTIENNE, *sortant de chez Chandebise.* – Monsieur est couché.

Il remonte à l'extrême droite.

FINACHE. – Parfait !

ÉTIENNE, *en passant et en prenant sur la table le chapeau laissé par Poche.* – Bonsoir, Monsieur Camille.

CAMILLE. – Bonsoir, Étienne.

FINACHE, *au fond, près d'Antoinette.* – Eh ! bien, allez, Étienne, allez préparer l'ammoniaque pendant que je vais chez Madame.

ÉTIENNE. – Oui, Monsieur le docteur.

Étienne sort par la porte du fond dont il laisse les deux battants ouverts. Finache et Antoinette sortent fond gauche.

SCÈNE VIII

CAMILLE, puis POCHE

CAMILLE. – Mon Dieu ! Mon Dieu ! je suis abruti, positivement ! je suis abruti ! *(Se levant et descendant. A part.)* Je me fais l'effet d'une petite plume,... d'un pauvre petit duvet emporté par un cyclone ! *(On frappe à droite, premier plan. Sur le même ton.)* Entrez !... Ma raison y sombrera !

POCHE, *entrant, toujours emmitouflé dans sa robe de chambre.* – Je vous demande pardon !...

CAMILLE, *sursautant.* – Victor-Emmanuel !

POCHE, *par blague, affectant un ton sévère.* – Eh ! mais voilà un monsieur que j'ai vu aujourd'hui à l'hôtel du Minet Galant !

CAMILLE, *à part, croyant à une réprimande.* – Sapristi !

POCHE. – Encore un, alors !

CAMILLE, *à part.* – Il m'avait reconnu ! *(Allant à Poche et bien face à lui.)* Je vais te dire !... Si j'étais là-bas..., c'est que j'avais une raison... une excellente raison !... J'avais entendu dire qu'il y avait une personne...

POCHE, *qui, depuis le moment où Camille lui a adressé la parole, l'écoute ahuri et bouche bée, se baisse même un moment discrètement pour tâcher de voir ce qui se passe dans la bouche de son interlocuteur.* – Qu'est-ce qu'il a donc dans la gueule ?

CAMILLE, *interloqué.* – Comment ?

POCHE. – Crache, mon vieux, crache !

CAMILLE, *vexé.* – Mais je n'ai rien dans la ...eule ! *(Reprenant.)* Non, je te disais qu'il y avait une personne... euh ! voilà, c'était pour une assurance...

POCHE, *lui coupant la parole.* – Oui ? Eh ! bien, tout ça, je m'en fiche !

CAMILLE, *interloqué.* – Ah !

POCHE. – Ça ne me regarde pas, tout ça ! Seulement, je crève de soif par là. On m'avait dit qu'on m'apporterait à boire et je crois qu'on m'a oublié...

CAMILLE. – Qui ça ?

Camille prononce : « Hi ha ».

POCHE, *répétant comme un homme qui n'a pas compris.* – Hi ha ?

CAMILLE, *plus fort, en articulant de son mieux.* – Qui ça ?

Même prononciation.

POCHE. – Ah ! qui ça ?... Vous dites « hi, ha ». Eh ! bien, le docteur.

CAMILLE, *empressé.* – Oh ! mais c'est un oubli évidemment et je vais tout de suite...

POCHE. – Ah ! merci ! J'ai la pépie, c'est pour ça, j'ai la pépie.

CAMILLE. – Comment donc, j'y cours...

POCHE. – Merci !

Il rentre dans la chambre de droite en fermant la porte sur lui. Aussitôt sorti de scène, il rejette sa robe de chambre et ses chaussons ; en deux coups de peigne, en courant, arrange légèrement sa coiffure ; au passage, met la casquette qu'on lui tend, puis faisant un tour par derrière la ferme du vestibule, on doit le voir arriver par la gauche de l'antichambre. Paraître, dès qu'on est prêt, sans attendre la fin du monologue de Camille qui n'est fait que pour donner le temps de la transformation.

CAMILLE, *devant la table.* – Ah ! ah ! ben ! moi qui craignais d'être saboulé !... mais il a pris ça très bien ! Tout de même ce que c'est !... Je lui croyais des idées étroites, mais il les a très larges !

On entend le bruit de la porte d'entrée qu'on ouvre et qu'on referme et, par la porte du fond laissée grande ouverte par Étienne, on aperçoit Chandebise arrivant de gauche et en train de remettre son trousseau de clés dans sa poche.

SCÈNE IX

CAMILLE, CHANDEBISE

CAMILLE, *poussant un cri fou en apercevant Chandebise alors qu'il vient de voir Poche entrer dans sa chambre.* – Ah !

CHANDEBISE, *qui est entré carrément, sursautant au cri de Camille.* – Qu'est-ce qu'il y a ?

CAMILLE, *affolé, ne sachant plus où donner de la tête et indiquant successivement du doigt Chandebise et la porte de droite, premier plan.* – Ah ! mon Dieu, là ! là !... et là ! là !

CHANDEBISE, *au-dessus et à gauche de la table.* – Eh ! bien, quoi ?

CAMILLE, *éperdu, se cognant dans la table, se cognant dans les chaises.* – Mon Dieu ! Je suis fou ! Je deviens fou !

CHANDEBISE, *faisant deux pas vers lui.* – Camille, voyons !

CAMILLE. – Vade retro ! Je suis fou ! Je suis fou !

Il disparaît par la porte du fond droit.

CHANDEBISE, *abruti par cet accueil.* – Ah ! çà ! il bat la campagne !... Non, mais qu'est-ce qu'il y a donc dans l'air aujourd'hui ? Ah ! Cet hôtel ! non, quel cauchemar ! quel cauchemar ! (*Apercevant sa jaquette sur le siège à droite de la table.*) Ah ! ma jaquette !... qui est-ce qui l'a rapportée ? Oh ! bien, ce n'est pas trop tôt que je quitte cette livrée. (*Tout en parlant, il retire sa veste de livrée qu'il pose sur la table, ainsi que sa casquette et enfile sa jaquette.*) Dire que j'ai été obligé de rentrer dans cette tenue !... Le concierge ne me reconnaissait pas, il voulait que je monte par l'escalier de service.

CAMILLE, *traversant comme un fou le vestibule de droite à gauche et s'agrippant à Étienne qui arrive en sens inverse.* – Étienne ! je suis fou ! je suis fou !...

Il le lâche et disparaît à gauche, en continuant à crier « Je suis fou ! » et laissant Étienne abruti.

CHANDEBISE. – Allons, bon ! pas encore fini !

SCÈNE X

CHANDEBISE, ÉTIENNE, puis FINACHE, RAYMONDE, TOURNEL, LUCIENNE, CAMILLE

ÉTIENNE, *descendant.* – Mais, qu'est-ce qu'a Monsieur Camille ? Mais qu'est-ce qu'a Monsieur Camille ?

CHANDEBISE. – Ah ! je me le demande, Étienne !

ÉTIENNE, *en s'entendant appeler par son nom.* – Ah ! Monsieur me reconnaît ?

CHANDEBISE. – Comment, si je vous reconnais. Ah ! çà ! vous plaisantez ! pourquoi ne vous reconnaîtrais-je pas ?

ÉTIENNE, *vivement.* – Hein ! Je ne sais pas, Monsieur, je ne sais pas !

A ce moment, irruption de Camille venant de gauche et suivi de Finache, Raymonde, Tournel et Lucienne.

CAMILLE. – Il est deux, je vous dis ! Il est deux. Là ! et là !

TOUS. – Mais quoi ? quoi ?

CAMILLE, *se sauvant pas le fond.* – Je deviens fou, mon Dieu ! je deviens fou !

Il disparaît par la droite du vestibule.

TOUS. – Mais qu'est-ce qu'il a ?

RAYMONDE, *descendant vers son mari.* – C'est nous, mon ami, nous venons savoir...

CHANDEBISE, *bondissant en voyant Raymonde.* – Vous ! vous ici. Madame ! (*Apercevant Tournel qui descend côté droit du canapé.*) Et Tournel avec vous !...

RAYMONDE *et* TOURNEL, *ensemble.* – Quoi ?

CHANDEBISE, *qui a sauté au collet de Tournel, l'a fait pivoter autour de lui et le mène ainsi, en marchant sur lui et en le secouant, jusqu'à la droite de la scène.* – Qu'est-ce que tu faisais, hein ? Qu'est-ce que tu faisais quand je vous ai surpris tous les deux, là-bas, dans cette boîte interlope ?

TOUS. – Oh !

RAYMONDE. – Hein, encore !

TOURNEL, *toujours sous l'étreinte de Chandebise.* – Mais, mon ami, voilà la centième fois qu'on t'explique !

CHANDEBISE, *le poussant toujours et le faisant ainsi remonter au fond par la droite de la table.* – Qu'on m'explique quoi ?... quoi ? Allez, allez ! Vous croyez que vous allez vous payer ma tête plus longtemps !... Fichez-moi le camp !

Tout le monde, instinctivement, a suivi le mouvement, mais par le fond, et se trouve ainsi à gauche de la table.

RAYMONDE. – Mon ami !

CHANDEBISE, *marchant sur eux tous.* – Fichez-moi le camp !

LUCIENNE. – Voyons, Monsieur Chandebise !

CHANDEBISE. – Oh ! Madame, je vous en prie. (*Aux autres.*) Fichez-moi le camp, je vous dis ! Je ne veux plus vous voir.

Il arpente la scène, exaspéré.

FINACHE, *les exhortant à rentrer dans la chambre, fond gauche.* – Sortez, allez ! sortez, ne l'irritez pas, il est en pleine crise. Vous reviendrez quand ce sera calmé.

RAYMONDE, *tout en se laissant reconduire.* – Ah ! sa crise ! sa crise ! Je commence à en avoir assez !

Elle sort, ainsi que Lucienne.

FINACHE. – Bien oui, bien oui ! (*A Tournel.*) Tournel, je vous en prie.

TOURNEL, *s'en allant à la suite des autres.* – Enfin, il est stupide ! il n'a pas deux idées de suite.

Étienne, lui, sort par le fond et referme les deux battants de la porte.

FINACHE, *une fois tout le monde sorti, allant à Chandebise.* – Allons, voyons, mon bon Chandebise, quoi donc ?

CHANDEBISE, *qui est devant la table à droite.* – Ah ! je vous demande pardon, mon cher Finache, je me suis laissé aller à un mouvement de colère.

FINACHE. – Mais, allez donc ! c'est un exutoire, si ça doit vous faire du bien...

CHANDEBISE, *encore nerveux.* – Oh ! mais ça va se calmer.

FINACHE. – Mais oui !... Il y a déjà un mieux sensible, d'ailleurs. Vous commencez à reconnaître les gens !... à savoir qui vous êtes !

CHANDEBISE, *le regardant ahuri.* – Quoi ?

FINACHE. – Ça va mieux ! ça va mieux !

CHANDEBISE. – Comment, à reconnaître les gens, à savoir qui je suis... Ah ! çà ! dites donc, vous aussi ?

FINACHE. – Comment ?

CHANDEBISE. – Non, mais est-ce que c'est une scie ?

Est-ce que j'ai l'habitude de ne pas reconnaître les gens, de ne pas savoir qui je suis ?

FINACHE. – Oh ! je ne veux pas dire ça, je...

CHANDEBISE. – J'ai pu m'emporter, mais j'ai toujours ma raison, vous savez.

FINACHE, *vivement, pour ne pas le contrarier.* – Mais je le vois bien, je vois bien !

CHANDEBISE, *satisfait.* – Ah !

FINACHE. – Oui, oui, oui, oui, oui !... Mais c'est égal ! tout de même, à votre place, je serais resté couché !

CHANDEBISE, *même ahurissement que précédemment.* – Quoi ?

FINACHE. – Quel besoin aviez-vous de remettre votre jaquette ?

CHANDEBISE. – Ah ! vous êtes bon, vous ! parce que j'en avais assez de me promener en groom !

Il remonte tout en parlant par la droite de la table.

FINACHE. – En gr... ? (*Levant les yeux au ciel.*) En groom ! Oh !

CHANDEBISE. – Vous croyez peut-être que c'est gai de se voir en larbin ?

FINACHE, *à part.* – Oye, oye, oye ! oye, oye, oye !

CHANDEBISE, *redescendant par la gauche de la table.* – Oui, mon cher, une livrée, moi ! une livrée !

FINACHE, *à part.* – Voilà, l'idée fixe !

CHANDEBISE. – Ah ! j'en aurai vu de toutes les couleurs dans votre hôtel du Minet Galant !

FINACHE. – Vous y avez donc été ?

CHANDEBISE. – Tiens !

FINACHE. – Vous ne deviez pas y aller.

CHANDEBISE, *du tac au tac.* – Eh ! bien ! j'y ai été. Oh ! que de péripéties ! Une tripotée par-ci, une tripotée par-là !... le patron fou ! on m'endosse une livrée !... Enfermé dans une chambre !... obligé de me sauver par les toits !... failli me rompre le cou !... et brochant sur le tout, Homenidès ! Ho-me-ni-dès ! Tout ! je vous dis, j'ai eu tout.

FINACHE, *à part, effondré.* – Qu'il est malade, mon Dieu ! qu'il est malade !...

CHANDEBISE. – Oh ! je m'en souviendrai !

Il gagne la droite.

SCÈNE XI

LES MÊMES, ÉTIENNE

ÉTIENNE, *apportant un verre d'eau sur une assiette et le flacon d'ammoniaque.* – Là, voilà !...

CHANDEBISE, *se retournant en voyant Étienne.* – Qu'est-ce qu'il y a, Étienne ?

ÉTIENNE, *tout en descendant vers Finache.* – Rien Monsieur. C'est Monsieur le docteur qui m'a demandé...

FINACHE, *à Chandebise.* – C'est moi, oui, oui.

CHANDEBISE. – Ah ! bon.

Il se détache et remonte par l'extrême droite.

FINACHE, *à Étienne, qui lui présente l'assiette et son contenu.* – Merci !

Il prend le flacon d'ammoniaque et en verse des gouttes dans le verre pendant ce qui suit.

ÉTIENNE, *à mi-voix au docteur.* – Eh ! bien ?... Monsieur le docteur doit être content ?

A moitié asphyxié par les exhalaisons ammoniacales, Étienne achève sa phrase en détournant la tête du flacon.

FINACHE, *tout en comptant les gouttes, le nez à distance respectable du flacon.* – Deux... trois... Moi ?

ÉTIENNE, *id.* – Le patron est mieux.

FINACHE, *id.* – Oh ! non, oh ! non.

ÉTIENNE, *id.* – Non ?

FINACHE, *id.* – Oh ! non !... six... sept...

ÉTIENNE, *id.* – Oh !

FINACHE. – Le délire ! le délire ! huit... neuf... dix...

CHANDEBISE, *qui redescend à gauche de la table.* – Vous êtes souffrant, docteur ?

FINACHE. – Non, non ! (*S'approchant de lui, tout en agitant de la main droite, doucement et en rond, le verre contenant la mixture afin de la mélanger, mais cela à une distance respectable de son nez.*) Tenez, buvez ça.

CHANDEBISE. – Moi ?

FINACHE. – Oui !... après toutes les émotions que vous avez eues, ça vous remontera.

CHANDEBISE. – Ah ! bien, c'est pas de refus ! c'est vrai, ma colère de tout à l'heure m'a altéré.

Il prend le verre.

FINACHE. – Là, j'en étais certain. (*Arrêtant son mouvement en couvrant de sa main le bord du verre au moment où*

Chandebise se dispose à boire.) Seulement, avalez d'un trait, c'est un peu fort !

CHANDEBISE, *insouciant.* – Oh !

Il en absorbe une bonne gorgée, mais il n'a pas plutôt le liquide dans sa bouche qu'il pose précipitamment son verre sur la table et, écartant tout le monde sur son passage, s'élance comme un fou vers la fenêtre.

FINACHE, *emboîtant le pas derrière lui.* – Oui ! ça ne fait rien ! je vous ai prévenu ! avalez ! avalez !

CHANDEBISE, *qui a ouvert précipitamment la fenêtre, crachant dehors tout ce qu'il a dans la bouche.* – Ah !... Pouah !

ÉTIENNE *et* FINACHE, *désappointés.* – Oh !

CHANDEBISE, *furieux.* – Qu'est-ce que c'est que cette plaisanterie ? En voilà des farces de mauvais goût !

FINACHE. – Voyons, Chandebise !...

CHANDEBISE, *passant devant lui en le repoussant.* – Ah ! Foutez-moi la paix ! cochon, va !

Tout en parlant, il a gagné le fond droit.

FINACHE, *qui le suit.* – Où allez-vous ?

CHANDEBISE. – Eh ! Me rincer la bouche, donc ! Si vous croyez que c'est agréable, ce goût-là ?

Il sort.

ÉTIENNE. – On sonne, tiens !...

Il sort par le fond.

FINACHE, *au-dessus de la table, navré, en examinant le verre déposé par Chandebise.* – Oh ! il a tout craché ! C'est comme si on n'avait rien fait !

VOIS DE FERRAILLON. – Monsieur Chandebise, s'il vous plaît ?

VOIX D'ETIENNE. – C'est ici, Monsieur.

FINACHE, *regardant par l'embrasure de la porte laissée entr'ouverte par Étienne.* – Ah ! Ferraillon !... Ah ! par exemple !

VOIX DE FERRAILLON. – Monsieur le docteur !

FINACHE. – Entrez donc !

Il gagne la gauche.

SCÈNE XII

LES MÊMES, FERRAILLON, puis ANTOINETTE

FERRAILLON, *entrant, suivi d'Étienne.* – Pardon !

FINACHE, *s'asseyant sur le canapé.* – C'est pour votre assurance que vous venez déjà ?

FERRAILLON. – Oh ! non, Monsieur le docteur, je ne me serais pas permis !... je passerai un de ces matins pour ça ; non, je viens pour rapporter un objet qui a été trouvé à mon hôtel et appartient à Monsieur Camille Chandebise.

Il tire de son gousset le palais de Chandebise.

ÉTIENNE, *qui est près de Ferraillon.* – Oh ! mais je le reconnais ! c'est moi qui l'ai trouvé !

FERRAILLON. – Ah ? (*Saluant.*) Monsieur !

ÉTIENNE, *se présentant.* – Étienne ! Valet de chambre de Monsieur Chandebise.

FERRAILLON, *refroidi.* – Enchanté !

FINACHE, *qui cligne des yeux depuis un instant sur l'objet que tient Ferraillon.* – Ah ! ça ! mais montrez-moi donc ça ! (*Ferraillon lui passe le palais.*) Mais oui ! C'est le palais de Camille ! Comment, il perd son palais en ville ! En voilà de l'ordre ! mais comment avez-vous su que c'était à lui ?

FERRAILLON. – Par le nom et l'adresse qui sont gravés sur la plaque.

FINACHE. – Non ! Oh ! mais oui ! « Camille Chandebise, 95, boulevard Malesherbes » ! Ah ! mais c'est très intelligent !

FERRAILLON. – Et puis très commode quand on a oublié ses cartes de visite.

Il corne de la main une carte imaginaire.

FINACHE. – Ah ! bien, il va être bien content ! Je vais lui rendre ça.

ANTOINETTE, *surgissant du fond, affolée.* – Monsieur le docteur ! Monsieur le docteur ! je ne sais pas ce qu'à Monsieur Camille. Je viens de le trouver dans la salle de bains, tout nu... en train de prendre une douche.

FINACHE. – Allons, bien ! qu'est-ce qu'il y a encore ?

FERRAILLON. – Une douche à cette heure-ci ?

FINACHE. – C'est de la folie ! (*A Ferraillon.*) Voilà ce qu'il fait, votre monsieur Camille ! vous qui voulez le voir, il prend une douche. Non, on n'a pas idée ! (*Remontant et à Antoinette.*) Où est-elle ? Où est-elle, la salle de bains ?

ANTOINETTE, *indiquant la droite du vestibule.* – Par ici, Monsieur le docteur.

FINACHE, *sortant, suivi d'Antoinette.* – Mais qu'est-ce

qu'ils ont tous, ce soir ? Qu'est-ce qu'ils ont ?

FERRAILLON, *qui après le départ de Finache et Antoinette se trouve à gauche de la porte du fond, tandis qu'Étienne en occupe la droite, descendant tout en parlant dans la direction de la table de droite.* – Prendre une douche à cette heure-ci, quelle drôle d'idée ! (*Son œil à ce moment tombe sur la livrée et la casquette laissées par Chandebise.*) Hein ! mais je ne me trompe pas, c'est la livrée de Poche !... (*Il la prend.*) Et sa casquette ! Ah ! bien ! elle est bonne, celle-là !... Mais comment c'est-il ici ? (*A Étienne qui descend.*) Mon garçon est donc venu chez vous ?

ÉTIENNE. – Votre garçon ! non ! Pourquoi serait-il venu ?

FERRAILLON. – Ah ! par exemple, celle-là !...

SCÈNE XIII

LES MÊMES, CHANDEBISE

CHANDEBISE, *arrivant par la porte fond droit et descendant carrément par l'extrême droite.* – Quelle horreur que ce goût !

FERRAILLON, *bondissant à la vue de Chandebise.* – Hein ! Poche ! Poche, ici !

Il s'élance pour le rattraper.

CHANDEBISE, *affolé.* – Le fou ! Le fou chez moi !

Il essaie de se sauver tout en évitant de se faire saisir par Ferraillon ; cela fait un jeu de va-et-vient des deux personnages séparés par la table.

FERRAILLON. – Ah ! animal, qu'est-ce que tu fais ici ?

Arrivant à le saisir au passage.

CHANDEBISE. – Ah ! là, là ! Ah ! là, là !

FERRAILLON, *faisant pirouetter Chandebise.* – Ah ! tu balades ma livrée en ville !

CHANDEBISE. – Ah ! là, là !

ÉTIENNE, *surgissant entre eux et essayant de les séparer.* – Mais Monsieur !... Qu'est-ce que vous faites ?

FERRAILLON, *à Étienne et tout en luttant avec Chandebise.* – Foutez-moi la paix, vous !

CHANDEBISE, *arrivant, grâce à l'intervention d'Étienne, à*

se dégager. – Ah ! là, là ! Ah ! là, là ! Ne le lâchez pas !

Il se sauve éperdu.

FERRAILLON, *luttant à présent avec Étienne.* – Mais laissez-moi donc, vous !

Il le fait pivoter et l'envoie au loin.

ÉTIENNE, *revenant à la charge.* – Mais voyons, mais c'est Monsieur Chandebise ! Mais c'est mon patron !

On entend claquer bruyamment la porte du vestibule.

FERRAILLON, *le repoussant.* – Quoi ! votre patron ! C'est mon domestique !... Je le connais bien !

Il sort en courant et en emportant la livrée et la casquette de Poche.

ÉTIENNE, *sortant à sa suite.* – Mais non ! mais non !

SCÈNE XIV

CHANDEBISE, puis ÉTIENNE et HOMENIDÈS, puis POCHE, puis TOURNEL, RAYMONDE et LUCIENNE

CHANDEBISE, *risquant la tête par l'entrebaîllement de la porte de gauche. Très angoissé.* Il... il est parti ? *(Descendant et gagnant l'avant-scène gauche.)* Ah ! j'ai eu une heureuse idée de faire claquer la porte d'entrée, comme ça il a cru que je filais par l'escalier et il s'est élancé à ma poursuite. *(Respirant.)* Enfin ! il est parti !

A ce moment on entend un bruit confus de voix dans l'antichambre.

VOIX D'ÉTIENNE. – Mais, Monsieur, laissez-moi vous annoncer !

VOIX D'HOMENIDÈS. – Yo l'entrerai, que yo vous dis ! yo l'entrerai !

CHANDEBISE. – Qu'est-ce que c'est que ça ?

Sous une poussée de l'extérieur, la porte du fond s'ouvre brusquement.

HOMENIDÈS, *une boîte à pistolets sous le bras.* – Ah ! lui !

Étienne, renonçant à s'interposer, se retire.

CHANDEBISE, *cerné dans son coin.* – Homenidès !

Il fait mine de se sauver.

HOMENIDÈS, *avançant sur lui et sur un ton sans réplique.* – Restez !

CHANDEBISE, *très piteux.* – Mon ami !...

HOMENIDÈS, *le foudroyant du regard.* – Il n'est plous d'ami ! *(Il dépose d'un geste sec sa boîte à pistolets sur la chaise qui est à droite de la petite table, face au canapé, puis.)* Aha ! Vous le m'avez échappé, cet tantôt !... mais yo vous retroufe !... Et sans lé ceusses qui m'ont arrêté et conduit chez lé... commissionnaire dé police, yo vouss aurais fait connaître cé qué c'est qu'oun revolver. Mais... lé commissionnaire, il m'a confisqua mon revolver et il m'a fait qué yo promette, porqué yé obtienne ma... lâcheté, qué yo ne mé servirai plous del revolver !... *(Avec un soupir de regret.)* Yo l'ai promis !

CHANDEBISE, *rassuré.* – Oui ?... Brave *commissionnaire !*

HOMENIDÈS. – Et alors... *(Ouvrant sa boîte de pistolets.)* Yo l'ai apporté... des pistolettes.

CHANDEBISE, *faisant un saut en arrière.* – Hein ?

HOMENIDÈS, *le rassurant du geste.* – Oh ! mais né craignez rien ! yo no veux pas vous suicider. Yo né l'ai pou faire al momento – como vous dites en français ? – de « la flagrante delito »...

CHANDEBISE, *de moins en moins rassuré ?.* – Oui, oui... j'ai compris.

HOMENIDÈS. – ... Maintenant, cela serait... oun meurtre ! Yo no lé veux pas !

CHANDEBISE, *se rapprochant, un peu plus rassuré.* – Ah ! je disais aussi !

HOMENIDÈS. – Voici deux pistolettes ; oun il est chargé, l'autre elle ne l'est pas.

CHANDEBISE, *très intéressé.* – Ah ! bien ! j'aime mieux le premier.

HOMENIDÈS, *faisant entendre un rugissement qui fait bondir Chandebise en arrière.* – Belepp ! *(Se calmant aussitôt et allant prendre un morceau de craie dans la boîte.)* Yo prends de la craie, yo fais oun rond sur votre cœur.

Il lui dessine rapidement un cercle avec la craie sur le côté gauche de la poitrine.

CHANDEBISE. – Oh ! mais voyons !

Il cherche à effacer le rond avec la main.

HOMENIDÈS, *se dessinant également un cercle rapide sur la poitrine.* – Yo mé fais lé même !

CHANDEBISE, *à part.* – Il a été tailleur !

HOMENIDÈS, *qui a déposé la craie et repris ses pistolets.* –

On prend les pistolettes et chacun... lé canon dans lé rond dé l'autre... pan ! pan !... celui qui l'a la balle, il est lé morte.

CHANDEBISE. – Ah ! et... l'autre ?

HOMENIDÈS, *bondissant avec un rugissement qui fait tressauter Chandebise.* – Belepp ! *(Très calme et courtois.)* C'est la douel dé chez nous !

CHANDEBISE, *qui goûte peu ce genre de combat.* – Eh ! ben !

HOMENIDÈS, *très aimable, lui présentant par la crosse les deux pistolets réunis dans une même main.* – Allons ! prenez oun pistolette !

CHANDEBISE. – Quoi ?

HOMENIDÈS, *insistant et plus impérieux.* – Prenez oun pistolette, yo vous dis !

CHANDEBISE, *passant devant lui par un mouvement arrondi.* – Merci ! je ne prends jamais rien entre mes repas !

HOMENIDÈS, *féroce.* – Ah ! prenez !... Ou yo fais le meurtre !

CHANDEBISE, *voyant qu'il ne plaisante pas.* – C'est sérieux ? Ah ! mon Dieu !... Au secours ! Au secours !

Il détale comme un lapin vers la porte du fond par laquelle il sort.

HOMENIDÈS, *se précipitant à sa suite.* – Chandebise !... Veux-tu !... veux-tu !...

Il sort.

VOIX DE CHANDEBISE, *à la cantonade de gauche.* – Au secours ! Au secours !

VOIX D'HOMENIDÈS, *se dirigeant du côté d'où vient la voix de Chandebise.* – Attends oun peu ! Attends oun peu !

VOIX DE CHANDEBISE, *à la cantonade de gauche.* – Au secours ! Au secours ! *(Affolé, il reparaît porte fond gauche, traverse la scène comme une flèche et se précipite dans la chambre premier plan droit. A peine est-il entré qu'on l'entend pousser un grand cri.)* Ah ! *(Aussitôt, il reparaît affolé.)* Ah !... moi !... moi ! Je suis couché, là, dans mon lit ! La maison est hantée ! La maison est hantée !

VOIX D'HOMENIDÈS. – Où est-il, le misérable ? *

CHANDEBISE, *reconnaissant la voix.* – Oh !

Il se précipite vers la porte du fond qu'il referme derrière lui.

HOMENDÈS, *qui a surgi fond gauche, l'apercevant, s'élance vers la porte par laquelle il vient de se sauver.* – Attends un peu ! Attends un peu !

Il se casse le nez contre la porte fermée au verrou et qu'il secoue en vain.

VOIX DE CHANDEBISE, *se dirigeant extérieurement vers la porte du fond droit.* – Au secours ! au secours !

HOMENIDÈS, *se précipitant à la voix vers la porte du fond droit qu'il trouve également fermée au verrou.* – Veux-tu ouvrir ! Veux-tu ouvrir !

VOIX DE CHANDEBISE, *traversant extérieurement la scène de droite à gauche.* – Au secours ! Au secours !

HOMENIDÈS, *courant à la porte fond gauche, qu'il trouve également fermée.* – Veux-tu ouvrir, missérable, veux-tu ouvrir !

Il secoue vainement la porte.

POCHE, *sortant de droite, premier plan, emmitouflé dans sa robe de chambre et encore ensommeillé.* – Ah ! çà ! mais il n'y a pas moyen de dormir !

HOMENIDÈS, *à la vue de Poche, lâchant immédiatement la porte et s'élançant vers lui les pistolets à la main.* – Ah ! lé voilà ! Ah ! missérable !... veux-tu prendre les pistolettes !...

POCHE, *bondissant.* – Mon Dieu ! le peau-rouge !

HOMENIDÈS, *descendant extrême droite.* – Qué yo té toue !

POCHE, *détalant par l'extrême droite jusque vers le fond.* – Qu'est-ce qu'il dit !... Ah ! mon Dieu ! Ah ! mon Dieu !

Il trouve la porte fond droit fermée.

---

* A ce moment le régisseur de la scène doit se trouver à proximité du fond. Dès que l'interprète du rôle de Chandebise sort de scène en criant « au secours », le régisseur, réglant sa voix sur celle de l'artiste, se substitue à lui pour continuer à crier « au secours », d'abord en se dirigeant extérieurement vers la porte fond droit qu'il tient fermée, tandis qu'Homénidès la secoue, puis courant, toujours en criant, vers la porte fond gauche qu'il tiendra de même pour résister à Homénidès. Pendant ce jeu de scène fait pour dépister le public qui croira Chandebise à l'extrême gauche, l'artiste aura vivement enfilé la robe de chambre et mis le foulard de Poche pour faire son apparition à l'endroit indiqué.

HOMENIDÈS, *à ses trousses.* – Yo te tiens ! tu ne m'échapperas pas !

POCHE, *s'élançant successivement vers les deux autres portes du fond qu'il trouve également fermées.* – Ah ! là, là !... Ah ! là, là !... (*Arrivant ainsi à la fenêtre, laissée ouverte précédemment par Chandebise et ne trouvant pas d'autre issue.*) Ah !

Il saute dans le vide.

HOMENIDÈS, *arrivé à la fenêtre au moment où l'autre la franchit et ne pouvant réprimer un mouvement de frayeur.* – Ah ! le malheureux ! Il va se touer ! (*Regardant.*) Non !... il n'a rien ! Ah !... yo lé touerai ! (*Ces deux exclamations doivent s'opposer immédiatement et pour ainsi dire sans transition. Après quoi, il gagne à droite.*) Oh ! oui ! yo lé touerai ! (*Écartant son col avec le doigt comme un homme qui a le sang à la gorge.*) Ah ! y'ai soif. (*Il aperçoit sur la table de droite le verre laissé à moitié plein par Chandebise.*) Ah ! (*Il se précipite vers lui et le porte avidemment à ses lèvres. Il n'a pas plutôt la gorgée dans sa bouche que, ne sachant où la rejeter après avoir reposé le verre en hâte sur la table, il se précipite vers la fenêtre et crache dehors tout ce qu'il avait dans la bouche. Avec dégoût.*) Ah ! pouah ! (*Comme s'il en appelait au ciel.*) Mais qu'il boit donc des saletés dans cette maisson !... huah ! (*Humant l'air. A ce moment il se trouve juste au-dessus de l'écritoire, laissé ouvert par Finache.*) Quel il sent ici ?... le parfoum de la lettre !... le parfoum de ma femme !... (*Prenant une des feuilles de papier qui est précisément celle laissée par Lucienne au premier acte.*) Ah ! lé papier !... lé papier qu'il est lé même !... Ah ! et l'escritoure... l'escritoure dé ma femme !... (*Lisant.*) *« Mossieur, yo vouss ai vou l'autre, soir al Palais-Royal. »* Pero ! c'est lé double dé la lettre al marido... qué yo l'ai dans ma poche... (*Tout en parlant il a tiré l'autre lettre de sa poche et compare.*) Porqué ? porqué ici ? dans la papéterie dé Madame Chandebisse ?... Oh ! yo veux savoir ! yo saurai !... (*Se précipitant vers la porte fond gauche et avec force coups de poings.*) Ouvrez ! ouvrez !

TOURNEL, *paraissant à la porte.* – Eh ! ben, quoi donc ?

HOMENIDÈS, *lui sautant au collet et après l'avoir fait pivoter autour de lui.* – Ah ! lé Tournel ! vouss allez mé dire...

TOURNEL. – Sapristi ! le cow-boy !

HOMENIDÈS. – Cetté lettre...

TOURNEL. – Mais lâchez-moi, voyons !...

RAYMONDE, *paraissant fond gauche et descendant au n° 1.* – Qu'est ce qu'il y a donc ?

HOMENIDÈS, *lâchant Tournel avec une poussée qui lui fait perdre l'équilibre et allant droit à Raymonde.* – Non, vouss ! Cetté lettre qué yo l'ai trouvée dans vos papiers.

RAYMONDE, *reconnaissant la lettre et avec un petit sursaut.* – Hein ! Vous fouillez dans mes papiers, maintenant ?

HOMENIDÈS. – Eh ! il n'est pas là la question !... (*Avec une rage contenue.*) Porqué ?... porqué l'escritoure dé ma femme ?...

RAYMONDE, *entre chair et cuir.* – Aha !

HOMENIDÈS. – Il est donc chez vous qu'elle confectionne les lettres de l'amour ?

RAYMONDE. – Chez moi, oui ! et là-dessus vous vous mettez la tête à l'envers ; alors, que tout cela devrait être fait pour vous prouver la parfaite innocence de votre femme !

HOMENIDÈS. – Hein ?... Como ?

RAYMONDE. – Comment « Como » ! mais parce qu'il est à supposer que s'il y avait la moindre intrigue entre votre femme et mon mari, ça ne serait vraiment pas dans ma papeterie...

TOURNEL, *achevant la pensée de Raymonde.* – ... Qu'on viendrait faire ces choses-là.

HOMENIDÈS, *soupe au lait.* – Mais alors qué, qué [42] ?

RAYMONDE. – Eh ! « qué, qué !... ». Tenez, voici votre femme, demandez-lui vous-même.

Elle descend à gauche, au-dessus du canapé.

HOMENIDÈS, *courant à Lucienne.* – Ah ! Madame, vous allez mé dire...

LUCIENNE, *esquissant un mouvement de retraite.* – Mon mari !

HOMENIDÈS, *l'arrêtant par le poignet et la faisant descendre* (2) *tout en parlant.* – Non, yo vous soupplie, restez !... d'oun mote, vous lé pouvez me tranquillisser !... Cette lettre !... Cette lettre !...

LUCIENNE, *ahurie, en reconnaissant sa lettre entre les mains de son mari.* – Hein, comment ?

HOMENIDÈS. – ... Qué yo l'ai trouvée !... porqué ? porqué [43] ?

LUCIENNE, *regardant Raymonde.* – Mais... ce n'est pas mon secret !

RAYMONDE. – Va, Lucienne ! donne-lui la clef de ce rébus pour le repos de ses méninges.

HOMENIDÈS, *suppliant.* – Oh ! si !

LUCIENNE, *à Raymonde.* – Alors, tu veux ?...

RAYMONDE, *avec indifférence.* – Va ! va !

LUCIENNE. – Soit. (*A son mari.*) Oh ! quel Othello vous faites ! Alors, vous n'avez pas compris ? (*A Raymonde, en indiquant son mari.*) Ah ! qué tonto [44] *! (A Homenidès.)* Raimunda créia tener motivo de dudar de la fidelidad de su marido.

HOMENIDÈS, *brusque.* – Cómo ?

LUCIENNE. – Entonces para probarlo decidió darle una cita galante... al la cual ella también asistiría.

HOMENIDÈS, *bouillant d'impatience.* – Pero, la carta ! la carta !

LUCIENNE, *se montant.* – Eh ! la carta ! la carta ! espera, hombre ! (*Redevenant calme aussitôt et mettant bien les points sur les i.*) Si ella hubiese escrito la carta a su marido, este hubiera reconocido su escritura.

HOMENIDÈS, *une lueur d'espoir dans les yeux devant la vérité qu'il voit poindre.* – Después, Después !

LUCIENNE. – Entonces elle me ha encargado de escribir en su lugar.

HOMENIDÈS, *n'en pouvant croire ses oreilles.* – No ! Es verdad ? (*A Raymonde.*) Es verdad ?

RAYMONDE, *ahurie par cette question dans une langue qu'elle ignore.* – Quoi ?

HOMENIDÈS. – Es verdad to que ella dice ?

RAYMONDE. – Tout ce qu'il y a de plus verdad (*A part.*) Qu'est-ce que je risque ?

HOMENIDÈS. – Ah ! señora ! señora ! cuando pienso que me he metido tantas ideas en la cabeza !

RAYMONDE, *avec des révérences comiques.* – Oh ! mais il n'y a pas de quoi ! vraiment, il n'y a pas de quoi !

HOMENIDÈS *à Lucienne.* – Ah ! qué estúpido ! estúpido soy ! (*A Tournel en se frappant en manière de contrition un coup de poing dans la poitrine à chaque « bruto ».*) Ah ! no soy más que un bruto ! un bruto ! un bruto !

Prononcer « oun brouto ».

TOURNEL, *le singant en se frappant comme lui de grands coups dans la poitrine.* – Mais c'est ce qu'on se tue à vous dire !...

HOMENIDÈS, *qui déjà ne l'écoute plus, à Lucienne avec élan.* – Ah ! querida ! perdoname mis estupideces.

LUCIENNE. – Te perdono, pero no vuelvas a hacerlo.

HOMENIDÈS, *gagnant avec elle le canapé.* – Ah ! querida mia ! Ah ! yo te quiero !

Ils s'asseyent, la main dans la main.

RAYMONDE, *à Tournel, en les montrant.* – Comme on s'entend vite en espagnol !

A ce moment la porte du fond droit s'ouvre, livrant passage à Finache, Camille et Chandebise. Cette entrée doit être très rapide.

SCÈNE XV

LES MÊMES, CHANDEBISE, FINACHE, CAMILLE

FINACHE, *gagnant carrément par le fond le milieu de la scène tout en descendant avec Camille qui lui emboîte le pas.* – Mais enfin, mes enfants, raisonnez, vous perdez la tête !

CAMILLE, *en peignoir de bain et toujours sans palais.* – Je vous dis que je l'ai vu en même temps... là et là.

Il indique l'antichambre et la chambre, premier plan, droite.

CHANDEBISE, *qui lui, est descendu carrément par l'extrême droite.* – Et moi.. je me suis trouvé nez à nez avec moi-même, dans cette chambre et couché dans mon lit !

FINACHE, *sceptique.* – Oh !

HOMENIDÈS, *toujours assis.* – Qué ? qué ? [45]

CHANDEBISE, *à la vue d'Homenidès à un mètre de lui, pivotant sur les talons pour filer.* – Homenidès ! Encore là ?

HOMENIDÈS, *l'arrêtant du geste.* – Allez ! N'ayez crainte ! yo souis calme à présent... maintenant qué yo sais qué l'auteur dé la lettre... la dame del Palais-Royal, il n'était pas ma femme, il était la vostre.

CHANDEBISE, *à Raymonde.* – Hein ! toi ?

RAYMONDE, *qui est à gauche de la table.* – Mais c'est la quarantième fois qu'on te le dit.

Elle remonte au-dessus de la table.

CHANDEBISE. – A moi ?

TOURNEL, *à droite de la table.* – Absolument ! Et chaque fois on s'embrasse et puis y a rien de fait.

Il remonte par l'extrême droite et va rejoindre Raymonde près du meuble qui est entre les deux portes du fond...

CHANDEBISE. – Qu'est-ce qu'il dit ?

HOMENIDÈS. – Et penser qué pour ça, yo vouss ai fait sauter par la fenêtre !

CHANDEBISE. – Moi ?

TOUS. – Par la fenêtre ?

HOMENIDÈS. – Ah ! qué y'en ai même ou oune émotione !

CHANDEBISE. – Moi ! moi ! vous m'avez fait sauter par la fenêtre ?

HOMENIDÈS. – Et naturellement ! yo vous ai fait !... Vous sortiez de là (*Il indique la chambre droite, premier plan.*) Et hop ! par la croissée !

CHANDEBISE, *à larges enjambées gagnant l'extrême droite.* – Ça y est ! ca y est ! lui aussi !... Nous sommes tous le jouet d'une même hallucination !... Ce que vous avez vu sauter par la fenêtre et qui me ressemblait..., c'est ce que j'ai vu, moi, dans mon lit !

CAMILLE. – Et que j'ai vu, moi, là et là !

CHANDEBISE, *qui n'a pas quitté l'extrême droite.* – Absolument ! La preuve, c'est que je suis bien certain que je n'ai jamais sauté par cette fenêtre.

HOMENIDÈS. – Qu'est-ce que vous dites ?

FINACHE, *se prenant la tête à deux mains.* – Oh ! là, là, je sens que ça me gagne !... je sens que ça me gagne !

TOURNEL. – C'est de la féerie !... C'est de la féerie !

SCÈNE XVI

LES MÊMES, FERRAILLON, *introduit par* ÉTIENNE

FERRAILLON, *la robe de chambre de Poche sous le bras.* – Je vous demande pardon, Mesdames, Messieurs...

CHANDEBISE. – Le fou !

Affolé, il se précipite sous la table de droite qui est à sa proximité.

Ensemble

FINACHE *et* CAMILLE. – Ferraillon !

RAYMONDE. – Le patron du Minet Galant.

TOURNEL. – Le patron de l'hôtel !

FERRAILLON. – ... mais à l'instant, comme je passais dans la rue, j'ai failli recevoir sur la tête mon garçon d'hôtel qui sautait, je ne sais pourquoi, par cette fenêtre.

TOUS. – Hein ?

TOURNEL, CAMILLE, HOMENIDÈS. – C'était le garçon !

FERRAILLON. – ... et qui filait en emportant ce vêtement.

Il présente la robe de chambre.

RAYMONDE, *qui est descendue à gauche de la table.* – Ah ! mais c'est à mon mari !... (*Croyant trouver Chandebise.*) C'est à toi, cette... Tiens !... Eh ! bien, où est-il ? (*Appelant.*) Victor-Emmanuel ! Victor-Emmanuel !

Elle remonte vers le fond et va ouvrir la porte fond droit pour y jeter son dernier appel.

TOUS. – Victor-Emmanuel !

Étienne va regarder par la porte fond gauche, Tournel par celle de droite, premier plan.

FERRAILLON, *apercevant Chandebise blotti à quatre pattes sous la table.* – Ah !

TOUS. – Quoi ?

FERRAILLON. – Poche ! Encore Poche !

Il va le saisir au collet et le tire de sa cachette.

TOUS. – Comment, Poche ?

CHANDEBISE, *sortant de sous la table, tiré par Ferraillon.* – Ah ! là, là !... Ah ! là... là !

FERRAILLON, *le faisant pivoter autour de lui à coups de pied quelque part.* – Ah ! saligaud ! animal ! cochon !

TOUS. – Ah !

RAYMONDE, *s'interposant entre eux.* – Mais, Monsieur !... mais c'est mon mari !

FERRAILLON, *reculant d'ahurissement.* – Quoi ?

CHANDEBISE. – Mais oui, mais c'est une idée fixe, chez lui !... Chaque fois qu'on se rencontre, il me flanque une roulée !

FERRAILLON. – Votre mari, lui ?

RAYMONDE. – Monsieur Chandebise !... Parfaitement !

FERRAILLON. – Non ! ce n'est pas possible ! lui ! lui ! mais c'est le portrait frappant de Poche, mon garçon d'hôtel !

TOUS. – Poche !

FERRAILLON. – Oui, celui-là même qui sautait à l'instant par la fenêtre.

TOUS, *ahuris*. – Ah !

CHANDEBISE. – Mais je comprends tout, l'homme que j'ai vu tout à l'heure dans mon lit et que j'ai pris pour moi-même, c'était Poche !

TOUS. – Poche !

RAYMONDE. – Et celui-là que nous avons vu à l'hôtel, un litre à la main !

TOURNEL. – Celui que nous avons embrassés !

TOUS, *bien ensemble*. – C'était Poche !

LUCIENNE. – Celui qui voulait absolument m'entraîner chez le marchand de vin !

CAMILLE. – Et qui avait un crochet de bois sur le dos !

TOUS, *id*. – C'était Poche.

CHANDEBISE. – Poche ! Poche ! Toujours Poche ! Ah ! parbleu ! je regrette qu'il ait filé si vite !... J'aurais aimé le voir de près, mon sosie.

FERRAILLON. – Eh ! bien, mais il y a un moyen, Monsieur n'a qu'à venir un jour à l'hôtel du Minet Galant.

CHANDEBISE. – Moi ? Moi, au Minet Galant ! Ah ! non, non, il m'a vu, celui-là !

RAYMONDE, *avec perfidie*. – Même pas pour les beaux yeux de l'inconnue du Palais-Royal !

CHANDEBISE. – Ah ! oui, je te conseille de te moquer, toi ! M'avoir tendu ce piège ridicule !

RAYMONDE. – Je te demande pardon, j'ai eu tort ! mais, qu'est-ce que tu veux, je doutais de ta fidélité !

CHANDEBISE. – A moi, Dieu bon ! et pourquoi ? pourquoi ?

RAYMONDE. – Mais parce que... Eh ! bien, tiens, parce que...

Elle lui parle à l'oreille.

CHANDEBISE. – Non ! pour si peu ?

RAYMONDE. – Quoi ? Mais dis *à cause* de ce si peu !

CHANDEBISE. – Oh ! ben !

RAYMONDE. – Qu'est-ce que tu veux, c'est bête !... Mais ça m'avait mis... la puce à l'oreille.

CHANDEBISE. – Sacrée puce, va ! (*Comme s'il relevait un défi.*) C'est bien ! (*Plus en sourdine.*) Je la tuerai ce soir.

RAYMONDE, *avec un peu d'ironie*. – Toi ?

CHANDEBISE, *avec un geste moins faraud*. – Euh !.. enfin, j'essaierai...

CAMILLE, *sortant du rang et dos au public, s'adressant à son entourage pendant que le rideau tombe.* – Eh ! bien, moi, écoutez, si vous m'en croyez...

TOUS, *dans un même cri du cœur.* – Ah ! non, demain ! demain !

RIDEAU

OCCUPE-TOI D'AMÉLIE

PIÈCE EN TROIS ACTES ET QUATRE TABLEAUX
REPRÉSENTÉE POUR LA PREMIÈRE FOIS A PARIS,
LE 15 MARS 1908,
AU THÉÂTRE DES NOUVEAUTÉS

NOTICE

Nous ne savons pas quand Feydeau imagina le sujet d'*Occupe-toi d'Amélie,* ni à quel moment il commença à écrire la pièce. On a vu que, par suite de la mort d'un des meilleurs acteurs qui l'interprétaient, *La Puce à l'oreille,* sa dernière pièce, avait vu sa carrière prématurément interrompue : créée le 2 mars 1907, elle devait quitter l'affiche dès le mois de mai de la même année[1]. Il fallait absolument que l'auteur prît sa revanche.

On sait que, semblable sur ce point à Molière, Feydeau n'hésitait pas, le cas échéant, à s'emparer d'un sujet déjà traité ou d'un canevas antérieurement exploité, pour en faire quelque chose d'entièrement nouveau. Ce fut le cas ici encore. La pièce dont l'auteur semble s'être inspiré est une comédie en deux actes de son ex-collaborateur Maurice Desvallières, *Prête-moi ta femme,* créée au Palais-Royal le 10 septembre 1883. Dans cette œuvre, un certain Gontran, menacé par un oncle qui lui versait une pension, de se voir couper les vivres s'il ne se mariait pas, lui avait écrit qu'il avait pris femme – ce qui était parfaitement faux. Mais l'arrivée imminente et imprévue de cet oncle obligeait Gontran à demander à son ami Rissolin de lui prêter sa propre épouse pour quarante huit heures [2]. Il est aisé

1. Cf. *Notice* de *La Puce à l'oreille*, p. 517

2. L'idée même de « confier » sa femme à un ami qui trahissait plus ou moins la confiance que l'on avait placée en lui, était alors un des poncifs du théâtre léger : au premier acte du *Bouton de Rose*, farce en trois actes d'Émile Zola créée au Palais-Royal en 1878 (et qui ne bénéficia que de 7 représentations...), un personnage nommé Brochard déclarait à son associé : « Je te confie ma femme : tu me la rendras *intacte, intacte*, tu m'entends ! » On devine que cette recommandation n'était pas aussi scrupuleusement suivie que Brochard l'eût souhaité.

de reconnaître ici les points communs que présente cette situation avec celle que nous offre *Occupe-toi d'Amélie* : l'oncle, c'est ici le parrain Van Putzeboum qui ne remettra sa fortune à Marcel (Gontran chez Desvallières) que s'il épouse Amélie (madame Rissolin). De même que Rissolin prêtait sa femme à Gontran, Étienne confie Amélie à Marcel etc. Mais il ne s'agit là que d'un point de départ. Que de différences par la suite ! Ainsi le fait que la femme prêtée se trouve être, non pas une légitime épouse, mais une « cocotte », le faux mariage qui se révèle authentique, l'intervention du prince de Palestrie et une foule de péripéties et d'inventions de toute nature...

La genèse d'*Occupe-toi d'Amélie* fut assez laborieuse, semble-t-il. L'auteur n'éprouvait plus le « ravissement » qui le saisissait quand, écolier encore, il écrivait des pièces. Devenu un véritable métier, le théâtre avait perdu pour lui une grande part de sa séduction. Aussi, alors que l'on répétait les deux premiers actes de la pièce depuis un mois et demi, Feydeau n'avait-il pas encore écrit la moindre ligne du troisième. Et il fallut que ses amis le contraignissent pratiquement à écrire en quelques heures l'acte manquant pour qu'il pût tenir la promesse faite au directeur des Nouveautés [1].

Dans ces conditions, on peut supposer chez l'auteur, non pas un essoufflement de l'inspiration, puisqu'à l'évidence *Occupe-toi d'Amélie* est une de ses meilleures pièces, mais une certaine lassitude à l'égard d'un genre, le grand vaudeville en trois actes, qu'il maîtrise parfaitement et dont il a déjà donné plus d'une dizaine d'exemplaires tout à fait réussis depuis *Tailleur pour dames,* vingt et un ans auparavant. Ce type de pièce n'ayant plus de secrets pour lui, on ne s'étonnera pas que Feydeau cherche à renouveler sa manière. De fait, quelques mois plus tard, en novembre 1908, il va donner *Feu la Mère de Madame* la première de ses farces conjugales en un acte, genre auquel il se consacrera surtout désormais [2].

La première représentation de la pièce eut lieu aux Nouveautés, le 15 mars 1908. L'accueil du public et de la critique fut triomphal. Stoullig écrit : « Ah ! l'inénarrable farce, cousine germaine de *La Dame de chez Maxim,* et destinée, comme elle, à drainer aux Nouveautés des légions de spectateurs hantés de l'envie de rire à gorge déployée, ainsi que nous l'avons

1. Sur ce point, cf. au tome premier, notre *Introduction*, p. 27-28.
2. Sur ce tournant de la carrière de Feydeau, cf. notre *Introduction* p. 20-23.

fait nous-même, sans contrainte et sans vergogne [1]. » Paul Souday, dans *L'Éclair,* note que Georges Feydeau « s'empare impérieusement du public, le secoue, le fait s'étrangler de rire, ne lui laisse pas le temps de respirer [2]. » Dans *Comoedia,* Jean Richepin avoue : « Je suis pétrifié d'admiration devant le mathématicien, l'horloger, l'ingénieur, le Vaucanson, le Blaise Pascal, l'Edison, le thaumaturge, le démiurge qui invente, rêve, combine, construit, remonte, fait marcher imperturbablement et impeccablement une machine aussi compliquée, aussi miraculeuse, aussi parfaite, sans que rate un seul effet, sans que s'affole un seul rouage, sans que pète un seul ressort, sans que pète en éclats son cerveau lui-même, sautant comme une marmite close et bourrée de tous les explosifs du rire [3]. »

Les seules petites réserves qui sont faites – elles nous font sourire aujourd'hui – concernent « l'immoralité » de l'intrigue qu'Adolphe Brisson, par exemple, juge « effroyablement licencieuse » et certaines plaisanteries « trop pimentées » à en croire le bon Faguet [4]. Encore tous ces juges sévères s'avouent-ils « désarmés » par le rire. L'ensemble des critiques reconnaît bien volontiers que l'auteur est depuis nombre d'années le maître incontesté du vaudeville, étant bien entendu qu'à leurs yeux il ne s'agit là que d'un genre subalterne.

Faut-il dire qu'à la création, l'interprétation a parfaitement servi les qualités de la pièce ? Germain, qui a déjà joué dans maintes œuvres de Feydeau campe en Pochet un ancien sergent de ville, père solennel d'une « cocotte », tout pénétré du sérieux de son emploi. Marcel Simon, un ami de l'auteur, qui joue dans ses pièces depuis *Monsieur chasse* (1892), se charge du personnage de Marcel Courbois et Landrin, qui excelle dans les petits rôles est l'aide de camp du prince de Palestrie. Mais celle qui « mène le mouvement, qui est la joie même, qui met de la lumière dans tous les actes, avec le visage pétri de sourires, c'est Armande Cassive qui vient de retrouver là son succès de *La Dame de chez Maxim* [5] ».

Les critiques ne s'étaient pas trompés en prédisant à la pièce une longue carrière : elle fut jouée 288 fois, jusqu'aux pre-

1. *Annales du Théâtre et de la Musique*, 1908, p. 384.
2. Cité par Gaston Sorbets dans la revue de presse de *L'Illustration théâtrale* du 25 mars 1910.
3. Ibid.
4. Ibid.
5. Félix Duquesnel, *Le Théâtre*, avril 1908, I, n° 223.

miers jours de janvier 1909. Feydeau n'avait pas connu pareil succès depuis *La Dame,* sept ans plus tôt.

Ce n'était d'ailleurs que justice : car cette œuvre n'est pas seulement un très bon vaudeville. Le personnage même d'Amélie, troisième figure de « cocotte » créée par l'auteur (après Lucette Gautier et la Môme Crevette) est l'occasion d'une authentique étude de mœurs qui n'était qu'esquissée dans *Un Fil à la patte* ou dans *La Dame de chez Maxim.* Amélie Pochet, fille d'un modeste gardien de la paix, ex-femme de chambre de la comtesse de Prémilly, est ici montrée dans l'intimité de son existence familiale et au milieu de ses amis. Ayant accédé à une sorte de bourgeoisie parallèle, elle aspire à une dignité, à une consécration sociale dont elle a été longtemps frustrée. Ses efforts dans ce sens sont observés avec finesse, dans ce qu'ils comportent à la fois de touchant et de comique : elle tient une espèce de salon où l'on se doit d'écouter religieusement Caruso dont la voix est reproduite par un phonographe dernier cri. Mais ses « amis » ne sont en fait que de vulgaires parasites que le *bel canto* n'intéresse que médiocrement... Conservant, malgré son ascension, un sentiment aigu de la solidarité familiale, elle l'associe à son sens pratique en employant son jeune frère comme groom... Mille traits de ce genre viennent enrichir la peinture de ce pittoresque milieu. Le père d'Amélie est une figure d'une vérité saisissante : sa complaisance envers les « protecteurs » de sa fille, son patriotisme farouche, les tics professionnels qu'il a conservés, font de lui un personnage particulièrement savoureux.

Et, dans un tout autre domaine, que dire du tableau caricatural de ce mariage qui passe pour une fausse cérémonie et une vraie farce mais qui se révèle finalement comme une authentique et légale union ? Dans cet épisode se télescopent deux mondes qui n'ont guère l'habitude de se rencontrer. Feydeau annonce ici les fantasmagories pirandelliennes où illusion et réalité se fondent en un univers inquiétant et poétique.

On ne sera donc pas surpris que la pièce ait été reprise et ait reçu un excellent accueil dès 1911, en ce même Théâtre des Nouveautés où elle avait été créée. On retrouvait dans la distribution Germain, Landrin, Marcel Simon et bien entendu Cassive. Nouvelles reprises à la Scala en 1917, à la Scala, encore et au Nouveau Théâtre de Vaugirard en 1923, en 1929 aux Bouffes du Nord, au Théâtre lyrique du 16e arrondissement et au Théâtre Moncey. 1948 est une date particulièrement importante dans l'histoire de la pièce, car elle est reprise, cette fois, par la compagnie Madeleine Renaud – Jean-Louis Barrault au Théâtre Marigny. Cette représentation par une troupe prestigieuse et spécialisée dans le répertoire « littéraire », contribuera largement à faire de l'auteur un « classique » de la scène française. Mentionnons également l'importante représentation de la pièce au Théâtre de la Madeleine en 1969 (mise en scène de Jacques Charon).

La pièce parut pour la première fois en 1911 dans l'*Illustration Théâtrale,* puis fut recueillie en 1948 dans le tome premier du *Théâtre complet* (Éditions du Bélier).

RÉSUMÉ DE LA PIÈCE

Acte I. – Le salon d'Amélie Pochet, dite Amélie d'Avranches. La comtesse Irène de Prémilly vient supplier Amélie, une cocotte en vogue, de ne pas lui prendre son amant, Marcel Courbois. Elle a en effet découvert une lettre dans laquelle Marcel annonçait à son parrain, Van Putzeboum, son prochain mariage avec la jeune femme. Amélie rassure la visiteuse : il n'est pas question de cette union. Étienne de Millédieu, l'amant d'Amélie confirme les dires de sa maîtresse. Marcel Courbois, arrivé sur ces entrefaites, s'explique : en mourant, son père lui a légué douze cent mille francs, mais il a confié cette somme à Van Putzeboum qui ne les remettra à l'héritier que le jour de son mariage. Impatient de jouir de cette fortune, le jeune homme a donc écrit à son parrain qu'il allait épouser une jeune fille du meilleur monde... Amélie d'Avranches. Mais il s'agit bien entendu d'un mariage fictif, d'autant que le parrain, qui doit se rendre en Amérique, ne pourra assister à la cérémonie. Amélie accepte donc d'aider son ami.

Se présente alors le général Koschnadieff, aide de camp du prince Nicolas de Palestrie. Le prince, tombé amoureux d'Amélie, l'a chargé de lui ménager avec la jeune femme un galant rendez-vous. Flattée, Amélie donne son accord. Là-dessus se présente soudainement... Van Putzeboum venu faire la connaissance de la fiancée. Il reçoit un accueil à la fois embarrassé et moqueur.

Étienne, qui doit effectuer une période militaire, confie Amélie à son ami Marcel : « Occupe-toi d'Amélie ! » lui dit-il.

Acte II. – La chambre de Marcel. Lorsque le jeune homme se réveille – il est plus de midi – il découvre la jeune femme dans son lit. La mémoire lui revient peu à peu : tous deux ont, la nuit précédente, joyeusement festoyé. Mais il leur est impossible de se souvenir s'ils ont réellement trahi la confiance d'Étienne.

Mais voici Irène. Amélie n'a que le temps de se dissimuler sous le lit de Marcel. Très tendre, la comtesse prétend passer toute la journée avec son amant. La cocotte décide alors de quitter les lieux. Elle gagne la salle de bains, dissimulée sous un couvre-pieds qui, grâce à un ingénieux système, revient à sa place sous les yeux d'Irène terrifiée. Peu après, déguisée en gnome monstrueux, Amélie reparaît : la comtesse s'enfuit.

Survient alors Van Putzeboum qui, stupéfait, découvre la pure Amélie dans le lit de son « fiancé ». Il annonce qu'il a remis son voyage en Amérique pour pouvoir assister au mariage. Marcel est consterné. A la suite d'un quiproquo, le prince paraît à son tour. Autre malentendu : il prend Marcel pour une sorte de tenancier qui loue son appartement pour la journée à des clients discrets. Il s'apprête à passer un bon moment avec Amélie lorsque réapparaissent Van Putzeboum, puis Étienne (une épidémie d'oreillons qui a frappé son régiment a écourté sa période). Le belge lui révèle en toute innocence qu'il a surpris les fiancés au lit. Millédieu décide alors de se venger. Sous couleur d'aider Marcel, il propose de lui organiser, pour duper le parrain, un faux mariage. C'est Toto Béjard, un farceur de ses amis, qui tiendra le rôle du maire.

Acte III. – Premier tableau – La salle des mariages à la mairie. La cérémonie a lieu en présence des amis de Marcel et d'Amélie, de Pochet, du prince et, bien entendu, de Van Putzeboum. Le maire est, en fait, un authentique magistrat parisien ; aussi s'étonne-t-il de l'étrange attitude des invités : ceux-ci lui font comprendre en effet qu'ils apprécient ses talents de comédien. Lorsque tout est terminé, Étienne, resté seul avec son ami, se donne le plaisir de lui annoncer qu'il est bel et bien le légitime époux d'Amélie.

Deuxième tableau – La chambre à coucher d'Amélie. Le prince – déjà en caleçon – attend la jeune femme avec impatience. A peine est-elle arrivée que Marcel paraît et lui annonce la nouvelle. Si Amélie se félicite de la situation, son mari est, pour sa part, résolu à divorcer.

Machiavéliquement Marcel jette par la fenêtre les vêtements du prince, enferme le couple derrière lui et revient avec le commissaire pour faire constater le flagrant délit. Mais lorsque le magistrat apprend la véritable identité de l'« amant », il se refuse à instrumenter : il redoute les complications diplomatiques que cela entraînerait.

Paraît alors Étienne venu narguer son ami. Mais Marcel saisit aussitôt l'occasion de retourner la situation à son avantage. Sous la menace de son pistolet, il contraint Étienne à donner ses vêtements au prince. Lorsque le commissaire, venu rapporter les habits de ce dernier, réapparaît, Marcel obtient cette fois-ci un constat en bonne et due forme. Il va pouvoir divorcer. Il reçoit ensuite des mains de Van Putzeboum le chèque qui le met en possession de son héritage et il conseille ironiquement à Étienne : « Occupe-toi d'Amélie ! »

PERSONNAGES

POCHET . . . . MM. GERMAIN
LE PRINCE . . . . DECORI
MARCEL COURBOIS . . . . . Marcel SIMON
ÉTIENNE . . . . BARON fils
VAN PUTZEBOUM . . . . GIRIER
KOSCHNADIEFF . . . . LANDRIN
ADONIS . . . . Paul ARDOT
BIBICHON . . . . BERTHELIER
LE COMMISSAIRE . . . . BOURGEOTTE
MOUILLETU . . . . GAILLARD
LE MAIRE . . . . GRELÉ
VALCREUSE . . . . FAURE
BOAS . . . . LAMARE
PREMIER PHOTOGRAPHE MAYRAL
DEUXIÈME PHOTOGRAPHE . . . . VERSY
VALÉRY . . . . RAUCOURT
CORNETTE . . . . PROSPER
MOUCHEMOLLE . . . . ROUX
AMÉLIE . . . . Mmes Armande CASSIVE
IRÈNE . . . . Suzanne CARLIX
CHARLOTTE . . . . Gisèle GRAVIER
YVONNE . . . . J. MORGAN
PALMYRE . . . . OGELLY
VIRGINIE . . . . Jenny ROSE
GABY . . . . GERMAINE
GISMONDA . . . . DORIGNY
PAQUERETTE . . . . DELAUNAY
LA PETITE FILLE . . . . La petite LEROY

ACTE I

Chez Amélie Pochet. – Le Salon.

Premier plan, fenêtre à quatre vantaux et formant légèrement bow-window. Deuxième plan, un pan de mur. Au fond, à gauche, face au public, la porte donnant sur le vestibule. Toujours au fond, occupant le milieu de la scène, une glace sans tain qui permet de distinguer la pièce contiguë. On aperçoit, par cette glace, l'envers de la cheminée voisine ainsi que sa garniture. – A droite, en pan coupé, grande baie sans porte donnant sur un petit salon. A droite, premier plan, porte donnant dans la chambre d'Amélie. Au fond, contre la glace sans tain, un piano demi-queue, le clavier tourné vers la gauche. Sur le piano, une boîte de cigares, un bougeoir, une boîte d'allumettes ; ceci sur la partie gauche du piano. Sur la partie droite, un gramophone et des disques ; dans le cintre du piano, une petite « table-rognon » ou un petit guéridon. Sur cette table, un service à liqueurs. Contre le piano, dans la partie qui est entre le clavier et le cintre, une chaise. Devant le clavier du piano, une banquette. A droite, au milieu de la scène, placé de biais, un canapé de taille moyenne. A gauche, en scène, une table à jeu, avec cartes à jouer, cendriers, trois verres de liqueurs, une bouteille de chartreuse, une tasse de café. Une chaise au-dessus de la table, face au public ; une chaise de l'autre côté, dos au public et une autre chaise à droite de ladite table. Petit meuble d'appui contre le pan de mur immédiatement après la fenêtre. Autres meubles, bibelots, tableaux, plantes, objets d'art ad libitum. *Bouton de sonnette électrique au-dessus du piano, contre le mur, près de la baie.*

SCÈNE PREMIÈRE

AMÉLIE, BIBICHON, PALMYRE, YVONNE, VALCREUSE, BOAS puis ÉTIENNE

Au lever du rideau, Amélie est debout, près du piano en train de faire entendre le gramophone à ses invités. Bibichon, un cigare à la bouche, est assis sur le canapé entre Palmyre (1) et Yvonne (3). (Palmyre est assise sur le bras du canapé.) Valcreuse, dos au public, et Boas face au public, sont assis à la table à jeu, en train de faire une partie de cartes. Le gramophone[1] *est en marche exécutant un grand air chanté par Caruso*[2]. *On écoute religieusement avec des dodelinements de tête extasiés. (Le morceau chanté par Caruso est l'air d'*Il Trovatore[3], *« Di quella pira... » enregistré par la Société des gramophones. Mettre le disque en mouvement, le rideau encore baissé, et ne lever qu'à la fin de la huitième mesure de chant après la ritournelle, à « Marse avvampo ».)*

YVONNE, *sur un port de voix à effet de Caruso à la treizième ou quatorzième mesure.* – Oh ! Épatant !

PALMYRE, *en extase.* – Ah !

AMÉLIE. – Hein ! Croyez-vous !

TOUS, *avec délice.* – Ah !

On écoute.

BIBICHON, *à la dix-septième mesure du morceau.* – Qui est-ce qui gueule comme ça ! C'est Caruso ?

AMÉLIE, *descendant un peu.* – « Qui gueule » ! On t'en donnera des « Qui gueule » !

BIBICHON, *pendant que le disque continue à tourner.* – Enfin, qui chante. C'est une façon de dire ! Dieu sait que je serais mal venu... ! Ah ! le bougre, il a vraiment une voix !

YVONNE, *qui veut écouter.* – Eh ! bien oui, tais-toi !

PALMYRE. – Tais-toi, voyons !

BIBICHON. – Une voix bénie de Dieu !

TOUS. – Chut donc !

BIBICHON. – Oui !

Silence religieux. Les femmes sont au septième ciel. Arrive une note tenue, à gros effet, de

Caruso, vers la vingt-neuvième ou trentième mesure ; tout le monde reste comme suspendu aux lèvres du ténor absent. Yeux blancs, airs pâmés, tant que dure la note. Une fois la fameuse note finie, continuant avec Caruso, comme les spectateurs qui se croient obligés de chantonner avec l'artiste à l'Opéra :

Ah ! Ah ! Ah ! Ah !

TOUS, *le conspuant.* – Ah ! non !... non, pas toi !

BIBICHON. – Ah ?

YVONNE. – Tu ne l'as pas, toi, la voix bénie de Dieu.

PALMYRE. – Caruso suffit !

BIBICHON. – Bon, bon ! Moi, ce que j'en faisais, c'était pour corser.

YVONNE. – Oui, eh bien, ne corse pas, veux-tu, et laisse-nous écouter.

BIBICHON. – Mais je ne vous empêche pas d'écouter, mes petites.

YVONNE et PALMYRE. – Oui, oui, assez !

TOUS. – Oh !

BIBICHON. – Je chantonnais discrètement, je ne pensais pas que...

TOUS. – Oh ! Oh !

Parler ainsi ad libitum *jusqu'à la fin du morceau.*

YVONNE. – Mais tais-toi donc ! (*N'entendant plus le gramophone. A Amélie.*) Eh ben ?

AMÉLIE, *enlevant le disque et le remplaçant par un autre pendant ce qui suit.* – Mais ça y est, c'est fini !

PALMYRE, *se tournant vers Bibichon.* – Là, voilà c'est fini ; et on n'a entendu que Bibichon !

BIBICHON. – Mais en chair et en os au moins !

AMÉLIE. – Ah ! bien, ça n'est pas encore ce qu'il y a de mieux.

VALCREUSE, *à Amélie.* – Tu n'as pas un Delna [4] ?

AMÉLIE. – Non ! mais j'ai le récit de Théramène [5] par Silvain [6].

TOUS, *d'un seul cri.* – Non !

AMÉLIE. – Bon, adjugé !

BIBICHON, *se levant, et tout en gagnant vers le piano (côté du clavier) pour aller chercher un cigare.* – Ah ! c'est tout de même une invention admirable, ce gramophone ! penser que dans cent ans nous pourrons entendre des gens qui ne seront plus depuis des années !

PALMYRE, *riant.* – Oh ! dans cent ans... !

BOAS. – Toi surtout !

BIBICHON, *tout en choisissant un cigare.* – Oui, je serai un peu tapé !

Il met son cigare aux lèvres et prend du feu à la bougie allumée qui est dans le bougeoir sur le piano.

AMÉLIE, *voyant ce jeu de scène.* – Oh ! encore un ! Écoute, Bibichon, c'est pis qu'une cheminée ! On ne respire déjà plus ici.

BIBICHON, *tout en allumant son cigare.* – Le dernier ! Le dernier !

Il souffle la bougie.

AMÉLIE. – Tenez ! écoutez ça ! vous allez me dire si vous connaissez ?

TOUS, *curieusement.* – Ah ! qu'est-ce que c'est ? Qu'est-ce que c'est ?

AMÉLIE, *gaiement mystérieuse.* – Ah ! voilà !

BIBICHON, *gagnant la droite au-dessus du canapé.* – Oh ! moi, je me connais ! je ne devinerai pas !

Amélie a mis le disque en mouvement. On entend la musique de la « Marseillaise » par la garde républicaine.

TOUS, *riant et conspuant le disque.* – Oh ! assez !

BIBICHON, *redescendant par l'extrême droite.* – Ah ! non, non pas ça ! Je suis royaliste, moi ! *La Marseillaise*, merci ! c'était bon sous l'Empire !... quand j'étais républicain !

YVONNE. – T'es de l'Empire, toi ?

BIBICHON, *devant Yvonne.* – Oh ! un peu !... très peu !

PALMYRE, *naïvement.* – T'as connu Napoléon Ier ?

BIBICHON. – Ah ! non, mon petit ! non ! c'est pas le même !

En ce disant, il donne une tape amicale sur la joue de Palmyre et gagne le milieu de la scène.

VALCREUSE, *tout en jouant aux cartes.* – Qu'est-ce que tu fais avec nous, alors si t'es de l'Empire ?

BOAS. – C'est vrai ! Pourquoi n'es-tu pas avec ceux de ta génération ?

BIBICHON, *avec des dandinements de coquetterie.* – Oh ! vous ne voudriez pas !

BOAS. – Pourquoi ?

BIBICHON, *bien traîné.* – Ils sont vieux !

AMÉLIE. – Ah ! bébé, va !

BIBICHON. – Ben, tiens !...

VOIX D'ÉTIENNE, *à la cantonade droite.* – Ah ! Zut alors ! zut !

YVONNE, *à Amélie.* – Ah ! la voix de ton fol amant !

TOUS. – Étienne !

A ce moment paraît Étienne sortant de droite. Il est en pantalon d'officier et en manches de chemise (pas de col à la chemise). Il tient sa tunique sur le bras.

ÉTIENNE, *passe au-dessus du canapé et descend au milieu de la scène. Amélie !... je croîs ! je croîs encore !...*

AMÉLIE. – Hein ! En quoi ?

BIBICHON. – En Dieu ?

ÉTIENNE, *montrant son pantalon trop court de trois ou quatre centimètres.* – Non ! en mon pantalon ! j'ai encore grandi.

On rit.

AMÉLIE. – Ah ! bon !

ÉTIENNE. – Tiens, regarde ! au moins cinq centimètres depuis ma dernière période.

AMÉLIE. – Mais, c'est positif !

BIBICHON, *blagueur.* – Tu pousses encore, mon chéri ?

ÉTIENNE, *montrant son pantalon.* – Mais tenez ! heureusement que j'ai eu l'idée d'essayer !... Si j'étais parti ce soir comme ça pour mes vingt-huit jours [7], ça aurait été chic pour me présenter demain au corps ! (*A Amélie.*) Tu vas me faire rallonger ça, hein ?

AMÉLIE. – Oui ! et tu ferais bien d'essayer aussi la tunique pendant que tu y es.

ÉTIENNE. – Tu parles ! (*Sans transition.*) Ah ! ce que ça infecte le vieux cigare, ici !

Il gagne le fond droit et pendant ce qui suit passe sa tunique.

AMÉLIE, *à Bibichon.* – Ah ! je ne suis pas fâchée ! Je vais faire ouvrir la fenêtre.

Elle sonne.

BIBICHON, *vivement, tout en relevant son collet.* – Ah ! non !... ou alors on passe à côté ; j'ai pas envie d'attraper la mort.

Tout en parlant, il est descendu devant le canapé.

ÉTIENNE. – Douillet !

BIBICHON. – Tiens ! sur la digestion, merci ! et à moins

que je ne me colle Palmyre dans le dos et Yvonne sur l'estomac... !

En ce disant, il s'est laissé tomber sur le canapé entre Palmyre, contre qui il colle son dos, en même temps qu'il attire Yvonne sur son estomac.

YVONNE et PALMYRE, *le repoussant.* – Ah ! non, alors !

BOAS, *blagueur ; de sa place, tout en jouant aux cartes.* – Oui, eh ! bien, Palmyre, si tu veux ; mais Yvonne, tu peux te fouiller !

BIBICHON, *sans changer de position, et sur un ton modulé.* – Mon petit Boas ! on ne te demande pas l'heure qu'il est.

BOAS, *sur le même ton.* – Désolé, mais c'est ma maîtresse.

BIBICHON, *sur le même ton.* – Mon petit Boas, c'est peut-être ta maîtresse, ce qui n'empêche pas qu'elle est majeure...

YVONNE, *vivement, lui envoyant un violent coup de coude.* – Mais non !

BIBICHON. – Enfin, elle est d'une émancipation telle que ça vaut une majorité ; donc si elle est ta maîtresse, elle l'est aussi de ses actes... (*Sur un ton badin.*) sans compter d'un tas de gens que nous ne connaissons pas.

YVONNE, *moitié riant, moitié fâchée.* – Ah ! mais, dis donc !

BIBICHON, *à Yvonne.* – Chut ! (*A Boas.*) Donc, mon petit Boas, tu n'as pas voix au chapitre.

BOAS, *gaiement, à Valcreuse.* – Il est insupportable !

SCÈNE II

LES MÊMES, ADONIS

ADONIS, *livrée de valet de pied, l'habit croisé à boutons d'or.* – Madame a sonné ?

AMÉLIE, *au fond, avec Étienne.* – Oui ! Ouvrez la fenêtre ! et puis enlevez ces tasses et ces petits verres qui traînent !

BIBICHON, *se levant d'un bond et se précipitant sur son petit verre laissé à moitié plein sur la table à jeu.* – Eh ! là, pas le mien ! J'ai pas fini. (*Il le vide d'un trait, le repose sur la table, puis donnant une petite tape sur la joue d'Adonis.*) Là !... Va-z'y ! Bouffi !

Adonis va ouvrir la fenêtre pendant ce qui suit, puis ramasse les verres qui traînent.

AMÉLIE, *aux invités.* – Allez ! vous y êtes ?

TOUS. – On y est.

Tout le monde se lève sauf Boas qui achève de ranger les cartes. Valcreuse remonte par l'extrême gauche pour aller retrouver les autres par le fond.

BIBICHON, *à Boas, toujours assis.* – Tu viens, Gueuldeb ?

BOAS, *étonné de cette appellation.* – Quoi ?

AMÉLIE. – Comment tu l'appelles ?

BIBICHON, *le plus naturellement du monde.* – Gueuldeb.

AMÉLIE, *répétant sans comprendre.* – Gueuldeb ?

BIBICHON, *sur le ton de quelqu'un qui résoudrait un problème.* – Il s'appelle Boas ! je l'appelle Gueuldeb. (*Voyant que personne ne comprend. Sur un ton ravi.*) Gueuldeb... boas !

TOUS, *riant.* – Ah ! très drôle ! Ah ! pas mal !

BOAS, *vexé.* – Oh ! que c'est spirituel !

BIBICHON, *l'air ravi.* – Non, c'est idiot ! c'est ce qui en fait le charme ! Allez ! Viens, Gueuldeb !

BOAS, *se laissant entraîner.* – Oh ! très drôle ! Oh ! très drôle !

AMÉLIE, *riant.* – Ah ! ah ! ça lui restera !

TOUS. – Ça lui restera.

Conversation générale pour la sortie. On commente le mot de Bibichon tout en gagnant la baie de droite. Adonis, près du piano, achève de ranger sur le plateau tasses et petits verres ramassés un peu partout. Aussitôt que tout le monde est sorti de scène, de la main droite il prend la bouteille de chartreuse, la débouche, regarde si personne ne peut le voir, remplit de liqueur un petit verre qu'il tient de la main gauche, repose la bouteille, puis, faisant deux pas en avant, bien face au public, il avale le contenu du petit verre.

AMÉLIE, *qui revient pour chercher un mouchoir qu'elle a laissé tomber par mégarde en sortant, paraissant juste à ce moment pour surprendre Adonis et poussant un cri étouffé.* – Oh !

Sans quitter des yeux Adonis, elle ramasse son mouchoir.

ADONIS, *qui ne l'a pas entendue entrer, se frottant l'estomac après avoir bu.* – Ah ! bon, ça !

AMÉLIE, *saisissant Adonis par le haut du bras gauche, le faisant virevolter face à elle et lui appliquant une maîtresse gifle sur la joue gauche.* – Oui ? Eh ! bien, et ça ?

ADONIS, *faisant un bond en arrière.* Oh !... (*Du tac au tac, envoyant de sa main droite une gifle sonore et à toute volée sur la joue d'Amélie.*) Chameau !

Rapidement il pose le verre qu'il tenait de la main gauche sur le plateau et file vers l'avant-scène gauche.

AMÉLIE, *qui en a vu trente-six mille chandelles.* – Oh !

TOUS LES INVITÉS (*Étienne, Palmyre, Bibichon, etc.*) *qui ont paru dans l'embrasure de la baie juste au moment où Amélie recevait la gifle.* – Oh !

ÉTIENNE, *bondissant sur Adonis et le saisissant à bras le corps. Il est suivi dans son mouvement par Boas et Valcreuse.* – Qu'est-ce que tu as fait ? Qu'est-ce que tu as fait ?

AMÉLIE, *presque en même temps qu'Étienne.* – Il m'a giflée, Étienne ! Il m'a giflée !

PALMYRE et YVONNE. – Oh !

ÉTIENNE. – Voyou !

BOAS. – Polisson !

VALCREUSE. – Gibier de potence !

Ils veulent le jeter dehors.

ADONIS, *se débattant dans leurs bras, et montrant le poing à Amélie par-dessus l'épaule d'Étienne.* – Oui, eh bien, ça lui apprendra, à cette volaille !

AMÉLIE. – Il m'a appelée volaille !

TOUS. – Oh !

ADONIS, *même jeu.* – Oui, volaille ! oui, volaille !

ENSEMBLE

PALMYRE. – C'est impudique !
ÉTIENNE. – Ah ! saligaud !
BOAS. – Apache[8] !
VALCREUSE. – Voyou !

AMÉLIE. – Mais sortez-le ; sortez-le donc !

ADONIS, *entraîné par la masse vers le vestibule et se débattant.* – Voulez-vous me lâcher ! tas de lâches ! tas de lâches !

Ils sortent tous en paquet, suivis par Amélie qui les exhorte.

YVONNE, *qui est à l'avant-scène droite. Une fois tout le*

monde hors de scène. Avec calme. – Il est gentil, ce petit !

BIBICHON, *qui a suivi les autres comme s'il allait prendre part à l'action générale, mais en réalité dans le but égoïste d'aller fermer la fenêtre.* – Ce qu'ils sont embêtants avec leur fenêtre ouverte !

Il ferme la croisée puis descend à gauche pour s'asseoir par la suite à la place occupée précédemment par Valcreuse à la table à jeu. A ce moment, irruption et descente de tous ceux qui viennent d'expulser Adonis. Tout le monde parle à la fois.

AMÉLIE, *redescendant la première.* – C'est odieux ! C'est abominable !

ÉTIENNE, *très nerveux.* – Ah ! je ne sais pas ce qui m'a retenu de lui casser les reins !

AMÉLIE, *qui est allée s'asseoir sur le canapé (1) près d'Yvonne (2).* – Non, mais avez-vous vu ! vous avez vu ça ? Volaille !

PALMYRE, *debout, derrière la gauche du canapé.* – Et lever la main sur toi !

TOUS. – Oh !

Boas est descendu en passant par le fond jusqu'à l'avant-scène droite.

ÉTIENNE, *arpentant rageusement la scène ; les mains dans les poches de son pantalon, remuant nerveusement l'argent et autres objets qu'elles peuvent contenir.* – Aussi, ça t'apprendra à engager à ton service n'importe quelle gouape ! Je suis sûr que tu n'as pris aucun renseignement !

AMÉLIE, *sur un ton agacé, haussant les épaules.* – Mais si ! mais si !

ÉTIENNE, *sans cesser d'arpenter ; avec des petits arrêts, au moment de lancer ses phrases.* – Oui, oh ! comme tu fais tout !... à la flan !

AMÉLIE. – Naturellement, ça va être de ma faute.

PALMYRE. – Ah ! ma chère, c'est qu'il faut se méfier, par ce temps d'apaches !

AMÉLIE. – Mais, ma bonne amie, tu penses bien que si je l'ai engagé, n'est-ce pas... ?

ÉTIENNE, *même jeu.* – Qui ? Qui te l'a recommandé ?

AMÉLIE. – Des gens !... en qui je pouvais me fier.

ÉTIENNE, *presque crié.* – Qui ?

AMÉLIE, *agacée.* – Sa famille !

ÉTIENNE, *haussant les épaules et remontant nerveusement.* – Oui, oh ! ça doit être quelque chose de propre.

AMÉLIE, *vivement.* – Mais oui !

ÉTIENNE, *tout en arpentant, s'arrêtant un instant pour s'adresser à Valcreuse debout à droite de la table à jeu.* – Ah ! il a de la chance d'être un domestique, ce qu'il aurait reçu mes témoins !

Il descend extrême gauche.

VALCREUSE. – Ça !

Valcreuse gagne le canapé.

ÉTIENNE (1), *à Bibichon (2).* – Ah ! Il a de la chance de n'être qu'un gamin.

Il passe n° 2.

BIBICHON, *en train de faire une patience, sans se retourner.* – Oui !... ça surtout.

ÉTIENNE, *se retournant vivement vers Bibichon.* – Pourquoi, « surtout » ?

BIBICHON, *se retournant à demi.* – Tiens ! Parce que je voudrais pouvoir en dire autant.

ÉTIENNE, *haussant les épaules.* – Ah ! là ! (*A Amélie.*) Je pense bien que tu ne vas pas garder ce polisson une heure de plus.

AMÉLIE, *se levant et nerveusement faisant quelques pas dans la direction du vestibule.* – Ah ! celui-là !... il ira passer la nuit sous les ponts, à l'hospitalité de nuit, c'est son affaire ! mais pas ici ! Le recueillera qui voudra !

YVONNE, *à Boas, bien ingénument.* – Dis donc ! on pourrait peut-être le prendre chez nous ?

BOAS, *avec conviction.* – Ah ! non !... merci !

YVONNE. – Le pauvre petit, on ne peut pourtant pas le laisser sur le pavé de Paris.

AMÉLIE, *redescendant, à Yvonne.* – Non mais, hein ! tu le veux ?

BOAS. – Donne-lui ton lit tout de suite !

YVONNE, *bien niannian.* – Oh ! non, voyons ! toi tu vas immédiatement à l'extrême.

A ce moment la porte donnant sur le vestibule s'ouvre vivement, et Pochet paraît.

SCÈNE III

LES MÊMES, POCHET

POCHET, *s'arrêtant sur le pas de la porte, et d'un ton coupant.* – Eh ! ben, quoi donc ?

TOUS. – Ah ! Monsieur Pochet !

Tout le monde se rapproche du centre.

AMÉLIE. – Papa, tu arrives bien !

POCHET, *descendant entre Amélie et Étienne. Sèchement.* – Qu'est-ce qui s'est passé ? Qu'est-ce que tu as encore fait à Adonis ?

AMÉLIE. – Moi !

POCHET. – Je l'ai trouvé tout en larmes. Il paraît que tu l'as giflé devant tout le monde ?

TOUS. – Oh !

AMÉLIE. – Oh ! bien, celle-là, par exemple !...

ENSEMBLE

ÉTIENNE. – Mais c'est lui qui a levé la main sur Amélie !

PALMYRE. – Ah ! bien monsieur, si vous aviez été là, vous auriez vu !

VALCREUSE. – C'est un petit voyou, on devrait le faire arrêter !

BOAS. – C'est une honte ! C'est lui qui a frappé Amélie.

En parlant tous à la fois, tout le monde s'est rapproché de Pochet.

POCHET, *écartant tout le monde, et sur un ton qui ne souffre pas de réplique.* – Ah ! je vous en prie ! (*Tout le monde se tait. – Un temps. – A Amélie, très catégorique.*) Lui as-tu, oui z'ou non, octroyé une calotte la première ?

AMÉLIE. – Il sifflait les liqueurs.

POCHET, *impératif.* – C'est pas ce que je te parle ! (*Un temps.*) L'as-tu calotté la première, oui z'ou non ?

AMÉLIE, *geste des bras évasif.* – Ah ! évidemment.

POCHET, *catégorique.* – *Sufficit !* en matière de duel, le règlement est péremptoire : c'est celui qu'il a reçu la première gifle qu'il est l'offensé ! le reste ne compte pas.

ÉTIENNE. – Oh ! permettez !...

POCHET, *sur un ton de commandement.* – Ah ! et puis ne répliquons pas ! (*Un temps.*) Je suis approximativement, que je me suppose, aussi déversé que vous sur les matières de l'honneur ! ancien brigadier de la paix, ex-prévôt de régiment [9], vous comprenez que vous n'allez pas m'en remontrer ! Eh ! bien, il a reçu la calotte, et, de plus, on l'a passé à tabac... C'est lui qu'il est l'offensé.

AMÉLIE. – Non, mais dis tout de suite que j'ai eu tort.

POCHET. – Péremptoirement !

TOUS, *indignés.* – Oh !...

POCHET. – Sans compter qu'une femme ne bat pas un homme ! c'est antistatutaire !

ÉTIENNE. – Enfin, quoi ! Vous n'attendez pas qu'elle lui fasse des excuses ?

POCHET, *hautain.* – Et pourquoi pas ?

TOUS, *dans un même élan vers Pochet.* – Oh ! mais enfin, voyons... !

POCHET, *écartant tout le monde à la façon d'un gardien de la paix.* – Ah ! Circulez, mesdames, je vous en prie ! Messieurs, circulez !

TOUS. – Oh !

POCHET, *à Amélie.* – Il n'y a pas de duel possible, n'est-ce pas ? Eh ! bien, quand on a z'eu tort, y a pas d'honte à le reconnaître.

ÉTIENNE, *révolté.* – C'est trop fort !

POCHET, *qui, par Amélie, est séparé d'Étienne, se penchant vers ce dernier et sur un ton pincé.* – Monsieur Étienne, je converse à ma fille ; veuillez donc avoir la chose de ne pas vous insérer dans nos discussions intestinales. Quand vous avez une scène avec Amélie, j'ai celui de ne pas y mettre mon mot, n'est-ce pas ? Eh ! ben, veuillez avoir celui d'en faire autant.

ÉTIENNE, *rongeant son frein.* – Oh !

POCHET, *à Amélie, avec bonhomie.* Allons, Amélie ! laisse-toi aller ! dis-z'y un mot ?

YVONNE, *qui est (5) à côté de Pochet (4), intervenant.* – Moi, si j'étais toi... !

POCHET, *se retournant vivement vers elle et sur un ton coupant.* – Ah ! je vous en prie, madame !

YVONNE, *interloquée.* – Mais non, j' dis comme vous !

POCHET. – Ah ?... Ah ! Bon ! Allez-y, alors !

Tout en parlant, il fait passer Amélie et remonte légèrement.

YVONNE. – Va, dis-z'y un mot !

POCHET, *redescendant (3).* – Là, écoute-la !

AMÉLIE. – Ah ! non, non, tout de même !...

ÉTIENNE, *n'y tenant plus.* – Ah ! tu ne vas pas faire ça !

POCHET, *se retournant vers Étienne.* – Enfin, monsieur... !

ÉTIENNE, *descendant extrême gauche.* – Mais, sacristi ! j'ai le droit de donner mon avis !... Je suis quelqu'un ici !... c'est moi qui paie !

POCHET. – Eh ! bien, ça suffit ! Contentez-vous de ça.

ÉTIENNE, *écumant.* – C'est trop fort ! (*A Bibichon qui, indifférent à la scène, fait toujours sa patience.*) Enfin, voyons ?

BIBICHON, *avec un geste d'insouciance.* – Oh ! moi, tu sais... j' suis d' la classe !

ÉTIENNE. – Oh ! naturellement !

Il remonte par l'extrême gauche, pour s'arrêter (2) *au fond.*

POCHET, *à Amélie.* – Alors ? C'est compris ?

AMÉLIE. – Allons, soit, papa ! puisque tu me le demandes.

ÉTIENNE, *exaspéré.* – Ah ! non, non !... j'aime mieux m'en aller.

Il sort par la baie.

POCHET, *pendant qu'il s'en va.* – Eh ! bien, allez-vous-en ! (*Gagnant la gauche tout en maugréant.*) Ce manque de tactique ! (*A Amélie.*). Je t'envoie Adonis, hein ?... pas d'excuses, naturellement... non !... simplement..., dis-z'y un mot.

AMÉLIE. – Oui.

POCHET, *qui est remonté en parlant, arrivé sur le pas de la porte, se retournant au moment de sortir et de loin à Amélie.* – Dis-z'y un mot.

Il sort. A peine a-t-il refermé le battant de la porte sur lui que Boas, Palmyre et Valcreuse, qui n'ont pas dit un mot jusque-là, se précipitent vers Amélie, parlant tous à la fois.

ENSEMBLE

PALMYRE. – Ah ! ben, tu as de la bonté de reste !

BOAS. – Ah ! bien, c'est pas moi qui ferais ça !

VALCREUSE. – Ah ! ben, tu es vraiment bonne fille !

PALMYRE. – Ah ! oui, alors !

AMÉLIE, *tout en se dirigeant vers la baie de droite.* – Oh ! ben, qu'est-ce que vous voulez ! c'est papa !

YVONNE. – Elle a parfaitement raison !...

BIBICHON, *qui s'est levé.* – Au fond, tout ça n'a aucune espèce d'importance.

AMÉLIE. – Un instant ! Je vous demande un instant. (*Tout le monde sort. – Un temps. – Amélie est près du piano sur lequel elle met machinalement un peu d'ordre. On frappe à la porte du vestibule.*) Entrez !

SCÈNE IV

AMÉLIE, ADONIS

AMÉLIE, *sur un ton détaché, en voyant entrer Adonis.* – Ah !... c'est toi ?...

ADONIS, *qui est descendu un peu plus bas que le piano. Il est face au public. Maussade, sans regarder Amélie.* – Madame m'a fait demander ?

AMÉLIE, *descendant un peu.* – Hein ? Oui !... (*Petit temps.*) Allons, viens ! (*Adonis, à contre-cœur, fait un pas vers elle, l'air renfrogné et boudeur, l'œil obstinément fixé face au public, dans le vide.*) Alors quoi !... on m'en veut !... (*Adonis ne répond que par une secousse d'épaule témoignant de sa mauvaise humeur ; cela, sans regarder Amélie davantage. Celle-ci, s'asseyant sur la chaise qui est contre le piano.*) Je t'ai fait mal, tout à l'heure ?...

ADONIS, *toujours sans la regarder.* – Oh ! si ce n'était que ça !

AMÉLIE. – Alors ?... (*Silence d'Adonis.*) Allons, voyons, boude pas ! (*Silence d'Adonis.*) Je t'ai fait de la peine ? (*Avec élan, l'attirant à elle.*) Allons, viens donc, grand dadais !

Il tombe assis sur ses genoux.

ADONIS, *sur les genoux d'Amélie.* – Oh ! tu m'as profondément humilié !

AMÉLIE, *bonne fille.* – Grosse bête, va !... (*Adonis la regarde, hésite, puis, pris d'un élan subit, se plonge dans le cou d'Amélie en sanglotant.*) Mais tu sais bien que je t'aime bien !

Elle l'embrasse tendrement, le bras droit passé autour de son cou, du bras gauche lui retenant les deux jambes. A ce moment, à la baie de droite, paraissent Étienne, Palmyre, Bibichon, etc.

SCÈNE V

LES MÊMES, ÉTIENNE, PALMYRE, YVONNE
BOAS, BIBICHON, VALCREUSE, puis POCHET

ÉTIENNE, *qui paraît le premier, avec un sursaut d'ahurissement en apercevant Adonis sur les genoux d'Amélie.* – Oh !

TOUS, *comme un écho avec le même sursaut.* – Oh !

ADONIS, *en voyant Étienne, pivotant sur les genoux d'Amélie et cherchant à se dégager de ses bras.* – Laisse-moi ! laissez-moi !

Il file à l'extrême gauche.

AMÉLIE, *sans se lever, du ton le plus naturel.* – Eh ! ben ?... quoi ?

TOUS, *estomaqués.* – Oh !

POCHET, *paraissant à la porte du fond.* – Eh ! ben, ça y est ?

ÉTIENNE, *furieux, descendant en scène, à Pochet* (2). – Tenez, monsieur, soyez content ! je viens de trouver madame avec son domestique sur les genoux !...

POCHET, *ravi.* – Ah ? Parfait !... la paix est faite alors ? C'est très bien !

TOUS. – Hein ?

ÉTIENNE. – Elle couche avec le valet de pied, parbleu ! elle couche avec le valet de pied !

ENSEMBLE

AMÉLIE, *se dressant, indignée.* – Qu'est-ce que tu dis ?

ADONIS, *bondissant en avant.* – Qu'est-ce que vous dites ?

POCHET, *avec un sursaut d'indignation.* – Malheureux ! (*D'un geste digne, il reboutonne sa redingote, fait à froid deux pas jusqu'à Étienne, puis théâtralement :*) C'est son frère !

TOUS, *ahuris.* – Hein !

AMÉLIE et ADONIS, *faisant instinctivement chacun un pas vers Pochet et sur un ton de reproche.* – Papa !

POCHET, *revenant se placer (2) entre Adonis (1) et Amélie (3). Ils forment ainsi une ligne en sifflet, face à Étienne qui est debout, à gauche du canapé.* – Ah ! Et puis, zut ! quoi ! c'est lâché. J'vois pas pourquoi je cacherais une chose qu'est chic à Amélie !... (*Une main sur l'épaule d'Amélie.*) Quand il s'agit de sa famille – au moins elle ! – elle n'a pas les pieds nickelés [10] !... comme tant d'autres ! Elle s'est dit : (*Martelant chaque phrase en l'accompagnant d'une légère tape de la main sur l'épaule d'Amélie.*) « J'ai un frère ; j'ai des devoirs ! » Et, elle l'a pris chez elle !... comme domestique !

AMÉLIE. – Voyons, papa !

POCHET. – Si, si ! Je tiens à z'y leur dire ! (*Aux autres.*) Eh ben ! combien que vous en trouvez qui auraient fait ça ?

TOUS, *échangeant entre eux leur impression.* – Ah ! oui, oui !... ça oui !... ah ! évidemment !

POCHET, *sans lâcher Amélie de sa main gauche, prenant la tête d'Adonis de la main droite.* – Mon pauvre petit, va ! De quoi on te supposait capable ! (*Il l'embrasse. Après quoi, allant à Étienne.*) J'espère qu'après ça, monsieur, vous ne refuserez pas d'obtempérer au retrait de vos allégations suppositoires...

ÉTIENNE, *l'air gouailleur et le ton un peu faubourien.* – Quoi ?

POCHET, *le dos à demi tourné au public, et en plein nez à Étienne.* – ... et pornographiques !

Il remonte pour redescendre n° 2.

AMÉLIE, *faisant un pas vers Étienne et gentiment, indiquant Adonis.* – Va !... donne-lui la main !

ÉTIENNE, *avec hauteur.* – A lui ?

BIBICHON, *lui envoyant une petite tape sur le haut de la jambe.* – Quoi !... C'est ton beau-frère.

ÉTIENNE, *protestant.* – Oh !... de la main gauche.

AMÉLIE. – Eh ! bien, donne-lui celle-là ! On n'est pas à un côté près !

Elle pousse Adonis vers Étienne.

ÉTIENNE, *très ennuyé, hésite un instant, jette un regard comme à regret sur sa main qu'il retire de sa poche, puis, prenant son parti, lui tend cette main, qu'il tient basse et à distance. – Dédaigneusement, la tête tournée du côté opposé à Adonis.* – Soit ! Allons ! (*A Adonis, lui tendant la main.*) Ça... ça va bien ?

ADONIS, *bon enfant, lui serrant la main.* – Mais, pas mal ! Vous aussi ?

ÉTIENNE. – Pas mal, merci ! (*A Amélie.*) Là, es-tu contente ?

Il remonte au fond, près du piano. On sonne.

AMÉLIE. – Adonis, on a sonné ! Embrasse ta sœur, mon chéri ! (*Adonis saute à son cou comme un gamin.*) Et va ouvrir !

ADONIS. – Oui !

Il court en sautillant jusqu'à la porte du fond et sort.

BIBICHON, *le regarde sortir, puis sur un ton d'admiration comique.* – C'est beau la famille !

ÉTIENNE. – Qui est-ce qui peut venir à cette heure-ci ? Tu attends du monde ?

AMÉLIE, *remontant vers le piano.* – Non, personne.

YVONNE, *esquissant le geste de se retirer.* – Écoute ! si tu as du monde... !

PALMYRE, *à l'imitation d'Yvonne.* – Nous allons te laisser.

AMÉLIE, *les retenant.* – Ah ! non, ne me lâchez pas ! Vous allez m'attendre par là !... (*Elle indique la baie.*) Ce ne sera pas long ! (*A Adonis qui revient.*) Eh ! bien ?...

ADONIS, *avec un petit sourire bête.* – C'est une dame qui demande à te parler en particulier !

ÉTIENNE, *horripilé,* – « A te parler en particulier » ! (*A Amélie.*) Non ! Écoute, choisis !... Si c'est ton domestique, qu'il ne te tutoie pas ! Si c'est ton frère, enlève-lui la livrée.

AMÉLIE. – Oh ! ne rase pas ! (*A Adonis.*) Qui est cette dame ?

ADONIS, *bien bêta, toujours souriant.* – J' sais pas !

AMÉLIE. – Comment, « tu ne sais pas. »

ADONIS. – Elle n'a pas voulu dire son nom !

AMÉLIE, *à ses amis.* – Oh ! mauvais !... (*A Adonis.*) C'est une femme bien ?

ADONIS, *faisant proutter ses lèvres.* – Pffût ! (*Avec dédain.*) Ça a l'air d'une femme du monde.

ÉTIENNE. – Vous êtes gentil pour les femmes du monde.

ADONIS, *descendant un peu en scène et sur un ton gavroche.* – Enfin, elle n'a pas le chic d'Amélie ! Elle est habillée sombre !

BIBICHON, *toujours assis sur le canapé.* – Monsieur aime le tape-à-l'œil.

ADONIS. – Tu parles !

BIBICHON. – Hein !

AMÉLIE et POCHET, *le rappelant à l'ordre.* – Adonis !

ÉTIENNE, *le rappelant à l'ordre.* – Eh ! ben !

ADONIS. – Oh ! pardon ! Ça m'est échappé !

AMÉLIE. – Ça doit être quelque quêteuse. Les femmes du monde ne viennent jamais chez vous que dans ces cas-là. (*A Adonis.*) Fais-la entrer ; nous verrons bien.

Adonis repart en gambadant et sort par le fond.

ÉTIENNE, *sur le seuil de la baie. – A Amélie.* – Nous t'attendons par là.

TOUS, *le suivant.* – C'est ça !

BIBICHON, *qui, pendant ce qui précède, s'est levé et est remonté par la droite du canapé. – A Boas, en le saisissant par le bras.* – Allez ! viens, Gueuldeb !...

BOAS, *entraîné par Bibichon.* – Ah ! Bibichon ! la barbe !

Ils sortent.

SCÈNE VI

AMÉLIE, ADONIS, IRÈNE

ADONIS, *entrant et s'effaçant pour livrer passage à Irène.* – Si madame veut entrer !

Irène entre. Tenue correcte et sévère. Un voile épais, arrêté au ras du nez, cache son visage.

AMÉLIE, *très courtoise.* – Entrez, madame !

IRÈNE, *avance de deux pas.* – C'est bien à madame Amélie d'Avranches [11] que ?...

AMÉLIE. – C'est moi, madame.

Elle lui indique le canapé et, pendant qu'Irène passe, va chercher près du piano la chaise qu'elle descend à proximité gauche du canapé. Pendant ce temps, Adonis est sorti. Une fois dehors, à travers les vitres de la porte, au-dessus des brise-bise, on voit sa tête apparaître pour jeter un dernier regard moqueur du côté d'Irène ; après quoi, il disparaît.

IRÈNE, *à peine assise.* – Ah ! madame ! la démarche que je tente près de vous est d'un ordre tellement délicat !... Aussi l'émotion !...

AMÉLIE, *accueillante.* – Remettez-vous, madame, je vous en prie !

IRÈNE. – Voilà ! Il s'agit de... (*Vivement comme se reprenant*) d'une amie.

AMÉLIE, *s'asseyant.* – Ah !

IRÈNE, *la lorgnant à travers son face-à-main.* – Mais, pardonnez !... Je vous regarde !... il me semble, c'est curieux ! que vos traits ne me sont pas inconnus.

AMÉLIE, *le faisant à la femme du monde.* – Mon Dieu, c'est possible, Madame ! Je... je fréquente beaucoup.

IRÈNE, *avec hésitation.* – Non, non ! mais... est-ce qu'avant d'être ce que... enfin, est-ce que vous avez été toujours... euh !...

AMÉLIE, *comprenant ce qu'Irène n'ose dire.* – Oh ! non, madame !... (*Avec importance.*) Fille d'un ancien fonctionnaire de la République...

IRÈNE, *lui coupant la parole.* – Ah ! non ! non ! Alors non ! Excusez-moi, c'est une ressemblance.

AMÉLIE. – Il n'y a pas de mal ! Et vous disiez alors que vous veniez ?...

IRÈNE, *vivement et en appuyant sur le mot.* – Pour une amie, oui ! (*Insistant.*) Une de mes bonnes amies !... Je me suis chargée... Ah ! l'amitié crée quelquefois de ces obligations ! Excusez-moi de ne pas vous dire le nom de la personne...

AMÉLIE, *avec bonhomie.* – Oui, Madame, oui.

IRÈNE, *se croyant obligée de donner des détails.* – Mais c'est une femme mariée, vous comprenez ! Et vis-à-vis d'un mari, n'est-ce pas ? On ne doit pas oublier qu'on a des devoirs.

AMÉLIE, *vivement.* – Oh ! Serait-ce au sujet de son mari que... ?

IRÈNE, *très naturellement.* – Non, non ! c'est au sujet de son amant.

AMÉLIE, *un peu interloquée.* – Ah ?... Ah ?

IRÈNE, *avec chaleur.* – Ah ! Madame, si vous saviez !... Si vous saviez comme elle l'aime !

AMÉLIE, *approuve malicieusement de la tête, puis.* – Votre amie ?

IRÈNE, *interloquée.* – Hein ? mon... mon amie, oui ! C'est son premier amant, pensez donc !

AMÉLIE, *comiquement compatissante.* – Oh !... Pauvre femme !

IRÈNE. – Et vous ne vous figurez pas ce que c'est pour une femme mariée, « le premier amant » ! ce que ça représente de choses exquises ! d'hésitations ! de luttes ! de remords de conscience !

AMÉLIE, *moitié souriante, moitié mélancolique.* – Oui, madame ! oui !

IRÈNE, *avec une sorte d'extase.* – Ah ! la première faute ! (*Brusquement et gentiment.*) Mais, madame, vous devez avoir connu ça ?

AMÉLIE, *sur un ton légèrement espiègle.* – Dame... oui !

IRÈNE. – Eh ! bien, rappelez-vous !

AMÉLIE, *mélancolique, avec du vague dans le regard.* – Oui !... moi, ce fut un Danois !

IRÈNE, *avec un sursaut de stupéfaction.* – Un chien ?...

AMÉLIE. – Quoi ?... Oh non ! un homme du Danemark.

IRÈNE. – Ah !... (*Corrigeant.*) Un Danois.

AMÉLIE, *très souriante.* – C'est ce que j'ai dit...

IRÈNE, *un instant interloquée, récapitulant, puis s'inclinant devant l'évidence.* – Ah !... Ah ! oui ! Oui, en effet, un... un Danois.

AMÉLIE, *avec un geste d'insouciance.* – Depuis, tant d'eau a passé sous le pont... !

IRÈNE, *s'emballant peu à peu.* – Ah ! oui, mais pour elle ! pas pour mon amie ! Pour elle, c'est le premier, c'est l'unique !... Ah ! si elle devait le perdre, ah ! ce serait horrible !

AMÉLIE, *qui l'écoute d'un air malicieux, avec des dodelinements de tête.* – Brusquement et gentiment. – Vous l'aimez donc bien ?

IRÈNE, *s'enferrant carrément.* – Oh ! follement !

AMÉLIE, *sur le même ton et avec le même sourire.* – Vous êtes charmante.

IRÈNE. – Hein ! (*toute confuse, se levant.*) Oh ! madame, madame ! Qu'est-ce que vous m'avez fait dire ! Non, non, c'est... c'est mon amie.

AMÉLIE, *qui s'est levée instinctivement en la voyant se lever – sympathiquement.* – Vous vous méfiez donc bien de moi ?

IRÈNE, *tout honteuse.* – Oh ! Madame.

AMÉLIE, *sur un ton badin.* – D'ailleurs, je ne vous connais pas, par conséquent... ! (*Changeant de ton.*) Et puis, la discrétion est notre devoir professionnel.

IRÈNE, *brusquement.* – Ah ! et puis, tant pis ! il faut avoir le courage de ses actes ! Eh ! bien, oui, madame ! c'est moi !

Elle se rassied.

AMÉLIE, *malicieusement.* – Si vous croyez qu'il m'avait fallu tant de temps pour deviner !

IRÈNE.– Oh ! madame ! alors, dites-moi que ce n'est pas vrai, ce que j'ai appris. Oh ! ce serait si mal ! Vous qui pouvez en avoir tant que vous voulez ! Et moi, moi qui n'en ai qu'un, songez donc !... L'univers entier, tout le reste des hommes, je vous l'abandonne ! Mais pas lui ! Laissez-le-moi !

AMÉLIE, *se levant.* – Mais quoi ! quoi ?

IRÈNE. – Ce n'est pas vrai, n'est-ce pas, qu'il doit vous épouser ?

AMÉLIE. – Hein ? Qui ?

IRÈNE. – Marcel Courbois ?

AMÉLIE. – Marcel Courbois ! Moi ! Moi ! (*Éclatant de rire.*) Ah ! Ah ! Ah !

Elle remonte vers la baie en riant.

IRÈNE, *se levant et suivant Amélie machinalement et par un mouvement arrondi qui lui fait prendre le n° 1.* – Eh ! bien, où allez-vous ?

AMÉLIE, *la voix hachée par le rire.* – Laissez ! (*Appelant.*) Étienne ! Étienne !

VOIX D'ÉTIENNE. – Quoi ?

AMÉLIE. – Viens ! Viens un peu !

Elle redescend, milieu scène, près du canapé. Irène a gagné jusqu'à la table de jeu.

SCÈNE VII

LES MÊMES, ÉTIENNE, puis, plus tard,
tous les personnages
qui étaient avec Étienne dans la pièce voisine.

ÉTIENNE, *arrivant et s'arrêtant à hauteur d'Amélie, mais au-dessus du canapé.* – Qu'est-ce qu'il y a ?

AMÉLIE, *à moitié suffoquée par son rire.* – Voilà madame qui... ah ! ah ! ah !

ÉTIENNE, *s'inclinant.* – Madame !

AMÉLIE. – ... qui vient tout affolée me demander...

IRÈNE, *interrompant vivement.* – ... au nom de mon amie !

AMÉLIE, *pour lui donner satisfaction.* – ... d'une de ses bonnes amies...

ÉTIENNE. – Aha !

AMÉLIE. – ... s'il est vrai que j'épouse Marcel Courbois...

ÉTIENNE, *étonné et amusé.* – Marcel !

AMÉLIE. – L'amant de mad !... (*Corrigeant vivement sur un geste d'Irène.*) de l'amie de madame.

ÉTIENNE. – Marcel ! toi ! toi ! Ah ! ah ! ah ! ah ! ah !... Ah ! que c'est drôle !

AMÉLIE, *se laissant tomber sur le canapé.* – Hein !

Ils se tordent de rire.

IRÈNE, *moitié riant, moitié pleurant.* – Ah ! vraiment ? Oui ?... C'est... si drôle que ça ?

LES DEUX, *se tordant.* – Ah oui !... Oui !...

IRÈNE, *de même.* – Que je suis contente ! Vous ne sauriez croire combien je suis contente.

ÉTIENNE. – Vraiment ?

IRÈNE, *de même.* – Je ne comprends pas ce qui vous fait rire ; mais je vois que vous riez et... et ça me fait du bien.

ÉTIENNE, *la considérant avec un sourire édifié et sympathique. – Malicieusement.* – Ah ! madame ! que vous aimez donc bien madame votre amie.

IRÈNE, *pataugeant.* – Hein ! oui... non !... je...

AMÉLIE, *avec bonhomie.* – Vous voyez, ça ne trompe personne.

IRÈNE, *avec décision.* – Ah ! et puis, maintenant, j'en ai pris mon parti !

Tout en parlant, elle a gagné jusqu'à la chaise descendue par Amélie près du canapé.

ÉTIENNE, *s'avançant entre la chaise et le canapé mais un peu au-desuus.* – Marcel Courbois ! Mais qui a pu vous faire supposer ?

IRÈNE, *s'asseyant sur la chaise près d'Amélie assise sur le canapé.* – Eh ! bien, voilà : c'est ce matin. Comme c'était dimanche, j'étais allée à la messe de onze heures...

ÉTIENNE. – Ah ?

IRÈNE. – ... la passer chez lui.

ÉTIENNE, *assis sur le bras gauche du canapé.* – Ah ! bon !

IRÈNE. – Dame ! Vous comprenez : étant marié, on n'est pas libre comme on veut !... Alors, comme il s'habillait...

ÉTIENNE, *corrigeant malicieusement.* – Se « rhabillait », sans doute, vous voulez dire.

IRÈNE, *très ingénuement.* – Non !... Il n'était pas encore levé, quand je suis arrivée...

ÉTIENNE. – Ah ! ah !... Vous m'en direz tant.

IRÈNE. – Alors, histoire de passer le temps, j'ai fouillé un peu dans ses papiers.

ÉTIENNE. – Ben... naturellement !

IRÈNE. – ... et j'ai trouvé une lettre !... Ah ! cette lettre ! ou plutôt le brouillon d'une lettre que Marcel avait écrite à son parrain et dans laquelle il lui annonçait son prochain mariage avec mademoiselle Amélie d'Avranches.

AMÉLIE, *à Étienne.* – Moi ! Crois-tu ?

ÉTIENNE. – C'est insensé ! Qu'est-ce que ça veut dire ?

AMÉLIE, *avec un geste d'ignorance.* – Ça !

ÉTIENNE, *se levant.* – Vous n'avez pas demandé à Marcel ?

IRÈNE, *se levant également et comme saisie de peur à cette idée.* – Oh ! non, non ! J'aurais eu trop honte !... Songez donc, si la chose avait été vraie !... Et puis, étant donné la façon dont j'avais surpris la chose !

AMÉLIE, *se levant.* – Vous avez préféré vous adresser à moi.

IRÈNE, *bien gentiment, bien franchement, avec un recul d'un pas.* – Oui !

ÉTIENNE. – Tout ça est incompréhensible ! (*Au-dessus d'Irène, gagnant la gauche tout en parlant.*) Écoutez, madame, je ne suis pas en mesure de vous donner la clef de ce rébus. Quand je verrai Marcel, je lui demanderai. En tout cas, tranquillisez-vous ! Je vois que vous vous intéressez à Marcel...

IRÈNE, *tandis qu'Amélie remonte lentement de façon à arriver peu à peu n° 2.* – Si je m'y intéresse !...

ÉTIENNE, *malicieusement.* – Oui !... Vous me diriez le contraire que je ne vous croirais pas ! Eh ! bien, je vous garantis que vos appréhensions sont sans objet. Je connais Marcel à fond ; c'est mon meilleur ami...

IRÈNE (3), *lui coupant la parole, – avec émotion.* – Ah !

ÉTIENNE, *comme preuve de ce qu'il avance.* – Je suis son confident, comme il est le mien. Et le seul fait qu'Amélie est mon amie, suffit pour que...

IRÈNE, *le couvant des yeux.* – Vous êtes son confident !

ÉTIENNE. – Toutes ses pensées, il me les confie.

IRÈNE, *radieuse.* – Mais alors... vous me connaissez...

ÉTIENNE, *interloqué, aves hésitation.* – Moi ?... Mais... non, madame !

IRÈNE, *navrée.* – Ah ?... Oh ! Il ne m'aime donc pas alors ?

ÉTIENNE. – Pourquoi donc ?

IRÈNE. – Mais parce qu'il n'a pas éprouvé le besoin... !

ÉTIENNE. – Mais ce n'est pas ça, madame ! mais son devoir de galant homme...

IRÈNE. – Justement ! Quand on aime vraiment, il y a au-dessus du devoir de galant homme, le besoin d'avoir un confident pour parler de l'être qu'on aime. Mais moi, monsieur ! moi, madame ! j'ai une amie qui a un caractère odieux !... Je ne l'ai que pour parler de lui !... Celui qui peut rester confiné dans son devoir de galant homme, n'aime pas sérieusement !

AMÉLIE. – Comme c'est vrai ?

ÉTIENNE. – Allons, madame, je vois que j'ai tort de le faire à la discrétion ! Eh ! bien, oui, je vous connais !... Je vous connais, (*Avec intention.*) madame la comtesse !

IRÈNE, *radieuse.* – « Madame la comtesse » ! Il vous a mis au courant ! (*Tout en gagnant vers le canapé.*) Ah ! c'est bien ! C'est bien, ça ! C'est bien !

Elle tombe assise sur le canapé.

AMÉLIE, *frappée par la phrase d'Étienne.* – « Madame la comtesse » ? (*Brusquement, tout en gagnant vers Irène.*) Mais oui, j'y suis ! J'écoutais votre voix depuis un instant... Je me disais : « Je connais ce timbre ! » Mais voilà ! « Madame la comtesse », ça m'éclaire !... Ne seriez-vous pas madame la comtesse de Prémilly ?

IRÈNE, *relevant son voile.* – Hein ! Vous me connaissez !

AMÉLIE, *entre la chaise et le canapé.* – Mais vous-même, madame, tout à l'heure, ne me reconnaissiez-vous pas ?

IRÈNE, *la lorgnant avec son face-à-main.* – Ah ! mais alors, c'était bien ça ! Je ne me trompais pas : Amélie !

AMÉLIE, *achevant sur le même ton qu'Irène.* – ... Pochet !

IRÈNE, *de même.* – ... mon ancienne femme de chambre.

AMÉLIE, *avec une révérence.* – Elle-même.

IRÈNE, *sur un ton de compassion.* – Oh ! ma pauvre enfant !

ÉTIENNE, *qui s'est rapproché d'Amélie. Avec une légère tape sur le bras.* – Tu as été femme de chambre, toi !

AMÉLIE, *se retournant vers Étienne.* – Ah ! zut ! Je ne pensais plus que t'étais là ! (*A Irène, en se mettant la main sur la bouche.*) Oh ! pardon, madame !

IRÈNE. – Quoi ?

AMÉLIE, *gentiment confuse.* – J'ai dit : « Zut ! ».

IRÈNE, *avec un geste d'insouciance.* – Oh !... (*La considérant à travers son face-à-main.*) Comment, c'est vous !... Oh ! il me semblait bien ! seulement j'hésitais, n'est-ce pas ?... Ce changement de situation !... Ce cadre tout autre !... Sans compter les cheveux, qui étaient d'une autre couleur.

AMÉLIE, *bien ingénument.* – Oui ! ils ont éclairci ; je ne sais pas pourquoi.

IRÈNE, *malicieusement.* – Moi, non plus !... Et puis enfin, « Amélie d'Avranches », vous que j'avais quittée « Pochet » tout court !

AMÉLIE, *avec une moue.* – « Pochet », c'était pas un nom pour la galanterie... (*Faisant la petite bouche.*) Et puis, pour mon père ! (*Debout, à demi penchée près d'Irène, les coudes serrés au corps et une main dans l'autre.*) Et... et madame va bien, oui ?... Et monsieur ? Oui ?

IRÈNE. – Monsieur va bien, merci, Amélie... Il a été un peu souffrant, le pauvre homme.

AMÉLIE. – Oh ! ce pauvre monsieur.

IRÈNE. – Mais ça va, maintenant.

AMÉLIE. – Oh ! tant mieux ! tant mieux !

IRÉNE, *avec une condescendance toute mondaine.* – Mais asseyez-vous donc !

AMÉLIE, *confuse.* – Oh ! devant madame !...

IRÈNE. – Mais voyons !...

AMÉLIE, *s'asseyant sur l'extrême coin droit de la chaise qui est contre elle.* – C'est trop d'honneur !... (*Ne sachant que dire dans son trouble.*) Ah ! ben... si je m'attendais jamais !

IRÈNE, *souriant.* – N'est-ce pas ?... Et je vous avoue que je me félicite dans cette circonstance ! pénétrant dans un monde que je ne connais pas... m'y trouver comme ça en monde de connaissance !...

Étienne approuve de la tête en souriant.

AMÉLIE. – Ah ! oui ?

IRÈNE, *sur un ton de commisération.* – Alors, vous êtes devenue...

AMÉLIE, *très naturellement.* – Cocotte, oui, madame.

IRÈNE. – Oh !... mais comment avez-vous pu tomber à...

AMÉLIE, *geste vague de la main, puis :* – L'ambition !... J'avais ça dans la tête... Je n'étais pas faite pour le métier de femme de chambre.

IRÈNE. – C'est dommage ! Vous aviez un bon service.

ÉTIENNE (1), *qui écoute depuis un instant debout, un peu derrière Amélie, s'asseyant malicieusement contre elle sur le petit coin de la chaise que sa personne n'occupe pas.* – Elle l'a toujours.

AMÉLIE, *envoyant du coude un renfoncement dans la hanche d'Étienne, et sévèrement.* – Étienne !

ÉTIENNE, *se relevant.* – Pardon !

Il gagne la gauche et écoute la suite, adossé au coin de la table à jeu.

IRÈNE. – Mais c'est vrai : vous étiez coquette. Vous adoriez les rubans, les colifichets.

AMÉLIE, *approuvant d'un hochement de tête, sur un ton moitié rieur, moitié contrit.* – Oui.

IRÈNE. – Vous aimiez à vous parfumer.

AMÉLIE, *même jeu*.– Oui.

IRÈNE, *malicieusement*. – Avec mes parfums !

AMÉLIE, *gentiment, en manière de justification*. – Avec mes gages, je ne pouvais m'offrir que ceux de madame.

IRÈNE. – Il vous arrivait de m'emprunter mes robes sans me le dire.

AMÉLIE, *vivement*. – Oh ! mais je les remettais.

IRÈNE, *approuve d'un petit hochement de tête malicieux, puis*. – Moi aussi. Enfin, vous ne pensiez qu'à votre coiffure ; vous vouliez être ondulée, comme les dames. (*La tançant du doigt*.) C'est même ça qui vous a fait renvoyer.

AMÉLIE, *prenant l'air comiquement contrit*. – Oui ! le jour où j'avais pris les gousses de vanille pour m'en faire des bigoudis !

ÉTIENNE, *riant*. – Non ?

IRÈNE, *de même*. – Si !

AMÉLIE, *à Étienne*. – Les gousses de vanille ! tu vois ça !

IRÈNE, *riant*. – Avouez que ça dépassait les bornes !...

AMÉLIE, *approuvant*. – Ça dépassait, madame ! Ça dépassait.

IRÈNE, *avec un soupir*. – Ah ! tout de même, malgré tous ces défauts je vous ai souvent regrettée.

AMÉLIE, *touchée*. – Madame est bien bonne !

IRÈNE, *se levant et descendant extrême droite*. – Quand on voit la peine qu'on a à trouver une bonne femme de chambre aujourd'hui !

AMÉLIE, *qui s'est levée presque en même temps qu'Irène. Voulant le faire à la femme du monde*. – Ah ! ne m'en parlez pas ! Quelle engeance ! Il n'y a plus moyen d'être servie !

IRÈNE, *qui en se retournant vers Amélie aperçoit dans l'embrasure de la baie tous les invités d'Amélie. Baissant vivement sa voilette*. – Oh ! du monde pour vous !

AMÉLIE, *se retournant*. – Pour moi ?...

YVONNE, *du seuil de la baie*. – Chut !... c'est nous !

AMÉLIE. – Oh ! pardon ! (*A Irène*.) Madame permet ?

IRÈNE. – Faites donc ! faites donc !

Pendant ce qui suit, elle gagne l'extrême gauche.

ÉTIENNE, *tout en suivant Amélie qui va vers ses invités. A Irène*. – Pardon, madame !

AMÉLIE. – Eh ! bien, quoi ? Qu'est-ce qu'il y a ?

Tout ceci très rapidement dans un chuchotement général.

ENSEMBLE

PALMYRE, *à voix basse.* – Ne te dérange pas, nous partons.

BOAS, *même jeu.* – Oui, au revoir !

VALCREUSE, *même jeu.* – Au revoir !

ÉTIENNE, *même jeu.* – Vous vous en allez ?

BIBICHON, *même jeu.* – On file à l'anglaise.

AMÉLIE, *allant à eux.* – Bon. Alors, au revoir !

ÉTIENNE. – Je vous dis : à dans vingt-huit jours, puisque je pars ce soir pour Rouen.

TOUS. – A dans vingt-huit jours !

ÉTIENNE. – A dans vingt-juit jours !

AMÉLIE. – C'est ça, c'est ça !... Au revoir ! Excusez-moi de ne pas vous reconduire... Papa, veux-tu ?

POCHET, *qui est avec les invités.* – Entendu ! Entendu !

AMÈLIE, *qui, déjà, redescendait vers Irène, remontant vivement vers la baie dont tous les invités ont disparu.* – Ah ! et... et bien des choses à Caroline !

YVONNE, *déjà la coulisse.* – Je n'y manquerai pas !

TOUS. – Au revoir, au revoir...

Ils disparaissent.

AMÉLIE, *tout en redescendant vers Irène.* – C'est... c'est sa sœur, Caroline !

IRÈNE, *indifférente.* – Ah ?

AMÉLIE. – La sœur de la blonde.

IRÈNE, *même jeu.* – Oui, oui. (*A ce moment on voit, à travers la glace sans tain, traverser tous les personnages qui viennent de sortir de scène. Ils font, en passant, des signes de la main à Amélie. Irène, qui, plus bas en scène qu'Amélie et tournée vers cette dernière, a par conséquent son regard dans la direction de la glace sans tain, apercevant le jeu de scène et se détournant vers le public.*) Tenez ! ils vous disent adieu.

AMÉLIE, *avec désinvolture.* – Ah ! oui, oh !... (*Leur répondant de la main, – très par-dessous la jambe.*) Oui ! Au revoir ! au revoir !

ÉTIENNE, *sur le seuil de la baie.* – Au revoir ! au revoir !

Il descend en scène.

AMÉLIE, *qui est allée à Irène qui est près de la table à jeu.* – Ah ! je ne saurais dire à madame combien je suis heureuse !... Je suis si dévouée à madame !

Elle gagne la droite pour aller prendre près du canapé la chaise qu'elle remonte, pendant ce qui suit, à sa place primitive contre le piano.

IRÈNE, *souriant.* – Oui ?

ÉTIENNE, *à Irène, près de laquelle il est descendu.* – Pourquoi est-ce toujours quand ils ne sont plus à votre service que les domestiques commencent à vous être dévoués !

AMÉLIE, *qui est en train de reporter la chaise.* – Oh ! comme c'est gentil ce que tu dis là !

IRÈNE, *souriant.* – Oh ! Il y a un peu de vrai ! (*A Étienne.*) Mais, si je ne me trompe, monsieur, vous devez être...

AMÉLIE, *qui est près du piano.* – Mon ami.

IRÈNE, *s'inclinant légèrement.* – Oui, ça... ! (*A Étienne, tandis qu' Amélie redescend (3)* . – Non, mais... – le confident et le meilleur ami de Marcel... – Vous êtes monsieur Étienne de Milledieu.

ÉTIENNE (2), *un peu au-dessus d'Irène.* – Aha ! je vois qu'il vous a parlé de moi.

IRÈNE, *tournée du côté d'Étienne, par conséquent presque dos au public.* – Et pas en mal je vous assure !... (*Lorgnant Étienne avec son face-à-main.*) Seulement, il ne m'avait pas dit... (*Considérant son uniforme.*) Ah ! vous avez embrassé là une belle carrière !

ÉTIENNE, *sans conviction.* – Oh !...

IRÈNE. – Vous êtes quoi ?...

ÉTIENNE. – Remisier !... à la Bourse.

IRÈNE, *interloquée.* – Ah ! Ah ?... Je ne savais pas qu'on eût un uniforme.

ÉTIENNE, *jetant vivement un coup d'œil sur sa tenue qu'il avait oubliée et comprenant.* – Ah !... ah ! oui... Il n'y en a pas encore, en effet. Ça, c'est pour mes vingt-huit jours.

IRÈNE, *riant.* – Ah ! bon ! dites-moi ça !...

SCÈNE VIII

LES MÊMES, POCHET, puis ADONIS

POCHET, *paraissant à la baie et entrant franchement en scène.* – Voilà !... la bande est expédiée... (*S'arrêtant interdit à la vue d'Irène.*) Oh ! pardon !

Il fait mine de se retirer.

AMÉLIE (3). – Va, reste ! (*Présentant de sa place.*) Papa.

POCHET, *entre piano et baie, s'inclinant, l'air décontenancé.* – Madame !...

IRÈNE, *de sa place, lorgnant Pochet avec son face-à-main.* – Ah ! parfaitement ! Je remets très bien.

AMÉLIE. – Tu ne reconnais pas madame ? (*Geste vague de Pochet.*) Madame de Prémilly !

POCHET, *changeant complètement de ton et les deux mains croisées derrière le dos sous les pans de sa redingote, gagnant, avec force petits saluts, vers Irène.* – Oh ! par exemple ! Mais je crois bien !

IRÈNE. – Vous veniez souvent chez moi voir votre fille... Vous rappelez-vous ? Vous étiez alors gardien de la paix.

POCHET. – Oui, euh... enfin, brigadier !... Si je me rappelle ! Ah ! ben, je crois bien ! Ah ! ben !... Ah ! ben !... Et... ça va bien ?

Il tend la main à Irène.

IRÈNE, *qui évite de voir ce jeu de scène, en affectant d'être plongée dans l'examen de son face-à-main.* – Merci ! très bien.

POCHET, *voyant qu'Irène ne lui donne pas la main, reste un instant coi, regarde sa main comme ne sachant qu'en faire, jette un coup d'œil du côté d'Amélie et Étienne, puis, remettant sa main dans sa poche, – tout ce qu'il y a de plus aimable.* – Eh bien, j'espère que madame a vieilli ! A la bonne heure !

IRÈNE, *ahurie.* – Hein ?

AMÉLIE (3), *vivement, à Pochet.* – Papa !

ÉTIENNE. – Eh bien, vous en avez de bonnes !

POCHET, *passant successivement dos au public devant Amélie et Étienne, tout en donnant ses explications, cela de façon à arriver successivement (3) puis (4).* – Hein ?... Ah ! non ! non ! Madame comprend comme je l'entends ! Je ne veux pas dire pour ça que madame est devenue vieille. Ah ! bien ! qu'est-ce que je dirais, alors, moi ! (arrivé n° 4) Seulement, en ce temps-là, madame avait l'air d'une gosse, positivement ! On avait envie de la prendre sur les genoux ! Maintenant, madame est une femme.

AMÉLIE. – Oh ! bon, tu fais bien de t'expliquer !

ÉTIENNE. – Oui.

Il remonte au-dessus du canapé.

IRÈNE. – Oh ! il n'y a pas de mal, allez !... Il faut bien s'attendre à vieillir comme les autres ; et je n'y mets pas de coquetterie. (*A Amélie.*) Mais si je me souviens, vous aviez un petit frère ?

AMÉLIE. – Je l'ai toujours.

POCHET, *s'asseyant sur le canapé.* – Nous l'avons toujours.

IRÈNE. – Il doit être grand, maintenant ! Qu'est-ce que vous en avez fait ?

AMÉLIE. – Je l'ai chez moi.

IRÈNE. – Est-ce qu'il est resté aussi joli ? Il était ravissant comme enfant.

AMÉLIE. – Eh ! pas mal.

POCHET. – C'est moi... en mignon !

AMÉLIE, *esquissant le mouvement d'aller vers la sonnette.* – Si madame veut le voir... ?

IRÈNE. – Avec plaisir.

AMÉLIE, *allant sonner à droite du piano.* Ce n'est pas difficile. (*Redescendant.*) Nous verrons s'il reconnaîtra madame.

ADONIS, *arrivant par la baie.* – Madame a sonné ?

AMÉLIE. – Oui, viens ! (*Adonis descend à gauche du canapé.*) et dis bonjour à madame !

ADONIS, *par obéissance et bien benêt.* – Bonjour, madame !

IRÈNE, *toujours contre la table à jeu, lorgnant Adonis.* – Hein ! Quoi ? C'est lui ? Mais... c'est lui qui m'a ouvert tout à l'heure !

AMÉLIE, *bonne fille.* – Ah ! bien, oui, au fait ! (*A Adonis.*) Tu ne reconnais pas madame !

ADONIS, *avec un sourire bêta.* – Non.

AMÉLIE, *insistant.* – C'est madame ! Madame chez qui tu allais quelquefois quand tu étais petit.

Adonis avance le menton pour indiquer qu'il ne se souvient pas.

IRÈNE. – Vous ne vous rappelez pas ? La dame qui vous a donné une montre en argent !...

ADONIS, *très gamin, en se donnant une joyeuse tape sur la cuisse.* – Ah ! oui ! Même que je l'ai échangée avec un camarade de la mutuelle... contre une seringue.

AMÉLIE. – En voilà une idée !

ÉTIENNE. – Pourquoi une seringue ?

ADONIS. – Tiens ! Parce que, avec une seringue, je pouvais seringuer les gens, tandis qu'avec une montre... !

AMÉLIE. – Mais c'est idiot !

ADONIS, *descendant jusque devant le canapé.* – Oh ! je l'ai regrettée depuis ! parce que, pour savoir l'heure, une seringue... !

IRÈNE. – Alors, vous me reconnaissez ?

ADONIS, *avec un rire bêta.* – Pas du tout.

AMÉLIE, *en manière d'explication.* – Eh ! ben, c'est madame.

ADONIS, *qui n'est pas plus avancé qu'auparavant. – Avec son même rire bête.* – Ah !

L'œil toujours fixé sur Irène, il se laisse tomber de son haut sur le canapé, à côté de Pochet.

AMÉLIE. – Madame le trouve changé ?

IRÈNE. – Dame ! C'est aujourd'hui un homme et j'avais laissé un enfant.

Elle le lorgne avec son face à main.

ADONIS, *étalé (4) sur le canapé à côté de son père (5), en se faisant un écran de sa main gauche contre sa bouche et à mi-voix.* – Comment qué s'appelle ?

POCHET, *bas.* – Madame de Prémilly !

ADONIS, *même jeu.* – Ah ! oui ! Celle qui a fichu Amélie à la porte à cause des bigoudis !

POCHET, *lui repoussant affectueusement la tête du plat de la main.* – Chut ! voyons !

IRÈNE, *tandis qu'Adonis la regarde en riant sous cape et en sautillant sur son derrière, les deux mains serrées entre ses genoux, les jarrets tendus.* – Qu'est-ce qu'il dit comme ça tout bas ?

POCHET. – Il est en train de remettre madame.

IRÈNE. – A la bonne heure !

ÉTIENNE, *au-dessus d'eux, derrière le canapé. – A part, montrant Adonis et Pochet.* C'est gentil, ce petit tableau de famille !

On sonne.

ADONIS, *se levant d'un bond et courant en sautillant comme un gamin vers la porte du fond.* – Ah ! on a sonné.

AMÉLIE. – Où vas-tu ?

ADONIS, *sans s'arrêter.* – Eh bien ! je vais ouvrir, donc !

AMÉLIE. – Ah ! bon, va ! (*Remontant vivement et à Adonis déjà sorti.*) – Eh ! Dans le petit salon ! Fais entrer dans le petit salon !

Cri lointain d'Adonis à la cantonade : « Oui ! »

IRÈNE, *remontant par un mouvement arrondi de façon à*

prendre le n° 2. – Eh bien ! moi, ma bonne Amélie, je vous laisse.

AMÉLIE (1), *désappointée.* – Madame s'en va ?

IRÈNE. – Bien, oui... Vous avez du monde, n'est-ce pas... ?

Amélie est à gauche de la porte du fond, Irène à droite ; Étienne (3) et Pochet (4) ont accompagné la fausse sortie d'Irène.

ADONIS, *entrant vivement et se collant contre la chambranle gauche de la porte du fond.* – C'est M. Courbois !

IRÈNE, *sursautant, affolée.* – Marcel !...

MARCEL, *qui a surgi à peine l'annonce d'Adonis achevée.* – Bonjour, les enfants ! (*Se trouvant nez à nez avec Irène.*) Ah !

Sortie d'Adonis.

IRÈNE, *qui a reculé jusqu'à l'extrémité du clavier du piano.* – Mon ami, je...

MARCEL, *ne revenant pas de sa surprise.* – Hein ! toi !... Vous !... Vous ici ! (*Bien bêtement, sur le même ton, pour donner le change.*)... Madame !

ÉTIENNE (4). – Oh ! que ce « madame » est donc bien dit !

MARCEL (2), *descendant un peu, ainsi que tous les autres à son exemple.* – Mais qu'est-ce que vous faites là ? Votre place n'est pas ici !

AMÉLIE. – Ah bien, dis donc !...

MARCEL. – Mais absolument !

Il dépose son chapeau sur le piano.

IRÈNE (3). – Mon ami, je vous expliquerai...

ÉTIENNE. – Oui, mais d'abord à toi ! à toi de nous expliquer !... Qu'est-ce que c'est que ces histoires de mariage ? Tu épouses Amélie, maintenant ?...

MARCEL. – Hein ?

POCHET. – Il épouse Amélie ? Vous épousez Amélie ?

MARCEL. – Mais non ! mais non ! Quoi ? Comment ? Qui est-ce qui vous a dit ?

IRÈNE (3), *confuse.* – Pardonnez-moi ! C'est moi, mon ami...

MARCEL, *ahuri (2).* – Comment ?

IRÈNE. – Par une lettre que j'ai lue...

MARCEL. – Vous !

ÉTIENNE (4), *avec un sérieux où perce l'ironie.* – Oui, par erreur !... par erreur !...

MARCEL, *à Irène.* – Comment ! tu f... (*Se reprenant.*) Vous fouillez ma corresponance ?

ÉTIENNE, *à la blague.* – Oh ! Va donc ! Si c'est pour nous, ne change pas tes habitudes ! Tu peux dire « tu » à Madame !

MARCEL. – Et alors !... et alors, tu as douté de moi !

IRÈNE, *redescendant un peu.* – Ah ! bien, on douterait à moins.

AMÉLIE. – Enfin, pourquoi ? Pourquoi ce mariage ?

MARCEL. – Eh ! « pourquoi » ! Parce que, si vous voulez le savoir, j'ai des emm...bêtements par-dessus la tête, et que ce mariage est pour moi le seul moyen d'en sortir.

Tout en parlant, il passe devant tous ceux qui sont à sa gauche et gagne le n° 5 jusque devant le canapé.

IRÈNE. – Hein ! Mais alors... tu l'épouses ?

TOUS. – Oui ?

MARCEL. – Mais non ! (*Établissant bien la distinction.*) Je fais semblant de l'épouser.

TOUS. – ... Semblant ?

IRÈNE (4). – Pourquoi ?

MARCEL, *se laissant tomber sur l'extrême droite du canapé, le coude gauche sur le dossier, la tête dans la main.* – Eh ! parce que j'en ai assez de la mouise où je me débats depuis un an !

IRÈNE, *qui ne comprend pas.* – La mouise ?

AMÉLIE (1). – Oui, c'est-à-dire la purée.

IRÈNE, *même jeu.* La purée ?

ÉTIENNE (2). – La débine.

IRÈNE, *même jeu.* – La débine ?

POCHET (3), *très gentiment.* – La crotte.

IRÈNE, *répétant machinalement.* La cr... Oh !

MARCEL, *sans se lever, se retournant vers Irène.* – Je n'ai plus le sou, quoi ! Je n'ai plus le sou, voilà !...

IRÈNE, *s'asseyant vivement près de lui et lui mettant affectueusement les mains sur les épaules.* – Oh ! mon pauvre chéri ! c'est vrai ?... Oh ! si je pouvais !...

MARCEL, *avec dignité, se levant d'un trait.* – Tais-toi !... Tu pourrais que moi je ne pourrais pas !

AMÉLIE. – Oh ! le préjugé !...

IRÈNE, *qui s'est levée presque en même temps que Marcel ; à Amélie.* – N'est-ce pas ?

En ce disant, elle descend n° 5.

MARCEL, *gagnant jusqu'à l'extrême-gauche du canapé.* – Alors, ma foi, je me suis dit : « A la fin, c'est trop bête ! Quand on a à soi douze cent mille francs [12] *!...* »

ÉTIENNE. – Mais c'est vrai, au fait : tu as douze cent mille francs !...

IRÈNE, *se rapprochant vivement de Marcel.* – Tu as douze cent mille francs ?

AMÉLIE. – Douze cent mille francs !

POCHET, *se précipitant comme attiré par un aimant vers Marcel.* – Vous avez douze cent mille francs !

MARCEL, *le plus simplement du monde.* – J'ai douze cent mille francs.

POCHET, *lui collant une main sur l'estomac, l'autre dans le dos, pour le faire asseoir sur le canapé.* – Oh ! mais asseyez-vous donc !

ÉTIENNE, *vivement et ironiquement.* – Pas la peine ! il ne peut pas y toucher.

POCHET, *du même mouvement, relevant Marcel au moment où celui-ci est près d'être assis.* – Ah ?... alors !...

Étienne remonte près du piano et s'assoit pendant ce qui suit, à califourchon, sur la chaise remontée précédemment par Amélie.

MARCEL, *répondant à la remarque d'Étienne.* – Mais oui ! c'est ce qui m'enrage ! C'est encore une de ces idées à mon pauvre père ! Ah ! je l'aimais bien ! Mais ce qu'il pouvait voir de travers ! Ne s'imaginait-il pas qu'un jeune homme ne pouvait être à même de diriger sa fortune, sans se la faire manger par des cocottes !

AMÉLIE. – Oh ! que c'est coco !

POCHET, *remontant légèrement avec un geste de tête dans la direction de la porte du fond, par laquelle Adonis a fait sa dernière sortie.* – Mon pauvre Adonis ! Ah ! ça n'est pas moi qui... !

AMÉLIE, *sur le ton moqueur.* Non ! ça... ! et pour cause !

Elle gagne légèrement vers Marcel.

MARCEL. – Alors, conséquence : il m'a laissé juste de quoi ne pas crever de faim : si, mille livres de rentes ! la purée, quoi !

AMÉLIE. – Et comment !

POCHET, *redescendant n° 1.* – Eh ! mais... ! je n'avais pas ça à la préfecture !

MARCEL. – Et quant aux douze cent mille balles, il les avait remis en fidéicommis...

POCHET, AMÉLIE, IRÈNE. – En quoi ?

MARCEL, *répétant.* – En fidéicommis.

ÉTIENNE, *se levant et descendant (3) entre Amélie et Marcel.* – ... Oui, ça veut dire : « remis à la bonne foi. » C'est un capital que l'on confie de la main à la main à un tiers, avec mission de la remettre à une personne à qui il est destiné.

AMÉLIE. – Ah ! oui ! C'est comme qui dirait Bibichon, quand je lui remets un louis pour qu'il me prenne un cheval au book ou au pari mutuel.

ÉTIENNE, *blagueur.* – Tu y es ! Ça n'a aucun rapport, mais c'est tout à fait ça.

MARCEL. – ... En fidéicommis à mon parrain, à charge par lui de me les verser le jour où je me marierais.

IRÈNE. – Ah ! mais alors, je comprends ! Ce mariage... !

MARCEL. – L'expédient du désespoir ; ça réussira ou ça ne réussira pas ; je risque le paquet.

ÉTIENNE, *moitié figue, moitié raisin.* – C'est ça ! et tu as annoncé à ton parrain que tu épousais Amélie !

MARCEL. – Comme tu dis.

ÉTIENNE, *avec un rire un peu jaune, remontant.* – Elle est bonne ! Elle est bien bonne !

MARCEL. – Mademoiselle Amélie d'Avranches, jeune fille d'une excellente famille !

AMÉLIE, *avec une dignité comique.* – Eh bien ! mais... !

POCHET, *avec la même dignité.* – Ancien brigadier de la paix !

Étienne est redescendu (4).

MARCEL. – Et j'ai joint à l'envoi, la photographie de la jeune personne annoncée à l'intérieur.

AMÉLIE. – C'est ça ! Je te ferai encore cadeau de ma photographie.

MARCEL. – Ah ! Qu'est-ce que tu veux ? Quand on craque (*prononcer chaque fois « quan-hon »*), c'est pas comme quand on craque pas. Il faut donner des choses probantes. Je n'avais que toi sous la main ; je t'ai envoyée.

AMÉLIE, *s'inclinant gentiment.* – T'es bien gentil ! (*Avec des balancements de pavane, gagnant l'extrême-gauche n° 1.*) Voilà ! Je me balade en Hollande, moi !

POCHET, *suivant sa fille avec la même démarche.* – Comme un fromage !

ÉTIENNE, *redescendant (3).* – Eh bien, mon vieux, tout ça me paraît bien combiné ; ça va tout seul.

MARCEL. – Eh bien, non ! justement, ça ne va pas ! Ça

ne va pas du tout ! et c'est pour ça que je suis là.

TOUS. – Quoi ?

MARCEL. – Mon parrain n'a pas voulu se contenter de la lettre ; il a tenu à s'assurer par lui-même, et il est venu.

TOUS. – Non !

MARCEL. – Il a débarqué chez moi, il y a une heure, et il m'a dit : « C'est moi, filseke !... » – Parce qu'il est d'Anvers ! – « C'est moi, filseke !... » – Il habite la Hollande, mais il est d'Anvers. – « C'est moi, filseke ! Que je te faïe la surprise ! »

ÉTIENNE. – Oh ! la charmante surprise !

MARCEL. – Tu parles ! (*Reprenant.*) « Il faut que tu me présentes une fois à la jeune fille, donc ! »

AMÉLIE (2), *riant.* – Ah !... Et c'est moi la jeune fille.

ÉTIENNE, *sur le même ton.* – C'est toi la jeune fille.

POCHET, *hautain.* – Eh bien ! quoi ? Elle n'est pas mariée, que je suppose ?

ÉTIENNE, *s'inclinant.* – Non ! Pour ce qui est de ça, non !

MARCEL. – Tu penses que je ne me le suis pas fait dire deux fois ; j'ai pris mes cliques et mes claques pour vite aller vous prévenir... et me voilà !

AMÉLIE et ÉTIENNE. – Et alors ?

MARCEL. – Eh ben ! alors, quoi, mes enfants ! y a pas !... Il ne s'agit plus de blaguer ! Nous jouons le tout pour le tout. Le parrain veut voir la fiancée ; il faut que je lui présente la fiancée.

ÉTIENNE, *la trouvant mauvaise.* – Amélie ? Ah !... Ah ! non, tu sais, non ! Ah !

En parlant, il remonte avec des moues d'homme contrarié.

MARCEL, *le suivant dans un mouvement un peu arrondi.* – Oh ! voyons, Étienne !... Étienne, tu ne vas pas !... (*Allant à Amélie.*) Amélie, voyons, dis ! tu ne vas pas me laisser en plan, hein ?

AMÉLIE. – Comment, il va falloir !... Oh !

MARCEL, *persuasif.* – Douze cent mille francs ! tu ne me feras pas manquer ça ?

IRÈNE, *qui s'est rapprochée de Marcel et d'Amélie.* – Amélie, ma fille ! vous ne pouvez pas lui faire manquer ça.

AMÉLIE. – Tout de même, voyons !...

POCHET, *intervenant en faveur de Marcel.* – Non ! Tu ne peux pas ! tu ne peux pas !

MARCEL, *tenant les mains d'Amélie.* – Douze cent mille

francs, songe donc ! Tu penses que je te ferai un beau cadeau !

AMÉLIE. – Eh ! ton cadeau ! ton cadeau ! Je n'en veux pas, de ton cadeau !

POCHET, *vivement.* – Mais si !... Mais si !... (*Comme pour corriger ce que ce cri du cœur peut avoir d'intéressé.*) Il ne faut pas dire ça !... c'est désobligeant !

AMÉLIE. – Oui, enfin !... Avant tout, il y a toi !... Et puis Madame !... à qui je suis profondément dévouée.

MARCEL, *regardant Irène, étonné* – A toi ! Tiens !...

IRÈNE. – Oui, c'est un secret entre nous.

MARCEL, *à Amélie.* – Allons, ma petite Amélie, hein ?

AMÉLIE. – Soit, quoi ! Je ferai de mon mieux !

MARCEL. – Ah ! merci, Amélie.

Il lui serre la main et cède la place à Irène en passant au-dessus d'elle.

IRÈNE, *serrant la main d'Amélie.* – Merci, ma bonne Amélie !

MARCEL, *qui est allé à Étienne qui est à l'extrême-droite.* – Merci, toi !

ÉTIENNE, *maugréant.* – « Merci, merci ! » Bien oui, mais... et le mariage ?... Il verra bien qu'il n'y a pas de mariage.

TOUS. – Ah ! oui.

MARCEL. – Tais-toi ! ç'a été ma première crainte ! Dieu merci ! tout va bien. Il part pour deux mois en Amérique ; tu penses si je me suis dépêché de fixer la date de mon prétendu mariage dans le courant de cette période. Alors, il m'a dit : « Écoute, filseke !... » – parce qu'il est d'Anvers ! – « Écoute, filseke... » Il habite la Hollande...

TOUS, *achevant pour lui.* – Mais il est d'Anvers.

MARCEL. – Ah ! vous savez ?...

TOUS. – Oui, oui, nous savons !

MARCEL. – « Écoute, filseke ! je suïé en peine, hein ? Je ne saurai pas être là pour la cérémonie ! mais, si ça t'est quifquif, aussitôt marié, je te ferai parvenir le montant de ta fortune. » Comment, si ça m'est quifquif ! Tu parles !

Irène remonte un peu, dégageant Amélie qui remonte aussi légèrement, dégageant à son tour Pochet. Ils sont ainsi tous trois un peu en sifflet.

ÉTIENNE. – Allons ! Parfait ! tout va comme sur des roulettes.

AMÉLIE, *tendant la main.* – Monsieur mon fiancé, voici ma main.

MARCEL, *allant avec un zèle comique prendre la main qu'elle lui tend.* – Ah !... mademoiselle !

Il lui baise la main.

POCHET, *écartant les bras.* – Mon gendre, dans mes bras !

MARCEL, *passant devant Amélie et donnant l'accolade à Pochet.* – Beau-père, vous me comblez !

ÉTIENNE. – Et quand doit-il venir, ton parrain ?

MARCEL, *le bras droit autour des épaules de Pochet.* – Mais je ne sais pas ! aujourd'hui !... tout à l'heure !... tout de suite !... (*Sonnerie.*) Le voilà !

Il lâche Pochet et va vers Étienne, extrême-droite.

IRÈNE, *pivotant sur les talons et gagnant vers la baie.* – Oh ! là, là, je m'esquive, alors, moi !

AMÉLIE, *remontant, suivie de Pochet, à la suite d'Irène.* – Alors, cette fois, tout de bon, madame part ?

IRÈNE, *tout en marchant.* – Mais oui, ma fille ! Je n'ai que faire dans cette entrevue de famille !

Amélie, Pochet et Irène, sont entre le piano et la baie ; Étienne est remonté par la droite, Marcel est devant le canapé.

MARCEL, *à Adonis, qui paraît à la porte du vestibule.* – Eh bien ?... C'est mon parrain ?

ADONIS, *annonçant.* – Le général Koschnadieff [13] !

TOUS, *comme si on leur parlait chinois.* – Quoi ?

MARCEL. – Ah ?... c'est pas lui !

Il remonte vers le groupe par la gauche du canapé.

AMÉLIE. – Qu'est-ce que c'est que ça, Koschnadieff ?

ADONIS. – J'sais pas !

ÉTIENNE. – Qu'est-ce qu'il veut ?

ADONIS, *avec son rire benêt.* – J'sais pas !

AMÉLIE. – Eh bien ! va lui demander !

ADONIS, *même jeu.* – Oui !

Il sort.

IRÈNE, *prenant congé.* – Allons, ma bonne Amélie !...

AMÉLIE (1). – Ah ! madame, je ne saurais dire combien j'ai été heureuse !...

IRÈNE (3). – Vous êtes une brave fille.

AMÉLIE. – Si jamais Madame a besoin de moi... ou de mon père...

POCHET (2), *au-dessus des deux femmes.* – Oh ! tout dévoué !

IRÈNE. – Merci, ma bonne ! Merci, Pochet !

ADONIS, *rentrant.* – Eh bien, voilà : il dit que c'est pour une entrevue diplomatique !

AMÉLIE. – Quoi, « diplomatique » ?

ÉTIENNE. – Oh ! ben quoi !... Reçois-le ! tu verras bien.

AMÉLIE. – Fais-le entrer... Je suis à lui tout de suite.

ÉTIENNE, *à Marcel, qui, près d'Irène, cause avec elle.* – Pendant ce temps-là, je vais me remettre en bourgeois !... Tu viens, Marcel ?

MARCEL. – Tu parles !... (*A Irène.*) Alors, au revoir, ma petite Irène !... tu rentres tout de suite, hein ? Au revoir !

IRÈNE. – Au revoir, Marcel ! Au revoir, Amélie !

AMÉLIE. – Oh ! mais, nous reconduisons Madame.

POCHET. – Ah ! bien, comme de juste !

IRÈNE, *à Étienne.* – Monsieur !

ÉTIENNE. – Madame, très heureux ! (*A Marcel.*) Viens, toi !

Marcel et Étienne sortent par la droite, premier plan.

AMÉLIE. – Tenez par ici, madame.

Pochet, Irène, Amélie sortent par la baie : on les verra passer par la suite à travers la glace sans tain.

SCÈNE IX

ADONIS, KOSCHNADIEFF

ADONIS, *introduisant le général.* – Si Monsieur veut entrer ?

KOSCHNADIEFF, *en redingote, rosette d'ordre étranger à la boutonnière. Il descend (2) au milieu de la scène. – Parler saccadé, brusque, accent slave.* – Ah !... Très bien ! (*Jetant un rapide regard circulaire.*) Mais quoi ?...

ADONIS, *descendant près de la table à jeu.* – Monsieur ?

KOSCHNADIEFF, *ne voyant pas Amélie.* – La maîtresse de céans donc !

ADONIS. – Elle va venir, monsieur, je l'ai prévenue.

KOSCHNADIEFF. – Ah ! très bien ! (*Adonis remonte.*) Ah !... dites-moi !... valet !

ADONIS, *redescendant.* – Monsieur ?

KOSCHNADIEFF. – Quelle femme ?... Des amants ? Beaucoup ? Un ? Combien ?

ADONIS, *regardant Koschnadieff d'un air étonné, puis.* – Qui ?

KOSCHNADIEFF. – La maîtresse de céans ?

ADONIS, *sur un ton froissé.* – Mais, monsieur, je ne sais pas !... que Monsieur lui demande lui-même.

KOSCHNADIEFF, *cassant et brute.* – Ah ?... Oh ! stupide ! allez !

ADONIS, *à part, en considérant le général, tout en remontant.* – C't une casserole !

KOSCHNADIEFF, *brusquement.* – Hep !... Valet !

ADONIS, *redescendant.* – Monsieur ?

KOSCHNADIEFF, *tirant un louis de son gousset.* – Prenez ce louis [14].

ADONIS, *ravi.* – Ah ! Merci, monsieur !

Il remonte comme pour sortir.

KOSCHNADIEFF. – Hep ! (*Adonis redescend.*) ... Et faites-moi la monnaie, je vous prie !

ADONIS, *désappointé.* – Ah ?...

KOSCHNADIEFF. – Oui !

ADONIS. – V'là tout ?

KOSCHNADIEFF. – V'là tout.

ADONIS, *à part, tout en remontant.* – Cosaque, va ! (*Apercevant à travers la glace Amélie qui revient du vestibule.*) Ah ! voilà Madame !

Il sort fond gauche.

SCÈNE X

AMÉLIE, KOSCHNADIEFF

AMÉLIE, *paraissant à la baie et descendant par la droite du canapé.* – Monsieur ?

KOSCHNADIEFF, *s'inclinant et se présentant.* – Général Koschnadieff ! (*Amélie lui indique le canapé pour l'inviter à s'asseoir près d'elle ; du geste, il décline respectueusement cet honneur et, allant jusqu'au piano sur lequel il dépose son chapeau, il prend la chaise qu'il descend près du canapé. Se présentant à nouveau.*) Général Koschnadieff, premier aide de camp de Son Altesse

Royale le prince Nicolas de Palestrie [15].

Sur un nouveau signe d'Amélie, il s'assied sur la chaise qu'il a descendue.

AMÉLIE. – Oh ! Général, très honorée, mais... ?

KOSCHNADIEFF. – C'est Son Altesse qui m'envoie vers vous.

AMÉLIE, *étonnée.* – Son Altesse ?

KOSCHNADIEFF. – Le prince est donc très amoureux de vous.

AMÉLIE. – De moi ?... comment ? Mais Son Altesse ne me connaît pas.

KOSCHNADIEFF. – Je vous demande pardon ! Vous étiez bien une fois au gala du Français, lors de la dernière visite officielle du prince à Paris ?... Aux fauteuils de l'orchestre ?

AMÉLIE. – En effet, mais...

KOSCHNADIEFF. – Eh bien ! le prince vous a remarquée.

AMÉLIE, *très flattée.* – Moi ! non, vraiment ? Oh !

KOSCHNADIEFF. – Certes !... Il a même demandé au Président de la République qui vous étiez !

AMÉLIE, *n'en croyant pas ses oreilles.* – Non ?

KOSCHNADIEFF. – Mais le Président n'a pas pu le renseigner.

AMÉLIE. – Ah ?

KOSCHNADIEFF. – Non !

AMÉLIE. – Tiens !

KOSCHNADIEFF. – Alors, nous avons délégué un attaché de l'ambassade, qui s'est mis en rapport avec la police, laquelle, le lendemain, nous a fait parvenir une fiche.

AMÉLIE, *estomaquée.* – Une... une fiche !

KOSCHNADIEFF, *confirmant de la tête.* – Une fiche. C'est comme cela que le prince a eu la joie d'apprendre qui vous étiez.

AMÉLIE, *aimable, mais vexée.* – Ah ! c'est... c'est d'un galant !

KOSCHNADIEFF. – Oh ! Son Altesse est très éprise ! Elle a le pépin... comme vous dites ! (*Rapprochant sa chaise d'Amélie, et confidentiellement, presque dans l'oreille.*) Je crois que si elle est revenue incognito, c'est beaucoup pour vous.

AMÉLIE. – A ce point !

KOSCHNADIEFF, *hoche la tête affirmativement, puis.* – A ce ! Son Altesse est arrivée ce matin... En ce moment, elle fait la visite au Président, qui la lui rendra un quart d'heure après ; après quoi, elle sera débarrassée !

AMÉLIE. – Oui, le fait est que ces petites cérémonies... !

KOSCHNADIEFF. – Qu'est-ce que vous voulez ? c'est le protocole ! (*Revenant à ses moutons.*) Si je vous disais que la première chose que le prince m'a dite en s'installant à l'hôtel – sur l'honneur ! – c'est une parole d'amour pour vous.

AMÉLIE, *sur un ton légèrement langoureux.* – Le prince est donc sentimental ?

KOSCHNADIEFF, *élevant la main au-dessus de sa tête pour exprimer l'immensité de la chose.* – Très !... (*Comme à l'appui de son dire.*) Il m'a dit : « Koschnadieff, mon bon ! Cours chez elle et arrange-moi ça, hein ? Sur toi je compte ! »

AMÉLIE, *un peu estomaquée.* – Ah ?... Ah ? Comme ça ?

KOSCHNADIEFF. – Positivement.

AMÉLIE, *entre chair et cuir.* – Eh ! ben, mon colon !

KOSCHNADIEFF. – Oh ! il est très amoureux ! (*Changeant de ton.*) Et alors, voilà, je fais la démarche.

AMÉLIE, *interloquée.* – Ah ? Ah ! Alors c'est vous qui...

KOSCHNADIEFF, *étonné de la surprise d'Amélie.* – Quoi ?... on dirait que je vous étonne ?...

AMÉLIE. – Du tout, du tout ; seulement, n'est-ce pas... ?

KOSCHNADIEFF. – Oui, je comprends ! c'est un peu délicat !... Vous n'êtes peut-être pas habituée à ce genre de démarche !

AMÉLIE. – Oh ! c'est pas ça !... Vous pensez bien, n'est-ce pas ? Que tous les jours... Seulement, tout de même, ordinairement, c'est pas un général.

KOSCHNADIEFF. – Vraiment ?... Tiens, tiens, tiens !

AMÉLIE. – Non.

KOSCHNADIEFF. – Comme c'est curieux !

AMÉLIE. – Ah ?

KOSCHNADIEFF, *avec fierté.* – En Palestrie, c'est moi que j'ai l'honneur d'être chargé !... (*Comme raison de cette charge :*) Je suis l'aide de camp de Son Altesse !

AMÉLIE, *s'inclinant avec un peu d'ironie.* – Évidemment ! évidemment !

KOSCHNADIEFF, *se levant comme mû par un ressort, et les deux mains sur les hanches, bien en face d'Amélie.* – Alors !... dites-moi quoi ? Voyons !... quand ?

AMÉLIE, *se levant également.* – Quoi, quand ?

KOSCHNADIEFF, *très à la hussarde.* – Quelle nuit voulez-vous ?

AMÉLIE, *avec un sursaut d'effarement.* – Hein ? Ah ! non, vous savez ? Vous avez une façon de vous coller ça dans l'estomac !... Mais je ne suis pas libre, général ! J'ai un ami !

KOSCHNADIEFF, *de même.* – Aha !... et alors ?... Qu'est-ce qu'il veut ?... Une décoration, peut-être ? Commandeur de notre ordre, est-ce ça ?

AMÉLIE. – Mais non, monsieur, mais non ! Je suis fidèle à mon amant.

KOSCHNADIEFF. – Bon !... Alors, grand officier ?... Avec plaque ?... Ça fera peut-être l'affaire ?

AMÉLIE, *passant devant le général et gagnant la gauche.* – Mais ce n'est pas de ça qu'il s'agit !

KOSCHNADIEFF, *sur un ton scandalisé.* – Alors, donc, quoi ? C'est un refus ?... Vous éconduisez Son Altesse ?

AMÉLIE, *vivement.* – Je ne dis pas ça.

KOSCHNADIEFF. – Qu'est-ce qui vous arrête ?

AMÉLIE, *hésitante.* – Ah ! ben, tiens... !

KOSCHNADIEFF, *qui est remonté derrière Amélie et tout contre elle, lui glissant les mots à l'oreille comme le démon tentateur.* – Songez qu'il s'agit d'une Altesse Royale !... et, tromper son amant avec une Altesse Royale, ce n'est donc déjà positivement plus le tromper.

AMÉLIE, *déjà hésitante.* – Oui, évidemment, ça... ! (*Se retournant vers le général.*) Surtout qu'on n'est pas obligé de lui raconter.

KOSCHNADIEFF, *reculant un peu à droite.* – Eh ! par Dieu le Père, non !

AMÉLIE. – Justement, mon amant qui part faire ses vingt-huit jours à Rouen !

KOSCHNADIEFF, *très large.* – Là ! vous voyez, comme le Seigneur fait les choses !

AMÉLIE. – Et une Altesse Royale !

KOSCHNADIEFF, *presque murmuré dans l'oreille d'Amélie.* – Le prince est très généreux !

AMÉLIE, . – Oh ! mon amant me donne tout ce dont j'ai besoin !

KOSCHNADIEFF, *vivement.* – Je ne doute ! (*Plus lentement.*) mais à côté de tout *qu'est* ce *qu'*on a besoin...

AMÉLIE, *achevant sa pensée.* – Il y a tout ce *qu'est-ce qu'*on n'a pas besoin !

KOSCHNADIEFF. – Qui est énorme !

AMÉLIE, *tourne la tête vers le général, l'œil dans son œil, puis, articulé seulement avec les lèvres, sans aucun son de voix, mais avec une mimique expressive.* – Énorme !

KOSCHNADIEFF, *avec sa brusquerie de sauvage.* – Oui !... Eh bien ! donc, alors quoi ?

AMÉLIE, *l'œil fixé sur la rosette du général avec laquelle elle joue machinalement de la main.* – Eh bien ! alors... je ne sais pas !...

KOSCHNADIEFF, *cavalièrement.* – Très bien !

Pan ! une tape du plat de la main dans le dos.

AMÉLIE, *au reçu de la tape.* – Oh !

KOSCHNADIEFF. – Nous sommes d'accord. (*Il fait mine de remonter chercher son chapeau, puis redescend.*) Ah ! Je n'ai plus qu'une chose à vous dire : son Altesse a l'habitude, après chaque visite, de donner dix mille francs.

AMÉLIE, *relevant le nez.* – Dix... dix mille francs !

KOSCHNADIEFF, *les yeux dans ceux d'Amélie.* – Dix mille !

AMÉLIE, *avec un petit sifflement d'admiration.* – Fffuie !

KOSCHNADIEFF, *martelant chaque membre de phrase.* – C'est donc une somme de neuf mille francs que j'aurai à vous remettre !

AMÉLIE, *qui écoutait les yeux à terre, relevant le nez à ce moment.* – De... de neuf ?

KOSCHNADIEFF, *sans se démonter.* – De neuf.

AMÉLIE, *saisissant.* – Ah ! parce que vous...

KOSCHNADIEFF. – Quoi ?

AMÉLIE, *vivement.* – Non... non ! rien ! ça va bien ! de neuf ! de neuf ! de neuf !

KOSCHNADIEFF, *sur un ton de conclusion.* – Nous sommes d'accord !

Il remonte chercher son chapeau.

AMÉLIE, *à part.* – Eh ben ! mon lapin !

SCÈNE XI

LES MÊMES, POCHET

POCHET, *arrivant du pan coupé droit.* – Je vous demande pardon !... Voilà la monnaie de vingt francs qu'on a demandée à Adonis.

AMÉLIE, *remontant.* – Qui ça ?

KOSCHNADIEFF (2). – Ah ! oui ! C'est moi !... pardon !

POCHET (3). – Voici ! une, deux, trois, et cinq pièces de vingt sous qui font vingt.

KOSCHNADIEFF. – Je vous rends grâces. (*Lui donnant la pièce.*) Gardez !

POCHET, *le plus naturellement du monde.* . – Merci.

Il met la pièce dans sa poche.

AMÉLIE, *présentant.* – Mon père !... Le général... euh !... je vous demande pardon ?

KOSCHNADIEFF. – Koschnadieff !

AMÉLIE. – C'est ça. Kosch... Enfin, comme monsieur dit ! premier aide de camp du prince de Palestrie.

POCHET, *avec un sifflement admiratif.* – Fffuie !... Mazette !

KOSCHNADIEFF. – Très heureux !... positivement !... (*Il accompagne cette déclaration d'un geste auquel se méprend Pochet ; croyant que le général lui tend la main, il va pour la lui serrer, mais le geste de Koschnadieff s'est continué dans la direction d'Amélie pour la phrase suivante qui achève sa pensée ; Pochet reste en plan avec sa main tendue, jette sur elle un regard déconfit, fait « hum ! » et refourre sa main philosophiquement dans sa poche. Ce jeu de scène dure l'espace d'une seconde.*) Vous avez une fille, en vérité !... Si cela peut vous être agréable d'être commandeur de l'ordre de Palestrie !...

POCHET, *radieux.* – Hein ! moi !... Oh !... Oh ! mais certainement... croyez bien que... oh !... Seulement, à quel titre ?

KOSCHNADIEFF. – Services exceptionnels : Son Altesse a le béguin pour madame votre fille.

POCHET, *se mordant les lèvres.* – Aha !

KOSCHNADIEFF. – Alors, mon maître m'a chargé de la démarche pour !... si vous n'y voyez pas d'inconvénients... ?

POCHET, *lui coupant la parole, et sur un ton pincé et digne.* – Pardon !... pardon !... Est-ce pour un mariage ?

KOSCHNADIEFF, *avec un rire gras.* – Mon Dieu ! pas positivement !

POCHET, *très pointu, tout en s'écartant à reculons du général.* – Oh ! alors, je vous prie !... pas à moi !... pas à moi !

KOSCHNADIEFF, *un peu étonné.* – Ah ?

POCHET. – Ma dignité de père... !

Il est descendu extrême droite au bout du canapé.

KOSCHNADIEFF. – Bon ! Bon ! Très bien !... (*Indiquant Amélie.*) Alors, c'est entre nous deux ! (*A Amélie.*) Madame ! j'aurai donc l'honneur d'accompagner tout à l'heure Son Altesse...

POCHET, *dressant l'oreille.* – Hein ?

KOSCHNADIEFF. – ... qui viendra vous présenter ses hommages, aussitôt qu'elle en aura fini avec l'Élysée.

POCHET, *dans tous ses états, passant devant le canapé et remontant entre lui et la chaise.* – Le prince ! le prince ici ?

KOSCHNADIEFF. – Positivement !

POCHET, *ne sachant plus ce qu'il fait dans son trouble, avançant la chaise dans la direction du public, comme s'il la présentait à un être imaginaire.* – Oh !... Asseyez-vous donc !

KOSCHNADIEFF, *au-dessus de lui, et toujours près du piano.* – Merci !

POCHET, *se retournant du côté du général.* – Non ! Je parle au prince ! Oh ! Est-il possible ! Quoi ! Il nous ferait l'honneur !... Mon Dieu, mon Dieu !... Et rien pour pavoiser !... pas de drapeaux ! rien.

KOSCHNADIEFF, *vivement.* – Oh ! non, je vous prie ! pas de chichis ! le prince désire l'incognito.

POCHET, *très agité, redescendant vers le canapé.* – Ah ? ah ?... je regrette !... Ça aurait fait bien pour les voisins !

SCÈNE XII

LES MÊMES, MARCEL, puis ADONIS et VAN PUTZEBOUM

MARCEL, *en coup de vent entrant de droite premier plan et gagnant le n° 3 en passant au-dessus du canapé.* – Amélie ! Amélie ! (*S'excusant auprès du général dans lequel il a été presque donner.*) Oh ! pardon, monsieur !

KOSCHNADIEFF. – Je vous prie !

MARCEL. – Le voilà ! le voilà ! je viens de l'apercevoir à travers la fenêtre !

AMÉLIE. – Qui ?

MARCEL. – Mon parrain ! Van Putzeboum !

POCHET, *avec une envie de rire à l'audition du nom.* – Quoi ?

MARCEL, *riant aussi.* – Bien oui !... c'est de naissance.

POCHET, *répétant le nom en riant.* – Putzeboum.

MARCEL. – Van ! Van ! (*Sonnerie.*) Là ! voilà, c'est lui !

AMÉLIE. – Eh bien ! mon grand, quoi ? Va le recevoir.

MARCEL, *vivement.* – C'est ça ! C'est ça ! (*A Koschnadieff.*) Monsieur, encore pardon !

Il sort rapidement par la baie. Pendant ce qui suit on verra à travers la glace sans tain Adonis introduire Van Putzeboum, et celui-ci embrasser Marcel tandis qu'Adonis se retirera.

KOSCHNADIEFF, *prenant congé.* – Oh ! mais alors bien donc, madame ! je vous présente mes devoirs.

AMÉLIE, *remontant dans la direction de la porte.* – Au revoir, général, et très reconnaissante.

Elle ouvre la porte et passe la première pour montrer le chemin au général.

KOSCHNADIEFF. – Oh ! je vous prie !... (*A Pochet qui est remonté (3) à la suite du général.*) Monsieur le père !...

POCHET, *s'inclinant.* – Général ! (*Ne perdant pas le nord.*) Et alors, n'est-ce pas ? Pour la petite croix de commandeur...

KOSCHNADIEFF. – Entendu ! Entendu !

Il sort.

POCHET, *sur le pas de la porte.* – Et quand je dis « petite », vous savez, même au besoin une grande !...

Il sort. En même temps qu'ils sortent d'un côté, paraissent Marcel et Van Putzeboum par la baie de droite.

MARCEL, *précédant Van Putzeboum.* – Par ici, parrain !

VAN PUTZEBOUM, *passant son bras gauche autour des épaules de Marcel et descendant avec lui en scène.* – Eh ! te voilà, filske !... Eh bien ! me voilà, moi ! A la bonne heure ! on sent ici que tu deviens un homme sérieux... dans ce foyer familial, n'est-ce pas ?

Il lâche Marcel et va poser son chapeau sur la table à jeu.

MARCEL. – Mais oui, mon parrain !

Amélie, revenant de l'antichambre, suivie de Pochet, et descendant entre Van Putzeboum et Marcel, tandis que Pochet descend par l'extrême gauche, entre la table et la fenêtre.

VAN PUTZEBOUM, *avec satisfaction, en voyant Amélie.* – Ah !

MARCEL (4), *voulant faire la présentation.* – Mon parrain, je vous présente...

VAN PUTZEBOUM (2), *vivement.* – Attends !... attends, fils, que je devine !... (*Le regard dans les yeux d'Amélie, l'index en avant et sur un ton inspiré.*) Mademoiselle Amélie d'Avranches... ça est vous !

AMÉLIE (3), *souriant.* – C'est moi !

VAN PUTZEBOUM, *radieux.* – Ah !... J'aïe deviné !

POCHET, *à part.* – Qu'il est fort !

AMÉLIE, *très jeune fille du monde.* – M. Marcel nous avait annoncé votre venue, monsieur, et nous vous attendions avec impatience !

VAN PUTZEBOUM, *flatté.* – Tenez ! Tenez !

AMÉLIE, *à Pochet.* – N'est-ce pas ?

POCHET. – Ah !... *Comme l'avenue de Messine* !

VAN PUTZEBOUM. – Ah ! bien ça, ça est gentil, savez-vous !... Gotferdeck [16], petit, je te félicite ! Ça est un beau brin tout de même !

AMÉLIE, *baissant les yeux.* – Oh ! monsieur.

VAN PUTZEBOUM. – Oui, oui ! je dis comme ça est !

MARCEL. – N'est-ce pas ?

VAN PUTZEBOUM. – Eh ! sûr donc ! (*Se tournant vers Pochet.*) N'est-ce pas, monsieur ?

POCHET, *modeste.* – Ben... c'est ma fille.

VAN PUTZEBOUM. – Ouyouyouye ! Oui ? Eh bien ! je te complimente !... Vous savez faire, savez-vous.

POCHET, *même jeu.* – On s'est mis à deux, je vous dirai !

VAN PUTZEBOUM, *avec un gros rire.* – Ouie, ça je pense !... On s'est mis deux ! (*Se tournant inconsidérément vers Amélie.*) On s'est mis d... (*S'arrêtant, interdit, et bas à Pochet.*) Oh ! oh ! devant elle... Gotferdom !

POCHET, *sur le même ton que Van Putzeboum.* – Oh ! oui, oui ! c'est juste !

VAN PUTZEBOUM, *à Pochet.* – Monsieur d'Avranches, n'est-ce pas ?

POCHET. – Hein ? Pochet !

Amélie et Marcel lui font vivement des signes d'intelligence dans le dos de Van Putzeboum.

AMÉLIE. – Hum !

POCHET. – Euh ! Pochet... d'Avranches ! Pochet, d'Avranches, oui ! oui !

VAN PUTZEBOUM. – Très heureux, monsieur. (*Lui tendant la main.*) Votre main donc ? (*Après avoir serré la main de Pochet, se tournant vers Amélie.*) Mademoiselle ! ça est un vieil habitant de la Hollande qu'il a fait tout exprès le voyage pour vous apporteï tous seï vœux de bônheur.

AMÉLIE, *jouant l'émotion.* – Ah ! mon... mon parrain !

VAN PUTZEBOUM, *radieux, et lui tendant les bras.* – Ouie, c'est ça !... nommez-moi le parrain ! ça raccourcit les distances donc ! (*Au moment d'embrasser Amélie, à Marcel.*) Tu permets que je la bise ?

MARCEL, *tournant un visage ahuri vers Van Putzeboum, puis.* – Quoi ?

VAN PUTZEBOUM, *les épaules d'Amélie entre les mains, répétant.* – Que je la bise !... « Une bise !... » Tu sais pas qu'est-ce que c'est qu'une bise ?

MARCEL, *comprenant, et avec un rire contenu.* – Ah !... (*Poussant légèrement Amélie contre Van Putzeboum.*) Bisez, parrain ! bisez !

VAN PUTZEBOUM, *à Amélie, gentiment.* – Est-ce que je saïe vous embrasser ?

AMÉLIE. – Comment « si vous savez » ? Mon Dieu ! il me semble que vous êtes plus à même que moi...

MARCEL, *blagueur à froid.* – Non ! Non ! il demande s'il peut.

AMÉLIE. – Ah !... Comment donc !

Marcel remonte au-dessus du canapé.

VAN PUTZEBOUM, *l'embrasse sur la joue gauche ; puis.* – Ah ! cette joue virginale ! (*Il l'embrasse sur la joue droite, puis à Pochet, tandis qu'Amélie va s'asseoir sur le canapé.*) Il me semble que je bise sur un bouton de rose ! (*Allant se camper au milieu de la scène, face à Amélie, tandis que Pochet remonte près de Marcel, derrière le canapé.*) Eh bien ! mademoiselle Amélie ! vous êtes contente que vous mariez mon filleul ?

AMÉLIE, *très Comédie-Française.* – Certes !... J'aime... (*Prononcer « j'eïmme »*) J'aime M. Marcel et je suis heureuse de devenir sa femme.

VAN PUTZEBOUM. – Tu entends ça, filske ?

MARCEL (4), *se penchant vers Amélie dont il imite le ton.* – Ah ! Toute ma vie ! toute ! pour cette parole d'amour !

Il fait mine de l'embrasser.

AMÉLIE (3), *le repoussant en lui mettant la main sur les*

lèvres et minaudant. – Ah ! mon ami ! pas avant l'hyménée !

MARCEL, *avec humilité.* – Je vous demande pardon !

VAN POUTZEBOUM, *ému d'admiration.* – Ah ! Chaste jeune file ! Ça est pur comme de l'ôr.

MARCEL. – Et c'est rare par le temps qui court !

POCHET. – Quoi ? L'or ?

MARCEL. – Non, la pureté.

POCHET. – Eh ben, et l'or donc !

VAN PUTZEBOUM, *fouillant dans les poches des basques de sa jaquette.* – Et, maintenant, permettez-moi !... je vous ai apporté !... vous devez aimer les bijoux ?

AMÉLIE, *étourdiment.* – Tu parles !

MARCEL, *lui envoyant une bourrade rapide.* – Hum !

VAN PUTZEBOUM. – Comment ?

AMÉLIE, *vivement.* – Non, je dis : (*Parlant comme avec une pomme de terre trop chaude dans la bouche et bien à la file.*) U-arles, eu-arles, eu-erles, é-erles, des perles... (*Répétant, en appuyant sur le mot.*) Des perles... des diamants, ça n'est pas pour les jeunes filles.

VAN PUTZEBOUM, *allant s'asseoir (2)sur le canapé à côté d'Amélie (3).* – Oui, ça est vrai ; mais maintenant que vous mariez Marcel, ça est changé donc ! Est-ce que vous ne savez pas porter des diamants ?

AMÉLIE. – Oh ! si, si, je sais !

POCHET, *jovial.* – Non, mais essayez un peu, pour voir.

VAN PUTZEBOUM. – Oui ? Ça est bien ; alors permettez que vous acceptez ce petit souvenir. (*Il présente un écrin qu'il a tiré de sa poche et qu'il ouvre.*) Je l'ai fait monter juste expressément pour vous.

AMÉLIE. – Pour moi ! (*Étourdiment.*) Oh ! qu'il est bath !

Marcel lui donne vivement une tape sur le gras du bras.

VAN PUTZEBOUM. – Comment ?

AMÉLIE. – Hein ! non ! non ! c'est une expression.

VAN PUTZEBOUM. – Tiens ?

AMÉLIE. – Oui, ça veut dire : « Ah ! qu'il est chic ! Ah ! qu'il est beau ! »

VAN PUTZEBOUM, *se répétant l'expression à lui-même.* – Bath ! Bath ! oui !

AMÉLIE. – Ah ! tenez, vous aussi vous êtes chic, il faut que je vous embrasse.

Elle l'embrasse sur les deux joues.

VAN PUTZEBOUM, *se tordant.* – Ah ! ah ! quelle gâmine, donc !

Il se lève et gagne à gauche.

AMÉLIE, *se levant de même et gagnant également à gauche.* – Regarde, papa ! Marcel !

MARCEL et POCHET. – Voyons ! voyons !

MARCEL (4). – Oh ! superbe !

POCHET (2). – Merveilleux !

AMÉLIE (3). – Quelle eau !

POCHET, *ne trouvant pas d'autre terme pour exprimer son admiration.* Oh !... On dirait du cristal !

AMÉLIE. – Quoi ? Ah ! non, on t'en donnera du cristal ! Oh ! Vois-moi ces feux...

POCHET. – Oh !... Ça vaut au moins, ça !...

AMÉLIE, *sur un ton choqué.* – Papa, voyons ! ça ne nous regarde pas.

POCHET. – Oh ! non, non ! Mais c'est pour dire !... parbleu j'ai pas l'intention de le payer ! non ! seulement... Ah ! il est épatant !

VAN PUTZEBOUM, *sur un ton assez satisfait.* – Oui, il n'est pas mal ! (*Ravi de placer l'expression.*) Il est bath !... bath !...

TOUS, *riant.* – Il est bath ! Il est bath ! Ah ! Ah ! Ah !

AMÉLIE. – C'est-à-dire qu'il est admirable !

POCHET. – Et conséquent !

VAN PUTZEBOUM, *d'un air détaché.* – C'est un solitaire.

POCHET. – Ah ! oui !... oui ! Eh bien, tenez ! voilà peut-être son seul défaut !

VAN PUTZEBOUM. – Je l'ai choisi entre mille, savez-vous ! Les *brilants*, ça est ma partie, n'est-ce pas ?

AMÉLIE et POCHET. – Ah ?

VAN PUTZEBOUM. – Oui, en Hollande (*prononcer : « en Nollande »*), je faïe dans les diamants.

POCHET, *qui à ce moment a les yeux fixés sur la bague d'Amélie, relève la tête à ce mot, regarde Van Putzeboum, puis Amélie ; après quoi, fixant son binocle sur le bout de son nez, il gagne le n° 1 en décrivant un demi-cercle respectueux autour de Van Putzeboum qu'il considère de haut en bas avec déférence. Il a, en passant, un sifflement d'admiration qui fait retourner Van Putzeboum à droite et à gauche.* – Ffffuie !... (*Une fois au n° 1.*) Quel luxe !

VAN PUTZEBOUM. – Eh bien ! sans que je me vante : ça est une pièce de collection !

POCHET, *plaisantin.* – Il ne reste plus qu'à faire la collection !

VAN PUTZEBOUM. – Ah ! Oui ! Oui ! Mais ça je n'en peux rien ! Pour ça, son mari est là, hein ? Pas vrai, filske ?

MARCEL. – Mais, comment !

VAN PUTZEBOUM. – Maintenant qu'il va toucher la grosse fortune !

MARCEL, *vivement.* – Ah ! quand ?

VAN PUTZEBOUM. – Mais aussitôt que tu auras passé sur l'hôtel de ville, donc !

MARCEL. – Sur l'hôt... ?

VAN PUTZEBOUM. – Oui donc, le bourgmestre ! le mariage !

MARCEL. – Ah ! le... (*A part.*) Rien à faire !

AMÉLIE, *faisant jouer les feux de sa bague.* – Ah ! non, ce qu'elle est chic ! (*A Van Putzeboum.*) Ah ! tenez, il faut que je vous réembrasse.

VAN PUTZEBOUM. – Alleï ! Alleï ! Ne te gêne pas, petite ! (*Elle l'embrasse.*) Je crois que vous êtes contente, hein ?

AMÉLIE. – Oh ! là ! là ! c'est moi qui aime mieux ça que les fleurs.

VAN PUTZEBOUM. – Ah ! mais... je pense que vous avez reçu aussi ma corbelle ?

AMÉLIE. – Votre *corbelle*, non... Tu as vu une *corbelle*, toi, papa ?

POCHET. – J'ai pas vu de *corbelle.*

VAN PUTZEBOUM. – On n'a pas apporté une corbelle ! Ah ! bien, celle-là !... Mais qu'est-ce qu'ils font, ces animaux ?... Ah ! bé !... Vous n'avez pas le téléphon que j'y leur flanque un peu une savônnâde.

AMÉLIE. – Mais si, nous l'avons.

VAN PUTZEBOUM. – C'est chez le fleuriste, là, boulevard de la Mâdéléne, qui vend des bouquets de mariage... et des couronnes môrtuhères.

MARCEL. – Landozel !

VAN PUTZEBOUM. – Si ! oui ! me semble !... Ils sont bêtes, savez-vous, dans cette maison. Je leur dis : « C'est pour Mlle Amélie d'Avranches, la jeune fille qui marie M. Courbois ; vous devez la savoir ? » Ils me répondent « Non ! d'Amélie d'Avranches, on ne sait que la d'Avranches qu'elle est avec M. de Millédieu ! »

ENSEMBLE

MARCEL, *à part.* – Sapristi !

AMÉLIE. – Oh !

POCHET. – Hum !

VAN PUTZEBOUM. – « Allëi ! Allëi ! Mais qu'est-ce que tu chantes donc ? Ça, ça n'est pas du tout ! Ça est la jeune file du monde, Mlle d'Avranches, qui marie M. Marcel Courbois ! » Ils vous prenaient pour une côcôtte ! (*Confus en s'apercevant qu'il parle à Amélie, qui, elle, tournée vers Van Putzeboum, n'a pas bronché.*) Oh ! Oh ! pardon ! Je dis des expressions devant vous !...

Il lui prend la main.

AMÉLIE, *sans baisser les yeux et sur le ton le plus ingénu.* – Oh ! mais je n'ai pas compris, monsieur !

VAN PUTZEBOUM. – Oh ! ingeïnuité !... Quel trésôr ! (*Presque dans l'oreille d'Amélie, en lui prenant les épaules entre les deux mains.*) Votre mari vous expliquera plus tard. (*Il passe au n° 3.*) N'est-ce pas, filske ?

Il envoie une bourrade à Marcel et passe au n° 4.

MARCEL, *à Amélie.* – Oui, c'est pas pour les jeunes *files !*

AMÉLIE, *l'air soumis.* – C'est bien, mon ami ! Je ne demande pas à savoir.

SCÈNE XIII

LES MÊMES, ÉTIENNE

ÉTIENNE, *sortant de droite, premier plan.* – Là, je me suis changé !

TOUS. – Oh !

MARCEL, *à part.* – Nom d'un chien !

Il saisit Van Putzeboum, l'envoie sur Amélie, qui l'envoie sur son père, qui l'envoie à l'extrême gauche.

VAN PUTZEBOUM, *roulant de l'un à l'autre.* – Aïe ! mais quoi donc ? Mais quoi ?

MARCEL, *voulant éviter une gaffe.* – Monsieur... Monsieur...

AMÉLIE, *vivement.* – Monsieur... Chopart !

MARCEL. – Paul !... Paul Chopart !

ÉTIENNE, *ahuri.* – Quoi ?

MARCEL, *bas, vivement.* Oui, chut, tais-toi ! Pas de gaffes.

AMÉLIE. – Mon cousin !

MARCEL. – Son cousin.

POCHET. – Le cousin d'Amélie !

VAN PUTZEBOUM, *surpris.* – Oui ? Tenez ! tenez ! tenez !

ÉTIENNE, *à part.* – Son cousin ?

VAN PUTZEBOUM (1), *de sa place, s'inclinant légèrement.* – Ah ! Monsieur, mes compliments !

ÉTIENNE (5). – Trop aimable ! (*A part, vexé.*) Son cousin ! Ah ! zut !

POCHET, *présentant Van Putzeboum.* – M. Van Badaboum !

VAN PUTZEBOUM, *rectifiant.* – Putz !... Putzeboum !

POCHET, *rectifiant à son tour.* – Putz-c'est ça, boum ! Putzeboum !

ÉTIENNE. – Enchanté !

VAN PUTZEBOUM, *se dirigeant vers Étienne.* – Oh ! mais... Attends un peu ! (*A Marcel, qui cherche discrètement à l'arrêter au passage.*) Laisse donc ! (*Arrivé n° 4, à Étienne n° 5.*) Je connais un Chopart à Rotterdam !

ÉTIENNE, *que cette confidence laisse froid.* – Ah ?... Vous êtes bien heureux !

VAN PUTZEBOUM. – Émile Chopart, oui !... qui faïe dans l'anisette.

ÉTIENNE. – Non ?... Oh ! le sale !

VAN PUTZEBOUM. – Vous n'êtes pas parents, pour une fois ?

ÉTIENNE. – Non !... Je n'ai pas de parents qui fassent dans l'anisette.

VAN PUTZEBOUM. – Ah ! bônne, très bônne anisette ! Je vous la recommande !

ÉTIENNE. – Merci ! Après ce que vous m'en avez dit !...

VAN PUTZEBOUM. – Vous avez tôrt ! Elle est meilleure comme les autres.

ÉTIENNE. – Eh bien ! tant mieux !... Tant mieux pour elle !

Il remonte par l'extrême droite.

VAN PUTZEBOUM, *aux autres.* – Eh bien ! si vous permettez, je vais une fois téléphôner pour les fleurs.

AMÉLIE. – Mais très volontiers ! (*A Pochet.*) Papa, veux-tu conduire ?... Le téléphone est dans ma chambre.

POCHET, *passant devant Van Putzeboum, tandis que Marcel remonte un peu et gagne la gauche.* – Tenez, par ici !

VAN PUTZEBOUM, *tout en se dirigeant vers la chambre de droite, précédé par Pochet et suivi par Amélie, qui l'accompagne jusqu'à la porte, riant.* – Aha ! non, ce fleuriste ! avec son M. de Millédieu !

ÉTIENNE, *qui cause avec Marcel, se retournant à l'appel de son nom.* – Quoi ?

Marcel le retient vivement par le bras et le retourne face à lui.

VAN PUTZEBOUM. – Non, rien ! Je ris en pensant à tout ça ! ce M. de Millédieu !

ÉTIENNE, *même jeu.* – Comment, il rit !

MARCEL, *le retournant face à lui.* – Allons, voyons !

VAN PUTZEBOUM, *en sortant.* – Quelle brute !

ÉTIENNE, *même jeu.* – Ah ! mais dites donc !

MARCEL, *le retournant toujours face à lui.* – Mais tais-toi donc !

SCÈNE XIV

LES MÊMES, moins POCHET et VAN PUTZEBOUM

ÉTIENNE. – Enfin, pourquoi se fout-il de moi en me traitant de « quelle brute » ?

MARCEL. – Mais la brute, c'est pas toi !

ÉTIENNE. – Ah ?

AMÉLIE, *vivement.* – C'est le fleuriste !

ÉTIENNE. – Quel fleuriste ?

AMÉLIE. – Celui à qui il a commandé la corbeille.

ÉTIENNE. – Quelle corbeille ?...

MARCEL. – Mais la corbeille pour Amélie !

AMÉLIE. – Mais oui ! Tu ne comprends donc rien ?

ÉTIENNE. – Ah ! ben, enfin !...

AMÉLIE. – Cet imbécile de fleuriste a eu la maladresse de lui parler de Mlle d'Avranches qui est avec M. de Milledieu.

ÉTIENNE. – Eh ben ?

AMÉLIE. – Eh bien ! tu comprends que, dès lors, je ne pouvais plus te présenter.

ÉTIENNE. – Pourquoi ?

MARCEL. – Mais parce que la fiancée de Marcel Courbois ne peut pas être la maîtresse de M. de Milledieu !

ÉTIENNE. – C'est ça ! Et alors je suis devenu Chopart !
TOUS LES DEUX. – Voilà.
ÉTIENNE, *remontant et sur un ton un peu maussade.* – Vous en avez de bonnes !
MARCEL. – Oh ! bien, mon vieux ! C'est l'affaire de quelques jours ; une fois lui parti, tu reprendras ton nom.
ÉTIENNE, *redescendant.* – Tu es bien bon de me le rendre.

SCÈNE XV

LES MÊMES, POCHET

POCHET, *paraissant sur le pas de la porte droite, premier plan.* – Dis donc, Amélie, veux-tu venir ? Il n'y a pas moyen d'avoir la communication.
AMÉLIE. – Voilà ! Voilà ! (*Elle fait mine d'aller à Pochet et, revenant aussitôt à Étienne.*) Oh ! dis donc ! je ne t'ai pas montré la belle bague qu'il m'a donnée !
ÉTIENNE, *maussade.* – Oui, oh !
AMÉLIE. – Regarde un peu la belle bague !
POCHET. – Allons, viens, voyons ! Ne nous fais pas *alanguir.*
AMÉLIE, *faisant mine d'aller à son père.* – Oui, voilà ! (*Revenant à Étienne et lui agitant sa bague sous le nez.*) Elle est chic, hein ?
ÉTIENNE. – Très chic ! très chic !
POCHET, *allant chercher sa fille et l'entraînant par le poignet.* – Ah çà ! vas-tu venir ?
AMÉLIE, *se laissant entraîner tout en faisant scintiller, le bras tendu, sa bague dans la direction d'Étienne.* – Elle est chic, hein ? Elle est chic ?
ÉTIENNE, *comme Amélie disparaît, entraînée par son père.* – Mais oui, mais oui !

Amélie sort, entraînée par Pochet.

SCÈNE XVI

MARCEL, ÉTIENNE

MARCEL, *après un temps.* – Écoute, je suis désolé, mon vieux, de t'embêter comme ça !

ÉTIENNE, *faisant contre mauvaise fortune bon cœur.* – Mais tu blagues ! Qu'est-ce que tu veux que ça me fasse après tout ?... D'autant que je pars tout à l'heure, par conséquent !...

MARCEL. – Ah ! bien, alors !

ÉTIENNE. – Et même, au fond, tiens ! ça m'arrange très bien ! Je voulais justement te demander un service ; or, il découle tout seul de la situation.

MARCEL, *empressé.* – Ah ! parle ! quoi ?

ÉTIENNE. – Eh bien, voilà ! Tu sais entre nous combien je tiens à Amélie... Ah ! si j'avais pu l'emmener avec moi là-bas !... Mais j'ai réfléchi qu'une ville de garnison... avec des supérieurs hiérarchiques, quand on a une jolie maîtresse... c'est pas prudent !

MARCEL. – Mais Amélie t'est fidèle !

ÉTIENNE, *peu convaincu.* – Oui !... je ne dis pas !... jusqu'à preuve du contraire !... D'autre part, la laissant à Paris toute seule, elle va s'embêter !... Il y a bien les copains ! Mais au fond, je les connais ! C'est des cochons !

MARCEL, *péremptoire.* – C'est des cochons !

ÉTIENNE. – Mon vieux, il n'y a que toi ! Toi, tu es mon meilleur ami ; j'ai confiance en toi comme en moi-même ; Amélie te porte de l'affection... Eh bien ! rends-moi ce service : pendant que je ne serai pas là... (*très scandé*) occupe-toi d'Amélie !

MARCEL. – Moi ?

ÉTIENNE. – Oui, balade-la ! Mène-la au théâtre, déjeune, dîne, soupe, marche !...

MARCEL, *étonné.* – Aussi ?

ÉTIENNE, *confirmant sans réfléchir.* – Aussi. (*Vivement.*) Hein ! Ah ! non, eh ! là, non !... C'est une expression ! Ça veut dire, marche, vas-y : fais-la dîner, souper !...

MARCEL, *riant.* – Ah ! bon !

ÉTIENNE. – Ah ! non, merci ! C'est justement pour l'empêcher d'avoir des velléités que...

MARCEL, *tendant amicalement la main à Étienne.* – Compris !... et entendu ! Tu peux te fier à moi.

ÉTIENNE, *avec chaleur, en lui serrant la main.* – Mais je sais bien !

MARCEL, *très scandé, comme Étienne précédemment.* – Je m'occuperai d'Amélie !

D'une poussée amicale de la main gauche sur l'épaule d'Étienne, il fait passer celui-ci au n° 1.

ÉTIENNE, *gagnant la gauche, tandis que Marcel remonte un peu au fond.* – Merci, mon vieux !

SCÈNE XVII

LES MÊMES, VAN PUTZEBOUM, POCHET, AMÉLIE

VAN PUTZEBOUM. – Non, il n'y a pas moyen, savez-vous ! J'aurais plus vite fait pour y aller moi-même...

AMÉLIE, *confuse.* – Oh ! vraiment, parrain !...

VAN PUTZEBOUM. – Si ! Si ! Si ! (*A Marcel.*) Tu viens avec, filske ?

MARCEL. – Où çà ?

VAN PUTZEBOUM. – Chez le fleuriste, donc ! J'ai en bas un *taquessiqu'auto.*

MARCEL. – Un quoi ?

VAN PUTZEBOUM. – Un *taquessiqu'auto.*

MARCEL, *répétant sur un ton ironique qui échappe à Van Putzeboum.* – Ah ! un taquessique-auto ! Oui, oui, oui !

VAN PUTZEBOUM. – On sera revenu sitôt que de partir.

MARCEL. – Oui ! Oui !

Il va prendre son chapeau sur la table à jeu, puis remonte aussitôt (3) vers Marcel (2).

VAN PUTZEBOUM. – Tu viens ?

MARCEL, *prenant son chapeau sur le piano.* – Volontiers !

POCHET*, *venant de la pièce de droite et gagnant, en passant au-dessus du canapé, jusqu'au clavier du piano.* – Il n'y a pas eu mèche d'avoir la communication !

VAN PUTZEBOUM. – Non ! J'étais greffé sur une espèce de *menneken* insupportable à qui j'avais beau dire : « Mais alleï-vous-en !... » Il voulait absolument que je lui donne M. de Milledieu !

ÉTIENNE. – Moi ?

VAN PUTZEBOUM, *se méprenant au « moi » d'Étienne.* – Non, moi !... Comme si je l'avais en poche !

Et, ce disant, il passe son bras gauche sous le bras de Marcel et fait mine de sortir.

ÉTIENNE, *courant (3) à Van Putzeboum et le faisant pivoter en le saisissant par le gras du bras gauche.* – Non, mais... qui ? Qui demandait M. de Milledieu ?

---

* Étienne (1) devant la table à jeu. Marcel au fond (2), ainsi que Van Putzeboum (3), Pochet (4), Amélie devant le canapé (5).

VAN PUTZEBOUM. – Est-ce que je sais, moi ? Est-ce que vous croyez que je lui ai demandé ? On s'en fiche de M. de Millédieu !

ÉTIENNE. – Hein !

AMÉLIE, *qui, pendant ce qui précède, a gagné près du piano, saisissant le bras d'Étienne et le faisant passer au n° 5.* – Mais oui ! On s'en fiche ! On s'en fiche !

VAN PUTZEBOUM. – Alors, à tout à l'heure, hein ?

AMÉLIE. – A tout à l'heure ! (*A Pochet.*) Accompagne, papa !

Van Putzeboum sort, accompagné de Marcel et de Pochet.

SCÈNE XVIII

AMÉLIE, ÉTIENNE, puis POCHET

ÉTIENNE. – C'est ça ! il me coupe mes communications ! Ah ! non, tu sais, celle-là, je la trouve raide ! Cette façon d'envoyer dinguer mes amis !

Il est descendu devant le canapé, sur lequel il s'assied avec humeur.

AMÉLIE, *du seuil de la porte du fond.* – Ah ! là !... Tu dois partir dans un quart d'heure et voilà de quoi tu t'occupes : du téléphone !... (*descendant vers Étienne*) au lieu de consacrer ces quelques minutes à ta petite Amélie.

Elle s'assied (1) sur le canapé, près d'Étienne (2).

ÉTIENNE, *regarde Amélie un instant comme un enfant boudeur, puis peu à peu son visage s'éclaircit et, prenant soudain son parti.* – Eh ! tu as raison, après tout ! D'autant que, depuis ce matin, nous n'avons pu être l'un à l'autre un instant.

AMÉLIE. – Ah ! il n'est pas trop tôt que tu t'en aperçoives !

ÉTIENNE, *souriant, avec l'œil émoustillé.* – Alors ?... Hein ?

AMÉLIE, *baissant les yeux.* – Eh bien ! alors !...

ÉTIENNE. – Pendant vingt-huit jours, ça va être l'abstinence !

AMÉLIE. – Le jeûne !...

ÉTIENNE. – Et quand on va se quitter pour si longtemps, on se serrerait la main, et voilà tout ?

AMÉLIE, *avec conviction.* – Ah ! non !

ÉTIENNE, *presque murmuré à l'oreille.* – On ne se dirait pas un dernier bon petit adieu ?

AMÉLIE, *souriant en baissant les yeux.* – Ben dame !...

ÉTIENNE, *même jeu.* – Là ! bien intime ?

AMÉLIE, *même jeu.* – Dame !

ÉTIENNE, *clignant de l'œil du côté de la chambre et presque murmuré.* – Tu as vu comme elle est jolie, ta chambre ?

AMÉLIE, *se défendant pour la forme.* – Allons, voyons !...

ÉTIENNE, *se levant et prenant Amélie par le poignet.* – Viens voir ta chambre comme elle est jolie.

AMÉLIE, *sans conviction.* – Oh ! Étienne !... Étienne !

ÉTIENNE, *entraînant Amélie.* – Viens voir comme elle est jolie, ta chambre !

AMÉLIE, *se laissant entraîner.* – Oh ! canaille.

POCHET, *paraissant au fond au moment où ils vont entrer dans la chambre.* – Eh bien ! où allez-vous ?

ÉTIENNE. – Rien, rien ! On va téléphoner !

Sonnerie dans le vestibule.

ÉTIENNE et AMÉLIE, *en chœur et en martelant chaque syllabe.* – On-va-té-lé-pho-ner !

Ils sortent de droite.

POCHET. – Eh ben ! on le dit ! (*Au public, en haussant les épaules.*) Ils n'auront jamais la communication.

Pendant que Pochet remonte, on entend des voix dans l'antichambre. Soudain, Adonis fait irruption et tire aussitôt les ferrures de la porte de façon à ouvrir à deux battants.

SCÈNE XIX

POCHET, ADONIS, puis MARCEL,
VAN PUTZEBOUM,
DEUX GARÇONS FLEURISTES,
portant une magnifique corbeille
toute en fleurs blanches, puis KOSCHNADIEFF
et le PRINCE NICOLAS.

ADONIS, *parlant à la cantonade.* – Par ici ! par ici !

Il se précipite sur la table à jeu qu'il recule en même temps que les chaises dans la direction de la fenêtre.

POCHET. – Qu'est-ce que c'est ?

ADONIS, *tout en faisant le ménage.* – C'est des fleurs ! et des belles ! (*Remontant.*) Entrez, les hommes !

VAN PUTZEBOUM, *introduisant, suivi de Marcel, les deux porteurs.* – Là ! Entrez ! prenez garde que vous abîmez pas !

Les deux hommes entrent, tenant la corbeille chacun par un côté ; ils vont se ranger devant le côté droit de la table à jeu.

POCHET, *admirant la corbeille.* – Mazette !

VAN PUTZEBOUM. – Figurez-vous, n'est-ce pas ! en arrivant en bas, nous nous sommes cognés contre la corbèle qu'on apportait !

POCHET. – Voyez-vous ça !

Nouvelle sonnerie.

ADONIS, *qui est au fond.* – Tiens, on sonne !

Il sort vivement.

VAN PUTZEBOUM, *aux fleuristes.* – Posez ça une fois là, hein ? (*Il indique la table à jeu sur laquelle les porteurs posent la corbeille face aux personnages en scène. A Pochet.*) Mais où c'est la fiancée qu'elle est donc ?

POCHET. – Là, dans sa chambre, en train de téléphoner.

VAN PUTZEBOUM. – Ah ! le téléphon ! oui ! oui !

Il gagne, suivi de Marcel, le milieu de la scène.

ADONIS, *accourant, affolé.* – Ah ! par exemple, celle-là !...

POCHET. – Qu'est-ce que c'est ?

ADONIS. – Le prince !... Le prince de Palestrie !

POCHET, *subitement dans tous ses états.* – Ah ! nom d'un chien ! et tu le laisses dans l'antichambre ?

ADONIS. – Non ! y monte.

POCHET, *bousculant Van Putzeboum et Marcel, qui causent dans l'espace compris entre le canapé et le piano.* – Allez ! rangez-vous, vous autres ! Rangez-vous !

VAN PUTZEBOUM et MARCEL, *ahuris, reprenant leur équilibre.* – Qu'est-ce qu'il y a ?

POCHET, *tout en courant vers les deux porteurs qui encadrent la corbeille.* – Le roi ! C'est le roi ! (*Aux porteurs, en les repoussant derrière la table.*) Allez, derrière les arbres ! derrière les arbres... (*Courant jusqu'au piano.*) Mon Dieu ! et pas de candélabre ! (*A Adonis.*) La bougie ! allume la bougie !

ADONIS. – Mais pourquoi !

POCHET. – Mais parce que ! Quand on reçoit des rois !...

(*A Van Putzeboum et Marcel, tandis qu'Adonis allume la bougie.*) Allez ! pas de rassemblement ! Circulez ! Circulez !

VAN PUTZEBOUM, *bousculé.* – Oh ! mais une fois savez-vous... !

POCHET, *à Adonis.* – Là ! introduis... Ah ! la musique ! la musique ! (*Pendant qu'Adonis sort, il actionne le gramophone qui joue la Marseillaise. – Un temps. – Pochet, la bougie allumée à la main, va se poster à proximité de la porte, un peu en deça du piano. Le prince, enfin, paraît, suivi de Koschnadieff. Tout le monde s'incline. Pochet, la bougie haute, l'échine courbée.*) Sire !...

LE PRINCE, *le chapeau sur la tête, descendant, suivi de Koschnadieff. Accent slave.* – Oh ! que de monde !... (*Frappé soudain par le son de la Marseillaise.*) Oh ! l'hymne national !

Il se découvre. Tout le monde reste un bon instant la tête inclinée.

KOSCHNADIEFF, *après un temps, descendant entre le prince et Pochet.* – Je présente à Votre Altesse le père de mademoiselle d'Avranches.

LE PRINCE. – Oh ! très bien ! je vous complimente... (*Avec intention.*) monsieur le Commandeur !

POCHET, *l'échine pliée, prenant de la main gauche la main que le prince tend de son côté et la baisant.* – Oh ! sire.

LE PRINCE, *considérant le bougeoir allumé que Pochet tient au-dessus de sa tête, presque sous le nez du prince.* – Mais que vois-je ? Vous alliez vous coucher, peut-être ?

POCHET. – Mais non, sire ! c'est pour vous !

LE PRINCE, *passant devant Pochet en descendant en scène.* – Oh ! mais je n'en ai que faire !

POCHET, *interloqué.* – Ah ? Ah ?

Adonis profite de cette descente pour traverser par le fond et aller rejoindre le groupe formé par Van Putzeboum et Marcel.

LE PRINCE, *jetant un rapide coup d'œil autour de lui.* – Et... votre délicieuse fille n'est pas là ?

POCHET, *empressé.* – Elle va venir, Sire ! Mais... si je puis la remplacer... ?

LE PRINCE, *vivement et avec conviction.* – Oh ! non !... Non !

POCHET, *décrivant, dos au public et face au prince un demi-cercle avec révérences de cour pour passer devant lui.* – Je vais la chercher, Sire ! je vais la chercher ! (*A part, en se dirigeant vers la porte droite, premier plan.*) Mon Dieu, et l'autre ! son Milledieu, qui n'est pas encore parti !... (*Il ouvre carrément la porte qu'on lui referme brutalement sur le nez.*) Oh !

ENSEMBLE

VOIX D'AMÉLIE. – On n'entre pas !

VOIX D'ÉTIENNE. – Mais foutez-nous la paix !

POCHET, *descendant presque à l'avant scène droite.* – On met le verrou, que diable ! on met le verrou !... (*Remontant vivement vers le prince qui cause avec Koschnadieff.*) Par ici, Altesse ! par ici, mon prince !... (*Il le précède à reculons et remonte de la sorte, toujours son bougeoir allumé à la main dans la direction de la baie. Il va donner ainsi du dos contre le groupe Van Putzeboum, Adonis, Marcel. Se retournant et les poussant les uns contre les autres de façon à déblayer la place.*) Allez ! Allez, circulez ! circulez, vous autres ! (*Se retournant aussitôt vers le prince et comme précédemment :*) Par ici, monseigneur ! Par ici !

RIDEAU

ACTE II

Chez Marcel Courbois

Sa chambre à coucher, de construction et d'ameublement anglais. A gauche, large fenêtre à caissons et à quatre vantaux, très élevée de soubassement, ce qui permet de mettre une large banquette à dossier en dessous sans gêner la manœuvre des battants. A chaque vitre, un rideau de vitrage fixé, haut et bas, sur tringle et serré au centre par un nœud de ruban. Au sommet de cette sorte d'alcôve, au fond de laquelle est enchâssée la fenêtre, grosse barre de bronze dorée sur laquelle glissent les larges anneaux des rideaux qui, fermés, doivent recouvrir la banquette qui est juste de la dimension de l'alcôve en question. De chaque côté, une embrasse-cordelière à deux gros glands. Au deuxième plan, grand panneau en pan coupé, auquel s'adosse le lit en cuivre, ayant à sa tête, à gauche, un fauteuil, à droite une table de nuit. (Ce panneau en pan coupé est indispensable pour permettre au pied gauche du lit d'être plus à l'avant-scène que celui de droite et d'arriver juste en regard de la porte de droite premier plan, qui sera indiquée plus loin.) A droite du pan coupé, le mur tourne à angle droit sur une longueur de vingt-cinq à trente centimètres pour se briser encore une fois à angle droit et se continuer alors, face au public, en un large panneau mural à gauche duquel, et non au milieu, est une porte à un seul vantail donnant sur le vestibule. A droite de la porte, contre le mur, une large console avec un fauteuil de chaque côté. Nouvelle brisure à angle droit de vingt-cinq à trente centimètres, parallèle à celle indiquée plus haut. Aux deux extrémités de ce petit renfoncement de construction, une colonne de soutènement. Puis à droite : pan coupé, au milieu duquel est la cheminée surmontée d'une étagère au centre de laquelle est enchâssée soit une glace, soit une gravure anglaise. Enfin, pan droit jusqu'à l'avant-scène, avec porte au milieu. A droite de la scène, un peu au fond, de façon à conserver libre de tout obstacle l'espace qui sépare le pied gauche du lit de la porte de droite premier plan, une table-bureau placée de biais ; adossé à la table et à sa gauche, un canapé ; à droite de la table, un fauteuil de bureau. Au-dessus de la table de nuit, fixée au mur un peu plus haut que la tête du lit, une lampe veilleuse en forme de potence et éclairée à l'électricité. Cette lampe est actionnée directement par un commutateur fixé au mur un peu au-dessus et à droite de la table de nuit, et par une poire qui pend à la tête du lit. Au-dessous du commutateur indiqué plus haut, un bouton de sonnette électrique fonctionnant directement, et au-dessous, enfin, de ce bouton, autre commutateur actionnant censément le lustre de bronze qui pend au milieu de la pièce. A droite de la cheminée, à proximité de la porte, un cache-pot monté ou posé sur pied (dans ce cache-pot, mettre un peu d'eau). Sur la console du fond, un chapeau de femme et un masque grotesque à mâchoire mobile. Sur la table-bureau, un bougeoir, un buvard, un classeur et ce qu'il faut pour écrire. Sur le fauteuil de bureau, une robe de soirée très élégante. Sur la table de nuit, une bouteille de champagne vide.

SCÈNE PREMIÈRE

MARCEL, couché, CHARLOTTE, puis AMÉLIE

Au lever du rideau, la scène est presque dans l'obscurité ; seule la veilleuse allumée au-dessus du lit éclaire la chambre faiblement. Marcel dort à poings fermés. – Un temps. – La porte du vestibule s'ouvre. Charlotte entre, apportant le déjeuner du matin sur un plateau.

CHARLOTTE, *va au bureau sur lequel elle dépose son plateau, puis gagnant vers le lit.* – M'sieur ! (*Marcel ne répond pas. – Un temps. – Élevant légèrement la voix.*) M'sieur ! (*Nouveau temps.*) Eh !... M'sieur !...

MARCEL, *dormant étendu sur le côté gauche. Sans se réveiller.* – Hoong !

CHARLOTTE. – Il est midi trente-cinq !

MARCEL, *de même.* – Hoong !

CHARLOTTE, *criant plus fort et scandant chaque syllabe.* – il-est-mi-di-trent'-cinq !

MARCEL, *qui, tout endormi, s'est mis à moitié sur son séant, paraît recueillir ses esprits, puis.* – Je m'en fous !...

Il se retourne avec humeur.

CHARLOTTE. *avec jovialité.* – Ah ?... Oh ! à ce compte-là, moi aussi !... (*haut, revenant à la charge.*) J'apporte le chocolat. (*Pas de réponse. Un temps.*) Le cho-co-lat !

MARCEL, *furieux et bourru se retournant vers elle.* – Enfin, quoi ?... Qu'est-ce que vous voulez ?

CHARLOTTE, *sans se décontenancer.* – Le cho-co-laaat !

MARCEL, *furieux.* – J'en ai pas !... Fichez-moi la paix !

Il se renfonce sous sa couverture.

CHARLOTTE. – Ah ?... Bon !

MARCEL, *relevant la tête.* Quelle heure est-il ?

CHARLOTTE. – Il est midi trente-cinq.

MARCEL. – Eh ! bien, je m'en fous !

Il se renfonce sous sa couverture.

CHARLOTTE. – Oui ! j' sais !... M'sieur me l'a déjà dit !... Seulement, alors, pour quelle heure faut-il faire le déjeuner ?

Il se retourne avec humeur.

MARCEL. – Pour huit heures ! Zut !

CHARLOTTE. – Bien, m'sieur ! (*Fausse sortie.*) Je ferai seulement remarquer à Monsieur....

MARCEL, *excédé.* – Oh !

CHARLOTTE. – ... que c'est lui, en me prenant à son service, hier matin, qui m'a donné l'ordre de le réveiller tous les jours à neuf heures !...

MARCEL, *se mettant à moitié sur son séant.* – Eh ! bien, il est midi trente-cinq ! Il y a encore huit heure vingt-cinq !

CHARLOTTE. – Ah ? bon ! Je ne savais pas que c'était neuf heures du soir !

MARCEL. – La barbe !

Il se laisse tomber sur le dos, la tête presque au milieu du lit, le bras droit étendu sur l'oreiller qui fait pendant à celui qui est sous sa tête.

CHARLOTTE. – Oui, m'sieur !

Elle sort. – Un grand temps. – Marcel essaie de se rendormir. La position ne lui convenant pas, il se retourne sur le côté droit. – Un temps. – Il se tourne sur le côté gauche. – Un temps. – Il se relève sur le coude gauche et flanque deux bons coups de poing dans son oreiller pour le redresser, y replonge sa tête. – Un temps.

MARCEL, *brusquement se remettant sur son séant.* – Je la ficherai à la porte, moi, cette bonne !... ça lui apprendra à me réveiller... (*Il retourne son oreiller.*) quand elle voit que je dors !... (*Il baîlle.*) Ah ! que je suis fatigué !... (*Après réflexion.*) Tout de même, il est midi !... Et midi, c'est une heure !... (*Comme se répondant à lui-même.*) Non, midi, c'est pas une heure ; c'est midi !... Ah ! je ne sais plus ce que je dis !... je dors à moitié ! Et dire... (*Il baîlle.*) Et dire que si Paris était aux antipodes, il serait seulement minuit !... Je pourrais dormir encore sept heures, et je passerais pour un homme matinal !... Quel est l'idiot contrariant qui a fichu Paris de ce côté-ci du globe ?... (*Sortant ses jambes du lit.*) C'est égal ! y a pas, il faut que je me lève !... (*Il descend du lit ; il est en chemise de nuit et pieds nus.*) Mes chaussettes ! Qu'est-ce que j'ai fait de mes chaussettes ?... Ah ! les voilà ! (*Tout en passant ses chaussettes puis ses pantoufles, tout cela sans s'asseoir ; adossé seulement contre le pied du lit.*) Midi et demi !... J'ai un rendez-vous à onze heures !... Si je veux y être... ! Je sais bien que c'est avec un créancier !... et, un créancier, ça peut attendre !... Il attend depuis six mois, il attendra bien une heure de plus... D'autant que je compte ne rien lui donner !... alors !... il le saura bien assez tôt !... (*Avec effort.*) Allons, du courage ! (*Tout en parlant, il s'est dirigé vers la fenêtre aux rideaux de laquelle il passe les embrasses – pleine lumière au dehors – projection de soleil sur le lit.*) Oh ! Comme il fait déjà jour !... à midi et demi !... (*Repassant devant le lit.*) Eh bien ?... Et la bonne ? Qu'est-ce qu'elle fait, la bonne ?... Qu'est-ce qu'elle attend pour m'apporter mon chocolat ? (*Il va sonner au bouton électrique. Peu à peu, le doigt sur la sonnette, il s'endort debout, tandis que le carillon continue longuement. Soudain il perd à moitié l'équilibre. Se réveillant.*) Quel est l'animal qui sonne comme ça ? (*Revenant à la réalité.*) Eh ! je suis bête ! c'est moi ! Brrrou ; nom d'un chien ! qu'il fait froid !... Ah ! et puis zut (*Retirant ses pantoufles.*) Je déjeunerai dans mon lit... et je me lèverai après !... (*Il se refourre dans son lit avec ses chaussettes. Au moment d'enfoncer ses jambes, il sent un obstacle qui l'arrête.*) Hein ?... Eh ! ben, qu'est-ce que c'est que ça ? (*Il ramène ses jambes à lui pour les renfoncer de nouveau.*) Mais qu'est-ce que c'est que ça ?... (*Même jeu.*) Enfin, qu'est-ce qu'il y a donc ? (*Intrigué, il se met à genoux sur le lit, rejette les couvertures et ne peut réprimer un cri en apercevant Amélie qui, ayant glissé vers le pied du lit, dort du sommeil du juste.*) Ah ! (*La saisissant par le poignet et la redressant tout endormie sur son séant.*) Amélie !

AMÉLIE, *endormie.* – Brrou !... J'ai froid.

MARCEL. – Amélie ! C'est Amélie !

AMÉLIE, *endormie.* – Hoong !

MARCEL, *la secouant.* – Comment es-tu là ?

AMÉLIE, *gonflée de sommeil.* – Hein ?... Ah ! Zut !

MARCEL. – Mais non ! mais non ! Il ne s'agit pas de dormir ! Amélie !... Amélie !... (*Entendant Charlotte qui ouvre la porte.*) Non ! bouge pas !...

Il lui lâche le poignet, elle retombe sur le dos ; il n'a que le temps de lui coller sur la figure un des oreillers sur lequel il s'accoude aussitôt en essayant de prendre un air dégagé.

CHARLOTTE. – C'est monsieur qui a sonné ?

MARCEL. – Oui ! Foutez-moi le camp !

CHARLOTTE. – C'est pour ça que monsieur a sonné ?

MARCEL. – Allez-vous me foutre le camp, n... de D... !

CHARLOTTE, *s'esquivant.* – Quel drôle de service !

Elle disparaît.

MARCEL, *se remettant à genoux sur le lit, et après avoir enlevé l'oreiller, secouant Amélie.* – Vite, Amélie !... Amélie !... Au nom du ciel !

AMÉLIE, *endormie.* – Hoong !

MARCEL. – Mais réveille-toi ! Nom d'une brique !

AMÉLIE, *à moitié endormie.* – Qu'est-ce qu'il y a ? Quoi ?

MARCEL. – Amélie, nom de nom !

AMÉLIE, *ouvrant les yeux.* – Hein ?... Ah !... Tiens ! Marcel !

MARCEL. – Eh ! Oui, Marcel !... Oui, Marcel !

AMÉLIE, *à genoux sur le lit.* – Ah !... Comment es-tu là, toi ?

MARCEL. – C'est toi !... C'est toi à qui je le demande ?

AMÉLIE, *abrutie.* – Quoi ?

MARCEL. – Qu'est-ce que tu fais chez moi ? Dans mon lit ? Avec une chemise de nuit à moi ?

AMÉLIE. – Je suis chez toi ?... Tiens, c'est vrai ! Comment que ça se fait ?

MARCEL. – Mais c'est ce que je te demande, cré nom !...

AMÉLIE, *comme saisie d'un pressentiment.* – Est-ce que... ?

MARCEL. – Quoi ?

AMÉLIE. – Est-ce qu'on aurait couché ensemble ?

MARCEL. – Eh ! Cochon de sort ! Ça m'en a tout l'air !... C'est pas une farce que tu m'as faite ?... Non ?... Tu n'es pas venue tout à l'heure ?

AMÉLIE. – Mais non !

MARCEL, *descendant du lit et, pendant ce qui suit, passant le pantalon de son pyjama.* – Alors, y a pas ! On a bel et bien couché ensemble !

AMÉLIE. – Mais oui !

MARCEL. – Mais c'est épouvantable !... C'est un abus de confiance ! Je t'ai reçue en dépôt !

AMÉLIE, *se remontant de façon à s'asseoir sur les oreillers.* Eh ! bien, mon colon... !

MARCEL. – Mais qu'est-ce que je dirai, moi, à Étienne, quand il me le demandera ?

AMÉLIE, *vivement.* – Oh ! mais, tu ne lui diras pas !

MARCEL. – Je sais bien ! mais ce sera un poids d'autant plus lourd pour ma conscience !... Au moins, en avouant tout...

AMÉLIE. – Tu ferais de la peine à Étienne !

MARCEL. – Oui, mais elle serait soulagée !

AMÉLIE. – Qui ?

MARCEL. – Ma conscience !... Oh ! Comment avons-nous fait ça !

AMÉLIE. – Mais je ne sais pas ! Je ne me rappelle pas !

MARCEL, *debout au pied du lit et tout en mettant ses brodequins.* – Étienne ! mon meilleur ami ! Lui qui m'avait si affectueusement dit en partant : « Occupe-toi d'Amélie ! Je te la confie !... parce qu'avec toi, au moins, je suis sûr d'elle !... »

AMÉLIE. – Oui !... ce qui, d'ailleurs, est un peu mufle !... Ça prouve qu'il n'avait pas grande confiance en moi !

MARCEL. – Et comme il avait raison !

AMÉLIE. – Je ne te dis pas ! Mais ce n'était pas lui à le prévoir. Cela me justifie jusqu'à un certain point !

MARCEL. – Toi, peut-être ! mais pas moi ! Ah ! pourquoi est-il mon meilleur ami ?... (*S'asseyant sur le lit près d'Amélie.*) Car enfin, il ne serait pas mon meilleur ami, regarde comme ce serait simple ; je ne serais plus qu'un monsieur qui a passé une nuit avec une dame... et ça, ça se voit tous les jours !...

AMÉLIE. – Sans compter qu'on ne l'aurait pas passée ensemble, la nuit !

MARCEL. – Ah ?

AMÉLIE. – Car, n'étant pas le meilleur ami d'Étienne, il ne t'aurait pas dit : « Occupe-toi d'Amélie !... »

MARCEL. – Mais oui !... (*Changement de physionomie.*) Mais alors... ! (*Descendant du lit.*) au fond, c'est sa faute, tout ça !

AMÉLIE. – Mais absolument ! Est-ce qu'on confie sa maîtresse, quand elle est jolie et jeune, à un monsieur...

MARCEL. – Jeune et joli !...

AMÉLIE, *avec une moue.* Enfin... pas mal !...

MARCEL. – C'est ce que je voulais dire ! Et il aurait le droit de se plaindre ?... Allons donc !...

AMÉLIE. – Un homme qui te dit : « Surveille-la ! »

MARCEL. – Ah ! Non !...

AMÉLIE. – C'est dégoûtant !

MARCEL. – Non, non !... Il faut être juste ! il m'a dit : « Occupe-toi d'Amélie ! », il ne m'a pas dit : « Surveille-la ! »

AMÉLIE. – Oui, mais il t'a dit : « Avec toi, au moins, je suis sûr d'elle !... » Ce qui revient au même ! Oh ! je me vengerai !

MARCEL, *montrant le lit.* – Oh !... Ça y est !... Ah ! et puis zut, aussi ! Est-ce que j'ai une gueule de tuteur !... Pour qui me prend-il ?... Pour un eunuque ?... Est-ce qu'il s'imagine que je n'ai pas un tempérament tout aussi bien que lui ?... Est-ce qu'il n'a pas couché avec toi, lui ?...

AMÉLIE. – Tout le temps !

MARCEL, *redescendant jusqu'au pied du lit.* – Eh ! ben, alors ?

AMÉLIE, *comme lui.* – Eh ben, alors ?

MARCEL, *adossé au pied du lit.* – Pffu !

AMÉLIE. – Pffu !

Ils restent un instant silencieux et préoccupés. Marcel, après quelques hésitations, tourne la tête vers Amélie qui le regarde en hochant la sienne ; Marcel, ennuyé, retourne la tête. Répétition du même jeu de la part de Marcel. Amélie répond par une petit moue et en faisant proutter ses lèvres.

MARCEL. – Oui, oh ! tout de même, c'est dégoûtant !...

AMÉLIE, *hochant la tête.* – Oui.

MARCEL– *gagnant la droite.* – On a beau se donner de bonnes raisons, tout ça n'excuse pas... ! (*Remontant vers Amélie.*) Un homme qui m'a donné un témoignage absolu de confiance ! qui m'a dit...

AMÉLIE. – ... « Occupe-toi d'Amélie !... »

MARCEL. – Oui !... Oh ! Comment avons-nous pu en arriver là ? Sans même nous en rendre compte !

AMÉLIE. – Y a de ces choses, dans la vie !...

MARCEL, *s'asseyant (2) sur le lit près d'Amélie.* – Voyons, hier... hier soir, qu'est-ce qu'on a fait ?

AMÉLIE. – Comment, « Ce qu'on a fait » ? Eh bien, on a été à la foire de Montmartre avec les copains : Bibichon et la bande.

MARCEL. – Oui... Ça, c'est net dans ma mémoire...

AMÉLIE. – On a monté sur les cochons.

MARCEL. – Ah ! oui, les cochons ! ce qu'ils m'ont fichu le mal de mer ! ah ! cochons de cochons !

AMÉLIE. – Et on a lancé des serpentins !

MARCEL. – Comme tout *foireman* qui se respecte.

AMÉLIE. – Puis, on s'est baladé en faisant du chahut avec des masques en carton !...

MARCEL. – C'est idiot !... Et on a rigolé à faire peur aux gens, en les poursuivant avec des allumettes-feu d'artifice !

AMÉLIE, *riant et imitant les allumettes-feu d'artifice.* – Oui ! pschiii !

MARCEL.– Ah ! Ça te fait rire ! C'est stupide ! Non, faut-il en avoir une couche !... le soir !

AMÉLIE. – Après quoi, on a soupé à L'Abbaye de Thélème ; après quoi on a resoupé au Rat mort ; après quoi, on est allé boire du champagne au Pigalle...

MARCEL. – Après quoi, pour les kummels à la glace, on est allé au Royal [17].

AMÉLIE. – Après quoi... ! après quoi... ! Ça devient plus

vague... J'entrevois des bars, des lumières ! et encore du champagne !...

MARCEL. – On commençait à être un peu bu !...

AMÉLIE. – Plus que bu, oui !... Tout ça m'apparaît à travers un brouillard ! et, quand on est parti, on s'est aperçu que la terre tournait.

MARCEL, *quittant le lit, mais restant à proximité.* – Comme quoi, il faut être pochard pour constater les lois de la nature !

AMÉLIE. – Alors, je t'ai dit : « Ça va pas ! Je ne pourrai jamais monter mon escalier dans cet état ! »

MARCEL, *navré.* – Oui !... Et moi, je t'ai répondu : « Passons chez moi... J'offre l'ammoniaque !... »

AMÉLIE. – L'ammoniaque, oui !

MARCEL. – Oh ! parole imprudente !

AMÉLIE. – D'autant que tu n'as jamais pu le trouver, l'ammoniaque !...

MARCEL. – Jamais !

AMÉLIE. – ... et qu'on l'a remplacé par du champagne !

MARCEL, *tristement, prenant machinalement la bouteille vide sur la table de nuit.* – Ce qui n'a pas dû produire le même effet.

Il va s'affaler sur le canapé, la tête basse, les deux coudes sur les genoux, sa bouteille entre les jambes, tenue par le goulot.

AMÉLIE. – Non ! Car après ça, plus rien ! L'obscurité noire !

MARCEL, *qui a fait culbuter sa bouteille entre ses mains, la tenant dès lors le goulot vers la terre.* – *Le néant !...* (*Répétant tristement en balançant mollement la bouteille, goulot en bas.*) le néant !... (*Relevant la tête.*) Mais alors... le reste ?... Le reste ?...

AMÉLIE. – Quel... reste ?

MARCEL, *se levant et allant déposer la bouteille sur la table de nuit.* – Comment ! quel reste ? Mais le reste !... (*Saisissant Amélie par les poignets.*) Enfin cette nuit... là... tout les deux... est-ce... qu'on a ?... ou... est-ce qu'on n'a pas ?

AMÉLIE, *les yeux dans les yeux, et après un léger temps* – Ensemble ?

MARCEL, *haletant.* – Oui !...

AMÉLIE, *hésite un instant, puis ouvrant de grand bras.* – Ah !...

MARCEL, *Dans un recul qui l'éloigne du lit.* – Comment

« Ah » !... C'est pas possible ! Voyons, tu ne te rappelles pas ?

AMÉLIE. – Rien du tout.

MARCEL. – C'est trop fort !

AMÉLIE. – Eh ! bien, et toi ?

MARCEL. – Mais moi non plus !

AMÉLIE. – Eh ben ! alors ?

MARCEL. – Ah ! mais, c'est que tout est là : avoir ou n'avoir pas !... comme dit Shakespeare ! Il est évident, parbleu, que si on n'a été que frère et sœur... ! Mais voilà !... l'a-t-on été ?

AMÉLIE, *indiquant le ciel de la tête.* – Dieu seul le sait !

MARCEL, *au pied du lit.* – Et je le connais !... il ne nous le dira pas !

AMÉLIE. – Non !

MARCEL. – Enfin, n'importe ! Avant tout, l'essentiel est qu'Étienne fasse comme nous : qu'il ignore !

AMÉLIE. – Et comme c'est pas nous qui irons lui dire...

MARCEL. – Par conséquent, il n'y a rien de fait !

AMÉLIE. – Y a rien de fait !...

MARCEL, *redescendant à l'avant-scène.* – Voilà ! y a rien de fait !

AMÉLIE. – Ah ! ce pauvre Étienne !

MARCEL. – On se met martel en tête et, puis somme toute, y a rien de fait !

AMÉLIE, *qui s'est renfoncée sous les couvertures, laissant tomber sa tête sur l'oreiller.* – Non, ce que j'ai la flemme !

MARCEL. – Ah ! non ! non !... C'est pas le moment !... Tu vas te lever hein ?

AMÉLIE. – Oh ! déjà !

MARCEL. – Oui, déjà, je te crois, déjà ! je vais te porter tes vêtements dans le cabinet de toilette, et tu iras t'habiller par là ! Allez, grouille, grouille !

AMÉLIE. – Oh ! grouille, grouille !

MARCEL. – Oui, grouille, grouille ! Ta robe ! où est ta robe ?

AMÉLIE. – Est-ce que je sais, moi ?

MARCEL. – Allez, debout !... debout-debout-debout !

AMÉLIE, *obéissant, et tout en rejetant ses couvertures.* – Oh ! que c'est embêtant !... (*Poussant un cri de surprise.*) Ah !

MARCEL. – Quoi !

AMÉLIE, *bien naïvement.* – J'ai couché avec mes bottines !

Elle se tord, en se laissant tomber sur le dos et en agitant en l'air ses pieds chaussés.

MARCEL, *peu disposé à plaisanter.* – Oh ! que c'est drôle !... Mais ris pas, voyons ! ris pas !

AMÉLIE. – J'ris pas, mon vieux ; je suis épatée.

MARCEL, *tout en cherchant des yeux la robe d'Amélie.* – Si c'est permis... ! Enfin, ta robe ? où as-tu fourré ta robe ?

AMÉLIE. – Mais j'sais pas, j' te dis !

MARCEL, *trouvant le chapeau sur la console du fond.* – Ah ben ! tiens v'là déjà ton chapeau... Ah ! et ton masque d'hier qui est resté accroché après.

AMÉLIE. – Non ?

MARCEL. – Tiens ! vois ! (*Il met le masque sur sa figure et le chapeau d'Amélie sur sa tête. Il descend ainsi à l'avant-scène en faisant avec son menton mouvoir les mâchoires articulées du masque. Amélie rit. Apercevant la robe sur la table.*) Ah ! ta robe !... sur la table !

AMÉLIE. – Sur la table ?

MARCEL, *toujours le masque sur la figure, mettant le chapeau d'Amélie sous son aisselle gauche.* – Alors, tu trouves qu'une table, c'est un endroit pour mettre une robe, toi ?

AMÉLIE. – Oh ! mon chapeau !

MARCEL, *retirant vivement le chapeau.* – Je te demande pardon.

Il le passe sous son autre bras.

AMÉLIE. – Marcel ! Marcel ! mon chapeau !

MARCEL, *reprenant le chapeau à la main.* – Ah ! t'as de l'ordre, toi ! (*Il prend la robe des plis de laquelle tombe une petite boîte longue.*) Qu'est-ce que c'est que ça ? (*Il ramasse.*) Ah ! la boîte d'allumettes-feu d'artifice ! Quel fourbi, mon Dieu, quel fourbi !... (*A Amélie.*) Allez ! houste ! grouille-grouille ! (*S'empêtrant les pieds dans la robe en s'en allant. – Furieux.*) Allez ! voyons donc !

Il sort droite premier plan.

SCÈNE II

AMÉLIE, puis CHARLOTTE, puis MARCEL.

AMÉLIE. – Grouille-grouille ! il est bon, lui ! J'ai aucune

envie de grouille-grouiller. (*Sortant les jambes du lit.*) Ah ! j'ai les jambes en coton ! (*Sautant hors du lit.*) Allons, un peu de courage !... (*Passant devant le lit.*) Où est mon jupon ?... (*A ce moment entre Charlotte qui descend carrément en scène.*) Oh !

CHARLOTTE. – Oh !... Pardon !

AMÉLIE, *troublée.* – C'est moi !... Je... je venais...

CHARLOTTE, *aussi gênée qu'elle.* – C'est... c'est M. Courbois que madame attend ?

AMÉLIE. – Hein ? Oui... oui, précisément !

CHARLOTTE. – Je ne sais pas si monsieur est visible ; je vais m'en assurer.

AMÉLIE, *passant au n° 2 devant Charlotte, ceci en relevant légèrement sa chemise comme une Parisienne qui se retrousse pour trotter dans la rue.* – Oh ! bien non, ne le dérangez pas, je repasserai, mademoiselle !... Je repasserai !

MARCEL, *rentrant en coup de vent.* – Là, maintenant, si tu... (*Apercevant Charlotte et passant vivement au 2 entre Amélie et Charlotte.*) Ah !... Eh bien ! qu'est-ce que vous faites-là, vous ?

CHARLOTTE. – C'est... c'est madame, qui...

MARCEL. – Madame ?

CHARLOTTE. – ... qui demandait si monsieur était chez lui !...

MARCEL, *tandis qu'Amélie, riant sous cape, se colle malicieusement à lui, dos contre dos.* – C'est encore vous !... Voulez-vous me fiche le camp !... Qui est-ce qui vous a permis d'entrer ?...

CHARLOTTE, *lui présentant un paquet de journaux et de lettres.* – C'est le courrier que le concierge vient d'apporter.

MARCEL. – Eh bien ! est-ce que c'est une raison pour entrer comme dans un café ? Allons, donnez-moi ça !...

Il lui arrache le courrier avec humeur.

CHARLOTTE, *présentant une boîte de papier à lettres et une pelote de ficelle assez volumineuse.* – Et puis voilà le papier à lettres !... et la pelote de ficelle qu'hier monsieur m'a dit d'acheter.

MARCEL. – Eh bien ? Vous ne pouvez pas poser ça sur la table de nuit ? Vous ne voyez pas que j'ai les mains embarrassées ?

CHARLOTTE, *allant déposer les objets sur la table de nuit.* – Oui, monsieur.

MARCEL, *la suivant, tandis qu'Amélie passe à l'extrême gauche.* – Et emportez la bouteille de champagne !

CHARLOTTE. – Oui, monsieur.

MARCEL, *redescendant.* – Espèce d'oie !

CHARLOTTE. – Oui, monsieur !

Elle sort.

MARCEL, *sur le devant de la scène, et la tête tournée dans la direction de la porte.* – Espèce d'oie !

AMÉLIE, *qui s'est rapprochée de lui sans qu'il l'entende venir. Avec malice.* – Dis donc... ! Je crois qu'elle m'a vue !

Elle éclate de rire et retourne à gauche s'asseoir sur la banquette qui est dans la fenêtre.

MARCEL. – Oui, ah ! C'est malin !... Je vais la flanquer à la porte, moi !

AMÉLIE, *assise.* Pourquoi ?

MARCEL. – Ça lui apprendra... à t'avoir vue !

Il remonte au-dessus de la table et, pendant ce qui suit, se verse une tasse de chocolat.

AMÉLIE. – T'as tort, elle est gentille, ta soubrette.

MARCEL. – Ah ! si tu crois que je l'ai regardée.

AMÉLIE. – Comment s'appelle-t-elle ?

MARCEL. – J'en sais rien ! je ne le lui ai pas demandé.

AMÉLIE. – Comment, tu ne sais même pas le nom de ta bonne ?

MARCEL. – Mais non ! Elle s'est présentée hier matin, je dormais, je l'ai engagée dans l'obscurité... C'est la première fois que je la vois.

AMÉLIE. – Ah ! ben ! si j'étais ta maîtresse, tu sais... ! une bonne comme ça !... elle est bien trop jolie pour un homme seul !

MARCEL, *allant la chercher à la banquette.* – Ah ! tiens, va t'habiller, tu dis des bêtises ! Si tu crois que je suis pour les amours ancillaires ! (*L'entraînant par le poignet.*) Va ! tes frusques sont par là !

AMÉLIE, *se laissant entraîner.* – T'as raison. (*Lui faisant brusquement lâcher prise.*) Ah ! Mais au fait !...

MARCEL. – Quoi ?

AMÉLIE. – C'est idiot, je peux pas la mettre, ma robe !

MARCEL. – Pourquoi ?

AMÉLIE. – Mais parce que ! C'est une toilette du soir, décolletée et toute pailletée. Je ne me vois pas rentrant dans cette tenue en plein midi.

MARCEL, *la reprenant par le poignet.* – Eh ! ben, tu prendras le Métro.

AMÉLIE, *dégageant à nouveau son poignet.* – Mais non ! mais non ! rien que pour mon concierge !... et pour moi-même, c'est ridicule !... Non, je vais écrire un mot à papa, pour qu'il m'apporte un costume tailleur ; tu feras porter la lettre par ta bonne ! Maintenant qu'elle m'a vue, il n'y a plus à se cacher.

MARCEL, *haussant les épaules.* – Comme tu voudras !... Mais ce que tu perds un temps !

Il remonte près de la table de nuit, tandis qu'Amélie va s'installer à la table-bureau, se disposant à écrire.

AMÉLIE, *bousculant tous les objets qui sont sur la table pour quelque chose qu'elle cherche.* – Là ! voyons...

MARCEL, *qui la voit, avec inquiétude, bousculer ses affaires.* – Oh ! là ! Oh ! là ! Quoi ? Qu'est-ce que tu veux, mon petit ! demande-moi ! demande-moi !

AMÉLIE. – Du papier !

MARCEL. – Oui, eh ! bien, ne casse pas tout pour ça !

AMÉLIE, *presque crié.* – Du papier !

MARCEL, *allant chercher la boîte de papier à lettres.* – Eh bien ! oui, voilà, voilà !

AMÉLIE. – Allez ! grouille-grouille !

MARCEL, *maugréant.* « Grouille-grouille » ! En voilà des expressions !

AMÉLIE. – Je te ferai remarquer que c'est toi qui, tout à l'heure...

MARCEL. – Oui, c'est bon ! Tiens ! attrape.

Il lui jette la boîte de papier à lettres.

AMÉLIE. – Merci !

Prononcer « Berci ».

MARCEL, *maussade.* – Ah ! « Bercy » ! Charenton, oui !

AMÉLIE, *écrivant en articulant à mesure ce qu'elle écrit.* – « Petit père ! je suis rue Cambon, chez Courbois, qui m'a logée cette nuit. Viens me prendre et apporte-moi un cos... (*Elle prend de l'encre.*) tume tailleur. Je t'embrasse, Amélie. »

MARCEL, *qui pendant ce qui précède, au-dessus de la table, à proximité d'Amélie, est en train de dépouiller son courrier, jetant par hasard un œil sur ce qu'écrit Amélie.* – Pas d'*h*.

AMÉLIE. – Quoi ?

MARCEL. – Pas d'*h*, à tailleur.

AMÉLIE. – Ah ?... Oh ! Ça fait rien ! C'est pour papa.

MARCEL. – Ah ? bon !... bon bon ! moi ce que j'en faisais

c'était pour tailleur !

Il va s'asseoir sur le canapé contre la table.

AMÉLIE, *prenant une enveloppe.* – L'adresse, à présent : « Monsieur Pochet... »

MARCEL, *qui a décacheté une nouvelle lettre après y avoir jeté les yeux.* – Ah !

AMÉLIE, *écrivant.* – ...« Rue de Rivoli... » Qu'est-ce qu'il y a ?

MARCEL. – Ah ! nom de nom !

AMÉLIE. – Mais quoi ?

MARCEL. – Le parrain ! le parrain qui rapplique à Paris !

AMÉLIE. – Qui ? Van Putzeboum ?

MARCEL. – Oui ! Ah ! cochon de sort ! Mais qu'est-ce qu'il vient faire ? Il était si bien parti pour ne plus revenir !

AMÉLIE. – Nous allons encore l'avoir sur le dos ?

MARCEL. – Mais oui ! Tiens, v'là la lettre : (*Lisant.*) « Écoute, filske !... » (*Parlé.*) Parce qu'il est d'Anvers. (*Lisant.*) « Écoute filske !... » (*Parlé.*) Il habite la Hollande...

AMÉLIE, *finissant pour lui.* – Mais il est d'Anvers.

MARCEL. – Ah ! ah ! tu sais ?

AMÉLIE. – Oui... oui, je sais !

MARCEL, *lisant.* – « Écoute, filske, je te fais la surprise. Je suis à Paris depuis ce matin ; j'espère que je vais savoir te voir cet après-midi. Ton parrain qui t'aime. » (*Se levant et gagnant jusqu'au pied du lit – entre chair et cuir :*) Cochon, va !... Ah ! elle est jolie la surprise !

Il revient vers le canapé.

AMÉLIE. – Ah ! oui !

MARCEL. – « Post-scriptum : « Nous te faut... » (*Parlé.*) Quoi ? (*Lisant.*) « Nous te faut... » ? (*A Amélie.*) Qu'est-ce que tu lis là ?

AMÉLIE, *lisant par-dessus l'épaule de Marcel.* – « Nous te faut... »

MARCEL. – Nous te faut, oui !

AMÉLIE et MARCEL, *lisant ensemble.* – « Nous te faut dîner ce soir avec ta fiancée et son père, M. d'Avranches. »

MARCEL, *regagnant vers le lit.* – Ah ! ça va bien. (*A Amélie.*) Nous te faut dîner avec lui ce soir !

AMÉLIE. – Ce soir ! Mais je ne peux pas.

MARCEL. – Ah ! y a pas ! Nous te faut, nous te faut !

AMÉLIE. – Mais ce soir je dîne avec...

MARCEL. – Ça m'est égal ! Décommande-toi. Il n'y a pas : « Nous te faut ! nous te faut ! » Ah ! le crampon ! le crampon !

AMÉLIE. – Ah ! oui, alors !... C'est gai d'être obligée de tout chambarder ! Enfin, qu'est-ce que tu veux, je vais écrire. Mais si tu crois que ça m'amuse.

MARCEL, *catégorique.* – Ah ! quoi, mon petit ! Nous te faut !

AMÉLIE, *qui a pris une autre feuille de papier et se dispose à écrire.* Oui, oh ! c'est gai.

MARCEL, *navré, s'affalant sur le pied du lit.* Mais qu'est-ce qu'il vient faire, mon Dieu !... Je croyais si bien en être débarrassé ! il devait partir pour l'Amérique !...

AMÉLIE, *tout en écrivant.* Ah ! bien, c'est peut-être ça !

MARCEL. – Quoi ?

AMÉLIE, *id.* – S'il part pour l'Amérique...

MARCEL. – Eh ben ?

AMÉLIE, *id.* – Il doit s'embarquer au Havre...

MARCEL. – Alors ?

AMÉLIE. – Alors, il est tout naturel qu'il passe par Paris.

Tout en parlant elle a pris une enveloppe et écrit l'adresse.

MARCEL, *fait une moue peu convaincue, puis.* – Enfin ! Dieu t'entende ! (*Changeant de ton.*) Eh bien ?... Ça y est ? (*Amélie, occupée à écrire, ne répond que par un imperceptible signe de la tête. Plus fort.*) Ça y est ? (*Même jeu.*) Ça y est ?

AMÉLIE. – Mais oui, ça y est.

MARCEL, *se levant et gagnant la tête du lit.* – Eh bien ! on le dit !

AMÉLIE. – Eh ! bien, je l'ai dit !

MARCEL. – Toi !

AMÉLIE. – Je l'ai dit de la tête !

MARCEL. – Ah ! « de la tête » !

Il sonne.

AMÉLIE, *qui s'apprête à mettre les deux lettres chacune dans son enveloppe.* – Attends ! c'est pas sec !

MARCEL. – Eh ben ! souffle ! (*Il descend extrême gauche. Amélie souffle alternativement sur les deux enveloppes, qu'elle tient chacune par une main, après quoi, dans chacune d'elles, pendant ce qui suit, elle introduit une des lettres qu'elle vient d'écrire.*) Entrez !

SCÈNE III

LES MÊMES, CHARLOTTE, puis IRENE.

CHARLOTTE, *passant la tête avec circonspection.* On... on peut tout de même ?... Oui ?

MARCEL. – Quoi ?

CHARLOTTE. – Bien que monsieur ait sonné, on peut tout de même entrer ?

MARCEL. – Est-ce que vous vous payez ma tête ?

CHARLOTTE. – Non, monsieur.

MARCEL. – Espèce d'oie !

CHARLOTTE. – Oui, monsieur.

MARCEL. – Allez ! madame a une commission à vous donner.

AMÉLIE, *à Charlotte qui est au-dessus de la table.* – Oui, tenez ma fille ! Ce n'est pas loin... cette lettre à porter à l'hôtel Continental [18]...

CHARLOTTE, *prenant la lettre.* – Oui, madame.

Elle remonte.

AMÉLIE. – Attendez ! attendez ! Et puis cette autre : rue de Rivoli, à côté.

CHARLOTTE. – Ah ?... Ah ben ! alors, c'est pas une commission.

MARCEL. – Comment, c'est pas une commission ?

CHARLOTTE. – C'est... deux commissions !

MARCEL, *a un hochement de tête significatif au public, puis bien contenu.* – Dites donc ! Voulez-vous me foute le camp ?

CHARLOTTE, *obéissant sans empressement.* – Oui, monsieur.

MARCEL, *bondissant vers elle et sur un tout autre ton.* – Voulez-vous me foute le camp ?

CHARLOTTE, *détalant au plus vite.* Oui, monsieur !

MARCEL, *sur le seuil de la porte du fond, parlant à la cantonade.* – Espèce d'oie !

AMÉLIE, *traversant la scène derrière Marcel sans qu'il l'aperçoive.* – Ah ! zut, moi je gèle comme ça !

Elle se recouche dans le lit.

MARCEL, *toujours à la cantonade.* – Vous m'entendez : Espèce d'oie ! (*Il referme la porte et, se dirigeant vers la table où il croit trouver encore Amélie.*) Non, on n'a pas idée, ma chère... (*L'apercevant dans le lit.*) Hein ! Ah non, non ! tu ne vas pas te recoucher !

AMÉLIE. – Oh ! mais, je suis gelée, moi ! et en attendant papa...

MARCEL, *voulant la faire lever.* – Il n'y a pas d'« en attendant papa » ! Allez ! Allez ! Debout !

AMÉLIE. – Oh ! mais voyons...

MARCEL. – Debout-debout-debout !

On sonne.

MARCEL. – Chut ! (*Tous deux restent coi, l'oreille tendue.*) On a sonné.

AMÉLIE. – Oui.

MARCEL, *prêtant l'oreille à la porte.* – Qui est-ce qui vient nous embêter ?

VOIX DE CHARLOTTE. – Mais qui demandez-vous, madame ?

VOIX D'IRÈNE. – Est-ce que monsieur est là ? Oui ?

MARCEL, *bondissant vers le lit.* – Nom d'un chien, Irène !

AMÉLIE. – Quoi ?

MARCEL. – Ma maîtresse, fous le camp !

AMÉLIE, *qui se dispose à descendre du lit.* – Hein ! c'est madame ?

MARCEL, *la poussant par la croupe, ce qui la fait tomber du lit, la tête et les mains en avant.* – Mais fous le camp, n... de D... ! Cache-toi !

AMÉLIE, *tombant la tête en bas.* – Mais où ? Mais où ?

MARCEL, *qui a fait le tour du lit et se dispose à détacher les embrasses des rideaux pour les fermer.* – Mais je ne sais pas ! Là, sous le lit ! Dépêche-toi, sacrebleu !

AMÉLIE, *se disposant à se glisser sous le lit.* – Ah ! bien, je m'en souviendrai de cette matinée !

MARCEL, *lui envoyant deux poussées du plat du pied.* – Mais vas-tu te dépêcher, nom d'un chien !

Il détache les embrasses, les rideaux se ferment (nuit). – Marcel ne fait qu'un bond sur le lit, sur lequel il s'étale de tout son long. A ce moment, on frappe à la porte.

IRÈNE, *passant la tête.* – On peut entrer ?

MARCEL, *comme si on le réveillait en sursaut.* – Qui... ? Qui est là ?

IRÈNE, *entrant.* – *On voit qu'il fait grand jour dans l'antichambre alors que la chambre est dans l'obscurité.* – Oh ! qu'il fait noir !

MARCEL. – Mais qui... qui est là ?

IRÈNE, *tout en refermant la porte.* – Ton cœur ne te le dit pas ?

MARCEL, *d'une voix qu'il veut faire tendre et qui n'est que chevrotante.* – Ohohoh ! Irène !

IRÈNE. – Ah ! Son cœur le lui a dit ! (*S'élançant vers le lit à tâtons.*) Ah ! Chéri !... Mais où es-tu donc ?

MARCEL, *de la même voix chevrotante.* – Mais là ! (*La main d'Irène, dans l'obscurité, vient cogner le visage de Marcel.*) Oh !

IRÈNE. – Oh ! Je t'ai mis le doigt dans l'œil ?

MARCEL. – Non ! c'est ma bouche !

IRÈNE, *avec élan.* – Oh ! mon chéri !

MARCEL. – Oh ! ma Rérène !

Ils s'embrassent.

AMÉLIE, *surgissant à mi-corps du dessous du lit, face au public, comiquement.* – Oh ! ce qu'on est mal là-dessous !

IRÈNE, *se dégageant de l'étreinte de Marcel.* – Mais pourquoi es-tu dans le noir, comme ça ? Attends !

Elle cherche le bouton électrique à tâtons.

MARCEL. – Qu'est-ce que tu cherches ?

IRÈNE, *même jeu.* – Le bouton de l'électricité.

MARCEL. – Oh ! tu veux allumer !

IRÈNE. – Mais oui, c'est triste, ici ! On ne se voit pas ! (*Avec coquetterie.*) et on y perd !... Moi, du moins !

MARCEL, *s'efforçant de se mettre au diapason.* – Oh ! mais moi aussi.

IRÈNE, *même jeu.* – Oh ! tu dis ça, pour ne pas être en reste.

MARCEL, *même jeu.* – Mais non, j'y perds bien plus que toi !

IRÈNE. – Oh ! t'es gentil !

Elle l'embrasse.

AMÉLIE, *sous le lit.* – Non, mais ils n'ont pas fini au-dessus !

IRÈNE. – Enfin ! où est-il donc le bouton ?

MARCEL. – Près du lit, au-dessus de la table.

IRÈNE. – Au-dessus de la table, bon ! (*En tâtonnant, elle fait tomber la pelote de ficelle, qui roule sous le lit*.*) Oh ! qu'est-ce que j'ai fait tomber ? C'est sous le lit ! attends !

Elle se baisse pour ramasser l'objet tombé.

---

* En réalité, elle ne fait pas tomber la pelote ; mais, au contraire, pendant les quelques répliques ci-dessus, elle l'a escamotée et glissée sous le traversin sans que le public s'en aperçoive.

AMÉLIE, *à part.* – Fichtre !

MARCEL, *vivement arrêtant le mouvement d'Irène.* – Laisse donc ! Laisse donc !

IRÈNE. – Mais c'est là... !

MARCEL, *la relevant en la voyant se rebaisser.* – Mais laisse donc, voyons !... Ça n'a pas d'importance !... C'est une pelote de ficelle ! On la ramassera plus tard.

IRÈNE. – Ah ! Et puis, comme tu voudras.

AMÉLIE, *sur un ton blagueur.* – Oh ! c'est dommage ! on aurait reçu une visite !

IRÈNE, *trouvant le bouton qui allume le lustre et non celui de la veilleuse.* – Je le tiens. Ah ! voilà ! (*Elle tourne le commutateur, le lustre s'allume.*) Ah ! à la bonne heure ! on se voit, à présent !

MARCEL, *se faisant un abat-jour de sa main comme quelqu'un que la lumière aveugle.* – Ah ? tu trouves ?

IRÈNE. – Oh ! ça te fait mal aux yeux ?

MARCEL. – C'est parce que je viens de me réveiller, n'est-ce pas ? alors...

IRÈNE. – C'est moi qui t'ai réveillé !... Oh ! je suis désolée !

MARCEL. – Mais non ! non ! mais tu as bien fait ! il est temps de me lever.

Il fait mine de descendre du lit, côté droit.

IRÈNE, *lui repoussant les jambes sur le lit.* – Comment as-tu dit ça ?

MARCEL, *même jeu.* – Oui, tu comprends, n'est-ce pas ?...

IRÈNE, *même jeu.* – Mais rien du tout ! Tu me parles de te lever, quand j'arrive ! Eh ! bien, c'est encore gentil, ça !... Quand je suis là, près de toi, tout heureuse, toute frémissante du désir de toi.

MARCEL. – Hein ?

AMÉLIE, *à part.* – Eh ! bien, mon colon !

IRÈNE, *enlevant son manteau et se préparant à se déshabiller.* – Du tout, du tout ! Tu étais en train de dormir, eh ! bien, on va dormir tous les deux !

MARCEL, *avec un sourire angoissé.* – Aha ?

IRÈNE. – Comme un petit mari et une petite femme !

MARCEL, *même jeu.* – Aha ?

IRÈNE. – T'es pas content ?

Prononcer « cotent ».

MARCEL. – Oh ! Si ! si ! Ah ! ben !

AMÉLIE. – Eh ! ben, on va rigoler là-dessous !

IRÈNE, *grimpant à deux genoux sur le lit.* – Et puis tout,

comme un petit mari et une petite femme !

MARCEL. – Aha ?

AMÉLIE. – Et tout ça sur ma tête ?

IRÈNE, *lui sautant au cou.* – Oh ! mon chéri-chéri !

MARCEL, *s'efforçant d'être au diapason.* – Oh ! ma Réré-Réreine !

AMÉLIE. – Ça y est ! on entame l'ouverture !

MARCEL, *pendant qu'Irène, qui à droite, sur le lit – par conséquent à la gauche de Marcel – l'embrasse dans le côté droit du cou. – A part.* – Ce que c'est gênant de sentir un tiers sous soi, dans ces moments-là !

IRÈNE, *descendant du lit et allant retirer son chapeau sur la table de droite.* – Et maintenant, sois heureux ! J'ai toute ma journée à toi.

AMÉLIE, , *bien largement.* – Hein !

MARCEL, *terrifié.* – Aha ?

AMÉLIE, *à part.* – Il va falloir que je reste toute la journée là-dessous, moi ?

MARCEL. – Toute... toute la journée ?

IRÈNE. – Tu n'as pas l'air ravi.

MARCEL. – Moi ! Ah ben ! ah ! là là !

IRÈNE. – Non, vraiment, écoute ! quand je suis là, près de toi... !

MARCEL. – Tu as raison ! Tiens ! J'ai un bain à prendre ! Viens ! Viens ! dans la salle de bains...

Il fait mine de descendre du lit.

IRÈNE, *lui repoussant les jambes comme précédemment.* – Hein ! mais non ! mais non ! En voilà une idée !

MARCEL, *même jeu.* – Tu ne veux pas venir dans la salle de bains ?

IRÈNE, *même jeu, sur un ton qui ne souffre pas de réplique.* – Mais non !

AMÉLIE, *à part, sur un ton précieusement comique, et la bouche en cul de poule.* – Ah ! ça serait pourtant si bien, si elle allait dans la salle de bains !

IRÈNE, *descendant un peu en scène, ce qui fait s'éclipser Amélie sous le lit.* – Quand on a une bonne chambre, aller dans la salle de bains ! Ah ! non ! non, merci ! (*Revenant à Marcel.*) Tu vas me faire une place dans ton dodo ; et moi, je vais me déshabiller.

Elle va jusqu'à la table et se met à dégrafer son col.

MARCEL, *avec angoisse.* – Aha ?

AMÉLIE, *paraissant à gauche du pied du lit.* – Hein ! ces

femmes honnêtes ! Et ça vous traite de haut en bas !

IRÈNE, *qui se débat contre les difficultés d'un corsage agrafé dans le dos.* – Oh ! cette agrafe !... (*Sautant assise sur le lit et présentant sa nuque à Marcel qui, tout occupé à monologuer en lui-même, semble ne pas l'entendre.*) Tiens, Marcel, veux-tu...? (*Voyant que Marcel ne lui répond pas.*) Marcel ! (*Descendant du lit, puis saisissant Marcel brusquement par le menton et lui faisant ainsi tourner la tête de son côté.*) Non, mais quoi ? Qu'est-ce que tu as ?

MARCEL, *qui immédiatement s'est composé un sourire.* – Hein ?

IRÈNE. – Ça ne te va pas ?

MARCEL. – Oh ! mais si !

Il tend les mains pour défaire l'agrafe.

IRÈNE, *repoussant sa main.* – Non, non ! Tu as l'air de faire une tête ! Ah çà ! dis donc, est-ce que, par hasard, depuis que tu fréquentes mademoiselle d'Avranches... ?

AMÉLIE. – Moi !

MARCEL. – Oh ! quoi ? Quoi ? Qu'est-ce que tu vas t'imaginer ?

IRÈNE. – Ah ! C'est que je suis bonne personne ; j'ai bien voulu me prêter pour ton parrain... ! mais peut-être qu'à jouer comme ça à la fiancée et au fiancé... qui sait ? Il a bien pu arriver que... Ah ! mais c'est que ça ne m'irait pas !

MARCEL. – Oh ! moi, moi ! avec Amélie ! Ah ben ! Ah ! là là, tu ne m'as pas regardé !...

AMÉLIE, *la moitié du corps sortie côté gauche du lit, étendue sur le dos. – Pendant qu'il parle, donnant de la main des petits coups sur le matelas.* – Non, mais dis donc ! Dis donc, là-haut !

IRÈNE. – Ah ! J'espère ! D'ailleurs, ce n'est pas une femme pour toi, cette petite ! Évidemment, elle a une frimousse.

MARCEL, *trop heureux de cette concession, tapotant de sa main droite le matelas, pour attirer l'attention d'Amélie.* – Ah ! ça oui, oui, elle a une frimousse.

AMÉLIE, *le saisissant au poignet et le secouant comiquement de façon à le faire presque tomber du lit.* – Merci, trop aimable !

MARCEL, *luttant pour retrouver son équilibre.* – Aha !... aha !

IRÈNE, *le rattrapant par la jambe.* – Eh bien ! qu'est-ce que tu as ?

MARCEL, *se remettant sur son séant.* – Rien ! Rien !... C'est le matelas qui dégouline !

IRÈNE, *haussant les épaules.* – Oh !

Elle descend un peu en scène. Marcel profite de ce qu'elle lui tourne le dos pour envoyer un coup de plat de pied sur la nuque d'Amélie qui, à ce moment, est à quatre pattes, se disposant à rentrer sous le lit.

AMÉLIE, *que ce choc aplatit par terre.* – Oh !

IRÈNE, *se retournant au cri étouffé d'Amélie.* – Quoi ?

MARCEL, *qui a repris sa position primitive, de l'air le plus naturel.* – Rien, rien ! J'ai fait « oh ! ».

IRÈNE, *revenant à ses moutons.* – Non, mais, qu'est-ce que c'est cette Amélie ! Une ancienne femme de chambre ! Un torchon !

AMÉLIE, *à plat ventre, toujours gauche du lit, les coudes par terre et le menton dans les mains.* – Non, mais entrez donc !

IRÈNE. – ... et vulgaire !... sans race !...

AMÉLIE. – N'en jetez plus, la cour est pleine !...

IRÈNE. – C'est comme ses mains ! Tu n'as pas vu ses mains ?

MARCEL. – Non ! Non, je...

AMÉLIE, *regardant ses mains.* – Quoi ? Qu'est-ce qu'elles ont, mes mains ?

IRÈNE. – C'est une bonne fille, mais pas soignée...

AMÉLIE. – Ah ! mais elle m'embête, madame !

IRÈNE. – Elle s'ondule avec de la vanille, mon cher ! Te figures-tu ça ?

AMÉLIE. – Et je resterais là-dessous pour entendre ça ! Ah ! non, alors !

Elle disparaît sous le lit.

IRÈNE. – Vois-tu, mon chéri, la vraie femme qu'il te faut, c'est moi.

AMÉLIE, *passant la tête face au public, entre les deux pieds du lit.* – Comment donc ! c'est ça !

MARCEL, *voyant Irène qui allume la veilleuse.* – Qu'est-ce que tu fais ?

IRÈNE. – Il y a des moments où je préfère l'obscurité.

La veilleuse étant allumée, elle tourne le bouton qui éteint le lustre (demi-nuit).

AMÉLIE. – Oh ! la pelote de ficelle !... Attends un peu !

Elle disparaît sous le lit et, pendant tout ce qui suit, on la devine qui manigance quelque chose car, sans qu'on la voie, elle, on aperçoit de temps en temps sa main qui manipule le couvre-pied qui pend au pied du lit.

IRÈNE, *sautant joyeusement sur le lit.* – Oh ! Chéri ! Chéri !

MARCEL. – Oh ! Réré-Réreine !

Ils s'embrassent.

IRÈNE, *s'asseyant complètement, les jambes sur le lit, à côté de Marcel.* – On est bien sur ton lit !... Ah ! si tu savais comme j'ai mal dormi cette nuit !

MARCEL, *sainte-nitouche.* – Ah ! pas plus que moi ! J'ai travaillé tard !

IRÈNE. – Moi, j'ai eu des cauchemars !... Figure-toi : je somnolais : j'ai été réveillée en sursaut par une longue forme blanche, qui, à la lueur de la veilleuse, agitait de grands bras... (*Sans transition, l'embrassant.*) Je t'adore.

MARCEL, *pressé de connaître la suite.* – Oui, oui !... C'était quoi ?

IRÈNE. – Mon mari, qui passait sa chemise de nuit ! Crois-tu ? C'est tout simple, mais quand on ne s'attend pas !... Toute la nuit, ça m'a poursuivie ! (*Apercevant le couvre-pied qui dégringole du lit, tiré d'en bas par Amélie.*) Tiens, ton couvre-pied qui est tombé.

MARCEL. – Oui, ça ne fait rien.

IRÈNE. – Et tout le temps, il me semblait voir les objets s'agiter, les meubles marcher... (*Poussant un grand cri en apercevant le couvre-pied sous lequel est cachée Amélie, avancer dans la chambre avec des soubresauts comiques.*) Ah !

Elle ne fait qu'un bond en saut de mouton pardessus le corps de Marcel et se précipite à l'extrême-gauche de la scène, tandis que la couverture animée se dirige par petits soubresauts vers le cabinet de toilette.

IRÈNE, *cri strident et prolongé.* – Aaaah !

MARCEL, *bondissant sur les genoux jusqu'au pied du lit qu'il n'a pas quitté.* – Quoi ? Quoi ? Qu'est-ce qu'il y a ?

IRÈNE, *acculée à l'extrême-gauche.* – Là !... là !... ton couvre-pied qui marche !

MARCEL, *à part, en pouffant sous cape.* – Ah ! chameau d'Amélie, va ! (*Haut, faisant l'innocent.*) Où ça ? Je ne vois rien !

IRÈNE. – Mon Dieu ! C'est mon cauchemar qui me reprend... Oh ! Marcel, j'ai peur !

MARCEL, *qui est allé rejoindre Irène.* – Allons, voyons ! voyons ! pour un couvre-pied qui marche ! mais ça se voit tous les jours. Faut être au-dessus de ça ! Faut être au-dessus de ça !

A ce moment, par la porte du cabinet restée ouverte, on voit le couvre-pied qui revient tout seul et retourne par petits sauts saccadés dans la direction du lit. (Lire l'explication à la fin de l'acte.)

IRÈNE, *cri strident.* – Aaah !

MARCEL, *sursautant.* – Quoi !

IRÈNE. – Là ! Là ! le voilà qui revient !

MARCEL. – Hein !

IRÈNE. – Là ! Là !

MARCEL, *éperdu.* – Mon couvre-pied qui revient tout seul.

Pendant ce temps-là, le couvre-pied s'est rapproché par secousses espacées. Nouvelle secousse.

IRÈNE, *poussant un grand cri et se précipitant sur le lit pour en redescendre aussitôt du côté droit.* – Ah !

MARCEL, *faisant comme elle.* – Allons, voyons ! Allons, voyons ! (*Très troublé.*) Mais du calme..., du calme, quoi !

Irène est au-dessus de la table (2), *Marcel plus bas* (1).

IRÈNE, *voyant Marcel qui, peu rassuré, se dirige cependant avec circonspection vers la couverture. Brusquement et crié.* – Marcel ! Marcel ! N'y va pas !

MARCEL, *bondissant en arrière au cri d'Irène, puis.* – Allons ! Allons ! Qu'est-ce que tu penserais de moi si !... Ce n'est pas au moment du danger qu'un homme se dérobe !

Marcel gagne sur la pointe des pieds vers la couverture.

IRÈNE, *vivement, au moment où Marcel s'en approche.* – Marcel ! Marcel ! prends garde !

MARCEL, *nouveau bond en arrière, puis.* – Ah ! là ! voyons ! (*Comme précédemment, il gagne prudemment vers le couvre-pied. Arrivé auprès, le considère de l'œil, risque un ou deux coups timides de la pointe du pied dans la couverture, puis voyant que rien ne bouge, après un peu d'hésitation, la saisit par un des coins et, triomphant, la ramène en courant vers Irène qui, pendant ce jeu de scène, est descendue à l'avant-scène droite, à distance respectable de Marcel.*) Là !... tu vois ! petite peureuse !

IRÈNE, *avec admiration.* – Ah ! Tu en as du courage, toi !

MARCEL, *avec panache, le bras tendu tenant haut la couverture.* – Un homme ne recule pas, même devant un couvre-pied !

A ce moment, d'une secousse brusque, le couvre-pied lui est arraché des mains et va rejoindre le pied du lit.

TOUS DEUX, *poussant un même cri de terreur.* – Ah !

IRÈNE, *courant en tous sens, affolée.* – Ah ! mon Dieu ! Au secours ! Au secours !

MARCEL, *gagné par la contagion de la peur.* – Mais ne crie donc pas ainsi à la fin ! Ça finirait par me gagner !

IRÈNE, *même jeu, et courant prendre son chapeau sur la table.* – La couverture est enchantée ! Je ne veux pas rester une minute de plus !

MARCEL. – Mais ne crie donc pas comme ça ! Ne crie donc pas comme ça !

Affolée, Irène se précipite vers le cabinet de toilette quand, à ce moment, en surgit Amélie, telle un gnome monstrueux, revêtue d'un peignoir de bain dont elle a le capuchon sur la tête, la figure recouverte du masque déjà vu, et agitant dans chaque main une allumette-feu d'artifice enflammée. Elle se fait toute petite en marchant et avance ainsi par petits pas rapides et déhanchés.

IRÈNE, *rebroussant chemin.* – Ah ! Au secours ! Au secours !

CHARLOTTE, *entrant à ce moment.* – Qu'est-ce qu'il y a ? Qu'est-ce qu'il y a ?... (*Poussant un cri.*) Ah ! Au secours ! Au secours !

Les deux femmes se précipitent dehors.

MARCEL, *aussi affolé qu'elles.* – Mais taisez-vous donc ! Mais taisez-vous donc !

Il s'est réfugié entre le lit et la fenêtre, littéralement hypnotisé par l'apparition qu'il a devant lui. Voyant sa terreur, et pour s'en amuser, Amélie va se camper devant lui, mais de l'autre côté du lit. Marcel redescend vivement vers le pied du lit comme pour traverser la scène. Amélie redescend également.

Marcel remonte vers la tête du lit, saisit un des oreillers, le lance à Amélie et court grimper sur la banquette qui est sous la fenêtre, tout en s'enveloppant le corps dans le rideau. Amélie, se tordant de rire, va jeter ses allumettes dans le vase près de la porte du cabinet de toilette, lance dans le cabinet de toilette masque et peignoir, puis :

AMÉLIE. – Eh bien ! je crois que c'est mené... ça !

MARCEL, *toujours dans son rideau.* – Hein ! C'est toi ! C'est toi qui nous fiches des venettes [19] pareilles ?...

Il descend de la banquette et met les embrasses au rideau. Grand jour.

AMÉLIE. – Eh ! oui, faut bien que les masques et les allumettes-feu d'artifice servent à quelque chose !

MARCEL, *allant à Amélie.* – Ah ! non, écoute, c'est idiot !... Tu as vu dans quel état tu as mis ces malheureuses femmes ?

AMÉLIE. – Plains-toi, je t'ai sauvé la partie avec madame ; sans cela, elle serait encore là, et tu étais plutôt empêtré !... Elle a eu un peu le trac, hein ? Ah ! bien, ça lui apprendra à me chiner ! Après l'accueil que je lui avais fait chez moi ! Non, « mes mains » ! Mais, qu'est-ce qu'elles ont, mes mains ?

Elle les lui fourre brusquement sous le nez.

MARCEL. – Allons, voyons ? (*Changeant de ton.*) Ah ! parbleu, quand j'ai vu le couvre-pied filer, j'ai bien pensé que tu étais dessous !... Mais, quand je l'ai vu revenir tout seul !... Ah ! ça, par exemple !...

AMÉLIE. – T'as eu la frousse.

MARCEL, *étourdiment.* – Oui !... (*Vivement.*) Hein ! non !... Non mais, enfin, je n'y étais plus ! Je ne... Comment diable as-tu fait ça ?

AMÉLIE. – Oh ! que c'est malin ! Madame m'avait envoyé de la ficelle, n'est-ce pas ? Alors, moi, avec une épingle à cheveux, j'ai relié la corde au couvre-pied, j'ai passé autour du pied du lit... et, une fois dans le cabinet de toilette, aïe donc ! je n'ai eu qu'à tirer pour que le couvre-pied revienne en place.

Elle remonte et va éteindre la veilleuse.

MARCEL, *ramassant le couvre-pied et le remettant sur le lit.* – Ah ! que c'est bête ! Veux-tu que je te dise ? C'est enfantin !

AMÉLIE, *redescendant.* – Ben oui ! C'est l'œuf de pigeon ?

MARCEL, *la regarde, étonné, puis.* – Quel œuf de pigeon ?

AMÉLIE. – Ben, je ne sais pas ! C'est toi qui disais ça l'autre jour !

MARCEL. – Moi ?

AMÉLIE. – Enfin quoi ? Il fallait le trouver.

MARCEL. – Ah ! l'œuf de Colomb, tu veux dire.

AMÉLIE, *remontant vers le lit.* – Oh ! bien, oui, quoi ! Colombe, pigeon, c'est toujours le même animal.

MARCEL. – Le même animal ! Évidemment, évidemment ! (*Répétant en riant sous cape.*) L'œuf de pigeon !

Il gagne la droite.

AMÉLIE, *grimpant sur le lit et se refourrant dedans.* – Voilà comme je suis, moi ! Je suis inventive !

MARCEL. – Ah ! grande gosse, va !... (*Se retournant et apercevant Amélie dans le lit.*) Ah ! non, non, tu ne vas pas te recoucher. Allez ! debout-debout-debout !

AMÉLIE. – Oh ! mais enfin !...

MARCEL. – Allez, deb...

Sonnerie qui les galvanise, – ils se regardent.

AMÉLIE. – On a sonné.

MARCEL. – Oui.

Il va prêter l'oreille à la porte du fond.

SCÈNE IV

LES MÊMES, puis VAN PUTZEBOUM

VOIX DE VAN PUTZEBOUM. – Alleï ! alleï, laissez, puisque je vous dis que je suis le parrain.

MARCEL, *bondissant à la voix de Van Putzeboum.* – Nom d'un chien, le parrain ! Allez ! Fous le camp, n... de D... ! fous le camp.

AMÉLIE. – Mais où ça ?

MARCEL, *la poussant par le bas des reins comme à l'arrivée d'Irène.* – Mais sous le lit, donc !

Il se précipite vers la porte pour écouter.

AMÉLIE, *se rattrapant au moment de tomber du lit sous la poussée de Marcel.* – Ah ! non, zut ! j'en ai assez !

Elle se renfonce dans le lit.

MARCEL, *revenant au lit et y retrouvant Amélie.* – Mais vas-tu fiche le camp ! (*Au même moment on voit tourner le bouton de la porte du fond.*) Non, trop tard !

Marcel n'a que le temps de sauter sur le lit et,

d'un même mouvement, lui et Amélie rabattent le drap sur leur tête. A ce moment précis paraît Van Putzeboum.

VAN PUTZEBOUM, *qui est entré juste à temps pour apercevoir le jeu de couverture, reste un instant bouche bée, puis fait un geste de la tête comme pour dire : « Eh ben ! » puis, au public, avec un geste prometteur de la main.* – Attends un peu, donc !

Il s'approche du lit sur la pointe des pieds, puis, d'un mouvement brusque, découvre Marcel et Amélie.

MARCEL et AMÉLIE, *ensemble et vivement.* – On n'entre pas !

VAN PUTZEBOUM, *ahuri, reconnaissant Amélie.* – Mademoiselle Amélie d'Avranches !

AMÉLIE. – Hein ! oui... oui, je passais.

MARCEL, *à Amélie, comme s'il la rencontrait dans la rue.* – Ah ! Tiens ! c'est vous ! Oh ! comment ça va ?

Il lui tend la main.

AMÉLIE, *lui serrant la main.* – Quelle charmante surprise !

VAN PUTZEBOUM. – Et dans le lit donc, ensemble !

MARCEL. – Oh ! Si on peut dire !...

AMÉLIE. – On passait ! On passait !

VAN PUTZEBOUM, *hochant la tête d'un air moqueur.* – Oui ! oui !... Eh ! bé ! Eh ! bé !

MARCEL. – Quoi ?

VAN PUTZEBOUM. – Ça va bien, pour une fois !

MARCEL. – Mais pas mal, mon parrain ! Vous aussi, je vois !

VAN PUTZEBOUM. – Vous avez eu bon ? Oui ? Oui ?

MARCEL. – Oh ! mon parrain !

VAN PUTZEBOUM, *descendant un peu en scène.* – Ah ! Goldferdeck ! Tu ne l'as pas encore mariée, ta femme, et tu profites déjà sur !

TOUS DEUX. – Hein !

VAN PUTZEBOUM. – Eh ! bé, filske !

MARCEL, *descendant du lit.* – Mon parrain, je vais vous expliquer...

AMÉLIE, *toujours dans le lit.* – Je vous assure, monsieur, que...

VAN PUTZEBOUM, *levant les bras au ciel.* – Hou là ! Mais qu'est-ce que c'est donc ? C'est votre affaire, savez-vous !

MARCEL, *qui a pris la veste de son pyjama et l'a enfilée. Redescendant n° 3.* – Hein ! Oui, je sais bien.

VAN PUTZEBOUM (2). – Ça est comme qui dirait une avance sur titre... Tu touches avant ; ça te regarde ! (*Allant au lit.*) Et ça va, la jeune fiancée ?

AMÉLIE, *rieuse.* – Mais vous voyez... le parrain !

VAN PUTZEBOUM. – Ouyouye ! Ah ! tout de même, le garnement !... Quand c'est que je pense que vous étiez si innocente donc il y a quinze jours !

AMÉLIE, *bien sainte nitouche.* – Moi !

VAN PUTZEBOUM. – Comme on dit à Paris... il a fait vite de vous déssalei.

AMÉLIE. – Oh !

VAN PUTZEBOUM, *à Marcel, en lui envoyant une poussée avec son ventre qui le fait tomber sur le canapé.* – Être de perdition, va !... Et le papa, alors ! M. d'Avranches ? Ça, qu'est-ce qu'il dit donc ?

MARCEL, *vivement, allant à lui.* – Oh ! il ne sait pas ! il ne faut pas lui dire... ni à personne ! hein ?... Surtout... surtout à personne !...

VAN PUTZEBOUM. – Alleï, Alleï ! Qu'est-ce que tu penses, hein ! Est-ce que ça est même à dire, ces choses-là.

AMÉLIE. – D'ailleurs, il n'y a rien, vous savez... On... on dormait.

VAN PUTZEBOUM, *moqueur.* – Ouie ! ouie ! Ça, je me doute... Ah ! Tout de même, non ! écoutez ; je vous demande une fois pardon d'être entré... comme ça jusque dans le lit, mais ça, je ne savais pas, n'est-ce pas ?

AMÉLIE. – Oh ! mais...

VAN PUTZEBOUM. – Je voulais seulement faire la surprise de mon retour.

MARCEL. – Ah ! le fait est que je ne m'attendais pas !... Vous êtes de passage à Paris ? Oui !... Évidemment.

VAN PUTZEBOUM. – Espère donc ! Ça est la suprise justement. Je me suis dit : « Vraiment, en souvenir de son père, et pour son amitié, je ne sais pas laisser faire le mariage pour que je n'y sois pas. »

MARCEL. – Hein !

VAN PUTZEBOUM. – Alors, je me suis arrangé ! J'envoie mon fondé de pouvoir pour qu'il me remplace en Amérique et je vais une fois le rejoindre après la noce. Que tu saisis, fils ?

MARCEL, *ahuri.* – Ap... ap... ap...

VAN PUTZEBOUM. – Ap... ap... ap... Tu broubelles (*broubeulles*) à présent ?

MARCEL. – Quoi ?

VAN PUTZEBOUM. – Tu broubelles ?... Tu es bégue ?

MARCEL. – Non, je dis : « Ap... après la noce ? »

VAN PUTZEBOUM. – Oui... Comme ça, je pourrai te remettre de la main ta fortune, que je suis dépositaire.

MARCEL. – Aha ? Ah ! ben, voilà une surprise !

AMÉLIE. – Le fait est que pour une surprise !

MARCEL. – Ça, c'est une surprise !

Il s'effondre sur le canapé.

VAN PUTZEBOUM, *s'asseyant près de lui sur le canapé.* – Oui ? Ça te plaît, ça ?

MARCEL (3), *sur le canapé.* – Oh ! je suis radieux !

VAN PUTZEBOUM (2), *sur le canapé.* – Eh bé, ça te faut dire, savez-vous !... car, quand je te regarde, ce que tu peux, une fois, avoir l'air lugubre, quand tu es radieux !

MARCEL. – Qu'est-ce que vous voulez, ça dépend des natures.

VAN PUTZEBOUM. – Oui, ça, je sais ! J'en ai eu un comme ça, quand il était joyeux... Ça était triste ! il gémissait, il gémissait !

MARCEL. – Là ! ben, vous voyez !

VAN PUTZEBOUM. – Et il me léchait ! il me léchait !

MARCEL, *le regardant, ahuri.* – Hein !

AMÉLIE. – Qui ?

VAN PUTZEBOUM. – N'poleion premier donc ! Mon bouledogue. (*Caressant machinalement la nuque de Marcel.*) Si vous aviez vu la gueule qu'il avait !

MARCEL, *dégageant sa tête avec humeur.* – Allons ! voyons donc !

VAN PUTZEBOUM. – Ah ! C'était ça une bonne bête !

MARCEL. – Je suis vraiment heureux de vous l'avoir rappelé.

VAN PUTZEBOUM, *se levant, et tout en parlant gagnant jusqu'au lit pour parler à Amélie.* – Mais je bavarde, je bavarde, ça est pas tout à fait ça, filske ! Maintenant que je t'ai vu... ta fiancée se faut s'habiller, n'est-ce pas ? Et moi, je gêne !

MARCEL, *qui s'est précipité sur la canne et le chapeau de Van Putzeboum que celui-ci à déposés, en entrant, sur la console. Les lui passant par-dessus l'épaule et devant le nez, afin que rien ne retarde son départ.* – Oh ! vous partez !... déjà ! Oh ! vraiment !

VAN PUTZEBOUM, *se retournant de son côté et prenant les*

objets qu'on lui présente. – Oui ! En attendant, je vais savoir faire une course ou deux, et je passe dans la demi-heure vous reprendre tous les deux. On fera la *promenade* jusqu'au dîner, hein donc ?

MARCEL, *le poussant sans avoir l'air vers la porte.* – C'est ça ! bon ! c'est ça !

AMÉLIE. – Vous nous gâtez vraiment ! Vous nous gâtez !

VAN PUTZEBOUM. – Alleï ! Alleï !... Ça est pour moi le plaisir !... Et alors on prévient le papa, hein donc ? qu'il dîne avec nous !

MARCEL, *de même.* – Entendu, entendu !

VAN PUTZEBOUM. – Alleï ! Ne vous dérangez pas ! s'il vous plaît !

MARCEL, *de même.* – C'est ça ! Au revoir ! au revoir ! (*Lui fermant la porte sur le dos, puis à Amélie.*) Eh bien ! nous sommes propres !

AMÉLIE. – Comment vas-tu sortir de là, maintenant ?

MARCEL, *descendant en scène.* – Eh ! C'est fini ! Ma combinaison est dans l'eau ! C'est la catastrophe !

AMÉLIE, *sortant du lit et allant à lui.* – Allons, allons ! s'agit pas de se démonter !

MARCEL, *passant n° 1.* – Quoi ! il veut assister au mariage... Je ne peux pas le lui donner, moi, le mariage ! C'est au-dessus de mes moyens.

AMÉLIE. – Ah ! oui, dame, ça !

VAN PUTZEBOUM, *rentrant en flèche.* – Le papa ! Voilà le papa !

MARCEL. – Quoi ?

AMÉLIE. – Quel papa ?

VAN PUTZEBOUM. – Ton papa à vous ; il monte l'escalier !

MARCEL. – Eh bien ! après ?...

VAN PUTZEBOUM. – Mais alleï, cachez-vous !

AMÉLIE. – Moi ?

VAN PUTZEBOUM. – S'il vous voit comme ça, il va se douter... Cachez-vous.

MARCEL. – Hein ! Ah ! Oui ! oui !

AMÉLIE, *que Van Putzeboum fait passer n° 3.* – C'est vrai ! Ah ! malheureuse que je suis !

VAN PUTZEBOUM, *la poussant, suivi de Marcel, vers le cabinet de toilette.* – Non ! non ! ne soyez pas désoléï ! Ça n'est pas le moment, savez-vous ! Alleï, alleï, entrez là ! *Il lui indique le cabinet de toilette et retourne vers Marcel.*

AMÉLIE, *entre ses dents, au moment d'entrer.* – Oh !... Vieille colle, va !

A peine est-elle sortie que Pochet fait irruption par le fond.

SCÈNE V

LES MÊMES, POCHET

POCHET. – Ah ! je vous trouve.

MARCEL. – Vous !

POCHET (1). – Ma fille ? ma fille est ici ?

MARCEL (2). – Amélie ?...

VAN PUTZEBOUM, *vivement, tirant Marcel par le poignet de façon à le faire passer n° 3.* – Non monsieur, non ! elle n'est pas là !

POCHET. – Comment, elle n'est pas là ?

VAN PUTZEBOUM. – Non, j'ai visiteï tout l'appartement ; elle n'est pas là !

MARCEL. – Oui, en effet, elle...

POCHET. – Ah ! par exemple !... Mais où est-elle ?

VAN PUTZEBOUM. – Ah ! Ça, on ne sait pas dire, savez-vous !... (*Posant sa main gauche sur l'épaule de Marcel.*) Mais Marcel ça est un galant homme, tu sais ! et il n'oublie pas qu'une file est une file.

POCHET. – Quoi ? Quoi ? « Une file est une file ? » (*A Marcel.*) Enfin, n'importe, il faut que je vous parle.

Il va déposer son chapeau sur la banquette qui est sous la fenêtre.

MARCEL, *entourant familièrement de son bras gauche les épaules de Van Putzeboum de façon à l'entraîner vers la porte.* – Ah ? Ah ?... Eh bien ! alors, mon cher parrain !...

VAN PUTZEBOUM. – Quoi ?

MARCEL. – Vous aviez une course à faire, n'est-ce pas ? Je crois que maintenant...

VAN PUTZEBOUM, *bas.* – Oh ! prends garde, tu sais !... le vieux, il a flairé le vent !... Si je te laisse !...

MARCEL. – Non, non ! n'ayez pas peur !

VAN PUTZEBOUM, *esquissant le mouvement d'aller vers le cabinet de toilette.* – Au moins, je vais la faire filer, que le père ne la voie pas !

MARCEL, *le retenant.* – Non, non ! ne vous inquiétez de rien, je réponds de tout.

VAN PUTZEBOUM. – Allons ! Ça te regarde hein ! donc !... Moi ! c'était pour toi.

MARCEL. – Oui, oui, je vous remercie bien.

VAN PUTZEBOUM. – Au moins, tâche un peu de savoir mentir.

MARCEL. – Oui, oui, soyez tranquille !

VAN PUTZEBOUM. – Au revoir alors !... à tout à l'heure donc !... (*Se dégageant de Marcel et descendant un peu vers Pochet qui est devant le pied du lit.*) Monsieur d'Avranches, on dîne ensemble ce soir, n'est-ce pas ?

POCHET, *étonné.* – Moi ?

VAN POUTZEBOUM. – Oui ! Ça est convenu avec Marcel et votre file.

POCHET. – Hein ? Ben... vous l'avez donc vue ?

VAN PUTZEBOUM, *très troublé.* – Hein ! non, non ! Mais je suppose, n'est-ce pas ? Puisque le fiancé il dîne, la fiancée doit faire avec.

POCHET. – Ah ! oui.

Il descend.

VAN PUTZEBOUM, *à Marcel et à mi-voix.* – Oh ! je m'en vais, moi ! Ça est plus sûr.

MARCEL. – C'est ça ! C'est ça ! Allez !

VAN PUTZEBOUM. – A tout à l'heure.

Marcel l'accompagne jusqu'à la porte.

POCHET (1), *aussitôt la sortie de Van Putzeboum.* – Eh bien, qu'est-ce que ça veut dire ? Il est revenu, lui ?

MARCEL (2). – Ah ! il m'est retombé sur le dos !

POCHET. – Pour longtemps ?

MARCEL. – Eh ! jusqu'au mariage ! Il vient pour y assister.

POCHET. – Non ? C't averse ! Comment allez-vous faire ?

MARCEL. – Ah ! est-ce que je sais !

POCHET, *passant n° 2.* – Ah ! c'est embêtant !... Oh ! c'est embêtant !... Sans compter que cette situation-là, c'est bon un moment ! mais à trop durer... ça finirait par compromettre Amélie.

MARCEL, *qui s'est assis sur la barre du pied du lit, les talons sur le sommier.* – En quoi ?

POCHET. – Dame ! si on croit vraiment qu'elle est fiancée, ça décourage !

MARCEL, *à part, moitié riant, moitié scandalisé, levant les yeux au ciel.* – Oh !

POCHET. – Croiriez-vous qu'elle n'est pas rentrée cette nuit, cette petite !

MARCEL, *jouant l'étonnement.* – Non ?
POCHET. – Comme je vous le dis ! Ah ! je ne suis pas content !

SCÈNE VI

LES MÊMES, AMÉLIE

AMÉLIE, *la frimousse espiègle, passant la tête par l'entrebâillement de la porte du cabinet de toilette.* – Bonjour, papa !
POCHET. – Ah !... eh ! ben, mais !... tu es ici, toi ?
AMÉLIE, *entrant.* – Mais oui, quoi ? Tu le sais bien.
POCHET. – Mais non ! (*A Marcel.*) Ah çà ! qu'est-que vous me disiez ?
MARCEL, *toujours perché sur sa barre de lit.* – Mais c'est pas moi ! C'est le parrain !
AMÉLIE. – Comment, tu ne sais pas ? mais je t'ai écrit !
POCHET. – A moi !
AMÉLIE. – Mais oui ! Alors, quoi ? Tu ne m'apportes pas mon tailleur ?
POCHET. – Je devais t'apporter un tailleur ?
AMÉLIE. – Oui, enfin, un costume tailleur... Je n'ai qu'une toilette de nuit.
POCHET, *sur un ton choqué, en indiquant la chemise d'Amélie.* – Oh !... je vois !... Mais je n'ai rien reçu... On a dû porter ton mot comme j'étais déjà sorti pour venir.
AMÉLIE. – Alors, qu'est-ce que tu viens faire ?
POCHET. – Mais vous prévenir, donc ! pour le cas où il aboulerait ici.
AMÉLIE et MARCEL. – Qui ?
POCHET. – Mais Étienne !
MARCEL et AMÉLIE. – Étienne !

Marcel a sauté à bas du lit pour rejoindre Pochet.

POCHET. – Il a fini ses vingt-huit jours.
MARCEL. – En quinze jours !
POCHET. – Son régiment est licencié ! Il y a une épidémie d'oreillons !
MARCEL. – Oh ! nom d'un chien.
POCHET. – Alors, au débotté, tout à l'heure, il est tombé à la maison.

MARCEL, *gagnant la gauche.* – Oh ! ma mère ! ma mère !
AMÉLIE. – Et qu'est-ce que tu as dit ?
POCHET. – Eh ! naturellement, j'ai dit n'importe quoi !... J'ai dit que tu étais sortie de bonne heure...
AMÉLIE. – Bon ça !
POCHET. – Qu'est-ce que tu voulais ! il fallait bien sauver la face. Ah ! c'est chic de me mettre dans des situations pareilles... Obliger ton père à mentir !...
MARCEL, *regrimpant sur sa barre de lit.* – Oh ! ben !...
POCHET. – Moi ! un ancien assermenté !
AMÉLIE. – Une fois n'est pas coutume.
POCHET. – Ah ! non, non ! je ne suis pas content ! Ça n'est pas sérieux ! Découcher maintenant !...
AMÉLIE. – Oh ! papa : on n'a rien à se reprocher ! J'ai couché ici, mais !...
POCHET, *l'arrêtant d'un geste.* – C'est très bien ! Je ne veux pas le savoir ! (*A Marcel sévèrement.*) Je ne veux pas le savoir !
MARCEL, *toujours perché sur sa barre.* – Mais je vous dis rien, moi !
POCHET. – Tu reconnaîtras que je ne me mêle jamais de tes affaires. Il y a certaines choses dans la vie où un père qui se respecte doit garder ses distances... Je n'ai donc jamais voulu être pour toi, ni un juge ni un *ascenseur !...* C'est-y vrai ?
AMÉLIE. – C'est vrai.
POCHET. – Mais je tiens à te dire ceci : c'est que moi, qui suis un homme ! jamais, tu entends, de toute ma carrière – en dehors des jours... où j'étais de nuit – jamais, je n'ai découché !... (*A Marcel.*) Jamais !
MARCEL, *comme précédemment.* – Mais encore une fois, je ne vous dis rien, moi !
POCHET. – Que ton père te serve d'exemple ! (*Dégageant.*) Quand je défaillais, moi... c'était l'après-midi.
AMÉLIE, *respectueusement.* – C'est vrai, papa ; c'est plus convenable !
POCHET, *satisfait de cette approbation.* – Ah !
AMÉLIE, *prenant son père par le bras.* – Mais je vais te dire aussi, pour notre excuse : ce n'est pas entièrement de notre faute ; hier soir, on avait tellement fait la bombe ; on était tellement ronds !...
MARCEL, *descendant de sa barre pour aller à Pochet.* – C'est-à-dire que, si on n'a pas la gueule de bois...
AMÉLIE. – C'est un miracle.

POCHET, *convaincu et affectueux.* – Mais oui ! Mais oui ! Mais je ne doute pas que tu n'aies d'excellentes raisons ! mais c'est tout de même des choses qu'on ne peut pas expliquer au concierge ! Alors !...

AMÉLIE. – Ben, oui ! Je sais bien.

POCHET, *un bras autour des épaules d'Amélie, l'autre autour de celles de Marcel. – Avec élan.* – Ah ! (*Il embrasse sa fille : instinctivement se tourne ensuite vers Marcel, fait le mouvement de l'embrasser et s'arrête en route.*) La jeunesse est légère !

A ce moment on entend une rumeur à la cantonade.

VOIX DU PRINCE. – Logeur, s'il vous plaît ?

MARCEL, *remontant.* – Qu'est-ce que c'est que ça ! Qui est-ce qui crie comme ça dans l'antichambre ? (*Ouvrant la porte du fond et la refermant aussitôt.*) Sapristi ! le prince, chez moi !

POCHET, *courant, affolé.* – Le prince ici !

AMÉLIE, *qui est à l'extrême droite.* – Oh ! je suis en chemise !

Elle traverse la scène en courant et va se réfugier derrière le rideau de droite de la fenêtre dont elle défait l'embrasse.

POCHET, *courant à la table.* – Nom d'un chien !... le bougeoir !... le bougeoir !...

Il saisit le bougeoir qui est sur le bureau. Marcel se tient près de la cheminée.

LE PRINCE, *surgissant et s'arrêtant sur le seuil.* – Oh ! que de monde !...

POCHET, *qui s'est précipité (3) le bougeoir tendu au-devant du prince.* – Sire !

LE PRINCE. – Ah ! monsieur le père ! oui ! Encore avec une bougie !

Il descend un peu.

POCHET, *descendant avec lui.* – Excusez-moi, Majesté ! je n'ai pas eu le temps d'allumer.

LE PRINCE. – Mais qu'est-ce que vous faites donc toujours avec une bougie ? C'est donc une manie ? Un tic ? Dites-moi quoi ?

POCHET. – Mais non, sire !...

LE PRINCE. – Et puis, je vous prie ! je ne suis pas sire ! Je suis Monseigneur, Altesse ! Donc votre sire et votre bougie, vous pouvez laisser ça ensemble.

En ce disant il passe devant lui et gagne la droite.

POCHET, *qui l'a suivi et avec malice.* – Pour que ça fonde.

LE PRINCE, *se retournant et brusque.* – Quoi ? Qu'est-ce que ça veut dire ?

POCHET. – C'est un mot pour faire rire votre Altesse : « Sire... bougie... la cire dans la bougie... la bougie dans la cire... ça fond !... »

LE PRINCE, *le regarde avec dédain, puis* – C'est idiot !

POCHET, *interloqué.* – Ah ?

LE PRINCE. – Et je vous ai décoré !

POCHET. – Commandeur, oui. Altesse ! (*Tirant à moitié le brevet de sa poche.*) J'ai même reçu le brevet !

LE PRINCE. – Oui, oui... enfin !... C'est au titre étranger !

POCHET. – Croyez bien , monseigneur... !

LE PRINCE, *lui tournant carrément le dos.* – Oui, assez ! merci !

POCHET, *se le tenant pour dit.* – Bon !

Il dépose le bougeoir sur la table.

MARCEL, *toujours dans son coin près de la cheminée. A part.* – Ah çà ! qu'est-ce qu'il vient faire chez moi ?

LE PRINCE, *remontant par l'extrême droite jusqu'au fond de la scène – en passant, il bouscule presque Marcel sans même avoir l'air de faire attention à lui. Marcel s'efface tout contre la cheminée.* – Mais quoi ? Je ne vois pas mademoiselle d'Avranches !

POCHET, *courant à la fenêtre.* – Amélie ! Amélie ! Son Altesse t'appelle !

AMÉLIE, *à voix basse.* – Ah ! non ! non !

POCHET. – Mais viens donc, voyons ! Quand un roi commande !... (*Au prince, qui est à droite du lit.*) Elle se cache, la chère enfant !

LE PRINCE. – Oh ! mademoiselle d'Avranches, je vous en prie !

AMÉLIE, *derrière le rideau.* – Oh ! Monseigneur !...

POCHET (1), *à Amélie (2).* – Allons, voyons ! (*Au prince.*) Elle... s'habille.

Il va la chercher.

AMÉLIE, *présentée par son père qui la tient de la main gauche, elle a passé l'embrasse du rideau autour de sa taille comme une ceinture.* – Oh ! Monseigneur... vraiment !... je suis en chemise.

LE PRINCE, *affirmatif.* – Oh ! très bien, je vois ! vous m'attendiez.

AMÉLIE, *avec un soubresaut d'étonnement.* – Moi !...

POCHET, *passant 2 et allant au prince qui est devant le pied du lit. – Et presque dans son oreille.* – C'est un amour, cette petite !... Ah je comprends qu'une tête couronnée...

LE PRINCE, *très sec, en lui faisant signe avec son chapeau qu'il tient à la main, de passer à sa gauche.* – Oui ! Eh bien ! comprenez !... mais en silence.

POCHET. – Ah ?... pardon.

Il passe 3 en décrivant à distance un demi-cercle autour du prince auquel il fait en passant des révérences de cour.

LE PRINCE, *tournant carrément le dos à Pochet puis s'adressant à Amélie.* – Vous m'avez écrit de venir, je suis venu.

AMÉLIE, *stupéfaite.* – Moi !

LE PRINCE. – Le général me suit !... avec les costumes tailleur.

AMÉLIE. – Hein !

LE PRINCE. – Je lui ai dit de prendre un choix... (*Sur un ton de regret.*) n'ayant pas la mesure !

AMÉLIE, *sur un ton de protestation.* – Oh ! mais, Monseigneur, il y a erreur !... Je ne vous ai jamais écrit ça.

LE PRINCE. – Comment donc ? mais tenez ! (*Il tire de sa poche la lettre qui lui a été portée ; il la déplie pour la lire ; Pochet curieusement s'est approché, les deux mains dans les poches, et jette les yeux sur la lettre par-dessus l'épaule du prince ; ce que voyant, celui-ci toise avec hauteur Pochet, qui se le tenant pour dit, pivote sur les talons, les yeux au plafond, et s'éloigne de l'air le plus innocent du monde ; dès lors, le prince entame la lecture de la lettre,* « Petit père... »

AMÉLIE, *scandalisée.* – Oh !... et vous admettriez !...

LE PRINCE. – Mais comment ! C'est très drôle ! J'aime ça ! (*Lisant.*) « Je suis rue Cambon, chez Courbois, qui m'a logée cette nuit. » (*Parlé.*) Courbois, quel drôle de nom !

POCHET, *riant avec complaisance.* – Oui, hein ?

AMÉLIE, *indiquant Marcel qui, se sentant en dehors de la conversation, a fini par s'asseoir au fond, près de la console.* – C'est monsieur !

POCHET. – Oui, c'est... (*A Marcel.*) Hep !

MARCEL, *à cet appel se précipitant par l'extrême droite sur le bougeoir et courant avec jusqu'au près du prince. – S'inclinant profondément.* – Monseigneur !

LE PRINCE. – Encore la bougie !

AMÉLIE. – C'est M. Courbois.

POCHET. – C'est... c'est Courbois.

LE PRINCE. – Aha !... C'est vous le logeur ?

MARCEL (3), *ahuri.* – Hein ?

LE PRINCE. – C'est très bien !

Il lui tourne le dos.

MARCEL, *à Pochet.* – Comment, « le logeur » ?

POCHET, *le prenant par le biceps et le faisant passer 4.* – Chut, pas de rouspétance.

LE PRINCE, *à Amélie.* – Où en étais-je ? Ah ! oui. (*Lisant.*) « Viens me prendre et apporte un costume tailleur. »

AMÉLIE. – Oh ! Monseigneur. Mais ce n'était pas à Votre Altesse que j'écrivais ainsi.

LE PRINCE. – Hein !

AMÉLIE. – C'est à papa.

LE PRINCE. – Mais comment ?

AMÉLIE. – Je ne sais pas ! Je me suis trompée d'enveloppe !

POCHET, *jovial et familier.* – J'y suis ! C'est moi, alors qui recevrai la lettre que tu écrivais à Son Altesse.

LE PRINCE, *lui imposant silence par des petits « ah ! ah ! » nerveux et saccadés.* – Ah !... ah !... ah !... (*Un temps. Pochet s'arrête court.*) Mademoiselle expliquera tout aussi bien.

AMÉLIE. – Mais Monseigneur, je ne vous aurais pas appelé « petit père ! »

MARCEL, *très courtisan.* – Elle n'aurait pas tutoyé Votre Altesse.

LE PRINCE, *comme pour Pochet.* – Ah !... ah !... ah !

MARCEL, *s'inclinant.* – Pardon !

LE PRINCE. – De quoi vous mêlez-vous... le logeur ?

MARCEL, *à part.* – Ah ! zut !

POCHET, *haut et par flagornerie pour le prince.* – Évidemment, voyons ! On n'adresse pas la parole à un prince royal avant qu'il vous parle. (*Au prince, dont il est tout près.*) Pas vrai ?

LE PRINCE. – Eh bien ?... puisque vous le savez !

POCHET. – C'est pour ça que je lui dis.

LE PRINCE. – Faites-le !

POCHET. – Ah ! bon !

LE PRINCE, *haussant les épaules, puis se retournant vers Amélie et le sourire aux lèvres.* – Au contraire, c'est charmant de m'appeler petit père ! C'est tendre, c'est affectueux ! C'est slave ! C'est charmant de me tutoyer, moi que j'ai tant horreur de l'étiquette, du protocole.

POCHET *, *à Amélie.* – Là, tu vois.

LE PRINCE, *à Pochet, pour le faire taire.* – Ah !... ah !... ah !...

POCHET, *s'écartant prudemment.* – Oui !... Oui, oui !

LE PRINCE, *à Amélie.* – Je suis un bon garçon, à la bonne franquette, comme vous dites !... j'aime à rire, à m'amuser, à faire des farces. Vous verrez, je suis très farceur !... A la cour de Palestrie, je suis connu pour...

AMÉLIE. – Vraiment ?

POCHET, *qui s'est rapproché, riant.* – Oh ! que je vous comprends !

LE PRINCE, *brusquement, à Pochet.* – Ah !... ah !

Pochet, qui ne s'y attend pas, pivote brusquement et, dans son mouvement, envoie un renfoncement dans l'estomac de Marcel qui est tout près de lui.

MARCEL, *en recevant le coup dans l'estomac, exactement sur le même ton que le prince.* – Ah !

LE PRINCE, *à Amélie.* – Ainsi, tenez, dernièrement : vous connaissez le gros Patchikoff ?

AMÉLIE. – Non.

POCHET. – Non, nous ne...

LE PRINCE, *sèchement.* – Je demande ça à mademoiselle.

POCHET. – Non, mais je sais, elle ne le connaît pas.

LE PRINCE. – Ah !... ah !... ah !

Pochet se reculant en faisant signe avec les mains qu'il a compris.

MARCEL, *avec malice, dans l'oreille de Pochet.* – On ne parle pas à un prince royal, avant qu'il vous adresse la parole.

POCHET, *à Marcel, en imitant le prince.* – Ah !... ah !... ah !

Il remonte pour redescendre peu de temps après.

LE PRINCE. – Patchikoff, c'est un chambellan de la cour. Eh bien ! l'autre soir, après le dîner, nous l'avons empoigné, avec quatre de mes officiers, par les jambes et

* Toute cette scène doit être jouée par Pochet, toujours près du prince, de façon à recevoir chaque fois les « Ah !... ah !... ah !... » presque dans le nez.

par les bras, et nous l'avons plongé dans une baignoire d'eau glacée.

AMÉLIE. – Non ?

LE PRINCE. – Il était furieux ! Il n'osait rien dire, mais il était furieux ! Nous avons ri ! Nous avons ri !... (*Changeant de ton et le plus naturellement du monde.*) Et il est mort... d'une congestion !

AMÉLIE et POCHET, *qui est revenu (3) à sa place première.* – Non ?

POCHET, *qui est devant le pied du lit, tout près du prince, se tordant complaisamment.* – Ah !... Ah ! que c'est drôle !

MARCEL, *gagnant l'extrême droite.* – Ce prince est décidément idiot !

Il remonte au fond et va s'asseoir sur le siège qui est près de la console, à côté de la porte.

POCHET, *presque courbé en deux par le rire, se retenant à la barre du lit pour ne pas tomber.* – Que c'est drôle ! Que c'est drôle !

LE PRINCE, *toise un instant avec dédain Pochet qui se tord presque sur sa poitrine, puis.* – Écoutez, le papa !... Je vous fais grand officier !... mais par Dieu le Père, foutez-nous la paix. (*On sonne.*) Tenez, la sonnette. Ça doit être le général !... Voyez donc, logeur !

MARCEL, *au fond, se levant, à part.* – Non mais, c'est ça ! il me prend pour son larbin. (*A ce moment la porte du fond s'ouvre et l'on voit Charlotte introduire le général suivi d'un commis de magasin portant une caisse. Le général entre ; trouvant Marcel à droite de la porte, il lui remet, sans même le regarder, son chapeau entre les mains et descend un peu en scène. Marcel, considérant le chapeau.*) Oh ! charmant !

Il pose le chapeau sur la console.

SCÈNE VII

LES MÊMES, KOSCHNADIEFF, UN COMMIS DE MAGASIN

LE PRINCE. – Eh ! entre donc, général !

KOSCHNADIEFF, *faisant avec la main le salut militaire palestrien.* – Altessia !

Il descend vers le prince.

LE PRINCE. – Et alors ?... Tu apportes les costumes ?

KOSCHNADIEFF, *très respectueux.* – Voilà tout ce que j'ai pu trouver, Monseigneur... (*Brusque, au commis.*) Mettez là, subalterne ! (*Au prince.*) On m'a donné plusieurs, à condition, comme ils disent. (*Au commis.*) Allez, l'employé ! vous ferez reprendre ! je vous prie.

LE COMMIS, *après avoir déposé la caisse par terre.* – Bien, monsieur ! Au revoir, messieurs dame !

Il sort.

LE PRINCE, *très galant, à Amélie, en lui tendant la main.* – Tenez donc ! si vous voulez voir... ?

AMÉLIE, *la main dans celle du prince, face à lui, dos au public et le bras tendu, faisant une révérence de cour.* – Oh ! Monseigneur, vraiment... ! (*Toujours la main dans celle du prince, ayant décrit un demi-cercle autour de lui qui l'a amenée au 2, faisant une nouvelle révérence.*) Oh ! vraiment, Monseigneur... !

En faisant la révérence elle donne du talon dans la caisse et manque de tomber.

TOUS, *se rapprochant d'Amélie.* – Oh !

AMÉLIE, *qui a repris son équilibre.* – Ça n'est rien !

LE PRINCE, *lisant sur la caisse le nom du magasin.* – « Trois Quartiers. » Z'est-ce que c'est bien ?

AMÉLIE. – Mon Dieu !... ce n'est pas là où je m'habille !... mais enfin !...

LE PRINCE. – Si vous voulez essayer, celui qui vous va ?...

AMÉLIE, *indiquant le cabinet de toilette.* – Volontiers ! Alors, si on veut m'apporter ça par là...

Tout en parlant elle gagne jusqu'à la porte du cabinet de toilette en passant devant Koschnadieff, Pochet et Marcel.

LE PRINCE, *voyant Pochet qui, empressé, a ramassé la caisse à robes.* – Ah !... ah !... ah ! (*Pochet interdit lâche la caisse qui tombe avec fracas devant lui, de toute sa hauteur. Le prince faisant alors un signe impératif au général.*) Koschnadieff !

Le général ramasse la caisse avec empressement.

AMÉLIE, *s'interposant.* – Oh ! prince ! le général !...

LE PRINCE. – Laissez ! Il est fait pour ça ! Un général doit servir à quelque chose !

Le général, flatté, approuve d'un geste fier de la tête ; le prince gagne la gauche.

AMÉLIE, *au général qui vient à elle avec la caisse.* – Oh ! je suis confuse !

KOSCHNADIEFF, *s'inclinant.* – Je vous prie !

AMÉLIE. – Alors, par ici, général.

Elle entre dans le cabinet de toilette.

POCHET, *au général qui, arrivé à la porte du cabinet de toilette, ne peut y introduire la caisse qu'il présente pas la largeur.* – Non, jamais comme ça, général ! Dans l'autre sens !

KOSCHNADIEFF, *à Pochet.* – Kolaschnick [20] ! Euh ! Merci.

Il retourne la caisse dans le sens de la hauteur et entre dans le cabinet de toilette.

MARCEL, *qui est descendu à gauche de la table.* – Dites donc, Pochet...

POCHET, *au moment de sortir, se retournant vers Marcel.* – Kolaschnick.

Il entre dans le cabinet à la suite du général.

SCÈNE VIII

LE PRINCE, MARCEL

LE PRINCE, *qui a arpenté la scène, redescendant tout contre Marcel qui est resté bouche bée de la sortie de Pochet et lui tourne le dos. – Brusquement.* – Et vous, alors ? quoi ?

MARCEL, *qui a sursauté à cette brusque et tonitruante interpellation, se retournant vers le prince.* – Moi ? Mais rien, monseigneur ! je regarde ; parce que moi, dans tout ça, n'est-ce pas... ?

LE PRINCE, *passant au n° 2.* – Évidemment !

MARCEL. – Je vais même, si votre Altesse le permet, aller m'habiller.

LE PRINCE, *se retournant à demi et dédaigneusement par dessus l'épaule.* – Qu'est-ce que vous voulez que ça me fasse ?

MARCEL. – Non ! C'est parce que Votre Altesse me demande...

LE PRINCE, *de son index tendu battant l'air d'un coup sec sous le nez de Marcel, ce qui fait battre les paupières et sursauter la tête de ce dernier. (Faire ce geste à froid et ne parler chaque fois qu'après.)* – C'est drôle ! Je connais... votre figure !

Même jeu de l'index, même sursaut de Marcel.

MARCEL, *flatté.* – Ah ! vraiment, monseigneur ?

LE PRINCE. – Où donc... ?

Même jeu.

MARCEL, *à part.* – Mon Dieu que c'est désagréable !
LE PRINCE. – ... vous ai-je vu ? Vous n'avez pas servi... ?
MARCEL. – Dans l'infanterie, à Compiègne.
LE PRINCE, *brusque.* – Non !... Non !
MARCEL. – Ah ! pardon !
LE PRINCE. – ... A Monte-Carlo !... Hôtel de Paris ?
MARCEL, *vexé.* – Moi ? Ah ! non ! non, c'est pas moi.
LE PRINCE. – Ah ? je confonds, alors ! il y a un sommelier qui vous ressemble.

Il passe.

MARCEL. – Très flatté, monseigneur ! mais c'est un autre !
LE PRINCE, *qui est remonté au fond, considérant l'appartement.* – Et alors, dites-moi ! c'est votre logement, ça ?
MARCEL. – Mon Dieu, oui.
LE PRINCE. – Oui !... Il est laid.
MARCEL. – Ah ?
LE PRINCE. – Oui !
MARCEL, *à part.* – Non, mais, est-ce qu'il est venu ici pour chiner ?
LE PRINCE. – Très laid !
MARCEL. – Mon Dieu, monseigneur, je ne dis pas ; mais, n'est-ce pas, étant donné ce que je le loue...
LE PRINCE. – Ah ?... et... qu'est-ce que ?
MARCEL, *qui ne comprend pas.* – Monseigneur ?
LE PRINCE, *répétant.* – Et... qu'est-ce que ?
MARCEL, *avec un geste vague, pour avoir l'air d'avoir compris.* – Ben, vous savez, mon Dieu... ! hein ?
LE PRINCE, *soupe au lait.* – Qu'est-ce que vous louez ça ?
MARCEL, *vivement.* – Ah ! qu'est-ce que je loue ça !... Dix-huit cents francs !...
LE PRINCE. – Par jour ?
MARCEL, *sans réfléchir.* – Par jour. (*Se reprenant.*) Hein ? Non, par an.
LE PRINCE. – A la bonne heure !
MARCEL. – Alors, n'est-ce pas ? pour dix-huit cents francs... !
LE PRINCE. – Et qu'est-ce que ça vous fait, chaque jour ?
MARCEL. – Quoi ? Oh !... Ça m'embête un peu au moment du terme ; mais sans ça !...
LE PRINCE. – Non !... Chaque jour, combien ça vous fait ?
MARCEL. – Ah ! ce que ça me fait par jour !
LE PRINCE. – Oui !

MARCEL. – Oui ! oui... oui !... (*A part.*) Est-il curieux !

LE PRINCE. – Eh bien ?

MARCEL. – Diable ! c'est que c'est tout un calcul à faire !

LE PRINCE. – Eh bien ! faites-le !

Il remonte.

MARCEL. – « Faites-le » ! Oui, évidemment ! c'est... c'est une solution ! (*A part.*) On n'a pas idée d'être curieux comme ca ! (*Commençant le problème.*) Dix-huits cents francs par an, qu'est-ce que ça fait par jour ? (*A part.*) Si je m'attendais à faire des mathématiques aujourd'hui !... (*Haut.*) Dix-huit cents... (*A part.*) Il faut bien que ce soit pour une Altesse Royale ! (*Haut.*) Étant donné qu'il y a douze mois dans l'année, si c'était cent francs par mois, n'est-ce pas ?... si c'était cent francs par mois...

LE PRINCE, *qui arpente, s'arrête, remarche, descendant à ce moment.* – Allez ! prenez votre temps !

MARCEL, *interrompu dans son calcul.* – Ah ! là, voyons ! (*Reprenant.*) Si c'était cent francs par mois, ça ferait cent multiplié par douze ; égal euh... ? douze cents ! C'est très simple !... J'ai déjà douze cents francs, je les mets de côté. (*Il fait la mimique de ramasser avec les doigts douze pions imaginaires et de les fourrer dans les poches de côté de son pyjama.*) Ça va ! ça va ! Bon ! de douze, aller à dix-huit... reste... reste...

LE PRINCE. – Huit !

MARCEL. – Mais non, six !

LE PRINCE. – Ah ! douze, dix-huit ! oui six ! six !

MARCEL. – Je vous en prie, monseigneur ! je ne tiens pas à faire le calcul, mais du moment que vous me le demandez, ne vous en mêlez pas ! sans ça nous n'en sortirons pas !

LE PRINCE. – Allez ! allez ! ne vous troublez pas !

MARCEL. – Oh ! c'est pas moi qui me trouble ! (*Reprenant.*) Six ! bon ! reste donc six cents ! six cents par douze, ça fait... ?

LE PRINCE. – Six cent douze !

MARCEL. – Ah ! là, monseigneur ! voyons ! par notre père !

LE PRINCE. – Allez ! allez ! ne vous troublez pas !

MARCEL. – Étant donné que six cents est la moitié de douze cents et que douze cents font cent francs, six cents feront donc moitié moins ; soit cinquante francs ! c'est logique.

LE PRINCE. – Eh ! ben, ça y est ?

MARCEL. – Ça va ! ça va ! (*Reprenant.*) Je reprends tous les cents francs que j'ai mis dans ma poche ; avec les cinquante que j'ai là ! ça fait cent cinquante ! Ça y est ! (*Au prince.*) Monseigneur, ça y est ! ça fait cent cinquante francs ! Ouf !

Il s'assied, satisfait et épuisé.

LE PRINCE. – Par jour ?

MARCEL. – Par jour. (*Se reprenant.*) Non, par mois !

LE PRINCE. – Ah ? et qu'est-ce que ça fait par jour ?

MARCEL. – Qu'est-ce que ça... ? (*Il regarde le public avec découragement, puis au prince.*) Vous y tenez ?

LE PRINCE. – Évidemment ! Je me moque, moi, par mois !

MARCEL. – Aha ?... tandis que par jour... ?

LE PRINCE. – Évidemment !

Il remonte.

MARCEL. – Oui, oui ! il aime mieux ça par jour ! c'est une question de goût !... soit ! allons !... (*Il se lève, résigné.*) Il me fera avoir une congestion, ce prince-là ! (*Reprenant.*) Voyons, nous disons cent cinquante francs par mois, qu'est-ce que ça fait par jour ? – c'est très simple ! – Comme il y a trente jours dans le mois, ça fait cent cinquante divisé par trente.

LE PRINCE. – Oui !

MARCEL. – Merci !... En quinze combien de fois trente ?... En quinze combien de fois trente, il y va deux fois !... Voilà ! je pose deux !... et je retiens trente ! (*A part.*) Mon Dieu, que c'est dur quand on n'est pas entraîné ! (*Calculant de tête.*) Deux fois trente, soixante ; de quinze... ? soixante de quinze... ?

Il continue de suer sang et eau... se prenant la tête de la main droite, comptant mentalement avec ses doigts de la main gauche ; dessinant avec son pied par terre des signes imaginaires de division, inscrivant de même des chiffres ; puis, avec sa semelle, les effaçant.

LE PRINCE, *brusquement.* – Eh ! bien, ça y est !

MARCEL, *sursautant.* Ah ! là... ! Ah ! c'est malin ! il faut que je recommence, maintenant !

LE PRINCE. – Enfin, quoi ? Vous n'avez pas encore trouvé !

MARCEL. – Mais si ! j'allais, j'allais ! et puis vous me coupez ! Attendez ! attendez ! je retrouve le fil ! Oui !

LE PRINCE. – Quel fil ?

MARCEL. – Chut... (*Comptant.*) Cinq, oui, neuf, sept, zéro, zéro... Voilà ! Je trouve vingt-cinq mille francs.

LE PRINCE. – Vingt-cinq mille francs ? Par jour !

MARCEL, *contemplant par terre son opération imaginaire.* – Il doit... il doit y avoir une erreur !

LE PRINCE. – Sûr !

MARCEL. – Mon Dieu ! quand je pense qu'il y a des gens qui gagnent cent sous par jour ! cent cinquante francs par mois ! et qui... (*Brusquement, avec un cri de victoire.*) Ah !... Je l'ai (*Au prince.*) Je l'ai, monseigneur ! « Cent cinquante francs par mois, cent sous par jour » ! Quel éclair ! Ça fait cinq francs ! Cinq francs par jour !

LE PRINCE. – Cinq francs par jour !

MARCEL. – Tout rond'! (*À part.*) Oh ! comme on arrive mieux à un résultat quand on ne procède pas par le calcul.

LE PRINCE. – Cinq francs par jour, vous louez ça !

MARCEL. – Oui !

LE PRINCE. – Évidemment, pour cinq francs par jour on ne peut pas avoir le palais des doges !

MARCEL, *haut, avec complaisance.* – Non. Et puis, qu'est-ce que j'en ferais ?

LE PRINCE. – Cinq francs par jour, c'est très bien !... (*Tout en gagnant la gauche.*) ... Vous direz ça au général, n'est-ce pas ?

MARCEL. – Au général ?... Quoi ?

LE PRINCE, *s'échauffant.* – Que ça fait cinq francs par jour.

MARCEL. – En quoi ça peut-il l'intéresser ?

LE PRINCE, *soupe au lait, la voix dans la tête.* – Il s'occupe de ces choses-là.

MARCEL, *à part.* – Il faut vraiment qu'il ait du temps à perdre !

SCÈNE IX

LES MÊMES, POCHET, puis KOSCHNADIEFF

POCHET. – Voilà ! elle a choisi.

LE PRINCE. – Ah ! très heureux ! (*Koschnadieff à ce moment sort de la chambre de droite.*) Ah ! Koschnadieff !

KOSCHNADIEFF, *s'arrêtant* (4) *sur le pas de la porte du cabinet de toilette.* – Altessia ?

LE PRINCE. – Moïa marowna ! Tetaïeff polna coramaï momalsk scrowno ? (*Avance un peu ! A-t-on trouvé le costume voulu ?*)

KOSCHNADIEFF. – Stchi ! A spanié co ténia, Monseigneur, co rassa ta swa lop ! (*Certes ! un costume tailleur, Monseigneur, qui lui va comme un gant.*)

LE PRINCE. – Très bien !

LE GÉNÉRAL, *la main à son front, dans l'attitude militaire.* – Swoya Altessia na bouk papelskoya mimi ? (*Votre Altesse n'a plus besoin de moi ?*)

LE PRINCE. – Nack. (*Le général redescend.*) (2). Woulia mawolsk twarla tschikopné, à la logeur là, euh !... (*Voulez-vous donner au logeur, là, euh !...*)

MARCEL (3), *entendant qu'on parle de lui.* – Ça y est ! v'lan ! « le logeur » !

LE PRINCE. – ... Quantchi prencha. (*Vingt francs !*)

Il gagne l'extrême gauche.

LE GÉNÉRAL. – Oh ! stchi ! (*Oh ! oui !*)

Il fouille dans sa poche de gilet, en tire sa bourse et y prend vingt francs.

MARCEL, *à Pochet* (4). – Qu'est-ce qu'il dit encore de moi ? Qu'est-ce qu'il dit ?

LE GÉNÉRAL, *mettant un louis dans la main de Marcel.* – Quantchi prencha ; voilà !

MARCEL, *ahuri.* – Qu'est-ce que c'est que ça !

POCHET, *facétieux.* – Prenchi, prencha ; c'est un louis.

MARCEL. – Un louis ! (*Au prince.*) Eh ! ben, qu'est-ce que vous voulez que j'en fasse ?

LE PRINCE. – Pour le logement donc !

MARCEL. – Comment, pour le logement ! Ah çà ! Son Altesse plaisante ?

LE PRINCE. – Quoi ? Quoi ? C'est cinq francs, je vous donne vingt !

LE GÉNÉRAL. – On vous donne vingt !

MARCEL, *allant vers le prince, en passant devant le général.* – Hein ? Mais justement ! mais pas du tout !... je ne veux pas ! en voilà une idée.

LE PRINCE. – Comment ! Quoi ? Qu'est-ce que ?

MARCEL, *s'échauffant et voulant absolument forcer le prince à reprendre son louis.* – Mais je ne suis pas tenancier ! reprenez ça !

LE PRINCE, *scandalisé de ce sans-façon vis-à-vis de lui.* – Eh là ! eh là !

LE GÉNÉRAL, *saisissant Marcel par le bras et le faisant*

passer (3). – Quelles sont ces façons !... Quand son Altesse... !

POCHET, *même jeu, le faisant passer (4).* – Eh ! Ne compliquez pas !...

MARCEL, *furieux.* – Mais je ne veux pas de son louis, moi !

POCHET, *lui prenant le louis des mains.* Eh ! bien, ce n'est pas une raison pour faire tant d'histoires. (*Au prince, la main qui tient le louis tendue vers lui comme pour le lui rendre.*) Excusez-le monseigneur !... ce manque d'usage... ! (*Il met le louis dans son gousset.*) Ah ! là, là !

LE PRINCE, *de loin à Marcel.* – Je suis très mécontent, vous savez ! Jamais, entendez-moi ! jamais, je ne reviendrai plus chez vous.

POCHET, *à Marcel.* – Là !...

MARCEL, *à part.* – Tu parles !

LE PRINCE. – Et maintenant, allez ! je vous ai assez vu !

MARCEL. – Que je m'en aille ?

POCHET, *abondant dans le sens du prince par flagornerie.* – Oui, allez-vous-en ! ça vaut mieux. (*Au prince.*) N'est-ce pas ?

LE PRINCE. – Oui !... Et vous aussi.

POCHET. – Ah ? Et moi aussi ?

LE PRINCE. – Allez ! tous les deux !

POCHET. – Bon !... bon, bon !...

MARCEL, *se tordant d'un rire nerveux.* – Aha ! C'est le comble... Il me fiche à la porte de chez moi !...

POCHET, *prenant le bras de Marcel.* – Allons-nous-en, alors, puisqu'y dit... !

Ils se dirigent tous deux, bras-dessus bras-dessous vers le cabinet de toilette.

LE PRINCE, *criant à les faire sursauter.* – Non !

POCHET et MARCEL, *se retournant au cri.* – Quoi ?

LE PRINCE. – Pas par là !.. j'ai loué !...

MARCEL, *rebroussant chemin ainsi que Pochet. Avec le même rire.* – Il a loué ! Ça devient comique ! Ma parole, ça devient comique !...

POCHET, *à Marcel.* – Où va-t-on alors ?

MARCEL. – Je ne sais pas !... Allons à la lingerie.

POCHET. – Allons à la lingerie !... On comptera le linge !...

MARCEL. – C'est ça ! on comptera le linge.

Ils sortent par le fond.

LE GÉNÉRAL, *la main à son front, au prince qui arpente*

nerveusement la chambre. – Swoya Altessia na jabo dot schalipp as madié ? (*Votre Altesse n'a pas d'ordres à me donner ?*)

LE PRINCE, *s'arrêtant, et après une seconde d'hésitation.* – Nack. (*Non.*)

LE GÉNÉRAL. – Lovo, sta Swoya Altessia lo madiet, me pipilski teradief. (*Alors, si Votre Altesse le permet, je vais me retirer.*)

LE PRINCE. – Bonadia Koschnadieff ! (*Bonjour, Koschnadieff.*)

LE GÉNÉRAL. – Arwalouck, Motjarnié ! (*Au revoir, Monseigneur.*)

Sortie du général.

SCÈNE X

LE PRINCE, puis CHARLOTTE.

LE PRINCE, *qui s'est remis à arpenter.* – Vraiment, cette Amélie est charmante, mais je ne sais donc pas pourquoi elle a choisi ce logeur ! (*Il s'assied sur le lit, côté droit. Au même moment on frappe à la porte du cabinet de toilette.*) Entrez ! (*Entre Charlotte portant sur les bras une paire de draps pliés.*) Ah !... la camériste !... Qu'est-ce que vous voulez ?

CHARLOTTE, *qui a gagné carrément en scène de façon à se trouver à un mètre environ en face du prince.* – J'viens faire le lit !

LE PRINCE, *avec indifférence.* – Ah ? (*Considérant Charlotte.*) Montrez-vous un peu !... soubrette !

CHARLOTTE, *avançant d'un pas.* – Non : Charlotte !

LE PRINCE. – Oui ! « Soubrette », c'est un nom générique.

CHARLOTTE. – J'sais pas ce que c'est.

LE PRINCE, *tendant la main vers elle.* – Bien ! ça n'a aucune importance. (*L'attirant tout contre lui.*) Vous êtes très jolie savez-vous bien !... pour une camériste !

CHARLOTTE, *debout entre les jambes écartées du prince.* – Ben oui ! mais si vous restez sur le lit, je ne pourrai jamais mettre les draps.

LE PRINCE. – Je suis le prince Nicolas de Palestrie !

CHARLOTTE. – J'vous dis pas ; mais j'pourrai pas les mettre davantage.

LE PRINCE, *prend les draps des mains de Charlotte et les jette à côté de lui sur le lit, puis les deux mains sur le gras des hanches de la bonne.* – Venez un peu là, qu'on vous regarde.

CHARLOTTE, *riant.* – Ah ! ben, vous avez une façon d'entendre le service !

LE PRINCE, *émoustillé, la faisant asseoir sur son genou gauche.* – Alors, mon bébé, quoi ?

CHARLOTTE. – Il est rigolo, l'vieux !

LE PRINCE, *la faisant sauter avec son genoux.* – Quoi, alors, mon bébé ?

CHARLOTTE, *lui tapotant les joues entre ses deux mains.* – Ehé ! Nicolas !

LE PRINCE. – Aha ! très drôle ! j'aime dans ces moments-là qu'on me manque de respect ! (*Se renversant en arrière et entraînant sur lui Charlotte.*) Charlotte !

Prononcez Chaar...lott » Ire syllabe longue ; 2e brève.

CHARLOTTE, *imitant le prince.* – Nicoo-las !

SCÈNE XI

LES MÊMES, AMÉLIE, nu-tête,
mais habillée d'un modeste
petit costume tailleur qui lui va tant bien que mal.

AMÉLIE, *surgissant du cabinet de toilette juste pour assister aux épanchements du couple et s'arrêtant, interdite.* – Oh ! monseigneur ! je vous demande pardon !

Elle fait mine de rebrousser chemin.

LE PRINCE, *se remettant sur son séant.* – Hein ?... du tout, du tout ! (*Du ton le plus naturel en indiquant de la main droite, comme une justification, Charlotte qu'il tient toujours enlacée.*) Je... je vous attendais. (*Faisant pivoter Charlotte, et lui donnant une bonne claque sur la hanche.*) Allez ! déguerpis !... la bonne !

CHARLOTTE, *ahurie.* – Ah !... eh bien, en voilà une girouette !

Elle sort par le fond.

LE PRINCE, *affectueusement, de sa place en lui tendant les mains.* – Amélie !

AMÉLIE, *s'avançant vers le prince et avec une pointe d'ironie.* – Je crains, monseigneur, de vous avoir dérangé.

LE PRINCE. – Du tout ! du tout !... Comme vous dites en France : je pelotais !... en attendant partie [21].

AMÉLIE, *faisant un pas de plus vers le prince.* – Bravo ! Votre Altesse possède notre langue !

LE PRINCE, *émoustillé.* – Ah ! taisez-vous ! ne me dites pas des choses ! (*Toujours assis sur le lit, tendant la main gauche vers Amélie.*) Tenez ! venez là !

AMÉLIE, *mettant sa main droite dans celle du prince et faisant en même temps la révérence de cour.* – Par obéissance, monseigneur !

LE PRINCE. – Oh ! mais pourquoi avez-vous mis ce costume !

AMÉLIE. – Il ne me va pas très bien.

LE PRINCE. – Mais pourquoi ?

AMÉLIE. – Mais, monseigneur, c'est vous qui m'avez dit... !

LE PRINCE. – Eh ! Pour l'essayer, donc ! mais ensuite... ! Ah ! Vous étiez plus confortable tout à l'heure ! Enfin !... mieux vaut, peut-être, progressivement !... (*Brusquement, la faisant asseoir sur son genou gauche.*) Oh ! mon bébé ! alors, quoi ?

AMÉLIE, *souriante et gênée.* – Mais , monseigneur... rien !...

LE PRINCE. – Je suis le prince de Palestrie.

AMÉLIE. – Je sais.

LE PRINCE. – Alors, quoi ? Mon bébé !...

AMÉLIE, *riant.* – Eh ! ben... voilà !

LE PRINCE, *ravi.* – Elle est charmante ! Elle est charmante ! (*Changeant de ton.*) Qu'est-ce que je disais donc ?

AMÉLIE. – Monseigneur disait : (*Imitant l'accent et la grosse voix du prince.*) Alors quoi ? Mon bébé !

LE PRINCE, *riant très fort.* – Ah ! Oui ! Mon bébé, alors quoi ?

Ils rient ensemble.

SCÈNE XII

LES MÊMES, POCHET, suivi de MARCEL

POCHET, *entrant en coup de vent.* – Vite ! vite !...

MARCEL, *entrant également en coup de vent.* – Putzeboum ! voilà Putzeboum !

LE PRINCE. – Hein !

AMÉLIE, *instantanément debout.* – Putzeboum !

LE PRINCE, *qui n'a pas lâché la taille d'Amélie, la tirant à lui.* – Eh ! bien, quoi, Putzeboum ? Qu'est-ce que c'est encore, Putzeboum ? On ne peut donc jamais être tranquille ?

AMÉLIE, *sur les genoux du prince.* – Putzeboum ! mais comment savez-vous ?

POCHET, *très vite.* – Je me disposais à partir ; je l'ai vu dans l'escalier.

MARCEL, *très vite.* – Il monte ; dans une seconde il sera là.

AMÉLIE, *se levant d'un bond.* – Ah ! nom d'un chien !

LE PRINCE, *tirant Amélie à lui.* – Eh ! bien, ça nous est égal...

AMÉLIE, *se relevant aussitôt.* – Oh ! non, monseigneur, non ! Il ne faut pas qu'il vous voie.

LE PRINCE. – Pourquoi ? C'est un terroriste [22] ?

AMÉLIE. – Non ! non !

LE PRINCE, *voulant la tirer à lui.* – Alors, je m'en moque !

MARCEL. – Ah ! oui, mais pas nous !

On sonne.

ENSEMBLE

AMÉLIE. – Tenez, on sonne ! C'est lui !
POCHET. – Venez ! venez !
AMÉLIE. – Vite, monseigneur, vite !
MARCEL. – Vite, allez par là ! Allez par là !

LE PRINCE, *entraîné par tous vers le cabinet.* – Oh ! mais, c'est très désagréable ! Si c'est une farce, je la trouve mauvaise.

AMÉLIE. – Monseigneur ! monseigneur ! je vous en prie.

TOUS. – Venez ! Venez !

Amélie et le prince disparaissent dans le cabinet de toilette.

POCHET, *sur le pas de la porte du cabinet de toilette, à Marcel.* – Vous voyez ! vous voyez ce que nous faisons pour vous !

MARCEL. – Oui ! bon ! nous parlerons de ça plus tard... (*Entendant parler au fond à la cantonade, il pousse vivement Pochet dans le cabinet de toilette.*) Vite donc !

Ils disparaissent dans le cabinet de toilette.

SCÈNE XIII

CHARLOTTE, VAN PUTZEBOUM, puis ÉTIENNE

CHARLOTTE. – Ah ! C'est bien ! Entrez, monsieur, puisque vous êtes le parrain !

VAN PUTZEBOUM. – Eh ! oui donc ! *(Entrant et croyant trouver tout son monde.)* Alléï là ! Est-ce qu'on est prêt ? *(Ne voyant personne.)* Eh bé !... Ma où sont donc ?... *(Appelant.)* Eh ! la fille !

CHARLOTTE, *qui est déjà dans le vestibule, reparaissant.* Monsieur ?

VAN PUTZEBOUM. – La file de quartier !

CHARLOTTE, *à part, tout en descendant un peu en scène.* – Comment est-ce qu'il m'appelle ?

VAN PUTZEBOUM (1). – Où sont donc, qu'il y a personne.

CHARLOTTE. – Ah ! Tiens ?... On était là tout à l'heure !

VAN PUTZEBOUM. – Ma ne sont plus donc !

CHARLOTTE, *faisant mine d'aller au cabinet de toilette.* – Je vais voir par là !... *(On sonne.)* Oh ! pardon ! on a sonné !

Elle rebrousse chemin et sort du fond pendant ce qui suit.

VAN PUTZEBOUM. – Bon ! Oui ! Allez !... *(Une fois Charlotte sortie, au public.)* Qu'est-ce que tu paries qu'il est encore quéqué part à faire caresse à sa fiancée, donc ! Ah ! ça est un homme de tempérament, mon fileul ! Ça on sait dire !

Il a gagné jusqu'à l'extrême gauche.

VOIX D'ÉTIENNE. – Mais oui... mais oui !... inutile de m'annoncer !...

VOIX DE CHARLOTTE. – Mais, monsieur !...

VAN PUTZEBOUM. – Qu'est-ce que ça est, hein ? Cette voix, je connais !

ÉTIENNE, *entrant carrément en scène.* – Bonjour, Marcel ! *(Ne rencontrant que Van Plutzeboum.)* Ah ! je vous demande pardon !

VAN PUTZEBOUM. – Monsieur Chopart !

ÉTIENNE, *qui n'y est pas.* – Quoi ?... *(Se rappelant.)* Ah ! oui !...

VAN PUTZEBOUM. – Et qu'est-ce que vous faites là ? Je vous croyais une fois militaire ?

ÉTIENNE, *allant poser son chapeau sur la table.* – Libéré !

je suis libéré !... Cause d'oreillons !...

VAN PUTZEBOUM. – Tiens ! Tiens !

ÉTIENNE. – Ah ! la belle maladie !

VAN PUTZEBOUM. – Oui... et vous venez voir alors votre futur cousin.

ÉTIENNE, *ne comprenant pas au premier moment.* – Mon fut... ? Ah ! oui, oui !... Il n'est pas là ?

VAN PUTZEBOUM. – Si donc ! qu'on a dû le prévenir.

ÉTIENNE. – Mais, vous-même ? Amélie m'avait écrit que vous étiez reparti en Hollande.

VAN PUTZEBOUM. – Oui ! parti, ça j'étais !... mais ausi revenu, ça je suis.

ÉTIENNE. – Ah !

VAN PUTZEBOUM. – Oui... Ça me cause une fois beaucoup de dérangement hein, donc ! mais j'ai pensé que ça ferait peut-être de la peine à Marcel si je n'assistais pas pour son mariage.

ÉTIENNE, *ahuri.* – Hein ?

VAN PUTZEBOUM. – Et alors, en souvenir de son père donc, je me suis arrangé pour ; et alors, voilà : pour le mariage je reste.

ÉTIENNE, *à part.* – Oh ! nom de nom de nom ! *(Haut.)* Et Marcel ! Marcel, qu'est-ce qu'il a dit de ça ?

VAN PUTZEBOUM. – Marcel ? Oh ! Ça l'a profondément touché, savez-vous !...

ÉTIENNE, *n'en croyant pas ses oreilles.* – Ah ? Aha !

VAN PUTEZEBOUM. – Oui ! Ça j'ai senti !

ÉTIENNE, *à part.* – Oh ! le malheureux ! Quel pétrin, mon Dieu ! quel pétrin !

VAN PUTZEBOUM. – Et c'est dans trois semaines le mariage, il paraît.

ÉTIENNE, *de plus en plus ahuri.* – Aha !

VAN PUTZEBOUM. – Oui. *(Avec malice.)* Et même que je pense que ça n'est pas trop tôt, donc... *(Riant.)* parce que...

ÉTIENNE, *dressant l'oreille.* – Parce que quoi ?

VAN PUTZEBOUM, *faisant le discret.* – Hein ? Non, rien... Ça te dire, je sais pas !...

ÉTIENNE, *flairant la vérité.* – Quoi ?... Mais si, mais si, quoi ?

VAN PUTZEBOUM. – Non, non ! Je sais pas ! Il m'a fait promettre que je dise à personne.

ÉTIENNE. – Oh ! oui, oui !... Mais, voyons ! à moi...

VAN PUTZEBOUM. – Oui, ça est vrai !... A toi... Toi tu

n'es pas tout le monde ! Je sais ! Tu es son meilleur ami ; il te vous dit tout ; alors... comme il te vous le dira aussi bien, n'est-ce pas ?

ÉTIENNE, *sur les charbons.* – Mais évidemment, évidemment !

VAN PUTZEBOUM. – Oui, mais seulement tu promets que tu le dis à personne ?

ÉTIENNE, *rongeant son frein.* – Mais oui ! mais parbleu, voyons !

VAN PUTZEBOUM. – Ah ! Parce que, tu comprends, ça ferait des ruses avec Marcel, et moi je ne veux pas des ruses, hein donc !

ÉTIENNE, *même jeu.* – Bien oui ! Bien oui !

VAN PUTZEBOUM. – Eh ! bé... Ça je te dis bien entre nous : je crois qu'il est assez bien temps qu'on les marie !...

ÉTIENNE. – Hein ?... Pourquoi ?

VAN PUTZEBOUM. – Mais parce qu'il ne peut plus attendre, donc ! et la petite aussi !... *(Ravi.)* Et que les tourtereaux, ils ont déjà profité sur !

ÉTIENNE, *bondissant.* – Qu'est-ce que vous dites ?

VAN PUTZEBOUM. – ... même que tout à l'heure je les ai trouvés couchés dans le lit, là !...

ÉTIENNE. – Dans le lit !

VAN PUTZEBOUM. – Oui... elle est fameuse ! hein ?

ÉTIENNE, *éclatant.* – Ah ! n... de D... !

VAN PUTZEBOUM, *faisant un bond en arrière.* – Qu'est-ce qu'il y a ?

ÉTIENNE, *le saisissant au collet et le secouant comme un prunier.* – Vous les avez trouvés couchés dans le lit ?... Vous les avez trouvés couchés dans le lit ?...

VAN PUTZEBOUM, *cherchant à se dégager.* – Hein ! Mais laisseï-moi !...

ÉTIENNE, *même jeu.* Vous les avez trouvés...

VAN PUTZEBOUM, *se dégageant d'un geste brusque.* – Mais qu'est-ce que ça vous fait donc ?

ÉTIENNE, *remontant avec rage.* – Ah ! les cochons ! les cochons ! les cochons !

VAN PUTZEBOUM. – Mais puisqu'ils font mariage, alleï ! Qu'est-ce que ça sait une fois te faire ?...

ÉTIENNE. – Quand je pense que j'avais confiance en lui !... Que je lui avais laissé Amélie en me disant : « Avec lui je peux être tranquille !... »

VAN PUTZEBOUM. – Ah ! Godferdom ! Ah ! bien, si j'avais su savoir !

ÉTIENNE, *redescendant à proximité de Van Putzeboum.* – Et voilà... voilà ce qui se dit un ami !...

VAN PUTZEBOUM, *piteux et suppliant.* – Chopart ! voyons Chopart !

ÉTIENNE, *avec une brusquerie furieuse qui fait bondir Van Putzeboum en arrière.* – Ah ! fichez-moi la paix avec votre Chopart ! Il n'y a plus de Chopart ! *(Arpentant la scène.)* Ah ! les cochons ; les cochons ! les cochons !

VAN PUTZEBOUM. – Mais comme il est *pointilleux* pour sa cousine, donc !

ÉTIENNE, *qui est arrivé au lit.* – Je n'ai pas plutôt le dos tourné qu'on les trouve cou-chés-en-sem-ble !

Il scande chaque syllabe des deux derniers mots d'un coup de poing rageur sur le matelas du lit.

VAN PUTZEBOUM. – Non... écoute donc ! écoute !... Il ne faut pas tout de même juger comme ça...

ÉTIENNE. – Ouais ! Ouais !

VAN PUTZEBOUM. – Après tout, s'ils étaient couchés, peut-être que...

ÉTIENNE, *le narguant.* – Que quoi ? que quoi ?

VAN PUTZEBOUM, *bien bête.* – Mais, je ne sais pas dire ! Ils étaient peut-être fatigués !...

ÉTIENNE, *l'imitant.* – Fatigués ! fatigués !... Ah ! Ah ! C'est vous qui m'avez l'air fatigué !... Oh ! mais ça ne se passera pas comme ça !... Oh ! ils me le paieront !

Tout en parlant, il a gagné l'extrême droite.

VAN PUTZEBOUM. – Hein ? Ah ! non ! non ! écoute ça, non !... Ah ! bien ! Si j'avais su !... Écoute ! qu'est-ce que tu m'as promis ; que, si je te disais, tu ne dirais à personne !...

ÉTIENNE, *avec un ricanement nerveux.* Ah ! ah ! c'est ça qui m'est égal !

Il remonte par l'extrême droite pour redescendre ensuite par le milieu de la scène.

VAN PUTZEBOUM, *remontant parallèlement à lui de l'autre côté de la table, puis redescendant ensuite avec lui.* Ah ! non ! non ! Ça elle est mauvaise !... Ça est me mettre dans les patates, tu sais, et ça, je veux pas !...

ÉTIENNE, *arpentant sans l'écouter.* – Oh ! les cochons ! les cochons !

VAN PUTZEBOUM. – Écoute, Chopart ! ça tu ne sais pas faire !... J'ai fait un pataquès... j'aurais pas dû te dire... mais toi aussi, tu sais, tu m'as promis...

ÉTIENNE. – Ouais ! ouais !

VAN PUTZEBOUM. – J'ai ta parole, Chopart... ça tu dois pas faire... ça tu dois pas, Godferdom !... Et puis enfin, puisqu'ils font mariage !

ÉTIENNE, *le saisissant par les revers à l'encolure de sa jaquette.* – ... mariage !... mariage ! mais espèce de c... *(Brusquement, d'un mouvement sec imprimé au revers du veston, envoyant, comme avec un ressort, pirouetter Van Putzeboum au loin, – puis comme frappé d'une idée lumineuse.)* Oh ! qu'elle serait pommée, celle-là !

Il continue à combiner intérieurement.

VAN PUTZEBOUM, *après avoir repris tant bien que mal son équilibre, se rapprochant et, frappant doucement sur l'épaule d'Étienne.* – Chopart ! Voyons ! Réponds !

ÉTIENNE, *se retourne vers lui, le toise une seconde fois, puis comme un homme qui prend une détermination.* – Soit ! vous avez raison ! Je vous ai promis ! c'est bien ! je ne dirai rien.

VAN PUTZEBOUM, *soulagé d'un poids.* Ah ! A la bône heûre !

ÉTIENNE, *sardonique.* – Mais comment donc !

VAN PUTZEBOUM. – D'autant que je te répète, il n'y a peut-être rien eu !

ÉTIENNE, *même jeu.* – Mais oui ! mais oui !... A la réflexion, parbleu !... Ils n'étaient peut-être que fatigués !

VAN PUTZEBOUM. – Mais absolument donc !

ÉTIENNE, *les dents serrées à grincer.* – Mais c'est évident, ces chers petits !

VAN PUTZEBOUM, *s'épongeant, tout en gagnant la gauche.* – Ouf ! Je suis tout en chaud, moi !

Ne pas prononcer le t final de « tout ».

ÉTIENNE, *à part.* – Ah ! saligauds !... Ah ! vous me le paierez ! et... bien !...

Il ponctue le dernier mot d'un geste du poing plein de menace.

VAN PUTZEBOUM, *à part.* – Heureusement qu'au fond il est gôbeur !

SCÈNE XIV

LES MÊMES, MARCEL, AMÉLIE, POCHET

MARCEL, *sortant du cabinet de toilette.* – Qu'est-ce qu'on me dit, mon parrain !...

VAN PUTZEBOUM. – Eh ! le voilà !

MARCEL, *apercevant Étienne, vivement, à part.* – Nom d'un chien ! Étienne. *(Haut et allant à lui.)* Toi, toi ! ici !

Dans ce mouvement il s'arrange pour passer n° 2 afin d'être entre lui et Van Putzeboum.

ÉTIENNE. – Oui, moi ! moi !

AMÉLIE, *surgissant, suivie de Pochet.* – Étienne !

POCHET. – Vous !

ÉTIENNE*. – Moi !

AMÉLIE, *s'élançant sans ses bras.* – Ah ! mon Étienne !

ÉTIENNE. – Ma petite Amélie ! *(Baisers, puis, à part.)* Petite traînée !... *(A Marcel.)* Ce bon Marcel !

MARCEL. – Et ça va bien ?

ÉTIENNE. – Si ça va !... Ah !

MARCEL, *lui serrant la main avec exagération.* – Ah ! je suis bien content !

ÉTIENNE. – Et moi donc !... *(Entre les dents.)* Salaud, va !...

POCHET. – Vous êtes heureux de vous revoir ?

ÉTIENNE. – Moi ? Aux anges !

MARCEL, *comme un éclair, bas à Van Putzeboum.* – Surtout à lui, pas un mot ! pas un mot de ce que vous savez !

VAN PUTZEBOUM, *bas.* – Hein ? Ah ! là, mais oui, voyons... Est-ce que ça est même à dire ces choses-là ?

MARCEL, *bas.* – Oh ! oui, hein ?

VAN PUTZEBOUM, *bas.* – Est-ce que tu me crois assez bête pour aller lui raconter... !

MARCEL, *bas.* – Ah ! est-ce qu'on sait jamais ! *(A part.)* Ouf ! ça me tranquillise !

Il retourne à Étienne qui cause avec Amélie avec des sourires pleins de venin.

ÉTIENNE, *sur un ton hypocrite.* – Et dis-moi, elle ne t'a pas trop ennuyé ?... Elle a été bien sage ? Bien raisonnable ? Oui ?

MARCEL. – Si elle a été sage !

POCHET, *croyant donner le meilleur des arguments.* – C'est-à-dire qu'ils ont été tout le temps ensemble.

ÉTIENNE. – Ainsi, voyez !

POCHET. – Ils ne se sont pas quittés... alors !

---

* Van Putzeboum (1), Marcel (2), Étienne (3), Amélie (4), Pochet (5).

ÉTIENNE (3), *enserrant dans une même étreinte Marcel (2) et Amélie* (4). – Mais, comment donc, évidemment ! *(Les dents serrées.)* ces chers amis !

VAN PUTZEBOUM, *les voyant tous réunis et en pleins épanchements, s'avançant jusqu'à eux en longeant la rampe et arrivé entre Marcel et Étienne bien face à eux et dos au public.* – Écoutez, mes enfants, j'étais revenu pour vous chercher, mais je vois que Marcel n'est pas encore *habilé*...

MARCEL. – Excusez-moi ! j'ai eu du monde tout le temps ; mais ça ne sera pas long !

VAN PUTZEBOUM. – Laisse donc ! laisse donc ! D'autre part, Amélie, elle doit assez bien désirer qu'elle reste un peu avec son cousin, qu'elle n'a pas vu depuis quinze jours !...

AMÉLIE. – Évidemment, ça... !

VAN PUTZEBOUM. – Oui !... alors qu'est-ce que je sers, moi ? Je sais pas aider Marcel à *s'habiler,* et je sais encore moins pour vos épanchements cousinaux !... Alors, comme je suis de trop...

TOUS, *protestant ironiquement.* – Oh ! Oh !

VAN PUTZEBOUM. – Si ! Si ! Ça est devinable ! Eh ! bé, juste ça se trouve que je voulais passer chez le perruquier !... pour ma barbe, donc !

MARCEL. – Ah ! oui !... la barbe !

VAN PUTZEBOUM. – La barbe, oui ! J'avais dit que je remettrais pour demain, mais, puisque ça est ça, j'ai le temps, hein ?... Et, alors, je vous retrouve dans la *demi-lyheure* chez Amélie... ça va une fois ?

TOUS, *l'accompagnant, le poussant presque, dans la hâte de le voir partir.* – Comment donc ! c'est ça, c'est ça !

VAN PUTZEBOUM. – Alleï ! Alleï ! Ne me reconduisez pas... *(A Marcel.)* Toi, tu *t'habiles...* et vous autres, vous épanchez ! A tout à l'heure !

TOUS. – A tout à l'heure ! A tout à l'heure !

Van Putzeboum sort ; déjà tous redescendent, quand il reparaît presque aussitôt.

VAN PUTZEBOUM. – Dites donc, il n'y a pas un raseur près d'ici ?

MARCEL, *excédé.* – Oh ! pas loin !

AMÉLIE. – Tenez, en face ! il y en a un en face.

VAN PUTZEBOUM. – Ah ! bon ! bon ! A cette heure-ci, il y sera, oui ?

MARCEL. – Oui, oui ! allez toujours ! S'il n'est pas là, il y en aura toujours un quand vous serez là, je vous le garantis.

VAN PUTZEBOUM. – Parfait ! Merci ! A tout à l'heure !

Il sort.

SCÈNE XV

LES MÊMES, moins VAN PUTZEBOUM.

MARCEL (1). – Ouf ! crampon, va ! *(A Étienne* (2).) Hein, crois-tu ?

AMÉLIE (3). – Le v'là revenu !

ÉTIENNE, *faisant l'innocent.* – Mais oui, j'en suis baba ! Qu'est ce qu'il fait ici ? Je le croyais en Hollande.

MARCEL. – Ah ! mon ami, ne m'en parle pas !

AMÉLIE. – Il rapplique pour notre mariage.

ÉTIENNE, *feignant de tomber de son haut.* – Qu'est-ce que vous dites ?

POCHET. – Et il vient assister à la cérémonie.

AMÉLIE et MARCEL. – Oui !

ÉTIENNE. – Oh ! nom de nom ! Oh ! mes pauvres enfants ! *(A Marcel.)* Mais alors, tu es flambé ?

MARCEL, *avec un geste découragé.* – Ah !... à moins d'un miracle...

Il va s'adosser contre le pied du lit.

POCHET. – ... c'est dans le lac !

ÉTIENNE. – Oh ! mais pas du tout ! Il ne s'agit pas de se laisser abattre. Il faut trouver une solution ! Ce miracle, il faut l'accomplir !

MARCEL. – Mais quoi ? Quoi ?

AMÉLIE. – Comment veux-tu ?

ÉTIENNE. – Ah ! je ne sais pas ! Mais il ne sera pas dit que je laisserai un ami... *(avec intention)* un bon ami comme toi dans l'embarras.

Et ce disant il serre la main de Marcel à le faire crier.

MARCEL, *ne pouvant réprimer un petit cri de douleur.* – Aha ! *(Tout en faisant manœuvrer ses phalanges endolories.)* Ce cher Étienne !

ÉTIENNE, *avec un sourire qui en dit long.* – Oui ! mon vieux !... *(Changeant de ton.)* Bien, ma foi, je ne vois qu'une chose : Il veut assister au mariage. Eh bien ! ce mariage... *(avec énergie)* il faut le lui donner !

MARCEL, *quittant le pied du lit et descendant vers Étienne.* – Hein ! Tu veux que j'épouse Amélie ?

AMÉLIE. – Tu veux me marier à Marcel ?

MARCEL. – Ah ! non ! J'aime bien Amélie, mais de là à l'épouser !...

POCHET, *avec dignité et comme un argument sans réplique.* – Quoi ! J'ai bien épousé sa mère !

MARCEL. – Ah ! Je ne vous dis pas, mais Amélie !... Ah ! non !

ÉTIENNE. – Mais, là ! là !, il ne s'agit pas de ça ! Ah ! bien, merci ! te donner Amélie ! elle, si bonne !... si droite !... si fidèle !...

Sur chaque qualificatif, il donne un baiser à Amélie, avec plus l'envie de la mordre que de l'embrasser.

AMÉLIE, *sur les mots « si fidèle », gênée.* – Tais-toi ! Tais-toi !

MARCEL. – Oui, tais-toi !

ÉTIENNE, *se complaisant à tourner le fer dans la plaie.* – Non, non ! je tiens à le dire !... Eh bien ! de quoi s'agit-il ? De rouler ton parrain ? Eh bien ! on le roulera. *(Prenant Amélie et Marcel par la main et les faisant descendre quelque peu.)* Et voici !... ce que je propose :

TOUS, *anxieux.* – Quoi, quoi ?

ÉTIENNE, *à Marcel.* – Nous allons à la mairie avec Putzeboum, de façon qu'il assiste à tout ; nous publions les bans.

MARCEL, *avec un sursaut de surprise.* – Pour de vrai ?

ÉTIENNE. – Pour de vrai.

AMÉLIE. – Mais alors... c'est le mariage.

ÉTIENNE. – Mais non ! c'est les formalités... obligatoires du mariage, mais ça ne le rend pas obligatoire pour ça ! ton parrain est convaincu : désormais il est à nous.

AMÉLIE et MARCEL, *ne comprenant pas.* – Oui !

POCHET, *avec admiration.* – C'est épatant !

MARCEL et AMÉLIE. – Quoi ?

POCHET, *interloqué.* – Hein ?... Je ne sais pas !... ce qu'il a trouvé.

MARCEL, *haussant les épaules.* – Ah ! là !...

AMÉLIE. – Voyons, papa !

MARCEL. – Allez, circulez !

ÉTIENNE. – Suis-moi bien !... A la mairie même, pour la date fixée, je loue la salle des fêtes.

TOUS. – Oui.

ÉTIENNE. – Bon ! J'ai loué ; je suis chez moi ; je fais ce que je veux !

TOUS. – Oui.

ÉTIENNE. – Bien ! Je prends un ami à moi ; tiens : un de la Bourse ; Toto Béjard, par exemple.

MARCEL. – Toto Béjard ?

ÉTIENNE. – Oui ! tu ne connais pas *(à Pochet et Amélie) ;* vous ne connaissez pas.

POCHET. – A la Bourse, je connais Chaminet.

ÉTIENNE. – Oui, eh bien ! c'est pas lui. *(Reprenant son exposé.)* Je dis à Toto Béjard, qui est un blagueur à froid..., je lui dis : « Tu vas être le maire ! » Il ceint l'écharpe ; et dès lors, devant ton parrain réuni, nous célébrons ton mariage avec Mlle Amélie d'Avranches ici présente et couverte d'oranger.

TOUS, *ravis et sautant de joie.* – Ah ! Ah ! Ah ! bravo !

Marcel, Amélie et Pochet font une ronde bruyante et joyeuse autour d'Étienne.

ÉTIENNE, *pendant qu'ils dansent autour de lui, avec des hochements de tête et des sourires significatifs.* – Oui, mon vieux ! Danse ! danse !

MARCEL, *serrant les mains d'Étienne avec effusion.* – Ah ! Étienne, tu me sauves la vie ! Quel ami ! ah ! quel ami !...

ÉTIENNE, *sardonique.* – Mais... autant que tu en es un, toi-même.

MARCEL. – Ah ! comment te remercier !

ÉTIENNE. – Laisse donc !... Tu me remercieras plus tard !

Reprise de la ronde autour d'Étienne.

RIDEAU

EXPLICATION DU TRUC DE LA COUVERTURE

Ce truc pourrait s'exécuter ainsi que le personnage l'explique lui-même, mais cela aurait plusieurs inconvénients dont le plus grave serait, étant donné l'angle aigu que formerait la ficelle autour du pied du lit, de voir cette ficelle se rompre sous l'action du frottement, ce qui rendrait la continuation de l'acte impossible.

Voici donc comment il s'effectue :

Dans le décor, sous le lit, à gauche (dans l'angle formé par le pied et le cadre du lit), percer deux trous horizontalement parallèles, distants de cinq ou six centimètres l'un de l'autre et à une hauteur du sol égale à celle du dessous de lit qui doit être de trente-cinq centimètres environ.

– En regard de ces trous, à chaque traverse du sommier (qui doit être en bois et creux), visser deux pitons.

– A l'envers du couvre-pied ouaté (côté tourné vers la tête du lit), à dix centimètres du bord et bien au milieu de ce bord, coudre solidement deux languettes d'étoffe bien résistantes, longues de huit centimètres sur quatre de large et placées parallèlement à cinq ou six centimètres de distance dans le sens de la longueur du couvre-pied. A chacune de ces languettes fixer solidement deux anneaux de rideau (cela fait quatre en tout), le second cinq centimètres au-dessous du premier.

– Avoir deux pelotes de ficelle solide (fouet), ayant chacune un peu plus que le métrage nécessaire au trajet de la tête du lit au pied du lit et du pied du lit au cabinet de toilette, intérieurement.

– De la coulisse, passer chacun de ces fils par chacun des trous percés dans le décor et ensuite par chacun des pitons correspondants du sommier. (Éviter d'emmêler les fils.) Après quoi, contourner extérieurement le pied gauche du lit avec les deux fils parallèles, les faire monter le long du devant du lit, les passer par-dessus la barre de traverse, les glisser sous le couvre-pied et les attacher chacun d'abord au second anneau, puis au premier anneau (pour lequel on a réservé un peu de fil avant de faire le nœud) de sa languette respective. Après quoi, tirer le pied du couvre-pied, de façon qu'il retombe en biais sur le devant du lit, de manière à cacher la ficelle au public et en même temps à permettre à Amélie de tirer la couverture à elle quand

elle est sous le lit. Pour le reste, l'accessoiriste chargé de la manœuvre n'a qu'à lâcher du fil quand Amélie s'en va avec la couverture, et à tirer le fil à lui quand il s'agit de faire revenir le couvre-pied. S'assurer que tout fonctionne bien avant de lever du rideau et aussi que les ficelles passées par les pitons ne traînent pas par terre, afin qu'Amélie, quand elle se glisse sous le lit, ne s'empêtre pas dedans.

Nota : *Il est préférable aussi bien dans l'intérêt du décor – dont la toile aurait à souffrir par l'usage – que dans l'intérêt même de la manœuvre du fil, de fixer derrière le décor, à l'endroit où il est percé, une petite armature en bois percée également des mêmes trous dans lesquels on aura serti deux œillets en verre ou en métal, ce qui permettra un glissement plus facile.*

ACTE III

PREMIER TABLEAU

LA SALLE DES MARIAGES A LA MAIRIE

En pan coupé gauche, deuxième et troisième plan, grande baie donnant sur un vaste atrium auquel on accède par deux marches. Au premier plan, perpendiculaire à la rampe, mur plein auquel est adossée une banquette occupant toute la largeur. Au fond, tout de suite après la baie, grande partie oblique. Au centre, une porte donnant sur les couloirs de la mairie. A droite, deuxième plan, porte donnant dans le cabinet du maire. Trois tables sont placées parallèlement au mur de droite. Celle du milieu, plus grande que les deux autres et sur estrade : c'est la table du maire ; elle est recouverte du traditionnel tapis vert ou grenat, suivant la décoration de la mairie. Derrière la table, un fauteuil. Au-dessus, sur une console appliquée au mur, le buste de la République. Une chaise à chacune des deux autres tables. A l'avant-scène, parallèlement à la rampe et tout près de la table la plus près du public, une petite banquette sans dossier, pour deux personnes. Face à la table du maire, les deux fauteuils des mariés, encadrés de chaque côté par deux chaises ; puis au fond, continuant la rangée mais formant angle droit avec elle, deux chaises face au public. (Ce premier rang doit être très en oblique, de façon à ce que chacun des artistes reste visible le plus possible des spectateurs. Placer donc les meubles de ce premier rang d'une ligne qui partirait du trou du souffleur pour aller rejoindre le fond du décor, à deux mètres environ de l'angle de droite.) Derrière ce premier rang, un second rang de cinq chaises (cette rangée un peu moins oblique que la première), puis, derrière, deux rangées de banquettes sans dossier ; l'avant-dernière banquette doit être encore moins oblique que la rangée de chaises et la dernière banquette perpendiculaire à la scène. Sur la table du maire, un encrier, un petit code, différents papiers. Un registre sur chacune des tables qui encadrent la table du maire.

SCÈNE PREMIÈRE

MOUILLETU, VALÉRY, MOUCHEMOLLE, GABY, INVITÉS, INVITÉES

Au lever du rideau, le monde est assis çà et là dans la salle, dans l'attente de la cérémonie qui se prépare. Gaby est entrée et s'engage dans la rangée de chaises.

MOUILLETU, *à Gaby, sur le ton d'un refrain habituel.* – Sur les banquettes, messieurs dames ! les chaises et fauteuils sont pour le cortège.

GABY, *s'introduisant dans le rang suivant formé par la banquette derrière les chaises.* – Pardon, je ne savais pas ! Pardon, monsieur. (*Le monsieur se lève.*) Pardon, madame.

La dame se lève.

UN MONSIEUR, *à son voisin.* – C'est bien à trois heures, la cérémonie ?

LE VOISIN. – Si les mariés ne sont pas en retard, c'est pour trois heures.

Sur ces entrefaites sont entrés, bras-dessus, bras-dessous, Valéry et Mouchemolle ; ils longent le fond, tout en parlant à haute voix.

VALÉRY. – Oui, mon vieux ! et tous les garçons sont alors tombés sur le pochard et on l'a sorti en cinq sec.

MOUCHEMOLLE. – Ah ! la bonne histoire !

VALÉRY, *à Mouilletu.* – Ah ! dites donc, garçon ! le mariage Courbois ?

MOUILLETU. – C'est ici monsieur.

GABY, *qui est assise au bout de la banquette, côté public, de sa place faisant des signes à Valéry et Mouchemolle.* – Eh !... psstt !

MOUCHEMOLLE, *joyeusement.* – Ah ! Tiens ! voilà Gaby !

VALÉRY, *même jeu.* – Ah ! Gaby ! (*Valéry se glissant dans le rang de Gaby.*) Ah ! te voilà, toi !

GABY. – Tu parles !

MOUILLETU, *voyant Mouchemolle qui s'engage dans le rang de chaises.* – Pas sur les chaises ! Sur les banquettes !

MOUCHEMOLLE, *sur un ton blagueur.* – Oui ! Merci, mon ami.

Il sort du rang de chaises et s'engage dans le rang suivant, à la suite de Valéry.

VALÉRY, *dérangeant les deux personnes qui occupent le commencement de la banquette.* – Pardon, monsieur ! Pardon, madame !

MOUCHEMOLLE, *se glissant derrière lui et passant devant les personnes.* – Pardon !.. pardon !

VALÉRY. – Bonjour, Gaby !

MOUCHEMOLLE. – Ça va bien ?

Ne trouvant pas de place pour s'asseoir, il enjambe et s'assied sur la dernière banquette.

GABY. – Bonjour, les gosses ! Vous n'avez pas voulu rater le mariage, hein !

VALÉRY. – Tiens !

MOUCHEMOLLE. – Mais dis donc, tu en es une autre à ce que je vois !

GABY. – Tu penses ! C'est l'attraction du jour !

VALÉRY. – Non, mais tout de même, c'est incroyable, hein ?

GABY. – Quoi ?

VALÉRY. – Mais ce mariage, donc !

MOUCHEMOLLE. – Marcel épouser Amélie !

GABY. – Mais il paraît que c'est une blague.

VALÉRY. – Comment, une blague ! C'est-à-dire qu'on l'a cru d'abord. Mais maintenant, il n'y a plus à douter, voyons ! puisque le mariage a lieu.

GABY. – Mais non, mais non ! Marcel a passé la soirée hier à Tabarin [23] et il nous a assuré que c'était un bateau qu'on montait à son parrain !... à propos d'une question d'héritage !

VALÉRY. – Oh ! voyons ! c'est à vous qu'il a monté le

bateau ! Comment veux-tu ? A la mairie !...

GABY. – Ah ! je ne sais pas ! je te dis ce qu'il nous a dit.

Ils continuent à causer.

SCÈNE II

LES MÊMES, CORNETTE, puis LE MAIRE

CORNETTE, *une épaule plus haute que l'autre, accourant du fond.* – Mouilletu ! Mouilletu !

MOUILLETU, *debout sur l'estrade, en train de ranger sur la table du maire.* – Ah ! monsieur Cornette !

CORNETTE. – Bonjour, Mouilletu ! le patron ne m'a pas demandé ?

MOUILLETU. – Oh ! si... vous pouvez me remercier ; je vous ai sauvé la mise en disant que je vous avais déjà vu.

CORNETTE. – Oh ! merci !... J'ai été retenu plus longtemps que je ne voulais.

MOUILLETU. – Au café, je parie ?

CORNETTE. – Je faisais une manille avec Jobinet.

MOUILLETU, *cherchant.* – Jobinet ?

CORNETTE. – Le comptable d'en face... Jobinet, vous savez bien... qui est si rigolo !... Jobinet, des pompes funèbres

MOUILLETU. – Ah ! oui !...eh bien ? Vous avez gagné au moins ?

CORNETTE. – Mais non !... C'est pas étonnant, il est bossu !

LE MAIRE, *passant la tête à la porte de droite.* – Cornette !

CORNETTE, *empressé.* – Voilà, monsieur le maire !... voilà !

Le maire est rentré, Cornette court le rejoindre dans son cabinet.

SCÈNE III

LES MÊMES, PÂQUERETTE, GISMONDA,
puis DEUX PHOTOGRAPHES

VALÉRY, *apercevant Pâquerette et Gismonda qui, sur les derniers mots, sont arrivées de gauche et traversant au fond.* – Tiens, voilà Pâquerette et Gismonda.

GABY. – Ah ! oui... (*Leur faisant signe.*) Eh !...

VALÉRY et MOUCHEMOLLE, *de même.* – Hep ! hep !

PAQUERETTE, *à Gismonda.* – Ah ! les copains !

GISMONDA. – Tiens ! Ça va bien ?

GABY, *leur faisant signe de venir près d'elle.* – Vous venez là ?

GISMONDA et PAQUERETTE. – Oui.

MOUILLETU, *aux deux femmes qui s'engagent dans le rang des chaises.* – Pas sur les chaises, mesdames, pas sur les chaises !

PAQUERETTE, *sur un ton gouailleur.* – Qu'est-ce qu'il a, celui-là !

GISMONDA. – Oh ! bien, vous n'avez pas de place...

PAQUERETTE, *qui est descendue à l'avant-scène.* – Si on se casait au fond, on serait mieux pour l'entrée du cortège...

VALÉRY. – Oh !... Si vous voulez !

GABY. – Moi, je veux bien.

MOUCHEMOLLE. – Allons !

Les deux hommes se dirigent vers la banquette de gauche, tandis que les femmes iront peu à peu, lentement, tout en causant.

GABY. – Vous êtes restés encore tard cette nuit ?

PAQUERETTE. – Ne m'en parlez pas : six heures du matin !...

GISMONDA. – On s'est quitté en se donnant rendez-vous ici ; mais toute la bande était si vannée, qu'elle a, bien sûr, dû rester au lit !

VALÉRY, *qui est près de la banquette adossée au mur.* – C'est là qu'on se met !

PAQUERETTE. – Oui ! on sera très bien.

GISMONDA. – Il paraît que c'est un nommé Toto Béjard qui fait le maire ?

VALÉRY et MOUCHEMOLLE. – Toto Béjard ?

PAQUERETTE. – Un type de la Bourse, oui.

GABY, *à Valéry.* – Ah ! tu vois. (*Aux deux femmes.*) N'est-ce pas que Marcel nous a dit, pour son mariage, que c'était une blague qu'on faisait à son parrain.

PAQUERETTE et GISMONDA. – Absolument !

GABY. – Là !

VALÉRY. – Eh bien, qu'est-ce que tu veux, ça me dépasse.

UN PHOTOGRAPHE, *son appareil sous le bras, fendant,*

pour passer, le rassemblement formé par Valéry, Gaby, Pâquerette, Gismonda et Mouchemolle, et qui obstrue le passage. – Pardon, messieurs ! Pardon, mesdames ! (*A part.*) Oh ! nom d'un chien, il y a du linge ! (*Arrivé à Mouilletu, à l'avant-scène droite.*) Dites-moi : le cortège entre par là, naturellement ?

MOUILLETU. – Dame ! par où voulez-vous qu'il entre ?

LE PHOTOGRAPHE. – C'est que je voudrais l'avoir bien en face... Je suis le photographe du *Matin*[24].

MOUILLETU. – Ah !... Très bien, monsieur !...

UN DEUXIÈME PHOTOGRAPHE, *après avoir accompli le même trajet que son confrère, surgissant dans le dos de ce dernier, pour s'adresser à Mouilletu.* – Dites-moi, garçon... (*Reconnaissant l'autre photographe qui s'est retourné.*) Tiens ! vous !

PREMIER PHOTOGRAPHE. – Bien oui, je viens pour le *Matin.*

DEUXIÈME PHOTOGRAPHE. – Et moi pour le *Journal*[25] !

LES DEUX PHOTOGRAPHES, *en chœur.* – Naturellement !

Ils remontent. Pendant ce qui précède, Mouilletu a gagné la gauche en passant derrière les photographes.

VALÉRY, *à Mouilletu qui est arrivé près de lui.* – Dites-moi, garçon !

MOUILLETU. – Monsieur ?

VALÉRY. – C'est bien à trois heures, le mariage ?

MOUILLETU. – Oui, monsieur.

LE MAIRE, *passant la tête par la porte.* – Mouilletu ! Mouilletu !

MOUILLETU. – Voilà, monsieur le maire !

Le maire rentre chez lui.

TOUS, *étonnés.* – Mouilletu ?

MOUILLETU, *se rapprochant de Valéry, pour s'excuser.* – Je vous demande pardon !

GABY, *le retenant par la manche.* – Dites donc ! « Mouilletu », c'est à vous qu'il demande ça ?

MOUILLETU. – Oui, madame ! C'est mon nom.

GABY, *riant.* – Quelle drôle d'idée !

MOUILLETU, *tandis que tout le groupe rit.* – Je n'en suis pas plus fier !... Je vous demande pardon !

Il les quitte pour aller chez le maire.

MOUCHEMOLLE. – Oh ! bien, si c'est à trois heures : il est moins trois...

VALÉRY. – Ça ne peut être long.

GISMONDA. – D'ailleurs, quand nous sommes arrivés, il y avait déjà des voitures en bas qui entraient.

VALÉRY. – Oh ! bien, alors !...

A ce moment, on entend dans l'atrium l'orchestre qui attaque la marche du Prophète [26].

GABY. – La musique ! Voilà la musique !

GISMONDA. – C'est les mariés ! C'est les mariés qui arrivent !

TOUS. – C'est les mariés !

MOUILLETU, *sortant de chez le maire et courant vers l'entrée.* – Le cortège, mesdames, messieurs ! voici le cortège !

LES DEUX PHOTOGRAPHES, *qui étaient à l'affût dans l'atrium, accourant en scène.* – Le cortège ! voilà le cortège ! *Mouilletu a disparu dans l'atrium.*

TOUT LE MONDE. – Le cortège ! Voilà le cortège !

Un des photographes s'est mis contre le manteau d'arlequin gauche ; l'autre grimpe sur une banquette. Tous deux, l'appareil braqué sur l'entrée.

GABY. – Allons voir l'entrée. Allons voir l'entrée.

TOUT LE GROUPE. – Allons ! Allons !

Ils grimpent les marches de la baie qu'ils obstruent complètement. Dans la salle, les gens sont debout sur les banquettes.

MOUILLETU, *revenant de l'atrium et repoussant les gens qui embarrassent l'entrée.* – Place, messieurs-dames ! place pour le cortège ! rangez-vous !

GABY, *indiquant la banquette de gauche.* – Là ! là !

TOUT SON GROUPE. – C'est ça ! C'est ça !

Gaby, Gismonda et Pâquerette grimpent sur la banquette. Les deux hommes, debout devant, se collent contre elles. A ce moment, entrée du cortège. En tête, Amélie en mariée, donnant le bras à son père qui est en habit, le chapeau à la main, la croix de commandeur de Palestrie au cou. Derrière, Marcel, donnant le bras à Virginie Pochet, sœur de Pochet. Derrière, Adonis en smoking, donnant la main à une petite fille de six ans, tenant un bouquet de demoiselle d'honneur. Derrière, les quatre témoins : Étienne, Van Putzeboum, le général et Bibichon. Puis les invités : Valcreuse, Yvonne, Boas et Palmyre.

MOUILLETU, *les recevant sur le pas de la porte.* – Par ici, messieurs les mariés ! par ici !

DES VOIX *dans l'assistance.* – Oh ! qu'elle est bien !... quelle jolie toilette !... comme elle est en physique !... etc.

Ils descendent par la gauche pour gagner la droite en traversant la scène, conduits par Mouilletu. Les photographes prennent des instantanés. Au moment où Amélie passe devant Valéry, Gaby et la bande... chacun lui fait un compliment : « Oh ! délicieuse !.. épatante !... Tu as une robe qui te va !... compliments !... etc., etc. » A chacun Amélie répond par un : « Merci... Merci bien... »

MOUILLETU, *gagnant la droite en tête du cortège.* – Par ici, messieurs dames !

AMÉLIE, *qui est arrivée avec Pochet à l'avant-scène gauche, s'arrêtant en voyant Pochet dont la figure se contracte d'émotion.* – Tu pleures, papa ?

POCHET, *contenant mal son trouble.* – Non !... Oui !... Qu'est-ce que tu veux : l'émotion !... C'est pas des larmes positivement ; c'est plutôt comme quand on épluche un oignon sous son nez, ça vous...

AMÉLIE. – Oui ! Oui !

POCHET. – N'est-ce pas, sentir sa fille en fleur d'oranger... comme ça... sous l'œil de la foule !...

AMÉLIE. – Mais puisque c'est une blague.

POCHET. – Je sais bien, mais, tout de même !... (*Il se mouche bruyamment, puis.*) Ah ! le mariage est une belle institution !

AMÉLIE. – Allons, calme-toi !...

MOUILLETU, *de l'extrême droite, voyant qu'on ne l'a pas suivi.* – Suivez, messieurs dames ! suivez !

POCHET. – Voilà ! Voilà !

Ils gagnent par la suite jusque devant la table du maire.

VIRGINIE, *à Marcel, à qui elle donne le bras. Parlant tout en suivant.* – Je vous dirai que ça dépend ! A domicile, pour faire les ongles, je prends huit francs ; mais, pour les amis, c'est cent sous.

MARCEL. – Oh ! c'est tout à fait intéressant !

ADONIS, *tirant la petite qui marche en regardant derrière elle.* – Mais suis donc, la gosse ! Tu es tout le temps à te faire traîner.

LA PETITE. – Mais je suis !

ADONIS, *dépité.* – Oh ! C't'idée aussi de m'avoir collé la

môme à la concierge comme demoiselle d'honneur. Je suis ridicule !

Ils vont s'asseoir sur les deux chaises qui forment la tête du premier rang.

MOUILLETU, *indiquant à chacun sa place respective.* – La mariée ici, le marié là !

VAN PUTZEBOUM, *à Étienne.* – Ça est le grand jour, hein donc ! les chers petits, ils doivent être très émus.

ÉTIENNE. – Oui !... (*Les dents serrées.*) Les chers petits !

MOUILLETU. – Monsieur le père, ici ! Madame la mère.

POCHET. – La mère ? Y en a pas !

VIRGINIE. – Non, je suis la tante.

MOUILLETU. – Eh bien ! madame la tante, là !

LE GÉNÉRAL, *à Bibichon, gauche de la scène.* – C'est-à-dire que, si je suis témoin, c'est que Son Altesse Royale m'a délégué...

BIBICHON. – En vérité !... Eh bien ! moi, c'est à cause... (*En se donnant une bonne tape sur la cuisse*) de ma respectabilité.

MOUILLETU. – Messieurs les témoins !

LES QUATRE TÉMOINS, *s'avançant.* – Voilà ! Voilà !

MOUILLETU, *leur indiquant leurs places.* – Les témoins de la mariée, ici ; les témoins du marié, là !

VAN PUTZEBOUM, *voyant sa place prise par Adonis.* – Alleï, les petits ! débarrassez, hein, donc ?

Adonis va s'asseoir sur la première chaise du deuxième rang ; la petite reste debout, près d'Amélie.

YVONNE, *à Boas qui, derrière, donne le bras à Palmyre. Tous les quatre sont à l'extrême gauche.* – Dis donc, ce mariage, ça ne te donne pas envie d'en faire autant ?

BOAS. – Avec toi ?

YVONNE. – Avec moi.

BOAS. – Eh bien ! tu sais, j'y penserai !

PALMYRE. – Moi, si je voulais, je n'aurais qu'un mot à dire, n'est-ce pas, chéri ?

VALCREUSE. – Ah ? possible ; mais pas avec moi, toujours.

PALMYRE. – Ah ! animal ! Tu me disais l'autre jour...

VALCREUSE. – Pardon, l'autre nuit !... et la nuit il y a bien des choses qu'on dit...

BOAS, *achevant sa pensée.* – ... par politesse.

MOUILLETU. – Monsieur le garçon d'honneur et la demoiselle ?

LA PETITE, *se précipitant vers Adonis et le tirant par la main.* – C'est nous, mon cher !

ADONIS, *entraîné par la petite.* – Oh ! « mon cher », non, pigez-moi, c'te larve !... si ça ne fait pas transpirer !

MOUILLETU, *indiquant la petite banquette à droite de la scène.* – Ici, monsieur le garçon d'honneur et sa demoiselle.

ADONIS, *à la petite, tout en s'asseyant à droite de la banquette.* – Non, mais à quelle heure qu'on te couche !

LA PETITE. – A huit heures, mon garçon !

ADONIS. – Oh ! là, là ! le biberon ! Allez, tâche de te la clore.

LA PETITE. – Quoi ?

ADONIS. – La ferme !

MOUILLETU, *au restant du cortège.* – Si vous voulez prendre place sur les chaises ?... (*Boas, Palmyre, Valcreuse et Yvonne s'asseyent aux places indiquées.*) M. le maire est à vous dans un instant.

Il entre chez le maire. Conversation générale en sourdine.

MARCEL, *après un temps, à Étienne.* – Dis donc ?

ÉTIENNE.. – Quoi ?

MARCEL, *à Étienne.* – C'est toujours Toto Béjard, le maire ?

ÉTIENNE, *sur un ton qui en dit long, mais dont l'intention échappe à Marcel.* – C'est Toto Béjard ! Oui.

MARCEL. – Dis donc, Amélie !

AMÉLIE. – Quoi ?

MARCEL. – C'est toujours Toto Béjard, le maire.

AMÉLIE. – Eh bien ! oui, je sais.

POCHET, *curieux.* – Quoi ? Qu'est-ce qu'il y a ?

AMÉLIE. – Non, rien ! Il me dit que c'est Toto Béjard, le maire.

POCHET. – Ah ! oui ! (*Se tournant vers Virginie.*) C'est Toto Béjard le maire !

VIRGINIE. – Eh ?... eh ben ! après ?... je m'en fiche !

VAN PUTZEBOUM, *à Étienne.* – Comment vous dites le bourgmestre ? Toto Béjard ?

ÉTIENNE, *interloqué.* – Hein ! non, oui ! Ça n'a pas d'importance.

Un temps. Puis grand éclat de rires dans la bande, Yvonne, Palmyre, Boas et Valcreuse.

YVONNE, *riant.* – Idiot, va !

BOAS, *riant.* – Oh ! ben, quoi, si on ne peut plus être spirituel !

AMÉLIE, *se levant et se retournant, un genou sur son fauteuil, riant de confiance.* – Quoi ? Quoi ? Qu'est-ce qu'il y a ?

BOAS, *riant.* – Rien, rien !

PALMYRE, *riant.* – C'est Boas qui fait des plaisanteries d'un goût douteux.

AMÉLIE, *curieuse.* – Ah ! quoi ? Quoi ?

ENSEMBLE

VALCREUSE. – Il demande...

YVONNE. – Il demande...

PALMYRE. – Il demande...

YVONNE, *cédant la parole à Palmyre.* – Non, toi !

PALMYRE. – Toi !

AMÉLIE. – Eh bien ! quoi ? Qu'est-ce qu'il demande ?

VALCREUSE, *se levant.* Il demande pourquoi tu n'as pas mis d'oranges dans ta couronne !

AMÉLIE. – Oh ! que c'est fin ! Oh ! que c'est spirituel !

Elle se rassied.

POCHET, *se levant et se retournant vers eux.* – C'est Gueuledeb qui a trouvé ça ?... Ah ! c'est distingué, oui !

BOAS, *assez content de lui.* – Ben, mon Dieu !...

POCHET. – Allons, allons ! circulez ! Où croyez-vous donc z'être ! hein ? Où croyez-vous donc z'être !

Il se rassied. On entend les autres répéter en sourdine en riant : « Où croyez-vous donc z'être. » – Un temps.

VALÉRY, *assis sur la dernière banquette, à Gaby.* – Eh bien ! mais y a qu'à lui demander... (*Appelant Bibichon.*) Eh ! Bibichon ?

BIBICHON, *se levant.* – Éha ?

VALÉRY. – Est-ce que tu es du dîner, demain, chez Fifi-l'andouille ?

BIBICHON. – Ah ! non !

GABY, PAQUERETTE, VALÉRY, GISMONDA, MOUCHEMOLLE, *ensemble.* – Ah ?

YVONNE, *se levant.* – Tu n'en es pas ?

BIBICHON. – Non.

PALMYRE, *se levant.* – Nous en sommes, nous.

Elles se rasseyent.

BIBICHON. – Oh ! mais ça ne fait rien ! On mange bien chez elle, je m'invite !

GABY. – Ah ! bravo !

BIBICHON. – Mais, dame ! (*Il se rassied pour se relever aussitôt, et, à ceux du fond.*) Allô !... Merci du renseignement.

Il s'assied. Mouilletu, sortant de chez le maire, monte sur l'estrade.

ADONIS, *à la petite qui lui parle à l'oreille.* – Quoi ?... Qu'est-ce que tu dis ? (*La petite lui reparle.*) Hein !... Ah ! zut ! Non !... tout à l'heure ! quand on s'en ira.

AMÉLIE. – Qu'est-ce qu'il y a ?

ADONIS. – Non, rien !

AMÉLIE. – Mais quoi ?

ADONIS. – Rien, c'est la gosse qui...

N'osant pas achever tout haut, il se lève et va parler bas à Amélie, après quoi il redescend pour retourner à sa place.

AMÉLIE, *pendant qu'Adonis redescend.* – Eh ! bien, quoi ? Conduis-la, mon petit !

ADONIS. – Moi ! Ah ! ben non, alors ! tu m'as pas regardé.

Il s'assied.

POCHET, *se levant et, curieux, à Amélie.* – Quoi ! Qu'est-ce qu'il y a ?

AMÉLIE. – Non, rien, papa ! C'est la petite qui...

Elle lui parle bas.

POCHET. – Ah ?

ADONIS, *sur un ton indigné.* – Oui !

POCHET. – Eh bien ! quoi ? C'est humain.

AMÉLIE, *allant à Mouilletu qui est debout sur l'estrade du milieu.* – Dites donc, garçon !

MOUILLETU. – Mademoiselle ?...

AMÉLIE. – Pourriez-vous nous indiquer...

Elle achève sa phrase à voix basse dans l'oreille de Mouilletu.

ADONIS, *vexé, pendant qu'Amélie parle bas à Mouilletu.* – Non, comme c'est agréable !

MOUILLETU. – Oh ! rien de plus facile, mademoiselle. (*Indiquant Adonis.*) C'est pour monsieur ?

ADONIS, *furieux.* – Hein ? Mais non ! mais non !

MOUILLETU, *descendant de l'estrade du maire.* – C'est pour la petite demoiselle ! Tenez, par ici, mademoiselle.

Précédant la petite fille, il se dirige vers le rang de chaises.

LA PETITE, *qui déjà suivait Mouilletu, s'apercevant qu'Adonis ne vient pas avec elle, courant à lui et le tirant par la main.* – Eh ben ! tu viens ?

ADONIS. – Mais, fiche-moi la paix !

AMÉLIE. – Eh ben ! quoi ? Va avec elle !

ADONIS. – Moi !

POCHET. – Un garçon d'honneur ne lâche pas sa demoiselle d'honneur.

ADONIS. – Ah ! ben, non, zut !

AMÉLIE. – Je te dis d'y aller... tu ne peux pas laisser cette petite toute seule.

ADONIS, *rageant.* – Oh !

POCHET. – Quoi, c'est pas la mer à boire.

ADONIS, *se laissant entraîner par la petite en maugréant.* – Non ! De quoi que j'ai l'air, moi ? De quoi que j'ai l'air ?

MOUILLETU, *s'engageant entre le premier et le deuxième rang de chaises, suivi par la petite et Adonis, sur un ton pompeux et rythmé.* – Laissez passer la demoiselle d'honneur ! Laissez passer la demoiselle d'honneur !

Dans le rang, chacun se lève à son tour pour laisser passer.

ADONIS, *furieux.* – Oh ! c't averse ! (*A la petite.*) Tu pouvais pas prendre les précautions avant, toi !

MARCEL, *au moment où Adonis passe derrière lui.* – Va donc, petit Soleilland[27] !

ADONIS, *rageur.* – Oh ! oui ! oh !

MOUILLETU. – Par ici, tenez, par ici !

ADONIS. – Sale gosse, va ! (*Arrivés au seuil de la porte du fond, Mouilletu, avec forces gestes, lui indique le chemin à prendre. Adonis, sur les charbons.*) Oui, c'est bon ; pas de gestes, monsieur ! pas de gestes !... je trouverai bien ! merci ! Sale gosse, va !

Ils sortent.

VAN PUTZEBOUM, *qui s'est levé sur le départ d'Adonis et l'a suivi des yeux, à Étienne qui se lève également pour se dérouiller les jambes.* – Où c'est ça qu'ils vont donc ?

ÉTIENNE. – Rien, c'est la petite qui... *Il achève sa phrase à l'oreille de Van Putzeboum.*

VAN PUTZEBOUM. – Ah ! oui, oui... Meneken !... Meneken... pssse[28] !...

ÉTIENNE. – Vous y êtes.

VAN PUTZEBOUM, *joyeux et prenant le bras d'Étienne.* – Oh ! ça est tout de même un mariage vraiment parisien !

Ils gagnent l'extrême gauche.

MARCEL, *étalé dans son fauteuil, après un temps, regardant sa montre.* C'est pas pour dire, mais il nous fait poser, Toto Béjard.

AMÉLIE. – Tu parles !... et moi, tu sais... je veux bien qu'on s'épouse, mais faut pas oublier que j'ai rendez-vous à quatre heures à la maison avec le prince.

MARCEL. – A quatre heures ?... Oh ! bien, tu as de la marge.

AMÉLIE. – C'est que, depuis le temps que je la fais droguer, la malheureuse... !

MARCEL. – Quelle... « malheureuse » ?

AMÉLIE. – Eh ! ben, Son Altesse !... C'est du féminin.

MARCEL. – Ah ?... C'est juste !

MOUILLETU, *montant sur l'estrade.* – Voici Monsieur le Maire.

Il descend se mettre à la table la plus près de l'avant-scène tandis que Van Putzeboum et Étienne regagnent vivement leurs places.

SCÈNE IV

LES MÊMES, LE MAIRE. *Il a, sur la partie gauche du front, une loupe énorme*

Le maire, en redingote, ceint de l'écharpe, entre, suivi de Cornette. Il monte à son estrade tandis que Cornette s'installe à sa table, au fond. Tout le monde s'est levé. Le maire s'incline légèrement pour saluer l'assistance, puis, d'un geste circulaire de la main, il fait signe à chacun de s'asseoir. Tout le monde s'assied, sauf Pochet qui regarde distraitement du côté de l'entrée.

LE MAIRE, *la main tendue vers Pochet pour lui faire signe de s'asseoir.* – Monsieur !

AMÉLIE, *à Pochet, lui indiquant le maire.* – Papa !

POCHET. – Oh ! pardon ! (*Croyant que le maire lui tend la main.*) Enchanté.

LE MAIRE. – Non, c'est pour vous prier de vous asseoir.

POCHET, *s'asseyant*. – Oh ! pardon.

Le maire s'assied et se penche vers Cornette pour lui faire quelques recommandations.

MARCEL, *bas, à Étienne*. – Dis donc !... C'est Toto Béjard, ça ?

ÉTIENNE, *l'œil malin*. – C'est Toto Béjard.

Marcel se lève et va considérer de plus près le maire.

LE MAIRE, *relevant la tête*. – Qu'est-ce qu'il y a ?

MARCEL, *d'un ton blagueur*. – Rien, rien ! (*A Étienne, en allant s'asseoir.*) La gueule est bonne ! Tu es sûr de lui, au moins ? Il ne va pas faire de blague ? Se mettre à rigoler ?

ÉTIENNE, *perfide*. – Non, non ! sois tranquille !... Il ne fera pas de blagues.

LE MAIRE, *se levant, à Marcel*. – Veuillez, je vous prie... ! (*Voyant que Marcel ne l'écoute pas.*) Monsieur le marié !...

AMÉLIE, *donnant un coup de coude à Marcel*. – Marcel !

MARCEL. – Hein ! moi ?...

LE MAIRE, *sur un ton aimablement plaisant*. – Évidemment, vous ! vous n'êtes pas plusieurs ! (*Achevant.*) ... me donner vos nom et prénoms !

MARCEL, *à Étienne, tout en se levant*. – Il est épatant !

ÉTIENNE. – N'est-ce pas ?

MARCEL, *le bord de son chapeau contre sa joue gauche pour dissimuler son envie de rire que révèle le son de sa voix.* – Joseph-Marcel Courbois.

LE MAIRE, *le regarde, ahuri, puis*. – Qu'est-ce qui vous fait rire ?

MARCEL, *blageur et entre les dents*. – Ça va bien, allez ! ca va bien !

LE MAIRE, *le considère un instant, un peu étonné, puis à Amélie*. – Et vous, mademoiselle ?

Amélie se lève pour répondre. Pochet, d'un geste, la fait rasseoir et s'avance vers la table du maire.

POCHET. – Clémentine-Amélie Pochet !

LE MAIRE. – Non, pas vous ! C'est à mademoiselle que je demande.

POCHET, *allant se rasseoir*. – Ah ! pardon.

AMÉLIE, *se levant*. – Clémentine-Amélie Pochet.

Elle s'assied.

POCHET, *allant jusqu'à la table du maire.* – Eh ! ben, hein ?... Qu'est-ce que j'ai dit ?

LE MAIRE, *commençant à être agacé.* – Oui, c'est bien.

POCHET. – Vous comprenez, n'est-ce pas, c'est moi qui lui ai donné ces noms... C'est ma fille, alors !... je les connaissais avant elle.

LE MAIRE, *lève les yeux au ciel, puis.* – Je vous en prie, monsieur !

POCHET. – Continuez, monsieur le maire ! continuez !

Il va se rasseoir.

VAN PUTZEBOUM, *à Étienne.* – Mais « Pochet, Pochet » ? Je croyais le nom était « d'Avranches » ?

ÉTIENNE. – Hein ?... Oui, c'est... c'est un titre du pape ; ça ne se mentionne pas dans les actes.

VAN PUTZEBOUM, *étonné.* – Tenez, tenez, tenez !

LE MAIRE. – On va vous donner lecture de l'acte de mariage ! (*A Cornette.*) Lisez, Cornette !

Le Maire se rassied et, pendant ce qui suit, écoute la lecture, le coude droit sur la table, la main en visière au-dessus des yeux.

MARCEL. – Il est épatant, ce Toto ! On dirait qu'il n'a fait que ça toute sa vie.

CORNETTE, *le coude gauche sur la table, la tête appuyée dans sa main, commençant la lecture de l'acte.* – « L'an mil neuf cent huit et le cinq mai, à trois heures du soir, devant nous, Maire du huitième Arrondissement de Paris, ont comparu en cette marie pour être unis par le mariage, d'une part M. Marcel Courbois, rentier, demeurant 27, rue Cambon, (*Diminuant peu à peu la voix pour arriver à la fin à n'être qu'un ronron, de façon à ne pas couvrir la voix des personnages qui, cependant, doivent donner la sensation de parler à mi-voix.*) âgé de vingt-huit ans, célibataire... » etc.*

AMÉLIE, *à mi-voix, à Marcel, pendant que Cornette poursuit sa lecture.* – Dis donc ! Marcel, t'as vu sa loupe ?

MARCEL, *de même.* – Quelle loupe ?

AMÉLIE, *id.* – La loupe du maire.

MARCEL, *id.* – Ah ! tu parles !

AMÉLIE, *id. à Pochet.* – T'as vu sa loupe, papa ?

POCHET, *id.* – Hein ?

AMÉLIE, *id.* – La loupe du maire !

---

* On trouvera le contrat entier à la fin de l'acte.

POCHET, *id.* – Ah ! ben, je te crois ! Ce qu'elle est conséquente !

AMÉLIE, *id.* – Comme un œuf de... de colombe. (*A Marcel.*) Ah ! tu vois, je ne dis plus pigeon.

MARCEL, *id.* – Oh ! dans ce cas-là, tu peux dire comme tu veux ! (*A Étienne.*) Tu ne m'avais pas dit que Toto Béjard avait une loupe.

ÉTIENNE, *id.* – Tais-toi ! elle est fausse ! C'est un camouflage.

MARCEL, *id, se tordant.* – Non ? (*A Amélie.*) Dis donc, Amélie ! la loupe du maire... ! Il paraît qu'elle est fausse.

AMÉLIE, *id.* – Allons donc ! (*A Pochet.*) Oh ! papa, la loupe du maire ! elle est fausse.

POCHET, *id.* – Pas possible ! (*Se levant.*) Oh ! que c'est drôle !

De sa poche il tire des bésicles en écaille, se les fixe sur le nez et s'avance tout près du maire pour mieux regarder sa loupe.

LE MAIRE, *se sentant examiné, relevant subitement la tête et se trouvant nez à nez avec Pochet.* – Qu'est-ce qu'il y a ?...

POCHET, *reculant instinctivement.* – Rien !... Rien, rien ! *(Il a un geste du coude vers le maire et un jeu de physionomie qui semble dire : « Ah ! farceur, va ! » puis va se rasseoir. Le maire hausse les épaules puis reprend sa position première. A Amélie, en se rasseyant.)* C'est curieux, on jurerait qu'elle est vraie !

VIRGINIE, *à Pochet.* – Quoi ? Qu'est-ce qu'on jurerait qui est vrai ?

POCHET. – La loupe du maire, il paraît qu'elle est fausse.

VIRGINIE. – Non ? (*A ses voisins de gauche.*) Ah ! la loupe du maire qui est fausse !

LE GÉNÉRAL, *indifférent.* – Ah ?

PALMYRE, *se penchant vers Pochet.* – Quoi, qu'est-ce qui est fausse ?

POCHET. – La loupe du maire, elle est fausse !

TOUT LE RANG DE PALMYRE. – C'est pas possible !

YVONNE, *passant la nouvelle au troisième rang.* – Ah ! la loupe du maire qui est fausse.

TOUT LE TROISIÈME RANG. – Non ?

LE DEUXIÈME RANG. – Si.

Un ou deux PERSONNAGES DU QUATRIÈME RANG. –

Qu'est-ce qu'il y a ? Qu'est-ce qu'il y a ?

LE TROISIÈME RANG. – La loupe du maire est fausse.

UN DU QUATRIÈME RANG. – Quoi ? sa loupe ? Ah !

On se chuchote la nouvelle : « la loupe du maire est fausse... la loupe est fausse... c'est une fausse loupe ! » Chacun veut voir de plus près ; le premier rang, moins Van Putzeboum qui somnole et Étienne qui sait à quoi s'en tenir, se lève et s'avance jusqu'à la table du maire pour mieux examiner la fameuse loupe ; le deuxième rang s'est levé et se penche en avant. Aux autres rangs, quelques-uns montent sur leur banquette. Le maire soudain lève les yeux, voit tout ce monde qui l'environne, se soulève lentement, ce qui amène l'effet contraire chez tous les autres qui se recroquevillent sur eux-mêmes à mesure que le maire redresse la taille, et reculent ainsi jusqu'à leurs places[29].

LE MAIRE, *d'une voix forte.* – Enfin, quoi ? Qu'est-ce qu'il y a ?

TOUS. – Rien !... Rien-rien !

Tout le monde s'est rassis, sauf le général qui reste debout.

LE MAIRE. – Qu'est-ce que vous avez ?

LE GÉNÉRAL, *qui n'a rien compris.* – Il paraît qu'elle est fausse.

LE MAIRE. – Quoi ?

LE GÉNÉRAL. – Je ne sais pas !

Il se rassied.

LE MAIRE, *à Mouilletu.* – Mais quelle noce ! mon Dieu, quelle noce !

CORNETTE, *augmentant le volume de sa voix sur la fin du contrat.* – « Avons prononcé publiquement que M. Joseph-Marcel Courbois et mademoiselle Clémentine-Amélie Pochet sont unis par le mariage. »

LE GÉNÉRAL. – Bravo !

LE MAIRE. – Chut ! (*A Pochet.*) Levez-vous ! (*Marcel, Pochet et Amélie se lèvent. Aux Mariés.*) Asseyez-vous ! (*Tous trois s'asseyent. A Pochet.*) Non, levez-vous !

AMÉLIE, MARCEL et POCHET, *se levant.* – Ah !

LE MAIRE, *à Marcel et Amélie.* – Asseyez-vous ! (*Tous trois s'asseyent. A Pochet.*) Mais non, levez-vous !

Tous trois se lèvent.

MARCEL. – Enfin, quoi, est-ce qu'on se lève ou est-ce qu'on s'assied ?

LE MAIRE, *à Marcel.* – Je parle à M. Pochet ! Asseyez-vous !

TOUS TROIS, *s'asseyant.* – Ah bon.

LE MAIRE, *à Pochet.* – Eh ben ? Pourquoi vous asseyez-vous ?

POCHET. – Non, pardon ! Vous venez de dire : « Je parle à M. Pochet ; asseyez-vous ! »

LE MAIRE. – Eh ben ! oui : « je parle à M. Pochet ; asseyez-vous, vous, les mariés ; et vous, monsieur Pochet, restez debout. »

POCHET. – Ah ! bon !

MARCEL. – Eh ! ben ! on le dit !

LE MAIRE, *à Pochet.* – Monsieur Amédée Pochet !...

POCHET. – C'est moi !

LE MAIRE, *avec un soupir excédé.* – Oui, oh ! je le sais ! Vous consentez au mariage de votre fille Clémentine-Amélie Pochet avec M. Joseph-Marcel Courbois ?

POCHET. – Avec joie.

LE MAIRE, *lève les yeux au ciel, pousse un soupir, puis.* – Ne dites pas : « avec joie. »

POCHET. – Je le dis comme je le pense.

LE MAIRE. – C'est possible, mais on ne vous demande pas vos impressions intimes. Dites « oui ou non » !

POCHET. – Absolument.

LE MAIRE. – Mais, pas « absolument » ! Est-ce oui ou est-ce non ?

POCHET. – Mais oui, voyons ! puisqu'on est venu pour ça !

LE MAIRE, *excédé.* – Allons ! C'est bien ! je vais vous donner lecture...

A ce moment paraissent au fond Adonis et la petite qui sont accueillis par un « Ah ! » général qui coupe la parole au maire.

AMÉLIE, *à Adonis qui, précédé de la petite, traverse entre le premier et le deuxième rang de chaises.* – Eh bien ! ça y est ?...

ADONIS, *tout en regagnant sa place.* – Je vais vous donner...

POCHET. – Elle aurait seulement dix ans de plus, il trouverait ça charmant :

LE MAIRE. – Je vais vous donner lecture...

BIBICHON, *descendant un peu en scène et blagueur.* – Moi,

elle en aurait seulement cinq de plus !...

LE GÉNÉRAL, *riant.* – Oh ! Oh ! Oh !

Toutes ces répliques entre Amélie, Adonis, Pochet, Bibichon, le Général, doivent s'échanger sans s'occuper des répliques du Maire qui les piquera comme il pourra.

LE MAIRE, *avec un fort coup de poing sur la table.* – Quand vous aurez fini !

BIBICHON, *regagnant vivement sa place.* – Oh !

POCHET, *se levant et se tournant vers l'assistance.* – Voyons, mes enfants !... mes enfants !... On est à la *mairerie !*

LE MAIRE, *brusque et autoritaire.* – Il est temps de vous le rappeler !

POCHET, *à l'assistance.* – Là ; rappelez-le-vous... rapp... rappelez-vous-le-le...

LE MAIRE. – Voulez-vous vous taire !

POCHET, *martelant chaque syllabe.* – Rap-pe-lez-le-vous-le ! (*Au maire.*) Là, ça y est.

LE MAIRE. – Oui, eh, bien ! taisez-vous !

POCHET. – Oui.

MARCEL. – Il est épatant, Toto Béjard ! un naturel ! une autorité !

LE MAIRE. – Je vais vous donner lecture des articles du code concernant les droits et devoirs respectifs des époux.

POCHET, *se levant à moitié et se tournant vers l'assistance.* – Écoutez ça, mes enfants !

LE MAIRE, *sans beaucoup de voix.* – Silence !

POCHET, *qui déjà faisait mine de se rasseoir, se levant.* – Silence !

LE MAIRE, *plus fort à Pochet.* – Silence !

POCHET, *au maire.* – C'est ce que je leur dis : (*A l'assistance.*) Silence !

LE MAIRE. – Vous !

POCHET. – Ah ? moi ! (*A lui-même en s'asseyant.*) Silence !

VAN PUTZEBOUM. – Quelle claquette [30], le père donc !

LE MAIRE, *lisant les articles du code.* – « Article 212 : les époux se doivent mutuellement assistance, secours, fidélité. – Article 213 : le mari doit protection à sa femme, la femme obéissance à son mari. – Article 214 : la femme est obligée d'habiter avec le mari et de le suivre partout où il juge à propos de résider ;

le mari est obligé de la recevoir et de lui fournir tout ce qui est nécessaire pour les besoins de la vie selon ses facultés et son état. – Article 226... »

MOUILLETU, *au moment où le maire dit Article 213... et pendant qu'il continue à lire les articles du code, présentant un plateau d'argent à la petite fille.* – Ma petite demoiselle, si vous voulez bien ?...

ADONIS. – Ah ! autre averse : faut faire quêter la gosse.

Adonis et la petite qui lui donne le bras suivent Mouilletu qui les mène jusqu'au Général ; commence la quête qui se continue en redescendant jusqu'à Van Putzeboum.

MOUILLETU, *répétant le même refrain en sourdine chaque fois qu'on présente le plateau à un nouveau personnage* – Pour les pauvres de l'arrondissement !... Pour les pauvres de l'arrondissement !

Au moment où le maire prononce : « Article 226... » la petite fille qui a fini de quêter au premier rang et s'apprête à passer au second, s'attrape le pied dans le pied de la chaise de Van Putzeboum et s'étale par terre avec le plateau et la monnaie qui s'éparpille de tous côtés.

ADONIS. – Allons bon !

MÉLANGE DE VOIX. – Qu'est-ce qu'il y a ? Qu'est-ce que c'est ?...

LE MAIRE, *essayant de dominer le tumulte de la voix.* – « Article 226 : la femme ne peut pas tester sans l'autorisation de son mari. »

Presque à la fois et sur la lecture du maire.

ADONIS. – C'est la môme qui s'a fichue par terre.

AMÉLIE, *qui est descendue aussitôt.* – Alors tu ne peux pas la tenir, non ? (*A la petite.*) Tu n'as pas bobo ?

YVONNE – Tu ne t'es pas fait mal ?

LA PETITE, *qu'on a relevée.* – Non, non !

LE MAIRE, *frappant plusieurs fois sur la table pour tâcher d'obtenir le silence.* – Enfin, messieurs, mesdames !...

ADONIS, *sans écouter les rappels du maire.* – Naturellement ! Elle ne regarde pas où elle marche ! (*A la petite.*) Tu ne peux pas regarder où tu marches ?...

Pendant ce temps on récolte les pièces, qu'on remet sur le plateau.

LE MAIRE, *furieux.* – Ah çà ! qu'est-ce qu'il y a, à la fin.

ADONIS, *en retournant avec la petite à sa place.* – C'est

la gosse qui s'a répandue avec le plateau et la galette.

LE MAIRE, *sévèrement.* – Ce n'est pas une raison pour troubler la cérémonie !

ADONIS, *à la petite, tout en l'asseyant avec brusquerie sur la banquette.* – Là ! tu vois ! tu troubles la cérémonie.

A ce moment, dans l'embrasure de la baie, on aperçoit dans l'atrium Irène qui vient discrètement assister à la cérémonie.

SCÈNE V

LES MÊMES, IRÈNE

IRÈNE, *dans l'atrium, s'adressant à l'un des photographes qui sort précisément à ce moment de scène.* – C'est bien ici la salle des mariages ?

LE PHOTOGRAPHE. – Oui, madame, c'est ici.

LE MAIRE, *imposant silence à Marcel et Amélie qui, devant sa table, lui expliquent ce qui s'est passé.* – Enfin, voyons ! y êtes-vous ?

MARCEL et AMÉLIE, *regagnant vivement leurs places.* – Voilà, monsieur le maire ! Voilà !

LE MAIRE. – Monsieur Marcel Courbois !

MARCEL. – J'y suis, monsieur le maire !

AMÉLIE, *en reprenant sa place, apercevant Irène, au fond.* – Ah ! madame !

LE MAIRE. – Consentez-vous à prendre pour épouse...

AMÉLIE, *à Marcel.* – Dis donc ! madame, là-bas !

LE MAIRE. – Mademoiselle Clémentine.

MARCEL, *se tournant du côté indiqué.* – Qui ?... Irène !...

LE MAIRE. – Amélie.

AMÉLIE. – Oui !

LE MAIRE. – Pochet ?

MARCEL, *dos au maire, à pleine voix, en joignant les mains de suprise à la vue d'Irène.* – Non ?

TOUS, *tandis que Marcel et Amélie envoie des « bonjour » de la tête à Irène.* – Hein !

LE MAIRE, *se méprenant sur la réponse de Marcel.* – Comment « non » !

MARCEL, *se retournant à l'exclamation du maire.* – Quoi ? Ah ! ça !... mais naturellement, voyons...

LE MAIRE. – Quoi « naturellement » ? Vous consentez, oui ou non ?

MARCEL. – Mais oui ! (*Faisant des petits bonjours à Irène qui les lui rend.*) Bonjour... Bonjour !...

LE MAIRE. – Mademoiselle Clémentine-Amélie Pochet !

AMÉLIE, *à Marcel, sans entendre qu'on s'adresse à elle.* – C'est gentil à elle d'être venue.

Elle fait des sourires et des petits saluts de la tête à Irène.

LE MAIRE, *répétant en voyant qu'Amélie ne l'écoute pas.* – Mademoiselle Clémentine !... Clémentine ! Amélie !... Mademoiselle Pochet !

POCHET, *à sa fille, la rappelant à la situation.* – Amélie !

AMÉLIE. – Voilà ! voilà !

LE MAIRE, *à Mouilletu.* – Mais qu'est-ce que c'est que ces gens-là ?

POCHET. – Fais donc attention à ce que tu fais !

AMÉLIE. – Oui, oui. (*A mi-voix à Pochet.*) C'est parce qu'il y a madame au fond, madame de Premilly !

POCHET. – Madame ? Non ? Madame est là ?... Ah ! tiens, oui ! (*Avec force courbettes adressées à Irène mais entre chair et cuir.*) Ah ! Madame !... Bonjour, madame !

Pochet, Amélie et Marcel ne sont occupés que d'Irène.

LE MAIRE. – Enfin, mademoiselle Pochet, est-ce pour aujourd'hui ?

AMÉLIE. – Voilà, voilà, monsieur le maire !... (*Indiquant de la tête Irène qui est allée s'asseoir en tête, côté public, de la dernière banquette.*) C'est parce qu'il y a madame...

LE MAIRE, *lui coupant la parole.* – Oui, bon ! (*Changement de ton.*) Mademoiselle Clémentine-Amélie Pochet... consentez-vous à prendre, pour époux, M. Marcel Courbois ?

AMÉLIE. – Mais ça va de soi !

LE MAIRE. – En voilà une réponse !

AMÉLIE. – Pardon !... Oui ! monsieur le maire ! Oui.

LE MAIRE. – Au nom de la loi !... Je déclare M. Joseph-Marcel Courbois et mademoiselle Clémentine-Amélie Pochet, unis par le mariage.

LE GÉNÉRAL, *à pleine voix.* – Bravo !

TOUTE LA BANDE, *entraînée par le bravo du général.* – Bravo !

LE MAIRE, *frappant sur la table et avec énergie.* – Messieurs ! Messieurs ! nous ne sommes pas ici au spectacle !

ÉTIENNE, *se levant et à part, avec une joie mal contenue.* – Ouf, ça y est !

MARCEL. – Qu'est-ce que tu dis ?

ÉTIENNE, *affectant l'indifférence.* – Hein ? Rien ; je dis : « Ça y est ! »

MARCEL. – Ah ! oui, ça y est ! (*A Amélie.*) Ça y est ! (*A Amélie.*) Ça y est ! (*A Irène de loin, – à voix basse mais poussée – en agitant en l'air son chapeau comme un tambour de basque.*) Ça y est !

Irène fait en souriant signe que oui.

MOUILLETU. – Si vous voulez venir signer l'acte, monsieur et madame les mariés ? Messieurs les parents ?... Messieurs les témoins ?

Tout le premier rang se lève et va signer à la table de Cornette, sauf Pochet et Amélie qui vont à la table de Mouilletu. Adonis va s'asseoir à la place de Van Putzeboum et la petite grimpe sur les genoux de Palmyre assise sur la première chaise du second rang.

LE MAIRE, *indiquant l'endroit où, sur le registre, doit signer Amélie.* – Si vous voulez signer là... (*Avec intention.*) mademoiselle ! (*Après qu'Amélie a signé.*) Merci... madame ! (*Pendant qu'Amélie remonte pour signer sur l'autre registre, et se croise avec Marcel qui vient de signer au fond, Pochet signe sur le registre de Mouilletu, et, cédant la plume à Marcel, remonte à son tour. Le maire, se penchant vers Marcel pendant que celui-ci signe.*) Ils ne sont guère raisonnables, monsieur le marié, vos amis.

MARCEL, *tout en signant.* – Excusez-les ! Ils ne savent pas garder comme vous leur sérieux.

LE MAIRE. – Comment ?

MARCEL, *tout en reculant vers son fauteuil.* – Admirable, monsieur Toto ! Admirable !

A ce moment, Van Putzeboum, venant de signer au fond, passe entre lui et la table du maire pour aller à la table de Mouilletu.

LE MAIRE. – Quoi ! quoi, Toto ?

MARCEL, *un doigt sur la bouche.* – Chut ! (*Indiquant Van Putzeboum en train de signer, et à voix basse.*) Le parrain ! le parrain, là ! Chut !

LE MAIRE, *à haute voix.* – Je ne comprends pas ce que vous dites.

MARCEL, *sur les charbons.* – Oui, bon, ça va bien !

LE MAIRE, *insistant bien.* – Quoi ? « le parrain ! le parrain ! »

VAN PUTZEBOUM, *dont l'attention est attirée par cette apostrophe.* – Comment ?

MARCEL, *attrapant de la main gauche Putzeboum par le bras et l'envoyant à sa droite.* – Mais rien ! mais rien du tout !

LE MAIRE, *à part.* – C'est des mariés de Charenton, positivement !

MARCEL, *à Étienne, qui revient de signer.* – Quelle rosse, ton Toto Béjard ! il s'amuse à me faire marcher.

ÉTIENNE, *sans se déconcerter.* – Je te l'ai dit : c'est un blagueur à froid.

MOUILLETU, *après les signatures, aux mariés.* – Messieurs les mariés, si vous voulez avancer pour recevoir les compliments de M. le Maire.

Tout le monde a repris sa place. Adonis et la petite se précipitent à leur place ; Marcel et Amélie, seuls debout, s'avancent devant la table du maire.

LE MAIRE. – Monsieur et madame Courbois !...

MARCEL, *se penchant vers le maire et vivement à mi-voix.* – Pas de blagues, hein ?

LE MAIRE, *interloqué et à haute voix.* – Quoi ?

MARCEL. – Non, non, rien ? Ça va bien !

LE MAIRE, *le considère un instant, lève les yeux au ciel en poussant un soupir, puis reprenant.* – Monsieur et madame Courbois ! Bien que peut-être je n'aie pu trouver chez vous... (*Appuyant sur les mots.*) et vos amis...

MURMURES dans l'ASSISTANCE. – Quoi ?

LE MAIRE, *encore plus appuyé.* – ... la gravité que j'étais en droit d'attendre au cours de cette cérémonie...

MURMURES DANS L'ASSISTANCE. – Oh !

LE MAIRE. – ... cela ne m'empêche pas de me conformer aux usages. Et, vous épargnant tout long discours, je viens vous prier, monsieur et madame Courbois...

LE GÉNÉRAL. – Bravo !

LE MAIRE, *jette un regard sévère vers le Général, puis.* – ... d'agréer simplement les vœux sincères que le maire forme pour votre bonheur.

TOUS. – Bravo !

AMÉLIE. – Je vous remercie bien, monsieur le maire.

MARCEL. – Moi de même ! croyez bien que... (*Se pen-*

chant et à mi-voix.) Non mais... tout à l'heure, je vous disais : « C'est le parrain ! » parce que c'est à lui qu'on fait la blague.

LE MAIRE, *opinant du bonnet sans comprendre.* – Oui, oui ! (*Après un temps.*) Quelle blague ?

MARCEL, *lui envoyant un coup de chapeau dans l'estomac.* – Ah ! farceur, va !

LE MAIRE, *estomaqué.* – Hein !

MARCEL. – En tout cas, très bien joué ! Admirable cabotin !

Il regagne sa place en riant.

LE MAIRE. – Quoi !

AMÉLIE, *grimpant à moitié sur l'estrade.* – C'est comme la loupe, là !... Ah ! c' qu'elle est rigolo !

Sur ces derniers mots, entre ses doigts qu'elle crispe, d'un geste rapide, elle fait mine de saisir la loupe du maire et vivement va rejoindre sa place.

LE MAIRE, *furieux.* – Ah ! mais dites donc, madame ! (*A part, exaspéré.*) Ah ! mais ils m'embêtent, les mariés ! (*Avec humeur, à l'assistance.*) Messieurs, mesdames, bonsoir !

Suivi de Cornette, il regagne son cabinet, légèrement conspué par l'assistance en mal de joie.

MOUILLETU, *sortant de sa place et gagnant un peu vers les mariés.* – Messieurs, mesdames, la cérémonie est terminée ; si vous voulez vous ranger là, pour le défilé des invités.

Tout le monde se lève ; l'orchestre attaque la marche nuptiale de Mendelssohn.

MARCEL. – Viens. Amélie ! prends garde à la traîne !

AMÉLIE. – C'est à papa qu'il faut dire ça. (*A Pochet.*) Papa, ne me marche pas dessus !

POCHET. – A pas peur ! je prends mes distances.

Marcel se place (2) *devant la première chaise du second rang. Amélie prend le n° 1 à sa droite. On commence à défiler devant eux ; Pochet d'abord, puis Virginie, qui, après avoir embrassé les mariés, vont se placer à leur suite pour recevoir les félicitations à leur tour ; passent ensuite Adonis et la petite.*

AMÉLIE, *après avoir embrassé la petite, à Adonis.* – Prends bien soin de la petite ! Si elle a besoin de quelque chose...

ADONI. – Ah ! non, merci. Je sors d'en prendre.

Continuation du défilé ; passent Van Putzeboum, Étienne, le Général et Bibichon. Pendant ce temps-là, les invités des autres rangs sont remontés vers le fond pour redescendre par la droite et passer devant les mariés et les parents. Après quoi, ils remontent par l'extrême gauche pour gagner l'atrium par la baie. Mouilletu, à droite, fait le service d'ordre. Chacun, en passant, fait un compliment au marié, à la mariée ; les uns leur serrent la main, d'autres les embrassent. On entend des : « Ah ! tous mes vœux, mon cher !... Eh bien, dis donc, tu ne t'embêtes pas !... Mon chou, tu as été épatante !... Rends-la heureuse !... Quelle robe, ma chère, c'est un rêve ! » et tout le temps le refrain de Pochet à chaque invité : « Vous venez au linche, hein ? c'est chez Gilet ; vous venez au linche ? » Ce défilé ne doit pas s'exécuter trop vite – on a le temps. – Le dialogue en est laissé à la fantaisie des interprètes. Tous les invités ont peu à peu gagné l'atrium, sauf Étienne qui, après être remonté comme tout le monde par le fond gauche, fait le tour par le fond et revient se placer contre le manteau d'Arlequin droit.

SCÈNE VI

POCHET (1), AMÉLIE (3), MARCEL (3), IRÈNE (4), ÉTIENNE (5), MOUILLETU (au fond, rangeant les registres), puis VAN PUTZEBOUM.

IRÈNE, *qui arrive la dernière, à la suite du défilé.* – Bonjour, Marcel !

MARCEL. – Ah ! te voilà !

IRÈNE. – Oui, j'ai voulu voir ça.

AMÉLIE. – Bonjour, madame !... Madame va bien ? (*A mon père.*) Papa, Madame !

POCHET, *passant dos au public avec force courbettes à l'adresse d'Irène ; cela l'amène au 3.* – Madame, oui... oui... j'ai aperçu tout à l'heure... Et madame vient au linche, oui ?

IRÈNE. – Merci, Pochet ! Non ! vraiment !

POCHET. – Oh ! chez Gilet, madame ! Madame ne me refusera pas !... Ne serait-ce qu'un doigt de madère et un guillout [31].

IRÈNE. – Merci, Pochet ! Non, vraiment !

POCHET, *passant devant elle avec force courbettes, dos au public, ce qui le porte au 4.* – Oh ! je suis contristé ! je suis contristé !

IRÈNE. – Je suis désolée, mon pauvre Pochet.

MARCEL, *passant son bras autour de celui d'Amélie.* – Et tu as vu, hein ? Quand on nous a unis ?

IRÈNE. – Oui, je suis arrivée pour ça ; ça m'a semblé tout drôle !

MARCEL. – C'était rigolo, en effet.

IRÈNE. – Eh ! bien, ça a réussi ! le parrain a marché ?

MARCEL. – Et comment !

POCHET. – Ce qu'il a pu donner dans le *piano !*

IRÈNE. – Alors, plus d'ennuis ? Plus d'embêtements ?

MARCEL, *avec chaleur.* – Plus d'ennuis ! plus d'embêtements ! (*Rire sardonique d'Étienne dans son coin. – Riant à son exemple.*) Ah ! qu'est-ce qu'il a à rire, celui-là ?

IRÈNE. – Te voilà riche.

MARCEL. – Oh ! ma Rérène !

Il veut l'embrasser.

IRÈNE, *reculant.* – Oh !

MARCEL. – Eh ! ben, quoi ? C'est le mariage !

IRÈNE. – Au fait ! c'est vrai !

Elle se laisse embrasser par Marcel.

AMÉLIE, *voyant Van Putzeboum qui arrive par la baie, à Marcel.* – Attention ! le parrain !

MARCEL. – Oh !

Ils se dégagent.

IRÈNE, *bas à Marcel en le quittant.* – Je t'attends dans l'atrium. *Elle remonte par la droite, traverse le fond et sort par la baie.*

VAN PUTZEBOUM, *qui est descendu près du groupe et suit le départ d'Irène des yeux. Une fois sa sortie, passant, dos au public, jusqu'à Marcel.* – Qu'est-ce que ça est donc ?

MARCEL. – Rien ! rien ! une parente de province !

POCHET. – Sa sœur de lait.

VAN PUTZEBOUM. – Ouye ! je te félicite ! on fait ça bien en province.

MARCEL. – N'est-ce pas ?

VAN PUTZEBOUM. – Mais c'est pas tout, ça, filske, maintenant que le monde est parti, je te fais une fois aussi mes compliments.

MARCEL et AMÉLIE. – Oh ! parrain... merci !

POCHET. – Vous venez au linche, naturellement.

VAN PUTZEBOUM, *allant à Pochet.* – Ça, tu penses que je vais ! et les mariés aussi, hein donc ! vous venez, hé ?

MARCEL. – Oh ! non, non, les mariés ils ne paraîtront pas au lunch ; ils vont chez eux... Vous devez comprendre, n'est-ce pas... ?

VAN PUTZEBOUM, *malicieux.* – Oui, oui, je comprends. Alleï ! Alleï ! Mais avant, ça tu permets, une bise, hein ?

MARCEL, *le faisant passer au 2 en le poussant vers Amélie.* – Oh !... Bisez, parrain ! bisez !

POCHET. – Y a pas ! c'est une incontinence chez lui !

MOUILLETU, *venant du fond droit et descendant (4), à Marcel.* – Voici votre livret de mariage.

MARCEL, *interloqué.* – Mon liv... (*Agitant son livret à proximité de son visage et dans la direction d'Étienne en manière de menace comique.*) Ah ! ce mâtin d'Ét... (*A Mouilletu.*) Merci, mon ami !

Il lui met une pièce dans la main.

MOUILLETU. – Merci, monsieur ! tous mes vœux !

Il remonte.

MARCEL. – Le livret de mariage ! (*Dans la direction d'Étienne.*) Ce mâtin d'Étienne, il a pensé à tout !

ÉTIENNE, *sur un ton qui en veut dire long.* – A tout.

VAN PUTZEBOUM, *qui s'est approché de Marcel, curieusement.* – A tout quoi ?

MARCEL, *surpris.* – Hein ! A tout... à tout rien.

Il le fait passer (3) à sa gauche. A ce moment le Général, arrivant du fond, descend (n° 1), tenant grand ouvert et prêt à jeter sur les épaules, le manteau d'Amélie.

LE GÉNÉRAL. – Madame, si vous voulez... ?

AMÉLIE. – Ah ! c'est juste ! (*A mi-voix à Marcel, tout en passant le manteau que lui tend le Général.*) Eh bien, je file, moi, avec le Général. Son Altesse m'attend.

MARCEL. – Ah ! oui.
AMÉLIE, *avec une révérence.* – Mon époux permet ?
MARCEL. – Comment donc !
AMÉLIE. – Nous sommes des mariés pas ordinaires ! (*Au Général.*) Vous y êtes, Général ?
LE GÉNÉRAL. – Je suis à vos ordres.

Ils remontent vers le fond gauche.

VAN PUTZEBOUM, *les voyant partir et se dirigeant vers eux en traversant la scène par-devant.* – Hein ? Eh bien, quoi ? Vous partez ?
AMÉLIE, *tout en partant.* – Oui, oui !
MARCEL, *qui est remonté à la suite d'Amélie.* – Oui, en avant ! en avant ! Je dois aller la rejoindre.
VAN PUTZEBOUM, *qui est arrivé ainsi au fond.* – Ah ! bon ! Alors, je vais aller chercher mon paletot, moi ! Maintenant que tu as rempli la condition, je vais à l'hôtel et je t'apporte ton chèque.
MARCEL, *le poussant machinalement dehors.* – C'est ça ! c'est ça !
POCHET, *qui pendant ce qui précède est remonté par la droite et a gagné la gauche par le fond.* – Ah ! bien, tout le monde file, je file aussi.
MARCEL, *même jeu.* – C'est ça ! C'est ça !

Sort Van Putzeboum.

POCHET. – Chez Gilet, hein ? On se retrouve chez Gilet.
MARCEL. – Chez Gilet, c'est ça ! Moi j'y vais pas ! mais bon appétit !
POCHET. – Merci.

Il sort.

SCÈNE VII

MARCEL, ÉTIENNE, puis LE MAIRE, puis IRÈNE, puis VAN PUTZEBOUM, BIBICHON, MOUILLETU, et une partie de la noce.

Tandis qu'Étienne a gagné légèrement à gauche (devant la scène), à peu près à l'extrémité de la banquette des enfants d'honneur, Marcel redescend un peu et s'arrête à hauteur du milieu de la dernière banquette, s'accroupissant légèrement sur les genoux, les mains appuyées sur les cuisses, regardant Étienne avec malice.

MARCEL. – Éhé !

ÉTIENNE, *lui donnant la réplique de son côté.* – Éhé !

MARCEL, *même jeu.* – Ça y est !

ÉTIENNE, *même jeu.* – Ça y est* !

MARCEL et ÉTIENNE, *riant tous les deux comme deux complices.* – Eh ! eh ! eh ! eh ! eh ! eh ! eh !

MARCEL, *retirant son chapeau qu'il a gardé sur la tête et le déposant sur la dernière banquette, tout en s'élançant radieux vers Étienne.* – Ah ! Merci, mon bon Étienne ! Merci !

ÉTIENNE. – Tu es content, hein ?

MARCEL. – Si je le suis ! Ah !... Non, mais crois-tu, hein ? Crois-tu que ça a pris !

ÉTIENNE, *froidement ironique.* – Oui, hein !

MARCEL. – Ce qu'il a marché, le parrain ! Ah ! la bonne farce ! la bonne farce !

Il accompagne chaque « bonne farce ! » d'une forte tape dans le dos d'Étienne, à la hauteur de la naissance de l'épaule.

ÉTIENNE, *à son tour, même jeu que Marcel.* – Oh ! oui, la bonne farce ! la bonne farce !... Et meilleure encore que tu ne l'imagines.

MARCEL, *même jeu que précédemment.* – Oh ! non ! (*Tape.*) Oh ! non ! (*Tape.*)

ÉTIENNE, *même jeu que Marcel.* Oh ! si ! Oh ! si !

ÉTIENNE et MARCEL, *face à face, se riant mutuellement dans le nez.* – Hé ! hé ! hé ! hé ! hé ! hé ! hé !

MARCEL. – Il ne peut y avoir une meilleure farce que d'avoir fait croire au parrain que ce mariage était vrai.

ÉTIENNE. – Si ! si !... Il peut y en avoir une meilleure encore !

MARCEL, *même jeu que précédemment.* – Oh ! non ! Oh ! non !

* Ne sachant comment donner l'intonation exacte de ces interjections, nous avons pris le parti de la noter musicalement :

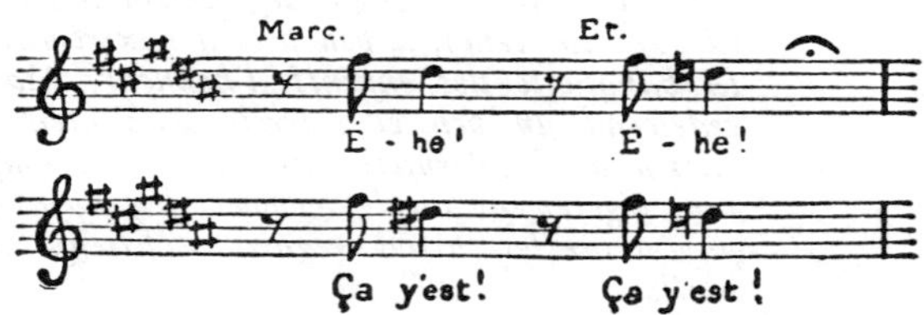

ÉTIENNE, *même jeu que précédemment.* – Oh ! si ! Oh ! si !

ÉTIENNE et MARCEL, *riant.* – Hé ! hé ! hé ! hé ! hé ! hé ! hé !

ÉTIENNE. – C'est de t'avoir fait croire à toi que ce mariage était faux.

MARCEL, *ne comprenant pas et riant encore à moitié.* – Oui !... Euh ! quoi ?

ÉTIENNE. – Tu as cru que c'était une blague ? Eh bien ! il est vrai, mon vieux ! il est vrai !

MARCEL, *devenant anxieux.* – Hein !

ÉTIENNE. – Ah ! tu m'as pris ma maîtresse ! Ah ! tu as couché avec elle !

MARCEL. – Comment ! tu sais ?

ÉTIENNE. – Oui, je sais !

MARCEL, *ne pouvant réprimer un geste nerveux.* – Ouche !

ÉTIENNE. – Eh bien, mon vieux, couche encore si tu veux ! Tu n'as plus à te gêner ; c'est ta femme à présent ; tu es marié avec elle !

MARCEL, *lui sautant à la gorge.* – Qu'est-ce que tu dis ?

ÉTIENNE, *qui a esquivé le coup en se baissant brusquement et en passant sous les bras tendus de Marcel.* – Bonsoir ! Bien du plaisir... (*Arrivé presque à la baie.*) Occupe-toi d'Amélie !

MARCEL, *affolé, se précipitant à sa suite.* – Étienne ! Étienne !

ÉTIENNE, *dans l'embrasure de la baie, d'une voix lointaine.* – Occupe-toi d'Amélie !

Il disparaît.

MARCEL, *titubant comme un homme ivre.* – Étienne ! Étienne ! voyons ! (*Voyant le maire qui, son chapeau sur la tête, sort de chez lui en mettant ses gants.*) Ah ! Toto Béjard ! (*Se précipitant vers lui.*) Venez ici, vous ! Vite, venez !

Il le saisit au collet.

LE MAIRE, *ahuri.* – Hein !

MARCEL, *le secouant.* – Qu'est-ce qu'il y a de vrai là-dedans !

LE MAIRE, *se dégageant* – Quoi ! quoi ! qu'est-ce qui vous prend encore ?

MARCEL. – Dans mon mariage ? Est-ce vrai ? Est-ce vrai, que j'ai épousé Amélie ?

LE MAIRE. – Comment, si c'est vrai ! Mais naturellement que c'est vrai !

MARCEL. – Qu'est-ce que vous dites !

LE MAIRE. – Qu'est-ce que vous croyez donc que vous venez de faire, alors ?

MARCEL. – Moi, moi, j'ai épousé... ! mais je ne veux pas ! je veux divorcer !

LE MAIRE, *passant devant lui comme pour s'en aller.* – Mais ce n'est pas mon affaire.

MARCEL (2), *le rattrapant par le pan de sa redingote et le ramenant à lui.* – Vous n'êtes donc pas Toto Béjard ?

LE MAIRE. – Moi !... (*Bien net.*) Je suis le maire de l'arrondissement !...

MARCEL, *se trouvant mal.* – le maire de l'arr... ah ! ah !

Il se laisse tomber en avant ; le maire n'a que le temps de le rattraper dans ses bras.

LE MAIRE. – Hein ! Eh ! bien, voyons ! Voyons !

IRÈNE, *arrivant du fond gauche.* – Eh bien, mon ami... C'est comme ça que... ?

MARCEL (3), *hagard.* – Irène ! Je suis marié à Amélie !

IRÈNE (1), *bondissant.* – Qu'est-ce que vous dites ?

LE MAIRE, *à Marcel toujours effondré contre sa poitrine.* – Allons, monsieur... !

MARCEL. – Étienne a abusé de ma confiance. Je suis marié à Amélie d'Avranches !

IRÈNE. – Vous êtes... ! Ah ! Ah !

Elle s'affaisse dans les bras du maire.

LE MAIRE, *un personnage dans chaque bras.* – Ah ! mon Dieu ! elle aussi ! (*Appelant.*) Au secours ! Du monde ! Mouilletu ! Cornette ! Au secours !

Aux appels du maire, aux cris de pâmoison des deux amants, tout le monde accourt de tous côtés.

TOUS, *arrivant.* – Qu'est-ce qu'il y a ? Qu'est ce qu'il y a ?

MARCEL, *aux abois.* – J'ai épousé Amélie !

TOUS. – Hein !

MARCEL, *même jeu.* – J'ai épousé Amélie d'Avranches.

BIBICHON(1). – Qu'est-ce que tu dis ?

VAN PUTZEBOUMI , *qui est accouru par le fond et descendu par la droite.* – Mais qu'est-ce que ça est donc, filske ?

MARCEL, *passant son bras autour du cou de Van Putzeboum et d'une voix désespérée.* – Ah ! mon parrain !... J'ai épousé Amélie d'Avranches !

VAN PUTZEBOUM. – Eh ! bien, quoi ? Ça je sais bien. Gottferdom !

BIBICHON. – Nom d'un chien ! et moi qui ai signé Bibichon !

Pendant que le rideau tombe, Marcel répète lamentablement :

« J'ai épousé Amélie d'Avranches ! »

Fin du premier tableau du troisième acte.

ACTE DE MARIAGE

L'an mil neuf cent huit et le cinq mai, à trois heures du soir, devant nous, maire du huitième arrondissement de Paris, ont comparu en cette mairie pour être unis par le mariage : d'une part, monsieur Marcel Courbois, né à Paris le 6 avril 1879, rentier demeurant 27, rue Cambon, célibataire, fils majeur légitime de feu Joseph Courbois, banquier, et de dame Caroline-Émilienne Toupet, son épouse, également décédée ; et d'autre part mademoiselle Clémentine-Amélie Pochet née à Paris le 20 mars 1886, demeurant à Paris, 120, rue de Rivoli, fille majeure d'Auguste-Amédée Pochet, âgé de cinquante-quatre ans, ancien brigadier de la paix, même domicile, et de feu Marie-Thérèse Laloyau, son épouse. Le père à ce présent et consentant ; après avoir reçu des contractants, l'un après l'autre, la déclaration qu'ils veulent se prendre pour époux, avons prononcé publiquement au nom de la loi que monsieur Marcel Courbois et mademoiselle Clémentine-Amélie Pochet sont unis par le mariage.

DEUXIÈME TABLEAU

LA CHAMBRE A COUCHER D'AMÉLIE

Au premier plan à droite, lit de milieu très élégant. A la tête du lit, côté public, petit meuble tenant lieu de table de nuit. Au pied du lit, et adossé contre, un petit canapé. Toujours à droite, en pan, coupé, fenêtre. A gauche, premier plan, porte d'entrée générale. Une chaise entre le manteau d'Arlequin et la porte. Deuxième plan, en pan coupé, une cheminée surmontée de sa glace et de sa garniture.

Au fond, au milieu, porte donnant sur le cabinet de toilette d'Amélie. Contre le panneau du mur, à droite de cette porte, un canapé. Contre le panneau, à gauche de la porte, meuble d'appui. Restant du mobilier ad libitum. *Sur le pied du lit, une matinée à Amélie.*

SCÈNE PREMIÈRE

LE PRINCE, *puis* AMÉLIE *et* LE GÉNÉRAL.

Au lever du rideau, le prince, en caleçon, arpente la scène avec impatience. Ses vêtements sont étendus sur le canapé près de la fenêtre. Le lit, sans être défait, témoigne, par un certain desordre, qu'on s'est couché dessus.

LE PRINCE, *après avoir arpenté une ou deux fois la scène avec une impatience visible, s'arrêtant soudain.* – Mais par Dieu, le père ! qu'est-ce qu'elle fait, voyons ? Qu'est-ce qu'elle fait ? On n'a donc pas idée de se marier si longtemps ! (*On sonne.*) Ah ! on a sonné !... C'est peut-être !... Oui, c'est elle ! (*Il va au-devant d'Amélie et s'arrête, étonné, en voyant paraître le Général tout seul.*) Eh bien ! quoi ?

LE GÉNÉRAL (1), *le chapeau à la main, faisant de sa main libre le salut militaire à la façon slave.* – Voici la mariée, Monseigneur.

LE PRINCE. – Enfin !

LE GÉNÉRAL, *allant jusqu'à la porte de gauche et parlant à la cantonade.* – Mademoiselle d'Avranches, si vous voulez bien... ?

Il s'efface pour laisser passer.

AMÉLIE, *entrant tout d'une traite.* – Monseigneur, je vous demande pardon, si... (*Petit cri étouffé de surprise.*) Ah !

LE PRINCE (3). – Quoi ?

AMÉLIE (2). – Oh ! Rien... C'est la tenue de Monseigneur qui... Je m'attendais si peu... !

LE PRINCE, *jetant un regard sur sa tenue.* – Ah !... Je me suis mis ainsi pour gagner du temps. (*Croyant tourner une galanterie.*) Quand on s'ennuie, il faut bien faire quelque chose !

AMÉLIE, *ahurie.* – Ah ?

LE PRINCE. – Laisse-nous, Koschnadieff !

KOSCHNADIEFF. – Oui, Monseigneur !

Salut militaire et sortie.

AMÉLIE, *pudiquement.* – Oh ! Monseigneur, chez moi... Vous n'y pensez pas ! Votre Altesse devait venir me prendre... mais je ne croyais pas qu'elle avait l'intention, ici, de...

LE PRINCE, *brusque, mais bon enfant.* – Eh ! bien quoi ?

Est-ce qu'on n'est pas très bien chez vous ? Tout votre monde est occupé ailleurs.

AMÉLIE. – Je ne vous dis pas ! Mais les convenances !

LE PRINCE, *avec désinvolture.*– Eh ! nous ne sommes pas ici pour faire des convenances ! (*Avec lyrisme.*) Songez depuis les éternités que vous me faites languir ! (*Sans transition, bien terre à terre.*) Retirez votre robe !

AMÉLIE, *interloquée.* – Hein !... Ah ?... déjà !

LE PRINCE, *goulûment.* – Le jour des noces, on est toujours pressé !...

Il tend les mains comme pour la saisir.

AMÉLIE, *se dérobant par un léger écart du corps.* – Oh ! Monseigneur ! (*Pour faire diversion.*) Je vais défaire mon voile.

Elle remonte vers la cheminée et, pendant ce qui suit, retire son voile devant la glace.

LE PRINCE, *qui est remonté également, lui parlant presque dans le cou et avec emballement.* – Si vous saviez !... Si vous saviez avec quelle impatience je comptais les minutes ! J'ai essayé de dormir un peu, en vous attendant ; je me suis étendu sur votre lit...

AMÉLIE, *avec un petit sursaut de surprise.* – Hein !... avec vos bottines ?

LE PRINCE, *interloqué par cette interruption, regarde ses pieds chaussés, puis le plus naturellement du monde.* – Avec ! Mais je n'ai pas pu... L'amour me tenait éveillé !

AMÉLIE, *un peu railleuse.* – Ah ! bien aimable (*Changeant de ton.*) Oh ! Ce que je suis décoiffée !

LE PRINCE, *lyrique et passionné.* – Vous êtes adorable ! Je voudrais vos cheveux sur vos épaules !

AMÉLIE. – Hein ?

LE PRINCE, *avec une fougue toute sauvage.* – Comme une toison ! J'aime ça, moi ! promener ses pieds nus dans les cheveux épars de la femme aimée !

AMÉLIE, *décrivant, dans une révérence légèrement ironique, un demi-cercle autour du prince.* – Quel raffinement !... Mais ça n'est guère encore la mode à Paris !

Elle descend jusqu'au pied du lit.

LE PRINCE, *voyant qu'elle essaie de dégrafer sa robe, s'élançant.* – Oh ! permettez que je vous aide ?

AMÉLIE. – Volontiers, Monseigneur, parce que toute seule !...

LE PRINCE, *dégrafant Amélie qui est debout face au lit.* – Oui !... Oh ! cela est très suggestif !... Il me semble que je fais la nuit de noces.

AMÉLIE, *moqueuse.* – Par procuration.

LE PRINCE, *très talon rouge.* – Le droit du seigneur. (*Reprenant le dégrafage.*) Cela est très Louis quinzième ! (*Il se pique.*) Oh !

Il porte vivement son doigt piqué à ses lèvres.

AMÉLIE, *avec un sérieux comique, comme si elle lui apprenait quelque chose.* – C'est une épingle.

LE PRINCE, *s'inclinant.* – Je suis content de le savoir... (*Tout en dégrafant.*) Et ça s'est bien passé ? Oui ?...

AMÉLIE. – Quoi ?

LE PRINCE. – Le mariage... avec le logeur ?

AMÉLIE, *rieuse.* – Mais je vous ai déjà dit, Monseigneur, qu'il n'était pas logeur !

LE PRINCE, *même jeu.* – Eh ! Oui, je le sais ! Mais quoi ? Je l'ai connu comme ! alors je l'ai ainsi dans la bouche !

AMÉLIE, *sur un ton blagueur.* – Ah ! si vous l'avez ainsi dans la bouche !

LE PRINCE. – Alors, dites-moi ! ça a bien réussi ?

AMÉLIE. – Quoi ?

LE PRINCE. – Le tour ?

Il prononce « tourr ».

AMÉLIE, *l'imitant.* – Le tourrr ?

LE PRINCE. – Oui !... Le parrain a donné dans... le godant [32]... comme on dit ici !...

AMÉLIE, *entièrement dégrafée, délacée, tendant ses bras au prince pour qu'il l'aide à les sortir des manches.* – Comme un seul homme !

LE PRINCE, *retournant les manches de la robe tout en parlant.* – Bravo ! je trouve ça très drôle ! Ce logeur... qui n'a pas de liste civile et qui trouve ce moyen !... J'adore les farces ; aussi j'ai été heureux de commander le général de service.

AMÉLIE, *laissant tomber sa robe à terre.* – Oh ! qu'ça été aimable ! On a été très flatté.

LE PRINCE. – Oui ? (*Voyant la robe qui, à terre, forme un cercle autour des pieds d'Amélie, d'une voix bourrue.*) Sortez de là-dedans ! (*Amélie enjambe la robe et passe à gauche. Le prince, tout en ramassant la robe et la déposant sur le coin du canapé.*) Et il a été bien, oui ?

AMÉLIE. – Qui ?

LE PRINCE. – Le général ?

AMÉLIE. – Ah !... Oh ! combien !

LE PRINCE, *tout en arrangeant la robe sur le canapé.* – Ça ne m'étonne point ! Il est très décoratif ! Je ne sais pas ce qu'il donnerait à la guerre ?... mais dans un cortège !... (*Se retournant et apercevant Amélie en déshabillé, le dos à demi tourné de son côté, et les mains croisées pudiquement sur sa poitrine – en extase.*) Ah ! sainte Icone ! la Madone ! (*Les mains derrière le dos, il s'avance à pas de loup jusqu'à Amélie et, se penchant sur elle, l'embrasse dans le cou.*) Ah !

AMÉLIE, *sursautant.* – Oh ! Monseigneur ! vous me chatouillez !

LE PRINCE, *a comme un frisson de lubricité, puis :* Vous aussi !

AMÉLIE, *étonnée, montrant les mains pour témoigner qu'elle ne l'a pas touché.* – Moi, Monseigneur ?...

LE PRINCE, *très excité, le coude au corps, battant l'air avec sa main, à la façon des Slaves.* – Ah ! Tais-toi ! tais-toi !...

AMÉLIE, *moqueuse.* – Oh ! mais comment donc ! Monseigneur peut me tutoyer.

LE PRINCE, *l'enlaçant dans ses bras.* – Oh ! mon bébé ! Alors, quoi ?

Il l'embrasse dans le côté gauche du cou.

AMÉLIE, *pendant qu'il l'embrasse.* – Aha !... Voyez refrain !

On sonne.

LE PRINCE, *au bruit de la sonnette, relevant vivement la tête, sans lâcher Amélie.* – Hein ?

AMÉLIE, *l'oreille aux aguets.* – On a sonné.

LE PRINCE, *de même.* – Mais qu'est-ce que ?

AMÉLIE. – Je ne sais pas ! Oh ! mais la fille de cuisine est restée pour garder l'appartement ! Elle congédiera.

LE PRINCE. – Ah ! bon !... (*Se replongeant dans le cou d'Amélie.*) Oh ! mon béb... !

VOIX DE MARCEL. – Amélie ! Amélie !

LE PRINCE et AMÉLIE, *au moment où la porte s'ouvre, bien ensemble.* – On n'entre pas !

Ils s'écartent l'un de l'autre.

SCÈNE II

LES MÊMES, MARCEL, *toujours en habit, sans paletot, le chapeau sur la tête*

MARCEL (1), *entrant en trombe.* – Amélie ! Amélie !
AMÉLIE (2). – Hein ! toi !
LE PRINCE, *le reconnaissant.* – Ah ! le logeur !
MARCEL. – Quoi ?
LE PRINCE (3). – Eh bien ! vous êtes content ?
MARCEL. – Content ! Il demande si je suis content... *(A Amélie.)* Amélie ! Amélie ! une tuile !... une tuile de quatre étages.
AMÉLIE. – Une tuile de quatre étages ?
MARCEL. – Qui nous tombe sur la tête.
LE PRINCE. – Une tuile de quatre étages, ça ne se voit donc pas tous les jours.
MARCEL. – Ah ! si tu savais ?...
AMÉLIE. – Mais quoi ? Quoi ?
MARCEL. – Nous sommes mariés ! légitimement mariés !
LE PRINCE. – Hein ?
AMÉLIE. – Qu'est-ce que tu dis ?
MARCEL. – Toto Béjard, ce n'était pas Toto Béjard ! C'était le maire.
AMÉLIE. – Ah ! çà ! voyons ! tu veux rire ! Qu'est-ce que ça veut dire ?
MARCEL. – Ça veut dire qu'Étienne avait été mis au courant de notre malheureuse équipée !... qu'il a su que tous les deux, nous...
AMÉLIE. – Non ?
MARCEL. – Oui !
AMÉLIE. – Ah ! nom d'un chien !
MARCEL. – Et alors il s'est vengé, le salaud ! mon meilleur ami ! Il nous a mariés ! mariés pour de bon !
AMÉLIE, *n'en pouvant croire ses oreilles.* – Tous... tous les deux !
MARCEL. – Oui, tous les deux ! la cérémonie était vraie ! le maire était vrai ! Tout était vrai ! Je suis ton mari et tu es ma femme !
AMÉLIE, *la gorge serrée, comme si elle apprenait une catastrophe.* – Est-il possible ! Mais alors !... Alors je suis madame Courbois ?
MARCEL. – Mais oui !
AMÉLIE, *changeant brusquement de ton.* – Ah ! mon chéri !

mon chéri ! que c'est gentil !

Elle saute au cou de Marcel et l'embrasse.

MARCEL, *abruti.* – Qu'est-ce que tu dis !

LE PRINCE, *très gentleman.* – Ah ! monsieur, tous mes compliments et mes vœux de bonheur !

MARCEL. – Hein ?

AMÉLIE, *qui est n° 2, un peu au-dessus de Marcel, présentant ce dernier au prince.* – Mon mari. *(Regardant Marcel tendrement et se répétant à elle-même ce mot qui la ravit.)* Mon mari ! *(Présentant le prince.)* – Son Altesse, le prince royal de Palestrie.

MARCEL, *les yeux hors des orbites.* Quoi ?

LE PRINCE, *fait trois pas pour aller à lui, lui donne un cordial shake-hand, puis.* – Enchanté, monsieur !

Il remonte un peu.

MARCEL, *le regarde remonter, littéralement abruti, puis affirmatif, au public.* – Je deviens fou, moi !

AMÉLIE, *allant à Marcel.* – Oh ! tu verras ! tu verras quelle petite femme rangée, fidèle, popote, tu auras.

LE PRINCE, *qui est* (2) *au-dessus de Marcel, lui donnant une tape sur le gras du bras.* – Popote !

MARCEL. – Comment, « quelle petite... » !

AMÉLIE, *subitement pudique.* – Ah ! mais que vois-je ! Je suis là à demi-nue... Oh ! vraiment !...

Elle remonte jusqu'à la ruelle du lit prendre une matinée pour s'en revêtir.

LE PRINCE, *à Marcel, tout en se dirigeant vers Amélie.* – Vraiment ! Oh ! excusez-là, monsieur Amélie !

MARCEL. – Comment m'appelle-t-il ?

LE PRINCE, *à Amélie.* – Voulez-vous me permettre de vous aider à passer votre kimono ?

AMÉLIE, *passant sa matinée avec l'aide du prince.* – Volontiers, monseigneur... Merci ! *(Descendant n° 2.)* Et maintenant, monseigneur, vous ne pouvez rester davantage !

LE PRINCE, *ahuri.* – Quoi ?

AMÉLIE. – Je suis désolée, mais ma nouvelle situation !...

LE PRINCE, *n'en croyant pas ses oreilles.* – Hein ? Comment, mais !... mais je viens pour !...

D'un geste de la tête, il indique le lit.

AMÉLIE, *faisant un pas en arrière dans la direction de son mari et pour rappeler le prince aux convenances.* – Monseigneur !

LE PRINCE. – Ah ! mais, c'est très désagréable ! Ça ne me

regarde pas si !... il était convenu que !...

AMÉLIE, *nouveau recul, très digne.* – Je vous en prie ! *(Posant sa main sur l'épaule de Marcel.)* – Mon mari !

MARCEL, *baba.* – Ah !

LE PRINCE, *reste un instant interloqué, puis écartant les bras en s'inclinant.* – C'est juste !... Je vous fais mes excuses !... Il est évident que !... Croyez, monsieur, que, si je suis ici, ce n'est pas pour... pour... Oui !... *(A froid, il passe entre Amélie et Marcel, remonte jusqu'au meuble fond gauche sur lequel est son chapeau melon et ses gants, les prend ainsi que sa canne, met son chapeau sous son bras, sa canne, sous l'autre, enfile rapidement ses gants, puis, prenant son chapeau à la main, s'avance jusqu'à Amélie devant laquelle il s'incline.)* Madame, je vous présente mes profonds respects !

AMÉLIE, *faisant la révérence.* Monseigneur !

Le prince, oubliant qu'il est en caleçon, met son chapeau sur la tête et, la canne à la main, il se dirige vers la porte de sortie.

MARCEL, *qui est resté comme hypnotisé par la scène à laquelle il vient d'assister, barrant brusquement le chemin au prince.* – Mais non ! mais non ! *(Passant n° 2, tandis que le prince s'arrête.)* Non, mais est-ce que vous vous payez ma tête ? Est-ce que vous supposez que les choses vont en rester là ? Et que je vais accepter ce mariage ?

AMÉLIE. – Comment ! mais puisqu'il est fait !

MARCEL. – Mais ça m'est égal ! On le défera ! Je veux le divorce !

Le prince est allé déposer sa canne et ses gants, mais garde son chapeau qu'il conserve sur la tête jusqu'à la fin de la pièce.

AMÉLIE (3). – Le... le divorce ?

MARCEL. – Absolument !

AMÉLIE, *bien lentement, bien froidement, mais bien déterminée.* – Oh ! non !...Oh ! non-non-non-non-non !... Je suis contre le divorce !... Et papa aussi !

MARCEL. – C'est ça qui m'est égal ! J'ai été fourré dedans, le mariage est nul.

AMÉLIE. – T'as vu ça ?

MARCEL. – La loi est formelle ! Il n'y a pas d'union valable, si l'on n'est pas consentant.

AMÉLIE, *avec une logique implacable.* – Eh bien ?... Tu es consentant, puisque tu as répondu oui.

MARCEL. – C'est parce qu'on a abusé de ma crédulité !

AMÉLIE. – C'est possible ! Mais tu as répondu oui tout de même et, ça y est, ça y est !

MARCEL, *hors de lui.* – C'est trop fort !

LE PRINCE, *auquel Marcel tourne le dos, tout occupé qu'il est par sa discussion avec Amélie. Lui frappant légèrement sur l'épaule.* – Écoutez ! Je crois, mon pauvre logeur...

MARCEL, *se retournant vers le prince.* – Ah ! et puis, vous, le prince, hein ? foutez-moi la paix ! *Il remonte légèrement.*

LE PRINCE, *avec un sursaut de dignité froissée.* – Hein ? Je suis le prince de Palestrie !

MARCEL. – Oui ? Eh bien ! justement ! c'est pas ici ! (*Redescendant.*) Non ! Non ! Vous me voyez, moi, l'époux d'Amélie d'Avranches !

AMÉLIE, *se montant.* – Ah ! mais dis donc, c'est parce que tu es mon mari que...

MARCEL, *sans l'écouter.* – Une femme dont tout Paris connaît les amants !

AMÉLIE. – Ah ! mais !...

MARCEL. – Une femme que je trouve le jour même de ses noces en tête à tête avec le prince de Palestrie !

LE PRINCE. – En... en tout bien, tout honneur !

MARCEL, *sachant ce qu'en vaut l'aune.* – Oui-oui ! Oui-oui ! Et c'est cette femme-là à qui je donnerais mon nom !

AMÉLIE, *venant, dos au public, se camper sous le nez de Marcel.* – Ah ! et puis en voilà assez ! ou prends garde, ça ne se passera pas comme ça !

Elle passe n° 2.

MARCEL. – Ah ? Non, ça ne se passera pas comme ça !

AMÉLIE, *qui est un peu au-dessus du prince, lui posant sa main droite sur l'épaule gauche.* – Le prince est là, tu sais !

LE PRINCE, *qui ne se soucie pas d'avoir une affaire dans un pareil moment.* – Moi ?

MARCEL. – Ah ! le prince est là ? Eh ben ! justement ! Je vais te le faire voir tout de suite, que ça ne se passera pas comme ça !... Je ne trouverai peut-être plus jamais une si belle occasion !...

En parlant, il remonte à la fenêtre qu'il ouvre d'un geste rapide.

LE PRINCE, *se précipitant vers lui suivi par Amélie.* – Quoi ? Quoi ?

AMÉLIE. – Qu'est-ce que tu fais ?

LE PRINCE, *le saisissant à bras le corps.* – Malheureux !

MARCEL, *cherchant à se dégager.* – Ah ! laissez-moi, vous !...

LE PRINCE, *le tenant toujours.* – Vous voulez vous jeter par la fenêtre ?

MARCEL, *même jeu.* – Eh ! non ! pas moi !

LE PRINCE, *reculant instinctivement.* –Hein ?

AMÉLIE. – Qui ?

LE PRINCE. – Nous ?

MARCEL, *dégagé de l'étreinte du prince.* – Non, ça !

En parlant, il a raflé sur le canapé les vêtements du prince et les flanque par la fenêtre.

LE PRINCE ET AMÉLIE. – Ah !

Marcel, aussitôt, s'élance vers la porte de sortie, pendant que, par un mouvement en sens inverse, le prince se précipite à la fenêtre par où ses vêtements ont disparu.

LE PRINCE, *penché à la fenêtre.* – Mes vêtements ! Il a jeté mes vêtements par la fenêtre !

AMÉLIE, *courant après Marcel.* – Marcel ! Marcel !

LE PRINCE, *courant à la porte de gauche.* – Logeur ! eh ! logeur !

Quand tous deux arrivent à la porte, ils la trouvent fermée au verrou extérieurement.

AMÉLIE, *avec un geste de dépit.* – Il nous a enfermés !

Elle gagne la droite.

LE PRINCE, *descendant avant-scène gauche.* – Oser enfermer le prince de Palestrie !

AMÉLIE. – Oh ! l'animal !

LE PRINCE, *se précipitant vers le cabinet de toilette.* – Ah ! par là !

AMÉLIE. – Mais non ! c'est mon cabinet de toilette, il n'y a pas d'issue.

LE PRINCE. – Oh !... Un pareil lèse-majesté ! En Palestrie, il serait fouetté en place publique et envoyé aux galères.

AMÉLIE. – Ah ! oui, mais en France !... sous Fallière [33] !

Tout en parlant, elle s'est dirigée vers la fenêtre.

LE PRINCE. – Mais, par notre père ! je ne puis rester ici, séquestré et sans vêtements.

AMÉLIE, *brusquement, apercevant Marcel par la fenêtre.* – Oh ! lui ! (*Appelant.*) Marcel !... Marcel !

LE PRINCE, *courant jusqu'à la ruelle du lit dans la direction de la fenêtre.* – Quoi ? Vous le voyez ?

AMÉLIE. – Il entre en face, au commissariat de police.

LE PRINCE. – Chez le commissaire ?

AMÉLIE. – Qu'est-ce qu'il manigance ?

LE PRINCE, *redescendant gauche.* – Eh bien ! tant mieux. Qu'il l'amène, le commissaire ! je le ferai arrêter ! Se permettre d'enfermer le prince royal de Palestrie !

AMÉLIE, *descendant devant le pied du lit.* – Ah ! mais prenez garde, monseigneur ! Songez que maintenant il est le mari.

LE PRINCE. – Mais quoi, alors ? C'est un guet-apens !

Il prononce « gué-à-pens ».

AMÉLIE. – Il veut faire constater le flagrant délit, parbleu !

LE PRINCE. – Mais c'est terrible ! Cela va faire un scandale ! et dans ma situation !... vis-à-vis de mon gouvernement !...

AMÉLIE, *se rapprochant du prince.* – Mais non ! mais non ! Il se blouse ! Pour faire constater un flagrant délit, il faut d'abord une requête au président du tribunal ; sans ordonnance, le commissaire se refusera à instrumenter.

LE PRINCE. – N'importe ! je ne veux pas rester prisonnier plus longtemps. Rien que pour ma dignité !... (*Ton brutal.*) Alors, quoi ? Il n'y a pas d'issue ?

AMÉLIE, *geste évasif, puis.* – Il n'y a que la fenêtre.

LE PRINCE, *fait une moue, puis.* – Merci ! un deuxième étage !

AMÉLIE. – Oh !... premier au-dessus de l'entresol.

LE PRINCE, *même jeu.* – A sauter, ça revient au même... et avec le pavé !...

AMÉLIE, *comme atténuatif.* – C'est du macadam.

LE PRINCE, *tourne les yeux de son côté, puis* : – Est-ce beaucoup préférable ?

AMÉLIE, *fait une moue, puis* : – Ça dépend des goûts.

LE PRINCE, *brusquement, saisi d'une inspiration.* – Savez-vous ! Vous devriez vous mettre à la fenêtre et faire des signes aux gens qui passent.

AMÉLIE, *se dérobant, avec une révérence.* – Merci !... Merci bien ! pour m'amener des histoires avec la préfecture !... Non, merci !

LE PRINCE, *à bout de ressources.* – Mais alors, quoi ?

AMÉLIE, *levant les bras.* – Ah ! « quoi, quoi » ? Il n'y a qu'à se résigner.

Elle s'assied sur le petit canapé du pied du lit.

LE PRINCE, *désemparé.* – Oh !

A ce moment, on entend un bruit de voix se rapprochant peu à peu de la porte de gauche.

AMÉLIE, *se dressant brusquement.* – Écoutez !

LE PRINCE, *l'oreille aux aguets.* – Qu'est-ce que ?

AMÉLIE. – C'est lui qui revient !

LE PRINCE. – Il revient !

AMÉLIE. – Et pas seul ! Il y a du monde avec lui.

LE PRINCE, *pivotant sur les talons.* – Oh !

Il se précipite dans le cabinet de toilette, dont il referme la porte sur lui. A peine est-il disparu qu'on entend un tour de clef dans la serrure, la porte s'ouvre et Marcel paraît.

SCÈNE III

LES MÊMES, MARCEL, LE COMMISSAIRE

MARCEL. – Entrez ! monsieur le commissaire ! (*A Amélie.*) Ma chère amie, je suis désolée, mais !....

LE COMMISSAIRE, *parlant à la cantonade.* – Vous deux, gardez les issues !

Le commissaire paraît, le chapeau sur la tête, son écharpe à la main.

AMÉLIE (3) *au commissaire* (1). – Vous désirez, monsieur ?

LE COMMISSAIRE, *avec un sursaut de stupéfaction en se trouvant en face d'Amélie. Se découvrant.* – Une dame ! (*A Amélie.*) Excusez-moi, madame ! C'est monsieur, qui... (*A Marcel.*) Eh bien ! où est-il, votre cambrioleur ?

MARCEL. – Mon camb...

AMÉLIE, *lui coupant la parole.* – Quel cambrioleur ?

LE COMMISSAIRE. – Mais, je ne sais pas !... Monsieur m'avait dit !...

MARCEL. – Ah ! Je vous ai dit... je vous ai dit !... parce que si je ne vous avais pas dit, vous ne seriez pas venu ! Mais il n'y a ici qu'un cambrioleur, c'est celui de mon honneur.

LE COMMISSAIRE, *fronçant les sourcils.* – Quoi ?

MARCEL. – Veuillez constater, je vous prie, la présence ici de l'amant de madame, le jour même de ses noces.

Amélie hausse les épaules et gagne la droite devant le lit.

LE COMMISSAIRE. – Hein ?

MARCEL. – Constatez, monsieur : le lit défait ! la tenue de madame !... (*prenant en main sa robe de mariée sur le coin du canapé*)... et sa robe de mariée encore là, toute chaude ! *Il repose la robe sur le pied du lit.*

LE COMMISSAIRE, *décontenancé et hésitant.* – C'est... vrai, madame ?

MARCEL, *au-dessus du canapé.* – Oserez-vous nier ?

AMÉLIE. – Ah ! ma foi, tu as raison ! Autant le divorce qu'un ménage dans ces conditions-là. (*S'asseyant sur le canapé, une jambe sur l'autre et sur un ton de bravade.*) Eh bien ! oui, monsieur ! c'est vrai.

Le commissaire s'incline en écartant les bras, devant l'aveu.

MARCEL, *triomphant.* – Enfin !

LE COMMISSAIRE. – Et... votre complice ?

AMÉLIE, *indiquant d'un geste indifférent par-dessus son épaule, le cabinet de toilette.* – Là ! dans le cabinet de toilette !... (*A part, avec désinvolture, pendant que le commissaire remonte vers le cabinet.*) Après tout, avec un prince !... *Elle fait claquer sa langue.*

LE COMMISSAIRE, *qui a remis son chapeau sur la tête, tout en remontant vers le cabinet de toilette. En poussant la porte.* – Sortez, monsieur ! nous savons que vous êtes là.

Il redescend à gauche, tandis que Marcel s'écarte un peu dans la ruelle non loin du pied du lit. – Un temps. – Soudain venant de droite du cabinet de toilette, le prince paraît, toujours dans la même tenue ; il a ramené les bords de son chapeau sur son nez et pris les pans de sa cravate, dans son chapeau pour en couvrir son visage ; il s'avance, la tête penchée sur l'épaule droite.

LE PRINCE. – C'est bien ! me voici.

MARCEL. – Constatez, je vous prie, le déshabillé de monsieur !

LE PRINCE, *du tac au tac.* – Permettez ! C'est monsieur qui m'a jeté mes vêtements par la fenêtre.

LE COMMISSAIRE, *presque sous le nez du prince et sur un ton brutal et cassant.* – S'il les a jetés, c'est sans doute que vous ne les aviez pas sur vous !... Votre nom ?

Il redescend un peu à gauche.

LE PRINCE. – Impossible !... Je voyage incognito !

LE COMMISSAIRE, *croyant qu'on se moque de lui et sur le ton d'un homme qui ne supportera pas la plaisanterie.* – Quoi ?

MARCEL. – Il suffit ! Monsieur est Son Altesse Royale le prince Nicolas de Palestrie !

LE COMMISSAIRE, *avec un sursaut en arrière.* – Hein ?

Instinctivement il se découvre.

LE PRINCE, *avec dépit.* – Ah ! maracache !

D'un geste d'humeur, il envoie son chapeau en arrière de sa tête, ce qui fait tomber sa cravate à sa place.

MARCEL. – Constatez, monsieur le commissaire ! constatez !

LE COMMISSAIRE, *qui n'entend plus du tout de cette oreille, descendant à gauche.* – Oh ! non... Oh ! non-non !

MARCEL, *ahuri.* – Quoi ?

LE COMMISSAIRE. – Non-non-non-non-non-non !... Une Altesse Royale ! merci ! l'immunité diplomatique !... Tu-tu-tu-tu ! je n'ai pas envie de créer des complications au gouvernement !

MARCEL, *traversant la scène et allant au commissaire.* – Qu'est-ce que vous dites ?

LE COMMISSAIRE, *sans le toucher, l'écartant du geste.* – Oh ! Arrangez-vous ! Arrangez-vous ! Moi, ça ne me regarde pas.

LE PRINCE, *étonné lui-même de ce revirement, mais heureux d'approuver le commissaire.* – Absolument !

MARCEL, *n'en croyant pas ses oreilles.* – Mais, monsieur le commissaire, je suis le mari offensé, et...

LE COMMISSAIRE. – Ah ! Qu'est-ce que vous voulez que je vous dise ? (*Avec la plus entière mauvaise foi.*) D'abord, je n'en sais rien, moi. Qu'est-ce qui me le prouve ?

LE PRINCE (3). – Oui, quoi ?

MARCEL. – Comment ! Qu'est-ce qui vous le prouve ? Mais qu'est-ce qu'il vous faut ? Regardez la tenue de madame ! le prince sans vêtements !...

LE COMMISSAIRE, *lui coupant brutalement la parole et nez contre nez avec Marcel.* – C'est vous !... qui les avez jetés par la fenêtre.

LE PRINCE, *sur le même ton.* – C'est lui qui les a jetés par la fenêtre !

MARCEL, *ahuri d'avoir ainsi à se défendre.* – Ça prouve qu'il ne les avait pas sur lui...

LE COMMISSAIRE, *écartant de grands bras.* – En voilà une preuve !

LE PRINCE, *haussant les épaules.* – C'est idiot !

MARCEL, *indiquant Amélie assise sur le canapé.* – Et puis madame a avoué !... Qu'est-ce qu'il vous faut de plus ?

LE COMMISSAIRE, *furieux de cette insistance, grimpant sur ses ergots et allant se camper, tel un coq au combat, la poitrine contre la poitrine de Marcel.* – Ah ! Et puis, en voilà assez ! Je n'ai pas de leçon à recevoir de vous.

MARCEL. – Hein ?

LE PRINCE. – A la bonne heure !

LE COMMISSAIRE, *toujours contre poitrine, nez contre nez, avec Marcel ahuri. Pivotant autour de lui de façon à gagner le n° 2.* – Considérez-vous comme bien heureux que je ne vous dresse pas procès-verbal pour fausse déclaration à un magistrat.

MARCEL. – Moi !

LE COMMISSAIRE. – Oui, vous ! oui, vous ! Car, enfin, où est-il votre cambrioleur, hein ? Où est-il ?

MARCEL, *complètement interloqué.* – Mais je... mais je...

LE COMMISSAIRE. – Oui ! Eh bien, que ça ne vous arrive plus !

Il remonte vers le prince.

LE PRINCE. – Bravo !

MARCEL, *reste un instant comme assommé, puis au public.* – C'est moi le cocu ! et c'est moi qu'on engueule !

LE COMMISSAIRE, *au prince tout près de lui et l'échine courbée à hauteur de sa ceinture.* – Oh ! Monseigneur ! Je suis désolé ! Je supplie Votre Altesse d'agréer mes excuses. (*Redressant un peu l'échine.*) Tout ça, c'est la faute de ce maladroit !

LE PRINCE, *battant l'air avec son doigt d'un geste brusque et sous le nez du commissaire.* – Vous !... je vous fais commandeur de l'ordre de Palestrie !

LE COMMISSAIRE, *très ému.* – Hein ? Moi ? Monseigneur ! (*Se confondant en courbettes.*) Oh ! Monseigneur ! Quel honneur ! Comment pourrai-je exprimer à Votre Altesse !...

LE PRINCE, *le renvoyant du geste.* – Oui, c'est bien, allez !

Il tourne les talons sans plus s'occuper de lui.

LE COMMISSAIRE, *avec la plus plate obéissance.* – Oui, monseigneur. (*S'inclinant profondément.*) Monseigneur ! (*Un pas à reculons. Nouvelle salutation à Amélie.*) Madame ! (*De même, à Marcel, exactement sur le même ton qu'il a dit « Monseigneur ! Madame ! » :*) Idiot !

MARCEL, *se tournant à moitié vers lui.* – Quoi ?

LE COMMISSAIRE, *dans le même mouvement. Nouveau pas à reculons, nouvelle et dernière salutation. – Monseigneur ! (Se redressant et tournant les talons. A la cantonade.*) Venez, vous autres ! Il n'y a pas plus de cambrioleur que dans ma main !

Il sort.

MARCEL, *qui n'en est pas encore revenu.* – Ah ! bien, elle est raide, celle-là !

AMÉLIE, *au prince qui arpente nerveusement la scène de haut en bas.* – Monseigneur, je suis désolée qu'à cause de moi !...

LE PRINCE (2) *à Amélie (3).* – Oui, oh ! *A Marcel* (1). Ah ! vous avez fait des propretés, vous !

Il remonte.

MARCEL. – Allez, allez, monseigneur ! vous avez raison ! puisqu'il est avéré que vous jouissez d'un privilège !... que vous avez tous les droits ! Je m'incline et je vous fais mes excuses.

LE PRINCE, *qui n'a pas cessé d'arpenter et est redescendu à ce moment près de Marcel.* – Je me plaindrai demain... à la Présidence !...

Il remonte.

MARCEL, *toujours à gauche de la scène.* – Oh ! ça, la présidence... dans cette affaire-là !...

LE PRINCE, *redescendant, à Marcel.* – Je regrette que ma situation ne me permette pas de donner à votre conduite les suites qu'elle comporte !

Il remonte.

MARCEL. – Je le regrette aussi, monseigneur.

LE PRINCE, *toujours nerveux.* – Oui !

AMÉLIE. – Monseigneur, du calme !

LE PRINCE, *presque crié.* – Je suis calme !

Il continue à arpenter.

MARCEL. – D'ailleurs, maintenant que le coup a raté, je puis bien dire que je suis désolé d'avoir eu à tomber précisément sur Votre Altesse, mais je n'avais pas le choix.

LE PRINCE, *toujours arpentant.* – Non, non, se permettre !...

AMÉLIE. – Et tout ça ! tout ça, par la faute d'Étienne !

MARCEL. – Oui. Ah ! Ce que je lui garde un chien de ma chienne, à celui-là.

AMÉLIE. – Et moi donc !

LE PRINCE, *brusquement redescendant (2) près de Marcel (1) et se campant devant lui.* – Enfin, quoi ? Quoi ? Vous ne pensez donc pas que je vais rester ainsi en chemise et en caleçon ! Vous allez me prêter un costume... que je m'en *vaille !*

MARCEL. – Mais je n'en ai pas !

LE PRINCE. – Eh bien, trouvez-en un ! Ça ne me regarde pas ! donnez-moi le vôtre.

En ce disant, il lui pince, en la secouant, la manche de son habit à hauteur du biceps.

MARCEL, *se dégageant et passant nº 2.* – Ah ! bien plus souvent, par exemple !

LE PRINCE, *revenant à la charge.* – Allez ! Allez !

MARCEL, *se garant.* – Mais non !... mais non !... (*Entendant un bruit de voix à la cantonade. Impérativement, au prince.*) Chut !

LE PRINCE, *interloqué.* – Quoi ?

Amélie, le prince et Marcel prêtent l'oreille.

VOIX D'ÉTIENNE. – Monsieur et madame sont là ?

MARCEL, *à Amélie.* Mais c'est Étienne, ma parole !

AMÉLIE. – Il a le culot de venir se payer notre tête !

MARCEL. – Ah ! bien, lui, il va me payer ce qu'il m'a fait !

Le prince (1) *un peu au fond, Marcel* (2) *au milieu de la scène, Amélie* (3) *plus bas.*

SCÈNE IV

LES MÊMES, ÉTIENNE, habit noir comme à la mairie

ÉTIENNE, *paraissant et s'arrêtant le chapeau sur la tête, les mains dans ses poches, sur le pas de la porte.* – Bonjour, les époux !

AMÉLIE. – Toi !

MARCEL, *s'avançant vers lui à pas lents, comme un fauve.* – Qu'est-ce que tu viens faire ?

Le prince gagne un peu à droite.

ÉTIENNE, *sur le ton dégagé et persifleur.* – Rien ! Voir si ça va comme vous voulez ? Si vous êtes heureux ?

MARCEL. – Si nous sommes heureux ? Ah ! canaille !

Il le prend par le bras et le fait brutalement passer à sa gauche.

ÉTIENNE (3). – Eh bien, quoi donc ?

MARCEL, *au prince.* – Monseigneur ! vous avez vu jouer le *Fil à la patte* [34] *?*

LE PRINCE, *qui ne comprend pas.* – *Fil à la patte ?* Quoi ? quelle patte ?

MARCEL, *tout en fouillant dans la poche de derrière de son pantalon.* – Eh bien ! nous allons vous en rejouer une scène ! et pas au chiqué, cette fois !

ÉTIENNE, *qui ne comprend pas où il veut en venir.* – Qu'est-ce qu'il dit ?

MARCEL. – Vous avez besoin d'un vêtement, monseigneur !

LE PRINCE. – Certes, par notre Père !

MARCEL. – C'est très bien ! *(A Étienne.)* Ton pantalon ! donne-moi ton pantalon !

ÉTIENNE, *qui croit à une plaisanterie. Gouailleur.* – Quoi ?

MARCEL, *qui a tiré de sa poche un revolver qu'il braque sur Étienne.* – Ton pantalon, ou je tire !

LE PRINCE, *qui se trouve sur la ligne du tir entre Marcel et Étienne.* – Eh ! là ! Eh ! là !

Il remonte vivement et gagne près de la cheminée.

ÉTIENNE. – Ah çà ! tu plaisantes !

MARCEL. – Je plaisante ! tiens !

Il tire en l'air.

ÉTIENNE, *faisant un bond en arrière.* – Ah !

AMÉLIE, *tombant sur le canapé au pied du lit.* – Ah !

LE PRINCE, *descendant n° 1.* – Ah !

En même temps un morceau de plâtre se détache du plafond et tombe par terre.

AMÉLIE, *devant le dégât.* – Oh ! mon plafond !

Elle s'est relevée et descend un peu à droite.

MARCEL. – Oui, oh ! ben, ton plafond... zut ! *(A Étienne.)* Allons ! ton pantalon, ou je te tue comme un chien.

ÉTIENNE, *suppliant.* – Marcel !...

MARCEL, *agitant le revolver braqué sur Étienne.* – Veux-tu vite...

ÉTIENNE, *terrorisé.* – Oui !... Oui-oui !

Il est debout devant le canapé, déboutonne vivement ses bretelles.

MARCEL. – Allez ! Allez ! plus vite que ça.

ÉTIENNE, *retirant précipitamment son pantalon.* – Voilà ! voilà !

Il passe le pantalon que Marcel prend de la main gauche sans cesser de tenir Étienne en joue.

MARCEL, *jetant par-dessus son épaule le pantalon au prince.* – Tenez ! attrapez, monseigneur !

LE PRINCE. – Merci !... *(Il enfile vivement le pantalon.)* Oho ! il va craquer !

MARCEL, *à Étienne.* – Et maintenant, ton habit ! ton gilet !

ÉTIENNE. – Marcel, voyons !

MARCEL. – Veux-tu donner ton habit et ton gilet !

ÉTIENNE, *retirant habit et gilet.* – Voilà ! voilà ! *(A part.)* Il est fou ! Il est complètement fou !

Il remet le gilet et l'habit à Marcel.

MARCEL, *jetant les vêtements au prince.* – Voilà, monseigneur ! *(Brusquement.)* Monseigneur ! pendant que vous y êtes, voulez-vous le caleçon ?

LE PRINCE. – Non, merci ! j'ai le mien et il est plus beau.

ÉTIENNE, *s'avançant piteux et suppliant jusqu'à Amélie, qui est à l'extrême droite.* – Amélie, je t'en prie !

AMÉLIE, *passant (3) devant Étienne.* – Oh ! ça ne me regarde pas ! Ça ne me regarde pas !

MARCEL, *allant au prince qui a sur lui le pantalon de Marcel, mais n'a passé ni le gilet ni l'habit.* – Et maintenant, monseigneur, excusez-moi ! mais pour le projet que je médite, la présence de Votre Altesse est de trop.

LE PRINCE. – Je comprends !... Monsieur est mon remplaçant.

MARCEL. – Vous l'avez dit, monseigneur !

LE PRINCE. – C'est bien ; je me sauve ! Au revoir ! et bonne chance ! Au revoir, Amélie !

AMÉLIE, *faisant la révérence.* – Au revoir, monseigneur !

LE PRINCE, *est allé jusqu'à la porte dont il a poussé le battant comme pour sortir, puis, se ravisant, fait volte-face, et, après deux pas à froid, à Étienne qui est piteusement à l'extrême droite appuyé contre le lit, se faisant un écran de son chapeau haut de forme tenu contre le ventre.* – Cocoï boronzoff ! Lapépétt alagoss !

ÉTIENNE. – Quoi ?

LE PRINCE. – Yamolek, Grobouboul !

Il sort.

ÉTIENNE, *voyant le prince s'en aller avec ses affaires.* – Non, mais c'est ça ! Il emporte mes vêtements et encore il m'engueule ! *(Voulant courir après le prince.)* Eh ! là-bas, vous !

MARCEL, *arrêtant son élan par la menace de son revolver.* – Bouge pas, toi ! ou je te brûle.

ÉTIENNE, *reculant, de façon à revenir à sa place primitive.* – Ah çà ! où veux-tu en venir ?

MARCEL, *prenant la main d'Amélie.* – Où je veux en venir ? A te faire .pincer en flagrant délit avec ma femme.

AMÉLIE. – Absolument !

MARCEL, *la main gauche dans la main droite d'Amélie. Avançant ainsi qu'Amélie à pas lents cadencés et successifs dans la direction d'Étienne.* – Ah ! Tu es l'amant de ma femme !

AMÉLIE, *même jeu.* – Ah ! le jour même de ses noces, on te surprend avec elle !

ÉTIENNE, *bouche bée. Affalé face à eux sur le bord du lit.* – Hein ?

MARCEL, *de même.* – Ah ! l'on te trouve en caleçon dans la chambre conjugale !...

AMÉLIE, *de même.* – Ah ! Amélie se trouve avec toi en jupon !

ÉTIENNE, *au public, désespéré.* – Ils sont fous ! Ils sont fous !

MARCEL, *un genou sur le canapé du pied du lit.* – Eh bien, le commissaire !

AMÉLIE, *appuyée des deux mains sur le bout du pied du lit.* – Le commissaire !

A ce moment, on frappe à la porte.

MARCEL, *prêtant l'oreille.* – Qui est là ?

VOIX DU COMMISSAIRE, *sur le même ton que Marcel et Amélie, et comme un écho de leur voix.* – Le commissaire !

MARCEL et AMÉLIE, *avec une même révérence.* – Le voilà !

ÉTIENNE, *abruti.* – Ah !

SCÈNE V

LES MÊMES, LE COMMISSAIRE

MARCEL, *allant ouvrir la porte au commissaire.* – Entrez ! Entrez ! monsieur le commissaire ! Vous arrivez bien : nous parlions de vous.

LE COMMISSAIRE, *entrant, les vêtements du prince pliés sur le bras. – Étonné.* – De moi ? *(Cherchant des yeux le prince.)* Son Altesse ? Son Altesse est encore là ?

MARCEL. – Non, elle vient de partir.

LE COMMISSAIRE. – Ah ! c'est que je lui rapportais ses vêtements qu'on est venu déposer au commissariat.

MARCEL, *prenant les vêtements.* – C'est bien ! on les lui fera parvenir.

Il va les déposer sur une chaise près de la cheminée.

LE COMMISSAIRE, *qui est un peu descendu, apercevant Étienne toujours piteux dans son coin, s'inclinant.* – Monsieur !

ÉTIENNE, *s'inclinant également.* – Monsieur !

LE COMMISSAIRE, *faisant allusion à sa tenue.* – La... la chaleur... sans doute ?

ÉTIENNE, *très gêné.* – La chaleur, oui, oui !

MARCEL, *qui est descendu* (3). – Oh ! mais je ne vous ai pas présentés ! (*Présentant.*) M. Étienne de Milledieu, mon meilleur ami !... M. le commissaire du quartier !... (*Échange de saluts.*) Et maintenant, monsieur le commissaire, veuillez constater que je viens de surprendre ma femme en flagrant délit d'adultère.

LE COMMISSAIRE, *avec un sursaut d'étonnement.* – Hein ? Encore !

AMÉLIE. – Oui, monsieur le commissaire.

ÉTIENNE, *suppliant.* – Marcel !

MARCEL. – Assez ! (*Au commissaire.*) Je m'étais trompé tout à l'heure ! L'amant de ma femme, ce n'était pas le prince ; c'était monsieur !

Il désigne du doigt Étienne.

LE COMMISSAIRE, *ravi de cette substitution.* – Ah ! à la bonne heure !

ÉTIENNE, *se précipitant n° 3.* – Mais c'est faux !

AMÉLIE (4). – Du tout, monsieur ! Je le reconnais !

ÉTIENNE, *indigné.* – Oh !

AMÉLIE. – D'ailleurs, tout Paris vous le dira.

ÉTIENNE. – Oh !

LE COMMISSAIRE. – Cet aveu me suffit.

MARCEL. – Veuillez constater.

LE COMMISSAIRE. – Où y a-t-il de quoi écrire ?

AMÉLIE, *remontant vers la porte du cabinet de toilette.* – Par ici, monsieur le commissaire.

LE COMMISSAIRE. – Venez.

Il remonte.

ÉTIENNE, *remontant avec le commissaire et arrivé sur le pas de la porte.* – Je proteste ! C'est une infamie ! Je suis un citoyen de la République.

LE COMMISSAIRE. – Oh ! ça, monsieur, ce n'est pas une considération !

Furieux, Étienne se couvre de son chapeau haut de forme dans lequel, après s'être déshabillé, il a jeté ses bretelles, ce qui fait que ces dernières pendent en partie hors du chapeau sur son cou. – Ils entrent tous trois dans le cabinet de toilette.

MARCEL, *redescendant.* – Enfin ! je suis vengé !

SCÈNE VI

LES MÊMES, VAN PUTZEBOUM

VAN PUTZEBOUM. – Ah ! te voilà, filske ! Je te demande pardon que je te relance ainsi donc ; mais une dépêche ça j'ai reçu qu'il faut que je parte ce soir. Alors, je t'apporte vite le chèque.

MARCEL. – Le chèque ?...

VAN PUTZEBOUM. – Du fidéicommis donc ! Tu as rempli les conditions, voilà l'argent : douze cent mille francs de principal, plus les intérêts composés : deux cent septante mille nonante-trois francs et cinq.

MARCEL, *un peu déconcerté par ce flux de chiffres.* – Quoi ? quoi ?

VAN PUTZEBOUM, *lui remettant le chèque.* – Oh ! ça est le compte ! ça est le compte !

MARCEL, *jetant un coup d'œil sur le chèque.* – ... Nonante-trois francs et cinq... Oui, oui !... c'est parfait !

AMÉLIE, *paraissant à la porte du cabinet de toilette.* – Ah ! le parrain !

Elle descend n° 3.

MARCEL, *qui a aperçu Amélie.* – Et maintenant, mon parrain, j'ai l'honneur de vous annoncer...

VAN PUTZEBOUM, *s'inclinant d'avance.* – Compliments, hein donc !

MARCEL. – Non ! non !

VAN PUTZEBOUM, *rengainant ses félicitations.* – Ah ?

MARCEL. – ... mon prochain divorce avec Mademoiselle Amélie d'Avranches, femme Courbois, que j'ai surprise en flagrant délit d'adultère avec M. Étienne de Milledieu, mon meilleur ami.

VAN PUTZEBOUM. – Hein ?

MARCEL, *à Amélie.* N'est-ce pas ?

AMÉLIE. – Absolument.

VAN PUTZEBOUM, *voulant reprendre le chèque que Marcel tient toujours à la main.* – Ah ! mais alors...

MARCEL, *écartant la main de Van Putzeboum et mettant le chèque dans la poche intérieure de son habit.* – Ah ! pardon, parrain !... Les conditions ont-elles été remplies ?

VAN PUTZEBOUM, *gauloisement.* – Ça !... Elles ont même été remplies avant.

MARCEL. – Alors, ça ne vous regarde plus !

A ce moment sortent du cabinet de toilette Étienne et le commissaire discutant ensemble.

ÉTIENNE. – Mais enfin, monsieur le commissaire... !

LE COMMISSAIRE. – Non monsieur ! Ça ne me regarde pas ! Ça ne me regarde pas !

Il a son carnet à la main sur lequel il achève d'écrire.

MARCEL. – Allons, venez, parrain !

Van Putzeboum et le commissaire sortent et s'arrêtent sur le pas de la porte à la voix d'Étienne.

ÉTIENNE, *qui est descendu n° 5.* – C'est une infamie ! (*A Marcel.*) Tu m'en rendras raison.

MARCEL. – A tes ordres. Au revoir, Amélie !

Il l'embrasse.

AMÉLIE. – Au revoir, Marcel.

ÉTIENNE, *voyant tout le monde sur le point de se retirer.* – Eh bien, et moi, alors, qu'est-ce que je deviens ?

MARCEL, *prenant Amélie par les épaules et la poussant gaiement vers Étienne.* – Eh bien, mon vieux ! Occupe-toi d'Amélie !

Il sort précédé par Van Putzeboum et le commissaire.

ÉTIENNE, *ahuri, se laissant choir sur le canapé.* – Qu'est-ce qu'il a dit ?

AMÉLIE, *s'asseyant sur ses genoux.* – Occupe-toi d'Amélie !

ÉTIENNE, *confondu.* – Ah !

RIDEAU

NOTES

P. 1

LA MAIN PASSE !

1. Inventé par Edison en 1877 et perfectionné par ce même Edison, le phonographe, il faut le souligner ici parce que cette particularité est très importante pour la compréhension de cette pièce, ne se borne pas à reproduire les sons : il est également capable de les enregistrer. Les cylindres que l'on utilise dans cet appareil correspondent à nos disques ou à nos cassettes et sont recouverts d'un manchon de cire durcie sur lequel une aiguille grave des sillons. Une autre aiguille, repassant dans les sillons ainsi tracés, reproduit les sons. Les aiguilles sont fixées, l'une sur un « diaphragme enregistreur » qui vibre à la voix qu'il s'agit de reproduire et l'autre sur un « diaphragme reproducteur » quand on désire entendre les sons ainsi captés. En bref, cet appareil, par son double usage, est l'ancêtre de notre actuel magnétophone.

2. Parure en fourrure ou en plumes, de forme ronde et allongée, que les dames portaient autour du cou.

3. Le « Sporting-Club », 6, place de l'Opéra, et 8, boulevard des Capucines, l'un des cercles les plus en vue de la capitale.

4. Feydeau, lui-même joueur acharné, connaît parfaitement les règles et usages qui régissent les milieux du jeu (voir plus haut notre *Introduction* dans le tome premier).

5. Voir plus haut *Le Ruban,* note 7.

6. L'auteur avait lui-même effectué ses études au Lycée Saint-Louis, de la classe de huitième à celle de seconde, semble-t-il, de 1872 à 1878 (voir notre *chronologie,* tome premier).

7. Célèbre traiteur parisien. Potel et Chabot avaient racheté un magasin au traiteur Chevet en 1820. En 1904 il existait plusieurs succursales de Potel et Chabot, notamment, boulevard des Italiens à

partir de 1900 et 4, avenue V. Hugo à partir de 1901. La maison est encore actuellement l'une des plus connues de la capitale.

8. Organe qui, dans certains générateurs d'ondes sonores, concentre celles-ci dans une direction donnée. Ces pavillons affectaient généralement la forme d'un vaste entonnoir.

9. Voir plus haut *Le Ruban,* note 2.

10. Ces « tuyaux acoustiques », ou simplement « acoustiques », étaient fabriqués en caoutchouc et munis à chaque extrémité d'un embout pourvu d'un sifflet avertisseur. Ils étaient utilisés pour communiquer avec l'office et transmettre les instructions aux domestiques. Ils n'allaient pas tarder à être remplacés par le téléphone.

11. Alberto Santos-Dumont (1873-1932), ingénieur et aéronaute brésilien, pionnier de l'aérostation et de l'aviation en France.

12. Adage latin dont la formulation la plus courante est « triste animal post coitum » (« l'être animé éprouve une impression de tristesse après l'accouplement »). L'origine de cette formule semble devoir être recherchée dans un passage d'Aristote (*Problèmes,* section XXX) traduit en latin au XVIe siècle par l'hélléniste Gaza en ces termes « et *post coitum* quoque venereum animo plerique omnes succumbunt, redduntur que *tristiores.* » Ce passage concernait la chaleur naturelle des êtres animés et expliquait comment certains actes en faisaient dissiper une partie.

13. Ce monologue d'ivrogne, véritable morceau d'anthologie, est tout à fait dans la tradition des monologues qui fut si vivace à la fin du XIXe siècle et jusqu'à la première guerre mondiale (Il en existe des dizaines de recueils). Rappelons que Feydeau lui-même était l'auteur de plus d'une vingtaine de monologues qu'il savait dire, paraît-il, avec beaucoup de talent.

14. En effet « chouring » rappelle, par sa sonorité, le terme « chouriner » (ou « suriner ») qui signifie en argot « frapper d'un coup de couteau » (« chourin » ou « surin »).

15. Entreprise parisienne de blanchisserie.

16. Terme désignant les malfaiteurs (du nom d'une tribu de peaux-rouges du sud-ouest des États-Unis) et qui s'était récemment introduit dans la langue (1902). On attribue au reporter Victor Moris l'idée d'appeler « apaches » les membres de la basse pègre opérant sur les boulevards extérieurs.

17. « Diable » en italien.

18. « Boum ! » ou « Boum, voilà ! », exclamation poussée par les garçons de café ou de restaurant, lorsqu'ils apportaient une consommation ou un plat à leur client (« boum ! » est peut-être une altération de « bon ! »). On rencontre aussi « baoun ! », par exemple dans Labiche (*Un Garçon de chez Véry,* sc. 9).

19. Dans le baccara (ou baccarat), dit « chemin de fer », le banquier « garde la main », c'est-à-dire, distribue les cartes aux « pontes » ; mais dès qu'il a perdu un coup, il cesse de le faire et « passe la main » à son voisin. L'expression « il y a une suite » est celle qu'utilise le banquier pour annoncer qu'il renonce à ses fonctions.

20. Les officiers de la « remonte » étaient préposés à la fourniture des chevaux pour l'armée. Mais, d'autre part, le terme « remonte »

désigne chacun des sauts qu'un étalon donne à une jument après le premier. L'auteur joue donc ici sur l'ambivalence du mot.

21. Terme de pyrotechnie : feu d'artifice consistant en un long tube rempli d'« étoiles » qui sont projetées successivement par des charges de poudre placées sous chacune d'entre elles.

22. Cette expression désigne un bâton sur lequel perchent les poules, donc, couvert de fiente : cette métaphore évoque une personne qui a si mauvais caractère que l'on ne sait par quel bout la prendre (cf. l'expression « bâton merdeux » dont « bâton de poulailler » est la version atténuée).

23. Interjection actuellement tombée en désuétude et dont le sens équivalait à celui de « zut ».

24. Petite boule de liège dont les escamoteurs se servent pour leurs tours de gobelets. La métaphore évoque la rapidité avec laquelle Francine passe d'un homme à l'autre et le caractère imprévisible de ses toquades.

P. 179

L'AGE D'OR

1. Ordre de l'Éléphant blanc, ordre siamois fondé en 1861 par Chow-Yu-Hua et réglementé en 1869.

2. Parodie de *Cinna* (V, 3).

3. Titre négociable donnant au bénéficiaire le droit de percevoir à l'échéance la somme qui s'y trouve portée.

4. Sur l'importance de cette somme et des autres sommes dont il est question plus loin, voir, au tome premier, *La Lycéenne,* note 13.

5. Jean-Eugène Robert-Houdin (1805-1871), prestidigitateur universellement célèbre par l'ingéniosité de ses tours et la perfection de ses automates, avait ouvert en 1853, boulevard des Italiens, un théâtre portant son nom.

6. Alfred Chauchard (1821-1909), l'un des fondateurs des Grands Magasins du Louvre (1855).

7. Alphonse XIII s'était effectivement rendu en France en mai 1905.

8. Paul, vicomte de Barras (1755-1829), député du Var à la Convention, représentant en mission, un des organisateurs du 9 Thermidor avait été élu Directeur à l'entrée en vigueur de la Constitution de l'an III. Sa carrière politique s'était arrêtée au 18 Brumaire.

9. Personnage principal du *Marchand de Venise,* pièce de Shakespeare (1594). Shylock est un usurier juif impitoyable.

10. Personnage central d'un roman de Dumas père portant le même nom et paru en 1845. Il s'agit de Marguerite de France,

reine de Navarre, fille cadette d'Henri II et de Catherine de Médicis (1533-1615). Elle épousa en 1572 Henri de Navarre, le futur Henri IV ; quelques jours avant la Saint-Barthélemy.

11. Joseph-Boniface de La Mole, mort en 1574, favori de François, duc d'Alençon et amant de Marguerite de France ; il organisa avec Coconnat un complot contre Charles IX en vue d'assurer la couronne au duc d'Alençon. La conjuration découverte, il fut décapité avec son complice.

12. Extrait du chapitre XII de *La Reine Margot.*

13. Nom donné au massacre des protestants ordonné par Charles IX à l'instigation de Catherine de Médicis et qui eut lieu le 24 août 1572, jour de la Saint-Barthélemy.

14. Citations approximatives de *La Reine Margot,* chapitre VIII et de *La Tour de Nesles,* drame en cinq actes de Frédéric Gaillardet et Alexandre Dumas (Porte Saint-Martin, 29 mai 1832), acte I, sc. 4 et acte III, sc. 5.

15. Église de Paris située face à la colonnade du Louvre. On y sonna le tocsin qui déclencha la Saint-Barthélemy.

16. C'est effectivement le nom du propriétaire de l'hôtel de la Belle-Étoile dans le roman de Dumas.

17. Inventé par l'Américain Graham Bell en 1876.

18. Henri III, troisième fils d'Henri II, ne devait régner que deux ans plus tard, en 1574, après la mort de Charles IX.

19. Charles IX (1550-1574) règne alors depuis douze ans (1560). Il est le fils de Catherine de Médicis (1519-1589) qui, nommée régente, exerce la réalité du pouvoir jusqu'en 1570. Henri de Navarre (1553-1610) avait épousé Marguerite de Valois, fille d'Henri II. Il ne devait devenir roi, sous le nom d'Henri IV, qu'en 1589.

20. Annibal de Coconas ou Coconat (mort en 1574), capitaine piémontais, prit part à la Saint-Barthelemy dans les rangs catholiques. Sur le reste de ses activités, voir plus haut, note 11.

21. Altération de « Sang de Dieu ! », sorte de juron gascon.

22. Le mot existait dès le début du XIVe siècle. Mais c'est Henri III qui aurait inauguré l'usage actuel de la fourchette, en 1584. D'abord restreint aux familles nobles, il se répandit dans la population au cours du XVIIe siècle.

23. Par analogie avec la forme de la coiffure épiscopale.

24. Charles de Louviers, sire de Maurevel, mort en 1583, homme de main du duc de Guise (il porte effectivement un manteau « amadou » dans le récit de Dumas).

25. Henri Ier, duc de Guise, dit « Le Balafré » (1550-1588), fils aîné de François de Guise, qui combattit à Jarnac et à Moncontour, fut l'un des instigateurs de la Saint-Barthélemy. Plus tard, chef de la Ligue, il devait être assassiné à Blois sur l'ordre d'Henri III.

26. Cette croix à double traverse qui figurait dans les armes de la Lorraine attestait que l'on était du côté d'Henri de Guise, duc de Lorraine qui exécutait les ordres du roi.

27. Interjection. Corruption de « mort de Dieu ! » comme « morbleu », « mordieu », « mordié » et « mordienne ».

28. Ce personnage de nourrice-servante est emprunté au roman de Dumas.

29. En fait le mariage avec Henri de Navarre, le futur Henri IV, avait déjà eu lieu quelques jours auparavant, le 18 août 1572.

30. Charles Yanowitz dit Besme, né en Bohème et devenu page du duc de Guise, tua Coligny durant la Saint-Barthélemy et fut lui-même mis à mort par les protestants en 1575.

31. « Follentin ! Follentin ! / Quand je te vis ! toi ! toi ! / Beau, plus beau encore/ Ah ! je t'aimais, je t'aimais ! ».

32. Il s'agit de François, quatrième fils d'Henri II, qui porta le titre de duc d'Alençon tant que son frère Henri fut duc d'Anjou.

33. Phrase attribuée à Louis XIV et qu'il aurait dite un jour que ses voitures arrivaient juste à l'heure prévue.

34. François Ravaillac (1578-1610), maître d'école, puis moine feuillant, assassina Henri IV en 1610.

35. Titre d'une comédie-vaudeville en trois actes de Labiche et Choler, créée au Palais-Royal le 21 août 1866.

36. Où avait lieu l'exécution des criminels. Cette place, nommée « place de l'Hôtel de ville » depuis 1806, tirait son nom de ce qu'elle s'étendait à l'époque jusqu'aux bords de la Seine et ne comportait pas de quai.

37. Louis-Dominique Bourguignon dit « Cartouche » (1693-1721), célèbre chef d'une bande de voleurs, roué vif en place de Grève.

38. Louis Mandrin (1724-1755), célèbre contrebandier et bandit, arrêté et roué vif à Valence. Feydeau n'hésite pas, en dépit de la chronologie, à présenter Mandrin comme un contemporain de Cartouche.

39. Follentin ignore Jean-Baptiste Lulli ou Lully (1632-1687), le célèbre compositeur, qu'il confond avec Jean-Sully Mounet dit Mounet-Sully (1841-1916), le fameux tragédien de la Comédie-Française, son contemporain.

40. Terme apparu en 1873 dans le sens péjoratif de « jeune homme à la mode, mais d'une élégance affectée ».

41. Expression de vénerie : le maître d'équipage, lors de la « curée chaude », coupe le pied de la bête et en fait hommage au principal invité de la chasse.

42. On notera l'usage très original du cinéma que fait l'auteur au cours d'une représentation théâtrale, et d'autre part, le désir de rattacher son œuvre à l'actualité.

43. « Passer parole » signifie « transmettre à un autre le droit de « relancer » (mettre une somme d'argent) au-dessus de la somme proposée ».

44. Réunion de trois as dans la main du même joueur.

45. Transcription française de « flush », terme de jeu anglais par lequel on désigne dans le poker une figure comportant cinq cartes de la même famille qui forment une séquence.

46. Cette chanson due à H. Christiné et A. Trebitsch pour les paroles et à A. Spahn pour la musique, avait été créée en 1902 par Mayol.

47. Le « full » est composé d'un « brelan » (trois cartes de même valeur) et d'une « paire » (deux cartes de valeur identique).

48. Jean-Henry de Latude, dit Danry, dit Masers de Latude (1725-1805) avait été emprisonné pour avoir adressé un colis explosif à madame de Pompadour (1749), puis dénoncé cet attentat afin d'obtenir une récompense. Ses évasions étaient restées célèbres. Pixérécourt lui avait consacré une pièce : *Latude ou trente-cinq ans de captivité* (1834).

49. Voir plus haut, note 5.

50. Ce personnage dont le nom était aussi orthographié « Buattier de Kolta » était un célèbre prestidigitateur du XIXe siècle, inventeur du truc de la « femme escamotée ».

51. Jeanne Bécu (1743-1793), d'origine modeste, épouse du comte Guillaume du Barry, présentée à la cour en 1796, favorite de Louis XV, arrêtée et guillotinée sous la Révolution.

52. Lebel, valet de chambre de Louis XV, était préposé aux divertissements intimes du souverain.

53. La création de cet ordre remonte à1802.

54. *Castor et Pollux,* opéra en cinq actes et un prologue, poème de Gentil-Bernard, musique de Rameau, créé à l'Opéra le 24 octobre 1737.

55. Benjamin Franklin (1706-1790), homme d'État, physicien et philosophe américain était venu en France en 1776 négocier avec Louis XVI (et non Louis XV qui était mort en 1774) l'alliance de la France avec la nouvelle République américaine.

56. « Oh ! Beaucoup, je suis honoré ». La réplique suivante de Franklin signifie : « Je suis réellement confus.»

57. C'est-à-dire « anti-tonnerre » (en latin : « fulmen »). Le terme anglais qui fut définitivement adopté est : « lightning-conductor » ou « lightning-rod ».

58. Traduction des répliques précédentes de Franklin : « Juste en ce moment, mon intention/ est de faire une grande invention ». « Si je trouve, ce sera une merveille/ car elle protégera du tonnerre ». – « Quoi que je puisse faire, mon seul objet/ est de pouvoir capturer ce danger ». – « Ce problème, certainement, n'est pas des moindres/ mais je trouverai ! Foin des obstacles ! » – « Oh ! je réussirai, je souhaite le pouvoir ! »

59. « J'ai compris ».

60. « Bien ! Bien ! / C'est très bien ! / Il y a une chose que je peux dire,/ Vous parlez français, ah ! comme un ange/ vous parlez anglais comme un ange/Bien ! Bien ! »

61. « Voyons un peu ! »

62. « Oh ! oui ! c'est cela. »

63. « Oui ! oui ! en vérité ! »

64. « Oh ! bien ! splendide ! »

65. « Ai-je compris ? »

66. « Bien ! bien !/ C'est très bien !/ Vraiment, monsieur, je bénis le sort/Vous parlez français, oh ! comme un ange/ Vous parlez anglais comme un ange./ Bien ! Bien ! »

67. « Oh ! vous parlez très bien, en vérité. »

68. « C'est vous ! c'est vous ! »

69. « Oh ! c'est-à-dire, tout et rien ! »

70. « Quelle (bonne) idée ! »

71. Ancien quartier de Versailles qui avait donné son nom à un hôtel que Louis XV avait acheté en 1755 pour y loger ses maîtresses de passage, que lui amenait Lebel.

72. Perception de divers impôts mise en adjudication et concédée à diverses personnes ou sociétés moyennant le versement d'une somme fixe au trésor. Une ferme pouvait être très fructueuse mais comportait de graves risques pour l'adjudicataire.

73. L'auteur altère ici quelque peu la vérité historique : François Poisson, père officiel de madame de Pompadour avait été munitionnaire aux armées mais non fermier général. En revanche son père véritable, Lenormand de Tournehem l'était et le mari de la favorite, Lenormand d'Etioles reçut une ferme pour prix de sa complaisance.

74. Antoine de Sartine, comte d'Alby (1729-1801), lieutenant général de la police de 1759 à 1774, puis ministre de la Marine en remplacement de Turgot.

75. Néologisme dont le sens est donné dans les deux lignes suivantes.

76. Petit domestique employé à faire des courses (ici). Ce terme s'utilise aussi pour désigner des employées chargées des mêmes fonctions.

77. Napoléon 1er désirait que Le Havre, Rouen et Paris ne formassent qu'un seul port. Ce projet, dont la réalisation eût nécessité de gigantesques travaux de dragage, revenait périodiquement à l'ordre du jour et alimentait les journaux en mal de copie.

78. Allusion plaisante à la politique anticléricale d'Émile Combes (1835-1921), président du Conseil du 7 juin 1902 au 24 janvier 1905.

79. Voir *La Main passe,* note 11.

80. Les doctrines féministes n'étaient pas nouvelles en France puisque, sans vouloir remonter trop loin, dès 1791, Olympe de Gouge rédigeait sa « Déclaration des droits de la femme et de la citoyenne ». Ultérieurement, l'action de personnes comme Léon Richer (1824-1911), Maria Deraismes (1828-1894) et surtout Hubertine Auclert (1848-1911) avait largement contribué à répandre ces nouveaux points de vue. En outre, chez nos voisins anglais, les « suffragettes » de Mrs Pankhurst avaient récemment (en 1903) provoqué une violente agitation dont la presse française s'était fait l'écho.

81. Néologisme formé sur le mot « miché » qui désigne le client payant d'une prostituée.

82. Masculinisation plaisante du nom de « La Belle Jardinière », grand magasin de confection situé 2, rue du Pont-Neuf à Paris.

83. Titre et nom de l'auteur inventés.

84. Masculinisation du terme « horizontale » qui désignait, en langue familière, une prostituée (voir plus haut *Un Bain de Ménage,* note 3).

85. La loi de « séparation de l'Église et de l'État » devait être

promulguée en décembre 1905, quelques mois après la création de *L'Age d'or* (le 1er mai de la même année).

86. Dès 1890, l'idée d'un impôt sur le revenu avait pris corps. Joseph Caillaux, ministre des finances de Clémenceau (1906-1909) en devint le principal promoteur. Son projet, déposé en 1907, aboutit en 1914 à l'établissement d'un impôt progressif sur le revenu que nous supportons encore.

87. Terme de jeu qui signifie prendre la « cave » d'un joueur, c'est-à-dire la somme qu'il a mise en jeu, d'où, par extension, « dépouiller complétement quelqu'un ».

88. Sonnerie militaire destinée à rendre les honneurs aux généraux ou aux autorités gouvernementales.

89. Transformation de l'expression « mort aux vaches ! ». Le terme « vache » désignait en argot les agents de la sûreté ou les sergents de ville. Trois ans auparavant, Anatole France avait mis en scène dans une nouvelle intitulée *Crainquebille* (1902), un marchand des quatre saisons accusé à tort d'avoir utilisé cette formule.

90. Terme d'argot parisien désignant une femme qui, sous des apparences honorables, fait commerce de ses charmes, par opposition au « castor », prostituée qui n'essaye pas de dissimuler la nature de sa profession.

91. On ne peut qu'être surpris par la prescience de l'auteur qui, dès 1905, avait prévu l'importance que jouerait la drogue à la fin du XXe siècle. Toutefois, il avait cru que son usage se limiterait à un cercle restreint composé de « décadents » et de nihilistes sans pressentir qu'elle deviendrait un grave problème de société.

92. Interjection signifiant « diable ! ». Altération du juron allemand « der teufel ! » (cf. aussi « tarteifle ! »).

P. 351

LE BOURGEON

1. Siège sur lequel on s'assied à califourchon et dont le dossier est muni d'un coffret à tabac servant aussi d'appuie-bras.

2. Petite table à ouvrage dont la tablette supérieure est munie sur les quatre côtés d'un rebord servant à soutenir la pelote de la personne qui tricote.

3. Journal illustré, humoristique et grivois fondé en 1884 par F. Juven.

4. Journaux dont les titres sont inventés et dont la présence est destinée à caractériser l'atmosphère générale des lieux.

5. Port de pêche, chef-lieu de canton du Finistère (sud), dans l'arrondissement de Quimper.

6. Roscoff, commune du Finistère (nord), arrondissement de Morlaix, port de pêche.

7. Dans une acception familière que semble ignorer la comtesse, « marcher » possède un sens sexuel.

8. Voiture haute à quatre roues, légère et découverte, à deux sièges parallèles, pour quatre personnes.

9. Nom de commune inventé.

10. Allusion à la crise du 16 mai 1877 : Mac-Mahon, président de la République avait provoqué la démission du ministère Jules Simon, pour le remplacer par un ministère Broglie, favorable aux royalistes et pris hors de la majorité parlementaire, ouvrant ainsi une crise. Cette crise se dénoua en décembre 1877, lorsque Mac-Mahon, choisissant de se soumettre, confia le pouvoir à des ministres républicains.

11. C'est-à-dire, « arriver en retard ». Allusion à une opérette d'Offenbach (livret de Meilhac et Halévy), intitulée *Les Brigands* et créée aux Variétés le 10 décembre 1869. Dans cette œuvre, une patrouille de carabiniers traverse plusieurs fois la scène en chantant : « Nous sommes les carabiniers,/ La sécurité des foyers./ Mais par un malheureux hasard/Nous arrivons toujours trop tard. »

12. Le choix de ce prénom par l'auteur suggère qu'il s'agit d'une « cocotte » : il évoque l'une des plus célèbres d'entre elles, Cléo de Mérode (voir plus haut, sur ce personnage, tome III, *La Duchesse des Folies-Bergère,* note 45).

13. Dans la religion catholique, indulgence plénière solennelle et générale accordée pour une année (année sainte) par le pape, sous la condition d'accomplir certaines pratiques de dévotion.

14. L'auteur raille ici l'habitude qu'avaient prise les femmes légères de l'époque d'adopter des pseudonymes nobiliaires.

15. Une « clovisse » est un coquillage comestible abondant sur les côtes de France.

16. Service qui, dans chaque ville de garnison, est chargé de régler les problèmes posés par le logement du personnel en transit, les tours de service entre les unités etc.

17. Voir plus haut, *Dormez, je le veux !* note 5.

18. Une canne dont l'extrémité affecte la forme d'un « bec de corbin », autrement dit de « corbeau », dont « corbin » est une forme ancienne.

19. Fièvre typhoïde légère.

20. Personnage entièrement vêtu de bleu figurant dans *Barbe-Bleue,* opéra-bouffe de Meilhac et Halévy, musique d'Offenbach, créé aux Variétés le 5 février 1866.

21. En langage familier ou populaire, masque de carnaval qui court les rues pendant les jours gras, d'où personne accoutrée ridiculement.

22. « Vouer une personne au bleu » signifie que l'on promet par un vœu qu'elle sera, jusqu'à un certain âge, vêtue de bleu en l'honneur de la Sainte-Vierge.

P. 513

LA PUCE A L'OREILLE

1. En langue familière, un « baiser ».
2. « Se faire des idées » (Cf. « job », abréviation de « jobard », « sot », « niais », et « monter le job à quelqu'un », c'est-à-dire lui « monter la tête »).
3. Rivière d'Espagne, sous-affluent du Tage, longue de 85 km, passe à Madrid.
4. Par exemple chez Beaumarchais dans *Le Mariage de Figaro* (IV, 3).
5. Pièce en trois actes de Maurice Hennequin et Pierre Véber, créée le 6 octobre 1906 au Théâtre des Nouveautés.
6. Village de la commune de Saint-Cloud (Seine-et-Oise, actuellement Hauts-de-Seine), célèbre par la bataille de Montretout-Buzenval (19 janvier 1871).
7. « Ah ! Bien ! Bien ! »
8. « Je ».
9. « C'est vrai ? »
10. « Sacrebleu ! En voilà une fille de chienne ! »
11. Le « bouledogue » est un type de revolver à canon court (par métaphore avec le petit dogue à nez écrasé que désigne ce terme).
12. « Qu'as-tu, mon chéri ? Pourquoi me fais-tu cette tête ? »
13. « Je t'assure que je n'ai rien. »
14. Traduction des deux dernières répliques : « Ah ! Mon Dieu ! Quel caractère insupportable tu as ! » - « Oh ! Salope ! »
15. « Oh ! la garce ! Comment pourrais-je imaginer que ma femme avait un amant ! »
16. Traduction des quatre dernières répliques de Rugby : « Personne ne m'a demandé ? – Personne ne m'a demandé, j'ai dit ! – S'il vous plaît, personne ne m'a demandé ? – Huah ! ...merci ! »
17. « Écoutez, c'est la seconde fois que je demande si quelqu'un m'a réclamé. »
18. Salon du premier étage du Café Anglais, 13, boulevard des Italiens, à l'angle de la rue Marivaux. Les soupers du « Grand-Seize » étaient réputés jusque dans le Nouveau-Monde.
19. « Personne n'a demandé ? »
20. « Personne ne m'a demandé ? Dis-je. »
21. « Quoi ? »
22. Littéralement : « Faisant le tour de la ville/ Tapant sur les gens/ Embrassant toutes les filles qu'on rencontre. » (Il s'agit vraisemblablement de trois vers empruntés à une chanson.) – « Non ! Ce n'est pas celle-là ! »
23. « Entrez ! »
24. « Ah ! Voici une chérie, hurrah ! »
25. « Oh ! chérie ! chérie ! Ne partez pas ! Restez avec moi ! »
26. « Sortez ! Sortez ! ». Réplique suivante de Rugby : « Ah ! Bon Dieu ! »
27. « Mais sortez, vous dis-je ! »

28. « Tiens, donc ! » – « Avez-vous jamais vu un tel toupet ! » – « Oh ! c'est moi, ma chérie ! »

29. « Je vais vous tuer ! »

30. « Tiens donc ! » « Et maintenant, sortez ! »

31. « Sortez de ma vue ! Sortez de ma vue ! »

32. « Voulez-vous lâcher ma porte ! Voulez-vous lâcher ma porte ! »

33. En argot, une « peur ».

34. Une « peur », une « alarme », en langage populaire (de l'ancien français « vener » ou « vesner », synonymes de « vesser »).

35. « Bon Dieu ! Il va falloir que je voie si tout ceci va durer toujours ! »

36. « Oh ! c'est une jolie fille ! »

37. « Encore !... Oh ! c'est dégoûtant ! »

38. Nom que l'on donnait à Paris à une mesure pour les liquides équivalant à 0l,25 (le « setier », du latin « sextarius », était une ancienne mesure de capacité qui variait suivant les régions et la matière mesurée).

39. « Acheter quelqu'un » signifie « s'en moquer », en langage populaire.

40. Autrefois, alcool de vin marquant 33 ° à l'alcoomètre Cartier. A l'époque de la pièce, alcool marquant 85 ° à 97 ° centigrades. Cette appellation venait de ce que trois parties d'alcool mélangées à un poids égal d'eau devaient fournir six parties d'eau de vie.

41. Une pièce de cinq francs, en argot.

42. « Quoi, quoi ? »

43. « Pourquoi ? Pourquoi ? »

44. Voici la traduction des répliques en espagnol à partir de ces derniers mots et jusqu'à la fin de la scène : « Ah ! qué tonto ! » (Ah ! Quel idiot !). « Raimunda creía tener motivo de dudar de la fidelidad de su marido. » (Raymonde croyait avoir une raison de douter de la fidélité de son mari). « Cómo ? » (Comment ?) « Entonces para probarlo decidió darle una cita galante... al la cual ella también asistiría. » (Alors, pour le mettre à l'épreuve, elle a décidé de lui donner un rendez-vous galant auquel elle assisterait.) « Pero, la carta, la carta ! » (Mais, la lettre ! la lettre !) « Eh ! la carta ! la carta ! espera, hombre ! » (Eh ! la lettre ! la lettre ! attends donc !) « Si ella hubiese escrito la carta a su marido, este hubiera reconocido su escritura ». (Si elle avait écrit la lettre à son mari, il aurait reconnu son écriture.) « Después ! Después ! (Après ! Après !). « Entonces ella me ha escargado de escribir en su lugar. » (Alors elle m'a chargé d'écrire à sa place). « No ! Es verdad ? Es verdad ? » (Non ! C'est vrai ? C'est vrai ?) « Es verdad lo que ella dice ? » (C'est vrai ce qu'elle dit ?) « Ah ! señora ! señora ! Cuando pienso que me he metido tantas ideas en la cabeza ! » (Ah ! Madame ! Madame ! Quand je pense que je me suis mis tant d'idées dans la tête !) Ah ! Qué estúpido ! Que estúpido soy ! (Ah ! que je suis stupide ! Que je suis stupide !) Ah ! No soy más que un bruto ! Un bruto ! Un bruto ! (Ah ! Je ne suis qu'un idiot ! Qu'un idiot ! Qu'un idiot !) Ah ! Querida ! Perdoname mis estupideces (Ah ! Chérie ! Par-

donne mes stupidités). Te perdono, pero no vuelvas a hacerlo ! (Je te pardonne mais ne recommence pas !) Ah ! querida mía ! Ah yo te quiero ! (Ah ! Ma chérie, ah ! Je t'aime !)

45. « Quoi ? Quoi ? »

P. 675

OCCUPE-TOI D'AMÉLIE

1. Le « gramophone » est un phonographe (voir plus haut *La Main passe,* note 1) dans lequel le cylindre enregistreur est remplacé par un disque ; ce disque est obtenu par la reproduction photogravée d'un disque original qui sert de matrice.

2. Enrico Caruso, célèbre ténor italien, né à Naples (1873-1921).

3. *Le Trouvère,* opéra italien en quatre actes, paroles de Salvatore Cammarano, musique de Verdi, créé à Rome en 1853 et, à Paris, le 23 décembre 1854, au Théâtre Italien (à l'Opéra, le 12 juin 1857).

4. Marie Ledan dite Delna, cantatrice française (1875-1932), débute à l'Opéra-Comique en 1892 et à l'Opéra en 1898, dans *Le Prophète* (voir plus loin, note 26).

5. Récit, fait par Théramène, de la mort d'Hippolyte dans la *Phèdre* de Racine (1677), à la scène 6 de l'acte V.

6. Eugène-Charles-Joseph Silvain (1851-1930), comédien, interprète du répertoire classique à la Comédie-Française.

7. Période militaire. Voir *Les Fiancés de Loches,* note 2 (tome premier).

8. Voir *La Main passe,* note 16.

9. L'enseignement de l'escrime dans l'armée était confié, dans chaque régiment, à un sous-officier dit « maître d'escrime » ou « maître d'armes » qui était assisté d'un caporal ou brigadier moniteur d'escrime ou « prévôt d'armes ».

10. En langage familier : « elle ne refuse pas d'agir ».

11. Voir plus haut *Le Bourgeon,* note 14.

12. Sur l'importance de cette somme, voir au tome premier, *La Lycéenne,* note 13.

13. Sur les allusions aux Russes venus en France, voir la *Notice* de la présente pièce.

14. Voir tome II, *La Duchesse des Folies-Bergère,* note 53.

15. Prince imaginaire d'un pays de fiction. Mais on remarquera que ce personnage porte le prénom du tsar de Russie.

16. Voir tome II, *Les Pavés de l'ours,* note 8. De même en ce qui concerne le mot « Gotferdom » que l'on rencontrera un peu plus loin.

17. Nom de plusieurs établissements existant à l'époque et bien connus des noctambules – de l'auteur notamment.

18. Situé 3 rue de Castiglione, avec façade sur le jardin des Tuileries. Aujourd'hui « Hôtel Intercontinental ».

19. Voir *La Puce à l'oreille,* note 34.

20. Ce terme n'appartient à aucune langue existante, pas plus d'ailleurs que tous ceux qui suivront dans le reste de la pièce, et qui, comportant des sonorités vaguement slaves, sont censés être de l'« orcanien ».

21. C'est une expression déjà utilisée au XVIIe siècle et qui signifiait « s'exercer en attendant de jouer pour de bon » ou « faire quelque chose de peu d'importance en attendant mieux ».

22. Le terrorisme avait beaucoup sévi en Russie notamment entre 1878 et 1881 et le Tsar Alexandre II en avait été la victime. Mais il y avait eu encore des attentats depuis, et notamment en 1904-1905.

23. Bal-music-hall fondé en 1904, 36 rue Victor Hugo (devenue rue Victor Massé), par un chef d'orchestre alors très populaire, Auguste Bosc. Le nom de l'établissement venait de ce qu'il était contigu aux « tréteaux de Tabarin », cabaret alors très en vogue. Tabarin, qui avait fonctionné jusqu'en 1953, fut détruit en 1966.

24. Journal quotidien fondé à Paris en 1884 par Alfred Edwards.

25. Feuille politique, littéraire et artistique fondée à Paris en 1892 par Fernand Xau.

26. Opéra en cinq actes, paroles de Scribe, musique de Meyerbeer, créé à l'Opéra en 1849.

27. Nom d'un satyre de l'époque, condamné pour plusieurs viols.

28. Le « Maneken-Pis, célèbre fontaine de Bruxelles, tire son nom d'une statuette de bronze, œuvre de Duquesnoy (1619), représentant un enfant lâchant un filet d'eau.

29. On discerne dans ces dernières lignes une vision toute cinématographique de la mise en scène.

30. Ce terme se dit d'une personne dont le bavardage importune (La « claquette » est une sorte de crécelle).

31. Ce « guillout » que l'on offre avec un « doigt de madère » désigne vraisemblablement une marque de biscuit aujourd'hui disparue.

32. Ou « godan ». Ce mot, d'origine inconnue, était apparu dans la langue à la fin du XVIIe siècle et signifiait « balivernes ». Il semble qu'il était déjà tombé en désuétude au moment où la présente pièce fut créée. L'auteur a peut-être voulu mettre dans la bouche du prince un français un peu archaïque parlé par les Russes de la société cultivée (voir plus haut, « peloter en attendant partie », note 21).

33. Président de la République de 1906 à 1913.

34. L'auteur se cite lui-même. Dans *Un Fil à la patte,* Bois d'Enghien avait forcé Bouzin à lui donner son pantalon en le menaçant d'un revolver (III, 7).

TABLE DES MATIÈRES

LA MAIN PASSE !

L'ÂGE D'OR

LE BOURGEON

LA PUCE A L'OREILLE

Occupe-toi d'Amélie

ACHEVÉ D'IMPRIMER
PAR L'IMPRIMERIE
TARDY QUERCY S.A.
A BOURGES
LE 15 SEPTEMBRE 1988

Numéro d'imprimeur : 14677
Dépôt légal : Octobre 1988

Printed in France